АНГЛО-РУССКИЙ
РУССКО-АНГЛИЙСКИЙ
СОВРЕМЕННЫЙ

СЛОВАРЬ

+

ГРАММАТИКА

БАО-ПРЕСС
РИПОЛ КЛАССИК
Москва
2004

ББК 81.432.1-48
А64

Составитель Сиротина Т. А.

А64 Англо-русский русско-английский современный словарь + грамматика. — Москва: ЗАО «БАО-ПРЕСС», 2004. — 992 с.
ISBN 589-886-010-X

Двуязычный словарь с увеличенным лексическим запасом составлен для тех, кто хочет глубоко изучить и в дальнейшем совершенствовать знание современного английского языка.

Содержит около 50 000 слов.

ББК 81.432.1-48

ISBN 589-886-010-X

АНГЛО-РУССКИЙ СЛОВАРЬ

АНГЛИЙСКИЙ АЛФАВИТ

Aa	Bb	Cc	Dd	Ee	Ff
Gg	Hh	Ii	Jj	Kk	Ll
Mm	Nn	Oo	Pp	Qq	Rr
Ss	Tt	Uu	Vv	Ww	Xx
		Yy	Zz		

УСЛОВНЫЕ СОКРАЩЕНИЯ

Русские

ав. — авиация
авт. — автомобильный
админ. — административный
анат. — анатомия
архит. — архитектура
биол. — биология
бот. — ботаника
воен. — военный
геогр. — география
геом. — геометрия
грам. — грамматика
зоол. — зоология
комм. — коммерческий
комп. — компьютерный
кулин. — кулинария
линг. — лингвистика
мат. — математика
мед. — медицина
мор. — морской
муз. — музыка
полит. — политика
презр. — презрительный
просвещ. — просвещение
психол. — психология
разг. — разговорный
рел. — религия
строит. — строительство
с.х. — сельско-хозяйственный
тел. — телевидение
тех. — техника
типогр. — типографский
физ. — физика
хим. — химия
шутл. — шутливый
экон. — экономика
электр. — электричество
юр. — юридический

Английские

a — имя прилагательное
adv — наречие
n — имя существительное
pl — множественное число
v — глагол

A

A, a [ei] *первая буква английского алфавита*
A [eı] *n* ля *муз.*
a [ei] *(полная форма),* [ə] *(редуцированная форма) грам. форма неопределённого артикля, употребляющаяся перед словами, начинающимися с согласного звука*
a. *abbr.* = **acre**
a/c *abbr комм.* текущий счет
A1 [ei'wʌn] **1.** *разг.* первоклассный; **2.** прекрасно
aback [ə'bæk]: **taken ~** смущённый; захваченный врасплох
abandon [ə'bændən] **1.** *n* непринуждённость **2.** *v* отказываться от; покидать; бросать: **~ oneself (to)** предаваться чему-л.; **~ed** [-d] заброшенный; покинутый; распутный; **~ment** оставление; заброшенность; *юр* отказ (от иска)
abase [ə'beis] понижать *(в чине и т. п.);* унижать; **~ment** унижение
abashed [ə'bæʃt] смущенный, сконфуженный; пристыженный
abate [ə'beit] уменьшать; сбавлять *(цену);* уменьшаться, ослабевать, стихать ✧ *юр.* аннулировать; **~ment** уменьшение; скидка; *юр.* аннулирование
abattoir ['æbətwa:] скотобойня
abbey ['æbı] аббатство
abb||ess ['æbıs] настоятельница монастыря; **~ ey** монастырь; **~ ot** ['æbət] аббат, настоятель
abbot ['æbət] аббат
abbreviate [ə'bri:vieıt] сокращать; **~ion** [əˌbri:vi'eiʃən] сокращение
ABC ['eıbı:'sı:] алфавит; основы; **the ~ of chemistry** основы химии; алфавитный железнодорожный указатель; *attr.:* **~ book** букварь
abdicat||e ['æbdıkeit] отрекаться *(от престола);* отказываться *(от прав и т. п.);* слагать полномочия; **~ion** [ˌæbdi'keiʃən] отречение
abdom||en ['æbdəmen] *анат.* живот, брюшная полость; **~inal** [æb'dəminl] брюшной
abduct [æb'dʌkt] уводить силой, похищать; **~ion** [-kʃən] похищение, увод
aberration [ˌæbə'reıʃən] уклонение от правильного пути; заблуждение; *физ.* аберрация
abet [ə'bet] подстрекать; содействовать *(обыкн. дурному);* **~ment** подстрекательство; **~tor** подстрекатель
abeyance [ə'beıəns] **be in ~** быть временно отменённым *(о законе, праве и т. п.)*
abhor [əb'hɔ:] питать отвращение; **~rence** [-'hɔrəns] отвращение
abhorrent [əb'hɔrənt] *adj* отвратительный
abide [ə'baıd] (abode) выносить, терпеть *(в отриц. и вопр. предложениях);* **he cannot ~ him** он его не выносит; *уст.* жить, пребывать; **~by** *(smth.)* твердо держаться, придерживаться *(чего-л.)*
abiding [ə'baıdıŋ] *adj* неослабевающий
ability [ə'bılıtı] способность; умение; **to the best of one's ~** по мере сил; *pl* одарённость
abject ['æbdʒekt] жалкий; презренный; ✧ **in ~ poverty** в крайней нищете
abjure [əb'dʒuə] отрекаться
ablative ['æbletıv] *грам.* творительный падеж
ablaze [ə'bleız] *predic* в огне ✧ **~ with anger** в ярости
able ['eıbl] способный; **be ~** быть в состоянии, мочь
able-bodied ['eıbl'bɔdıd] крепкий, здоровый; годный *(к военной службе);* **~ seaman** матрос *(звание)*
ablution [ə'blu:ʃən] *(обыкн. pl)* омовение
ably ['eıblı] умело
abnormal [æb'nɔ:məl] из ряда вон выходящий
abnormality [æbnɔ:'mælıtı] *n* ненормальность *f,* аномалия
aboard [ə'bɔ:d] **1.** *adv* на корабль; на поезд; **go ~ (a ship)** сесть на корабль **2.** *prep* на корабле; на поезде

A

abode I [əˈboud] *книжн.* жилище; местопребывание
abode II *past и p. p. от* **abide**
aboli||sh [əˈbɔlɪʃ] отменять, упразднять, уничтожать;
~tion [ˌæbəˈliʃən] отмена, упразднение, уничтожение
A-bomb [ˈeɪbɔm] атомная бомба
abominably [əˈbɔmɪnəblɪ] *adv* отвратительно
abomina||ble [əˈbɔmɪnəbl] отвратительный, противный; **~tion** [əˌbɔmineiʃən] отвращение
aboriginal [ˌæbəˈrɪdʒənl] **1.** *a* исконный; туземный **2.** *n* туземец
abort [əˈbɔːt] *vt* прекращать; *компьют.* прерывать; *мед.* **to ~ a baby** делать аборт
abortion [əˈbɔːʃən] *n мед.* аборт; **to have an ~** делать аборт
abortionist [əˈbɔːʃənɪst] *n* человек, делающий подпольные аборты
abortive [əˈbɔːtɪv] *adj* неудачный (неудачно)
abound [əˈbaund] изобиловать *(in)*; кишеть *(with)*
about [əˈbaut] **1.** *prep (в отношении места)* вокруг, по; при; около; **they crowded ~ the old man** они столпились вокруг старика; **run ~ the garden** бегать по саду; о, относительно; **he was much troubled ~ his work** он очень беспокоился о своей работе; **there is no doubt whatever ~ that** в этом нет никакого сомнения; **I'll see ~ it** я позабочусь об этом **2.** *adv (в отношении времени)* около; **~ for fifteen minutes** около пятнадцати минут; **he is ~ thirty** ему около тридцати лет; *(перед значением меры и числа)* около; почти; **we walked ~ a mile** мы прошли около мили; **he got ~ fifteen roubles** он получил около пятнадцати рублей; *(в отношении места)* вокруг, около, при; **he must be somewhere ~** он должен быть где-то здесь ◊ **be ~ to** собираться; **I was ~ to ask you that** я собирался спросить вас об этом; **he is ~ to go** он собирается уходить; **just the other way ~** как раз наоборот; **rumours are ~** ходят слухи
above [əˈbʌv] **1.** *prep* над; выше, свыше; **the sun rose ~ the mountain tops** солнце поднялось над вершинами гор; **it was five degrees ~ freezing-point** было пять градусов выше нуля; **~ criticism** выше критики; *(при обозначении меры и числа)* более; свыше; **~ 300 persons perished** свыше трёхсот человек погибло ◊ **~ all** прежде всего **2.** *adv* наверху; наверх; ранее, до; **as ~** как выше сказано
abrasion [əˈbreɪʒən] ссадина; снашивание
abrasive [əˈbreɪsɪv] наждачная бумага, шлифовальный материал
abreast [əˈbrest] в ряд; **keep ~ of** *или* **be ~ with the times** идти в ногу с жизнью
abridge [əˈbrɪdʒ] сокращать; **~ment** сокращение
abroad [əˈbrɔːd] за границей; за границу; широко, повсюду; **there are rumours ~** ходят слухи
abrogation [ˈæbrouˈgeiʃən] отмена *(закона и т. п.)*
abrupt [əˈbrʌpt] внезапный; обрывистый, крутой; резкий; отрывистый; **~ness** крутизна; резкость; отрывистость
abruptly [əˈbrʌptlɪ] *adv* внезапно; резко
abscess [ˈæbsɪs] нарыв
abscond [əbˈskɔnd] скрыться *(украв что-л.)*
abseil [ˈæbseɪl] *vi* спускаться *(при помощи каната)*
absence [ˈæbsəns] *n* отсутствие; **in the ~ of** в отсутствие; при отсутствии; **~ without leave** *воен.* самовольная отлучка
absent 1. *a* [ˈæbsənt] отсутствующий; **be ~** отсутствовать; рассеянный **2.** *v* [æbˈsent] **~ oneself (from)** уклоняться (от)
absentee [ˌæbsənˈtiː] отсутствующий; прогулявший *(работу и т. п.)*; **~ism** прогул
absently [ˈæbsəntlɪ] рассеянно
absent-minded [ˈæbsənt-ˈmaɪndɪd] рас-

сеянный: **~ness** рассеянность
absent-mindedness [ˈæbsəntˈmaındıdnıs] *n* рассеянность
absolute [ˈæbsəlu:t] абсолютный, безусловный; неограниченный
absolutely [ˈæbsəlu:tlı] совершенно, абсолютно
absolution [ˌæbsəˈlu:ʃən] прощение
absolve [əbˈzɔlv] *(from)* прощать; освобождать *(от обязательств)*
absorb [əbˈzɔ:b] всасывать, поглощать *(тж. перен.)*; **~ed in thought** погруженный в мысли; **~ent** [-ənt] всасывающий; **~ing** увлекательный, захватывающий
absorbing [əbˈzɔ:bıŋ] *adj* увлекательный *(фильм)*
absorption [əbˈsɔ:pʃən] поглощение; погруженность *(в мысли, заботы)*
abstain [əbˈsteın] воздерживаться *(from)*; **total ~er трезвенник**
abstemious [æbˈstı:mjəs] умеренный *(в пище, питье)*
abstention [æbˈstenʃən] воздержание ✧ **~ from oting** отказ от голосования
abstinence [ˈæbstınəns] воздержание
abstract 1. *a* [ˈæbstrækt] отвлеченный, абстрактный **2.** *n* [ˈæbstrækt] резюме; извлечение *(из книги и т. п.)*; отвлечённое понятие; абстракция; **in the ~** абстрактно **3.** *v* [æbˈstrækt] отнимать; абстрагировать; *разг.* красть; **~ed** [æbˈstræktid] отдаленный; рассеянный; **~ion** [æbˈstrækʃən] отвлечение; абстракция; рассеянность
abstruse [æbˈstru:s] трудный для понимания; глубокий *(о мыслях)*
absurd [əbsə:d] нелепый; абсурдный; **~ity** [-iti] нелепость; абсурдность
abund||ance [əˈbʌndəns] изобилие; **~ant** [-ənt] обильный, изобилующий *(чем-л.)*
abus||e 1. *n* [əˈbju:s] злоупотребление; оскорбление **2.** *v* [əˈbju:z] злоупотреблять; оскорблять; **~ive** [əˈbju:siv] оскорбительный; **~ive language** брань, ругань
abuser [əˈbju:zəˈ] *n* **drug ~** наркоман; **child ~** человек, подвергающий детей физическому или сексуальному насилию
abusive [əˈbju:sıv] *adj* грубый; **~ language** брань
abut [əˈbʌt] *(on)* примыкать к; граничить с
abysmal [əˈbızməl] *adj* плачевный; вопиющий
abysmally [əˈbızməlı] *adv* плачевно; вопиюще
abyss [əˈbıs] *n* пропасть
acacia [əˈkeiʃə] акация
academic [ˌækəˈdemık] ученый; академический; **~al** [-əl] университетский; **~ian** [əˌkædəˈmıʃən] академик
academic year *n* учебный год *(в школе)*; академический год *(в вузе)*
academy [ə:ˈkædəmı] *n* академия; училище; *(в Шотландии)* средняя школа; **~ of music** консерватория; **military/naval ~** военная/военно-морская академия
accede [ækˈsı:d] соглашаться *(с-to)* присоединиться, вступить *(в союз и т. п.)*
accelerate [ækˈseləreıt] *vt* ускорять ✧ разгоняться
acceleration [ækˈseləˈreıʃən] *n* ускорение; разгон
accelerator [ækˈseləreıtə] *n* акселератор
accent 1. *n* [ˈæksənt] ударение; произношение; акцент **2.** *v* [ækˈsent] делать *или* ставить ударение; **~uate** [ækˈsentjueit] делать ударение; подчеркивать, выделять
accented [ækˈsentıd] *adj* с акцентом; **heavily ~** с сильным акцентом
accentuate [ækˈsentjueıt] *vt* акцентировать, проставлять ударение на; подчеркивать
accept [əkˈsept] *vt* принимать; мириться (примириться) с; принимать на себя
acceptable [əkˈseptəbl] *adj* приемлемый
acceptance [əkˈseptəns] *n* принятие; приятие; **to meet with general ~** находить всеобщее одобрение
access [ˈækses] *n* доступ; *компьют.* использовать доступ к; обращаться к; **to have ~ to** иметь воз-

A

можность общения с; **the burglars gained ~ through a window** взломщики проникли через окно
accessible [æk'sesəbl] *adj* доступный
accession [æk'seʃen] *n* приход к власти; вступление на престол; поступление
accessory [æk'sesərı] *n* принадлежность; **~ to** соучастник; **accessories** аксессуары; **toilet accessories** туалетные принадлежности
access road подъездной путь
access time время доступа
accident ['æksıdənt] *n* случайность; несчастный случай, авария; **to meet with or to have an ~** попадать в аварию или катастрофу; **he had an ~** с ним произошел несчастный случай; **by ~** нечаянно; случайно
accidental [,æksı'dentl] *adj* случайный
accidentally [,æksi'dentəlı] *adv* случайно, неожиданно
accident insurance *n* страхование от несчастных случаев
accident-prone ['æksıdənt'prəun] *adj* невезучий; **he is ~** его преследуют несчастья
acclaim [ə'kleım] **1.** *v* шумно приветствовать; провозглашать **2.** *n* шумное одобрение
acclamation ['æklə'meıʃən] (шумное) одобрение; *pl* овация; **carried by ~** принято единодушно *(без голосования)*
acclimatize [ə'klaımətaız] *v* **to become ~d (to)** акклиматизироваться, осваиваться, привыкать
acclivity [ə'klıvıtı] пологий подъём *(дороги)*
accolade ['ækəleıd] *n* почесть
accommodate [ə'kɔmədeıt] *v* предоставлять *(жилье);* вмещать; оказывать услугу; **to ~ one's plans to** приспосабливать свои планы
accommodating [ə'kɔmədeıtıŋ] *adj* услужливый
accommodation [,əkɔmə'deıʃən] *n* жилье, помещение; **"accommodation to let"** "сдается жилье"; **they have ~ for 500** они могут разместить 500 человек; **the hall has seating ~ for 600** зал расчитан на 600 мест; **do you have any ~?** вам есть где жить?;
accompaniment [ə'kʌmpənımənt] *n* сопровождение; *муз.* аккомпанемент
accompanist [ə'kʌmpənıst] *n* аккомпаниатор
accompany [ə'kʌmpənı] *v* сопровождать; *муз.* аккомпанировать
accomplice [ə'kɔmplıs] *n* соучастник, сообщник
accomplish [ə'kɔmplıʃ] *v* завершать, достигать
accomplished [ə'kɔmplıʃt] *adj* талантливый; совершенный
accomplishment [ə'kɔmplıʃmənt] *n* завершение; достижение; умение
accord [ə'kɔ:d] *n* соглашение ✧ *v* оказывать; **of one's own ~** по собственному желанию; **of its own ~** сам по себе; **with one ~** единодушно; как по команде; **he and I are in ~ on this issue** мы с ним в согласии на этот счет
accordance [ə'kɔ:dəns] *n* **in ~ with** в согласии (соответствии) с
according [ə'kɔ:dıŋ] *prep* **~ to** согласно; **~ to plan** по плану
accordingly [ə'kɔ:diŋlı] *adv* соответствующим образом; соответственно
accordion [ə'kɔ:dıən] *n* аккордион
accost [ə'kɔst] обратиться *(к кому-л.);* подойти и заговорить *(с кем-л.);* приставать *(к кому-л.)*
account [ə'kaunt] *n* счет; **monthly account** ежемесячный счет; (расчетный) счет; отчет; **~s** *комм.* счета; **~ books** бухгалтерские книги; **"account payee only"** "подлежит уплате только на счет получателя"; **to keep an ~ of** вести счет; **to bring sb to ~ for sth** призвать кого-н к ответу за что-н; **by all ~s** по всем сведениям; **of no ~** не важно; **on ~** в кредит; **to pay $5 on ~** заплатить $5 в задаток; **on no ~** ни в коем случае; **on ~ of** по причине; **to take into ~, take ~ of** принимать в расчет

A

accountability [ə'kauntə'bɪlɪtɪ] *n* отчетность
accountable [ə'kauntəbl] *adj* подотчетный; **to be ~ to sb for sth** отвечать за что-н перед кем-н
accountancy [ə'kauntənsɪ] *n* бухгалтерия
accountant [ə'kauntənt] *n* бухгалтер
account executive *n* делопроизводитель
account for отчитываться за; объяснять; составлять; **all the children were ~ed for** все дети были на месте; **four people are still not ~ed** не досчитались четверых
accounting [ə'kauntɪŋ] *n* бухгалтерское дело
accounting period *n* отчетный период
account number *n* номер счета
account payable *n* счет кредиторов *(в балансе)*
account receivable *n* счет дебиторов *(в балансе)*
accredit [ə'kredɪt] уполномачивать; аккредитовать *(посла);* приписывать *(кому-л. что-л.)*
accretion [æ'kri:ʃən] прирост; *геол.* нанос земли
accrue [ə'kru:] накаляться; нарастать *(особ. о процентах);* происходить
accrued charges наросшие проценты
accumulate [ə'kju:mjuleɪt] *v* накапливать; ◇ накапливаться
accumulation [əkju:mju'leɪʃən] *n* накопление
accur||acy ['ækjurəsɪ] точность, правильность; **~ate** [-ɪt] точный, правильный; меткий
accurately ['ækjurɪtlɪ] *adv* точно; метко
accursed [ə'kə:sd] проклятый
accusation [ˌækju:zeɪʃən] обвинение
accusative [ə'kju:zətɪv] *грам.* винительный падеж
accuse [ə'kju:z] обвинять
accused [ə'kju:zd] *n* обвиняемый
accuser [ə'kju:zə] *n* обвинитель
accusing [ə'kju:ziŋ] *adj* обвиняющий
accustom [ə'kʌstəm] приучать *(to);* **be ~ed** *(или* **~ oneself)** привыкнуть; **~ed** [-d] привычный, обычный
accustomed [ə'kʌstəmd] *adj* привычный; **I'm ~ working late** я привык работать поздно
ace [eɪs] *карт.* туз; ас ◇ **within an ~ of** на волосок от
acerbic [ə'sə:bɪk] *adj* едкий, терпкий
acerbity [ə'sə:bɪtɪ] терпкость
acetate ['æsɪtɪt] *n* ацетат
acet||ic [ə'si:tɪk] уксусный; **~ ify** [ə'setɪfaɪ] окислять(ся)
ache [eɪk] *n* боль *f* ◇ *vi* болеть **to ~ to do** томиться желанием; **I've got stomach ~** *or* **a stomach ~** у меня болит живот; **I'm aching all over** у меня все тело ноет; **my head ~s** у меня болит голова
achieve [ə'tʃi:v] *vt* достигать; добиваться
achievement [ə'tʃi:vmənt] *n* достижение
Achilles heel [ə'kɪli:z-] *n* Ахиллесова пята
acid ['æsɪd] *adj хим.* кислотный; кислый ◇ *n хим.* кислота; ЛСД *(наркотик)*
acid house *adj* асид хаус *(стиль поп-музыки)*
acidic [ə'sɪdɪk] *adj* кислый
acidity [ə'sɪdɪtɪ] *n* кислотность *f*
acid rain *n* кислотный дождь
acid test *n* пробный камень
acknowledge [ək'nɔlɪdʒ] *vt* подтверждать получение; признавать
acknowledgement [ək'nɔlɪdʒmənt] *n* подтверждение получения; **~s** выражение благодарности *(в предисловии книги)*
acme ['ækmɪ] высшая точка; кризис
acne ['æknɪ] *n* угорь; прыщ
acorn ['eɪkɔ:n] *n* желудь
acoustic [ə'ku:stɪk] *adj* акустический
acoustic coupler *n комп.* акустический соединитель
acoustics [ə'ku:stɪks] *n* акустика
acquaint [ə'kweɪnt] *vt:* **to ~ sb with sth** ознакомить кого-н с чем-н; **I am ~ed with** я знаком с
acquaintance [ə'kweɪntəns] *n* знакомый; знакомство; **to make sb's ~** познакомиться с кем-н
acquiesce [ˌækw'ɪes] молча или нео-

A

хотно соглашаться; ~ **ment** [-mənt] молчаливое или неохотное согласие
acquire [ə'kwaɪə] *vt* приобретать
acquired [ə'kwaɪəd] *adj* приобретенный; **it's an ~ taste** к этому надо привыкнуть
acquisition [,ækwɪ'zɪʃən] *n* приобретение
acquisitive [ə'kwɪzɪtɪv] *adj* приобретательский
acquit [ə'kwɪt] *n* оправдывать **to ~ oneself well** хорошо проявить себя
acquittal [ə'kwɪtl] *n* оправдание
acre ['eɪkə] *n* акр
acreage ['eɪkərɪdʒ] *n* площадь в акрах
acrid ['ækrid] едкий *(о запахе);* острый *(на вкус);* резкий *(о характере)*
acrimonious [,ækrɪ'məunjəs] язвительный
acrimony ['ækrɪmənɪ] язвительность
acrobat ['ækrəbæt] акробат; **~ics** [,ækrə'bætɪks] акробатика
acronym ['ækrənɪm] *n* буквенная аббревиатура
Acropolis [ə'krɔpəlɪs] *n:* **the ~** Акрополь
across [ə'krɔs] *prep* через; на другой стороне ✧ на ту *или* другую сторону; шириной; **to walk ~ the road** переходить дорогу; **to take sb ~ the road** переводить кого-н через дорогу; **a road ~ the wood** дорога через лес; **the lake is 12 km ~** ширина озера — 12 км; **~ from** напротив; **to get sth ~ (to sb)** втолковывать что-н (кому-н)
acrylic [ə'krɪlɪk] *adj* акриловый ✧ *n* акрил; **~s** акриловые краски
act ['ækt] **1.** *n* дело, поступок; *театр.* действие, акт; акт, закон **2.** поступать, вести себя; **~ as an interpreter** выступать в качестве переводчика; играть *(на сцене)* ✧ **~ the fool** валять дурака; **~ing 1.** *а* действующий; временно исполняющий обязанности **2.** *n* игра *(актера)*
acting ['æktɪŋ] *adj* **~ manager/director** исполняющий обязанности управляющего/директора ✧ *n* актерская профессия
action ['ækʃən] *n* действие; движение; *воен.* военные действия
action replay *n тел.* повторение кадра *(часто замедленное)*
activate ['æktɪveɪt] *vt* приводить в действие *(механизм); хим.* активировать; *физ.* делать радиоактивным
active ['æktɪv] *adj* активный; действующий *(вулкан);* **to play an ~ part in** играть активную роль в
active duty *n воен.* действительная военная служба
actively ['æktɪvlɪ] *adv* активно; сильно
active partner *n комм. главный партнер с ограниченной (имущественной) ответственностью*
active service *n Brit.* участие в боевых действиях
active suspension *n автоматическая система амортизации гоночного автомобиля, реагирующая на качество поверхности*
activist ['æktɪvɪst] *n* активист
activity [æk'tɪvɪtɪ] *n* активность; деятельность; занятие
actor ['æktə] *n* актер
actress ['æktrɪs] *n* актриса
actual ['æktjuəl] *adj* действительный; **the ~ work hasn't begun yet** сама работа еще не началась
actually ['æktjuəlɪ] *adj* действительно; фактически, на самом деле; даже
actuary ['æktjuərɪ] *n комм.* актуарий
actuate ['æktjueɪt] *vt* приводить в действие
acuity [ə'kju:ɪtɪ] *n* острота
acumen [ə'kju:mən] проницательность; сообразительность
acupuncture ['ækju'pʌŋktʃə] *n* иглоукалывание, акупунктура
acute [ə'kju:t] *adj* острый; сильный; проницательный; **~ accent** акут
adage ['ædɪdʒ] *n* поговорка *(старинная)*
Adam's apple ['ædəmz-] *n* адамово яблоко, кадык
adamant ['ædəmənt] *adj* непреклонный

adapt [ə'dæpt] *vt* приспосабливать ✧ *vt* **to ~ (to)** приспосабливаться (к); адаптироваться
adaptability [əˌdæptə'bɪlɪtɪ] *n* приспособляемость
adaptable [ə'dæptəbl] *adj* приспособляемый; легко приспосабливающийся
adaptation [ˌædæp'teɪʃən] *n* переложение; приспособление
adapter [ə'dæptə] *n* адаптер, переходник
add [æd] *vt* прибавлять; добавлять; складывать; суммировать ✧ *vi:* **to ~ to** увеличивать
addendum [ə'dendəm] *n* приложение
adder ['ædə] *n* гадюка
addict ['ædɪkt] *n* наркоман; фанатик
addicted [ə'dɪktɪd] *adj* **to be ~ to** пристраститься к; **he's ~ to football** он заядлый любитель футбола
addiction [ə'dɪkʃən] *n* пристрастие; **drug ~** наркомания
addictive [ə'dɪktɪv] *adj* вызывающий привыкание, захватывающий
adding machine ['ædɪŋ-] *n* счетная машина
Addis Ababa ['ædɪs'æbəbə] *n геогр.* Аддис-Абеба
addition [ə'dɪʃən] *n мат.* сложение; добавление; пополнение; **in ~** вдобавок; **in ~ to** в дополнение к
additional [ə'dɪʃənl] *adj* дополнительный
additive ['ædɪtɪv] *n* добавка
addled ['ædld] *adj* тухлый; **his brain is ~** он сбит с толку
add on *vt* **~ on (to)** прибавлять к
address [ə'dres] *n* адрес; речь ✧ *vt* адресовать; обращаться к;**form of ~** форма обращения; **absolute/relative ~** *компьют.* абсолютный/относительный адрес; **to ~ o.s. to** обращаться к
address book *n* записная книжка
addressee [ˌædre'si:] *n* адресат
adduce [ə'dju:s] представлять; приводить *(доказательство)*
add up *vt* складываться в ✧ *vi:* **it doesn't ~ up** концы не сходятся; **it doesn't ~ up to much** это не впечатляет
adenoids ['ædɪnɔɪdz] *npl* аденоиды
adept ['ædept] **1.** *a* ведущий; способный, ловкий **2.** *n* знаток; эксперт
adequacy ['ædɪkwəsɪ] соразмерность; соответствие; достаточность
adequate ['ædɪkwɪt] отвечающий требованиям; адекватный; достаточный
adhere [əd'hɪə'] *vi:* **to ~ to** прилипать к; придерживаться
adhesion [əd'hi:ʒən] *n* прилипание; приверженность
adhesive [əd'hi:sɪv] *adj* клейкий ✧ *n* клей
adhesive tape *n* клейкая лента; лейкопластырь
ad hoc ['æd'hɔk] *adj* моментальный; созданный на месте ✧ *adv* тут же
adieu [ə'dju:] **1.** *int* прощай(те) **2.** *n* прощание
adipose ['ædɪpous] жировой; жирный
adjacent [ə'dʒeɪsənt] *adj* **~ (to)** смежный (с)
adjective ['ædʒektɪv] *n* прилагательное
adjoining [ə'dʒɔɪnɪŋ] *adj* смежный
adjourn [ə'dʒə:n] *vt* откладывать ✧ *vi* **the meeting ~ed** собрание было отложено; **to ~ a meeting till the following week** отложить заседание до следующей недели; **they ~ed to the restaurant** они перебрались в ресторан
adjournment [ə'dʒə:nmənt] *n* перерыв
adjudicate [ə'dʒu:dɪkeɪt] *vt* рассматривать; судить
adjudication [əˌdʒu:dɪ'keɪʃən] *n* решение суда
adjudicator [ə'dju:dɪkeɪtə] *n* судья
adjunct ['ædʒʌŋkt] приложение
adjure [ə'dʒuə] молить, заклинать
adjust [ə'dʒʌst] *vt* приспосабливать; поправлять; регулировать ✧ *vi* **to ~ (to)** приспосабливаться (к)
adjustable [ə'dʒʌstəbl] *adj* регулируемый
adjustment [ə'dʒʌstmənt] *n* адаптация; регулирование; **to make ~s to** вносить изменения в
adjutant ['ædʒutənt] *n* адъютант
ad-lib [æd'lɪb] *vti* импровизировать

A

✧ *adv* **ad lib** экспромтом
adman [ˈædmæn] *n* рекламист
administer [ədˈmɪnɪstəˈ] *vt* управлять, руководить; отправлять; проводить *(тесты);* вводить
administration [əd,mɪnɪsˈtreɪʃn] *n* администрация; **the A~** правительство; **the Clinton A~** администрация Клинтона
administrative [ədˈmɪnɪstrətɪv] *adj* административный
administrator [ədˈmɪnɪstreitə] *n* администратор
admirable [ˈædmərəbl] *adj* восхитительный; замечательный
admiral [ˈædmərəl] *n* адмирал
Admiralty [ˈædmərəltɪ] *n* **the ~** (*also:* **the ~ Board**) = адмиралтейство *(военно-морское ведомство)*
admiration [ædməˈreɪʃən] *n* восхищение; **I have great ~ for her** она вызывает у меня большое восхищение
admire [ədˈmaɪəˈ] *vt* восхищаться; любоваться
admirer [ədˈmaɪərəˈ] *n* поклонник
admiring [ədˈmaɪərɪŋ] *adj* восхищенный, восторженный
admissible [ədˈmɪsəbl] *adj* приемлемый, допустимый; **it is ~ evidence** это может быть принято в качестве доказательства
admission [ədˈmɪʃən] *n* допуск; входная плата; признание; **to gain ~ to** получить допуск на; **"admission free"**, **"free ~"** "вход свободный"; **by his own ~** по его собственному признанию
admit [ədˈmɪt] *vt* признавать; впускать; принимать *(в клуб);* госпитализировать; **"children not ~ted"** детям вход воспрещен; **this ticket ~s two** этот билет на два лица
admittance [ədˈmɪtəns] *n* допуск; **no ~** вход воспрещен
admittedly [ədˈmɪtɪdlɪ] *adv* **~ it is not easy** признаться, это не легко
admixture [ədˈmɪkstʃə] примесь
admonish [ədˈmɔnɪʃ] *vt* делать внушение; делать предупреждение
ad nauseam [ˈædˈnɔːsɪæm] *adv* бесконечно
ado [əˈduː] суета; хлопоты
adolesc||ence [ˌædəuˈlesns] юность; **~ent** [-nt] **1.** *n* юноша **2.** *a* юношеский
adopt [əˈdɔpt] усыновлять; принимать; усваивать; *лингв.* заимствовать; **~ion** [əˈdɔpʃən] усыновление; принятие; *лингв.* заимствование; **~ive** [-ɪv] приёмный
adora||ble [əˈdɔːrəbl] обожаемый; восхитительный; **~tion** [ˌædɔːreɪʃən] обожание; поклонение
adore [əˈdɔː] обожать, очень любить; *высок.* поклоняться
adorn [əˈdɔːn] *vt* украшать
adornment [əˈdɔːnmənt] *n* украшение
adrenalin [əˈdrenəlɪn] *n* адреналин; **to get the ~ going** давать заряд энергии
adrift [əˈdrɪft] *adj мор.* **to be ~** дрейфовать; плыть по течению; **to go ~** расстраиваться; **to come ~** лечь в дрейф; расслабляться
adroit [əˈdrɔɪt] *adj* ловкий
adroitly [əˈdrɔɪtlɪ] *adv* ловко
adulat||ion [ˌædjuˈleɪʃən] лесть; **~ory** [ˈædjuleɪterɪ] льстивый
adult [ˈædʌlt] взрослый, совершеннолетний
adult education *n* образование для взрослых
adulterate [əˈdʌltərɪt] *vt* портить *(добавками);* разбавлять
adulterer [əˈdʌltərə] *n* неверный муж
adulteress [eˈdʌltərɪs] *n* неверная жена
adultery [əˈdʌltərɪ] *n* супружеская неверность
adulthood [ˈædʌlthud] *n* зрелый возраст
advance [ədˈvɑːns] *n* успех; *воен.* наступление; продвижение; аванс ✧ *adj* предварительный ✧ *vt* выдвигать *(теорию)* ✧ *vi* продвигаться вперед; *воен.* наступать; **in ~** предварительно, заранее; **to make ~s (to sb)** заигрывать (с кем-н); **to give sb ~ notice** *or* **~ warning (of sth)** предупреждать кого-н заранее (о чем-н); **to ~ sb money** платить кому-н авансом; **we ~d 20 km** мы продвинулись на 20 км
advanced [ədˈvɑːnst] *adj* для продви-

нутого уровня; развитой *(о стране);* прогрессивный; **~ maths** высшая математика; **a man of ~ years** *or* **~ in years** человек преклонного возраста
advancement [əd'vɑ:nsmənt] *n* прогресс; продвижение (по службе)
advancing [əd'vɑ:nsɪŋ] *adj* надвигающийся
advantage [əd'vɑ:ntɪdʒ] *n* преимущество; *теннис.* "больше"; **to take ~ of** использовать; злоупотреблять; воспользоваться; **to our ~** в наших интересах; **to turn sth to one's ~** обращать что-н в свою пользу
advantageous [,ædvə'teɪdʒəs] выгодный; благоприятный
adversary [,ædvə'sərɪ] противник; соперник; **~e** ['ædvə:s] ◇ враждебный; **~ ity** [əd'və:sɪtɪ] бедствие, несчастье
advent ['ædvənt] приход; наступление
adventitious [,ædvən'tɪʃəs] случайный
adventur||e [əd'ventʃə] **1.** *n* приключение; авантюра **2.** *v* рисковать; **~ous** [-rəs] смелый; отважный; предприимчивый
adverb ['ædvə:b] *грам.* наречие; **~ially** [əd'və:bjəlɪ] *грам.* в функции обстоятельства; в качестве наречия
adversarial [,ædvə'seərɪəl] *adj* противоборствующий
advers||e ['ædvə:s] враждебный; противоположный; неблагоприятный; **~ity** [əd'və:sɪtɪ] несчастье; напасти
advertise ['ædvətaɪz] *vti* рекламировать; **to ~ on television/in newspaper** давать объявление по телевидению/в газету; **to ~ a job** объявлять конкурс на место; **to ~ for accommodation** давать объявление, что требуется жилье
advertisement [əd'və:tɪsmənt] *n* реклама; объявление
advertiser ['ædvətaɪzə'] *n* рекламист; рекламодатель
advertising agency *n* рекламное агентство
advertising campaign *n* рекламная кампания
advice [əd'vaɪs] *n* совет; уведомление, извещение; **a piece of ~** совет; **to ask sb for ~** советоваться с кем-н; обращаться (за советом) к кому-н; **to take legal ~** обращаться (за советом) к юристу
advice note *n* извещение
advisable [əd'vaɪzəbl] (благо)разумный
advis||e [əd'vaɪz] советовать; уведомлять; **~edly** [-ɪdlɪ] намеренно; **~ory** [-ərɪ] совещательный, консультативный
advisedly [əd'vaɪzɪdlɪ] *adv* намеренно
adviser [əd'vaɪzə] *n* советник, консультант; **legal ~** юрисконсульт
advisory [əd'vaɪzərɪ] *adj* консультативный; **in an ~ capacity** в качестве советника *or* консультанта
advocacy ['ædvəkəsɪ] защита
advocate 1. *n* ['ædvəkɪt] защитник; сторонник **2.** *v* ['ædvəkeɪt] защищать; проповедовать
aegis ['i:dʒɪs]: **under the ~ of** под эгидой, под покровительством
aeon ['i:ən] *n* **for ~s** целую вечность
aerate ['eɪəreɪt] газировать
aerial ['eərɪəl] **1.** *a* воздушный; **~ survey** наблюдение с воздуха; **~ warfare** воздушная война **2.** *n* антенна
aerobatics [,eərəu'bætɪks] высший пилотаж, фигурные полёты
aerobics [eə'rəubɪks] *n* аэробика
aerodrome ['eərədroum] *n* аэродром
aerodynamic ['eerəudaɪ'næmɪk] *adj* аэродинамический
aeronautics [eərə'nɔ:tɪks] *n* аэронавтика
aeroplane [eərəpleɪn] *n* самолет
aerosol ['eərəsoul] *n* аэрозоль
aerospace indastry ['eerəuspeɪs-] *n* аэрокосмическая промышленность
aesthete ['i:sθi:t] эстет
aesthetic [i:sθetɪk] эстетический; **~s** [-s] эстетика
afar [ə'fɑ:] *adv.* вдалеке, вдали; **from ~** издалека

A

affable [ˈæfəbl] *adj* добродушный; доброжелательный
affair [əˈfeəˈ] *n* дело; роман; ~**s** дела
affect [əˈfekt] *vt* действовать на, влиять на; поражать; трогать; касаться; **to ~ an American accent** говорить с деланным американским акцентом
affectation [ˌæfekˈteɪʃən] притворство, аффектация
affected [əˈfektɪd] деланный, неискренний; **with ~ indifference** с напускным равнодушием; **~ manners** жеманные манеры; поражённые *болезнью*
affection [əˈfekʃən] любовь; болезнь; **~ate** [ɪt] любящий, нежный
affiance [əˈfaɪəns]: **be ~d to** быть обрученным
affidavit [ˌæfiˈdeɪvɪt] письменное показание под присягой
affiliat||e [əˈfilɪt] присоединять; **~ion** [əˌfiliˈeɪʃən] присоединение
affinity [əˈfinɪtɪ] родственность; сходство; близость; влечение; *хим.* сродство
affirm [əˈfə:m] *vt* утверждать
affirmation [ˌæfə:ˈmeɪʃən] *n* подтверждение; утверждение
affirmative [əˈfə:mətɪv] *adj* утвердительный ✧ *n* **in the ~** утвердительно
affix [əˈfiks] *vt* прикреплять
afflict [əˈflɪkt] огорчать; поражать *(о болезни)*
affliction [əˈflɪkʃən] *n* несчастье
affluence [ˈæfluəns] *n* благосостояние
affluent [ˈæfluənt] *adj* благополучный; **the ~ society** общество благосостояния
afford [əˈfɔ:d] *vt* позволить себе; предоставлять; **I can't ~ it** мне это не по карману; **can we ~ a car?** мы можем себе позволить купить машину?; **I can't ~ the time** мне время не позволяет
affordable [əˈfɔ:dəbl] *adj* доступный по цене
afforest [æˈfɔrɪst] засадить лесом; **~ation** [æˌfɔrɪsˈteɪʃən] облесение, лесонасаждение
affray [əˈfreɪ] *n* драка в общественном месте
affront [əˈfrʌnt] *n* оскорбление
affronted [əˈfrʌntɪd] *adj* оскорбленный
Afghan [ˈæfgæn] *adj* афганский ✧ *n* афганец
Afghanistan [æfˈgænɪstæn] *n* Афганистан
afield [əˈfi:ld] *adv* вдалеке; в поле; на войне
aflame [əˈfleɪm] *predic* в огне
afloat [əˈflout] *predic* на воде, на поверхности; **get a ship ~** снимать корабль с мели; в ходу; в разгаре
afoot [əˈfut] *predic* пешком ✧ **be ~** затеваться, готовиться
aforementioned [əˈfɔ:ˌmenʃənd] *adj* вышеупомянутый
aforesaid [əˈfɔ:sed] *adj* вышеупомянутый
afraid [əˈfreɪd] *adj* испуганный; **to be ~ of sth/sb** бояться чего-н/кого-н; **to be ~ to** бояться; **I am ~ that** боюсь, что; **I am ~ that I'll be late** боюсь, что я опоздаю; **I am ~ so/not** боюсь, что да/нет
afresh [əˈfreʃ] снова, заново
African [ˈæfrɪkən] **1.** *a* африканский **2.** *n* африканец
aft [ɑ:ft] *мор.* на корме; за кормой
after [ˈɑ:ftə] **1.** *cj* после того как **2.** *(в отношении места)* за, позади; **she entered ~ him** она вошла за ним; *(в отношении времени)* после, спустя; **~ dinner** после обеда; **the day ~ tomorrow** после завтра; по, согласно; **~ the same pattern** по тому же образцу; **a drawing ~ Gainsborough** рисунок в стиле Гейнсборо; **she takes ~ her mother** она похожа на свою мать; **he named ~** быть названным в честь *(кого-л.)* ✧ **day ~ day** день за днем; **~ a fashion** неважно, так себе; **he got what he was ~** он получил то, чего добивался; **~ all** в конце концов; **what's he ~?** куда он гнет **3.** *a* последующий; **in ~ years** в будущем
after-care [ˈɑ:ftəkeə] *n мед.* уход за выздоравливающими
after-effect [ˈɑ:ftərɪˌfekt] последствие

A

afterglow [ˈɑːftəglou] вечерняя заря
afterlife [ˈɑːftəlaɪf] *n* загробная жизнь
aftermath [ˈɑːftəmæːθ] *n* последствия; **in the ~ of** после
afternoon [ˈɑːftəˈnuːn] *n* вторая половина дня; **in the ~** днем; **good ~!** добрый день!
afters [ˈɑːftəz] *n* **for ~** на третье *or* десерт
after-sales service [ɑːftəˈseɪlz-] *n* гарантированное техобслуживание
after-shave (lotion) [ˈɑːftəʃeɪv-] *n* одеколон после бритья
aftershock [ˈɑːftəʃɔk] *n* толчок *(после основного землетрясения)*
aftertaste [ˈɑːftəteɪst] *n* привкус
afterthought [ˈɑːftəθɔːt] мысль, пришедшая слишком поздно
afterwards [ˈɑːftəwədz] потом, позже; впоследствии
again [əˈgen] снова, опять; с другой стороны; а кроме того
against [əˈgenst] против; (*с гл.* fight, struggle) с; **I am ~ this** я против этого; *(при столкновении, соприкосновении)* на; с; к; **~ the background** на фоне; **the ship ran~ a rock** корабль наскочил на скалу; **he leaned ~ the wall** он прислонился к стене; (*с гл.* guard, warn) от; о; **I warned ~ his** я вас об этом предупреждал
agape [əˈgeɪp] *predic* разинув рот *(от удивления, при зевоте)*
agate [ˈægət] агат
age [eɪdʒ] **1.** *n* возраст; **be of ~** быть совершеннолетним; **be under ~** быть несовершеннолетним; **come of ~** достичь совершеннолетия; старость; век; эпоха; *разг.* долгий срок, вечность **2.** *v* стареть, стариться; старить
aged [ˈeɪdʒɪd] пожилой; [eɪdʒd] достигший *(такого-то)* возраста; **~ ten** десяти лет
age group *n* возрастная группа; **the forty to fifty ~ ~** люди возрастом от сорока до пятидесяти лет
ageing [ˈeɪdʒɪŋ] *adj* стареющий ✧ *n* старение
age limit *n* возрастной предел
agency [ˈeɪdʒənsɪ] агентство; содействие, посредничество; **by the ~ (of)** через посредство *(чего-л,, кого-л.)*
agenda [əˈdʒendə] повестка дня
agent [ˈeɪdʒənt] **1.** *(а уст.)* действующий **2.** *n* агент; посредник; действующая сила; фактор
agglomerate [əˈglɔməreɪt] собираться, скопляться; собирать
aggrandize [əˈgrændaɪz] увеличивать *(мощь, благосостояние страны)*; повышать *(в ранге)*
aggravate [ˈægrəveɪt] *vt* усугублять; раздражать
aggravating [ˈægrəveɪtɪŋ] *adj* **his behaviour is ~** его поведение раздражает меня
aggravation [ˌægrəˈveɪʃən] *n* усугубление; раздражение
aggregate [ˈægrɪgɪt] *n* совокупность ✧ *vt* группировать в
aggression [əˈgreʃən] *n* агрессия
aggressive [əˈgresɪv] *adj* агрессивный; напористый
aggressiveness [əˈgresɪvnɪs] *n* агрессивность
aggressor [əˈgresəˈ] *n* агрессор
aggrieved [əˈgriːvd] *adj* огорченный
aghast [əˈgɑːst] *predic* поражённый ужасом; ошеломлённый
agile [ˈædʒaɪl] *adj* проворный; живой
agility [əˈdʒɪlɪtɪ] *n* подвижность; **mental ~** живость ума
agitate [ˈædʒɪteɪt] *vt* возбуждать; взбалтывать ✧ *vi* **to ~ for/against** агитировать за/против
agitated [ˈædʒɪteɪtɪd] *adj* возбужденный, взволнованный
agitator [ˈædʒɪteɪtə] *n* агитатор
agnail [ˈægneɪl] *мед.* заусеница
ago [əˈgou] тому назад; **not long ~** недавно; **years ~** много лет тому назад
agog [əˈgɔg] *adj* взволнованный; **to be (all) ~** сгорать от нетерпения
agonize [ˈægənaɪz] быть в агонии; сильно мучить(ся)
agonizing [ˈægənaɪzɪŋ] *adj* мучительный
agony [ˈɑgənɪ] *n* мучительная боль; мука, мучение; **to be in ~** мучиться от боли

A

agree [əˈgriː] *vt* согласовывать ◊ *vi* **to ~ with** соглашаться с; согласоваться с; **to ~ that** согласиться, что; **it was ~d that...** было решено, что...; **the price is still to be ~d** цену все еще надо согласовать; **I ~ (with you)** я согласен (с Вами); **to ~ (with)** согласовывать с; **garlic doesn't ~ with me** я не переношу чеснока; **to ~ on sth** договориться о чем-н; **they ~d on this** они сошлись на этом; **they ~d on going/on a price** они договорились пойти/о цене; **to ~ to sth** соглашаться на что-н

agreeable [əˈgriːəbl] *adj* приятный; согласный; **are you ~ to this?** Вы согласны на это?

agreed [əˈgriːd] *adj* условленный

agreement [əˈgriːmənt] *n* согласие; соглашение, договор; **in ~ with** в согласии с; **we are in complete ~** между нами полное согласие; **by mutual ~** по взаимному соглашению

agricultural [ˌægrɪˈkʌltʃərəl] *adj* сельскохозяйственный; **~ land** земельные угодья

agriculture [ˈægrɪkʌltʃə] *n* сельское хозяйство

agro [ˈægrəu] *n* напряженка; возня

agronom||ic(al) [ˌægrəˈnɔmikəl] агрономический; **~ics** [-ɪks] агрономия; **~ist** [əgˈrɔnəmɪst] агроном; **~y** [əˈgrɔnəmɪ] агрономия

aground [əˈgraund] *adv* **to run ~** садиться на мель

ague [ˈeɪgjuː] лихорадочный озноб

ahead [əˈhed] вперёд, впереди; **straight ~** прямо, вперёд

aid [eɪd] **1.** *v* помогать **2.** *n* помощь

aide [eɪd] *n* помощник

aide-de-camp [ˈeɪddəˈkɔŋ] *n* адъютант

AIDS [eɪdz] *n abbr (= acquired immune deficiency syndrome)* СПИД = *синдром приобретенного иммунодефицита*

ail [eɪl]: **what ~s him?** что его беспокоит? **~ing** [ˈeɪlɪŋ] больной, нездоровый, **~ment** [ˈeɪlmənt] нездоровье

ailment [ˈeɪlmənt] *n* недуг

aim [eɪm] *n* цель ◊ *vi* целиться ◊ *vt* **to ~ (at)** наводить (на); целить *or* нацеливать (на); направлять (на); **to ~ at** целиться в; прицеливаться в; стремиться к; **to ~ to do** ставить своей целью; **he has a good ~** он меткий стрелок

aimless [ˈeɪmlɪs] *adj* бесцельный

aimlessly [ˈeɪmlɪslɪ] *adv* бесцельно

ain't [eɪnt] = **am not, aren't, isn't;** *see* **be**

air [eə] *n* воздух; мотив; вид ◊ *vt* проветривать; обнародовать ◊ воздушный; **to throw sth into the ~** подбрасывать что-н в воздух; **by ~** самолетом; **everything's still very much in the ~** все до сих пор висит в воздухе; **on the ~** в эфире; **to go on the ~** выходить в эфир

airbag *n воздушная подушка, надувающаяся автоматически между рулем и шофером, в случае аварии*

air base *n* авиабаза

airbed [ˈeəbed] *n* надувной матрац

airborne [ˈeebɔːn] *adj* воздушный; воздушно-десантный; летучий; **as soon as the plane was ~** как только самолет поднялся в воздух

air cargo *n* воздушный груз

air-conditioned [ˈeəkənˈdɪʃənd] *adj* кондиционированный

air conditioning *n* кондиционирование

air-cooled [ˈeəkuːld] *adj* охлаждаемый воздухом

aircraft [ˈeəkrɑːft] *n inv* самолет

aircraft carrier *n* авианосец

airfield [ˈeəfiːld] *n* аэродром

air freshoner *n* освежитель воздуха

air gun *n* духовое ружье

air hostess *n* бортпроводница, стюардесса

airily [ˈeərɪlɪ] *adv* с легкостью, небрежно

airing [ˈeərɪŋ] *n:* **to give an ~ to** обнародовать

airlift [ˈeəlɪft] *n* воздушная переброска ◊ *vt* перебрасывать по воздуху

A

airline [ˈeəlaɪn] *n* авиакомпания
airliner [ˌeəˈlaɪnə] *n* пассажирский (авиа)лайнер
airlock [ˈeəlɔk] *n* воздушная пробка
air pocket *n* воздушная яма
airport [ˈeəpɔːt] *n* аэропорт
air raid *n* воздушный налет
airsick [ˈeəsɪk] *adj:* **to be ~** страдать воздушной болезнью
airspace [ˈeəspeɪs] *n* воздушное пространство
airstrip [ˈeəstrɪp] *n* взлетно-посадочная полоса
air terminal *n* аэровокзал
airtight [ˈeətaɪt] *adj* герметический
air time *n* время в эфире
air-traffic control [ˈeətræfɪk-] *n* воздушно-диспетчерская служба
air-traffic controller *n* воздушный диспетчер
airway [ˈeəweɪ] *n* воздушная трасса
airy [ˈeərɪ] просторный; воздушный, легкий
aisle [aɪl] проход между рядами, местами *(в поезде, театре);* боковой придел *(храма)*
ajar [əˈdʒɑː] приоткрыто, неплотно закрыто
akin [əˈkɪn] **1.** *a predic* родственный **2.** *adv* сродни
alabaster [ˈæləbɑːstə] *n* алебастр
alacrity [əˈlækrɪtɪ] *n* готовность; **with ~** с готовностью
alarm [əˈlɑːm] *n* тревога; сигнализация ✧ *vt* тревожить; устанавливать сигнализацию
alarm clock *n* будильник
alarmed [əˈlɑːmd] *adj* встревоженный; **his car is ~** у него в машине сигнализация
alarmist [əˈlɑːmɪst] паникёр
alas [əˈlæs] *excl* увы
albatross [ˈælbətrɔs] *n зоол.* альбатрос
albeit [ɔːlˈbiːɪt] *conj* хотя и *(поэт.)*
album [ˈælbəm] *n* альбом
albumen [ˈælbjumɪn] белок; альбумин
alcohol [ˈælkəhɔl] алкоголь; спирт; **~ic** [ælkəˈhɔlɪk] **1.** алкогольный; **2.** алкоголик; **~ ism** [ˈælkəhɔlɪzm] алкоголизм
alcohol-free [ˈælkəhɔlˈfriː] *adj* безалкогольный
alcove [ˈælkəuv] *n* альков
ale [eɪl] *n* пиво *(приготовленное без хмеля)*
alert [əˈləːt] **1.** ✧ живой, проворный; **2.** (воздушная) тревога; ✧ **on the ~** настороже
alga [ˈælgə] (*pl* -gae [-dʒiː]) морская водоросль
alien [ˈeɪlɪən] *n* иностранец; инопланетянин ✧ *adj:* **~ (to)** чуждый; **pity was ~ to his nature** чувство жалости ему было чуждо
alienate [ˈeɪlɪəneɪt] *vt* отчуждать, отталкивать
alienation [ˌeɪlɪəˈneɪʃən] *n* отчуждение
alight [əˈlaɪt] *adj:* **to be ~** гореть; сиять ✧ *adv:* **to set ~** поджигать ✧ *vi:* **to ~ on** опускаться на; **to ~ from** сходить с; выходить из
align [əˈlaɪn] *vt* выравнивать; **to ~ o.s. with** присоединяться к
alignment [əˈlaɪnmənt] *n* союз; альянс; **out of ~** неровно
alike [əˈlaɪk] *adj* одинаковый ✧ *adv* одинаково; **they look ~** они похожи друг на друга; **winter and summer ~** и зимой и летом
alimony [ˈælɪmənɪ] *n* алименты
alive [əˈlaɪv] *adj* жив; оживленный; живой; **~ with** полон; **to be ~ to sth** осознавать что-н
alkali [ˈælkəlaɪ] *n* щелочь
alkaline [ˈælkəlaɪn] *adj.* щелочной
all [ɔːl] **1.** *adj* весь, вся, всё, все; всякий; всевозможный; **for ~ that** несмотря на то; **2.** всё, все; **at ~** вообще; **not at ~** вовсе не; **for ~ (that) I care** мне безразлично; **for ~ I know** поскольку я знаю; **3.** *adv* вполне, всецело, совершенно; **~ at once** сразу; **~ the better** тем лучше; **~ but** почти; **~ right** хорошо, ладно
allay [əˈleɪ] облегчать *(боль);* успокаивать *(волнение и т.п.);* утолять *(жажду)*
alleg||ation [ˌæleˈgeɪʃən] заявление; голословное утверждение;
~e [əˈledʒ] ссылаться на; утверждать (без основания)
alleged [əˈledʒd] *adj* подозреваемый
allegedly [əˈledʒdlɪ] *adv* якобы
allegiance [əˈliːʒəns] *n* верность; при-

A

верженность
allegory [ˈælɪgərɪ] *n* аллегория
all-embracing [ˈɔːlɪmˈbreɪsɪŋ] *adj* всеобъемлющий
allergic [əˈləːdʒɪk] *adj* аллергический; **he is ~ to** у него аллергия на; он не выносит
alleviate [əˈliːvɪeɪt] *vt* облегчать
alley [ˈælɪ] *n* переулок
alleyway [ˈælɪweɪ] *n* проулок
alliance [əˈlaɪəns] союз; брачный союз
allied [əˈlaɪd] союзный, родственный, близкий
alligator [ˈælɪgeɪtə] *n* аллигатор
all-important [ˈɔːlɪmˈpɔːtnt] *adj* существенный
all-in [ˈɔːlɪn] *adj* общий; **it cost me $100 ~** в общей сложности мне это стоило $100
all-in wresting *n* вольная борьба
all-night [ˈɔːlˈnaɪt] *adj* ночной
allocate [ˈæləkeɪt] *vt* выделять; поручать
allocation [æləuˈkeɪʃən] *n* распределение; выделение; ассигнование
allof [əˈluːf] *a predic, adv* поодаль, в стороне
allot [əˈlɔːt] *vt:* **to ~ (to)** отводить; **in the ~ed time** в отведенное время
allotment [əˈlɔtmənt] *n* доля; (земельный) участок
all-out [ˈɔːlaut] *adj* максимальный; массированный; всеобщий ✧ *adv* полностью; **to go all out (for)** полностью выкладываться (для)
allow [əˈlau] позволять; давать, предоставлять; **~ time** давать время; допускать, признавать; **~ for** принимать в расчет; **~ ance** [-əns] денежная помощь; содержание; карманные деньги; паёк; скидка; *мех.* допуск ✧ **make ~ ance(s) (for)** принимать в расчёт; учитывать *(что-л.)*
alloy [ˈælɔɪ] сплав *(металлов)*
all right *adv* хорошо, нормально; хорошо, ладно ✧ *adj* неплохой, нормальный; **is everything ~ ~?** всё нормально *or* в порядке?; **are you ~ ~?** как Вы (себя чувствуете)?; **do you like him? — he's ~ ~** он Вам нравится? — ничего
all-rounder [ɔːlˈraundə] *n* универсал
allspice [ˈɔːlspaɪs] *n* душистый перец
all-time [ˈɔːlˈtaɪm] *adj* непревзойденный; **inflation is at an ~ low** инфляция на небывало низком уровне
allude [əˈluːd] *(to)* намекать *(на)*, ссылаться *(на)*; упоминать
allur||e [əˈljuə] заманивать; привлекать; **~ ement** приманка; **~ ing** [-rɪŋ] соблазнительный; привлекательный
ally 1. *v* [əˈlaɪ] соединять **2.** *n* [ˈælaɪ] союзник
almighty [ɔːlˈmaɪtɪ] *adj* всемогущий; колоссальный
almond [ˈɑːmənd] *n* миндаль
almost [ˈɔːlməust] почти
alms [ɑːmz] *npl* милостыня; подаяние
aloft [əˈlɔft] наверху, наверх
alone [əˈləun] *adj, adv* один (одна); **to leave sb/sth ~** оставлять кого-н/что-н в покое; **let ~ ...** не говоря уже о ...
along [əˈlɔŋ] *prep* по, вдоль ✧ *adv:* **is he coming ~ (with us)?** он идет с нами?; **he was limping ~** он шел хромая; **~ with** вместе с; **all ~** с самого начала
alongside [əˈlɔŋˈsaɪd] *prep* рядом с; вдоль; к ✧ *adv* рядом; **we brought our boat ~** мы причалили лодку
aloofness [əˈluːfnɪs] *n* отрешенность
aloud [əˈlaud] *adv* вслух
alphabet [ˈælfəbet] *n* алфавит
alpine [ˈælpaɪn] *adj* высокогорный, альпийский
already [ɔːlˈredɪ] уже
also [ˈɔːlsəu] тоже, также, к тому же
alter [ˈɔltə] *vt* изменять ✧ *vi* изменяться
alteration [ˌɔltəˈreɪʃən] *n* изменение; **~s** *npl* переделки; **to make ~s to a building** перестраивать здание
altercation [ˌɔltəˈkeɪʃən] *n* препирательство
alternate *adj* [ˌɔlˈtəːnɪt], *vb* [ˈɔltəːneɪt] *adj* чередующийся; альтернативный ✧ *vi:* **to ~ (with)** чередоваться (с); **on ~ days** через день

A

alternately [ɔl'tə:nɪtlɪ] *adv* попеременно
alternating current ['ɔltə:neɪtɪŋ-] *n* переменный ток
alternative [ɔl'tə:nətɪv] *adj* альтернативный ✧ *n* альтернатива
alternator ['ɔltə:neɪtə'] *n авт.* генератор переменного тока
although [ɔ:l'ðəu] *conj* хотя
altimeter ['æltɪmɪ:tə] высотомер
altitude ['æltɪtju:d] *n* высота; высота над уровнем моря
altogether [ɔ:ltə'geðə'] *adv* совершенно; в общем, в общей сложности; **how mach is that ~?** сколько будет в общей сложности?
aluminium [ælju'mɪnɪəm] *n* алюминий
alumnus [ə'lʌmnəs] *(pl*-ni [-naɪ]) бывший питомец (*учебного заведения*)
amalgam [ə'mælgəm] *n* амальгама
amalgamate [ə'mælgəmeɪt] *vi* сливаться ✧ *vt* сливать
amalgamation [əmælgə'meɪʃən] *n* слияние
amass [ə'mæs] собирать, накоплять
amateur ['æmətə:] любитель; **~ish** [,æmə'tə:rɪʃ] любительский, непрофессиональный
amatory ['æmətərɪ] любовный
amaze [ə'meɪz] *vt* поражать, изумлять; **I was ~d (at)** я был поражен
amazement [ə'meɪzmənt] *n* изумление
amazing [ə'meɪzɪŋ] *adj* поразительный; изумительный; замечательный
amazingly [ə'meɪzɪŋlɪ] *adv* поразительно
ambassador [æm'bæsədə'] *n* посол
amber ['æmbə'] *n* янтарь; **the lights were at ~** на светофоре был желтый свет
ambidextrous ['æmbɪ'dekstrəs] владеющий одинаково свободно обеими руками; двуличный
ambience ['æmbɪəns] *n* атмосфера
ambient ['æmbɪənt] окружающий
ambiguity ['æmbɪ'gjuɪtɪ] *n* двусмысленность, неясность
ambiguous [æb'bɪgjuəs] *adj* двусмысленный, неясный
ambition [æm'bɪʃən] *n* честолюбие; амбиция; цель; **to achieve one's ~** достигать своей цели
ambitious [æm'bɪʃəs] *adj* честолюбивый; амбициозный
ambivalence [æm'bɪvələns] *n* двойственное отношение; несоответствия
ambivalent [æm'bɪvələnt] *adj* двойственный; противоречивый
amble ['æmbl] *vi* прогуливаться
ambulance ['æmbjuləns] *n* скорая помощь
ambulanceman ['æmbjulənsmən] *n* фельдшер скорой помощи
ambush ['æmbuʃ] *n* засада ✧ *vt* устраивать засаду
ameliorate [ə'mi:lɪəreɪt] *vt* улучшать
amen ['a:men] *excl* аминь
amend [ə'mend] улучшать, исправлять; улучшаться, исправляться; **~ment** поправка *(к закону и т.п.);* исправление
amends [ə'mendz] *pl:* **make ~ to smb. for smth.** возмещать что-л. кому-л.
amenity [ə'mɪ:nɪtɪ] приятность, прелесть; *pl* удобства
American [ə'merɪkən] **1.** *a* американский **2.** *n* американец, американка
amethyst ['æmɪθɪst] *n* аметист
amiable ['eɪmɪəbl] *adj* дружелюбный
amiably ['eɪmɪəblɪ] *adv* дружелюбно
amicable ['æmɪkəbl] *adj* дружеский; мирный
amid(st) [ə'mɪdst] *prep* посреди
amiss [ə'mɪs] *adj, adv:* **to take sth ~** ошибочно истолковывать что-н; **there's something ~** что-то неладно
amity ['æmɪtɪ] дружба
ammeter ['æmɪtə'] *n* амперметр
ammonia [ə'məunjə] *хим.* аммиак
ammunition [,æmju'nɪʃən] боеприпасы
amnesia [æm'ni:zɪə] *n* амнезия, утрата памяти
amnesty ['æmnɪstɪ] *n* амнистия; **to grant an ~ to** объявить амнистию
amoeba [ə'mi:bə] **(ameba)** *n* амёба
amock [ə'mɔk] *adv:* **to run ~** бесноваться; беситься

A

among [əˈmʌŋ] *prep* среди; между
amoral [æˈmɔrəl] *adj* безнравственный; аморальный
amorous [ˈæmərəs] *adj* любовный
amorphous [əˈmɔːfəs] *adj* аморфный
amortization [əmɔːtaɪˈzeɪʃən] *n комм.* амортизация
amortize [əˈmɔːtaɪz] погашать в рассрочку *(долг)*
amount [əˈmaunt] *n* количество; сумма ✧ *vi:* **to ~ to** составлять; **this ~s a refusal** это равносильно отказу; **the total ~** *(of money)* общая сумма *(денег)*
amp(era) [ˈæmpeəˈ] *n* ампер; **a 13 amp plug** вилка в 13 ампер
amphibian [æmˈfɪbɪən] *n* амфибия, земноводное животное
amphibious [æmˈfɪbɪəs] *adj* земноводный; амфибийный; **~ tank** танк-амфибия
amphitheatre [ˈæmfɪˌθɪətəˈ] *n* амфитеатр
ample [ˈæmpl] *adj* большой; обильный; достаточный; **to have ~ time/room** иметь достаточно времени/места; **this is ~** этого вполне достаточно
amplifier [ˈæmplɪfaɪə] *n* усилитель
amplify [ˈæmplɪfaɪ] *vt* усиливать
amply [ˈæmplɪ] *adv* вполне достаточно
ampoule [ˈæmpuːl] *n* ампула
amputate [ˈæmpjuteɪt] *vt* ампутировать
amputation [ˌæmpjuˈteɪʃən] *n* ампутация
amputee [ˌæmpjuˈtiː] *n* инвалид
amuse [əˈmjuːz] *vt* развлекать; **to ~ o.s. with sth** заняться *or* развлекаться чем-н; **he was ~d at this** его это позабавило; **he was not ~d** ему было не до смеха
amusement [əˈmjuːzmənt] *n* удовольствие; развлечение; **much to my ~** к моему особенному удовольствию
amusement park *n* луна-парк
amusing [əˈmjuːzɪŋ] *adj* забавный; занимательный
an [æn], [ən] неопределённый артикль
anaemia [əˈniːmɪə] *n* анемия, малокровие
anaemic [əˈniːmɪk] *adj* анемичный
anaesthetic [ænɪsˈθetɪk] *n* наркоз; **under the ~** под наркозом; **local/general ~** местный/общий наркоз
anaesthetist [æˈniːsθɪtɪst] *n* анестезиолог
anal [ˈeɪnl] *adj* анальный, заднепроходный
analgesic [ænælˈdʒiːzɪk] *adj* обезболивающий ✧ *n* обезболивающее средство
analog [ˈænələg] *adj* = **analogue**
analogous [əˈnæləgəs] *adj* аналогичный
analogue [ˈænələg] *adj* аналоговый
analogy [əˈnælədʒɪ] *n* аналогия; **to draw an ~ between** проводить аналогию между; **by ~** по аналогии
analyse [ˈænəlaɪz] *vt* анализировать; **to ~ sb** подвергать кого-н психоанализу
analysis [əˈnæləsɪs] *n* анализ; психоанализ; **in the last ~** в конечном итоге
analyst [ˈænəlɪst] *n* комментатор; эксперт; психиатр
analytic(al) [ˌænəˈlɪtɪkl] *adj* аналитический
anarchic [æˈnɑːkɪk] *adj* анархический
anarchy [ˈænəkɪ] *n* анархия
anathema [əˈnæθɪmə] *n:* **that is ~ to him** для него это анафема
anatomical [ænəˈtɔmɪkl] *adj* анатомический
anatomy [əˈnætəmɪ] *n* анатомия; организм
ancestor [ˈænsɪstəˈ] *n* предок
ancestral [ænˈsestrə] *adj* родовой; **home ~** родовое поместье
ancestry [ˈænsɪstrɪ] *n* происхождение
anchor [ˈæŋkəˈ] *n* якорь ✧ *vi* **to drop ~** бросать якорь; **to weigh ~** поднимать якорь
anchorage [ˈæŋkərɪdʒ] *n* якорная стоянка
anchor man *n* ведущий *adj* (программы)
anchovy [ˈæntʃəvɪ] *n* анчоус
ancient [ˈeɪnʃənt] *adj* древний; старинный
ancient monument *n* памятник старины

ancillary [æn'sɪlərɪ] вспомогательный, подсобный, служебный
and [ænd] *(полная форма),* [ənd] *(редуцированная форма) (соединительный союз)* и; **he saw me ~ my sister** он увидел меня и мою сестру; *(противительный союз)* а; **I went to the institute ~ he to the theatre** я пошел в институт, а он в театр; *(с числительными):* **four ~ twenty** двадцать четыре, **two hundred ~ forty** двести сорок; *(при повторении слова для усиления):* **miles ~ miles** много миль; *(при повторении слова для противопоставления):* **there are books ~ books** есть книги — и книги; *(при выражении предостережения, угрозы)* иначе; **stir, ~ you are a dead man!** ни с места, иначе вы погибли!
anecdote ['ænɪkdout] анекдот
anemone [ə'nemənɪ] *n* ветренница, анемона
aneroid ['ænərɔɪd] барометр-анероид
anew [ə'nju:] сызнова, заново
angel ['eɪndʒəl] ангел
angelic [æn'dʒelɪk] *adj* ангельский
anger ['æŋgə] **1.** гнев; **2.** *vt* сердить
angina [æn'dʒaɪnə] ангина
angle I ['æŋgl] *мат.* угол; *перен.* угол зрения; точка зрения
angle II ['æŋgl] удить рыбу; **~er** рыболов
Anglican ['æŋglɪkən] **1.** член англиканской церкви; **2.** англиканский
angling ['æŋglɪŋ] *n* рыбная ловля
angry ['æŋgrɪ] сердитый, раздражённый; разгневанный; **be ~** сердиться
anguish ['æŋgwɪʃ] мука, боль
anguished ['æŋgwɪʃt] *adj* страдальческий
angular ['æŋgjulə] угольный, угловой; угловатый, неловкий
animal ['ænɪməl] **1.** животное; **2.** животный; скотский
animate *vb* ['ænɪmeɪt], *adj* ['ænɪmɪt] *vt* оживлять ✧ *adj* живой *линг.* одушевленный
animated ['ænɪmeɪtɪd] *adj* оживленный, живой; *кино* мультипликационный
animation [ænɪ'meɪʃən] *n кино* мультипликация; оживление
animosity [ˌænɪ'mɔsɪtɪ] враждебность; злоба
animus ['ænɪməs] враждебность
ankle ['æŋkl] лодыжка
ankle sock *n* носок
annals ['ænlz] *pl* летопись, хроника
annex ['æneks] *n* пристройка; отдельный корпус ✧ *vt* аннексировать
annexation [ænek'seɪʃən] *n* аннексия
annihilate [ə'naɪəleɪt] *vt* уничтожать
annihilation [ənaɪə'leɪʃən] *n* уничтожение
anniversary [ænɪ'və:sərɪ] *n* годовщина
annotate ['ænəuteɪt] аннотировать; снабжать примечаниями; **~ion** [ænou'teɪʃən] примечание
annoucement [ə'naunsmənt] *n* объявление; сообщение; извещение; **I'd like to make an ~** я бы хотел сделать заявление
announce [ə'nauns] *vt* объявлять (о); извещать о; **he ~d that he wasn't going** он заявил, что не пойдет
announcer [ə'naunsə'] *n радио, тел.* диктор
annoy [ə'nɔɪ] *vt* раздражать; **I am ~ed with him** он меня раздражает; **don't get ~ed!** не раздражайтесь *or* сердитесь!
annoyance [ə'nɔɪəns] *n* раздражение, досада
annoyed [ə'nɔɪd] *adj* раздраженный
annoying [ə'nɔɪɪŋ] *adj* раздражающий; досадный; **he is ~** он меня раздражает
annual ['ænjuəl] *adj* ежегодный; годовой ✧ *n бот.* однолетнее растение; ежегодник
annual general meeting *n* ежегодное общее собрание
annually ['ænjuəlɪ] *adv* ежегодно
annual report *n* годовой отчет
annuity [ə'nju:ɪtɪ] ежегодная рента
annul [ə'nʌl] *vt* аннулировать; расторгать; отменять
annulment [ə'nʌlmənt] *n* аннулирование; расторжение; отмена

A

Annunciation [ə'nʌnsı'eıʃən] *n* Благовещение
anode ['ænəud] *n* анод
anodyne ['ænəudaın] **1.** *a* болеутоляющий **2.** *n* болеутоляющее средство
anoint [ə'nɔınt] *vt* помазать
anomalous [ə'nɔmələs] *adj* аномальный
anomaly [ə'nɔməlı] *n* аномалия
anonymity [ænə'nımıtı] *n* анонимность
anonymous [ə'nɔnıməs] *adj* анонимный; безликий; **to remain ~** сохранять анонимность
anorak ['ænəræk] *n* куртка с капюшоном
anorexia [ænə'reksıə] *n* анорексия
another [ə'nʌðə'] другой ✧ *adj:* **~ book** ещё одна книга; другая книга; **I waited ~ week** я ждала ещё одну неделю; **~ drink?** Вам еще налить?; **in ~ 5 years** ещё через 5 лет;
answer ['ɑ:nsə] **1.** *n* ответ; *мат.* решение *(задачи)* **2.** *n* отвечать; **~ in the affirmative** отвечать утвердительно, соответствовать, ручаться *(for);* **~able** ['ɑ:nsərəbl] ответственный *(перед кем-л. — to smb)*
answering machine [ɑ:nsərıŋ] *n* автоответчик
ant [ænt] *n* муравей
antagonism [æn'tægənızəm] *n* антагонизм
antagonist [æn'tægənıst] *n* противник
antagonistic [æntægɔ'nıstık] *adj* враждебный; **he is ~ to the government** он враждебен по отношению к правительству
antagonize [æn'tægənaız] *vt:* **to ~sb** вызывать чьё-н враждебное отношение
ante ['æntı] *n:* **to up the ~** повышать ставку
ante... ['æntı] *prefix* до..., пред...
anteater ['ænti:tə'] *n* муравьед
antecedent [æntı'si:dənt] *n* предшественник; предок
antechamber ['æntıtʃeımbə'] *n* передняя прихожая
antediluvian ['æntıdı'lu:vıən] допотопный
antelope ['æntıləup] *n* антилопа
antenatal ['æntı'neıtl] *adj* родовой
antenatal clinic *n* женская консультация
antenna [æn'tenə] *n* усик; *тел.* антенна
anteroom ['æntırum] *n* приёмная
anthem ['ænθəm] *n:* **national ~** государственный гимн
ant hill *n* муравейник
anthology [æn'θɔlədʒı] *n* антология
anthracite ['ænθrəsaıt] антрацит
anthropologist [ænθrə'pɔlədʒist] *n* антрополог
anti... ['æntı] *prefix* анти..., противо...
antibiotic ['æntıbaı'ɔtık] *n мед.* антибиотик
antibody ['æntıbɔdı] *n* антитело
anticipat||e [æn'tısıpeıt] предвкушать; предчувствовать; предупреждать; **~ ion** [æntısı'peıʃən] ожидание; предчувствие; in ~ заранее
anticlimax ['æntı'klaımæks] *n* разочарование
anticlockwise ['æntı'klɔkwaız] *adv* против часовой стрелки
antics ['æntıks] *npl* шалости; проделки; выходки
anticyclone ['æntısaıkləun] *n* антициклон
antidote ['æntıdəut] противоядие
antifreeze ['æntıfri:z] *n* антифриз
antihistamine ['æntı'hıstəmın] *n* антигистамин
antimony ['æntımənı] *хим.* сурьма
antinomy [æn'tınəmı] парадокс
antipathy [æn'tıpəθı] антипатия
antiperspirant ['æntı'pə:spırənt] *n* дезодорант
antiquarian ['æntı'kweriən] *n* антиквар ✧ *adj:* **~ bookshop** букинистический магазин
antiquated ['æntıkweıtıd] *adj* устарелый
antique [æn'ti:k] *n* предмет старины; антикварный; античный
antique dealer *n* антиквар
antique shop *n* антикварный магазин
antiquity [æn'tıkwıtı] *n* античность

A

anti-Semitic [ˈæntɪsɪˈmɪtɪk] *adj* антисемитский
anti-Semitism [ˈæntɪˈsemɪtɪzəm] *n* антисемитизм
antiseptic [æntɪˈseptɪk] *n* антисептик ◊ *adj* антисептический
antisocial [ˈæntɪˈsəuʃəl] *adj* антиобщественный; необщительный
antitank [ˈæntɪˈtæŋk] *adj* противотанковый
antithesis [ænˈtɪθɪsɪs] *n* антитеза
antitrust [ˈæntɪˈtrʌst] *adj:* ~ **legislation** антимонопольное законодательство
antlers [ˈæntləz] *npl* (оленьи) рога
anus [ˈeɪnəs] *n* задний проход
anvil [ˈænvɪl] наковальня
anxiety [æŋˈzaɪətɪ] беспокойство; страстное желание; опасение
anxious [ˈæŋkʃəs] ◊ озабоченный; беспокоящийся
anxiously [ˈæŋkʃəslɪ] *adv* беспокойно
any [ˈenɪ] **1.** *prop* кто-нибудь; какой-нибудь; любой *(в утверд. предл.)* **2.** *adv* сколько-нибудь *(в вопр. предл.);* нисколько *(в отриц. предл.)*
anybody [ˈenɪˌbɔdɪ] всякий, кто-нибудь
anyhow [ˈenɪhau] как-нибудь, кое-как; во всяком случае
anyone [ˈenɪwʌn] кто-нибудь; никто; кто угодно, любой, всякий; **can you se ~?** Вы видите кого-нибудь?; **I can't see ~** я никого не вижу; **~ could do it** кто угодно *or* любой *or* всякий может это сделать; **you can invite ~** Вы можете пригласить кого угодно
anything [ˈenɪθɪŋ] что-нибудь, всё
anyway [ˈenɪweɪ] во всяком случае
anywhere [ˈenɪweə] где-нибудь *(в вопр. и отриц. предл.),* где угодно, куда угодно *(в утв. предл.)*
apace [əˈpeɪs] *adv* стремительно
apart [əˈpɑːt] в стороне; особняком; отдельно; **set ~** отложить, порознь; **I cannot tell them ~** я не могу их отличить друг от друга; **~ from** кроме, независимо от; не говоря уже о ◊ **joking ~** шутки в сторону; **take ~** разбирать на части
apartheid [əˈpɑːtheɪt] расовая сегрегация *(в южной Африке),* апартеид, апартхейд
apartment [əˈpɑːtmənt] комната, квартира
apartment building *n* многоквартирный дом
apathetic [ˌæpəˈθetɪk] безразличный; апатичный, вялый
apathy [ˈæpəθɪ] апатия, вялость, безразличие
ape [eɪp] **1.** *n* обезьяна *(человекообразная)* **2.** *v* подражать, обезьянничать
aperient [əˈpɪərɪənt] *мед.* слабительное
aperitif [əˈperɪtiːf] *n* аперитив
aperture [ˈæpətjuə] *n* отверстие; диафрагма
apex [ˈeɪpeks] *n* вершина
aphid [ˈæfɪd] *n* тля
aphorism [ˈæfɔrɪzəm] *n* афоризм
aphrodisiac [æfrəuˈdɪzɪæk] *n средство, возбуждающее половое влечение* ◊ *adj* возбуждающий половое влечение
apiece [əˈpiːs] за штуку, на каждого
apish [ˈeɪpɪʃ] обезьяний
aplomb [əˈplɔm] *n* апломб
apocalypse [əˈpɔkəlɪps] *n* конец света; катастрофа
apolitical [eɪpəˈlɪtɪk] *adj* аполитичный
apologetic [əˈpɔləˈdʒetɪk] *adj* извиняющийся; виноватый; **an ~ letter** письмо с извинениями; **he's very ~ about...** он приносит свои извинения за...
apologize [əˈpɔlədʒaɪz] *vi:* **to ~ (for sth to sb)** извиняться (за что-н. перед кем-н.)
apology [əˈpɔlədʒɪ] *n* извинение; **to send one's apologies** извиняться за своё отсутствие; **please accept my apologies** пожалуйста, примите мои извинения
apoplectic [æpəˈplektɪk] *adj* апоплексический; **~ with rage** разъярённый
apoplexy [ˈæpəpleksɪ] *n* апоплексия
aposta||sy [əˈpɔstəsɪ] (веро)отступничество; **~te** [əˈpɔstɪt] (веро)отступ-

A

ник; изменник *(своей партии, делу)*
apostle [ə'pɒsl] *n* апостол
apostrophe [ə'pɒstrəfi] *n* апостроф
apotheosis [əpɒθɪ'əusɪs] *n* обожествление; апофеоз
appal [ə'pɔːl] *vt* ужасать; **to be ~led by** ужасаться
appalling [ə'pɔːlɪŋ] *adj* ужасный; ужасный; **she's an ~ cook** она ужасно готовит
apparatus [ˌæpə'reɪtəs] прибор, аппарат
apparel [ə'pærəl] платье, одежда
apparent [ə'pærənt] явный, очевидный; кажущийся; **~ ly** по-видимому
apparition [ˌæpə'rɪʃən] видение, привидение
appeal [ə'piːl] **1.** *n* просьба, мольба; призыв, воззвание; *юр.* апелляция, привлекательность **2.** *v* взывать, обращаться; просить, молить; *юр.* подавать апелляционную жалобу; привлекать, нравиться; **~ing** трогательный
appear [ə'pɪə'] *vi* появляться; казаться; выходить; **to ~ in court** представать перед судом; **to ~ on TV** выступать на телевидении; **to ~ in "Hamlet"** играть в "Гамлете"; **it would ~ that ...** похоже (на то), что ...
appearance [ə'pɪərəns] *n* появление; внешность; выступление; **to put in** *or* **make an ~** появляться; **cast in** *or* **by order of ~** состав исполнителей в порядке появления; **to keep up ~s** соблюдать приличия; **to** *or* **by all ~s** судя по всему
appease [ə'piːz] *vt* умиротворять
appeasement [ə'piːzmənt] *n* умиротворение
append [ə'pend] *vt* добавлять, присоединять
appendage [ə'pendɪdʒ] *n* придаток
appendicitis [ə'pendɪ'saɪtɪs] *n* аппендицит
appendix [ə'pendɪks] *n* приложение; аппендикс; **he had his ~ out** ему вырезали аппендицит
appertain [ˌæpə'teɪn] принадлежать, относиться *(к чему-л.)*
appetite ['æpɪtaɪt] *n* аппетит; страсть; **that walk has given me an ~** после прогулки у меня разыгрался аппетит
appetizer ['æpɪtaɪzə'] *n* закуска; аперитив
appetizing ['æpɪtaɪzɪŋ] *adj* аппетитный
applaud [ə'plɔːd] *vi* аплодировать, рукоплескать ✧ *vt* аплодировать, рукоплескать; одобрять
applause [ə'plɔːz] *n* аплодисменты
apple ['æpl] *n* яблоко; **he's the ~ of her eye** она в нём души не чает
apple tree *n* яблоня
apple turnover *n слоёный пирожок с яблоком*
appliance [ə'plaɪəns] *n* прибор
applicable ['æplɪkəbl] применимый
applicant ['æplɪkənt] *n* кандидат; абитуриент
application [æplɪ'keɪʃən] *n* заявление; старание; нанесение; **on ~** по заявке; применение
application form *n* заявление-анкета
application program *n* прикладная программа
applications package *n* пакет прикладных программ
applied [ə'plaɪd] *adj* прикладной
apply [ə'plaɪ] *vt* наносить; накладывать; применять ✧ *vi:* **to ~ to** применяться к; обращаться (с просьбой) к; **to ~ the brakes** нажимать на тормоза; **to ~ o.s. to** сосредотачиваться на; **to ~ for a grant/job** подавать заявление на стипендию/о приёме на работу
appoint [[ə'pɔɪnt] *vt* назначать
appointed [ə'pɔɪntɪd] *adj:* **at the ~ time** в назначенное время
appointee [əpɔɪn'tiː] *n* получивший назначение
appointment [ə'pɔɪntmənt] *n* назначение; должность; приём; **to make an ~ (with sb)** назначать (кому-н.) встречу *or* свидание; **I have an ~ with the director/the doctor** я записан на приём к министру/к врачу; **to make an ~ with the hairdresser/doctor** записаться в парикмахерскую/на приём к

врачу; **by ~** по записи
apportion [əˈpɔːʃən] *vt* распределять; **to ~ sth sb** наделять кого-н. чем-н.; **to ~ blame to sb** возлагать вину на кого-н.
apposition [æpəˈzɪʃən] *n* приложение
appraisal [əˈpreɪzl] *n* оценка
appraise [əˈpreɪz] *vt* оценивать
appreciable [əˈpriːʃəbl] *adj* значительный
appreciably [əˈpriːʃəblɪ] *adv* заметно, ощутимо
appreciate [əˈpriːʃɪeɪt] *vt* ценить, понимать ✧ *vi комм.* повышаться в цене; **I ~ your help** я благодарен вам за помощь; **he ~s good cooking/opera** он ценитель хорошей кухни/оперы
appreciation [əpriːʃɪˈeɪʃən] *n* понимание; признательность; *комм.* повышение стоимости
appreciative [əˈpriːʃɪətɪv] *adj* признательный; одобрительный
apprehend [æprɪˈhend] *vt* задерживать; понимать
apprehension [æprɪˈhenʃən] *n* опасение; задержание
apprehensive [æprɪˈhensɪv] *adj* опасливый; **to be ~ about sth** опасаться за что-н.
appro. [ˈæprəu] *abbr комм.*: **on ~** на пробу
approach [əˈprəutʃ] *vi* приближаться ✧ *vt* обращаться к; приближаться к; подходить к ✧ *n* приближение; подход; подъезд; **to ~ sb about sth** обращаться к кому-н с предложением о чём-н
approachable [əˈprəutʃəbl] *adj* доступный
approach road *n* подъездный путь
approbation [ˌæprəˈbeɪʃən] одобрение, санкция
appropriate *adj* [əˈprəuprɪɪt], *vb* [əˈprəuprɪeɪt] *adj* подобающий; уместный; подходящий ✧ *vt* присваивать; **it would not be ~ for me to comment** было бы неуместно с моей стороны комментировать; **it is not ~ for you to behave like that** Вам не подобает вести себя так
appropriately [əˈprəuprɪɪtlɪ] *adv* подобающим *or* соответствующим образом
appropriation [əprəuprɪˈeɪʃən] *n* присвоение
appropriation account *n* счёт ассигнований
approval [əˈpruːvəl] *n* одобрение; согласие; **to meet sb's ~** получать чьё-н одобрение; **on ~** на пробу
approve [əˈpruːv] *vt* одобрять; утверждать
approved school [əˈpruːvd-] *n* исправительная школа
approvingly [əˈpruːvɪŋlɪ] *adv* одобрительно
approximate *adj* [əˈprɔksɪmɪt], *vb* [əˈprɔksɪmeɪt] приблизительный ✧ *vi* **to ~ to** приближаться к
approximately [əˈprɔksɪmɪtlɪ] *adv* приблизительно
approximation [əˈprɔksɪˈmeɪʃən] *n* приближение
appurtenance [əˈpəːtɪnəns] принадлежность
apricot [ˈeɪprɪkɔt] абрикос
April [ˈeɪprəl] апрель, апрельский
April Fool's Day *n* день дураков
apron [ˈeɪprən] передник, фартук
apropos [ˈæprəpou] **1.** *a* уместный **2.** *adv* кстати
apt [ˈæpt] способный, подходящий, склонный; **~itude** [-ɪtjuːd] способность, склонность
aptitude [ˈæptɪtjuːd] *n* склонность
aptitude test *n* тест на выявление склонностей
aptly [ˈæptlɪ] *adv* уместно; точно
aqualung [ˈækwəlʌŋ] *n* акваланг
aquarium [əˈkweərɪəm] *n* аквариум
Aquarius [əˈkweərɪəs] *n* Водолей; **he is ~** он — Водолей
aquatic [əˈkwætɪk] **1.** водяной; водный; **2. ~s** водный спорт
aquiline [ˈækwɪlaɪn] орлиный
arable [ˈærəbl] пахотный
arbiter [ˈɑːbɪtəˈ] *n* арбитр *(в споре)*
arbitrary [ˈɑːbɪtrərɪ] *adj* произвольный
arbitrate [ˈɑːbɪtreɪt] *vi* выносить; третейское решение
arbitration [ɑːbɪˈtreɪʃən] *n* третейский суд; арбитраж; **the dispute went**

A

to ~ спор передан в арбитраж
arbitrator ['a:bıtreıtə'] *n* третейский судья; арбитр
arbour ['a:bə:] беседка
arc [a:k] дуга, радуга, электрическая дуга
arch [a:tʃ] *n* арка, свод; свод ✧ *vt* выгибать ✧ *adj* игривый; многозначительный ✧ архи-
archaeological *adj* археологический
archaeologist [a:kı'ɔlədʒıst] *n* археолог
archaeology [a:kı'ɔlədʒı] *n* археология
archaic [a:'keıık] *adj* архаический
archangel ['a:keındʒəl] *n* архангел
archbishop [a:tʃ'bıʃəp] *n* архиепископ
arch-enemy ['a:tʃ'enəmı] *n* заклятый враг
archery ['a:tʃərı] *n* стрельба из лука
archetypal ['a:kıtaıpəl] *adj* первичный
archetype ['a:kıtaıp] *n* образец
archipelago [a:kı'pelıgəu] *n* архипелаг
architect ['a:kıtekt] *n* архитектор
architectural [a:kı'tektʃərəl] *adj* архитектурный
architecture ['a:kıtektʃə'] *n* архитектура
archive ['a:kaıv] *n* архив
archive file *n комп.* архивный файл
archivist ['a:kıvıst] *n* архивариус
archway ['a:tʃweı] *n* арочный проход
Arctic ['a:ktık] *adj* арктический ✧ *n:* **the ~** Арктика
Arctic Circle *n:* **the ~** ~ Северный Полярный круг
Arctic Ocean *n:* **the ~** ~ Северный Ледовитый океан
ardent ['a:dənt] *adj* пылкий
ardour ['a:də'] *n* пыл
arduous ['a:djuəs] крутой, труднодоступный *(о дорогах т т.п.)*, трудный *(о работе и т.п.)*
area ['eərıə] свободное пространство, площадь; зона, область; сфера; ~ **sown to maize** посевная площадь под кукурузой; *мат.* площадь
aren't [a:nt] *сокр. от* **are not**
arena [ə'rı:nə] арена
arguable ['a:gjuəbl] *adj* спорный; **it is ~ whether this is necessary** нужно ли это — вопрос спорный; **it is ~ that ...** можно утверждать, что ...
arguably ['a:gjuəblı] *adv* возможно; **he is ~ the best in his profession** можно утверждать, что он лучший специалист в своей области
argue ['a:gju:] *vi* ссориться; доказывать ✧ *vt* обсуждать; **to ~ that ...** доказывать; что ...; **to ~ about sth** спорить о чём-н; **to ~ for/against sth** приводить доводы в пользу/против чего-н
argument ['a:gjumənt] *n* ссора; аргумент, довод; обсуждение, спор; ~ **for/against** аргумент *or* довод в пользу/против
argumentative [a:gju'mentətıv] *adj* конфликтный; вызывающий
aria ['a:rıə] *n* ария
arid ['ærıd] *adj* безводный; сухой
aridity [ə'rıdıtı] *n* сухость
arise [ə'raız] (arose; arisen) происходить, возникать, *уст.* восставать
aristocracy [ærıs'tɔkrəsı] *n* аристократия
aristocrat ['ærıstəkræt] *n* аристократ
aristocratic [ærıstə'krætık] *adj* аристократический; аристократичный
arithmetic [ə'rıθmətık] *n* арифметика; подсчёт
arithmetical [ærıθ'metıkl] *adj* арифметический
ark [a:k] ковчег
arm I [a:m] рука *(от плеча до кисти)*, сук, ветвь; рукав, ответвление; *тех.* рычаг, плечо рычага ✧ **at ~'s length** на почтительном расстоянии; **with open ~s** с распростёртыми объятиями; **take smb. by the ~** брать кого-л. под руку; **carry under one's ~** нести под мышкой; **go ~-in-~** идти под руку
arm II 1. *n (обыкн. pl)* оружие; **take up ~s** взяться за оружие; **lay down ~s** сложить оружие; **under ~s** под ружьём; **up in ~s** охваченный восстанием; восставший; **be up in ~s against smb.** нападать на кого-л.; жаловаться на кого-л.; род войск **2.** *v* вооружаться

armaments [ˈɑ:məmənts] *npl* вооружение
armband [ˈɑ:mbænd] *n* нарукавная повязка
armchair [ˈɑ:mtʃeə'] *n* кресло
armed [ɑ:md] *adj* вооружённый; **the ~ forces** вооружённые силы
armed robbery *n* вооружённый грабёж
armful [ˈɑ:mful] *n* охапка
arm-hole [ˈɑ:mhoul] пройма
armistice [ˈɑ:mɪstɪs] перемирие
armless [ˈɑ:mlɪs] безрукий
armlet [ˈɑ:mlɪt] нарукавник, небольшой морской залив; рукав реки
armour [ˈɑ:mə] **1.** *n* броня; *ист.* вооружение, доспехи **2.** *v* покрывать бронёй; **~-clad** [-klæd] **1.** *a* броненосный **2.** *n* броненосец
armour||ed [ˈɑ:məd] бронированный; броненосный; **~ car** бронеавтомобиль; **~ forces** бронесилы; **~ er** [-rə] оружейный мастер
armpit [ˈɑ:mpɪt] подмышка
arms control [ɑ:mz-] *n* контроль вооружений
arms race *n*: **the ~~** гонка вооружений
army [ˈɑ:mɪ] *n* армия
aroma [əˈrəumə] *n* аромат
aromatherapy [ərəuməˈθerəpɪ] *n* аромотерапия
aromatic [ærəˈmætɪk] *adj* ароматный
around [əˈraund] *adv* вокруг; около; **is he ~?** он здесь?; **~ here** здесь поблизости
arousal [əˈrauzəl] *n* возбуждение
arouse [əˈrauz] *vt* будить; возбуждать
arraign [əˈreɪn] привлекать к суду, обвинять: *книжн.* придираться
arrange [əˈreɪndʒ] *vt* устраивать, аранжировать ✧ *vi* **we have ~d for a car to pick you up** мы договорились, чтобы машина заехала за Вами; **it was ~d that...** было условлено, что...; **to ~ to do** условливаться
arrangement [əˈreɪndʒmənt] *n* договорённость; аранжировка; расположение; **~s** *npl* расположения; **to come to an ~ with sb** приходить к соглашению с кем-н.; **home deliveries by ~** доставка на дом по договорённости; **I'll make ~s for you to be met** я договорюсь, чтобы Вас встретили
arrant [ˈærənt] *adj* отъявленный
array [əˈreɪ] *n* массив; **~ of** масса, множество
arrears [əˈrɪəz] *npl* задолженность; **to be in ~ with one's rent** иметь
arrest [əˈrest] *vt* арестовывать; приковывать ✧ *n* арест, задержание; **under ~** под арестом
arresting [əˈrestɪŋ] *adj* поразительный
arrival [əˈraɪvl] *n* прибытие; *комм.* привоз;**new ~** новичок; *(baby)* новорождённый
arrive [əˈraɪv] *vi* прибывать; приходить; *(baby)* рождаться
arrogance [ˈærəgəns] *n* высокомерие
arrogant [ˈærəgənt] *adj* высокомерный
arrow [ˈærəu] *n* стрела, стрелка
arse [ɑ:s] *n груб.* зад
arsenal [ˈɑ:sɪnl] *n* арсенал
arsenic [ˈɑ:snɪk] *n* мышьяк
arson [ˈɑ:sn] *n* поджог
art [ɑ:t] *n* искусство; изобразительное искусство; **A~s** *npl* гуманитарные науки; **work of ~** произведение искусства
artefact [ˈɑ:tɪfækt] *n* **=artifact** художественное изделие, поделка древнего человека
arterial [ɑ:ˈtɪərɪəl] *adj* артериальный; **~ road** магистраль
artery [ˈɑ:tərɪ] *n* артерия
artful [ˈɑ:tful] *adj* ловкий
art gallerry *n* картинная галерея; галерея
arthritic [ɑ:ˈθrɪtɪk] *adj* артритический
arthritis [ɑ:ˈθraɪtɪs] *n* артрит
artichoke [ˈɑ:tɪtʃəuk] *n (also:* **globe ~)** артишок; *(also:* **Jerusalem ~)** земляная груша
article [ˈɑ:tɪkl] *n* предмет; артикль; статья; пункт; **~s** *npl курс профессиональной подготовки адвокатов;* **~ of clothing** предмет одежды
articulate *adj* [ɑ:ˈtɪkjulɪt], *vb* [ɑ:ˈtɪkjuleɪt] *adj* вразумительный (вразумителен) ✧ *vt* выражать ✧ *vi:* **to ~ well/badly** чётко/нечётко вы-

A

говаривать; **she is very ~** она чётко *or* ясно выражает свои мысли
articulated lorry *n* грузовик с прицепом
artifice [ˈɑːtɪfɪs] *n* приём; искусность
artificial [ˌɑːtɪˈfɪʃəl] *adj* искусственный; неестественный
artificial insemination [-ɪnsemɪˈneɪʃən] *n* искусственное оплодотворение
artificial intelligence *n* искусственный интеллект
artificial respiration *n* искусственное дыхание
artillery [ɑːˈtɪlərɪ] *n* артиллерия
artisan [ˈɑːtɪzæn] *n* ремесленник
artist [ˈɑːtɪst] художник, живописец; артист
artistic [ɑːˈtɪstɪk] художественный, артистический
artistry [ˈɑːtɪstrɪ] *n* мастерство
artless [ˈɑːtlɪs] *adj* безыскусный
art school *n* художественное училище
artwork [ˈɑːtwɜːk] *n* оформление
arty [ˈɑːtɪ] *разг.* с претензией на художественность *(о вещах);* претендующий на тонкий вкус *(о людях)*
as [æz] *(полная форма),* [əz] *(редуцированная форма) (для введения придат. предлож. времени)* в то время как, как только, по мере того как, до тех пор пока; **as they were going home** в то время как они шли домой; **as soon as I saw you** как только я увидел вас; **as he grew up** по мере того как он рос; **as long as I live** пока я жив; *(для введения придат. предлож. причины)* потому что, так как; **he dined alone as his wife was away** он обедал один, так как его жены не было дома; *(для введения обстоятельства следствия)* так... что; **he arranged matters so as to suit everyine** он так все устроил, что всем угодил; *(для введения придат. предлож. образа действия)* как, так... как; **run as quickly as you can** бегите как можно быстрее; **I know that as well as you do** я знаю это так же хорошо, как и вы; *(для введения придат. уступительного предлож.)* хотя; **much as I love you** хотя я и очень люблю вас; *(с последующим if для введения придат. предлож. образа действия или сравнения)* как будто; **you speak as if...** вы говорите так, как будто ✧ **as to you** что касается вас; **as far as I know** насколько мне известно; **it was know as early as the Middle Ages** это было известно еще в средние века; **as it is** и так, и без того; **as yet** пока что; **as it were** как бы; так сказать; **as for, as to** что касается, что до; **as well** тоже
asbestos [æzˈbestɔs] *мин.* асбест
ascend [əˈsend] *vt* всходить на; всходить по; взойти на
ascendancy [əˈsendənsɪ] *n* господство; **~ over sb** господство над кем-л.
ascendant [əˈsendənt] *n:* **to be in the ~** господствовать
ascension [əˈsenʃən] *n:* **the A ~** Вознесение
ascent [əˈsent] *n* подъём; восхождение
ascertain [æsəˈteɪn] *vt* устанавливать
ascetic [əˈsetɪk] *adj* аскетический
asceticism [əˈsetɪsɪzəm] *n* аскетизм
ascribe [əˈskraɪb] приписывать
ascription [əsˈkrɪpʃən] приписывание
aseptic [æˈseptɪk] стерильный
ash [æʃ] *n* зола, пепел; ясень; **mountain ~** рябина
ashamed [əˈʃeɪmd] *adj:* **to be ~ (of)** стыдиться; **I'm ~ of ...** мне стыдно; **i'm ~ of myself for having done that** мне стыдно, что я сделал это
ash-bin [ˈæʃbɪn] ведро *или* ящик для мусора
ashen [ˈæʃən] *adj* мертвенно-бледный, пепельный
ashore [əˈʃɔː] *adv* на берегу; на берег
ashtray [ˈæʃtreɪ] *n* пепельница
aside [əˈsaɪd] *adv* в сторону ✧ *n* реплика ✧; **~ from** помимо; **to brush objections ~** отметать возражения в сторону

ask [ɑːsk] *vt* спрашивать; звать; **to ~ sb for sth/sb to do** просить что-л. у кого-л.; **to ~sb the time** спрашивать кого-л., который час; **to ~ sb about sth** спрашивать кого-л. о чём-л.; **to ~ about the price** спрашивать о цене; **to ~ (sb) a question** задавать вопрос; **to ~ sb out to dinner** приглашать кого-л. в ресторан
ask after *vt* справляться
askance [əs'kæns] сбоку; искоса; **look ~ at** подозрительно смотреть
askew [əs'kjuː] криво, косо
ask for *vt* просить; напрашиваться; **he's just ~ing for trouble** *or* **for it** он просто напрашивается на неприятности
asking ['ɑːskɪŋ]: **for the ~** стоит только попросить
asking price ['ɑːskɪŋ-] *n:* **the ~** запрашиваемая цена
aslant [ə'slɑːnt] **1.** *adv* косо, наискось **2.** *prep* поперёк
asleep [ə'sliːp] *adj* спящий; **to be ~** спать; **to fall ~** засыпать
aslope [ə'sloup] *adv* покато; на склоне, на скате
asparagus [əs'pærəgəs] *n* спаржа
aspect ['æspekt] *n* аспект, сторона, вид; **a room with a southern ~** комната с видом на юг
aspen ['æspən] **1.** *a* осиновый **2.** *n* осина
asperity [æs'perɪtɪ] строгость; суровость
asper||se [əs'pəːs] чернить, позорить *(кого-л.);* **~sion** [əs'pəːʃən] клевета
aspersions [əs'pəːʃənz] *npl:* **to cast ~ on** ставить под сомнение; очернять
asphalt ['æsfælt] *n* асфальт
asphyxiate [æs'fiksɪeɪt] *vt* душить
asphyxiation [æsfiksɪ'eɪʃən] *n* удушье
aspic ['æspɪk] *кулин.* заливное
aspirant [əs'paɪərənt] претендент
aspirate *vt* ['æspəreɪt], *adj* ['æspərɪt] *vt* произносить с придыханием ✧ *adj* придыхательный
aspirations [æspə'reɪʃənz] *npl* устремления
aspire [əs'paɪə'] *vi:* **to ~ to** стремиться к
aspirin ['æsprɪn] *n* аспирин
aspiring [əs'paɪərɪŋ] *adj* начинающий
ass [æs] осел
assail [ə'seɪl] *vt* нападать на; **he was ~ed by doubts** его одолели сомнения
assailant [ə'seɪlənt] *n:* **his/her ~** напавший(-ая) на него/неё
assassin [ə'sæsɪn] *n* политический убийца
assassinate [ə'sæsɪneɪt] *vt* совершать покушение на
assassination [əsæsɪ'neɪʃən] *n* политическое убийство
assault [ə'sɔːlt] *n* нападение; атака ✧ *vt* нападать на; атаковать; насиловать; **~ and battery** оскорбление действием
assay [ə'seɪ] **1.** *n* проба *(металлов)* **2.** *v* испытывать; опробовать
assemble [ə'sembl] *vt* собирать ✧ *vi* собираться
assembly [ə'semblɪ] *n* собрание; ассамблея, законодательное собрание; сборка; **General A~ of the UN** Генеральная Ассамблея ООН
assent [ə'sent] *n* согласие ✧ *vi:* **to ~ (to)** соглашаться на
assent [ə'sent] **1.** *v* соглашаться; уступать *(просьбе)* **2.** *n* согласие, санкция
assert [ə'səːt] *vt* утверждать; отстаивать; **to ~ o.s.** самоутверждаться
assertion [ə'səːʃən] *n* утверждение
assertive [ə'səːtɪv] *adj* самоуверенный
assess [ə'ses] *vt* оценивать; **to ~ for tax** оценить стоимость для целей налогообложения
assessment [ə'sesmənt] *n:* **~ (of)** оценка; **tax ~** оценка стоимости для целей налогообложения
assessor [ə'sesə] *n* эксперт (консультант)
asset ['æset] *n* достоинство; **~s** *npl* активы; актив *msg* баланса; **he's an ~ to the company** он представляет собой большую ценность для компании
asset-stripping ['æset'strɪpɪŋ] *n комм.* распродажа неприбыльных активов *(при поглощении одной*

A

компании другой)
assiduous [ə'sɪdjuəs] *adj* усердный
assign [ə'saɪn] *vt* поручать, предписывать; придавать; предназначать
assignment [ə'saɪnmənt] *n* предписание; задание
assimilate [ə'sɪmɪleɪt] *vt* усваивать; **to be ~d** ассимилироваться
assimilation [əsɪmɪ'leɪʃən] *n* усвоение; ассимиляция
assist [ə'sɪst] *vt* помогать; содействовать
assistance [ə'sɪstəns] *n* помощь; содействие
assistant [ə'sɪstənt] *n* помощник; ассистент; **shop ~** продавец; **laboratory ~** лаборант
assistant manager *n* заместитель *m* заведующего
assizes [ə'saɪzɪz] *pl* выездная сессия суда присяжный
associate *n, adj* [ə'səuʃɪɪt], *vb* [ə'səuʃɪeɪt] *n* коллега ✧ *adj* ассоциированный ✧ *vt* ассоциировать; **to ~ with sb** общаться с кем-л.
associated company [ə'səuʃɪeɪtɪd-] *n* дочернее предприятие
association [əsəusɪ'eɪʃən] *n* ассоциация; связь; **in ~ with** в сотрудничестве с
association football *n* футбол *(по правилам Нац. ассоциации футболистов Англии)*
assonant ['æsənənt] созвучный
assorted [ə'sɔːtɪd] *agj* разнообразный; **hats in ~ sizes** шляпы разных размеров
assortment [ə'sɔːtmənt] *n* ассортимент; подбор
assuage [ə'sweɪdʒ] *vt* смягчать; утолять
assume [ə'sjuːm] *vt* предполагать, допускать; брать на себя; принимать; брать
assumed name [ə'sjuːmd-] *n* вымышленное имя
assumption [ə'sʌmpʃən] *n* предположение; принятие на себя; **~ of power** приход к власти: **on the ~ that...** предполагая, что...
assurance [ə'ʃuərəns] заверение, (само)уверенность, страхование
assure [ə'ʃuə'] *vt* уверять, заверять, обеспечивать
assured [ə'ʃuəd] *adj* уверенный; несомненный
aster ['æstə] астра
asterisk ['æstərɪsk] *n* звёздочка
astern [ə'stəːn] *adv* на корме; на корму; за кормой; **to move ~** идти задним ходом
asteroid ['æstərɔɪd] *n* астероид
asthma ['æsmə] *n* астма
asthmatic [æs'mætɪk] *adj* астматический ✧ *n* астматик; **~ attack** приступ астмы
astigmatism [ə'stɪgmətɪzəm] *n* астигматизм
astir [ə'stəː] *predic* в движении; на ногах, возбуждённый
astonish [ə'stɔnɪʃ] *vt* изумлять, поражать
astonishing [ə'stɔnɪʃɪŋ] *adj* поразительный; **I find it ~ that ...** меня поражает, что ...
astonishingly [ə'stɔnɪʃɪŋlɪ] *adv* поразительно; **to play, ~, was successful** поразительным образом пьеса была удачной
astonishment [ə'stɔnɪʃmənt] *n* удивление, изумление; **to my ~** к моему изумлению
astounded [ɔ'staundɪd] *adj* поражённый, изумлённый
astounding [ə'staundɪŋ] *adj* поразительный, изумительный
astray [əs'treɪ] **to go ~** заблудиться, сбиться с пути
astride [ə'straɪd] верхом на ✧ *adv* верхом
astringent [əs'trɪnsʒənt] *adj* вяжущий ✧ *n* вяжущее вещество
astrologer [əs'trɔlədʒə'] *n* астролог
astrology [əs'trɔlədʒɪ] *n* астрология
astronaut ['æstrənɔːt] *n* астронавт, космонавт
astronomer [əs'trɔnəmə'] *n* астроном
astronomical [æstrə'nɔmɪkl] *adj* астрономический
astronomy [əs'trɔnəmɪ] *n* астрономия
astrophysics ['æstrəu'fɪzɪks] *n* астрофизика
astute [əs'tjuːt] *adj* проницательный; дальновидный
asunder [ə'sʌndə] порознь, отдельно; в куски, на части

A

asylum [ə'saɪləm] приют, убежище; психиатрическая лечебница
asymmetrical [eɪsɪ'metrɪkl] *adj* асси-метричный
at [æt] *(полная форма),* [ət] *(редуцированная форма) (в отношении места)* у; за; при; **at the door** у дверей; **at supper** за ужином; **at the corner of the table** на краю стола; *(при обозначении времени)* в; на; **at six o'clock** в шесть часов; **at daybreak** на рассвете; **at night** ночью; *(после глаголов* look, gaze, stare; hint) на; *(после глаголов* arrive, get, rush; shoot, aim) на; в; *(после глаголов* laugh, sneer, mock) над; *(после глаголов* catch, clutch) за; *(после глаголов* wonder, be surprised, be astonished — *часто переводится русск. дат. и тв. п.)* ✧ **at all** вообще *(в отриц. предл.);* **at best** в лучшем случае; **at first** сначала; **at one (with)** в согласии; **at the sight** *(of)* при виде; **at times** иногда; **not at all** нисколько
ate [et] *past от* **eat**
atheism ['eɪθɪɪzm] *n* атеизм
atheist ['eɪθɪɪst] *n* атеист(ка)
Athenian [ə'θiːnɪən] *adj* афинский ✧ *n* афинянин
athlete ['æθliːt] *n* спортсмен(ка)
athletic [æθ'letɪk] *adj* спортивный; атлетический
athletics [æθ'letɪks] *n* лёгкая атлетика
Atlantic [ət'læntɪk] *adj* атлантический ✧ *n:* **the ~ (Ocean)** Атлантический Океан
atlas ['ætləs] *n* атлас
atmosphere ['ætməsfɪə] *n* атмосфера; воздух
atmospheric [ætməs'ferɪk] *adj* атмосферный
atmospherics [ætməs'ferɪks] *npl* атмосферные помехи
atoll ['ætɔl] *n* атолл, коралловый остров
atom ['ætəm] *n* атом
atom(ic) bomb *n* атомная бомба
atomic [ə'tɔmɪk] *adj* атомный
atomizer ['ætɔmaɪzə] *n* пульверизатор
atone [ə'təun] *vi:* **to ~ for** искупать *(вину)*
atonement [ə'təunmənt] *n* искупление
atrocious [ə'trəuʃəs] *adj* ужасный
atrocity [ə'trɔsɪtɪ] *n* зверство
atrophy ['ætrəfɪ] *n* атрофия ✧ *vt* атрофировать ✧ *vi* атрофироваться
attach [ə'tætʃ] *vt* прикреплять; прилагать; **he is/was ~ed to** он привязан/был привязан к
attaché [ə'tæʃeɪ] *n* атташе
attaché case *n* дипломат *(портфель)*
attachment [ə'tætʃmənt] *n* крепление; приспособление, насадка; **~ (to sb)** привязанность к кому-л.
attack [ə'tæk] *vi* атаковать; нападать на; браться энергично за ✧ *n* атака; нападение; приступ; **heart ~** сердечный приступ
attacker [ə'tækə'] *n:* **his/her ~** напавший на него/неё
attain [ə'teɪn] *vt* достигать
attainments [ə'teɪnmənts] *npl* достижения
attempt [ə'tempt] *n* попытка ✧ *vt* пытаться; **to make an ~ on sb's life** совершать покушение на чью-л. жизнь; **he made no ~ to help** он совершенно не пытался помочь
attend [ə'tend] *vt* посещать; ухаживать за; слушать; присутствовать на
attendance [ə'tendəns] *n* присутствие; посещаемость; количество болельщиков на матче
attendant [ə'tendənt] *n* сопровождающий; служитель ✧ *adj* сопутствующий
attend to *vt* заниматься; обслуживать
attention [ə'tenʃən] *n* внимание; уход ✧ *escl* смирно; **~s** знаки внимания; **for the ~ of ...** к сведению; **it has come to my ~ that ...** мне стало известно, что ...; **to stand to/at ~** стоять по стойке "смирно"
attentive [ə'tentɪv] *adj* внимательный; предупредительный; заботливый
attentively [ə'tentɪvlɪ] *adv* внимательно, заботливо

A

attenuate [ə'tenjueɪt] *vt* ослаблять ✧ *vi* ослабляться
attest [ə'test] *vi:* **to ~ to** свидетельствовать о
attic ['ætɪk] *n* мансарда; чердак
attire [ə'taɪə] **1.** наряд; **2.** одевать, наряжать
attitude ['ætɪtju:d] поза, осанка; отношение, позиция; **~ of mind** склад ума
attorney [ə'tə:nɪ] поверенный, адвокат; **A. General** генеральный атторней *(прокурор);* **district ~** атторней, прокурор
Attorney General *n* министр юстиции; Генеральный прокурор
attract [ə'trækt] *vt* привлекать
attraction [ə'trækʃən] *n* привлекательность; аттракционы; *физ.* притяжение; влечение
attractive [ə'træktɪv] *adj* привлекательный
attribution [ætrɪ'bju:ʃən] *n* приписывание
attribute *n* ['ætrɪbju:t], *vb* [ə'trɪbju:t] *n* признак, атрибут ✧ *vt:* **to ~sth to** относить что-л. за счёт; приписывать что-л.
attrition [ə'trɪʃən] *n:* **a war of ~** война на изнурение
attune [ə'tju:n] приводить в созвучие, настраивать
atypical [ei'tɪpɪkl] *adj* нетипичный
aubergine ['əubəʒi:n] *n* баклажан; *(цвет)* темно-лиловый
auburn ['ɔ:bən] каштанового цвета
auction ['ɔ:kʃən] *n* аукцион ✧ *vt* продавать с аукциона
auctioneer [ɔ:kʃə'nɪə] *n* аукционист
auction room *n* аукционный зал
audacious [ɔ:'deɪʃəs] *adj* дерзкий
audacity [ɔ:'dæsɪtɪ] *n* дерзость
auder ['ɔ:gə] бурав, сверло
audible ['ɔ:dɪbl] внятный, слышный
audience ['ɔ:dɪəns] *n* аудитория, публика; аудиенция
audiovisual aids ['ɔ:dɪəu'vɪzjuəl-] *npl* технические средства *ntpl* обучения
audit ['ɔ:dɪt] **1.** *n* проверка счетов, ревизия **2.** *v* ревизовать, отчётность
audition [ɔ:'dɪʃən] прослушивание; проба *(голосов и т.п.)*
auditor ['ɔ:dɪtə] ревизор
auditorium [,ɔ:dɪ'tɔ:rɪəm] зрительный зал; аудитория
auditory ['ɔ:dɪtərɪ] слуховой
aught [ɔ:t] *поэт.* нечто, кое-что, что-нибудь; **for ~ I know** насколько мне известно
augment [ɔ:g'ment] увеличивать, прибавлять; **~ation** ['ɔ:gment'teɪʃən] прирост, увеличение
augur ['ɔ:gə] **1.** *n* авгур, прорицатель **2.** *v* предсказывать *(судьбу);* гадать; **~y** ['ɔ:gjurɪ] гадание, прорицание
August ['ɔ:gəst] август
aunt ['a:nt] тётя, тётка; **~y** [-ɪ] *ласк.* тётенька
aura ['ɔ:rə] *n* ореол
aural ['ɔ:rəl] ушной
aureola [ɔ:'rɪəulə] ореол, венец, сияние
auricular [ɔ:'rɪkjulə] ушной, слуховой
auriferous [ɔ:'rɪfərəs] золотоносный
aurora [ɔ:'rɔrə] утренняя заря; **~ borealis** северное сияние
auscultation ['ɔ:skəl'teɪʃən] выслушивание *(больного)*
auspices ['ɔ:spɪsɪz] *pl* предзнаменование, покровительство; **under smb.'s ~** под чьим-л. покровительством
auspicious [ɔ:s'pɪʃəs] *adj* благоприятный
austere [ɔs'tɪə'] *adj* строгий; суровый
austerity [ɔs'terɪtɪ] *n* строгость; лишения
Australasia [ɔ:strə'leɪzɪə] *n* Австралия и Новая Зеландия
Australasian [ɔ:atrə'leɪzɪən] *adj* австрало-азиатский
Australia [ɔs'treɪlɪə] *n* Австралия
Austria ['ɔstrɪə] *n* Австрия
authentic [ɔ:'θentɪk] **(~ally)** подлинный, достоверный
authenticate [ɔ:'θentɪkeɪt] *vt* удостоверять подлинность
authenticity [ɔ:θen'tɪsɪtɪ] *n* подлинность
author ['ɔ:θə'] *n* автор; писатель
authoritative [ɔ:'θɔrɪtətɪv] авторитетный; надежный, внушительный

authority [ɔːˈθɔrɪtɪ] *n* власть; управление; авторитет; полномочие
authorization [ɔːθəraɪˈzeɪʃən] *n* ~ **(for)** санкция на
authorize [ˈɔːθəraɪz] *vt* санкционировать; **to ~ sb to do** уполномочивать кого-л.
authorized capital [ˈɔːθəraɪzd-] *n* уставный капитал
authorship [ˈɔːθəʃɪp] *n* авторство
auto [ˈɔːtəu] *n* авто
autobiographical [ˈɔːtəbaɪəˈgræfɪkl] *adj* автобиографический
autobiography [ɔːtəbaɪˈɔgrəfɪ] *n* автобиография
autocra||cy [ɔːˈtɔkrəsɪ] самодержавие, автократия; **~tic(al)** [ɔːtəˈkrætɪkəl] самодержавный, деспотический
Autocue [ˈɔːtəukjuː] *n* телесуфлёр
autogenous [ɔːˈtɔdʒɪnəs] автогенный
autograph [ˈɔːtəgrɑːf] *n* автограф ✧ *vt* надписывать
automat [ˈɔːtəmæt] *n* автомат; кафе-автомат
automate [ˈɔːtəmeɪt] *vt* автоматизировать
automated [ˈɔːtəmeɪtɪd] *adj* автоматизированный
automatic [ɔːtəˈmætɪk] *adj* автоматический ✧ *n* (самозарядный) пистолет; автомобиль с автоматическим переключением скоростей; (washing machine) стиральная машина автомат
automatically [ɔːtəˈmætɪklɪ] *adv* автоматически
automatic date processing *n* автоматическая обработка данных
automation [ɔːtəˈmeɪʃən] *n* автоматизация
automobile [ˈɔːtəməbiːl] *n* автомобиль
autonomous [ɔːˈtɔnəməs] автономный
autonomy [ɔːˈtɔnəmɪ] автономия
autopilot [ˌɔːtəˈpaɪlət] *авиа.* автопилот
autopsy [ˈɔːtopsɪ] *мед.* вскрытие (трупа)
autumn [ˈɔːtəm] *n* осень, **in ~** осенью
autumnal [ɔːˈtʌmnəl] *adj* осенний
auxiliary [ɔːgˈzɪlɪərɪ] *adj* вспомогательный ✧ *n* помощник
avail [əˈveɪl] *vt:* **to ~ o.s. of** воспользоваться ✧ *n:* **to on ~** напрасно
availability [əveɪləˈbɪlɪtɪ] *n* наличие
available [əˈveɪləbl] *adj* имеющийся в наличии, доступный; свободный; **every ~ means** все доступные средства; **is the manager ~?** заведующий свободен?; **to make sth ~ to sb** предоставлять что-н кому-н
avalanche [ˈævəlɑːnʃ] снежный обвал; лавина
avant-garde [ˈævɑŋˈgɑːd] *adj* авангардистский
avarice [ˈævərɪs] *n* алчность
avaricious [ævəˈrɪʃəs] *adj* алчный
avenge [əˈvendʒ] *vt* мстить за
avenue [ˈævɪnjuː] проход; аллея; дорога, обсаженная деревьями; широкая улица, проспект; путь; средство
average [ˈævərɪdʒ] **1.** *n* среднее число **2.** *a* средний; **~ height** средний рост; **on the ~, an ~** *(of)* в среднем **3.** *v* выводить среднее число
aversion [əˈvəːʃən] *n* неприязнь; **to have an ~ to sb/sth** испытывать неприязнь к кому-н/чему-н
avert [əˈvəːt] *vt* предотвращать; отводить
aviary [ˈeɪvɪərɪ] *n* птичий вольер
aviation [eɪvɪˈeɪʃən] *n* авиация
avid [ˈævɪd] *adj* страстный, алчный
avidly [ˈævɪdlɪ] *adv* страстно
avocado [ævəˈkɑːdəu] *n* авокадо
avoid [əˈvɔɪd] *vt* избегать
avoidable [əˈvɔɪdəbl] *adj* предотвратимый
avoidance [əˈvɔɪdəns] *n:* **~ (of)** уклонение
avowed [əˈvaud] *adj* открыто признанный
avuncular [əˈvʌŋkjuləˈ] *adj* отеческий; заботливый *(уст.)*
await [əˈweɪt] ждать, ожидать
awake [əˈweɪk] **1.** *v* (awoke, awoke, awaked) будить, просыпаться; становиться деятельным; *(to)* понять, осознать **2.** *d predic* бодрствующий
awakening [əˈweɪknɪŋ] *n* пробуждение

B

award [əˈwɔːd] *n* награда; возмещение ✧ *vt* награждать; присуждать

aware [əˈweəˈ] *adj* сознавать; **to become ~ of/that** осознавать, что; **politically/socially ~** политически/социально сознательный; **I am fully ~ that** я полностью сознаю, что

awareness [əˈweənɪs] *n* сознание; **to develop people's ~ of** развивать общественное сознание

awash [əˈwɔʃ] *adj* затопленный; наводнённый

away [əˈweɪ] прочь, далеко

away game *n* игра на выезде

awe [ˈɔː] **1.** *n* страх; благоговение **2.** *v* внушать страх *или* благоговение, запугивать; **~struck** [-strʌk] охваченный благоговейным страхом

awe-inspiring [ˈɔːɪnspaɪərɪŋ] *adj* внушающий благоговение

awestruck [ˈɔːstrʌk] *adj* охваченный благоговением

awful [ˈɔːfəl] *adj* ужасный; **an ~ lot (of)** ужасно много

awfully [ˈɔːfəlɪ] *adv* ужасно

awhile [əˈwaɪl] *adv* недолго, какое-то время; **wait ~** подождите немного

awkward [ˈɔːkwəd] неуклюжий, неловкий; неудобный

awkwardness [ˈəkwədnɪs] *n* неуклюжесть; неловкость; неудобство

awl [ɔːl] *n* шило

awning [ˈɔːnɪŋ] *n* тент; навес

awry [əˈraɪ] косо, набок; неправильный

axe [æks] топор

axial [ˈæksɪəl] *техн., мат.* осевой

axiom [ˈæksɪəm] аксиома

axis [ˈæksɪs] *(pl* axes [-iːz]) ось

aye [aɪ] *excl* да; **the ~s** *npl* голосующие "за"

azalea [əˈzeɪlɪə] *n* азалия

Azerbaijan [aəzəbaɪˈdʒaːn] *n* Азербайджан

azot||e [əˈzout] азот; **~ic** [əˈzɔtɪk] азотный; азотистый

Azov [ˈaːzɔv] *n:* **Sea of ~** Азовское море

azure [ˈeɪʒəˈ] *adj* лазурный

B

B, b [biː] *вторая буква англ. алфавита, муз.* нота си

babble [ˈbæbl] **1.** *v* журчать, лепетать; бормотать **2.** *n* журчание, лепет; бормотание; **~r** болтун

babe [beɪb] *поэт.* дитя; ребенок

baboon [bəˈbuːn] *n* бабуин

baby [ˈbeɪbɪ] *n* ребенок

baby carriage *n* коляска

baby grand *n* кабинетный рояль

babyhood [ˈbeɪbɪhud] *n* младенчество

babyish [ˈbeɪbɪɪʃ] *adj* детский

baby-minder [ˈbeɪbɪˈmaɪndəˈ] *n* няня

baby-sit [ˈbeɪbɪsɪt] *vi* смотреть за детьми

baby-sitter [ˈbeɪbɪsɪtəˈ] *n* приходящая няня

bachelor [ˈbætʃələˈ] *n* холостяк; бакалавр; **B~ of Arts/Science** бакалавр гуманитарных/естественных наук; **B ~ of Arts/Science degree** степень бакалавра гуманитарных/естественных наук

bachelorhood [ˈbætʃələhud] *n* холостяцкая жизнь; степень бакалавра

bachelor party *n* мальчишник

back [bæk] *n* **1.** спина; **the back of the hand** тыльная сторона ладони; **he has his back to the wall** прижат к стенке **2.** задняя часть; спинка; обратная сторона, оборот; **back to front** задом наперед; **to break the back of a job** выполнять главную часть работы; **at the back** в задних рядах; **3.** защитник ✧ **1. back up** поддерживать **2.** финансировать, оказывать финансовую поддержку **3. he backed the car into the garage** он дал задний ход и поставил машину в гараж ✧ *vi* **back up** давать задний ход ✧ *adv* **1. he ran back** он побежал обратно *or}* назад **2. he's back** он вернулся; **when will you be back?** когда Вы вернетесь? **3. to throw the ball back** кидать мяч обратно; **can I have the pen back?** вер-

ните мне ручку, пожалуйста **4. to call back** перезванивать; заходить еще раз ✧ *cpd* задним числом **2. to take a back seat** становиться пассивным наблюдателем
backache [ˈbækeɪk] *n* прострел, боль в пояснице
backbencher [ˈbækˈbentʃə] рядовой член парламента
backbiting [ˈbækbaɪtɪŋ] *n* злословие
backbone [ˈbækbəun] *n* позвоночник; **he's the ~ og the organization** на нем держится вся организация
backchat [ˈbəktʃæt] *n* препирательство
backcloth [ˈbækklɔθ] *n театр.* задник
backcomb [ˈbækkəum] *vi* начесывать
backdate [bækˈdeɪt] *vi* проводить задним числом; **~d pay rise** повышение зарплаты задним числом
back down *vi* отступать
backgammon [ˈbækgæmən] *n* трикт-рак *(игра)*
background [ˈbækgraund] *n* задний план; предыстория; *комп.* фон; опыт ✧ *cpd* посторонний; **he's from a working class ~** он из рабочей семьи; **against a ~ of...** на фоне
backhand [ˈbækhænd] *n* удар слева
backhanded [ˈbækˈhændɪd] *adj* двусмысленный
backhander [ˈbækˈhændəˈ] *n* взятка
backing [ˈbækɪŋ] *n* поддержка *комм.* финансирование *муз.* сопровождение
backlash [ˈbæklæʃ] *n* обратная реакция
backlog [ˈbæklɔg] *n* **~ of work** невыполненная работа
back on to *vifus* **the house backs on to a park** дом выходит задним фасадом в парк
back out *vi* отступать
backpack [ˈbækpæk] *n* рюкзак
backpacker [ˈbækpækəˈ] *n* молодой человек, путешествующий с рюкзаком
back pay *n* плата задним числом
backpedal [ˈbækpedl] *vt* идти на попятный
backside [ˈbæksaɪd] *n* зад
backslash [ˈbækslæʃ] *n* косая черта влево
backslide [ˈbækslaɪd] *vi* приниматься за старое
backspace [ˈbækspeɪs] *vi* реверсировать
backstage [bækˈsteɪdʒ] *adv* за кулисами
backstreet [ˈbækstriːt] *n* окраина
backstroke [ˈbækstrəuk] *n* плавание на спине; **to do the ~** плавать на спине
backtrack [ˈbæktræk] *vi* идти на попятный
back up *vi* поддерживать; *комп.* резервировать
backward [ˈbækwəd] **1.** *adv* назад **2.** *a* обратный *(о движении)*, отсталый; ~ children умственно отсталые дети; **~-ness** отсталость
backwards [ˈbækwədz] *adv* наоборот
backwater [ˈbækwɔːtəˈ] *n* болото
backyard [bækˈjaːd] *n* задний двор
bacon [ˈbeɪkən] бекон, копчёная грудинка
bacteria [bækˈtɪərɪə] *prl* бактерии
bacteriology [bæktɪərɪˈɔlədʒɪ] *n* бактериология
bad [bæd] *adj* плохой; серьезный; тяжелый; тухлый: **his ~ leg** его больная нога; **to go ~** тухнуть; портиться; скисать; **she's having a ~ time of it** у нее тяжелый период; **I feel ~ about it** я чувствую себя виноватым; **in ~ faith** неискренне
baddy [ˈbædɪ] *n* плохой
badge [bædʒ] *n* значок; бляха, символ
badger [ˈbædʒə] **1.** *зоол.* барсук; **2.** (за)травить; изводить (извести)
badly [ˈbædlɪ] *adv* плохо; **~ wounded** тяжело раненый; **he needs it ~** он сильно в этом нуждается; **to be ~ off** нуждаться
bad-mannered [ˈbædˈmænəd] *adj* невоспитанный
badminton [ˈbædmɪntən] *n* бадминтон
bad-tempered [ˈbædˈtempəd] *adj* вспыльчивый
baffle [ˈbæfl] *vi* озадачивать
baffling [ˈbæflɪŋ] *adj;* **I fing his**

B

behaviour ~ его поведение меня озадачивает
bag [bæg] **1.** *n* мешок; сумка; чемодан **2.** *v* класть в мешок
bagful [ˈbægful] *n* пакет; сумка
baggage [ˈbægɪdʒ] *n* багаж
baggage car *n* багажный вагон
baggage claim *n* выдача багажа
baggy [ˈbægɪ] мешковатый
Baghdad [bægˈdæd] *n* Багдад
bag lady *n* бездомная нищая
bagpipes [ˈbægpaɪps] *npl* волынка
bag-snatcher [ˈbægsnætʃəˈ] *n* вор, выхватывающий сумки
Bahamas [bəˈhɑːməz] *npl* Багамские острова
Bahrain [bɑːˈreɪn] *n* Бахрейн
Baikal [baɪˈkɑːl] *n:* **Lake** ~ Байкал
bail [beɪl] *n* залог ✧ *vt* **to grant ~ to** выпускать под залог; **he was released on** ~ он был выпущен на поруки
bailiff [ˈbeɪlɪf] судебный пристав; управляющий (имением)
bail out *vt* платить залоговую сумму; вычерпывать воду из; выручать ✧ *vi* выбрасываться с парашютом
bait [beɪt] **1.** приманка, наживка; искушение; **2.** приманивать; травить собаками; преследовать насмешками, изводить
baize [beɪz] *текст.* байка; грубое сукно
bake [beɪk] (ис)печь
baked beans [beɪkt-] *npl* консервированная фасоль
baker [ˈbeɪkəˈ] *n* пекарь
baker's dozen *n* чертова дюжина
bakery [ˈbeɪkərɪ] *n* пекарня; булочная
baking [ˈbeɪkɪŋ] *n* выпечка ✧ *adj* **it's ~ hot today** сегодня печет; **she does her ~ once a week** она печет раз в неделю
baking powder *n* разрыхлитель
baking tin *n* форма
baking tray *n* противень
Baku [bɑːku] *n* Баку
balaclava [bæləˈklɑːvə] *n* вязаный шлем
balance [ˈbæləns] *n* равновесие; *комм.* остаток; весы ✧ *vt* балансировать; уравновешивать; **on ~** по зреломразмышлении; **~ of trade/payments** торговый/платежный баланс; **~ brought forward** баланс с переноса; **to ~ the books** балансировать книги; **to ~ the pros and cons** взвешивать все за и против
balance sheet *n* сводный баланс
balanced [ˈbælənst] *adj* взвешенный; сбалансированный; уравновешенный
balcony [ˈbælkənɪ] балкон
bald [bɔːld] *adj* лысый; стертый; прямой
baldness [ˈbɔːldnɪs] *n* лысина
bale [beɪl] *торг.* кипа, тюк
baleful [ˈbeɪlful] *adj* зловещий
balk [bɔːk] **1.** *n* препятствие, бревно, балка **2.** *v* задерживать, препятствовать; артачиться *(о лошади)*
ball I [bɔːl] **1.** *n* шар, мяч; клубок, пуля ✧ **keep the ~ rolling** поддерживать разговор **2.** *v* свиваться в клубок
ball II бал
ballad [ˈbæləd] баллада
ballast [ˈbæləst] **1.** *n* балласт; щебень **2.** *v* грузить балластом
ball-bearing [ˈbɔːlˈberɪŋ] шарикоподшипник
ballcock [ˈbɔːlkɔk] *n* шаровой клапан
ballerina [bæləˈriːnə] *n* балерина
ballet [ˈbæleɪ] *n* балет
ballet dancer *n* артист(ка) балета
ballistic [bəˈlɪstɪk] *adj* баллистический
ballistic missile *n* баллистический снаряд
ballistics [bəˈlɪstɪks] *n* баллистика
balloon [bəˈluːn] воздушный шар; аэростат
balloonist [bəˈluːnɪst] *n* воздухоплаватель
ballot [ˈbælət] *n* голосование, баллотировка
ballot box *n* избирательная урна
ballot paper *n* избирательный бюллетень
ballpark [ˈbɔːlpɑːk] *n* бейсбольное поле
ballpark figure *n* приблизительный подсчет

ballpoint (pen) [ˈbɔːlpɔɪnt-] *n* шариковая ручка
ballroom [ˈbɔːlrum] *n* бальный зал
balls [bɔːlz] *n pl груб.* яйца; фигня
balm [bɑːm] *n* бальзам
balmy [ˈbɑːmɪ] *adj* ласкающий; приятный
baloney [bəˈləunɪ] вздор
balsa (wood) [ˈbɔːlsə-] *n* бальзовое дерево
Baltic [bɔːltɪk] *n* **the ~** Балтийское море ✧ *adj* **the ~ States** прибалтийские государства
balustrade [ˈbæləstreɪd] балюстрада
bamboo [bæmˈbuː] бамбук; бамбуковая трость
bamboozle [bæmˈbuːzl] *разг.* надувать; **~ smb. out of smth.** обманом взять что-л. у кого-л.
ban [bæn] **1.** *v* запрещать **2.** *n* запрещение
banal [bəˈnɑːl] пошлый
banana [bəˈnɑːnə] банан
bandage [ˈbændɪdʒ] **1.** *n* бинт; повязка; бандаж **2.** *v* перевязывать, бинтовать
bandit [ˈbændɪt] бандит, разбойник
bandbox [ˈbændbɔks] картонка *(для шляп)*
bandstand [ˈbændstænd] *n* эстрада
bandwagon [ˈbændwægən] *n*: **to jump on the ~** примкнуть к сильной стороне *or* модному течению
bandy [ˈbændɪ] *vt* перебрасываться
bandy about *vt* бесконечно упоминать
bandy-legged [ˈbændɪˈlegɪd] *adj* кривоногий
bane [beɪn] отрава; погибель; несчастье; **~ful** гибельный, губительный
bang I [bæŋ] **1.** *v* ударять; хлопать *(о двери)* **2.** *n* удар; хлопанье *(двери)* **3.** *adv разг.* как раз; вдруг **4.** *int* бац!
bang II чёлка
banger [ˈbæŋəˈ] *n* драндулет; сарделька; хлопушка
Bangkok [bæŋˈkɔk] *n* Бангкок
Bangladesh [bæŋgləˈdeʃ] *n* Бангладеш
Bangladeshi [bæŋgləˈdeʃɪ] *n* бангладешец ✧ *adj* бангладешский
bangle [ˈbæŋgl] *n* браслет
banish [ˈbænɪʃ] изгонять; **~ment** изгнание, высылка
banisters [ˈbænɪstəz] *pl* перила
banjo [ˈbændʒou] банджо *(музыкальный инструмент)*
bank [bæŋk] *n* банк; берег; насыпь; панель ✧ *vt авиа.* крениться; *комм.*: **they ~ with Pitt's** они держат деньги в банке Питт
bank account *n* банковский счет
bank balance *n* количество денег на банковском счету
bank card *n* банковская карточка
banker [ˈbæŋkəˈ] *n* банкир
banker's order *n* банковское поручение
bank holiday *n* нерабочий день
banking [ˈbæŋkɪŋ] *n* банковское дело
banking hours *npl* часы *mpl* работы банка
bank manager *n* управляющий(ая) банком
bank on *vt fus* полагаться на
bank rate *n* учетная ставка, банка
bankroll [ˈbæŋkrəul] *vt* обеспечивать
bankrupt [ˈbæŋkrʌpt] *adj* обанкротившийся ✧ *n* банкрот; **to go ~** обанкротиться; **I am ~** я — банкрот
bankruptcy [ˈbæŋkrʌptsɪ] *n комм.* банкротство, несостоятельность
bank statement *n* выписка с банковского счета
banner [ˈbænə] знамя, стяг
banner headline *n* газетная шапка
banquet [ˈbæŋkwɪt] **1.** *n* банкет **2.** *v* угощать, пировать
bantamweight [ˈbæntəmweɪt] *n* боксер легкого веса
banter [ˈbæntə] **1.** *n* добродушное подшучивание **2.** *v* подшучивать
baptism [ˈbæptɪzəm] *n* крещение
baptize [bæpˈtaɪz] *vt* креститься
bar I [bɑː] **1.** *n* полоса *(железа, дерева)*; плитка *(шоколада)*; брусок *(мыла и т.п.)*; засов; *pl* решетка *(тюремная)*; *муз.* такт; препятствие **2.** *v* запирать засовом, задвижкой; преграждать; исключать; запрещать, отстранять
bar II буфет, бар, стойка
bar III (the Bar) адвокатура; пе-

B

рила *(отделяющие судей от подсудимых)* ✧ **be called to the ~** получить право заниматься адвокатурой
barb [bɑ:b] зазубрина, зубец *(стрела, удочки);* колючка
barbed wire [ˈbɑ:bd-] *n* колючая проволока
barber [ˈbɑ:bəˊ] *n* парикмахер
barberry [ˈbɑ:bərɪ] барбарис
barbiturate [bɑ:ˈbɪtjurɪt] *n* барбитурат
bar chart *n* гистограмма
bare [beəˊ] *adj* голый, обнаженный, оголенный; ✧ *vt* обнажать; скалить; **in** *or* **with ~ feet** босиком; **the ~ essentials** предметы первой необходимости; **~ minimum** только минимум; **to ~ one's soul** раскрывать свою душу
bareback [ˈbeəbæk] *adv* без седла
barefaced [ˈbeəfeɪst] *adj* бесстыдный
barefoot [ˈbeəfut] *adj* босой ✧ *adv* босиком
bareheaded [beəˈhedɪd] *adj* с непокрытой головой
barely [ˈbeəlɪ] *adv* едва
Barents See [ˈbærənts-] *n:* **the ~ ~** Баренцево море
bargain [ˈbɑ:gɪn] *n* сделка
bargain for *vt fus:* **he got more than he ~ ed for** он получил больше, чем ожидал
bargaining [ˈbɑ:gənɪŋ] *n* торг
barge [bɑ:dʒ] *n* баржа
barge in *vi* вваливаться; влезать
barge into *vt fus* наталкиваться на
bargepole [ˈbɑ:dʒpəul] *n:* **I wouldn't touch him with a ~** я к этому на пушечный выстрел не подойду
baritone [ˈbærɪtəun] *n* баритон
bark I [bɑ:k] **1.** *n* кора дерева **2.** *v* сдирать кору; содрать, ссадить кожу
bark II барк
bark III 1. *v* лаять; *разг.* рявкать; *разг.* кашлять **2.** *n* лай
barkeeper [ˈbɑ:,ki:po] буфетчик
barley [ˈbɑ:lɪ] ячмень
barm [bɑ:m] пивные дрожжи
barmaid [ˈbɑ:meɪd] *n* буфетчица
barman [ˈbɑ:mən] *n* бармен
barmy [ˈbɑ:mɪ] *adj* чокнутый; нелепый
barn [bɑ:n] амбар; сарай; трамвайный парк
barnacle [ˈbɑ:nəkl] *n* моллюск
barometer [bəˈrɔmɪtəˊ] *n* барометр
baron [ˈbærən] *n* барон; магнат
baroness [ˈbærənɪs] *n* баронесса
baronet [ˈbærənɪt] *n* баронет
barrack [ˈbærək] барак, казарма
barracking [ˈbærəkiŋ] *n* выкрики; неодобрительные возгласы
barrage [ˈbærɑ:ʒ] *n* заградительный огонь; дамба; лавина
barrel [ˈbærəl] **1.** бочка, бочонок; ствол *(ружья)*; *техн.* цилиндр; барабан; вал; **2.** разливать по бочкам
barren [ˈbærən] *adj* бесплодный
barricade [bærɪˈkeɪd] **1.** баррикада; **2.** баррикадировать
barrier [ˈbærɪə] барьер; застава; препятствие
barrier cream *n* защитный крем
barring [ˈbɑ:rɪŋ] *prep* за исключением
barrister [ˈbærɪstəˊ] *n* адвокат
barrow [ˈbærəu] *n* тачка; двухколесная тележка
bar stool *n* высокое сиденье возле стойки бара
Bart *abbr* баронет
bartender [ˈbɑ:tendəˊ] *n* бармен
barter [ˈbɑ:tə] **1.** товарообмен, меновая торговля; **2.** менять, обменивать
base I [beɪs] **1.** *n* основа, основание; базис; база, исходный пункт **2.** *v* закладывать основание; основывать *(on);* **~ oneself on** основываться на
base II низменный, низкий; подлый
baseball [ˈbeɪsbɔ:l] бейсбол
baseboard [ˈbeɪsbɔ:d] *n* плинтус
base camp *n* базовый лагерь
baseline [ˈbeɪslaɪn] *n* линия подачи; исходная черта
basement [ˈbeɪsmənt] *n* подвал
base rate *n* тарифная ставка
bash [bæʃ] *vt* колотить ✧ **I'll have a ~** я попытаюсь
bashing [ˈbæʃɪŋ] *n* **union ~** яростные нападки на профсоюзы
basic [ˈbeɪsɪk] основной, элементарный

B

basically [ˈbeɪsɪklɪ] *adv* по существу; в основном
basic rate *n* базисная ставка
basics [ˈbeɪsɪks] *npl* **the** ~ основы
basil [ˈbeɪzl] *n* базилик
basin [ˈbeɪsn] таз, миска; мелкая бухта; бассейн *(любого водного пространства)*
basis [ˈbeɪsɪs] (*pl* **-es** [-i:z]) основа, основание; базис; база; исходный пункт
bask [bɑ:sk] *(in)* греться *(на солнце, у огня);* наслаждаться *(чем-л.)*
basket [ˈbɑ:skɪt] корзина, корзинка
basket-ball [ˈbɑ:skɪtbɔ:l] баскетбол
basketball player *n* баскетболист
bass [beɪs] *n* басовый
bass clef *n* басовый ключ
bassoon [bəˈsu:n] *n* фагот
bastard [ˈbɑ:stəd] *n* внебрачный ребенок, ублюдок
baste [beɪst] *vt* поливать жиром и соком; сметывать
bastion [ˈbæstɪən] *n* оплот
bat [bæt] *n зоол.* летучая мышь; *спорт.* бита; ракетка; ✧ *vt* **he didn't ~ an eyelid** он и глазом не моргнул; **off one's own ~** по собственному почину
batch [bæt] *n* выпечка; пачка; партия
batch processing *n* пакетная обработка
batet [ˈbeɪtɪd] *adj* **with ~ breath** затаив дыхание
bath [bɑ:θ] *n* ванна ✧ *vt* купать; **to have a ~** принимать ванну
bathe [beɪð] *vi* купаться; принимать ванну ✧ *vt* промывать
bather [ˈbeɪðəˈ] *n* купальщик(-ица)
bathing [ˈbeɪðɪŋ] *n* купание
bathing cap *n* купальная шапочка
bathing costume *n* купальный костюм **bath mat** *n* коврик для ванной
bathrobe [ˈbɑ:θrəub] *n* купальный халат
bathroom [ˈbɑ:θrum] *n* ванная
baths [bɑ:ðz] *npl* **swimming ~** плавательный бассейн
bath towel *n* банное полотенце
bathtub [ˈbɑ:θtʌb] *n* ванна
batiste [bæˈtɪ:st] *торг.* батист
batman [ˈbætmən] *n* денщик
baton [ˈbætən] *n муз.* дирижерская палочка; эстафетная палочка; дубинка
battalion [bəˈtælɪən] *n* батальон
batten I [ˈbætn] **1.** *n* рейка; дранка **2.** *v* скреплять рейками
batten II *(on)* откармливаться; наживаться за счет других
batter [ˈbætə] **1.** взбитое тесто; **2.** сильно бить, колотить, дубасить; **~ down** *или* **in** взламывать; **~y** [-rɪ] батарея; **assault and ~** оскорбление действием
battered [ˈbætəd] *adj* потрепанный; покореженный; **~ wife** подвергаемая побоям жена
battering ram [ˈbætərɪŋ-] *n* таран
battery [ˈbætərɪ] *n* батарейка *авт.* аккумулятор
battery charger *n* зарядное устройство
battery farm *n* птицефабрика
battery hens *npl* инкубаторные куры
battle [ˈbætl] *n* битва, бой ✧ *vi* бороться; сражаться; **that's half the ~** это уже пол дела; **it's a** *or* **we're fighting a losing ~** это безнадежная борьба, мы ведем безнадежную борьбу
battle dress *n* походная форма
battlefield [ˈbætlfi:ld] *n* поле битвы
battlements [ˈbætlmənts] *npl* стены с бойницами
battleship [ˈbætlʃɪp] *n* военный корабль
batty [ˈbætɪ] *adj* чокнутый
bauble [ˈbɔ:bl] игрушка; безделушка
bauxite [ˈbɔ:ksaɪt] *n* боксит
Bavaria [bəˈveərɪə] *n* Бавария
bawdy [ˈbɔ:dɪ] непристойный
bawl [bɔ:l] кричать, (за)орать; **~ out** выкрикивать
bay I [beɪ] залив, бухта
bay II: ~ window эркер, выступ комнаты с окном, “фонарь”
bay III 1. *n* лай ✧ **hold at ~** *охот.* не подпускать; **bring to ~** *охот.* загнать **2.** *v* лаять
bay IV 1. *n* гнедая лошадь **2.** *a* гнедой
bay V лавровое дерево; *pl см.* **laurel 2**
bay leaf *n* лавровый лист

bay tree *n* лавровое дерево
bazaar [bəˈzɑː] *(восточный)* базар; благотворительный базар
bazooka [bəˈzuːkə] *n* базука, гранатомет
be [biː] **(was, were, been) 1. what are you doing?** что Вы делаете? **it is raining** идет дождь; **they're working tomorrow** они работают завтра; **the house is being built** дом строится/строят; **I've been waiting for you for ages** я жду Вас уже целую вечность; **2. he was killed** он был убит; **the box had been opened** ящик открывали; **the thief was nowhere to be seen** вора нигде не было видно; **3. she's back again, isn't she?** она хорошенькая, правда?; **4. the house is to be soid** дом будет продан; **you're to be congratulated for all your work** Вы будете отмечены за всю вашу работу; **he's not to open it** он не должен открывать это; ✧ **1.***vb* **he is English** он англичанин; **she is going to be very tall** она будет очень высокая *or* высокой; **he is going to be an actor** он будет актером; **I'm tired** я устал; **I was hot/cold** мне было жарко/холодно; **two and two are four** дважды два — четыре; **she's tall/pretty** она высокая/симпатичная; **be careful!** будьте осторожны!; **be quiet!** тише!; **2. how are you feeling?** как Вы себя чувствуете?; **he's wery ill** он очень болен; **I'm better now** мне сейчас лучше; **3. how old are you?** сколько Вам лет? **I'm sixteen (years old)** мне шестнадцать (лет); **I was only 5 (years old) then** мне тогда было всего 5 (лет); **4. how much is/was the wine?** сколько стоит/стоило вино?; **that'll be £5.75, please** с вас £5.75, пожалуйста; ✧ *vi* **1. there are people who...** есть люди, которые...; **there is one drug that...** есть одно лекарство, которое...; **is there a God?** Бог есть на свете? **2.** бывать; **there are frequent accidents on this road** на этой дороге часто бывают аварии; **be thst as it may** как бы то ни было; **so be it** так и быть, быть по сему; **3. I won't be here tomorrow** меня здесь завтра не будет; **Edinburgh is in Scotland** Эдинбург находится в Шотландии; **the book is on the table** книга на столе; **there are pictures on the wall** на стене картины; **there is someone in the house** в доме кто-то есть; **we've been here dor ages** мы здесь уже очень давно; **4.** быть; **where have you been?** где Вы были?; **I've been to the post office** я был на почте; ✧ **1. it's five o'clock (now)** сейчас пять часов; **it's the 28th of April (today)** сегодня 28-ое апреля; **2. it's 10 km to the village** до деревни 10 км; быть; **it's too hot/cold (today)** сегодня слишком жарко/холодно; **it was wery windy yesterday** вчера было очень ветренно; **it will be sunny tomorrow** завтра будет солнечно; **3. it's (only) me/the postman** это я/почтальон; **it was Maria who paid the bill** счет оплатила Мария
beach [biːtʃ] **1.** пляж, взморье; **2.** *мор.* вытащить на берег, посадить на мель
beach buggy *n* пляжный вездеход
beachcomber [ˈbiːtʃkəumə'] *n* бич
beachwear [ˈbiːtʃweə'] *n* пляжная одежда
beacon [ˈbiːkən] *n* маяк; сигнальный огонь
bead [biːd] *n* бусина; **~s** бусы
beady [ˈbiːdɪ] *adj* **~ eyes** глаза-бусинки
beagle [ˈbiːg] *n* гончая *(собака)*
beak [biːk] клюв; носик *(сосуда)*
beaker [ˈbiːkə'] *n* пластмассовый стакан
beam I [biːm] **1.** *n* луч; сияние **2.** *v* сиять
beam II балка; *техн.* балансир, коромысло; *мор.* ширина *(судна)*
beaming [ˈbiːmɪŋ] *adj* сияющий
bean [biːn] *n* боб; **French ~** фасоль; **runner ~** фасоль огненная; **coffee ~** кофейное зерно

beanpole [ˈbi:npəul] *n* каланча
beansprouts [ˈbi:nsprauts] побеги бобов
bear I [beə] медведь; биржевый спекулянт, играющий на понижение; ✧ **the Great (Little) B.** *астр.* Большая (Малая) Медведица
bear II (bore; born) рождать
bear III [beə] **(bore; borne)**, носить; поддерживать; выносить, терпеть; питать *(чувство)* : ~ oneself держаться, вести себя; иметь отношение *(к чему-л. — on)*; ~ **down** преодолевать; ~ **out** подтверждать ✧ ~ **one's age well** выглядеть моложе своих лет; ~ **smb. company** составить кому-л. компанию; ~ **in mind** помнить; ~ **witness** свидетельствовать, давать показания
beard I [bɪəd] борода
beard II смело выступать против
bearded [ˈbɪədɪd] бородатый
bearer [ˈbeərə] носильщик; податель, предъявитель
bearable [ˈbeərəbl] сносный, терпимый
bearing [ˈbeərɪŋ] ношение; терпение; манера держать себя; деторождение
beast [bi:st] зверь; скотина; **~ly** [-lɪ] грубый, ужасный
beat [bi:t] **1.** *vt* (по)бить; ударять; (по)колотить; **~ a retreat** отступать; ~ up изби(ва)ть; взби(-ва)ть; ~ about the bush подходить к делу издалека; *vi* бить; биться; (по)стучаться; **2.** удар; бой; биение; ритм; **~en** [bi:tn] **1.** *p. pt.* от beat; **2.** битый, побеждённый; проторённый (путь)
beater [ˈbi:tə'] *n* венчик
beating [ˈbi:tɪŋ] *n* порка; **to take a ~** терпеть поражение
beat-up [ˈbi:tˈʌp] *adj* раздолбанный
beautician [bju:ˈtɪʃən] *n* косметичка
beautiful [ˈbju:tɪful] *adj* красивый; прекрасный
beautifully [bju:tɪflɪ] *adv* красиво, прекрасно; замечательно
beautify [ˈbju:tɪfaɪ] *vt* украшать
beauty [ˈbju:tɪ] *n* красота; красавица; **the ~ of it is that...** прелесть этого в том, что...
beauty contest *n* конкурс красоты
beauty queen *n* королева красоты
beauty salon *n* салон красоты
beauty spot *n* живописная местность
beaver [ˈbi:və] бобр; бобёр, бобровый мех
becalmed [bɪˈkɑ:md] *adj* заштиливший
because [bɪˈkɔz] *conj* потому что; так как; ~ **of** из-за
beck [bek] *n* **to be at sb's ~ and call** быть у кого-то на побегушках
beckon [ˈbekən] кивать, подзывать
become I [bɪˈkʌm] **(became; become)** становиться; **what became of him?** что с ним случилось?
become II идти, быть к лицу
becoming [bɪˈkʌmɪŋ] соответствующий, подходящий; (идущий) к лицу
bed [bed] *n* кровать; пласт; **to go to** ~ ложиться спать
bedbug [ˈbedbʌg] *n* клоп
bedclothes [ˈbedkləuðz] *npl* постельное белье
bedding [ˈbedɪŋ] *n* постельные принадлежности
bedeck [bɪˈdek] украшать
bedevil [bɪˈdevl] *vt* опутывать; спутывать; **to be ~ led by** вязнуть в
bedlam [ˈbedləm] *n* бедлам
bedraggled [bɪˈdrægld] *adj* потрепанный; всклокоченный
bedridden [ˈbed,rɪdn] прикованный к постели болезнью
bedroom [ˈbedrum] спальня
bed settee *n* диван-кровать
bedspread [ˈbedspred] *n* покрывало
bedtime [ˈbedtaɪm] *n* время ложиться спать; **it's ~** пора спать
bee [bi:] *n* пчела; **to have a ~ in one's bonnet about sth** помешаться на чем-нибудь
beech [bi:tʃ] *n* бук
beef [bi:f] *n* говядина; **roast ~** говядина; **roast ~** ростбиф ✧ **beef up** *vt* придавать силы; наполнить
beefburger [ˈbi:fbə:gə'] *n* говяжья котлета, гамбургер
beehive [ˈbi:haɪv] *n* улей
beekeeping [ˈbi:ki:pɪŋ] *n* пчеловодство

B

beeline [ˈbi:laɪn] *n* **to make a ~ for** мчаться прямо в
beep [bi:p] *n* гудок ◇ *vi* сигналить
beer [bɪəˈ] *n* пиво
beer belly *n* брюхо
beer can *n* банка из-под пива
bees-wax [ˈbi:zwæks] воск
beet [bi:t] *бот.* свёкла
beetle I [ˈbi:tl] трамбовка
beetle II жук
beetle III выступать, выдавать, нависать
befall [bɪˈfɔ:l] *vt* выпадать
befit [bɪˈfɪt] *n* приличествовать
before [bɪˈfɔ:ˈ] *prep* перед; до ◇ *conj;* до того *or* перед тем, как ◇ *adv* раньше, прежде; впереди; **the day ~ yesterday** позавчера; **do this you forget** сделайте это пока Вы не забыли; **~ going** перед уходом; **~ she goes** до того *or* перед тем, как она уйдет; **the week ~** неделю назад, на прошлой неделе; **I've never seen it ~** я никогда этого раньше не видел
beforehand [bɪˈfɔ:hænd] *adv* заранее
befriend [bɪˈfrend] *vt* подружиться с
befuddled [bɪˈfʌdld] *adj* одурманенный
beg [beg] просить, умолять; **~ pardon** извиняться; **we ~ to inform you** *(в деловом письме)* извещаем вас
beggar [ˈbegə] **1.** *n* нищий **2.** *v* довести до нищеты
begin [bɪˈgin] *vt* начинать ◇ *vi* начинаться **to ~ doing** *or* **to do** начинать **~ ning (from) Monday** начиная с понедельника; **I can't ~ to thank you** не знаю, как Вас благодарить; **we'll have soup to ~ with** мы начнем с супа; **to ~ with, I'd like to know...** для начала, я бы хотел знать...
beginner [bɪˈginəˈ] *n* начинающий
beginning [bɪˈgɪnɪŋ] *n* начало; **right from the ~** с самого начала
begrudge [bɪˈgrʌdʒ] *vt* **he ~ s me my success** он завидует моему успеху
beguile [bɪˈgaɪl] *vt* соблазнять
beguiling [bɪˈgaɪlɪŋ] *adj* соблазнительный, заманчивый
begun [bɪˈgʌn] *pp of* **begin**
behave [bɪˈheɪv] *vi* вести себя; вести себя хорошо
behaviour [bɪˈheɪvjəˈ] *n* поведение
behead [bɪˈhed] *n* обезглавливать
behest [bɪˈhest] завет, повеление; **at the ~** *(of)* по приказу, по велению
behind [bɪˈhaɪnd] *prep* за, позади; ниже ◇ *adv* сзади, позади; ◇ *n* зад; **the scenes** за кулисами; **we're ~ them in technology** мы отстали от них в технологии; **to be schedule** отставать от графика; **to leave sth ~** оставлять что-н.
behold [bɪˈhəuld] *n* узреть
beige [beɪʒ] *adj* бежевый
Beijing [ˈbeɪˈdʒɪn] *n* Пекин
being [ˈbi:ɪŋ] *n* существо; существование; **to come into ~** возникать
Beirut [beɪˈru:t] *n* Бейрут
Belarus [beləˈrus] *n* Беларусь
belated [bɪˈleɪtɪd] *adj* запоздалый
belch [beltʃ] **1.** *v* рыгать; извергать *(лаву и т.п.);* выбрасывать *(дым)* **2.** *n* отрыжка
beleaguered [bɪˈli:gɪd] *adj* осажденный; окруженный
belfry [ˈbelfrɪ] *n* колокольня
Belgium [ˈbeldʒəm] *n* Бельгия
Belgrade [belˈgreɪd] *n* Белград
belie [bɪˈlaɪ] *vt* давать неверное представление о; опровергать
belief [bɪˈli:f] *n* убеждение; вера; **it's beyond** это невероятно; **in the ~ that** полагая, что
believable [bɪˈli:vəbl] *adj* правдоподобный
believe [bɪˈli:v] *vt* верить ◇ *vi* верить; **to ~ in** верить; **I don't in corporal punishmant** я не верю в телесные наказания; **he is~d to be sbroad** полагают, что он за границей
believer [bɪˈli:vəˈ] *n* сторонник; *рел.* верующий; **she's a great ~ in healthy eating** она — сторонница здорового питания
belittle [bɪˈlɪtl] *n* преуменьшать, унижать
Belize [beˈli:z] *n* Белиз
bell [bel] колокол, колокольчик; звонок; **ring the ~** позвонить;

мор. склянки
bell-boy [ˈbelbɔɪ] коридорный, посыльный *(в гостинице)*
belle [bel] красавица
bell-flower [ˈbel,flauə] колокольчик
bellhop [ˈbelhɔp] *n* **bellboy**
bellicose [ˈbelɪkous] воинственный
belligerence [bɪˈlɪdʒərəns] *n* воинственность
belligerent [bɪˈlɪdʒərənt] **1.** *a* воюющая **2.** *n* воюющая сторона
bellow [ˈbeləu] *vt* реветь ✧ *vt* прореветь
bellows [ˈbeləuz] *npl* мехи
bell push *n* звонок
belly [ˈbelɪ] *n* брюхо
bellyache [ˈbelɪeɪk] *n* боли в животе ✧ *vi* ныть
bellybutton [ˈbelɪbʌtn] *n* пупок
bellyful [ˈbelɪful] *n:* **I've had a ~ of it** я сыт по горло этим
belong [bɪˈlɔŋ] *vt:* **to ~ to** принадлежать; состоять; **this book~s here** место этой книги здесь
belongings [bɪˈlɔŋɪŋz] *npl* вещи; **personal** личные принадлежности
beloved [bɪˈlʌvɪd] *adj* любимый ✧ *n* возлюбленный
below [bɪˈləu] *prep* под(о); ниже; ✧ adv внизу; вниз
belt [belt] **1.** *n* пояс, ремень; *воен.* перевязь; портупея; *гео.* зона **2.** *v* опоясывать; пороть ремнём
beltway [ˈbeltweɪ] *n* кольцевая дорога; кольцевая скоростная автомагистраль
bemoan [biˈməun] *n* оплакивать
bemused [biˈmju:zd] *adj* озадаченный
bench [bentʃ] скамья; место судьи в суде; суд, судьи; верстак, станок
benchmark [ˈbentʃmɑ:k] *n* критерий
bend [bend] **1.** *v* (bent) сгибаться; наклоняться, гнуться; изгибаться; сгибать; наклонять, гнуть; напрягать *(силы, внимание)* **~ every effort** напрягать все силы; покоряться *(to)* ✧ **be bent on smth.** стремиться к чему-л. **2.** *n* изгиб; *мор.* узел
beneath [bɪˈni:θ] **1.** *prep* под, ниже **2.** *adv* внизу
benediction [,benɪˈdɪkʃən] благословение
benefactor [ˈbenɪfæktə] *n* благодетель; благотворитель
benefice [ˈbenɪfɪs] *церк.* приход
beneficial [benɪˈfɪʃəɪ] *adj* благотворный
benefit [ˈbenɪfɪt] *n* выгода; благотворительный концерт; благотворительный матч ✧ *vt* приносить ✧ *vi* **he'll from it** он получит от этого выгоду
benevolent [bɪˈnevələnt] *adj* доброжелательный; благотворительный
benighted [bɪˈnaɪtɪd] застигнутый ночью *(в пути); перен.* отсталый, невежественный
benign [bɪˈnaɪn] *adj* добросердечный; *(мед.)* доброкачественный
bent [bent] **1.** *pt.* и *p. pt.* от **bend; ~ on** помещенный на; **2.** склонность
benumb [bɪˈnʌm] приводить в оцепенение; **be ~ed** цепенеть
benzene [ˈbenzi:n] бензол
benzine [ˈbenzi:n] бензин
bequeath [bɪˈkwi:ð] завещать
bequest [bɪˈkwest] (завещанное) наследство
bereaved [bɪˈrɪ:vd] *adj* понесший тяжелую утрату ✧ *n* **the ~** друзья и родственники покойного
bereavement [bɪˈrɪ:vmənt] *n* тяжелая утрата
bereft [bɪˈreft] *adj:* **~ of** лишенный
beret [ˈberəɪ] *n* берет
berk [bə:k] *n* кретин, дебил
Berlin [bə:lɪn] *n* Берлин; **East/West ~** Восточный/Западный Берлин
Bermuda shorts *npl* бермуды
berry [ˈberɪ] *n* ягода
berserk [bəˈsə:k] *adj* **to go ~** разъяряться
berth [bə:θ] **1.** *n* спальное место; койка *(на пароходе);* полка *(в вагоне);* якорная стоянка; *разг.* место, должность ✧ **give a wide ~** *(to)* обходить, избегать **2.** *v* ставить судно на якорь; *мор.* снабжать спальным местом
beseech [bɪˈsi:tʃ] *vt* молить
beset [bɪˈsət] *n* **we have been ~ with problems** нас одолевали проблемы

B

beside [bɪ'saɪd] *prep* рядом с, около, у; рядом с; **to be ~ o.s.** быть вне себя; **that's ~ the point** это к делу не относится
besides [bɪ'saɪdz] *adv* кроме того ✧ кроме, помимо
besiege [bɪ'si:dʒ] *vt* осаждать
besmirch [bɪ'smə:tʃ] *n* очернять
besotted [bɪ'sɔtɪd] *adj* ~ **with** опьяненный
bespeak [bɪ'spi:k] (bespoke, bespoken, bespoke) заранее заказывать; означать, свидетельствовать
bespectacled [bɪ'spektɪkld] *adj* в очках
best [best] *adj* лучший ✧ *adv* лучше всего; **the thing to do is ...** лучше всего...; **the ~ part of** большая часть; **at ~** в лучшем случае; **to make the ~ of sth** использовать что-н. наилучшим образом; **to do one's ~** делать все возможное; **to the ~ of my knowledge** насколько мне известно; **to the ~ of my ability** в меру моих способностей; **he's not exsetly patient at the ~ of times** он не отличается особым терпением
bestial ['bestɪəl] *adj* скотский
best man *n* шафер
bestow [bɪ'stəu] *vt* **to ~ sth on sb** даровать что-н. кому-н.; одаривать кого-н. чем-н.
bestseller ['best'selə'] *n* бестселлер.
bet [bet] *n* пари; ставка ✧ *vi* держать пари; биться об заклад ✧ *vt* **to ~ sb sth** биться об заклад с кем-н. о чем-н., спорить с кем-н. на что-н.; **it's a safs** это верное дело; **to ~ money on sth** ставить деньги на что-н.
betray [bɪ'treɪ] *vt* предавать; обманывать; выдавать
betrayal [bɪ'treɪəl] *n* предательство
betroth [bɪ'trouð] обручать; **~al** [-əl] обручение, помолвка
better 1. *a (сравн. ст. от good, well II)* лучший; высший; **I feel ~** я чувствую себя лучше; **are you ~ ?** вам лучше? ✧ **the ~ part** большинство; **be ~ off** быть богаче; **be ~ than one's word** сделать больше обещанного; **think ~** *(of)* передумать **2.** *n:* **one's ~s** старшие *или* вышестоящие лица; **get the ~** *(of)* получить преимущество *(над кем-л.),* одолеть, победить *(кого-л.);* **are you the ~ for it?** что вы от этого выгадали? **3.** *adv* лучше, больше ✧ **think ~ of smth.** передумать: **he knows ~** его не проведешь
betterment ['betəmənt] улучшение, исправление
betting ['betɪŋ] *n* пари
between [bɪ'twi:n] **1.** *adv* между ними; **2.** *prp.* между
bevel ['bevəl] *n* скос
bevelled ['bevəld] *adj* **a edge** скошенный край
beverage ['bevərɪdʒ] *n* напиток
bevy ['bevɪ] *n* **a ~ of** группа; ряд
bewail [bɪ'weɪl] *vt* скорбеть
beware [bɪ'weə'] *vt* **to ~ (of)** остерегаться; **"beware of the dog"** осторожно, (злая) собака"
bewildered [bɪ'wɪldəd] *adj* изумленный.
bewildering [bɪ'wɪldrɪŋ] *adj* изумительный
bewitching [bɪ'wɪtʃɪŋ] *adj* чарующий
beyond [bɪ'jɔnd] **1.** *adv* вдали, на расстоянии **2.** *prep* за, по ту сторону; позже, после; **~ the appointed hour** позже назначенного часа; вне; выше, свыше; **it is ~ my power** это выше моих сил; **~ belief** невероятно
bias ['baɪəs] **1.** *n* уклон, наклон; косая линия в ткани; предубеждение *(против — against);* пристрастие *(towards, in favour of)* **2.** *v:* ,**~ smb.** оказывать (плохое) влияние на кого-л.
bias(s)ed ['baɪəst] *adj* пристрастный; предвзятый; **he is/was ~ against** он предубежден/был предубежден против
bib I [bɪb] (детский) нагрудник
bib II много пить, пьянствовать
Bible ['baɪbl] Библия
biblical ['bɪblɪkəl] библейский
bibliography [bɪblɪ'ɔgrəfi] *n* библиография
bicarbonate of soda [baɪ'ka:bənɪt-] *n* питьевая *or* пищевая сода

B

bicentenary [baısen'ti:nərı] *n* двухсотлетие
bicentennial [baısen'tenıəl] *n* = **bicentenary**
biceps ['baıseps] *n* бицепс
bicker ['bıkə'] *vi* препираться
bickering ['bıkərıŋ] *n* препирательство
bicycle ['baısıkl] *n* велосипед
bicycle path *n* велосипедная дорожка
bicycle pump *n* велосипедный насос
bicycle track *n* велотрек
bid [bıd] *n* предложение цены; заявка; попытка ✧ *vt* предлагать ✧ *vt* **to ~ for** предлагать цену за; объявлять; **to ~ sb good day** здороваться с кем-н.
bidder ['bıdə] *n* **the highest ~** лицо предлагающее наивысшую цену
bidding ['bıdıŋ] *n* предложение цены, торги; **to do sb's ~** исполнять чьи-н. приказания
bide [baıd] *vt* **to one's time** дожидаться своего часа
bidet ['bı:deı] *n* биде
biennial [baı'enıəl] двухлетний, двухгодичный
bier [bıə'] *n* катафалк
bifurcate **1.** *v* ['baıfə:keıt] раздваивать; раздваиваться **2.** *a* ['baıʃə:kıt] раздвоенный
big [bıg] большой; обширный; крупный; важный; высокомерный ✧ **talk ~** хвастаться; **too ~ for one's boots** *разг.* самонадеянный; **B. Ben** "Большой Бен" *(часы на здании английского парламента в Лондоне)*
bigamy ['bıgəmı] двоежёнство; двоемужие
big dipper [-'dıpə'] *n* аттракцион "американские горы"
big end *n* большая головка
biggish ['bıgı] *adj* довольно большой *or* крупный
bigheaded ['bıg'hedıd] *adj* заносчивый
big-hearted ['bıg'ha:tıd] *adj* великодушный
bigot ['bıgət] *n* фанатик
bigoted ['bıgətıd] *adj* фанатичный
bigotry ['bıgətrı] *n* фанатизм
big top *n* купол цирка
big wheel *n* колесо обозрения
bike [baık] велосипед, мотоцикл
bikini [bı'ki:nı] *n* бикини
bilateral [baı'lætərl] *adj* двусторонний
bilingual [baı'lıŋgwəl] *adj* двуязычный
bilious ['bılıəs] *adj* тошнотворный
bill I [bıl] клюв
bill II **1.** *n* счет; **~ of fare** меню; афиша, плакат; законопроект; билль; список; инвентарь; банкнота; вексель; *юр.* иск **2.** *v* объявлять в афишах; расклеивать афиши
billboard ['bılbɔ:d] доска для объявлений, афиш; рекламный щит
billet ['bılıt] **1.** *n воен.* ордер на постой, помещение для постоя **2.** *v воен.* расквартировывать
billfold ['bılfəuld] *n* бумажник
billiards ['bıljədz] *n* бильярд
billion ['bıljən] *n* биллион; миллиард
billow ['bıləu] **1.** *n* большая волна, вал **2.** *v* волноваться, вздымать волнами
billy-goat ['bılıgout] козёл *(разг.)*
bimbo ['bımbəu] *n* кукла *(хорошенькая, но не умная женщина)*
bin [bın] бункер; закрома; ящик; мусорное ведро
binary ['baınərı] двойной, сдвоенный
bind [baınd] **(bound)** связывать; перевязывать; переплетать *(книгу);* обязывать; **~ oneself to do smth.** обязаться что-л.сделать; **~ over to appear** обязывать явиться; **~up** перевязывать *(рану);* **~ up with smth.** а) связывать с чем-л. б) обвязывать чем-л.
binder ['baındə] *n* скоросшиватель
binding ['baındıŋ] *adj* обязывающий ✧ *n* переплет (книги)
binge [bındʒ] *n* **to go on a ~** пьянствовать
bin-liner ['bınlaınə'] *n* мешок для мусора
binoculars [bı'nɔkjuləz] *npl* бинокль
binomial [baı'noumjəl] **1.** *n* бином **2.** *a:* **~ theorem** бином Ньютона
bio... [baıəu] *prefix* био...; **~hemistry** биохимия
biodegradable ['baıəudı'greıdəbl] *adj*

B

биологически разложимый
biodiversity [ˌbaɪəudaɪˈvəːsɪtɪ] *n* биологическое разнообразие
biographer [baɪˈɔgrəfəˈ] *n* биограф
biographic(al) [baɪəˈgræfikl] *adj* биографический
biography [baɪˈɔgrəfɪ] *n* биография
biological [baɪəˈlɔdʒɪkl] *adj* биологический; бактериологический; содержащий биопрепараты
biological clock *n* биологические часы; **to upset sb's~** ~ нарушать чей-н. режим
biologist [baɪˈɔlədʒɪst] *n* биолог
biology [baɪˈɔlədʒɪ] *n* биология
biophysics [ˈbaɪəuˈfizɪks] *n* биофизика
biopic [ˈbaɪəupɪk] *n* биографический фильм
biopsy [ˈbaɪɔpsɪ] *n* биопсия
biosphere [ˈbaɪəsfiəˈ] *n* биосфера
biotechnology [ˈbaɪəutekˈnɔlədʒɪ] *n* биотехнология
bi ped [ˈbaɪped] *n* двуногое животное
birch [bəːtʃ] *n* береза
bird [bəːd] *n* птица; девица
bird's-eye view [ˈbeːdzaɪ-] *n* вид с высоты птичьего полета; *(overview)* общая картина
bird of prey *n* хищная птица
bird-watcher [ˈbəːdwɔtʃəˈ] *n* орнитолог-любитель
Birmingham [ˈbəːmɪŋəm] *n* Бирмингем
Biro [ˈbaɪərəu] *n* шариковая ручка
birth [bəːθ] *n* рождение; **to give** ~ to рожать
birth certificate *n* свидетельство о рождении
birth control *n* контроль рождаемости; противозачаточные меры
birthday [ˈbəːθdeɪ] *n* день рождения ✧ *cpd* ко дню рождения; *see also* **happy**
birthmark [ˈbəːθmaːk] *n* родимое пятно; родинка
birthplace [ˈbəːθpleɪs] *n* родина
birth rate *n* рождаемость
Biscay [ˈbɪskeɪ] *n* **the Bay of** ~ Бискайский залив
biscuit [ˈbɪskɪt] *n* печенье; кекс
bisect [baɪˈsekt] *vt мат.* делить
bisexual [ˈbaɪˈseksjuəl] *adj* бисексуальный
bishop [ˈbɪʃəp] *n рел.* епископ; слон *(шахматный)*
bistro [ˈbiːstrəu] *n* бистро
bit I [bɪt] *past u p.p.* от **bite I**
bit II кусочек, кусок ✧ **a (little)** ~ немножко; ~ **by** ~ постепенно; **not a** ~ нисколько; **do one's** ~ выполнять свой долг; вносить свою лепту; **every** ~ совершенно; **give a** ~ **of one's mind** высказаться напрямик
bit III 1. *n* удила; мундштук; *тех.* сверло **2.** *v* взнуздать
bitch [bɪtʃ] сука; ~ **wolf** волчица
bitching [ˈbɪtʃɪŋ] *n* хула
bite [baɪt] **1.** укусус; клёв *(рыбы);* кусок; острота; **2.** кусать; клевать *(о рыбе);* жечь *(о перце);* щипать *(о морозе); техн.* брать; изъять
biting [ˈbaɪtɪŋ] *adj* пронизывающий; язвительный
bit port *n* проходная роль
bitter [ˈbɪtə] горький; озлобленный; резкий; жестокий *(о морозе)* ✧ **to the** ~ **end** до самого конца; **~ly** горько, резко, жёстко; жестоко; **~ness** горечь; злоба
bitterly [ˈbɪtəlɪ] *adv* горько; ожесточенно; ужасно; **it's** ~ **cold today** сегодня пронизывающий холод
bitterness [ˈbɪtənɪs] *n* горечь, ожесточенность
bittersweet [ˈbɪtəswiːt] *adj* горьковато-сладкий
bitty [ˈbɪtɪ] *adj* неровный
bitumen [ˈbɪtjumɪn] *n* битум
bivouac [ˈbɪvuæk] *n* бивак
bizarre [bɪˈzaːˈ] *adj* странный, причудливый
blab [blæb] *vi* пробалтываться
black [blæk] **1.** *a* черный; темный; мрачный ✧ ~ **diamonds** каменный уголь; ~ **eye** подбитый глаз; ~ **frost** мороз без снега *или* инея; ~ **earth** чернозём; **things look** ~ положение кажется безнадёжным; **beat** ~ **and blue** избить до синяков; **be in smb.'s** ~ **books** быть у кого-л. в немилости **2.** *n* черный цвет, чернота ✧ **put down in** ~ **and white** написать

черным по белому **3.** *v* чернить; ваксить; ~ **out** затемнять, маскировать
black-beetle [ˈblækˈbi:tl] черный таракан
blackberry [ˈblækbərɪ] ежевика
blackbird [ˈblækbə:d] черный дрозд
black-board [ˈblækbɔ:d] классная доска
black box *n авиа.* черный ящик
black-cock [ˈblækkɔk] тетерев
black coffee *n* черный кофе
blackcurrant [ˈblækˈkʌrənt] *n* черная смородина
black economy *n* **the ~ ~** теневая экономика
blacken [ˈblækn] чернить; пачкать; чернеть, загорать; очернить
black eye *n* синяк *or* фонарь под глазом
blackguard [ˈblægɑ:d] **1.** *n* подлец **2.** *a* подлый **3.** *v* ругаться
blackhead [blækhed] *n* угорь *(на лице)*
black hole *n* черная дыра
black ice *n* гололедица
blacking [ˈblækɪŋ] вакса
blackjack [ˈblækdʒæk] *n* блэкджек; дубинка
black-lead [ˈblækˈled] графит
blackled [ˈblækleg] *n* штрейхбрехер
blacklist [ˈblælɪst] *n* черный список ✧ *vt* заносить в черный список
blackmail [ˈblækmeɪl] *n* шантаж ✧ *vt* шантажировать
blackmailer [ˈblækmeɪləˈ] *n* шантажист
black market *n* черный рынок
blackness [ˈblæknɪs] чернота, темнота, мрачность
black-out [ˈblækaut] временная потеря сознания; затемнение; светомаскировка; *театр.* выключение света на сцене
black pepper *n* черный перец
Black Sea *n* **the ~** Черное море
black sheep *n* паршивая овца
blacksmith [ˈblæksmɪθ] *n* кузнец
bladder [ˈblædə] пузырь; *анат.* мочевой пузырь
blade [bleɪd] лезвие; лопасть *(весла, лопаты);* узкий лист, травинка
blame [bleɪm] *n* вина ✧ *vt* **to ~ sb for sth** винить кого-н. в чем-н.; **he is/was to ~ (for sth)** он виноват *or* виновен/был виноват *or* виновен (в чем-н.); **who's to ~?** кого следует в этом винить?; **I'm no to ~** это не моя вина
blameless [ˈbleɪmlɪs] *adj* невиновный, безупречный
blanch [blɑ:ntʃ] *vi* белеть ✧ *vt кулин.* обваривать кипятком
blancmange [bləˈmɔnʒ] *n* бланманже
bland [blænd] вежливый; вкрадчивый; мягкий *(о климате и т. п.)*
blank [blæŋk] **1.** ✧ пустой; бессодержательный; невыразительный; *торг.* незаполненный; **~cartridge** *воен.* холостой патрон; **2.** бланк; пробел; пустота (душевная)
blank cheque *n* незаполненный чек; **to give sb a ~ ~** предоставлять кому-н. карт-бланш
blanket [ˈblæŋkɪt] **1.** *n* шерстяное одеяло **2.** *v* покрывать одеялом
blanket cover *n* бланковый *or* блок полис
blare [bleə] **1.** *v* громко трубить **2.** *n* звуки труб
blarney [ˈblɑ:nɪ] *n* лесть
blasé [ˈblɑ:zeɪ] *adj* пресыщенный
blaspheme [blæsˈfi:m] *vi* богохульствовать, святотатствовать
blasphemous [ˈblæsfɪməs] *adj* богохульный; **a ~ person** богохульник
blasphemy [ˈblæsfɪmɪ] *n* богохульство, святотатство.
blast [blɑ:st] *n* порыв; волна; пронзительный свист; взрыв ✧*vt* взрывать; ✧ *excl* пропади *(все)* пропадом; **at full ~** на полную мощность
blast furnace *n* доменная печь
blast-off [ˈblɑ:stɔf] *n* старт
blatant [ˈbleɪtənt] шумный, крикливый; бесстыдный; **a ~ lie** наглая ложь
blatantly [ˈbleɪtəntlɪ] *adv* явно, неприкрыто; **it's ~ obvious** это ясно как день
blaze I [bleɪz] **1.** *n* пламя; вспышка; великолепие **2.** *v* гореть, пылать; **~away!** *разг.* валяй, действуй!; **~ up** вспыхнуть от гнева

B

B

blaze II 1. *n* зарубка на дереве для указания дороги; белое пятно *(на лбу животного)* **2.** *v* делать заметки *(на дороге, на дереве)* ✧ **~ a** trail прокладывать новый путь
blaze III разглашать *(часто —* abroad)
blazer [ˈbleɪzə] яркая спортивная куртка
blazon [ˈbleɪzn] герб
bleach [bliːtʃ] *n* отбеливатель ✧ *vt* отбеливать; обесцвечивать
bleached [bliːʃt] *adj* обесцвеченный
bleachers [ˈbliːtʃɔz] *npl спорт* открытая трибуна
bleak [bliːk] лишенный растительности *(о местности);* холодный *(о погоде);* подверженный ветрам; *перен.* унылый, мрачный
bleary-eyed [ˈblɪərɪˈaɪd] *adj* с воспаленными глазами
bleat [bliːt] *vi* блеять ✧ *n* блеяние
bleed [bliːd] *vi* кровоточить; течь ✧ *vt* опорожнить **my nose is ~ing** у меня идет кровь из носа
bleep [bliːp] *n* сигнал; гудок ✧ *vi* сигналить ✧ *vt* вызывать
bleeper [ˈbliːpəˈ] *n* переносная рация
blemish [ˈblemɪ] *n* пятно
blench [blentʃ] отступать *(перед чем-л.);* закрывать глаза *(на что-л.)*
blend [blend] *n* букет ✧ *vt кулин.* смешивать; сочетать ✧ *vi* сочетаться, сливаться
blender [ˈblendəˈ] *n* смеситель, миксер
bless [bles] *vt рел.* благословлять **ho is ~ed with** Бог наградил; **~ you!** будьте здоровы!
blessed [ˈblesɪd] *adj* блаженный; **it rains every ~ day** дождь идет каждый Божий день
blessing [ˈblesɪŋ] *n* благословение; благодать; **to count one's ~s** не гневить Бога, не роптать попусту на судьбу; **it was a ~ in disguiso** не было бы счастья, да несчастье помогло
blest [blesɪ] *pt* **bless**
blew [bluː] *pt* **blow**
blight [blaɪt] **1.** *n* скручивание *(болезнь растений); перен.* губительное влияние **2.** *v* приносить вред *(растениям); перен.* портить удовольствие, разрушать планы
blimey [ˈblaɪmɪ] *excl* чтоб мне провалиться!
blind [blaɪnd] **1.** *a* слепой; безрассудный; темный ✧ **~ alley** тупик; **turn a ~ eye to smth**. закрывать глаза на что-л.; **~ drunk** (*или* **to the world**) *разг.* вдребезги пьяный; **~ landling** посадка по приборам **2.** *v* ослеплять; затемнять; *воен.* закрывать поле зрения **3.** *n* штора; жалюзи; обман
blind alley *n* тупик
blind corner *n* непросматривающийся поворот
blind date *n* свидание с незнакомцем
blindfold [ˈblaɪndfəuld] *n* повязка ✧ *adv* вслепую ✧ *vt* завязывать глаза
blinding [ˈblaɪndɪŋ] *adj* ослепляющий, слепящий; ослепительный
blindly [ˈblaɪndlɪ] *adv* вслепую, слеп
blindness [ˈblaɪndnɪs] *n* слепота; ослепление
blind spot *n* опасное место, слабое место
blink [blɪŋk] *vi* моргать; мигать ✧ *n* **the TV's on the ~** телевизор барахлит
blinkers [ˈblɪŋkəz] *npl* шоры
blinking [ˈblɪŋkɪŋ] *adj* **this ~ weather** проклятая погода
blip [blɪp] *n* вспышка *(на экране);* отраженный импульс
bliss [blɪs] *n* блаженство
blissful [ˈblɪsful] *adj* блаженный; счастливый **in ~ ignorance** в счастливом неведении
blissfully [ˈblɪsfəlɪ] *adv* блаженно; **~ happy** бесконечно счастливый; **~ unaware of...** в счастливом неведении о...
blister [ˈblɪstə] *n* волдырь; пузырь; пузыриться
blithe [blaɪð] веселый
blithely [ˈblaɪðlɪ] *adv* беспечно
blitheng [ˈblɪðərɪŋ] *adj* **this ~ idiot** этот законченный дурак
blitz [blɪts] *n* бомбежка; **to have a ~**

on sth навязываться на что-н.
blizzard ['blɪzəd] *n* вьюга
bloat [bləut] распухать; раздувать; **~er** ['bləutə] копчёная сельдь
bloated ['bləutɪd] обрюзгший, раздутый
blob [blɔb] *n* сгусток; смутное очертание
bloc [blɔk] *n* блок; **the Eastern ~** страны Восточного блока
block [blɔk] *n* квартал; плита; пробка; кубик ✧ *vt* загораживать; препятствовать; блокировать; **~ of flats** многоквартирный дом; **three ~s from here** через три улицы; **mental ~** провал памяти; **~ and tackle** лебедка; **to ~ sb's way** преграждать кому-н. дорогу
blockade [blɔ'keɪd] *n* блокада ✧ *vt* блокировать
blockage ['blɔkɪdʒ] *n* блокирование
block booking *n* групповая бронь
blockbuster ['blɔkbʌstə'] *n* боевик
block capitals *npl* печатные буквы
blockhead ['blɔkhed] *n* болван
block letters *npl* печатные буквы
block realse *n* учебный отпуск
block spot *n* гиблое место; мертвая зона
block vote *n* представительное голосование
bloke [bləuk] *n* парень
blond(e) [blɔnd] *adj* белокурый ✧ *n* **blonde** блондинка
blood [blʌd] *n* кровь; **new ~** свежие силы
blood bank *n* хранилище крови
blood count *n* общий анализ крови
bloodcurdling ['blʌdkə'dlɪŋ] *adj* леденящий кровь
blood donor *n* донор
blood group *n* группа крови
bloodhound ['blʌdhaund] *n* ищейка
bloodless ['blʌdlɪs] *adj* бескровный
bloodletting ['blʌdletɪŋ] *n* кровопускание; кровопролитие
blood poisoning *n* заражение крови
blood pressure *n* кровяное давление; **he has high/low ~ ~** у него высокое/низкое давление
bloodshed ['blʌdʃed] *n* кровопролитие
bloodshot ['blʌdʃɔt] *adj* налитый кровью
blood sport *n* охота *(как вид спорта)*
bloodstained ['blʌdsteɪnd] *adj* запятнанный кровью
bloodstream ['blʌdstri:m] *n* кровообращение
blood test *n* анализ крови
bloodthirsty ['blʌdθə:stɪ] *adj* кровожадный
blood transfusion *n* переливание крови
blood vessel *n* кровеносный сосуд
bloody ['blʌdɪ] *adj* кровавый; окровавленный; **this ~ weather** эта проклятая погода; **~ strong/good** ужасно сильный/хороший
bloody-minded ['blʌdɪ'maɪndɪd] *adj* подлый
bloom [blu:m] *n* цветок ✧ *vt бот.* цвести; расцветать; **to bi in ~** быть в цвету, цвести
bloomer ['blu:mə] *разг.* промах
bloomers ['blu:məz] женские спортивные брюки; шаровары
blooming ['blu:mɪŋ] *adj* **this ~ weather** эта чертова погода
blossom ['blɔsəm] *n* цвет ✧ *vi* цвести; **to ~ into** расцвести
blot [blɔt] *n* клякса; пятно ✧ *vt* ставить кляксу на; **to be a~ on the landscape** портить вид; **to ~one's copy book** марать свою репутацию
blotchy ['blɔtʃɪ] *adj* пятнистый
blotting paper ['blɔtɪŋ] *n* промокательная бумага
blotto ['blɔtəu] *adj* пьяный в стельку
blouse [blauz] *n* блуза, блузка
blow I [blou] (blew; blown) дуть; **~ one's nose** сморкаться; раздувать огонь; гнать *(о ветре)* пыхтеть; играть на духовом инструменте; **~ out** тушить; **~ up** взрывать ✧ **~ out one's brain** пустить пулю в лоб; **~ one's own trumpet** хвастать
blow II удар; **at a ~,at one ~** одним ударом, сразу
blowball ['bloubɔ:l] одуванчик
blow-dry ['bləudraɪ] *n* укладка волос феном ✧ *vt* укладывать волосы феном
blower ['bloue] трубач; *техн.* вентилятор

blowlamp [ˈbləulæmp] *n* паяльная лампа
blown [bləun] *pp or* **blow**
blow-out [ˈbləuaut] *n* разрыв; прорыв; кутеж
blow-up [ˈbləuʌpˈ] *n* увеличенный снимок
blowzy [ˈblauzɪ] *adj* обрюзгший
blubber [ˈblʌbəˈ] *n* вытопленный жир; ✧ *vi (pel)* реветь
bludgeon [ˈblʌdʒən] *vt* бить дубинкой; **to ~ sb into doing** заставлять кого-н. из-под палки
blue [blu:] *adj* голубой; синий; *(depressed)* грустный, подавленный; **~s** *npl муз.;* **the ~s** блюз; **~ film** похабный фильм; *(only)* **once in a ~ moon** раз в сто лет; **out of the ~** как с неба свалиться
blue baby *n* синюшный младенец
bluebell [ˈblu:bel] *n* колокольчик
bluebottle [ˈblu:bɔtl] *n* навозная муха
blue cheese *n* сыр типа рокфор
blue-chip [ˈblu:tʃɪp] *adj* **~ investment** надежное капиталовложение
blue-collar worker [ˈblu:kɔləˈ-] *n* рабочий(ая)
bluejacket [ˈblu:dʒækɪt] *разг.* матрос военного флота
blue jeans *npl* джинсы
blueprint [ˈblu:ˈprɪnt] синька, светокопия
bluff I [blʌf] **1.** *a* отвесный, крутой *(о скалах и т. п.);* резковатый, грубоватый *(о манерах)* **2.** *n* отвесный берег
bluff II 1. *n* обман, запугивание, блеф ✧ **call smb.'s ~** разоблачать пустые угрозы, обман **2.** *v* запугивать
bluish [ˈblu:ɪʃ] голубоватый, синеватый
blunder [ˈblʌndə] **1.** *v* промахнуться; сделать грубую ошибку, промах; идти вслепую, спотыкаться; **~ on** случайно натолкнуться; **~ out** сболтнуть, выпалить, не подумав **2.** *n* грубая ошибка
blunt [blʌnt] **1.** *a* тупой; грубый, резкий; прямой **2.** *v* притуплять
bluntly [ˈblʌntlɪ] *adv* прямо
bluntness [ˈblʌntnɪs] *n* прямолинейность
blur [bləːˈ] *n* смутное очертание ✧ *vt (vision)* затуманивать, стереть
blurb [blə:b] *n* реклама *(книги)*
blurred [blə:d] *adj* стертый
blurt [blə:t]: **~ out** сболтнуть, не подумав
blush [blʌʃ] **1.** *v* краснеть; заливаться румянцем **2.** *n* румянец; краска (стыда, смущения)
blusher [ˈblʌʃəˈ] *n* румяна
bluster [ˈblʌstəˈ] *n* взрыв гнева ✧ *vt* разбушиваться
blustering [ˈblʌstərɪŋ] *adj* буйный; громогласный
blustery [ˈblʌstərɪ] *adj* ветреный
boa [ˈbɔə] боа, удав; боа, горжетка
boar [bɔːˈ] *n* боров; кабан
board [bɔ:d] *n* доска; картон; комитет; правление ✧ *vt (ship)* садиться на; **on ~** *мор.* на борту; **full ~** полный пансион; **half ~** пансион с завтраком и ужином; **~ and lodging** проживание и питание; **the plan went by the ~** план был выброшенным за борт; **above ~** законным образом; **across the ~** по всем категориям
boarder [ˈbɔ:dəˈ] *n просвещ.* ученик(ица) школы-интерната
board game *n* настольная игра
boarding house *n* пансион
boarding pass *n* посадочный талон
boarding school *n* школа-интернат
board meeting *n* совещание правления
board room *n* зал заседаний
boardwalk [ˈbɔ:dwɔ:k] *n* дощатый настил
boast [ˈbəust] *vt* гордиться; ;*vt* **to ~ (about** *or* **of)** хвастаться
boastful [ˈbəustful] *adj* хвастливый
boastfulness [ˈbəustfulnɪs] *n* хвастовство
boat [bəut] *n* лодка, корабль; **to go by ~** плыть; **to be in the same ~** быть товарищами по несчастью
boater [ˈbəutəˈ] *n* соломенная шляпа
boating [ˈbəutɪŋ] *n* катание на лодке
boatswain [ˈbəusn] *n* боцман
bob I [bɔb] **1.** *n* коротко подстри-

женные волосы; приседание **2.** *v* приседать; ~ **a curtsy** делать книксен; качаться *(обыкн. в воде);* коротко стричься *(о женщине)*
bob II [bɔb] *разг.* шиллинг
bobbin [ˈbɔbın] шпулька; катушка
bobby [ˈbɔbı] *разг.* полисмен
bobby pin [ˈbɔbıpın] заколка
bob-sled, -sleigh [ˈbɔbsled] [-sleı] бобслей
bobtail [ˈbɔbteıl] куцый
bode [bəud] *vi:* **to ~ well/ill** предвещать *or* сулить хорошее/недоброе
bodice [ˈbɔdıs] *n* корсаж
bodily [ˈbɔdılı] *adj* физический ✧*vt* целиком
bodkin [ˈbɔdkın] шило; *уст.* кинжал
body [ˈbɔdı] **1.** *n* тело, плоть; туловище; труп; главная часть *(чего-л.);* остов, корпус; корпорация; группа *(людей);* масса, множество; *разг.* человек ✧ ~ **politic** государство; **in a ~** в полном составе; **keep ~ and soul together** поддерживать существование
body blow *n* сокрушительный удар
body-building [ˈbɔdıˈbıldıŋ] *n* бодибилдинг, атлетизм
body-double [ˈbɔdıdʌbl] *n* актер
bodyguard [ˈbɔdıga:d] *n* телохранитель
body language *n* язык жестов
body repairs *npl* ремонт корпуса
body search *n* личный досмотр
bodywork [ˈbɔdıwə:k] *n* корпус
Boer [ˈbouə] бур *(потомок голландских поселенцев в Южной Африке)*
boffin [ˈbɔfin] *n* специалист-консультант
bog [bɔg] *n гео.* болото, трясина ✧*vt* **to get ~ged down in** вязнуть в
bogey [ˈbəugı] *n* пугало, бука
boggle [ˈbɔgl] *vi:* **the mind ~s** уму непостижимо
bogy [ˈbougı] домовой; привидение
Bohemian [bouˈhi:mjən] представитель богемы
boil I [bɔıl] фурункул, нарыв
boil II [ˈbɔıl] **1.** *v* кипеть; кипятиться; вариться; кипятить; варить; ~ **down** выпаривать, сгущать ✧ **it ~ s down** *(to)*... это сводится к...**2.** *n* кипение; **be on the ~,come to the ~** кипеть; ~ **ed** [-d]: **~ed shirt** *разг.* крахмальная рубашка; **~er** паровой котёл; бак для кипячения
boisterous [ˈbɔıstərəs] неистовый, бурный *(о погоде и т.п.);* шумливый *(о человеке)*
bolt [boult] **1.** *n* болт, засов; *тех.* установочный винт ✧ **make a ~ for it** *разг.* броситься, помчаться; ~ **from the blue** гром среди ясного неба; **he has shot his last ~** он сделал последнее усилие **2.** *v* скреплять болтами; запирать на засов; жадно *или* поспешно глотать; сбежать, удрать; *adv:* ~ **upright** совершенно прямо *(стоять, сидеть и т.п.)*
bomb [bɔm] **1.** *n* бомба; **incendiary ~** зажигательная бомба: **high explosive ~** фугасная бомба **2.** *v* сбрасывать бомбы, бомбить
bombard [bɔmˈba:d] бомбардировать
bombardment [bɔmˈba:dmənt] бомбардировка
bombast [ˈbɔmbæst] напыщенность: **~ic** [-ˈbæstık] напыщенный
bombastic [bɔmˈbæstık] напыщенный
bomb disposal *n* ~ ~ **unit** отряд саперов; ~ ~ **expert** сапер
bomber [ˈbɔməˈ] *n авиа.* бомбардировщик, террорист
bombing [ˈbɔmıŋ] *n* бомбардировка, бомбежка
bomb-proof непробиваемый бомбами
bomb shelter [ˈbɔm,ʃeltə] бомбоубежище
bomb site *n* разбомбленный участок
bona fide [ˈbəunəˈfaıdı] *adj* подлинный, настоящий
bonanza [ˈbəˈnænzə] *n* золотое дно
bond [bɔnd] *n* узы, обязательство, облигация; *комм.:* **goods in ~** товары, неоплаченные пошлиной
bondage [ˈbɔndıdʒ] *n* неволя
bonded goods [ˈbondıd] *npl* хранящиеся товары на таможенных складах
bonded warehouse *n* таможенный

B

B

склад *(для товаров неоплаченных пошлиной)*

bone [boun] *n* кость ✧*vt* отделять от костей; **I've got a ~ to pick with you** у меня к тебе претензия

bone china *n* китайский фарфор

bone-dry [ˈbəunˈdraɪ] *adj* совершенно сухой

bone idle *adj* праздный; **he is ~ ~** он бездельник

bone marrow *n* костный мозг

boner [ˈbəunəˈ] *n* промах

bonfire [ˈbɔn,faɪə] костер

bonk [bɔŋk] *vt* трахать ✧ *vi* трахнуться

bonkers [ˈbɪŋkəz] *adj* чокнутый

bonny [ˈbɔnɪ] *adj* красивый

bonus [ˈbounəs] *n* премия, премиальные, дополнительное преимущество

bony [ˈbəunɪ] *adj* костлявый, костистый

boo [bu:] *excl* фу! ✧*vt* освистывать

boob [bu:b] *n* грудь, глупость

booby [ˈbu:bɪ] болван, дурак

booby prize [ˈbu:bɪ-] *n* проигравшему игроку

booby trap *n* мина-ловушка, ловушка

book [buk] *n* книга, книжечка; *vt* заказывать, бронировать, штрафовать; **~s** *npl комм.* бухгалтерские книги; **to throw the ~ at sb** обвинять кого-н. во всех сметрных грехах

bookable [ˈbukəbl] *adj:* **all seats are ~** все билеты по предварительным заказам

bookcase [ˈbukkeɪs] *n* книжный шкаф

book end *n* книгодержатель

booking [ˈbukɪŋ] *n* заказ

booking office *n* билетная касса

book-keeper [ˈbuk,ki:pə] бухгалтер; **~keeping** [-,ki:pɪŋ] бухгалтерия

book-keeping [ˈbuk:ki:pɪŋ] *n* бухгалтерия, счетоводство

booklet [ˈbuklɪt] *n* брошюра

bookmaker [ˈbukmeɪkəˈ] *n* букмекер

bookseller [ˈbukselə] *n* книготорговец

bookshelf [ˈbukʃelf] *n* книжная полка

bookshop [ˈbukʃɔp] *n* книжный магазин

bookstall [ˈbukstɔ:l] *n* книжный киоск

book store *n* = **bookshop**

book value *n* стоимость по торговым книгам

bookworm [ˈbukwə:m] *n* книжный червь

boom 1 [bu:m] **1.** (торг.) бум; **2.** производить сенсацию, шум вокруг

boom 2 **1.** гул; гудение; **2.** (за)гудеть; (за)жужжать

boomerang [ˈbu:məræŋ] *n* бумеранг ✧ *vi:* **tp ~ on sb** вернуться к кому-н. бумерангом

boon [bu:n] *n* благо

boor [buə] грубый, невоспитанный человек

boorish [ˈbuərɪʃ] *adj* неотесанный

boost [ˈbu:st] *n* толчок, стимул ✧ *vt* стимулировать, давать толчок; **to give a ~ to sb's spirits** *or* **to sb** окрылять кого-н.

booster [ˈbu:stəˈ] *n мед.* повторная прививка; *тел.* усилитель, ракета-носитель

boot [bu't] *n* сапог, бутса, ботинок; *машина.* багажник ✧ *vt комп.* загружать; **...to ~** ...в придачу; **to give sb the ~** вытурить кого-н.

booth [bu:ð] *n* ларек; *тел.* будка

bootlace [ˈbu:tleɪs] шнурок для ботинок

bootleg [bu:tleg] *adj* контрабандный *(о спиртных напитках)*

bootlegger [ˈbu:tlegəˈ] *n* контрабандист

boot‖maker [ˈbu:t,meɪkə] сапожник; **~-top** [-tɔp] голенище; **~-tree** [-tri:] сапожная колодка

booty [ˈbu:tɪ] трофей, добыча

booze [bu:z] **1.** *v разг.* напиваться **2.** *n разг.* спиртной напиток

boozer [ˈbu:zəˈ] *n* пивнушка; **he's real ~** он настоящий пьянчуга

boozy [ˈbu:zɪ] *разг.* пьяный

border [ˈbɔ:dəˈ] *n* граница, бордюр; кайма ✧*vt* окаймлять, граничить с; **B~s** *n:* **the B~s** *район на границе между Англией и Шотландией*

borderline [ˈbɔ:dəlaɪn] *n:* **on the ~** на грани

borderline case *n* промежуточный случай
border on *vt* граничить с
bore I [bɔ:] **1.** *n* высверленное отверстие; *воен.* канал ствола, калибр
bore II высокий прилив *(в устье реки)*
bore III *past* от bear II и III
bore IV [bɔ:] **1.** *n* скука; **what a ~ !** какая скука!; скучное занятие; скучный человек; **2.** *v* надоедать; **~ dom** [-dəm] скука
boredom [ˈbɔ:dəm] *n* скука, занудство
boring [ˈbɔ:rɪŋ] *adj* скучный
born [bɔ:n] *adj* рожденный; **to be ~** рождаться; **I was ~ in 1960** я родился в 1960 году; **~ blind** с слепорожденный; **a ~ comedian** прирожденный комик
borouhg [ˈbʌrə] *n* административный округ
borrow [ˈbɔrou] *vt:* **to ~ sth from sb** занимать что-н. у кого-н.; **to ~ books from the library** брать книги в библотеке; **may I ~ your car?** можно взять на время вашу машину?
borrower [ˈbɔrouəˊ] *n* заемщик
borrowing [ˈbɔrəuɪŋ] *n* заимствование, заем
bosom [ˈbuzəm] грудь; пазуха;; лоно; недра
bosom friend *n* закадычный друг
boss [bɔs] *n* хозяин(-яйка), босс, лидер, вожак ; *vt (also:* **~around, ~ about)** распоряжаться, командовать; **stop ~ing everyone about!** перестань всеми командовать!
bossy [ˈbɔsɪ] *adj* властный
bosun [ˈbəusn] *adj* боцман
botany [ˈbɔtənɪ] ботаника
botch [betʃ] **1.** грубая заплата; плохая починка; **2.** делать грубые заплаты на; плохо чинить
both [bouθ] оба, обе; и тот и другой; **~ ... and** ... как ... так и ...; и ... и ...
bother [ˈbɔðəˊ] *vt* беспокоить, беспокойство, хлопоты; ✧ *excl:* **~!** черт возьми!; **to ~ doing** брать на себя труд; **I'm sorry to ~ you** извините за беспокойство; **please don't ~** пожалуйста, не беспокойтесь; **don't ~~** не надо!; **it is a ~ to have to do** это так хлопотно; **it's no ~** это меня не затруднит; **I can't be ~ed** мне лень
bottle [ˈbɔtl] *n* бутылка; *(for baby)* рожок; *(courage)* смелость; ✧ *vt (beer, wine)* разливать по бутылкам; консирвировать; **~ of wine/milk** бутылка *(вина/молока)*; **wine/milk ~** бутылка из-под вина/молока
bottle-fed [ˈbɔtlfed] *adj:* **~ baby** искусственник
bottleneck [ˈbɔtlnek] *n авт.* узкий, затор
bottle-opener [ˈbɔtləupnəˊ] *n* штопор
bottle up *vt* скрывать
bottom [ˈbɔtəm] *n* дно *анат.* зад; *(of page, list)* низ; *(of mountain etc)* подножие ✧ *adj (lowest)* нижний; *(last)* последний; **at the ~ of** на дне; **to get to the ~ of sth** добираться до сути чего-н.
bottomless [ˈbɔtəmlɪs] *adj* бездонный
bottom line *n* суть дела
botulism [ˈbɔtjulɪzəm] *n* ботулизм
bough [bau] ветка, ветвь
boulder [ˈbouldə] валун
boulevard [ˈbu:ləvɑ:d] *n* бульвар
bounce [bauns] *vi (ball)* отскакивать; *(cheque)* вернуться; ✧ *vt (ball)* ударять; *(signal)* отражать; *(of ball)* отскок: **he's got plenty of ~** он очень живой
bouncer [ˈbaunsə] *n* вышибала
bouncy castle [ˈbaunsɪ-] *n надувная конструкция в форме замка, на которой могут прыгать дети*
bound I [baund] **1.** предел; ограничение; **2.** ограничи(ва)ть; сдерживать
bound II *воен.* готовый к отправлению, направляющий
bound III **1.** прыжок, скачок; **2.** прыгать, скакать, отскакивать
bound IV **1.** *pt.* и *p. pt.* от bind; **2.** связанный; обязательный; переплетённый
boundary [ˈbaundərɪ] граница
boundless [-lɪs] ✧ безграничный

bounteous [ˈbauntɪəs] ✧, **bountiful** [ˈbauntɪful] ✧ щедрый (человек); обильный
bountiful [ˈbauntɪful] *adj (person)* щедрый; (supply) обильный
bounty [ˈbauntɪ] *n (generosity)* щедрость; *(reward)* вознаграждение
bounty hunter *n* охотник за наградой
bouquet [ˈbukei] *n* букет
bourbon [ˈbuəbən] *n (us: also: -whiskey)* кукурузное виски, бурбон
bourgeois [ˈbuəʒwa] *adj* буржуазный ✧ *n* буржуа
boutique [bu:ˈti:k] *n* лавка
bow I [bou] **1.** *n* лук; смычок *(скрипки);* бант; радуга **2.** *v* водить смычком, играть на скрипке
bow II [bau] **1.** *n* поклон **2.** *v* кланяться; сгибаться; покоряться; сгибать ✧ **~ing acquaintance** шапочное знакомство
bow III *(часто pl)* нос корабля
bowels [ˈbauəlz] *npl* кишечник; *(of the esrth etc)* недра
bower [ˈbauə] беседка
bowl [boul] кусок, чаша; ваза
bowler [ˈboulə] котелок *(шляпа)*
bowling-green [ˈboulɪŋgri:n] лужайка для игры в шары
box I [bɔks] коробка; ящик; сундук; козлы *(экипажа);* облучок; *театр.* ложа
box II 1. *n* удар; оплеуха; бокс **2.** *v* бить кулаком, боксировать ✧ **~ smb's ears** дать оплеуху
boxing [ˈbɔksɪŋ] бокс; **~-glove** [-glʌv] боксерская перчатка
box-office [ˈbɔks,ɔfɪs] театральная касса
boxroom [bɔksrum] *n* чулан
boy [bɔɪ] *n* мальчик; *(son)* сынок
boycott [ˈbɔɪkɔt] *n* бойкот ✧ *vt* бойкотировать
boyfriend [ˈbɔɪfrend] *n* друг
boyish [ˈbɔɪɪʃ] *adj* мальчишеский
boy scout *n* бойскаут
bra [bra:] *n* лифчик
brace [breɪs] **1.** *техн.* связь; скобка; пара (о дичи); ~s *pl.* подтяжки; **2.** связывать; подпирать; ~ up подбадривать
bracelet [ˈbreɪslɪt] браслет
bracing [ˈbreɪsɪŋ] *adj* бодрящий
bracken [ˈbrækən] *n* орляк-папоротник
bracket [ˈbrækit] *n тех.* кронштейн; *(group, range)* категория; *(also:* **brace ~***)* скобка; *(also:* **round ~***)* круглая скобка; *(also:* **square ~***)* квадратная скобка ✧ *vt (fig: also:* **~ together***)* группировать; *(word, phrase)* заключать в скобки; **income ~** уровень дохода; **in ~s** в скобках
brackish [ˈbrækɪʃ] *adj* солоноватый
brag [bræg] **1.** хвастаться; **2.** хвастовство
braggart [ˈbrægɔt] **1.** хвастун; **2.** ✧ хвастливый
braid [breid] *n (for clothes etc)* тесьма; *(of hair)* коса
brain [breɪn] *n анат.* мозг; *~ npl кулин.* мозги; *(intelligence)* мозги, сообразительность; **he's got ~** он парень с головой
brainchild [ˈbreɪnɪtʃaɪld] *n* детище
braindead [ˈbrɔɪnded] *adj:* **the patient was ~** у пациента наступила биологическая смерть
brain drain *n:* **the ~ ~** утечка мозгов
brainless [ˈbreɪnlɪs] *adj* безмозглый
brainstorm [ˈbrɔɪnstɔ:m] *n* умопомрачение; озарение
brainwash [ˈbremwɔʃ] *n* промывать мозги
brainwave [ˈbremwɔɪv] *n* озарение; **he had a ~** на него нашло озарение
brainy [ˈbrɔɪnɪ] *adj* мозговитый
braise [breɪz] *n* тушить *(мясо)*
brake [breɪk] *n* тормоз ✧ *vt* тормозить
brake fluid *n* тормозная жидкость
brake light *n* тормозной сигнал
brake pedal *n* педаль тормоза, тормоза
bramble [ˈbræmbl] *бот.* ежевика, куманика
bran [bræn] отруби
branch [bra:ntʃ] *n (of tree)* ветка, ветвь; *комм. of bank, company etc* филиал ✧ *vi* разветвляться
branch line *n (железнодорожная)* ветка
branch manager *n* директор филиала

branch out *vi* ~ разветвляться
brand [brænd] *n (also:* **~ name)** фирменная марка, сорт ✧ *vtu (cattle)* клеймить: **to ~ sb a communist** *etc* клеймить кого-н. коммунистом
brandish [ˈbrændɪʃ] *n* размахивать; *(weapon)* потрясать
brand name *n* фирменное марка
brand-new [ˈbrændˈnjuː] *adj* совершенно новый
brandy [ˈbrændɪ] *n* бренди *nt ind* коньяк
brash [bræʃ] *adj* нахальный
Brasilia [brəˈzɪlɪə] *n* Бразилия
brass [brɑːs] *n (metal)* латунь; **the ~** *муз.* духовые инструменты
brass band *n* духовой оркестр
brassiére [ˈbræsɪeə] *n* бюстгальтер
brass tacks *npl:* **to get down to ~ ~** доходить до сути
brassy [ˈbrɑːsɪ] *adj (colour)* медный; *(sound)* резкий; *(behaviour)* вызывающий
brat [bræt] *n* отродье
Bratislava [brætɪˈslaːvə] *n* Братислава
bravado [brəˈvaːdəu] *n* бравада
brave [breɪv] **1.** храбрый, смелый; **2.** бравировать; храбро встречать *(опасность и т.п.);* **~ry** [ˈbreɪvərɪ] храбрость, смелость
bravely [ˈbreɪvlɪ] *adv* смело, храбро
bravery [ˈbreɪvərɪ] *n* смелость, храбрость
bravo [brɑːˈvəu] *excl* браво
brawl [brɔːl] **1.** шумная ссора, уличный скандал; **2.** (по)ссориться (с)
brawn [brɔːn] *n (strength)* мускулы; *(mear)* зельц, студень
brawny [ˈbrɔːnɪ] *adj* мускулистый
bray [breɪ] *vi (donkey)* реветь ✧ рев осла
brazen [ˈbreɪzn] ✧ медный, бронзовый; бесстыдный, наглый
Brazil nut *n* американский орех
breach [briːtʃ] **1.** пролом; разрыв (отношений); нарушение; *воен.* брешь; **2.** пробивать брешь в
bread [bred] хлеб
bread and butter *n* хлеб с маслом; хлеб насущный, жизненная основа
breadbin [ˈbredbɪn] *n* хлебница
breadboard [ˈbredbɔːd] *n* хлебная доска *комр.* макет, макетная плата
breadcrumbs [ˈbredkrʌmz] *npl* крошки; *кулин.* панировочные сухари
breadline [ˈbredlaɪn] *n:* **on the ~** за чертой бедности
breadth [bretθ] *n (of cloth etc)* ширина; *(of knowledge, subject)* широта
breadwinner [ˈbredwɪnəˈ] *n* кормилец *(семьи)*
break [breɪk] **1.** перерыв; пауза; рассвет; трещина; **a bad ~** неудача; **2.** *vt* (с)ломать; разби(ва)ть; разрушать; прерывать; взламывать; **~ up** разламывать, разбивать; *vi* порвать с; поломаться, разбиваться; **~ away** отделяться от; **~ doen** потерпеть аварию, неудачу; **~ able** [ˈbreɪkəbl] ломкий, хрупкий; **~ age** [ˈbreɪkɪdʒ] поломка; **~ down** развал, расстройство; авария; **~ fast** [breɪkfəst] **1.** завтрак; **2.** завтракать; **~-up** распад, развал; **~ water** мол, волнорез
breast [brest] грудь; **make a clean ~ of a th.** чистосердечно сознаваться в чём-либо; **~stroke** брасс.
breast-feed [ˈbrestfiːd] *vt* кормить грудью ✧ *vi* кормить *(грудью)*
breast pocket *n (of jacket etc)* нагрудный карман
breast-stroke [ˈbreststrəuk] *n* брасс
breath [breθ] *n* вдох; *(breathing)* дыхание; **to go out for a ~ of air** выходить подышать *or* на свежий воздух; **to be out of ~** запыхиваться; **to get one's ~ back** отдышаться
breathalyse [ˈbreθəlaɪz] *vt* проверять дыхание на алкоголь
Breathalyser [ˈbreθəlaɪzəˈ] *n* спиртометр
breathe [briːð] *n* вдыхать ✧ *vi* дышать; **I won't ~ a word about it** я словом не обмолвлюсь об этом
breathe in *n* вдыхать ✧ *vi* делать вдох
breathe out *n* выдыхать ✧ *vi* делать выдох
breather [ˈbriːðəˈ] *n* передышка

B

breathing [ˈbriːðɪŋ] *n* дыхание
breathless [ˈbrəθlɪs] *adj (from exertion)* запыхавшийся; *(efter illness)* бездыханный; he was ~ with excitement у него перехватило дыхание от волнения
breathtaking [ˈbreθteɪkɪŋ] *adj* захватывающий дух
breath test *n* дыхательная проба
breed [ˈbriːd] **1.** *v* **(bred)** выводить, разводить; размножаться; растить; воспитывать **2.** *n* порода; **~ing** выведение, разведение; воспитание
breeder [ˈbriːdəˈ] *n (person)* селекционер; *(also: ~ reactor)* реактор-размножитель; **cattle ~** скотовод
breeding [ˈbriːdɪŋ] *n* воспитание
breeding ground *n* место размножения; рассадник
breeze I [briːz] слепень
breeze II легкий ветерок, бриз; *разг.* спор
breezeblock [ˈbriːzblɔk] *n* шлакобетонный кирпич
breezy [ˈbriːzɪ] *adj (manner, tone)* оживленный; *(weather)* прохладный
brevity [ˈbrevɪtɪ] *n* краткость
brew [bruː] *n (tea)* заваривать; *(beer)* варить ✧ *vi (tea)* завариваться; *(beer)* бродить; *(storm)* надвигаться; *(fig: trouble)* назревать
brewer [ˈbruːəˈ] пивовар
brewery [ˈbruːərɪ] *n* пивоваренный завод
briar [ˈbraɪə] шиповник
bribe [braɪb] *n* взятка, подкуп ✧ *vt* подкупать; давать взятку; **to ~ sb to do** подкупать кого-н.
bribery [ˈbraɪbərɪ] *n* подкуп
bric-a-brac [ˈbrɪkəbræk] *n* безделушки
brick [brɪk] *n* кирпич; *(of ice cream)* брикет.
bricklayer [ˈbrɪkleɪəˈ] *n* каменщик
brickwork [ˈbrɪkwəːk] *n (кирпичная)* кладка
bridal [ˈbraɪdl] *adj* подвенечный, свадебный
bride [braɪd] *n* невеста
bridegroom [ˈbraɪdgruːm] *n* жених
bridesmaid [ˈbraɪdzmeɪd] *n* подружка невесты
bridge-head [ˈbrɪdʒhed] плацдарм
bridge I [brɪdʒ] **1.** *n* мост; *(капитанский)* мостик; переносица **2.** *v* соединять мостом
bridge II [brɪdʒ] бридж *(карточная игра)*
bridle [ˈbraɪdl] *n* уздечка, узда ✧ *vt (horse)* взнуздывать; ✧ *vi:* **to ~ at** взвиваться на дыбы, возмущаться
bridle path *n* верховая тропа
brief [briːf] *adj (period of time)* короткий; *(description)* краткий ✧ *n* изложение дела; *(task)* задание ✧ *vt (inform)* знакомить: **to ~ sb (about)** инструктировать кого-н. **~s** *npl. (for men)* трусы; *(for women)* трусики; **in ~ ...** вкратце ....
briefcase [ˈbriːfkeɪs] *n* портфель
briefing [ˈbriːfɪŋ] *n* инструктаж; брифинг
briefly [ˈbriːfɪl] *adv (glance, smile)* бегло; *(visit)* на короткое время: *(explain)* вкратце; **to glimpse ~** бросать беглый вэгляд
brigade [brɪˈgeɪd] *n воен.* бригада
brigadier [brɪgəˈdɪə] *n* бригадир
bright [braɪt] *adj (light, colour)* яркий; *(room, future)* светлый; *(clever person, idea)* блестящий; живой, веселый; **to look on the ~ side** видеть светлую сторону
brighten [ˈbraɪtn] *vt* оживлять; радовать ✧ *vi (weather)* проясняться; оживляться; *(face)* светлеть; *(prospects)* улучшаться
brightly [ˈbraɪtlɪ] *adv (shine)* ярко; *(smile, talk)* радостно
brill [brɪl] *adj* здорово
brilliance [ˈbrɪljəns] *n* блеск, яркость; гениальность
brilliant [ˈbrɪljənt] *adj* блестящий; *(sunshine, light)* яркий; *(inf. holiday etc)* великолепный
brilliantly [ˈbrɪljəntlɪ] *adv* блестяще; ярко
brim [brɪm] *n (of cup)* край; *(of het)* поля
brimful [ˈbrɪmˈful] *adj:* **~ (of)** полный до краев; переполненный
brine [braɪn] рассол; морская вода

B

bring [brɪŋ] *vt (thing)* приносить; приводить; привозить; доставлять; **to ~ sth to an end** покончить с чем-н.; **I can't ~ myself to tell him** я не могу заставить себя сообщить ему
bring about *n* вызывать, порождать; осуществлять
bring back *n (restore)* возрождать; (return) возвращать, вернуть
bring down *vt (governmant)* свергать; *(plane)* сбивать; *(price)* снижать
bring forward *vt (meeting)* переносить на более ранний срок; *(proposal)* выдвигать; переносить на следующую страницу
bring in *vt (money)* приносить; вводить; *(verdict)* выносить
bring off *vt (task plan)* исполнять; *(deal)* заключать
bring out *vt* вынимать; *(meaning)* выявлять; *(publish)* выпускать
bring round *vt мед.* приводить в чувство
bring up *vt* приносить наверх; *(educate)* воспитывать; *(question)* поднимать: **he brought up his food** его стошнило
brink [brɪŋk] *n* грань; **on the ~ of doing** чуть не; **she was on the of tears** она еле сдерживала слезы
brinkmanshi p ['brɪŋkmənʃɪp] политика балансирования на грани войны
briny ['braɪnɪ] соленый *(о воде)*
briquette [brɪ'ket] брикет
brisk [brɪsk] ✧ живой, оживлённый
bristle ['brɪsl] *n* щетина ✧ *vi (in anger)* щетиниться; **bristling with** полный
bristly ['brɪslɪ] *adj* шетинистый; **your chin's all** у тебя подбородок щетинистый
British ['brɪtɪʃ] *adj* британский; ✧ **the** ~ *npl* британцы
brittle ['brɪtl] *adj* хрупкий, ломкий
broach [brəutʃ] *vi* поднимать вопрос о
broad [brɔ:d] ✧ широкий; обширный; грубоватый; **~ cast 1.** разбрасывать (семена); распространять; передавать по радио, вещать; **2.** радиопередача; радиовещание; **~cloth** тонкое сукно; бумажная ткань
broad bean *n* фасоль, кормовые бобы
broadcast ['brɔ:dka:st] *n радио.* передача; *тел.* передача ✧ *vt* передавать по радио, транслировать; передавать по телевидению, транслировать ✧ *vi* транслироваться
broadcaster ['brɔ:dka:stə'] *n радио.* радио-журналист; *тел.* теле-журналист
broadcasting ['brɔ:dka:stɪŋ] *n* радио. радиовещание; *тел.* телевещание
broadcasting station *n радио.* радиостанция; *тел.* телестанция
broaden ['brɔ:dn] *vt* расширять ✧ *vi* расширяться; **to one's horizons** расширять свой кругозор
broadly ['brɔ:dlɪ] *adv* вообще
broad-minded ['brɔ:d'maɪndɪd] *adj* с широкими взглядами
broadsheet ['brɔ:dʃi:t] *n* рекламный плакат *or* рекламная афиша; *(newspaper) газета, отпечатанная на одном развернутом листе бумаги*
brocade [bro'keɪd] парча
broccoli ['brɔkəlɪ] *n* брокколи
brochure ['brəuʃjuə'] *n* брошюра
brogue [brəug] резкий акцент в произношении, провинциальный
broil [brɔɪl] *vt* жарить
broiler ['brɔɪlə'] *n* бройлер
broke [brəuk] *pt of* **break** ✧ *adj* прогоревший; **to go ~** прогорать
broken ['brəukn] *pp of* **break** ✧ *adj (window, cup etc)* разбитый; *(machine)* сломанный; *(promise, vow)* нарушенный; **a ~ leg** сломанная нога; **a ~ marriage** распавшийся брак; **a ~ home** неблагополучная семья; **in ~ English/Russian** на ломаном английском/русском
broken-down ['brəukn'daun] *adj (car)* сломанный; *(house) полуразрушенный*
broken-hearted ['brəukn'ha:tɪd] *adj* убитый горем, с разбитым сердцем
broker ['brəukə'] *n комм.* брокер; (:

B

in insurance) страховой агент
brokerage [ˈbrəukrɪdʒ] *n комм.* брокераж; брокерское агентство
brolly [ˈbrɔlɪ] *n* зонт
bronchial [ˈbrɔŋkjəl] бронхиальный
bronchitis [brɔŋˈkaɪtɪs] бронхит
bronze [brɔnz] *n* бронза; бронзовая скульптура
bronzed [brɔnzd] *adj (person, body)* загорелый, бронзовый
brooch [broutʃ] *n* брошь
brood [bru:d] *n* выводок ✧ *vi (hen)* сидеть на яйцах; *(person)* размышлять; ~ **hen** наседка
brood on *or* **over** *vt fus* грустить *or* размышлять
broody [ˈbru:dɪ] *adj (thoughtful, moody)* угрюмый
brook I [bruk] терпеть, выносить *(обыкн. в отриц. предлож.)*
brook II ручей
broom [bru:m] метла; *бот.* ракитник
broomstick [ˈbrumstɪk] *n (broom handle)* ручка метлы
broth [brɔθ] *n* похлебка
brothel [ˈbrɔθl] *n* публичный дом, бордель
brother [ˈbrʌðəˈ] *n* брат, собрат
brotherhood [ˈbrʌðəhud] *n* братство
brotherly [ˈbrʌðəlɪ] *adj* братский
brow [brau] лоб; край *(пропасти)*; выступ *(скалы и т.п.)*; ✧ **knit one's ~s** насупить брови
browbeat [ˈbraubi:t] *vt:* **to ~ sb (into doing)** запугивать кого-н. *(для того, чтобы)*
brown [braun] *adj* коричневый; *(hair)* каштановый; *(eyes)* карий; *(tenned)* загорелый ✧ *n (colour)* коричневый цвет ✧ *vt кулин.* подрумянивать; **to go** *(person)* загорать; *(leaves)* желтеть
brown bread *n* черный хлеб
brownie [ˈbraunɪ] *n кулин.* шоколадное пирожное с орехами
brown paper *n* оберточная бумага
brown rice *n* неочищенный рис
brown suger *n* неочищенный сахар
browse [brauz] *vi (in shop)* рассматривать, разглядывать; *(animal)* питаться подножным кормом ✧ *n;* **to have a ~ (around)** рассматривать *or* заглядывать; **to ~ through a book** пролистывать книгу
bruise [bru:z] *n (on face etc)* синяк; *(on fruit)* вмятина ✧ *vt* ушибать; *(fruit)* помять ✧ *vi (fruit)* помяться
bruising [ˈbru:zɪŋ] *n* синяки
brunch [brʌntʃ] *n* поздний завтрак
brunette [bru:ˈnet] *n* брюнетка
brunt [brʌnt] *n:* **to bear the ~ of** принимать на себя основной удар
brush [brʌʃ] *n (for cleaning)* щетка, кисть; помазок, *(quarrel)* столкновение ✧ *vt (sweep)* подметать; чистить щеткой; *also:* **~ against)** слегка задевать; **to have a ~ with sb** *(verbally)* вздорить с кем-н.; *(physically)* драться с кем-н.; **to have a ~ with the police** иметь столкновение с полицией
brush aside *vt (criticism, emotion)* отметать
brushed [brʌʃt] *vdj (steel, chrome etc)* матовый; *(nylon, denim etc)* ворсистый
brush-off [ˈbrʌʃɔt] *n* **to give sb the ~** отбривать кого-н.
brush past *vt* проноситься мимо
brush up *vt (subject languare)* шлифовать; *(knowledge)* освежать
brushwood [ˈbrʌʃwud] *n* хворост
brusque [bru:sk] *adj* бесцеремонный
Brussels [ˈbrʌslz] *n* Брюссель
Brussels sprouts *n* брюссельская капуста
brutal [ˈbru:tl] *adj* жестокий; *(actions)* зверский; *(honesty, frankness)* жесткий
brutality [bruˈtælɪtɪ] *n (see adj)* жестокость; зверство
brutalize [ˈbru:təlaɪz] *n* ожесточать
brute [bru:t] *n* зверь ✧ *adj:* **by ~ force** грубой силой
brutish [ˈbru:tɪʃ] *adj* зверский, скотский
bubble [ˈbʌbl] **1.** *n* пузырь; **blow ~s** пускать мыльные пузыри **2.** *v* пузыриться
bubble bath *n* пенистая ванна
bubble gum *n* жевательная резинка *(образующая пузыри)*
bubble pack *n* блистерная упаковка

bubbly [ˈbʌblı] *adj (inf: girl)* живой; *(mineral water)* шипучий, газированный ✧ *n* шипучка
buccaneer [bʌkəˈnıə] пират
buck [bʌk] *n (rabbit)* кролик; *(deer)* самец оленя; бакс ✧ *vi (horse)* брыкаться; **to pass the ~ (to sb)** перекладывать ответствсиность *(на кого-н.)*
bucket [ˈbʌkıt] *n* ведро: **the rain is ~ing (down)** дождь льет как из ведра
buckle [ˈbʌkl] *n* пряжка ✧ *vt (shoe, belt)* застегивать; *(wheel)* деформировать ✧ *vi (wheel) деформироваться; (bridge, support)* прогибаться; *(knees, legs)* подгибаться
buckle down *vi:* **to ~ down (to sth)** засесть *(за что-н.)*
buckshot [ˈbʌkʃɔt] крупная дробь
buck up *vi (cheer up)* встряхнуться; *(hurry up)* пошевеливаться ✧ *vt:* **to one's ideas up** исправляться
bud [bʌd] *n (of tree)* почка, *(of flower)* бутон ✧ *vi (flower)* распускаться; **the trees are ~ding** на деревьях распускаются почки; **to nip in the ~** пресекать в корне
budbear [ˈbʌdbeəˈ] *n* проблема
Buddha [ˈbudə] *n* Будда
budding [ˈbʌdıŋ] *adj* подающий надежды
buddy [ˈbʌdı] *n* приятель
budge [bʌdʒ] *vt (object)* сдвигать *(с места);* заставлять уступить ✧ *vi* сдвинуться *(с места)*
budgerigar [ˈbʌdʒərıgɑː] *n* волнистый попугайчик
budget [ˈbʌdʒıt] *n* бюджет ✧ *vi:* **to ~ for sth** ассигновать *or* откладывать деньги на что-н.: **I'm on a tight ~** у меня туго с финансами; **sht works out her ~ every month** она рассчитывает свой бюджет каждый месяц
Buenos Aires [ˈbweınɔsˈaırız] *n* Буэнос-Айрес
buff [bʌf] буйволовая кожа; тёмно-жёлтый цвет
buffalo [ˈbʌfələu] буйвол
buffer [ˈbʌfə] буфет; буферный; **~ state** буферное государство
buffet I [ˈbʌfıt] **1.** *n* удар **2.** *v* ✧ **~ (with) the waves** бороться с волнами
buffet II [ˈbʌfıt] буфет; буфетная стойка
buffet car *n* вагон-ресторан
buffet lunch шведский стол
buffoon [bəˈfuːn] **1.** *n* шут **2.** *v* строить из себя шута
bug [bʌg] клоп; насекомое; жук
bugger [ˈbʌgəˈ] *n* сволочь ✧ *vb:* **~ off!** катись отсюда!; **~ (it)!** твою мать!
buggy [ˈbʌgı] *n (also:* **baby ~)** складная детская коляска
bugle [ˈbjuːgl] *n* горн
build [bıld] **(built)** *n* телосложение ✧ *vt* строить
builder [ˈbıldəˈ] *n* строитель
building [ˈbıldıŋ] *n (industry, construction)* строительство; *(structure)* строение; *(: residentiel, offices)* здание
building contractor *n* строительный подрядчик
buildIng industry *n* строительная промышленность
building site *n* строительный участок
building society *n* строительное общество
build on *vt* пользоваться
build up *vt* наращивать; *(morale)* укреплять; *(stocks)* накапливать; *(business)* создавать; **don't your hopes ~ up too soon** не радуйтесь раньше времени
built [bılt] *pt, pp of* **build** ✧ *adj:* **~-in** встроенный; **well-~ person** хорошо сложенный человек
built-up area [ˈbıltʌp-] *n* застроенный район
bulb [bʌlb] *n бот.* луковица; лампа, лампочка
bulbous [ˈbʌlbəs] *adj* пузатый; *(nose)* толстый
Bulgaria [bʌlˈgeərıə] *n* Болгария
bulge [bʌldʒ] *n* выпуклость *(in birth rate)* временное увеличение ✧ *vi* выпячиваться; *(pocket file)* трещать по швам; **her purse is bulging with money** ее кошелек набит деньгами
bulk [bʌlk] *n* громада; **in ~** оптом;

B

B

the ~ of большая часть
bulk buying [-ˈbaɪɪŋ] *n* оптовая закупка
bulk carrier *n* грузовое судно, грузовой корабль
bulkhead [ˈbʌlkhed] *n* перегородка
bulky [ˈbʌlkɪ] *adj* громоздкий
bull [bul] *n* бык; самец кита; **(:elephant)** слон; *спекулянт, играющий на повышение на бирже;* булла
bull's-eye [ˈbulzaɪ] *n (on a tasget)* яблоко мишени
bulldog [ˈbuldɔg] *n* бульдог
bulldoze [ˈbuldəuz] *vt* расчищать бульдозером; *(knock down)* ломать бульдозером; **I was ~d into it** меня заставили сделать это
bulldozer [ˈbuldəuzəˈ] *n* бульдозер
bullet [ˈbulɪt] *n* пуля
bulletin [ˈbulɪtɪn] *n:* **news ~** сводка новостей; *(journal)* бюллетень
bulletin board *n комп.* электронная доска объявлений
bulletproof [ˈbulɪtpruːf] *adj* пуленепробиваемый
bullfight [ˈbulfaɪt] *n* бой быков
bullfighter [ˈbulfaɪtəˈ] *n* тореадор
bullfighting [ˈbulfaɪtɪŋ] *n* бой быков.
bullion [ˈbuljən] *n* слиток
bullock [ˈbulək] *n* вол
bullring [ˈbulrɪŋ] *n* арена *(на которой происходит бой быков*
bullshit [ˈbulʃɪt] *n* бред (собачий) ✧ *vt* нести бред
bully [ˈbulɪ] *n* задира ✧ *vt* травить; запугивать
bullying [ˈbulɪɪŋ] *n* травля, запугивание
bum [bʌm] *n (backside)* задница; *(tramp)* бродяга; *(: good-for-nothing)* бездельник
bum around *vi* шататься
bumblebee [ˈbʌmblbiː] *n* шмель
bumf [bʌmf] *n (жарг.)* бумаги, документы
bump [bʌmp] *n (minor accident)* столкновенние; *(jolt)* толчок; *(swelling)* шишка; *(on road)* ухаб ✧ *vt (strike)* ударять; *(dent) помять;* **he ~ed his head on the door** он ударился *or* стукнулся головой о дверь
bump along *vi* трястись
bumper [ˈbʌmpəˈ] *n авт.* бампер ✧ *adj:* **~ crop** *or* **harvest** небывалый урожай
bumper cars *npl* аттракционный электромобиль
bumper sticker *n* наклейка на бампер
bump into *vt* наталкиваться на
bumpkin [ˈbʌmpkɪn] застенчивый *или* неловкий человек; **country ~** деревенщина
bumptious [ˈbʌmpʃəs] самодовольный; нахальный
bumpy [ˈbʌmpɪ] неровный *(о дороге)*
bun [bʌn] булочка
bunch [bʌntʃ] *n (of flowers)* букет; *(of keys)* связка; *(of bananas)* гроздь; *(of people)* компания; **~es** *npl (in hair)* хвостики; **~ of grapes** гроздь *or* кисть винограда
bundle [ˈbʌndl] *n (of clothes)* узел, *(of sticks)* вязанка; *(of papers)* пачка ✧ *vt (also:* **~ up)** связывать в узел; **to ~ sth/sb into** заталкивать что-н/кого-н в
bundle off *vt* отсылать
bundle out *vt* быстро уходить
bun fight *n* банкет; *(: tea party)* чаепитие
bung [bʌŋ] **1.** *n* втулка; затычка **2.** *v* затыкать, закупоривать
bungalow [ˈbʌŋgəlou] бунгало, одноэтажный летний дом (с верандой)
bungle [ˈbʌŋgl] *vt* заваливать *(дело)*
bunion [ˈbʌnjən] *n* натоптыш
bunk [bʌŋk] *n (bed)* койка
bunk beds *npl* двухъярусная кровать
bunker [ˈbʌŋkəˈ] *n* бункер; яма с песком *(на поле для гольфа)*
bunny [ˈbʌnɪ] *n (also:* **~ rabbit***)* зайчик
bunny hill *n* лягушатник
bunting [ˈbʌntɪŋ] *n* флажки
buoy [bɔɪ] *n* буй, бакен
buoyancy [ˈbɔɪənsɪ] *n* плавучесть
buoyant [ˈbɔɪənt] *adj (ship) плавучий; (economy, market)* оживленный; *(prices, currency)* твердый; жизнерадостный
buoy up *n* подбадривать
bureaucracy [bjuəˈrɔkrəsɪ] *n комм.* бюрократия; *(system)* бюрократизм

bureaucrat [ˈbjuərəkræt] *n* бюрократ
bureaucratic [bjuərəˈkrætɪk] *adj* бюрократический
burgeon [ˈbə:dʒən] *n* бутон, почка, росток
burger [ˈbə:gəˈ] *n* бургер
burglar [ˈbə:gləˈ] *n* взломщик
burglar alarm *n* сигнализация
burglarize [ˈbə:glərаɪz] *vt* совершать кражу со взломом
burglary [ˈbə:glərɪ] *n (crime)* кража со взломом; *(ect) взлом*
burgle [ˈbə:gl] *n* совершать кражу со взломом
burial [ˈberɪəl] *n* погребение, похороны
burial ground *n* место погребения
burlesque [bə:ˈіеðsk] *n* пародия
burly [ˈbə:lɪ] крепкий; плотный
burn [bə:n] *vt* жечь, сжигать; (arson) поджигать ✧ *vi (house, wood)* гореть, сгорать; *(cakes)* подгорать ✧ *n* ожог; **the cigarette ~t a hole in her dress** сигарета прожгла дырку на ее платье; **she always ~s the meat** у нее всегда подгорает мясо; **I've ~t myself!** я обжегся!
burn down *vt* сжигать дотла
burner [ˈbə:nəˈ] *n* горелка
burning [ˈbə:nɪŋ] *adj* горящий, раскаленный, жгучий
burnish [ˈbə:nɪʃ] *vt* полировать
burn out *vt:* **to o.s. out** выматываться; **the fire ~t itself out** огонь догорел
burnt [bə:nt] *pl, pp of* **burn**
burnt sugar *n* жженный сахар
burp [bə:p] *n* отрыжка ✧ *vt:* **to ~ a baby** вызвать отрыжку у ребенка ✧ *vi* отрыгивать
burrow [ˈbʌrəu] *n* нора ✧ *vi (dig)* рыть нору; рыться
bursar [ˈbə:sə] *n* казначей
burst [bə:st] *(pt, pp* **burst)** *vt* разрывать; ✧ *vi (pipe)* прорываться; *(tyre, belloon)* лопаться, ✧ *n (of gunfire)* залп; *(of shelling)* разрыв; *(also:* **~ pipe)** прорыв; **the river has ~ its banks** река вышла из берегов; **to ~ into flames** вспыхивать; **to ~ into tears** расплакаться; **to ~ out laughing** расхохотаться; **to ~ into a room** врываться в комнату; **~ blood vessel** разорванный кровеносный сосуд; **the room is/was ~ing with people** комната набита/была набита до отказа людьми; **to be ~ing with** *(pride, anger)* раздуваться от; **a ~ of energy/enthusiasm** прилив энергии/энтузиазма; **~ to laughter/applause** взрыв смеха/рукоплесканий; **~ of machine gun fire** пулеметная очередь
burst into *vt* врываться
burst open *vi (door etc)* распахиваться
bury [ˈberɪ] *vt (object)* зарывать, закапывать; хоронить; **many people were buried in the rubble** много людей были зарыты под обломками; **to ~ one's face in one's hands** прятать лицо в ладони; **to ~ one's head in the sand** зарывать голову в песок; **to ~ the hatchet** забывать раздоры, мириться
bus [bʌs] *n* автобус; *(double decker) (двухэтажный)* автобус
bus boy *n* помощник официанта, убирающий грязную посуду со стола
bush [buʃ] *n* куст; *(scrubland)* пространства, покрытые кустарниками *(в Австралии и т.п.);* **to beat about the ~** ходить вокруг да около
bushed [buʃt] *adj* вымотанный
bush fire *n* лесной пожар
bushy [ˈbuʃɪ] *adj* пушистый; густой; *(plant)* кустистый
busily [ˈbɪzɪlɪ] *adv* деловито, энергично; **to be ~ doing sth** энергично заниматься чем-н.
business [ˈbɪznɪsus] *n (matter)* дело; *(trading)* бизнес; *(firm)* предприятие, фирма; *(occupation)* занятие; **to be away on ~** быть в командировке; **I'm here on ~** я здесь по делу; **he's in the insurance/transport ~** он работает в страховом/транспортном бизнесе; **to do ~ with sb** иметь дела с с кем-н; **it's my ~ to...** это моя обязанность...; **it's none of my ~** это не мое дело; **he means ~** он

B

B

серьезно настроен
business address *n* адрес фирмы
business card *n* визитная карточка
businesslike [ˈbɪznɪslaɪk] *adj* деловитый
businessman [ˈbɪznɪsmən] *irreg n* бизнесмен
business trip *n* командировка
businesswoman [ˈbɪznɪswumən] *irreg n* женщина-бизнесмен, деловая женщина
busker [ˈbʌskəˈ] *n* уличный музыкант
bus shelter *n* автобусная остановка *(с навесом)*
bus station *n* автобусная станция, автовокзал
bus-stop [ˈbʌsstɔp] *n* автобусная остановка
bust [bʌst] *n анат.* бюст, грудь, *(measuroment)* объем груди; бюст ✧ *adj (broken)* сломанный ✧ *vt (arrest)* накрывать; **to go ~** прогорать, вылетать в трубу
bustle [ˈbʌsl] *n (activity)* суматоха, суета ✧ *vi* суетиться
bustling [ˈbʌslɪŋ] *adj* оживленный, шумный
bust-up [ˈbʌstʌp] *n* скандал, ссора
busty [ˈbʌstɪ] *adj* грудастый
busy [ˈbɪzɪ] *adj* занятой; *(street)* оживленный, шумный; *тел.:* **the line is ~** линия занята; ✧ *vt:* **to ~ o.s. with** занимать себя, заниматься; **he's a ~ man** *(normally)* он занятой человек; **he's ~ (temporarily)** он занят; **it's usually a very ~ shop** в этом магазине обычно много народу
busybody [ˈbɪzɪbɔdɪ] *n:* **he is a ~** он сует нос в чужие дела
busy signal *nu тел..* короткие гудки
but [bʌt] *conj* **1. (yet)** но; *(: in contrast)* а; **he's not very bright, but he's hard-working** он не очень умен, но усерден; **I'm tired but Paul isn't** я устал, а Павел не устал; **2. (however)** но; **I'd love to come, but I'm busy** я бы с удовольствием пришел, но я занят; **3. (showing disagreement surprise etc)** но; **but that's fantastic!** но это же потрясающе! ✧ *prep (apart from, except):* **no-one but him can do it** никто, кроме него, не может это сделать; **nothing but trouble/bad luck** сплошные неприятности/неудачи; **but for you/your help** если бы не Вы/ваша помощь; **I'll do anything but that** я сделаю все, что угодно, но только не это, ✧ *adv (just, only):* **she's but a child** она всего лишь ребенок; **had I but known** если бы только я знал; **I can but try** ну я, конечно, могу попробовать; **the work is all but finished** работа почти закончена
butch [butʃ] *adj (woman)* мужеподобный; **he's very ~** он *(настоящий)* мужик
butcher [ˈbutʃɔˈ] *n* мясник, палач ✧ *vt* бить, резать; вырезать
butcher's (shop) [ˈbutʃəz-] *n* мясной магазин
butler [ˈbʌtləˈ] *n* дворецкий
butt [bʌt] *n* бочка, *(thick end)* утолщенный конец; *(of riflo)* приклад; *(of pistol)* рукоятка; *(of cigarette) окурок; (of teasing)* посмешище; *(: of criticism)* предмет; задница (!) ✧ *vt (subj: goat)* бодать
butter [ˈbʌtɔˈ] *n (сливочное)* масло ✧ *vt (bread)* намазывать *(сливочным)* маслом
buttercup [ˈbʌtəkʌp] *n* лютик
butter dish *n* масленка
butterfingers [ˈbʌtəfiŋgəz] *n* растяпа
butterfly [ˈbʌtəflaɪ] *n* бабочка; баттерфляй
butt in *vi* встревать в
buttocks [bʌtəks] *npl* ягодицы
button [ˈbʌtn] *n (on clothes)* пуговица; кнопка, значок ✧ *vt (also:* **~ up)** застегивать
buttonhole [ˈbʌtnhəul] *n* петля, петлица ✧ *vt:* **to ~ sb** приставать к кому-н. с разговорами
buxom [ˈbʌksəm] *adj (woman)* полногрудый
buy [baɪ] *vt* покупать; *комм.* приобретать ✧ *n* покупка; **to ~ sb sth/sth from sb** покупать кому-н. что-н./что-н. у кого-н.; **to ~ sb a drink** покупать кому-н. выпить что-нибудь; **that was a good/bad ~** это была удачная/

неудачная покупка
buy back *n* выкупать
buyer [ˈbaɪə] *n* покупатель(ница); *комм.* закупщик(-ица)
buyer's market [ˈbaɪəz-] *n рынок, выгодный для покупателя*
buy in *vt* закупать
buy into *vt* покупать часть, входить в долю с
buy off *vt* подкупать
buy out *vt* выкупать
buy up *vt* скупать
buzz [bʌz] *n* жужжание ◇ *vi* жужжать; гудеть ◇ *vt* звонить по внутреннему телефону; *авиа.* совершать бреющий полет над; **to give sb a ~** *тел.* звякнуть кому-н.; **my head is ~ing** у меня голова гудит
buzzard [ˈbʌzəd] *n* канюк, сарыч
buzzer [ˈbʌzə] *n* зуммер, звонок
buzz off *vi* отваливать *(жарг.)*
buzz word *n* модное словечко
by [baɪ] *prep* **1.: he was killed by lightning** он был убит молнией; **a painting by Van Gogh** картина Ван Гога; **it's by Shakespeare** это Шекспир; **2. by bus/train** на автобусу/поезде, автобусом/поездом; **by car** на машине; **by phone** по телефону; **to pay by cheque** платить чеком; **by moonlihgt** при свете луны; **by candlelight** при свечах; **by working constantly, he...** благодаря тому, что он работал без остановки, он...; **3. by land/sea** по суше/морю; **by the back door** через заднюю дверь; **4.** около, у; **the house is by the river** дом находится около *or* реки; **a holiday by the sea** отпуск на море; **5.** мимо; **she rushed by me** она пронеслась мимо меня; **6. by four o'clock** к четырем часам; **by the time I got here it was too late** к тому времени, когда я добрался сюда, было слишком поздно; **7. by day** днем; **by night** ночью; **8. to sell by the kilo/metre** продавать в килограммах/метрах; **she is paid by the hour** у нее почасовая оплата; **9.** *мат.* на; **to divide/multi ply by three** делить/умножать на три; **a room three metres by four** комната размером три метра на четыре; **10.** по; **to play by the rules** играть по правилам; **it's all right by me** я не возражаю; by law по законам; **11. (all) by oneself** *совершенно)* один, сам; **I did it all by myself** я сделала все сама; **he was standing by himself in the corner** он стоял в углу один/сам по себе; **12. by the way** кстати, между прочим; **this wasn't my idea by the way** кстати *or* между прочим, это была не моя идея; ◇ *adv* **1.** *see* **go, pass** *etc;* **2. by and by** вскоре; **by and large** в целом
by(e)-law [ˈbaɪlɔː] *n* постановление местной власти
bye(-bye) [ˈbaɪ] *excl* пока, всего
by-election [ˈbaɪɪlekʃən] *n* дополнительные выборы
Byelorussia [bjeləuˈrʌʃən] *n* Белоруссия
bygone [ˈbaɪgɔn] *adj* минувший ◇*n;* **let ~s be ~s** что было, то прошло
by law [ˈbaɪlɔː] распоряжение местный властей *или* какой-л. организации
bypass [ˈbaɪpaːs] **1.** *n* обход **2.** *v* обходить
byplay [ˈbaɪpleɪ] эпизод, немая сцена *(в пьесе)*
by-product [ˈbaɪˌprɔdʌkt] побочный продукт
byre [ˈbaɪə] коровник
bystander [ˈbaɪˌstændə] свидетель, зритель
byte [baɪt] *n комп.* байт
byway [ˈbaɪweɪ] *n* проселочная дорога; улочка
byword [ˈbaɪwəːd] *n:* **to be a ~ for** быть олицетворением *or* символом

C

C, c [siː] *n 3-я буква английского алфавита; просвещ.* удовлетворительный

C

C

cab [kæb] *n* такси; кабина; экипаж; кэб
cabal [kə'bæl] *ист.* политическая клика
cabaret ['kæbəreɪ] *n* кабаре
cabbage ['kæbɪdʒ] *n* капуста
cabbie ['kæbɪ] *n* таксист *(разг.)*
cab driver *n* шофер такси
cabin ['kæbɪn] каюта; кабина; хижина
cabin cruiser *n* пассажирский катер
cabinet ['kæbɪnɪt] *n* шкаф; **display ~** горка; *полит.* кабинет (министров)
cabinet-maker ['kæbɪnɪtmeɪkə'] *n* краснодеревщик
cabinet minister *n* член кабинета министров
cable ['keɪbl] *n* канат; трос; *элек., тел.* кабель; **~gram** каблограмма ✧ *vt* телеграфировать; посылать телеграфом
cable car *n* фуникулер
cable railway *n* канатная дорога
cable television *n* кабельное телевидение
cache [kæʃ] *n* тайный склад; **a ~ of food** запас продовольствия
cackle ['kækl] *vi* хихикать; кудахтать
cactus ['kæktəs] *n* кактус
cad [kæd] невежа, грубиян, хам
cadaverous [kə'dævərəs] ✧ бледный, страшный, как труп; трупный
caddy ['kædɪ] чайница
cadge [kædʒ] *vt:* **to ~ (from)** выклянчивать
cadger ['kædʒə'] *n* попрошайка
Caeserean [siː'zeərɪən] *n* **~ section** кесарево сечение
cafe ['kæfeɪ] *n* кафе
cafeteria [kæfɪ'tɪərɪə] *n* кафетерий
caffein(e) ['kæfiːn] *n* кофеин
cage [keɪdʒ] *n* клетка; кабина ✧ *vt* сажать в клетку
cagey ['keɪdʒɪ] *adj* скрытный; уклончивый
cagoule [kə'guːl] *n* дождевик
cahoots [kə'huːts] *npl:* **to be in ~ with sb** быть в сговоре с кем-н
caisson [kə'suːn] *воен.* зарядный ящик; *техн.* кессон
cajole [kə'dʒəul] *vt:* **to ~ sb** склонять лестью кого-н
cake [keɪk] *n* торт; пирожное; брусок; **it's a piece of ~** это пустяковое дело; **his books sell like hot ~s** его книги идут на расхват
caked [keɪkt] *adj:* **~ with** облепленный
cake shop *n* булочная-кондитерская
calamine lotion ['kæləmaɪn-] *n* каламинный лосьон
calamitous [kə'læmɪtəs] *adj* бедственный
calamity [kə'læmɪtɪ] *n* бедствие
calcium ['kælsɪəm] *n* кальций
calculate ['kælkjuleɪt] *vt* подсчитывать; вычислять; рассчитывать
calculated ['kælkjuleɪtɪd] *adj* намеренный; **a ~ risk** сознательный риск
calculate on *vt fus:* **to ~ on sth** рассчитывать на что-н
calculating ['kælkjuleɪtɪŋ] *adj* расчетливый (расчетлив)
calculation [kælkju'leɪʃən] *n* подсчет; вычисление; расчет
calculator ['kælkjuleɪtə] *n* калькулятор
Calcutta [kæl'kʌtə] *n* Калькутта
caldron ['kɔːldrən] котёл
calendar ['kælɪndə] **1.** календарь; реестр; **2.** составлять индекс; регистрировать
calf I [kaːf] *pl* **calves** [kaːvz] телёнок; (или **~skin**) телячья кожа, опоек
calf II, *pl* **calves** икра (ноги)
calibre ['kælɪbə] калибр
calico ['kælɪkou] *торг.* коленкор; ситец
call [kɔːl] *vt* называть; звонить; вызывать; созывать; объявлять ✧ *vi* кричать; звонить; **~ in ~** заходить; ✧*n* крик; звонок; посещение; призыв; объявление; **she is ~ed Suzanne** ее зовут Сюзанна; **the mountain is ~ed Ben Nevis** гора называется Бен Невис; **to ~sb as a witness** призывать кого-н в свидетели; **who is ~ing?** кто звонит?; **London ~ ing** говорит Лондон; **please give me a ~ at 7** позвоните мне, пожалуйста, в 7 часов; **to make a ~** звонить; **to**

pay a ~ on sb навещать кого-н; **there's not much ~ for these items** на эти предметы нет большого спроса; **to be on ~** дежурить; быть наготове

call at *vt fus* заходить в; останавливаться

call back *vi* заходить опять; перезванивать

call box *n* телефонная будка

caller ['kɔ:lə'] *n* посетитель; звонящий; **hold the line, ~!** не кладите трубку!

call girl *n* проститутка *(которую вызывают по телефону)*

call in *vt* вызывать ✧ *vi* заходить; **to ~ sth in** отзывать

call-in ['kɔ:lɪn] *n* программа, приглашающая звонки *(от телезрителей или радиослушателей)*

calling ['kɔ:lɪŋ] *n* призвание

calling cart *n* визитная карточка

callipers ['kælɪpəz] *npl мат.* штангенциркуль

call off *vt* отменять; **the strike was ~ed off** забастовка была отменена

call-office ['kɔ:lɔfis] телефонная станция

call on *vt fus* заходить к; призывать к; **to ~ on sb to do** призывать кого-н

callous ['kæləs] *adj* бездушный

callousness ['kæləsnɪs] *n* бездушие

call out *vi* кричать ✧ *vt* вызывать

callow ['kæləu] *adj:* **~ youth** птенец

call up *vt воен.* призывать *(в армию)*; звонить

callus ['kæləs] мозоль

call for *vt fus* призывать; заходить за

calm [ka:m] *adj* спокойный; тихий; безветренный ✧ *n* тишина, покой; штиль *m* ✧ *vt* успокаивать

calm down *vt* успокаивать ✧ *vt* успокаиваться

calmly ['ka:mlɪ] *adv* спокойно

calmness ['ka:mnɪs] *n* спокойствие

calorie ['kælərɪ] *n* калория; **low ~ product** низкокалорийный продукт

calumniat||e [kə'lʌmnɪeɪt] клевета; **~or** клеветник

calve [ka:v] телиться

cam [kæm] *техн.* кулак

camber ['kæmbə'] *n* поперечный уклон

Cambodia [kæm'budɪə] *n* Камбоджа

Cambridge ['keɪmbrɪdʒ] *n* Кембридж

cambric ['keɪmbrɪk] батист

camcorder ['kæmkɔ:də'] видеокамера

came [keɪm] *pt of* **come**

camel ['kæməl] *n* верблюд

cameo ['kæmɪəu] *n* камея; миниатюра

camera ['kæmərə] *n фото.* фотоаппарат; **cine~, movie~** кинокамера; *тел.* телекамера; **35 mm ~** кинокамера для 35-мм пленки; **in ~** при закрытых дверях

cameraman ['kæmərəmæn] *irreg n* (кино)оператор: *тел.* (телеоператор

Cameroon [kæmə'ru:n] *n* Камерун

camomile ['kæməumaɪl] *n* ромашка; **~ tea** ромашковый чай

camouflage ['kæməfla:ʒ] *n воен.* камуфляж, маскировка; *зоол.* защитная окраска ✧ *vt* маскировать

camp [kæmp] *n* лагерь; *воен.* военный городок ✧ *vi* разбивать лагерь; жить в палатках ✧ *adj* женоподобный

campaign [kæm'peɪn] *n* кампания ✧ *vi:* **to ~ (for/against)** вести кампанию

campaigner [kæm'peɪnə'] *n:* **~ (for/against)** борец

camp bed *n* раскладушка

camper ['kæmpə'] *n* турист *(живущий в палатке);* фургон *(оборудованный для походной жизни)*

camphor ['kæmfə] камфара

camping ['kæmpɪŋ] *n* кемпинг; **to go ~** отправляться в поход

camp site *n* кемпинг

camp-stool ['kæmpstu:l] складной стул

campus ['kæmpəs] университетский *или* школьный двор *или* городок

cam-shaft ['kæmʃa:ft] *техн.* распределительный вал

can [kæn] *aux vb* **1.** мочь; **you can do it (if you try)** Вы сможете это сделать (, если Вы постараетесь); **I'll help you all I can** я по-

C

могу Вам всем, чем могу; **I can't go on any longer** я больше не могу; **I can't see/hear you** я не вижу/слышу Вас; **she couldn't sleep that night** в ту ночь она не могла уснуть **2.** уметь; **I can swim** я умею плавать; **can you speak Russian?** Вы говорите *or* умеете говорить по-русски? **3.** можно; **can I use your phone?** можно от Вас позвонить?; **could I have a word with you?** можно с Вами поговорить?; **you can smoke if you like** Вы можете курить, если хотите; **can I help you with that?** могу я Вам в этом помочь? **4. it can't be true!** не может быть!; **what can he want?** что ему нужно? **5. he could be in the library** он может быть в библиотеке; **she could have been delayed** возможно, ее что-то задержало

Canada [ˈkænədə] *n* Канада

canal [kəˈnæl] *n* канал

canard [kæˈnɑːd] "утка", ложный слух

canary [kəˈneərɪ] *n* канарейка

cancel [ˈkænsəl] *vt* отменять; аннулировать; вычеркивать; погашать

cancellation [kænsəˈleɪʃən] *n* отмена, аннулирование

cancellor [ˈkænsələ] *n полит.* канцлер; почетный ректор *(номинальный пост)*

cancel out *vt* нейтрализовать; **they ~ each other out** они нейтрализуют друг друга

cancer [ˈkænsəˈ] *n мед.* рак; бич; **C~** *астр.* Рак; **he is C~** он — Рак

cancerous [ˈkænsrəs] *adj* раковый

cancer patient *n* раковый больной

cancer research *n* онкологические исследования

candelier [ʃændəˈlɪəˈ] *n* люстра

candid [ˈkændid] *adj* искренний; чистосердечный

candidacy [ˈkændɪdesɪ] *n* кандидатура

candidate [ˈkændɪdeɪt] *n* претендент; экзаменуемый; *пол.* кандидат

candied [ˈkændɪd] *adj* **~ frut** цукаты; **~ apple** яблочный цукат

candifloss [ˈkændɪflɔs] *n* сахарная вата

candle [ˈkændl] *n* свеча; свечка

candlelight [ˈkændllaɪt] *n:* **by ~** при свечах

candlestick [ˈkændlstɪk] *n* подсвечник

candour [ˈkændəˈ] *n* искренность

candy [ˈkændɪ] *n* карамель; леденец; конфета

candy store *n* кондитерская

cane [keɪn] **1.** *бот.* камыш; тростник; трость; **2.** бить палкой

canine [ˈkeɪnaɪn] *adj* собачий

canister [ˈkænɪstəˈ] *n* жестяная банка; баллон; канистра

canker [ˈkæŋkə] *мед.* гангренозный стоматит

cannabis [ˈkænəbɪs] *n* гашиш; **~ plant** конопля

canned [kænd] *adj* консервированный; *муз.* в записи; баночный; наклюкавшийся

cannibal [ˈkænɪbəl] *n* каннибал, людоед

cannibalism [ˈkænɪbəlɪzəm] *n* каннибализм, людоедство

cannon [ˈkænən] *n* пушка

cannonball [ˈkænənbɔːl] *n* пушечное ядро

cannon fodder *n* пушечное мясо

cannot [ˈkænət] не в состоянии

canny [ˈkænɪ] *adj* смекалистый

canoe [kəˈnuː] челнок; байдарка

canoening [kəˈnuːɪŋ] *n* гребля на каноэ

canon [ˈkænən] *муз.* канон; правило; критерий

canonize [ˈkænənaɪz] *vt* канонизировать

can-opener [ˈkænəupnəˈ] *n* консервный нож, ключ

canopy [ˈkænəpɪ] полог; небесный свод; *арх.* навес

cant1 [kænt] **1.** косяк, наклон; **2.** скашивать (скосить); наклонять

cant2 **1.** плаксивый тон; ханжество; **2.** говорить на распев; ханжить

cantchment area [ˈkætʃmənt-] *n* микрорайон; *геогр.* бассейн

canteen [kænˈtiːn] *воен.* лавка; столовая; походная кухня

canter [ˈkæntəˈ] *vi* ездить/ехать легким галопом ◇ *n* легкий галоп

cantilever [ˈkæntɪliːvəˈ] *n* консоль, кронштейн; ~ **bridge** консольный мост
canton 1. [ˈkæntɔn] кантон; **2.** [kənˈtuːn] *воен.* расквартировать (войска)
canvas [ˈkænvəs] холст; канва; картина
canvass [~] **1.** обсуждение; **2.** *v/t* обсуждать; *v/i* собирать голоса; искать заказов
canvasser [ˈkænvəsəˈ] *n* агитатор
canvassing [ˈkænvəsɪŋ] *n* предвыборная агитация
canyon [ˈkænjən] глубокое ущелье, каньон
cap [kæp] *n* кепка; фуражка; колпачок; крышка; **Dutch ~:** колпачок; пистон; *фут. футбольный игрок, который получает кепку как знак отличия;* ✧ *vt* превосходить; *спорт.:* **he was ~ped ten times** он играл в сборной команде страны десять раз; **swimming ~** купальная шапочка; **to be ~ped with** увенчиваться; **and to ~ it all, he...** в довершение ко всему, он...
capability [keɪpəˈbɪlɪtɪ] *n* способность; *воен.* потенциал
capable [ˈkeɪpəbl] *adj* способный; ~ **of sth/doing** способен к чему-н
capacious [kəˈpeɪʃəs] *adi* вместительный
capacity [kəˈpæsɪtɪ] *n* емкость; вместительность; подъемная способность; способность; роль; производимая мощность; **filled to ~** заполнен до предела; **in his ~ as** в роли; **in an advisory ~** в роли советника; **this work is beyond my ~** эта работа вне моей компетенции; **to work at full ~** работать на полную мощность
cape [keɪp] *n гео.* мыс; плащ
caper [ˈkeɪpə] **1.** *n:* **cut a ~, cut ~s** выкидывать коленца; прыгать; дурачиться **2.** *v* прыгать; дурачиться
capillary [kəpiləri] капилярный
capital I [ˈkæpɪtl] **1.** *a* главный *(о городе);* заглавный *(о букве);* основной; первоклассный, превосходный ✧ punishment смертная казнь **2.** *n* столица
capital II [ˈkæpɪtl] капитал; **circulating** *или* **floating ~** оборотный капитал; **fixed ~** основной капитал; **~ism** капитализм; **~ist** капиталист; **~ize** превращать в капитал; *перен.* извлекать выгоду; **~ly** [-ɪ] *разг.* превосходно; основательно
capital account *n* баланс движения капитала
capital assets *npl* основной капитал, основные фонды
capital employed *n* применяемый тое золото
caravan [ˈkærəvæn] *n* жилой автоприцеп; караван
caraway [ˈkærəweɪ] *n:* ~ **seeds** тмин *(семя)*
carbine [ˈkɑːbaɪn] карабин
carbohydrate [kaːbəuˈhaɪdreɪt] *n* углевод
carbolik acid [kaːˈbɔlɪk-] *n* карболовая кислота
car bomb *n* бомба: подложенная в (под) машину
carbon [ˈkaːbən] *n* углерод
carbonated [ˈkaːbəneɪtɪd] *adj* газированный
carbon copy *n* копия *(сделанная под копирку)*
carbon dioxide *n* двуокись углерода
carbon monoxide [məˈnɔksaɪd] *n* моноксид углерода
carbon paper *n* копировальная бумага, копирка
carbon ribbon *n* лента *(для пишущей машинки или принтера)*
car boot sale *n барахолка, на которой товар разложен на капотах машин*
carburettor [kaːbjuˈretəˈ] *n* карбюратор
carcass [ˈkaːkəs] *n* туша
carcinogenic [kaːsɪnəˈdʒenik] *adj* канцерогенный
card [kaːd] *n* картон; **record ~** карточка; **membership ~** членский билет; **playing ~** (игральная) карта; **greetings ~** открытка; **visiting ~, business ~** визитная карточка; **to play ~s** играть в карты

C

C

cardamom [ˈka:dəməm] *n* кардамон
cardboard [ˈka:dbɔ:d] *n* картон
cardboard box *n* картонная коробка
cardboard city *n район города, занятый бездомными, живущими в картонных ящиках*
cardiac [ˈka:dıæk] *adj* сердечный; кардиологический
cardigan [ˈka:dıgən] *n* жакет *(вязаный)*
cardinal [ˈka:dınl] *adj* ~ **number** количественное числительное; смертный; кардинальный; ✧ *n* кардинал
card index *n* картотека
cards [ˈka:dz] *n* карты
cardsharp [ˈka:dʃa:p] *n* шулер
card game *n* игра в карты
card vote *n* мандатное голосование
care [keəˈ] *n* забота; уход; внимание ✧ *vi:* **to ~ about** заботиться о; in sb's ~ на чьем-н попечении; the child has been taken into ~ ребенок был взят в детский дом; **"handle with ~"** "не кантовать"; **to take ~ (to do)** позаботиться; **to take ~ of** заботиться о; заниматься; **~ of** для передачи; **he ~s about environmental issues** его волнуют проблемы защиты окружающей среды; **would you ~ to/tor...?** не хотите ли; **I wouldn't ~ to repeat the experience** мне бы не хотелось испытать это снова; **I don't ~** мне все равно; **I couldn't ~ less** мне наплевать
career [kəˈrıəˈ] *n* карьера ✧ *vi* мчаться; **my scool ~** мои школьные годы
career girl *n* = **career woman**
career woman *irreg n* деловая женщина
care for *vt fus* заботиться; **he ~s for her** он неравнодушен к ней
carefree [ˈkeəfri:] *adj* беззаботный
careful [ˈkeəful] *adj* осторожный; тщательный; **(be) ~!** осторожно!, берегись!; **he is/was ~ with his money** он экономен/был экономен
carefully [ˈkeəfəlı] *adv* осторожно; тщательно
careless [ˈkeəlıs] *adj* невнимательный; небрежный; беззаботный
carelessly [ˈkeəlıslı] *adv* невнимательно; небрежно; беззаботно
carelessness [ˈkeəlısnıs] *n* невнимательность; небрежность; беззаботность
carer [ˈkeərəˈ] *n человек, ухаживающий за больными, престарелыми и т. п.*
cares [kəˈres] *n* ласка ✧ *vt* ласкать
caretaker [ˈkeəteıkəˈ] *n* завхоз
caretaker government *n* временное правительство
care-worn [ˈkeəwɔ:n] измученный заботами
car ferry *n* автомобильный паром
cargo [ˈka:gəu] **~es** *n* груз
cargo boat *n* грузовое судно
cargo plane *n* грузовой самолет
car hire *n* прокат автомобилей
Caribbean [kæriˈbi:ən] *adj* карибский ✧ *n:* **the ~ (Sea)** Карибское море
carikature [ˈkærikətjuəˈ] *n* карикатура; **~of the truth** карикатура на правду
caring [ˈkeəriŋ] *adj* заботливый
carjack [ˈka:dʒæk] *n* домкрат
carnage [ˈka:nıdʒ] *n* резня
carnal [ˈka:nl] *adj* плотский
carnation [ka:ˈneıʃən] *n* гвоздика
carnival [ˈka:nıvl] *n* карнавал; аттракционный городок
carnivorous [ka:ˈnıvərəs] *adj* плотоядный; насекомоядный
carol [ˈkærəl] *n* **Cristmas ~** Рождественский гимн
carousal [kəˈrauzəl] кутёж; попойка; **~se** [kəˈrauz] **1.** *n* попойка **2.** *v* пировать; пьянствовать
carousel [ˌkæruˈzel] *n* карусель
carp [ka:p] *n* карп
car park *n* автостоянка
carp at *vt fus* придираться к
carpenter [ˈka:pıntəˈ] *n* плотник
carpenty [ˈka:pıntrı] *n* плотницкое дело
carpet [ˈka:pıt] *n* ковер; покров ✧ *vt* устилать коврами; **fitted ~** ковровое покрытие
carpet slippers *npl* шлепанцы
carpet sweeper [-ˈswi:pəˈ] *n* щетка для ковра

car phone *n* радио-телефон *(в машине)*
carport [ˈkaːpɔːt] *n* навес для машины
car rental *n* прокат автомобилей
carriage [ˈkærɪdʒ] *n* (пассажирский) вагон; экипаж; перевозка; каретка; стоимость перевозки; ~ **forward** *стоимость перевозки подлежит оплате получателем;* ~ **free** перевозка осуществляется бесплатно; ~ **inwards** *сумма, оплачиваемая покупателем за доставку полученного груза;* ~**outwards** *сумма, предоставленная продавцом к оплате на покрытие расходов по доставке;* ~**paid** за перевозку уплачено
carriage return *n* перевод каретки
carriageway [ˈkærɪdʒweɪ] *n* проезжая часть дороги
carrier [ˈkærɪə] носильщик; почтальон; багажник *(мотоцикла) мед.* бациллоноситель; *мор.* авианосец
carrier bag *n* пакетик *(для покупок)*
carrier pigeon *n* почтовый голубь
carrion [ˈkærɪən] *n* падаль
carrot [ˈkærət] *n* морковь; ~ **and stick policy** политика кнута и пряника
carry [ˈkærɪ] *vt* носить/нести; возить/везти; проводить; влечь; *мед.* переносить; содержать; ✧ *vi* передаваться; **he carries the virus** он носитель вируса; **this loan carries 10% interest per annum** этот заем предоставляется под 10% годовых; **to get carried away (by)** увлекаться
carrycot [ˈkærɪkɔt] *n* переносная колыбель
carry forward *vt комм.* переносить на другую страницу
carry on *vi* продолжаться; заводиться ✧ *vt* продолжать; **to ~ on with sth/doing** продолжать что-н
carry-on [ˈkærɪˈɔn] *n* суматоха, суета; капризы; **I've had enough of your ~!** надоели мне твои капризы!; **what a ~!** какая суматоха (суета)!
carry out *vt* выполнять, исполнять; проводить; осуществлять
cart [kaːt] *n* телега, повозка; тележка ✧ *vt* таскать/тащить
Cart. *abbr воен.* = **captain**
carte blanche [ˈkaːtˈblɔŋʃ] *n:* **to give sb ~ ~** предоставлять кому-н полную свободу действий
cartel [kaːˈtel] *n* картель
cart-horse [ˈkaːthɔːs] ломовая лошадь
cartified mail *n* гарантированная почта
cartilage [ˈkaːtɪlɪdʒ] *n* хрящ
cart-load [ˈkaːtloud] воз *(как мера)*
cartographer [kaːˈtɔgrəfəˈ] *n* картограф
cartography [kaːˈtɔgrəfi] *n* картография
carton [ˈkaːtən] *n* картонная коробка
cartoon [kaːˈtuːn] *n* карикатура; комикс; *тел.* мультфильм = *мультипликационный фильм*
cartoonist [kaːˈtuːnɪst] *n* карикатурист
cartridge [ˈkaːtrɪdʒ] *n* гильза; кассета с фотопленкой; *муз.* кассета; головка; (чернильный) баллончик; картридж
cartwheel [ˈkaːtwiːl] *n* колесо телеги; **to turn a** ~ делать колесо
carve [kaːv] *vt* нарезать; вырезать
carve up *vt* раздроблять; разрезать
carving [ˈkaːvɪŋ] *n* резное изделие; резьба; искусство резьбы
carving knife *n* разделочный нож
cascade [kæsˈkeɪd] *n* каскад ✧ *vi* низвергаться; ниспадать
case I [keɪs] случай; **in any** ~ в любом *(или* во всяком) случае; **in ~ he comes** в случае, если он придет; дело *(судебное)* больной; **the doctor is out on a** ~ врач поехал к больному
case II *грам* падеж
case III 1. *n* ящик; ларец; футляр; чехол; **glass** ~ витрина *(в музее и т.п.)* **2.** *v* класть в ящик; покрывать; обрамлять, вставлять в оправу
case-hardened [ˈkeɪsˌhaːdnd] закаленный; бывалый
case-history [ˈkeɪsˈhɪstərɪ] история болезни
casement [ˈkeɪsmənt] оконный переплет

C

case study *n* изучение конкретного случая
cash [kæʃ] *n* наличные (деньги) ✧ *vt:* **to ~ a cheque** обменивать чек на деньги; **to pay (in) ~** платить наличными; **~ on delivery** наложенный платеж; **~ with order** оплата при совершении заказа
cash account *n* наличный счет
cash-and-carry [kæʃən'kærɪ] *n* мелкооптовый магазин
cash-book ['kæʃbuk] *n* кассовая книга
cash box *n* коробка для хранения кассы
cash card *n* *карточка для получения наличных из автомата*
cash cow *n* хлебное дело; золотое дно
cash crop *n* товарная культура
cash desk *n* касса
cash discount *n* *скидка с цены товара в случае уплаты наличными*
cash dispenser *n* *автомат для выдачи наличных с банковского счета*
cashew [kæ'ʃu:] *n* **~ nut** орех кешью
cash flow *n* движение денежной наличности
cashier I [kæ'ʃɪə] кассир
cashier II *воен.* увольнять
cash in *vt* получать деньги по
cash in on *vt* использовать в своих интересах
cashmere ['kæʃmɪə'] *n* кашемир
cash price *n* цена товара при продаже за наличные
cash register *n* кассовый аппарат
cash reserves *npl* кассовый резерв
cash sale *n* продажа за наличные
casing ['keɪsɪŋ] *n* оболочка, футляр
casino [kə'si:nəu] *n* казино
cask [ka:sk] бочонок
casket ['ka:skɪt] *n* шкатулка; гроб
Caspian Sea ['kæspɪən-] *n* *гео.* **the ~ ~** Каспийское море
casque [kæsk] шлем
casserole ['kæsəroul] кастрюля
cassette [kæ'set] *n* кассета
cassette desk *n* кассетный магнитофон *(стационарный)*
cassette player *n* кассетный плейер
cassette recorder *n* кассетный магнитофон *(портативный)*
cast [ka:st] *vt* бросать; забрасывать; сеять; околдовывать; сбрасывать, отливать ✧ *vi* забрасывать сети ✧ *n* состав (исполнителей); форма *(для отливки)*; **plaster ~** гипсовый слепок; **to ~ one's vote (for sb)** отдавать свой голос (за кого-н); **to ~ sb as Hamlet** назначать кого-н на роль Гамлета; **the ~ was full of celebrities** в спектакле играло много знаменитостей
cast aside *vt* отвергать
castaway ['ka:stəweɪ] отверженный
caste [ka:st] каста
caster sugar ['ka:stə-] *n* сахарная пудра
castigate ['kæstɪgeɪt] наказывать; жестоко критиковать
casting vote ['ka:stiŋ-] *n* решающий голос *(при равном числе голосов “за” и “против”)*
cast iron *n* чугун ✧ *adj:* **~ ~** железный
castle ['ka:sl] *n* замок; крепость; ладья, тура
cast off *vi мор.* отчаливать; сбрасывать петлю; ✧ *vt* сбрасывать *(петлю)*
cast-offs ['ka:stɔfs] *npl* обноски
cast on *vi* набирать петли
castor ['ka:stə'] *n* ролик
castor oil *n* касторовое масло
castrate [kæs'treɪt] *vt* кастрировать
casual ['kæʒjul] *adj* случайный; небрежный; повседневный; **to do ~ work** делать случайную работу; **~ wear** повседневная одежда
casual labour временные работники
casually ['kæʒjulɪ] *adv* небрежно; повседневно; случайно; **he was ~ dressed** он был одет в повседневную одежду
casualty ['kæʒjultɪ] *n* пострадавший; жертва; *мед.* травматология; **heavy casualties** тяжелые потери
casualty ward *n* травматологическое отделение
cat [kæt] *n* кошка; кот; **big ~s** кошачьи

catacombs [ˈkætəku:mz] *npl* катакомбы
catalogue [ˈkætəlɔg] *n* каталог; перечень ◊ *vt* каталогизировать; перечислять
catalyst [ˈkætəlɪst] *n* катализатор
catalytic converter [kætəˈlɪtɪk kənˈvə:tə] *n авт.* каталитический нейтрализатор
catapult [ˈkætəpʌlt] *n* рогатка; *воен.* катапульта ◊ *vi* катапультироваться ◊ *vt* катапультировать
cataract [ˈkætərækt] *n* катаракта
catarrh [kəˈtaː] *n* катáр
catastrophe [kəˈtæstrəfi] *n* катастрофа
catastrophic [kætəˈstrɔfik] *adj* катастрофический
catcall [ˈkætkɔ:l] *n* освистывание
catch [kætʃ] *vt* ловить; садиться на; затаивать; привлекать; ударять; улавливать; подхватывать; заставать ◊ *vi* застревать ◊ *n* улов; задержанный; захват; защелка; пятнашки; **to ~ sb's attention (eye)** привлекать чье-н внимание; **to ~ sight of** увидеть; **to ~ fire** загореться
catch-22 [ˈkætʃtwentɪˈtu:] *n* **it's a ~ situation** это безвыходная ситуация
catching [ˈkætʃɪŋ] *adj* заразительный, *мед.* заразный
catcholik *adj* разносторонний
catch on *vi* приживаться; **to ~ on (to sth)** понимать (что-н)
catch out *vt* ловить
catch phrase *n* модное выражение
catch up *vi* нагонять ◊ *vt* **~ up with** догонять
catchy [ˈkætʃɪ] *adj* легко запоминающийся
catechism [ˈkætɪkɪzəm] *n* катехизис
categorical [kætɪˈgɔrɪkl] *adj* категорический
categorize [ˈkætɪgəraɪz] *vt* классифицировать
category [ˈkætɪgəri] *n* категория
cater [ˈkeɪtəˈ] *vi* **to ~ (for)** организовывать питание
caterer [ˈkeɪtərəˈ] *n* организатор питания
cater for *vt fus* удовлетворять; обслуживать
catering [ˈkeɪtərɪŋ] *n* общественное питание
caterpillar [ˈkætərɪləˈ] *n* гусеница ◊ *cpd* гусеничный
caterpillar track *n зоол.* гусеница
caterwaul [ˈkætəwɔ:l] задавать кошачий концерт
cat flap *n* кошачий лаз *(в двери)*, кошачья дверца
catgut [ˈkætgʌt] кишечная струна, кетгут
cathedral [kəˈθi:drəl] *n* собор
cathode [ˈkæθoud] *n* катод
cathode-ray tube [kæθoudˈreɪ-] *n* электроннолучевая трубка
Catholic [ˈkæθəlɪk] *adj* католический ◊ *n* католик
catsup [ˈkætsəp] *n* кетчуп
cattle [kætl] крупный рогатый скот; **~-breeding** скотоводство; **~plague** чума
catty [ˈkætɪ] *adj* ехидный
catwalk [ˈkætwɔ:k] *n* помост, эстрада *(для демонстрации моделей одежды)*
Caucasian [kɔ:ˈkeɪzɪən] кавказский ◊ *n* кавказец
Caucasus [ˈkɔ:kəsəs] *n* Кавказ
caught [kɔ:t] *pt, pp of* catch
cauldron [ˈkɔ:ldrən] котел
caulifflower [ˈkɔlɪflauəˈ] *n* цветная капуста
cause [kɔ:z] *n* причина; дело ◊ *vt* являться причиной; **there is no ~ for concern** нет причин для беспокойства; **to ~ sb trouble/harm** причинять кому-н неприятности/вред; **to ~ sb to do** заставлять кого-н
causeway [ˈkɔ:zweɪ] *n* дорога *(проложенная через топкое место)*
caustic [ˈkɔ:stik] *adj* каустический; едкий
cauterize [ˈkɔ:təraɪz] *vi* прижигать
caution [ˈkɔ:ʃən] *n* осторожность; предупреждение; предостережение ◊ *vt* предупреждать
cautious [ˈkɔ:ʃəs] *adj* осторожный
cautiously [ˈkɔ:ʃəslɪ] *adj* осторожно
cautiousness [ˈkɔ:ʃəsnɪs] *n* осторожность
cavalier [ˌkævəˈlɪə] **1.** *n* всадник; *ист.*

C

C

роялист **2.** *a* надменный, высокомерный; бесцеремонный
cavalry [ˈkævəlrı] кавалерия, конница
cave [keıv] *n* пещера ✧ *vi:* **to go caving** заниматься спелеологией
cave in *vi* обваливаться; сдаваться
caveman [ˈkeıvmæn] *irreg n* пещерный человек
cavern [ˈkævən] большая пещера
caviar(e) [ˈkævıɑː] икра *(рыбья)*
cavity wall insulation *n* двойная стена с изоляцией
cavort [kəˈvɔːt] *vi* скакать, прыгать
caw [kɔː] **1.** карканье; **2.** каркать
cayenne [keıˈen] *n* ~ **pepper** красный стручковый перец **cedar** [ˈsiːdəˈ] *n* кедр
cede [siːd] *vt* уступать
ceiling [ˈsiːlıŋ] *n* потолок
celebrate [ˈselıbreıt] *vt* праздновать ✧ *vi* веселиться; **to ~ mass** отправлять церковную службу
celebrated [ˈselıbreıtıd] *adj* знаменитый
celebration [selıˈbreıʃən] *n* праздник; празднование
celebrity [sıˈlebrıtı] *n* знаменитость
celeriac [səˈlerıæk] *n* корнеплод сельдерея
celerity [sıˈlerıtı] быстрота
celery [ˈselərı] *бот.* сельдерей
celestial [sıˈlestjəl] небесный; *перен.* божественный
celibacy [ˈselıbəsı] *n* сексуальное воздержание; безбрачие
cell [sel] *n* камера; келья; ячейка; *био.* клетка; *элек.* элемент
cellar [ˈseləˈ] *n* подвал; **wine ~** винный погреб
cellist [ˈtʃelıst] *n* виолончелист *сокр.* от **violoncellist**
cello [ˈteʃləu] *n* виолончель *сокр.* **violoncello**
cellophane [ˈseləfeın] *n* целлофан
cellphone [ˈselfəun] *n* портативный телефон
cellular [ˈseljuləˈ] *adj био.* клеточный; сетчатый
celluloid [ˈseljulɔıd] *n* целлулоид
cellulose [ˈseljuləus] *n* клетчатка, целлюлоза
cement [səˈment] *n* цемент; клей ✧ *vt* цементировать; **to ~ to** приклеивать, прикреплять к
cement mixer *n* бетономешалка
cemetery [ˈsemıtrı] *n* кладбище
cenotaph [ˈsenətaːf] *n* памятник погибшим солдатам
censor [ˈsensəˈ] *n* цензор ✧ *vt* подвергать цензуре
censorship [ˈsensəʃıp] *n* цензура
censure [ˈsenʃəˈ] *vt* осуждать, порицать ✧ *n* осуждение, порицание
census [ˈsensəs] *n* перепись
cent [sent] *n* цент
centenary [senˈtiːnərı] *n* столетие
centennial [senˈtenıəl] *n* столетие
center *etc n* = **centre** *etc*
centimetre [ˈsentımiːtəˈ] *n* сантиметр
centipede [ˈsentıpiːd] *n* многоножка
central [ˈsentrəl] *adj* центральный; **this flat is very ~** эта квартира расположена близко к центру города
Central African Republic *n* Центрально-Африканская республика
Central America *n* Центральная Америка
central heating *n* центральное отопление
centralize [ˈsentrəlaız] *vt* централизовать
central processing unit *n* центральный процессор
central reservation *n авт.* разделительная полоса
centre [ˈsentəˈ] *n* центр ✧ *vt фото.* центрировать; *спорт.* подавать в центр; **to ~ (on)** сосредотачиваться; **to ~ sth on** сосредотачивать что-н на
centrefold [ˈsentrəfəuld] *n* центральная вкладка
centre forward *n спорт.* центральный нападающий, центр-форвард
centre half *n спорт.* центральный полузащитник
centrepiece [ˈsentəpiˈs] *n декоративный предмет, выставленный посередине стола, полки и т. д.*; главное украшение

centre spread *n* разворот
centre-stage [sentə'steɪdʒ] *n* центр сцены
centrifugal [sen'trɪfjugl] *adj физ.* центробежный
centrifuge ['sentrɪfju:ʒ] *n* центрифуга
century ['sentjurɪ] столетие, век
ceramic [sɪ'ræmɪk] гончарный; керамический; **~s** [-s] *pl* керамика
cereal ['sɪ:rɪəl] **1.** *a* хлебный **2.** *n* блюдо из овсянки, кукурузный хлопьев *(как завтрак);* крупа; *pl* злаки, хлеба
cerebral ['serɪbrəl] *анат.* мозговой
ceremonial [,serɪ'mounjəl] **1.** *a* формальный; церемониальный **2.** *n* церемониал
ceremonious [,serɪ'mounjəs] церемониальный, церемонный; чопорный
ceremony ['serɪmənɪ] обряд, церемония, церемонность ✧ **stand (up)on ~** держаться чопорно, церемониться
Clerk of Court *n* секретарь суда
cert [sə:t] *разг.:* **it's a dead ~** обязательно, наверняка получится
certain ['sə:tən] определенный; уверенный; **be ~ (of)** быть уверенным; **for ~** наверняка; несомненный *(о факте)* некий; некоторый; **~ly** конечно; **~ty** [-tɪ] уверенность
certainly ['sə:tənlɪ] *adv* несомненно; конечно
certainty ['sə:təntlɪ] *n* уверенность; несомненность
certificate [sə'tɪfikɪt] *n* справка; диплом; **birth ~** свидетельство о рождении; **marriage ~** свидетельство о заключении брака
certified letter ['sə:tɪfaɪd-] *n* гарантированное письмо
certify ['sə:tɪfaɪ] *vt* удостоверять; выдавать диплом; **~ insane** признавать душевнобольным; **he is a certified lawyer** он дипломированный юрист
certitude ['sə:tɪtju:d] уверенность; несомненность
cervical ['sə:vikl] *adj:* **~ cancer** рак шейки матки; **~ smear** мазок с шейки матки
cervix ['sə:vɪks] *n* шейка матки
cessation [sə'seɪʃən] *n* прекращение
cesspit ['sespɪt] *n* выгребная яма
chafe [tʃeɪf] *vt* натирать ✧ *vi:* **to ~ at/under** раздражаться из-за
chaff I [tʃa:f] **1.** *n* добродушная насмешка; поддразнивание **2.** *v* дразнить, подшучивать
chaff II мякина; мелко нарезанная солома, сечка
chaffinch ['tʃæfintʃ] *n* зяблик
chagrin ['ʃægrɪn] *n* досада; огорчение
chain [tʃeɪn] *n* цепь; цепочка; сеть; вереница ✧ *vt* **~ up:** приковывать; сажать на цепь; **a ~ of mountains** горная цепь
chain reaction *n* цепная реакция
chain-smoke ['tʃeɪnsməuk] *vi* курить одну сигарету за другой
chain store *n* филиал *(магазина)*
chair [tʃeə'] *n* стул; **armchair** кресло; кафедра; **~person** председатель ✧ *vt* председательствовать на; **the ~** электрический стул; **to take the ~** председательствовать
chair lift *n* канатный подъемник
chairman ['tʃeəmən] *irreg n* председатель; президент
chairperson ['tʃeəpə:sn] *n* председатель
chairwoman ['tʃeəwumən] *irreg n* председатель
chalet ['ʃæleɪ] *n* коттедж
chalk [tʃɔ:k] *n* мел
chalk up *vt* заносить в список своих достижений
challenge ['tʃælɪndʒ] *n* вызов; испытание ✧ *vt спорт.* бросать вызов; оспаривать; **to ~ sb to sth** вызывать кого-н на что-н
challenger ['tʃælɪndʒə'] *n* претендент
challenging ['tʃælɪndʒɪŋ] *adj* трудный; вызывающий; **this work is very ~** эта работа требует большой отдачи
chamber ['tʃeɪmbə'] *n* камера; *полит.* палата; адвокатская контора; **~ of commerce** Торговая Палата
chambermaid ['tʃeɪmbəmeɪd] *n* горничная
chamber music *n* камерная музыка
chamber pot *n* ночной горшок
chameleon [kə'mi:lɪən] *n* хамелеон

C

C

chamois ['ʃæmwa:] *n зоол.* серна; ~ **leather** замша
champ I [tʃæmp] чавкать; *перен.* выказывать нетерпение; ~ **with rage** горячиться
champ II *разг. сокр. от* champion
champagne [ʃæm'pein] шампанское
champion ['tʃæmpjən] **1.** *n* чемпион; победитель; защитник, сторонник; ~ **of peace** сторонник мира **2.** *a разг.* первоклассный; ~**ship** первенство, чемпионат; звание чемпиона; защита, поборничество
championship ['tʃæmpiənʃip] *n* чемпионат; звание чемпиона
chance [tʃa:ns] *n* шанс; возможность; риск ✧ *vt* рисковать ✧ *adj* случайный; **the ~s are that** ...все шансы за то, что...; **there is little ~ of his comming** маловероятно, что он придет; **to take a** ~ рискнуть; **by** ~ случайно; **to leave to** ~ оставлять на волю случая; **it's the ~ a lifetime** такая возможность предоставляется раз в жизни; **to ~ it** рискнуть; **to ~ to overhear/see** случайно подслушать/увидеть
chance (up) on *vt fus* случайно наткнуться на
chancel ['tʃa:nsel] *n* алтарь
chancy ['tʃa:nsi] *adj* рискованный
change [tfeindʒ] *vt* менять; заменять; сменять; обменивать; разменивать ✧ *vi* меняться, изменяться; переодеваться; делать пересадку ✧ *n* изменение; перемена; смена; **small** *or* **loose** ~ мелочь; сдача; **to ~ into** превращать кого-н в; **to ~ one's mind** передумывать; **to ~ gear** *авт.* переключать скорость; **to ~ a baby's nappy** перепеленывать ребенка; **to ~ into** превращаться в; **a ~ of clothes** смена одежды; **to give sb ~ for** *or* **of ten pounds** давать кому-н сдачу с десяти фунтов; **keep the** ~ сдачи не надо; **for a** ~ для разнообразия
changeable ['tʃeindʒəbl] *adj* изменчивый; непостоянный
change machine *n* разменный автомат
changeover ['tʃeindʒəuvə'] *n:* ~ **(to)** переход
changing ['tʃeindʒiŋ] *adj* изменяющийся; меняющийся
changing room *n* примерочная; *спорт.* раздевалка
channel ['tʃænl] *n* канал; трасса; желоб ✧ *vt* **to ~ into** направлять на; **through the usual ~s** через обычные каналы; **~s of communication** каналы связи; **green/red** ~ зеленый/красный канал *(при таможенном контроле);* **the (English) C~** Ла-Манш; **the C~ Iclands** Нормандские острова
Channel Tunnel *n* туннель под Ла-Маншем
chaos ['keiɔs] *n* хаос
chaos theory *n:* **the ~ ~** теория хаоса
chaotic [kei'ɔtik] *adj* хаотичный
chap I [tʃæp] *разг.* малый, парень
chap II челюсть, щеки
chap III трещина *(на коже)*
chapel ['tʃæpl] *n* придел; церковь; **non-conformist** ~ протестантская нон-конформистская церковь; *отделение профсоюза работников издательства*
chap||el ['tʃæpəl] часовня; ~**lain** ['tʃæplin] капеллан
chaperone ['ʃæpərəun] *n* компаньонка ✧ *vt* сопровождать
chaplain ['tʃæplin] *n* капеллан
chaplet ['tʃæplit] венок; четки; бусы
chapped [tʃæpt] *adj* потрескавшийся
chapter ['tʃæptə'] *n* глава; страница; **a ~ of accidents** череда неудач
char I [tʃa:] обжигать; обугливать
char II 1. *n* поденная работа; *разг.* приходящая уборщица **2.** *v* работать поденно
character ['kærikte'] *n* личность; характер; персонаж; оригинал; знак; *комп.* символ; **a person of good** ~ достойный человек
character code *n комп.* код символа
characteristic ['kæriktə'ristik] *n* характерная черта ✧ *adj* ~ **(of)** характерный; **it is ~ of him** это ха-

рактерно для него
characterize [ˈkærıktəraız] *vt* характеризовать; **to ~ (as)** характеризовать (как); **to be ~d by** характеризоваться
charade [ʃəˈrɑːd] *n* шарада; комедия
charcoal [ˈtʃɑːkəul] *n* древесный уголь; уголь
charge [tʃɑːdʒ] *n* плата; обвинение; ответственность; заряд; *воен.* атака ✧ *vi воен.* атаковать; кидаться; бросаться ✧ *vt* заряжать; **to ~ sb with** обвинять кого-н в; поручать кому-н; **~s** денежный сбор; телефонный тариф; **labour ~s** стоимость рабочей силы; **to reverse the ~s** звонить по коллекту; **is there a ~?** за это нужно платить?; **at no extra ~** без дополнительной оплаты; **free of ~** бесплатно; **to take ~ of** брать на попечение; брать на себя руководство; **to be in ~ of** отвечать за; **who's in ~ here?** кто здесь главный?; **to ~ (sb) (for)** просить (у кого-н) плату (за); **they ~d us $10 for the meal** с нас взяли $10 за еду; **how much do you ~ for?** сколько вы просите за ?; **to ~ an expense (up) to sb's account** переводить расходы на чей-н счет
charge account *n* кредит по открытому счету
charge card *n* кредитная карточка *(определенного магазина)*
charge d'affaries [ˈʃaːʒeı dæˈfeə] *n* поверенный в делах
charge hand *n* мастер *(на производстве)*
charger [ˈtʃɑːdʒəˈ] *n* **battery ~** зарядное устройство; боевой конь
chariot [ˈtʃærıət] *n* колесница
charish [ˈtʃerıʃ] лелеять *(надежду)*; хранить *(в памяти)*; нежно любить
charisma [kæˈrısmə] *n* обаяние
charitable [ˈtʃærıəbl] *adj* благотворительный; милосердный
charity [ˈtʃærıtı] *n* благотворительная организация; милосердие; милостыня
charlady [ˈtʃɑːleıdı] *n* уборщица
charlatan [ˈʃɑːlətən] *n* шарлатан
charm [tʃɑːm] *n* обаяние, очарование; заклинание; амулет; брелок ✧ *vt* очаровывать
charm bracelet *n* браслет с брелками
charming [ˈtʃɑːmıŋ] *adj* очаровательный (очарователен)
chart [tʃɑːt] **1.** *суд.* морская карта; **2.** наносить на карту; чертить карту
charter I [ˈtʃɑːtə] **1.** *n* хартия; устав; право **2.** *v* даровать привилегию
charter II [ˈtʃɑːtə] зафрахтовать судно; **~-party** [-ˌpɑːtı] *мор.* чартер-партия
chartered accountant [ˈtʃɑːtəd-] *n* бухгалтер высшей квалификации
charter fliht *n* чартерный рейс
charwoman [ˈtʃɑːwumən] *irreg n* = **charlady**
chary [ˈtʃeərı] *adj*: **to be ~ of** остерегаться
chase [tʃeıs] *vt* гнаться/гоняться за ✧ *n* погоня; **to ~ away** *or* **off** прогонять
chase down *vt* = **chase up**
chase up *vt* разыскивать; напоминать
chasm [kæzm] расселина; бездна; пропасть
chassis [ˈʃæsı] шасси
chaste [tʃeıst] целомудренный; простой, строгий *(о стиле и т. п.)*
chasten [ˈtʃeısn] карать
chastened [ˈtʃeısnd] *adj* пристыженный
chastening [ˈtʃeısnıŋ] *adj* отрезвляющий
chastise [tʃæsˈtaız] *vt* отчитывать
chastity [ˈtʃæstıtı] *n* целомудрие
chat [tʃæt] *vi* болтать ✧ *n* беседа; **idle ~** болтовня
chat show *n шоу с участием знаменитостей*
chattel [ˈtʃætl] движимость
chatter [tʃætə] **1.** болтовня; щебетание **2.** болтать; **~er** [-rə] болтун
chatterbox [ˈtʃætəbɔks] *n* трещотка
chatty [ˈtʃætı] *adj* живой; говорливый (говорлив)
chat up *vt* заигрывать с
chauffeur [ˈʃəufəˈ] *n* (персональный) шофер

C

chauvinism [ˈʃəuvınızem] *n* **male ~** мужской шовинизм; шовинизм
chauvinist [ʃəuvıˈnıst] *adj* шовинистический
cheap [tʃi:p] *adj* дешевый; со скидкой ✧ *adv* **to buy/sell sth ~** дешево покупать/продавать что-н
cheapen [ˈtʃi:pn] *vt* унижать
cheaper [ˈtʃi:pəˈ] *adj* дешевле
cheaply [ˈtʃi:plı] *adj* дешево
cheat [tʃi:t] *vi* жульничать; списывать ✧ *n* жулик ✧ *vt* **to ~ sb (out of $10)** надуть кого-н (на $10); **to ~ on sb** изменять кому-н
cheating [ˈtʃi:tıŋ] *n* жульничество, надувательство
check [tʃek] *vt* проверять; приостанавливать; сдерживать; отмечать ✧ *vi* проверять ✧ *n* проверка; счет; *комм.* = **cheque;** клетка ✧ *adj* клетчатый; **to ~ with sb** посоветоваться с кем-н; **to keep a ~ on sb/sth** контролировать кого-н/что-н; **to act as a ~ on** являться мерой контроля
checkers [ˈtʃekəz] *n pl* шашки *(игра)*
check in *vi* регистрироваться ✧ *vt* сдавать
check-in (desk) [ˈtʃekın-] *n* стойка регистрации
checking account [ˈtʃekıŋ-] *n* текущий счет
check list *n* контрольный список
check out *vi* выписываться; проверять; прочесывать
checkout [ˈtʃekaut] *n* контроль, касса
checkpoint [ˈtʃekpɔınt] *n* контрольно-пропускной пункт
checkroom [ˈtʃekrum] *n* камера хранения
checkup [ˈtʃekʌp] *n мед.* осмотр
cheek [tʃi:k] *n анат.* щека; наглость; дерзость
cheekbone [ˈtʃi:kbəun] *n* скула
cheeky [ˈtʃi:kı] *adj* нахальный (нахален), наглый (нагл)
cheep [tʃi:p] *vi* пищать ✧ *n* писк
cheer [tʃıəˈ] *vt* приветствовать; ободрять ✧ *vi* одобрительно восклицать; **~s** приветственные возгласы; одобрительные возгласы; **~s!** (за) Ваше здоровье!
cheerful [ˈtʃıəful] *adj* веселый (весел)
cheerfulness [ˈtʃıəfulnıs] *n* веселость
cheerio [tʃıərıˈəu] *excl* пока
cheerleader [ˈtʃıəli:dəˈ] *n* заводила *(девушка, подстрекающая болельщиков в спортивных состязаниях)*
cheerless [ˈtʃıəlıs] *adj* унылый (уныл)
cheer on *vt* ободрить
cheer up *vi* развеселиться, повеселеть ✧ *vt* развеселить; **~ up!** не грусти(те)!
cheese [tʃi:z] *n* сыр
cheeseboard [ˈtʃi:zbɔ:d] *n* доска для сыра; доска с сыром
cheeseburger [ˈtʃi:zbə:gəˈ] *n* чизбургер
cheesecake [ˈtʃi:zkeık] *n* творожный кекс
cheetah [ˈtʃi:te] *n* гепард
chef [ʃef] *n* шеф-повар
chemical [ˈkemıkl] *adj* химический ✧ *n* химикат; реактив
chemical engineering *n* химическая технология
chemist [ˈkemıst] *n* фармацевт; химик
chemist's (shop) [ˈkemısts-] *n* аптека
chemistry [ˈkemıstrı] *n* химия
chemotherapy [ki:məuˈθerəpı] *n* химиотерапия
cheque [tʃek] *n* чек; **to pay by ~** платить чеком
chequebook [ˈtʃekbuk] *n* чековая книжка
cheque card *n карточка, подтверждающая платежеспособность владельца*
chequered [ˈtʃekəd] *adj* пестрый
cheroot [ʃəˈru:t] *n* сигара *(с уплощенными концами)*
cherry [ˈtʃerı] *n* черешня; вишня
cheskered [ˈtʃekəd] *adj* = **chequered**
chesk off *vt* отмечать
chesk up *vi* **to ~ upon sb/sth** наводить справки о ком-н/чем-н
chess [tʃes] *n* шахматы
chessboard [ˈtʃesbɔ:d] *n* шахматная доска
chessman [ˈtʃesmən] *irreg n* шахматная фигура
chess player *n* шахматист

chest [tʃest] *n анат.* грудь; сундук
chest measurement *n* окружность груди
chestnut [ˈtʃesnʌt] *n* каштан ✧ *adj* каштановый; гнедой
chest of drawers *n* комод
chesty [ˈtʃæstɪ] *adj* грудной
chevy [ˈtʃevɪ] **1.** охота; погоня; **2.** гнаться за; удирать
chew [tʃu:] *vt* жевать; грызть; прогрызать
chewing gum [ˈtʃu:ɪŋ] *n* жевательная резинка
chic [ʃi:k] *adj* шикарный, элегантный (элегантен)
Chicago [ʃɪˈkɑ:geu] *n* Чикаго
chick [tʃɪk] цыпленок; птенец; пташка
chicken [ˈtʃɪkɪn] *n* курица; трусишка
chicken out *vi* трусить; **he ~ed out of going** он струсил и не пошел
chickpeas [ˈtʃɪkpi:z] *npl* турецкий горох
chicory [ˈtʃɪkərɪ] *n* цикорий
chide [tʃaɪd] *vt:* **to ~ sb (for)** бранить кого-н (за)
chief [tʃi:f] *n* вождь; начальник ✧ *adj* главный, основной
chief constable *n* начальник полиции
chief executive *n* главный исполнительный директор
chiefly [ˈtʃi:flɪ] *adv* главным образом
Chief of Staff *n воен.* начальник штаба
chiffon [ˈʃɪfɔn] *n* шифон
chiken-pox [ˈtʃɪkɪnpɔks] ветряная оспа
chilblain [ˈtʃɪlbleɪn] *n* обмороженное место *(на пальцах)*
child [tʃaɪld] *n* ребенок; **~ (of)** дитя; **do you heve any ~ren?** у Вас есть дети?
child benefit *n* денежное пособие на ребенка
childbirth [ˈtʃaɪldbə:θ] *n* роды
childhood [ˈtʃaɪldhud] *n* детство
childish [ˈtʃaɪldɪʃ] *adj* ребяческий; ребячливый
childless [ˈtʃaɪldlɪs] *adj* бездетный
childlike [ˈtʃaɪldlaɪk] *adj* детский
child minder *n* няня
child prodigy *n* вундеркинд
children [ˈtʃɪldrən] *npl of* **child**
child's play [ˈtʃaɪldz-] *n:* **It was ~ ~** это было пустяковое дело
children's home [ˈtʃɪldrənz-] *n* детский дом
Chilean [ˈtʃɪlɪən] *adj* чилийский ✧ *n* чилиец
chill [tʃɪl] *n* прохлада; *мед.* простуда ✧ *adj* холодный ✧ *vt* охлаждать; **to catch a ~** простужаться; **his words sent a ~ down my spine** от его слов у меня пробежал холодок по спине; **a ~ reminder** зловещее предзнаменование; I'm ~ed to the bone я промерз до костей; **"serve ~ed"** "подавать в охлажденном виде"
chilli [ˈtʃɪlɪ] *n* красный стручковый перец
chilling [ˈtʃɪlɪn] *adj* прохладный, холодный; ужасающий
chill out *vi* кайфовать
chilly [ˈtʃɪlɪ] **1.** *a* прохладный; холодный, сухой; зябкий **2.** *v* холод
chime [tʃaɪm] **1.** *n* колода; колокольный звон **2.** *v* звонить *(о колоколах)* пробить *(о часах)*
chimney [ˈtʃimnɪ] труба; дымоход; **piece** [-pi:s] полка над камином; **~ sweep** [-swi:p] трубочист
chimney sweep *n* трубочист
chimpanzee [tʃɪmpænˈzi:] *n* шимпанзе
chin [tʃɪn] *n* подбородок
China [ˈtʃaɪnə] *n* Китай
china [ˈtʃaɪnə] *n* фарфор
Chinese [tʃaɪˈni:z] *adj* китайский ✧ *n inv* китаец; *лингв.* китайский язык
chink [tʃɪŋk] *n* щель; звяканье
chintz [tʃɪnts] *n* набивной ситец
chinwag [ˈtʃɪnwæg] *n* дружеская болтовня; **we had a good ~** мы хорошо поболтали
chip [tʃɪp] *n* щепка; осколок; щербинка; фишка; *комп.* микросхема ✧ *vt* обивать; **~s** *кулин.* картофель-фри; **potato ~s** чипсы; **when the ~s are down** когда удача отвернется
chip in *vi* сбрасываться; встревать
chipmunk [ˈtʃɪpmʌŋk] *n* бурундук
chippings [ˈtʃɪpɪŋz] *npl:* **loose ~** щепки
chipboard [ˈtʃɪpbɔ:d] *n* древесно-стру-

C

жечная плита
chiropodist [kɪ'rɔpədɪst] *n* мозольный оператор
chiropody [kɪ'rɔpədɪ] *n* уход за ногами
chirp [tʃə:p] *vi* чирикать; стрекотать
chirpy ['tfə:pɪ] *adj* жизнерадостный (жизнерадостен)
chisel ['tʃɪzl] *n* долото; зубило; резец
chit [tʃɪt] *n* записка; расписка
chivalry ['ʃɪvəlrɪ] *n* галантность
chivalr||ous ['ʃɪvəlrəs] ✧ рыцарский; **~y** [-rɪ] рыцарство
chloride ['klɔ:raɪd] *n* хлорид
chlorinate ['klɔrɪneɪt] *vt* хлорировать
chlorine ['klɔ:ri:n] *n* хлор
chock-a-block ['tʃɔkə'kblɔk] *adj* битком набитый (набит)
chock-full [tʃɔk'ful] *adj* = **chock-a-block**
chocolate ['tʃɔkəlɪt] **1.** *n* шоколад **2.** *a* шоколадный
choice [tʃɔɪs] **1.** *n* выбор; альтернатива **2.** *a* отборный
choir ['kwaɪə] хор
choke [tʃouk] **1.** *v* задыхаться; душить **2.** *n* припадок удушья; *техн.* дроссель
choleric ['kɔlərɪk] раздражительный, желчный
cholesterol [kə'lestərəl] *n* холестерин; **high/low ~** высоким/низким содержанием холестерина
choose [tʃu:z] выбирать, предпочитать; **~ to** *inf* хотеть
choosy ['tʃu:zɪ] *adj* привередливый (привередлив); **he is ~ about his food** он привередлив в еде
chop [tʃɔp] **1.** *v* рубить; **~ down a tree** срубить дерево **2.** *n* удар *(топором);* отбивная котлета
chop down *vt* рубить
chopper ['tʃɔpə'] *n* вертолет
choppy [t'ʃɔpɪ] *adj* неспокойный (неспокоен)
chopsticks ['tʃɔpstɪks] *npl* палочки для еды
choral ['kɔ:rəl] *adj* хоровой; хоральный
chord I [kɔ:d] *муз.* аккорд
chord II *анат.* связка; **vocal ~s** голосовая связка; струна; *мат.* хорда
chore [tʃɔ:'] *n* работа по дому; повседневная обязанность; **household ~s** домашние хлопоты
choreographer [kɔrɪ'ɔgrafe'] *n* хореограф; балетмейстер
choreography [kɔrɪ'ɔgrafi] *n* хореография
chorister ['kɔrɪstə'] *n* певчий, хорист
chortle ['tʃɔ:tl] *vi* хохотать
chorus ['kɔ:rəs] *n* хор; хорал; припев; **in ~** хором
chose [tʃəuz] *pt* от choose, **~n** (~n) **1.** *p. pt.* от **choose**; **2.** избранный
chosk [tʃɔk] *n авт., авиа.* тормозная колодка
chow [tʃau] *n* чау-чау
chowder ['tʃaudə'] *n* похлебка
choy-chat ['tʃɪttʃæt] болтовня; пересуды
Christ [kraɪst] *n* Христос
christen ['krisn] *vt* крестить; окрестить
christening ['krɪsnɪŋ] *n* крещение
Christianity [krɪstɪ'ænɪtɪ] *n* христианство
Christian name *n* имя
Christmas ['krɪsməs] *n* Рождество; **Happy (Merry) ~!** Счастливого Рождества!
Christmas Day *n* день Рождества
Christmas Eve *n* сочельник
Christmas tree *n* рождественская елка
Christmas Island *n* остров Рождества
chrome [krəum] *n* = **chromium**
chromium ['krəumɪəm] *n* хром; **~ plating** хромирование
chromosome ['krəuməsəum] *n* хромосома
chronic ['krɔnɪk] *adj* хронический
chronicle ['krɔnɪkl] *n* хроника
chronological [krɔnə'lɔdʒɪkl] *adj* хронологический
chrysanthemum [krɪ'sænθəməm] *n* хризантема
chubby ['tʃʌbɪ] полный, толстый
chuck I [tʃʌk] **1.** кудахтанье; цыплёнок; **my ~!** голубчик!; **2.** кудахтать
chuck II 1. бросать; швырять; **2.** увольнение

chuckle [ˈtʃʌkl] *vi* посмеиваться; **"Yes", he ~d** Да, — сказал он, посмеиваясь
chuck out *vt* вышвыривать
chuffed [tʃʌft] *adj* довольный
chug [tʃʌg] *vi* пыхтеть; **~ along** пыхтеть
chum [tʃʌm] *n* закадычный друг
chump [tʃʌmp] колода, чурбан; "башка"; болван
chunk [tʃʌŋk] кусок, ломоть
chunky [ˈtʃʌŋkɪ] *adj* громоздкий (громоздок); коренастый(коренаст); толстый
church [tʃə:tʃ] *n* церковь; **tho C~ of England** Англиканская Церковь
churchyard [ˈtʃə:tʃa:d] *n* погост
churlish [ˈtʃə:lɪʃ] *adj* грубый (груб)
churn [tʃə:n] *n* маслобойка; **milk ~** бидон
churn out *vt* производить в большом количестве
chute [ʃu:t] *n* **rubbish ~** мусоропровод; желоб; горка
cicada [sɪˈka:də] *n* цикада
cider [ˈsaɪdəˈ] *n* сидр
cigar [sɪˈga:ˈ] *n* сигара
cigarette [sɪgəˈret] *n* сигарета
cigarette case *n* портсигар
cigarette end *n* окурок
cigarette holder *n* мундштук
cinch [sɪntʃ] *n* **it's a ~** это пустяк
Cinderella [sindəˈrelə] *n* Золушка
cinders [ˈsindəz] *npl* зола
cine camera [ˈsɪnɪ-] *n* кинокамера
cine film *n* кинопленка
cinema [ˈsɪnəmə] *n* кинотеатр; кинематография
cine projector *n* кинопроектор
cinnamon [ˈsɪnəmən] *n* корица
cipher [ˈsaɪfəˈ] *n* шифр; пешка; **a letter in ~** зашифрованное письмо
circa [ˈsə:kə] *prep* около *(лат.)*
circle [ˈsə:kl] *n* круг; *театр.* балкон; кольцо ✧ *vi* кружить ✧ *vt* двигаться вокруг; окружать; **to form a ~** вставать в круг
circuit [ˈsə:kɪt] *n элек.* цепь; турне; трек; заезд
circuit board *n* монтажная плата
circuitous [sə:ˈkjuɪtəs] *adj* окольный
circular [ˈsə:kjuləˈ] *adj* круглый; окружной; нескончаемый ✧ *n* циркуляр; проспект
circulate [ˈsə:kjuleɪt] *vi* циркулировать; передаваться ✧ *vt* передавать; **to ~ amongst the guests** переходить от одного гостя к другому
circulating capital [sə:kjuˈleɪtɪŋ-] *n* оборотный капитал
circulation [sə:kjuˈleɪʃən] *n* тираж; *мед.* кровообращение; обращение; циркуляция
circumcise [ˈsə:kəmsaɪz] *vt* обрезать
circumference [səˈkʌmfərəns] *n* окружность
circumflex [ˈsə:kəmfleks] *n* **~ accent** циркумфлекс
circumscribe [ˈsə:kəmskraɪb] *vt геом.* вписывать в окружность; ограничивать
circumspect [ˈsə:kəmspekt] *adj* осмотрительный (осмотрителен)
circumstances [ˈsə:kəmstənsɪz] *npl* обстоятельства; **in (or) under the ~** в данных обстоятельствах; **under no ~** ни в коем случае
circumstantial [sə:kəmˈstænʃl] *adj* обстоятельный; **~ evidence** косвенные улики
circumvent [sə:kəmˈvent] *vt* обходить
circus [ˈsə:kəs] *n* цирк; **C~** площадь
cirrhosis [sɪˈrəusɪs] *n* цирроз
cissy [ˈsɪsɪ] *n* девчонка; неженка
cistern [ˈsɪstən] бак; водоём; цистерна
Citizens' Advice Bureau [ˈsɪtɪznz-] *n бюро, дающее бесплатные советы по широкому кругу вопросов*
citizenship [ˈsɪtɪznʃɪp] *n* гражданство
citric acid [ˈsɪtrɪk-] *n* лимонная кислота
citron [ˈsɪtrən] цитрон
citrus fruit [ˈsɪtrəs-] *n* цитрус
city [ˈsɪtɪ] *n* город; **the C~** Сити
city centre *n* центр (города)
City Hall *n* ратуша
civic [ˈsɪvɪk] *adj* муниципальный; гражданский
civic centre *n* Дом Культуры
civil [ˈsɪvɪl] *adj* гражданский; государственный; учтивый (учтив)
Civil Aviation Auturity *n* Управление гражданской авиацией

C

civil defence *n* гражданская оборона
civil disobedience *n* гражданское неповиновение
civil engineer *n* инженер-строитель
civil engineering *n* гражданское строительство
civilian [sɪvɪlɪən] *adj* общественный ✧ *n* мирный житель; ~ **casualties** жертвы среди мирного населения
civilization [sɪvɪlaɪ'zeɪʃən] *n* цивилизация
civilized ['sɪvɪlaɪzd] *adj* цивилизованный; культурный; комфортабельный
civil law *n* Гражданское право
civil liberties *npl* гражданские свободы
civil rights *n* гражданские права
civil servant *n* государственный служащий
Civil Service *n* государственная служба
civil war *n* гражданская война
civvies ['sɪvɪz] *npl* цивильная одежда
clad [klæd] *adj* ~ **(in)** облаченный (облачен) (в)
claim [kleɪm] *vt* приписывать себе; претендовать (притязать) на; требовать ✧ *vi* делать страховую заявку ✧ *n* утверждение; требование; право; претензия, притязание; заявка; **to ~ (that)** утверждать, что; **(insurance) ~** страховая заявка; **to put in a ~ tor** подавать заявку на
claimant ['kleɪmənt] *n юрид.*, претендент; *админ.* податель заявления
claim form *n* бланк заявления
clairvoyant [kleə'vɔɪənt] *n* ясновидец
clam [klæm] *n* двухстворчатый моллюск
clamber ['klæmbə'] *vi* карабкаться
clammy ['klæmɪ] ✧ клейкий, липкий; холодный и влажный
clamo(u)r ['klæmə] **1.** шум, крики, протесты (шумные)
clamp [klæmp] *техн.* скоба; скрепа; зажим; **2.** скреплять; зажимать; смыкать
clampdown ['klæmpdaun] *n* ~ **(on)** строгие меры; **there was a ~ on drug dealing in the area** в районе прикрыли торговлю наркотиками
clamp down on *vt fus* повести наступление против
clam up *vi* уходить в себя
clan [klæn] *n* клан
clandestine [klæn'destɪn] ✧ тайный
clang [klæŋ] **1.** лязг, звон *(оружия, колоколов, молота);* **2.** лязгать
clanger ['klæŋə'] *n* ляпсус
clank [klæŋk] **1.** звон, лязг *(цепей, железа и т.п.),* бряцанье; **2.** бряцать
clapping ['klæpɪŋ] *n* хлопки, аплодисменты
claptrap ['klæptræp] *n* белиберда
claret ['klærət] *n* бордо *(вино)*
clarification [klærɪfɪ'keɪʃən] *n* разъяснение
clarify ['klærɪfaɪ] *v/t* очищать; делать прозрачным; *fig* выяснять; *v/i* делать прозрачным, ясным
clarinet [klærɪ'net] *n* кларнет
clarity ['klærɪtɪ] *n* ясность
clash [klæʃ] *n* столкновение; совпадение; звяканье ✧ *vi* иметь столкновение; вступать в столкновение; сталкиваться; не совмещаться; совпадать (по времени); звякать
clasp-knife ['klɑːsp'naɪf] складной нож
class I [klɑːs] класс *(общественный);* **working ~** рабочий класс ✧ **~ struggle** классовая борьба
class II [klɑːs] **1.** *n биол.* класс; разряд; род; сорт; класс *(в школе);* занятие, урок, выпуск *(студентов одного года)* **2.** *v* классифицировать
class-conscious ['klɑːs'kɔnʃəs] *adj* осознающий классовое различие
class-consciousness ['klɑːs'kɔnʃəsnɪs] *n* классовое сознание
classic ['klæsɪk] *adj* классический ✧ *n* классическое произведение; классик; **C~s** *просвещ.* классическая филология
classical ['klæsɪkl] *adj* классический
classification [klæsɪfɪ'keɪʃən] *n* классификация; разряд
classified ['klæsɪfaɪd] *adj* засекреченный

classified advertisement *n* объявления под рубрикой
classify ['klæsıfaı] *vt* классифицировать
classless ['kla:slıs] *adj* бесклассовый
classmate ['kla:smeıt] *n* одноклассник
classroom ['kla:srum] *n* класс
classy ['kla:sı] *adj* классный
clatter ['klætə'] *n* звяканье; цоканье ✧ *vi* звякать; цокать
clause ['klɔ:z] *n юрид.* пункт; *линг.* **princi pal/subordinate ~** главное/придаточное предложение
claustrophoobia [klɔ:strə'fəubıə] *n* клаустрофобия
claustrophoobic [klɔ:strə'fəubıc] *adj* **she is~** она страдает клаустрофобией, у нее клаустрофобия
claw [klɔ:] *n* коготь; клешня
claw at *vt fus* цепляться за
clay [kleı] *n* глина
clean [kli:n] *adj* чистый; честный; незапятнанный (незапятнан); приличный (приличен); ровный (ровен) ✧ *vt* мыть; чистить ✧ *adv* **he ~ forgot** он начисто забыл; **~ driving licence (record)** чистые водительские права; **to ~ one's teeth** чистить зубы; **the thief got ~ away** вора и след простыл; **to come ~** выкладывать все начистую
clean-cut ['kli:n'kʌt] *adj* опрятный (опрятен); ясный (ясен)
cleaner ['kli:nə'] *n* уборщик; моющее средство
cleaner's ['kli:nəz] *n* **dry ~** химчистка
cleaning ['kli:nıŋ] *n* уборка
cleaning lady *n* уборщица
cleanliness ['klenlınıs] *n* чистоплотность
cleanly ['kli:nlı] *adv* чисто
clean off *vt* смывать; счищать
clean out *vt* вычищать; обчищать
cleanse [klenz] *vt* очищать; мыть; промывать
cleanser ['klenzə'] *n* очищающий лосьон
clean-shaven ['kli:n'ʃeıvn] *adj* чисто выбритый
cleansing department ['klenzıŋ-] *n* санитарное управление
clean sweep *n* **to make a ~ ~** забирать все призы
clean up *vt* убирать; мыть; проводить чистку в ✧ *vi* убираться; загребать большие деньги; **to ~ up after sb/sth** убирать за кем-н/чем-н
cleanup ['kli:nʌp] *n* уборка; очистка
clear [klıə'] *adj* ясный (ясен); ясный (ясен), понятный; четкий; разборчивый (разборчив); подавляющий; прозрачный (прозрачен); свободный (свободен); чистый ✧ *vt* освобождать; расчищать; убирать; оправдывать; брать; распродавать ✧ *vi* проясняться; рассеиваться; обезлюднеть ✧ *adv* **~ of** подальше от ✧ *n* **he is/was in the ~** он свободен/был свободен от долгов; **to be in the ~** быть вне подозрения; быть вне опасности; **have I made muself ~?** я ясно выразился?; **to make it ~ to sb that** ...давать кому-н понять что...; **I have a ~ day tomorrow** у меня завтра свободный день; **to ~ the table** убирать со стола; **to ~ one's throat** прочищать горло; **to ~ a cheque** выплачивать деньги по чеку; **to ~ a profit** получать чистую прибыль; **to keep ~ of sb/sth** держаться подальше от кого-н/чего-н
clearance ['klıərəns] *n* расчистка; разрешение; габаритная высота
clear-cut ['klıə'kʌt] *adj* ясный (ясен); четкий
clearing ['klıərıŋ] *n* поляна; *комм.* клиринг
clearing bank *n* клиринговый банк
clearing house *n* клиринговая палата
clearly ['klıəlı] *adv* ясно; отчетливо; явно, очевидно; ясно; понятно
clear off *vi* убираться
clearrance sale *n* распродажа
clear-sighted ['klıə'saıtıd] проницательный, дальновидный
clear up *vt* убирать; разрешать ✧ *vi* убираться; проходить; проясняться
clearway ['klıəweı] *n автодорога, где*

остановка транспорта запрещена
cleavage [ˈkliːvɪdʒ] *n* ямка
cleaver [ˈkliːvəˈ] *n* топорик
clef [klef] *n муз.* ключ
cleft [kleft] *n* расселина
cleft palate *n* заячья губа
clemency [ˈklemənsɪ] *n* милосердие
clement [ˈklemənt] *adj* мягкий
clench [klentʃ] *vt* сжимать
clergy [ˈkləːdʒɪ] *n* духовенство
clergyman [ˈkləːdʒɪmən] *irreg n* священник, священнослужитель
clerical [ˈklerɪkl] *adj* канцелярский; секретарский; *рел.* церковный
clerk [klaːrk] *n* клерк, делопроизводитель; продавец
clever [ˈklevəˈ] *adj* умный (умен); ловкий (ловок)
cleverly [ˈklevəlɪ] *adj* ловко
clew [kluː] **1.** клубок; **2.** сматывать в клубок
cliche [ˈkliːʃeɪ] *n* клише, штамп
click [klɪk] *vt* щелкать ✧ *vi* щелкать
client [ˈklaɪənt] *n* клиент
clientéle [kliːanˈtel] *n* клиентура
cliff [klɪf] *n* скала; утес
cliffhanger [ˈklɪfhæŋəˈ] *n тел.* напряженный момент
climactik [klaɪˈmæktɪk] *adj* кульминационный
climate [ˈklaɪmɪt] *n* климат; ~ **of opinion** состояние общественного мнения **climax** [ˈklaɪmæks] *n* кульминация; оргазм
climb [klaɪm] *vi* подниматься; виться; набирать высоту; подниматься ✧ *vt* взбираться по; взбираться (подниматься) на ✧ *n* подъем; **to ~ over a wall** перелезать через стену
climb down *vi* уступать
climb-down [ˈklaɪmdaun] *n* уступка
climber [ˈklaɪməˈ] *n* альпинист; вьющееся растение
climbing [ˈklaɪmɪŋ] *n* альпинизм
clinch [klɪntʃ] *vt* заключать; разрешать
clincher [ˈklɪntʃəˈ] *n* решающий довод
cling [klɪŋ] *vi* облегать; **to ~ to** вцепляться в; цепляться за
clingfilm [ˈklɪŋfɪlm] *n оберточная пленка для продуктов*
clinic [ˈclɪnɪk] *n* клиника; консультация
clinical [ˈklɪnɪkl] *adj мед.* клинический; бесстрастный; стерильный
clink [klɪŋk] звучать, звенеть
clip I [klɪp] **1.** *n* зажим; скрепка; скоба; обойма *(патронная)* **2.** *v* скреплять, зажимать
clip II 1. *v* стричь **2.** *n* стрижка *(волос, шерсти) разг.* удар
clipper [ˈklɪpə] быстроходное судно
clippers [ˈklipəz] *npl* секатор; **nail ~** щипчики
clipping [ˈklɪpɪŋ] *n пресс.* вырезка
clique [kliːk] *n* клика
clitoris [ˈklɪterɪs] *n* клитор
cloak [kləuk] *n* плащ ✧ *vt* окутывать; **~ed in** окутанный (окутан)
cloakroom [ˈkləukrum] *n* гардероб; уборная
clobber [ˈklɔbəˈ] *n* монатки ✧ *vt* колошматить; отколошматить
clock [klɔk] *n* часы; счетчик; **to sleep/work round the ~** спать/работать круглые сутки; **this car has 30000 miles on the ~** эта машина наездила 30000 миль; **to work against the ~** работать наперегонки со временем
clock in *vi* отмечаться *(приходя на работу)*
clock off *vi* отмечаться *(уходя с работы)*
clock on *vi* = **clock in**
clock out *vi* = **clock off**
clock up *vt* накапливать; накручивать; набирать
clockwise [ˈklɔkwaɪz] *adj* по часовой стрелке
clockwork [ˈklɔkwəːk] *n* завод ✧ *adj* заводной
clod [ˈklɔd] ком земли; глыба; **~hopper** [-ˌhɔpə] деревенщина
clog [klɔg] **1.** *n* башмак *(на деревянной подошве)* **2.** *v* засорять; засоряться; препятствовать
cloister [ˈklɔɪstə] монастырь; крытая аркада
clone [kləun] *n био.* клон
close I [kləus] *adj* близкий (близок); убористый (убористый); тесный (тесен); пристальный (приста-

лен); душный (душен) ✧ *adj* близко; ~ **to** близкий (близок) к; ~ **to (on)** близко к; ~ **by (at hand)** рядом; **how ~ in Edinburgh to Glasgow?** как близко от Эдинбурга находится Глазго?; **a ~ friend** близкий друг; **a ~ contest** борьба на равных; **I had a ~ shave** я был на волосок от этого; **to keep a ~ eye on sb/sth** внимательно следить за; **at ~ quarters** на близком расстоянии

close II [kləuz] *vt* закрывать; заключать; закрываться; завершаться ✧ *n* конец; **to bring sth to a ~** завершать что-н

closed [kləuzd] *adj* закрытый (закрыт)

closed-circuit [ˈkləuzdˈsəːkɪt] *adj* ~ **television** замкнутая телевизионная система

close down *vt* закрывать ✧ *vt* закрываться

closed shop *n предприятие, на котором работают только члены определенного профсоюза*

close in *vi* опускаться; **to ~ in (on sb/sth)** окружать (кого-н/что-н); **the days are closing in** дни становятся короче

close-knit [ˈkləusˈnɪt] *adj* сплоченный (сплочен)

closely [ˈkləuslɪ] *adv* пристально; тесно; **he ~ resembles his father** он очень похож на отца; we are ~ related мы близкие родственники; **a ~ guarded secret** тщательно оберегаемый секрет

close off *vt* огораживать; блокировать

close season [ˈkləus-] *n* закрытый сезон

closet [ˈklɔzɪt] **1.** чулан; уборная; стенной шкаф; **2. be ~ed with** совещаться наедине

close-up [ˈklousʌp] *кино* крупный план

closing [ˈkləuzɪŋ] *adj* заключительный

closing price *n комм.* последняя цена (ставка)

closing time *n* время закрытия *(бара)*

closure [ˈkləuʒəˈ] *n* закрытие; блокирование

clot [klɔt] *n* сгусток; балда ✧ *vi* сворачиваться

cloth [klɔθ] *n* ткань; тряпка; **teacloth** кухонное полотенце; **tablecloth** скатерть

clothe [kləuð] *vt* одевать

clothes [kləuðz] *npl* одежда; **to put one's ~ on** одеваться; **to take one's ~ off** раздеваться; **to change one's ~** переодеваться

clothes brush *n* одежная щетка

clothesline [ˈkləuðzlaɪn] *n* бельевая веревка

clothes peg *n* прищепка

clothing [ˈkləuðɪŋ] одежда, платье

clotted cream [ˈklɔtɪd-] *n* густые сливки

cloud [klaud] **1.** облако, туча; **2.** покрывать(ся) тучами, облаками; омрачать(ся); **~burst** ливень; **~less** [ˈklaudlɪs] ✧ безоблачный; **~y** [-ɪ] ✧ облачный; мутный (о жидкости); туманный (о мысли)

cloudburst [ˈklaudbəːst] *n* ливень

cloud-cuckoo-land [klaudˈkukuːlænd] *n* **he is living in ~** он живет в безоблачном царстве

cloudy [ˈklaudɪ] *adj* облачный (облачен); мутный (мутен)

clouing [ˈklɔɪŋ] *adj* приторный (приторен)

clout [klaut] *vt* долбануть ✧ *n* влияние

clove [kləuv] *n* гвоздика; **~ of garlic** долька чеснока

clover [ˈkləuvəˈ] *n* клевер

cloverleaf [ˈkləuvəliːf] *n* лист клевера; *авт.* клеверный лист *(о конструкции пересечения автомобильных дорог)*

clown [klaun] *n* клоун ✧ *vi* **~ about, ~ around** паясничать

club [klʌb] *n* клуб; дубинка; **golf ~** клюшка ✧ *vt* избивать ✧ *vi* **to ~ together** складываться; **~s** *карт.* трефовый король

club car *n* вагон-ресторан

club class *n* особый класс *(в самолетах)*

clubhouse [ˈklʌbhaus] *n* спортивный

клуб *(здание)*
club soda *n* содовая вода
cluck [klʌk] *vi* кудахтать
clue [klu:] *n* ключ; улика; **I haven't a ~** я понятия не имею
clued-up [ˈklu:dʌp] *adj* **to be ~** быть в курсе (дел)
clueless [ˈklu:lɪs] *adj* без понятия
clump [klʌmp] *n* заросли; скопление
clumsy [ˈklʌmzɪ] *adj* неуклюжий (неуклюж); неудобный (неудобен)
clung [klʌŋ] *pt, pp of* **cling**
cluster [ˈklʌstəˈ] *n* скопление; пучок ✧ *vi* сгрудиться; накапливаться
clutch [klʌtʃ] *n* хватка; *авт.* сцепление ✧ *vt* сжимать ✧ *vi* **to ~ at** цепляться за; **he has me in his ~es** я у него в руках
clutter [ˈklʌtə] **1.** *n* беспорядок, хаос **2.** *v:* up with приводить в беспорядок
co- [kou-] *pref в сложных словах указывает на совместность действий, усилий и т. п.; часто переводится на русский язык приставкой со-*
coach I [koutʃ] репетитор; инструктор; тренер
coach II карета; *м.-д.* вагон
coach trip *n* автобусная экскурсия
coagulate [kəuˈægjuleɪt] *vi* сворачиваться; сгущаться
coal [kəul] *n* уголь
coalface [ˈkəulfeɪs] *n* забой
coalfield [ˈkəulfi:ld] *n* каменноугольный бассейн
coalition [kəuəˈlɪʃən] *n полит.* коалиция
coalman [ˈkəulmən] *n* угольщик
coalmine [ˈkəulmaɪn] *n* угольная шахта
coal miner *n* шахтер
coal mining *n* добыча угля
coal-pit угольная шахта, копь
coarse [kɔ:s] ✧ грубый; крупный; неотёсанный
coast [koust] **1.** морской берег, побережье; **2.** плыть вдоль побережья; **~er** [ˈkoustə] каботажное судно
coastal [ˈkəustl] *adj* прибрежный; береговой
coaster [ˈkəustəˈ] *n мор.* каботажное судно; подставка для стакана
coastguard [ˈkəustgɑ:d] *n* офицер береговой службы; **the ~ (service)** береговая служба
coastine [ˈkəustlaɪn] *n* береговая линия
coat [kəut] *n* пальто; мех; шерсть; слой ✧ *vt* покрывать
coat hanger *n* вешалка
coating [ˈkəutɪŋ] *n* слой
coat of arms *n* герб
coauthor [ˈkəuˈɔ:θəˈ] *n* соавтор
coax [kəuks] задабривать; льстить
cob [kɔb] початок кукурузы
cobble I [ˈkɔbl] **1.** *n* булыжник **2.** *v* мостить булыжником
cobbler [ˈkɔbləˈ] *n* сапожник
cobra [ˈkəubrə] *n* кобра
cobweb [ˈkɔbweb] *n* паутина
cocaine [kəˈkeɪn] *n* кокаин
cock [kɔk] *n* петух; самец ✧ *vt* взводить; **to ~ one's ears** навострить уши
cock-a-hoop [kɔkəˈhu:p] *adj* **to be ~** балдеть
cockerel [ˈkɔkərl] *n* петух
cockeyed [ˈkɔkaɪd] *adj* дурацкий
cockle [ˈkɔkl] съедобный моллюск
cockney [ˈkɪknɪ] кокни, лондонец из низов; кокни *(лондонский диалект)*
cockpit [ˈkɔkpɪt] место петушиных боёв; арена борьбы; открытия кабины; *мор.* кубрик
cockroach [ˈkɔkroutʃ] таракан
cock-sure [ˈkɔkˈʃuə] (само)уверенный
cocktail [ˈkɔkteɪl] *n* коктейль; салат, закуска
cocktail cabinet *n* бар *(в серванте)*
cocktail party *n* прием
cocktail shacer [-ˈʃeɪkəˈ] *n* миксер
cockup [ˈkɔkʌp] *n* лажа (!)
cocky [ˈkɔkɪ] *adj* дерзкий (дерзок), задиристый (задирист)
coco [ˈkoukou] кокосовая пальма
cocoa [ˈkəukəu] *n* какао
coconut [ˈkəukənʌt] *n* кокосовый орех; кокос
cocoon [kəˈku:n] *n* кокон; оболочка
cod [kɔd] *n* треска
coddle [ˈkɔdl] изнеживать; избаловать

code [koud] **1.** кодекс; код; **2.** кодировать
codeine [kəudi:n] *n* кодеин
codger ['kɔdʒə'] *n* чудак
codicil ['kɔdɪsɪl] *n юрид.* дополнительный параграф завещания
codify ['kəudɪfaɪ] *vt* кодифицировать
cod-liver ['kɔd,lɪvə] печень трески; ~ **oil** рыбий жир
coefficient [,kouɪ'fiʃənt] коэффициент, содействующий фактор
coerce [kəu'ə:s] *vt* принуждать
coercion [kəu'ə:ʃən] *n* принуждение
coexistence ['kəuɪg'zɪstəns] *n* сосуществование
coffee ['kɔfi] *n* кофе; **black** ~ черный кофе; **white** ~ кофе с молоком; ~ **with cream** кофе со сливками
coffee bar *n* кофейная
coffee beans *npl* кофейные зерна
coffee break *n* перерыв на кофе
coffee cake *n* торт к кофе
coffee cup *n* кофейная чашка
coffeepot ['kɔfɪpɔt] *n* кофейник
coffee table *n* кофейный столик
coffer ['kɔfə] металлический сундук
coffin ['kɔfin] гроб
cog [kɔg] *n* зубчатое колесо; зубец
cogent ['kəudʒənt] *adj* внушительный (внушителен)
cognac ['kɔnjæk] *n* коньяк
cogwheel ['kɔgwi:l] *n* зубчатое колесо
cohabit [kəu'hæbɪt] *vi* **to** ~ **(with sb)** сожительствовать (с кем-н)
coherent [kəu'hɪərənt] *adj* связный; **she was very** ~ ее речь была очень связной
cohesion [kəu'hi:ʒən] *n* цельность
cohesive [kə'hi:sɪv] *adj* цельный
coiff||eur [kwɑ:'fə] парикмахер; ~**ure** [-'fjuə] прическа
coil [kɔɪl] **1.** кольцо (верёвки, змеи и т.п.); катушка; змеевик; **2.** свёртываться кольцом (спиралью)
coin [kɔɪn] **1.** монета; **2.** вычеканить (монеты); выбивать (медали); ~**age** ['kɔɪnɪdʒ] чеканка (монет)
coinage ['kɔɪnɪdʒ] *n* денежные знаки; денежная система; *линг.* неологизм
coin box *n* телефон-автомат
coincide [kəuɪn'saɪd] *vi* совпадать
coincidence [kəu'ɪnsɪdəns] *n* совпадение
coin-operated ['kɔɪn'ɔpərɪtɪd] *adj* ~ **machine** автомат
coke [kəuk] *n* кокс
colander ['kɔləndə'] *n кулин.* дуршлаг
cold [kould] *adj* холодный ✧ *n* холод; *мед.* простуда; **it's** ~ холодно; **I am** *or* **feel** ~ мне холодно; **the wall is** ~ эта стена холодная; **to catch** ~ *or* **a** ~ простужаться; **in** ~ **blood** хладнокровно; **to have** ~ **feet** трусить; **I gave her the** ~ **shoulder** я был неприветлив с ней
cold-blooded ['kəuld'blʌdɪd] *adj зоол.* холоднокровный; хладнокровный
cold cream *n* кольд крем
coldly ['kəuldlɪ] *adv* холодно
cold-shoulder [kəuld'ʃəuldə'] *vt* относиться неприветливо к
cold sore *n* лихорадка *(на губе или носу)*
cold sweat *n* холодный пот
cold turkey *n* **he is going throught** ~ ~ у него ломка
cold war *n* **the** ~ ~ холодная война
coleslaw ['kəulslɔ:] *n* капустный салат с майонезом
colic ['kɔlɪk] *n* колики
colicky ['kɔlɪkɪ] *agj* страдающий коликами
collaborate [kə'læbəreɪt] *vi* сотрудничать
collaboration [kəlæbə'reɪʃən] *n* сотрудничество
collaborator [kə'læbəreɪtə'] *n* соавтор; коллаборационист **collage** [kə'lɑ:ʒ] *n* коллаж
collarbone ['kɔləbəun] *n* ключица
collagen ['kɔlədʒən] *n* коллаген
collapse [kə'læps] *vi* рушиться; складываться; разоряться; разваливаться; сломиться; *мед.* свалиться ✧ *n* обвал; крушение; разорение; падение; *мед.* упадок сил, коллапс; **a** ~**d lung** коллапс легкого
collapsible [kə'læpsəbl] *adj* складной

C

collar [ˈkɔləˈ] *n* воротник; ошейник; *тех.* шейка ✧ *vt* схватывать; задерживать
collate [kɔˈleɪt] *vt* сопоставлять
collateral [kɔˈlætərl] **1.** ✧ побочный; косвенный; **2.** родство по боковой линии
collateral damage *n* сопутствующее разрушение
collation [kəˈleɪʃən] *n* сопоставление, сличение; *кулин.* **a cold ~** холодный буфет
colleague [ˈkɔli:g] *n* коллега
collect [kəˈlekt] *vt* собирать; коллекционировать; заходить за; взыскивать; забирать ✧ *vi* собираться; **to call ~** звонить по коллекту; **to ~ one's thougts** собираться с мыслями; **~ on delivery** наложенный платеж
collected [kəˈlektɪd] *adj* **~ works** собрание сочинений
collection [kəˈlekʃən] *n* коллекция; сборник; *рел.* пожертвования; выемка
collective [kəˈlektiv] *n* коллектив
collective bargining *n переговоры между предпринимателем и профсоюзами об оплате труда рабочих*
collector [kəˈlektəˈ] *n* коллекционер; сборщик; инкасатор; **~'sitem (piese)** *вещь, представляющая интерес для коллекционера*
college [ˈkɔlɪdʒ] *n* колледж; институт; **to go to ~** поступать в институт; **~ of education** учебное заведение
collide [kəˈlaɪd] *vi* сталкиваться; **to ~ with sth** наталкиваться на что-н
collie [ˈkɔlɪ] шотландская овчарка, колли
colliery [ˈkɔlɪərɪ] *n* угольная шахта
collie||r [ˈkɔlɪə] углекоп; шахтер; угольщик *(содно)*; **~ry** [ˈkɔljərɪ] каменноугольная копь
collision [kəˈlɪʒən] *n* столкновение; **to be on a ~ course** находиться на пути, ведущем к столкновению; вставать на путь конфронтации
colloquial [kəˈləukwɪel] *adj* разговорный
collusion [kəˈlu:ʒən] *n* сговор; **in ~ with** в сговоре с
Cologne [kəˈləun] *n* Кельн
cologne [kəˈləun] *n* **eau de ~** одеколон
Colombia [kəˈlɔmbɪə] *n* Колумбия
Colombian [kəˈlɔmbɪən] *adj* колумбийский ✧ *n* колумбиец
colon [ˈkəulən] *n линг.* двоеточие; *анат.* прямая кишка
colonel [ˈkə:nl] *n* полковник
colonial [kəˈləunɪəl] *adj* колониальный
colonize [ˈkɔlənaɪz] *vt* колонизировать
colony [ˈkɔlenɪ] *n* колония
Colorado beetle [kɔləˈrɑ:dəu-] *n* колорадский жук
colossal [kəˈlɔsl] колоссальный; грандиозный; *разг.* великолепный, замечательный
colour [ˈkʌləˈ] *n* цвет; красочность ✧ *vt* раскрашивать; красить; окрашивать ✧ *vi* краснеть ✧ *cpd* цветной; **~s** эмблема; *мор.* флаг; **skin ~** цвет кожи; **in ~** в цвете; **with flying ~s** с триумфом
colour bar *n* расовый барьер
colour-blind [ˈkʌləblaɪnd] *adj* **he is ~** он дальтоник
coloured [ˈkʌləd] *adj* цветной
colour film *n* цветная пленка
colourful [ˈkʌləful] *adj* цветистый (цветист); красочный (красочен); яркий
colour in *vt* раскрашивать
colouring [ˈkʌlərɪŋ] *n* цвет лица; краситель
colour scheme *n* цветовая гамма
colour supplement *n пресс.* иллюстрированное приложение
colour television *n* цветной телевизор
colt [kəult] *n* жеребенок
column [ˈkɔləm] *n архит.* колонна; столб; *пресс.* рубрика; **the editirian ~** редакторская статья
columnist [ˈkɔləmnɪst] *n пресс.* обозреватель
coma [ˈkəumə] *n мед.* **to be in a ~** находиться в коме
comb [kəum] **1.** *n* гребень; **wide-toothed (close-toothed) ~** редкий (густой) гребень; *текст* чесалка; соты **2.** *v* чесать, расчёсы-

вать *(волосы); воен.* прочёсывать *(местность)*

combat [ˈkɔmbət] **1.** *n* бой, сражение; **single ~** единоборство **2.** *v* сражаться; **~ant** [-nt] боец

combination [kɔmbɪˈneɪʃən] *n* сочетание, комбинация; код

combination lock *n* замок с шифром

combine *vb* [kəmˈbaɪn], *n* [ˈkɔmbaɪn] *vt* комбинировать ✧ *vi* объединяться; *хим.* вступать в соединение ✧ *n экон.* объединение; **~ harvester** комбайн; **to ~ sth with sth** сочетать что-н с чем-н; совмещать что-н с чем-н; **a ~d effort** совместное усилие

combo [ˈkɔmbəu] *n* комбо

combustible [kəmˈbʌstɪbl] *adj* горючий

combustion [kəmˈbʌstʃən] *n* сгорание; горение

come [kʌm] *vi* **1.** подходить; подъезжать; **they came to a river** они подошли к реке; они подъехали к реке; **he came running up to us** он подбежал к нам; **to come running** подбегать **2.** приходить; приезжать; **to come home** приходить домой; приезжать домой; **he came running to tell us** он прибежал сказать нам; **are you coming to my party?** Вы приедете ко мне на вечеринку?; **I've only come for an hour** я зашел только на час **3. to come to** приходить к; **the bill came to $40** счет был $40; **her hair came to her waist** у нее были волосы до пояса **4. an idea came to me** мне в голову пришла идея **5. to come into being** возникать; **to come loose** отходить; **I've come to like him** он стал мне нравиться

come about *vi* **how did it come about?** каким образом это получилось?; **it came about through...** это получилось из-за...

come across *vt fus* наталкиваться на ✧ *vi:* **to come across well/badly** производить хорошее/плохое впечатление

come along *vi* продвигаться; **come along!** идемте!, пошли!

come apart *vi* ломаться; разбираться; рваться

come away *vi* уходить; отходить

come back *vi* возвращаться; **can I come back to you on that one?** я еще вернусь к Вам с этим, ладно?

comeback [ˈkʌmbæk] *n* язвительный ответ; возражение; **to make a ~** обретать новую популярность

come by *vt fus* доставать

Comecon [ˈkɔmɪkɔn] *n abbr* = СЭВ = Совет Экономической Взаимопомощи

comedian [kəˈmiːdɪˈen] актёр-комик; автор комедии

comedienne [kəmiːdɪˈen] *n* комическая актриса

come down *vi* понижаться; **the tree came down in the storm** дерево снесло бурей; **the building will have to come down soon** здание должны скоро снести

comedown [ˈkʌmdaun] *n* унижение; понижение

comedy [ˈkɔmɪdɪ] *n* комедия; комизм

come forward *vi* вызываться

come from *vt fus:* **she comes from India** она из Индии

come in *vi* входить; **to come in on** вступать в; **where does he come in?** в чем его роль?

come in for *vt fus* подвергаться

come into *vt fus* входить в; играть роль в; **to come into money** получать сумму денег

comeliness [ˈkʌmlɪnɪs] миловидность

comely [ˈkʌmlɪ] миловидный

come off *vi* отрываться; отламываться; сниматься; удаваться

come on *vi* делать успехи; продвигаться; включать; **come on!** (ну,) давайте!

come out *vi* становиться известным; выходить; сходить; **to come out on strike** выходить на забастовку

come over *vt fus:* **I don't know what's come over him!** я не знаю, что с ним такое!

come round *vi мед.* очнуться, приходить в себя

comet [ˈkɔmɪt] *n* комета

come through *vt fus* пережить; переносить ✧ *vi:* **his visa come through yesterday** его виза пришла вчера
come to *vi мед.* очнуться, приходить в себя ✧ *vt fus:* **how much does it come to?** сколько это все будет?
come under *vt fus:* **to come under (the heading)** идти под заголовком; **to come under criticism from...** подвергаться критике со стороны...; **he has come under pressure from his boss** его начальник оказывал на него давление
come up *vi* всходить; приближаться; вставать; быть затронутым; **I can't come with you, something important has come up** я не смогу пойти с тобой, у меня возникло важное дело
come up against *vt fus* наталкиваться на
come upon *vt fus* наталкиваться на
comeuppance [kʌm'ʌpəns] *n:* **to get one's ~** получать по заслугам
come up to *vt fus:* **the film didn't come up to our expectations** фильм не оправдывал наши ожидания
come up with *vt fus* придумывать; найти
comfort ['kʌmfət] *n* комфорт; утешение; облегчение ✧ *vt* утешать; **~s** удобства
comfortable ['kʌmfətəbl] *adj* удобный (удобен); комфортабельный (комфортабелен); легкий; приличный; **to be ~** чувствовать себя удобно; жить в достатке; чувствовать себя нормально; **I don't feel very ~ about it** я чувствую себя неловко в данном случае; **make yourself ~** располагайтесь поудобнее
comfortably ['kʌmfətəblı] *adv* удобно
comforter ['kʌmfətə'] *n* соска-пустышка
comfort station *n* общественный туалет
comic ['kɔmık] *adj* комический, смешной ✧ *n* комик; комикс
comical ['kɔmıkl] *adj* смешной (смешон), комичный (комичен)
comic strip *n* комикс *(серия рисунков)*
coming ['kʌmıŋ] *n* прибытие ✧ *adj* приближающийся; следующий; будущий; **in the ~ weeks** в течение следующих недель
coming(s) and going(s) *n(pl)* приход и уход
comity ['kɔmıtı]: **~ of nations** взаимное признание законов и обычаев другой нации
comma ['kɔmə] *n линг.* запятая
command [kə'mɑ:nd] *n* команда; контроль; *воен.* командование; владение; *комп.* команда, директива ✧ *vt* командовать; располагать; заслуживать; **to be in ~ of** владеть; **to take ~ of** *воен.* принимать командование; **to have at one's ~** иметь в своем распоряжении; **he has a good ~ of English** он хорошо владеет английским языком; **to ~ sb to do** приказывать кому-н
commandant ['kɔməndænt] *n* комендант
command economy *n* командная экономика
commandeer [kɔmən'dıə'] *vt* реквизировать; присваивать
commander [kə'mɑ:ndə'] *n воен.* командующий; командир
commander in chief *n* главнокомандующий
commanding [kə'mɑ:ndıŋ] *adj* внушительный; властный; господствующий
commanding officer *n* командир
commandment [kə'mɑ:ndmənt] приказ, заповедь
command module *n* командный отсек корабля
commando [kə'mɑ:ndəu] *n* десантные войска; десантник
commemorate [kə'meməreıt] *vt* увековечивать; отмечать
commemoration [kəmemə'reıʃən] *n* ознаменование
commemorative [kə'memərətıv] *adj* юбилейный; мемориальный
commence [kə'mens] *vt* приступать к ✧ *vi* начинаться
commend [kə'mend] *vt* хвалить; **to ~**

sth to sb рекомендовать что-н кому-н
commendable [kə'mendəbl] *adj* похвальный
commendation [kɔmen'deɪʃən] *n* благодарность
commensurate [kə'menʃərɪt] *adj:* **~ with** соразмерный
comment ['kɔment] *n* замечание; комментарий ◇ *vi:* **to ~ (on)** комментировать; **to ~ that** пояснять, что; **"no ~"** воздерживаюсь от комментариев
commentary ['kɔməntərɪ] *n* репортаж; комментарий
commentator ['kɔmənteɪtə'] *n тел., радио* комментатор; **(sports) ~** спортивный комментатор
commerce ['kɔmə:s] *n* коммерция
commercial [kə'mə:ʃəl] *adj* коммерческий; финансовый ◇ *n тел., радио* реклама
commercial bank *n* коммерческий банк
commercial break *n* рекламная пауза
commercial college *n* институт коммерции
commercialism [kə'mə:ʃəlɪzəm] *n* меркантилизм
commercialized [kə'mə:ʃəlaɪzd] *adj* поставленный на коммерческую основу
commercial radio *n* коммерческое радио
commercial television *n* коммерческое телевидение
commercial traveller *n* коммивояжер
commercial vehicle *n* коммерческий транспорт
commiserate [kə'mɪzəreɪt] *vi:* **to ~ with** сочувствовать
commisionaire [kə,mɪʃə'neə] *n* швейцар
commission [kə'mɪʃən] *n* заказ; *комм.* комиссионные, комиссионное вознаграждение; комиссия; *воен.* офицерский чин ◇ *vt* заказывать; *воен.* присваивать офицерский чин; **out of ~** *мор.* не пригодный к плаванию; неисправный; **I get 10% ~** я получаю 10% комиссионных; **~ of inquiry** следственная комиссия; **to ~ sb to do** поручать кому-н; **to ~ sth from sb** заказывать что-н кому-н
commissioner [kə'mɪʃənə'] *n:* **(police) ~** полицейский комиссар
commit [kə'mɪt] *vt* совершать; выделять; вверять; **to ~ o.s.** принимать на себя обязательства; **to ~ suicide** совершать самоубийство; **to ~ to writing** записывать; **to ~ to memory** запоминать; **to ~ sb for trial** отдавать кого-н под суд
commitment [kə'mɪtmənt] *n* преданность; обязательство
committed [kə'mɪtɪd] *adj* приверженный (привержен)
committee [kə'mitɪ] комитет; комиссия; **Standing C.** постоянный комитет, -ная комиссия; **Joint C.** смешанная комиссия; **International C. of the Red Cross** Международный комитет Красного Креста
committee meeting *n* заседание комитета
commodity [kə'mɔdɪtɪ] *n* товар; продукт
commodity exchange *n* товарная биржа
commodore ['kɔmədɔ:] *мор.* коммодор
common ['kɔmən] **1.** *a* общий; общественный; обыкновенный; заурядный, обычный; частый; вульгарный ◇ **~ sense** здравый смысл; **they have much in ~** у них есть много общего; **they hade nothing in ~** у них нет ничего общего **2.** *n* общинная земля
common cold *n* обыкновенная простуда
common denominator *n мат.* общий знаменатель; общая черта; общее мнение
commoner ['kɔmənə'] *n* простолюдин
common ground *n* точки соприкосновения
common land *n* общественная земля
common law *n* обычное право
common-law ['kɔmənlɔ:] *adj* гражданский

commonly [ˈkɔmənlı] *adj* обычно
Common Market *n:* **the ~ ~** Общий рынок
commonplace [ˈkɔmənpləıs] *adj* обычный, обыденный
common room *n* комната отдыха *(для студентов, учителей и т. д.)*
commons [ˈkɔmənz] *pl* народ; довольствие ✧ **House of C.** палата общин
common sense *n* здравый смысл
commonwealth [ˈkɔmənwelθ] государство; республика; федерация
commotion [kəˈməuʃən] волнение, смятение; суматоха
communal [ˈkɔmjunl] ✧ коммунальный; общинный; коллективный
commune *n* [ˈkɔmju:n], *vi* [kəˈmju:n] *n* коммуна ✧ *vi:* **to ~ with** общаться с
communicate [kəˈmju:nıkeıt] *vt* передавать ✧ *vi:* **to ~ (with)** общаться; **to ~ (by letter)** обращаться письменно
communication [kəmju:nıˈkeıʃən] *n* коммуникация; сообщение
communication cord *n* аварийный сигнал "стоп"
communications network [kəmju:nıˈkeıʃənʒ-] *n* система коммуникаций
communications satellite *n* спутник связи
communicative [kəˈmju:nıkətıv] *adj* общительный
communism [ˈkəmjunızəm] *n* коммунизм
communion [kəˈmju:njən] тесное (духовное) общение, общность
communique [kəˈmju:nıkeı] официальное сообщение; коммюнике
communist [ˈkəmjunıst] *adj* коммунистический ✧ *n* коммунист
community [kəˈmju:nıtı] *n* общественность; община; **the business ~** деловые круги
community centre *n* общественный центр
community charge *n* подушный налог
community chest *n* объединенный благотворительный фонд
community health centre *n* районная поликлиника
community home *n* детский дом
community service *n* трудовая повинность *(как форма наказания)*
community spirit *n* чувство общности (товарищества)
commutation ticket [kɔmjuˈteıʃən-] *n* сезонный билет
commute [kəˈmju:t] *vi ездить на работу из пригорода в город* ✧ *vt юрид.* смягчать наказание
commuter [kəˈmju:tə'] *n человек, который ездит на работу из пригорода в город;* **~ train** пригородный поезд
compact I [ˈkɔmpækt] договор
compact II 1. *a* [kəmˈpækt] компактный; плотный; сжатый *(о стиле)* **2.** *n* [ˈkɔmpækt] прессованная пудра **3.** *v* [kəmˈpækt] уплотнять
compact-disc player [kɔmpæktˈdısk-] *n* проигрыватель для компакт дисков
compact disk *n* компакт-диск
companion [kəmˈpænjən] товарищ; спутник; предмет, составляющий пару; справочник; **~able** [-əbl] общительный
companionship [kəmˈpænjənʃıp] *n* общение
companionway [kəmˈpænjənweı] *n мор.* трап
company [ˈkʌmpənı] *n комм.* компания; *театр.* труппа; *воен.* рота; компания, общество; **he's good ~** его общество приятно; **we have ~** у нас гости; **to keep sb ~** составлять кому-н компанию; **to part ~ with** расходиться с; **Smith and C~** Смит и Компания
company car *n* служебная машина
company director *n* директор компании
company secretary *n* секретарь фирмы
comparable [ˈkɔmpərəbl] *adj* сравнимый (сравним); сопоставимый (сопоставим); подобный (подобен)
comparative [kəmˈpærətıv] *adj линг.* сравнительный; относительный (относителен)

comparatively [kəm'pærətɪvlɪ] *adj* относительно
compare [kəm'peə'] *vt:* **to ~ sb/sth with (to)** сравнивать кого-н/что-н с; сопоставлять кого-н/что-н с ✧ *vi:* **to ~ (with)** соотноситься; **how do the prices ~?** как соотносятся цены; **~d with (to)** по сравнению (в сравнении) с
comparison [kəm'pærɪsn] *n* сравнение; сопоставление; **in ~ (wih)** по сравнению (в сравнении) с
compartment [kəm'pɑ:tmənt] отделение; перегородка; купе
compassion [kəm'pæʃən] *n* сострадание
compassionate [kəm'pæʃənɪt] *adj* сострадательный (сострадателен); **on ~ grouds** по состоянию здоровья; **~ leave** отпуск по семейным обстоятельствам
compatibilty [kəmpætɪ'bɪlɪtɪ] *n* совместимость
compatible [kəm'pætɪbl] *adj комп.* совместимый (совместим)
compatroit [kəm'pætrɪət] соотечественник
compel [kəm'pel] вынуждать, заставлять
compelling [kəm'pelɪŋ] *adj* убедительный (убедителен): настоятельный
compendium [kəm'pendɪəm] *n* резюме
compensate ['kɔmpənseɪt] *vt:* **to ~ sb for sth** компенсировать кому-н сто-н ✧ *vi:* **to ~ for** компенсировать
compensation [kɔmpən'seɪʃən] *n* компенсация; денежная компенсация
compere ['kɔmpeə'] *n тел., радио* ведущий
compete [kəm'pi:t] *vi* соревноваться; **to ~ (with)** конкурировать; соперничать; **to ~ (with one another)** соперничать друг с другом
competence ['kɔmpɪtəns] *n* компетенция
competent ['kɔmpɪtənt] *adj* компетентный (компетентен); искусный
competing [kɔm'pi:tɪŋ] *adj* конкурирующий; разноречивый (разноречив)
competition [kɔmpɪ'tɪʃən] *n* соревнование; конкуренция; соперничество; **to be in ~ with** конкурировать с
competitive [kəm'petɪtɪv] *adj* основанный на конкуренции; честолюбивый (честолюбив); конкурентоспособный (конкурентоспособен); состязательный
competitive examination *n* конкурс
competitor [kəm'petɪtə'] *n* соперник, конкурент; конкурсант; участник соревнования
compile [kəm'paɪl] собирать *(факты, данные);* составлять *(словари и т.п.);* компилировать
complacency [kəm'pleɪsnsɪ] *n* безмятежность
complacent [kəm'pleɪsnt] *n* безмятежный (безмятежен)
complaint [kəm'pleɪnt] *n* жалоба; **to make a ~ against** подавать жалобу на
complaisant [kəm'pleɪzənt] услужливый; любезный
complement *n* ['kɔmplɪmənt], *vb* ['kɔmplɪment] *n* дополнение; экипаж ✧ *vt* дополнять; **to have a full ~ of** иметь полный комплект
complementary [kɔmplɪ'məntərɪ] *adj:* **they are ~ (to one another)** они дополняют друг друга
complete [kəm'pli:t] *adj* полный; завершенный (завершен) ✧ *vt* завершать; комплектовать; заполнять; **it's a ~ disaster** это полный провал
completely [kəm'pli:tlɪ] *adj* полностью, совершенно
completion [kəm'pli:ʃən] *n* завершение; совершение; **to be nearing ~** близиться к завершению; **on ~** по завершении
complex ['kɔmpleks] *adj* сложный, комплексный ✧ *n психол.* комплекс
complexion [kəm'plekʃən] *n* цвет лица; характер
complexity [kəm'pleksɪtɪ] *n* сложность
compliance [kəm'plaɪəns] *n* послуша-

ние; согласие; **~ with** следование; **in ~ with** в соответствии с
compliant [kəm'plaɪənt] *adj* послушный (послушен)
complicate ['kɔmplɪkeɪt] *vt* усложнять
complicated ['kɔmplɪkəɪtɪd] *adj* сложный (сложен)
complication [kɔmplɪ'kəɪʃən] *n мед.* осложнение
complicity [kəm'plɪsɪtɪ] *n* соучастие
compliment *n* ['kɔmplɪmənt], *vb* ['kɔmplɪment] *n* комплимент, хвала ✧ *vt* хвалить; **~s** приветы; **to ~ sb, pay sb a ~** делать кому-н комплимент; **to ~ sb (on sth** *or* **on doing)** поздравлять кого-н (с чем-н)
complimentary [kɔmplɪ'mentərɪ] *adj* лестный (лестен); дарственный
compliments slip *n фирменный бланк для неофициальных записок*
comply [kəm'plaɪ] *vi:* **to ~ (with)** подчиняться
component [kəm'pounənt] **1.** *n* составная часть **2.** *a* составной; составляющий
comport [kəm'pɔ:t]: **~ oneself** вести себя
compose [kəm'pəuz] *vt* сочинять; **to be ~d of** состоять из; **to ~ o.s.** успокаиваться
composed [kəm'pəuzd] *adj* спокойный (спокоен)
composer [kəm'pəuzə'] композитор
composite ['kɔmpəzɪt] *adj* составной; *бот.* сложноцветный; *мат.* сложный
composition [kɔmpə'zɪʃən] *n* состав; сочинение; *муз.* композиция
compositor [kəm'pɔzɪtə] *n* наборщик
compos mentis ['kɔmpɔs'mentɪs] *adj* вменяемый
compost ['kɔmpɔst] *n* компост; **potting ~** удобренная земля
composure [kəm'pouʒə] спокойствие; хладнокровие; самообладание
compound *a* ['kɔmpaund] составной; сложный; *грам.* сложносочинённый *(о предложении)* **2.** *n* ['kɔmpaund] смесь; соединение; составное слово **3.** *v* [kəm'paund] соединять, смешивать; улаживать; примирять *(интересы);* приходить к соглашению
compound fracture *n* открытый перелом
compound interest *n* сложные проценты
comprehend [kɔmprɪ'hend] *vt* постигать
comprehension [kɔmprɪ'henʃən] *n* понимание
comprehensive [kɔmprɪ'hensɪv] *adj* исчерпывающий ✧ *n* = **comprehensive school; ~ insurance** всеобъемлющее страхование
comprehensive school *n* средняя школа
compress *vt* [kəm'pres], *n* ['kɔmpres] *vt* сжимать; прессовать; сокращать ✧ *n* компресс
compressed air [kəm'prest-] *n* сжатый воздух
compression [kəm'preʃən] *n* сжатие; сокращение
comprise [kəm'praɪz] *vt:* **be ~d of** включать в себя; состоять из; составлять
compromise ['kɔmprəmaɪz] *n* компромисс ✧ *vt* компрометировать ✧ *vi* идти на компромисс ✧ *cpd* компромиссный
compulsion [kəm'pʌlʃən] *n* влечение; принуждение; **under ~** по принуждению
compulsive [kəm'pʌlsɪv] *adj* безрассудный; маниакальный; захватывающий; **he's a ~ liar** он неисправимый лгун
compulsory [kəm'pʌlsərɪ] *adj* обязательный (обязателен); принудительный (принудителен)
compulsory purchase *n* обязательная покупка
compunction [kəm'pʌŋkʃən] угрызения совести; **without ~** без сожаления
computation [,kɔmpju:teɪʃən] вычисление
computer game *n* компьютерная игра
computerize [kəm'pju:təraɪz] *vt* компьютеризовать; **to ~ information** обрабатывать информацию на компьютере
computer literate *adj:* **to be ~ ~** уметь

пользоваться компьютером
computer peripheral *n* периферийное устройство *(компьютера)*
computer programmer *n* программист
computer programming *n* программирование
computer science *n* электронно-вычислительная наука
computer scientist *n* специалист в области ЭВМ
computing [kəmˈpju:tɪŋ] *n* работа на компьютере; электронно-вычислительная наука; **I've never done any ~** я никогда не работал на компьютере
comput||e [kəmˈpju:t] подсчитывать; **~er** счетно-решающее устройство, (электронно-) вычислительная машина, компьютер
comrade [ˈkɔmrɪd] *n полит., воен.* соратник, товарищ
comradeship [ˈkɔmrɪdʃɪp] *n* товарищество
con I [kɔn] заучивать наизусть
con II: the pros and the ~s за и против
concave [ˈkɔnˈkeɪv] вогнутый
conceal [kənˈsi:l] скрывать; **~ment** утаивание; тайное убежище
concede [kənˈsi:d] уступать; допускать
conceit [kənˈsi:t] высокомерие
conceited [kənˈsi:tɪd] *adj* высокомерный
conceivable [kənˈsi:vəbl] *adj* мыслимый (мыслим); **it is ~ that...** вполне допустимо, что...
conceivably [kənˈsi:vəblɪ] *adj:* **he may ~ be right** возможно, что он прав
conceive [kənˈsi:v] *vt* зачать; задумывать ✧ *vi био.* забеременеть; **to ~ of sth** представлять что-н
concentrate [ˈkɔnsəntreɪt] *vi* сосредотачиваться, концентрироваться ✧ *vt:* **to ~ (on)** сосредотачивать (концентрировать)
concentration [kɔnsənˈtreɪʃən] *n* сосредоточение, концентрация; сосредоточенность; *хим.* концентрация
concentration camp *n* концентрационный лагерь
concentric [kənˈsentrɪk] *adj* концентрический
concept [ˈkɔnsəpt] *n* понятие
conception [kənˈsepʃən] *n* концепция; *био.* зачатие
concern [kənˈsə:n] *n* дело; озабоченность; *комп.* предприятие ✧ *vt* беспокоить; вовлекать; касаться; **to be ~ed (about)** беспокоиться; **"to whom it may ~"** "надлежащему лицу"; **as far as I am ~ed** что касается меня; **the department ~ed** отдел, о котором идет речь; отдел, который этим занимается
concerning [kənˈsə:nɪŋ] относительно
concert [ˈkɔnsət] *n* концерт; **to be in ~** *муз.* давать концерт; **in ~ with** совместно (во взаимодействии с)
concerted [kənˈsə:tɪd] *adj* совместный
concert hall *n* концертный зал
concertina [kɔnsəˈti:nə] *n* гармоника ✧ *vi* складываться гармошкой
concerto [kənˈtʃə:təu] *n муз.* концерт; **piano/violin ~** концерт для фортепьяно/скрипки с оркестром
concession [kənˈseʃn] *n* уступка; концессия; льгота; **tax ~** налоговая скидка
concessionaire [kənseʃəˈneəˈ] *n* концессионер
concessionary [kənˈseʃnərɪ] *adj* льготный
conch [kɔŋk] ракушка, раковина
conciliation [kənsɪlɪˈeɪʃən] *n* примирение
conciliatory [kənˈsɪlɪətrɪ] *adj* примирительный (примирителен)
concise [kənˈsaɪs] сжатый, краткий
conclave [ˈkɔnkleɪv] *n* тайное совещание; конклав
conclude [kənˈklu:d] *vt* заканчивать; заключать; приходить к заключению (выводу) ✧ *vi* заключать речь; **to ~ (with)** завершаться; **"that", he ~d, "is why we did it"** "вот почему", — заключил он, — мы сделали это"; **I ~ that...** я прихожу к заключению, что...
concluding [kənˈklu:dɪŋ] *adj* заключительный
conclusion [kənˈkluʒən] *n* заключение;

C

окончание; завершение; **to come to the ~ that** приходить к заключению, что
conclusive [kən'klu:sıv] *adj* неопровержимый (неопровержим); окончательный (окончателен)

C

concoct [kən'kɔkt] *vt* придумывать; готовить
concoction [kən'kɔkʃən] *n* смесь
concord ['kɔŋkɔ:d] *n* согласие; соглашение
concourse ['kɔŋkɔ:s] *n* вестибюль; стечение
concrete I ['kɔnkri:t] конкретный, реальный
concrete II ['kɔnkri:t] **1.** *n* бетон **2.** *a* бетонный **3.** *v* бетонировать; [kən'kri:t] твердеть
concrete mixer *n* бетономешалка
concuest ['kɔŋkwest] *n воен.* завоевание; победа; покорение
concupiscence [kən'kju:pısəns] вожделение
concur [kən'kə:] *vi* совпадать; **to ~ (with)** соглашаться
concurrenty [kən'kʌrntlı] *adj* одновременно
concussion [kən'kʌʃən] контузия; **~ of the brain** сотрясение мозга
condemn [kən'dem] *vt* осуждать; браковать
condemnation [kɔndem'neıʃən] *n* осуждение
condensation [kɔnden'seıʃən] *n* конденсация
condense [kən'dens] *vi* конденсироваться ✧ *vt* сжимать
condensend [kɔndı'send] *vi* вести себя снисходительно; **to ~ to do** соизволять
condensending [kondı'sendıŋ] *adj* снисходительный
condensed milk [kən'denst-] *n* сгущенное молоко
condiment ['kɔndımənt] приправа
condition [kən'dıʃən] *n мед.* состояние; условие ✧ *vt* формировать; обрабатывать; **~s** обстоятельства; **in good/poor ~** в хорошем/плохом состоянии; **a heart ~** болезнь сердца; **weather ~s** погодные (метеорологические) условия; **~s of sale** условия продажи; **on ~ that** при условии, что
conditional [kən'dıʃənl] *adj* условный; **to be ~ upon** зависеть от
conditioner [kən'dıʃənə'] *n* бальзам; смягчающий раствор
condo ['kɔndəu] *n abbr* = **condominium**
condolences [kən'dəulensız] *npl* соболезнования
condom ['kɔndəm] *n* презерватив
condominium [kɔndə'mıniəm] *n* кооперативный многоквартирный дом; кооперативная квартира
condone [kən'doun] смотреть сквозь пальцы, мириться *(с чем-л.)*
conducive [kən'dju:sıv] *adj:* **~ to** способствующий
conduct *n* ['kɔndʌkt], *vt* [kən'dʌkt] *n* поведение ✧ проводить; *муз.* дирижировать; проводить; **to ~ o. s.** вести себя
conducted tour [kən'dʌktıd-] *n* экскурсия с гидом
conductor [kən'dʌktə'] *n муз.* дирижер; контролер; *физ.* проводник; кондуктор
conduc||e [kən'dju:s] способствовать; приводить (к)
conduit ['kɔndıt] водопроводная труба; трубопровод
cone [koun] *n* конус; *конусообразное дорожное заграждение; бот.* шишка; *кулин.* вафельная трубочка *(для мороженного)*
coney ['kounı] *см.* cony
confectioner [kən'fekʃənə'] *n* кондитер
confectioner's (shop) [kən'fekʃənəz-] *n* кондитерская
confectionery [kən'fekʃənrı] *n* кондитерские изделия
confederate [kən'fedrıt] *adj* конфедеративный ✧ *n* сообщник; конфедерат
confederation [kənfedə'rəıʃən] *n* конфедерация
confer [kən'fə:] совещаться ✧ *vt:* **to ~ sth (on sb)** оказывать что-н (кому-н); присуждать что-н (кому-н); давать что-н (кому-н); **to ~ (with sb about sth)** совещаться (с кем-н о чем-н)

conference [ˈkɔnfərəns] *n* конференция; **to be in ~** быть на совещании
conference room *n* зал заседаний, конференцзал
confess [kənˈfes] *vt* признавать; исповедоваться в; сознаваться в ✧ *vi* признаваться; **to ~ to sth** сознаваться в чем-н; **I must ~ that I didn't enjoy at it all** должен признаться, мне это совершенно не понравилось
confession [kənˈfeʃən] *n* признание; *рел.* исповедь; **to make a ~** делать признание
confessor [kənˈfesəˈ] *n* исповедник
confetti [kənˈfetɪ] *n* конфетти
confidant [ˌkɔnfiˈdænt] задушевный друг; *уст.* наперсник
confidence [ˈkɔnfidns] *n* уверенность в себе; секрет; **I have ~ in him** я уверен в нем; she has (every) ~ that она полностью уверена в том, что; **motion of no ~** выражение недоверия; **in ~** конфиденциально; **to tell sb sth in strict ~** рассказать кому-н что-н строго конфиденциально
confidence trick *n* мошенничество
confident [ˈkɔnfidənt] *adj* уверенный (уверен); уверенный (уверен) в себе
confidential [kɔnfiˈdenʃəl] *adj* конфиденциальн; доверительный; пользующийся доверием
confidentiality [kɔnfidenʃɪˈælɪtɪ] *n* конфиденциальность
configuration [kənfiqjuˈreɪʃən] *n комп.* конфигурация
confine [kənˈfaɪn] *vt* запирать; **to ~ (to)** ограничивать; **to ~ o. s. to sth** ограничиваться чем-н
confined [kənˈfaɪnd] *adj* закрытый
confinement [kənˈfaɪnmənt] *n* (тюремное) заключение; *мед.* роды
confines [ˈkɔnfanz] *npl* пределы
confirm [kənˈfə:m] *vt* подтверждать; **to be ~ed** *рел.* получать конфирмацию
confirmation [kɔnfəˈmeɪʃən] *n* подтверждение; *рел.* конфирмация
confirmed [kənˈfə:md] *adj* убежденный
confiscate [ˈkɔnfiskeɪt] *vt* конфисковывать
confiskation [kɔnfisˈkeɪʃən] *n* конфискация
conflagration [ˌkɔnfləˈgreɪʃən] большой пожар
conflict *n* [ˈkɔnflɪkt], *vi* [kənˈflikt] *n* конфликт; столкновение ✧ *vi* противоречить друг другу; **to ~ with sth** противоречить чему-н
conform [kənˈfɔ:m] согласовываться; подчиняться; **~able** [-əbl] ✧ соответствующий; подчиняющийся; **~ity** [-ɪtɪ] соответствие; подчинение
conformist [kənˈfɔ:mɪst] *n* конформист
conformity [kənˈfɔ:mɪtɪ] соответствие; **in ~** *(with)* в соответствии с
confound [kənˈfaund] поражать, ставить в тупик, смущать; смешивать, путать; разрушать *(планы, надежды)* ✧ **~ it**! чёрт возьми!
confounded [kənˈfaundɪd] *adj* проклятый; законченный
confront [kənˈfrʌnt] *vt* сталкиваться с; противостоять
confrontation [kɔnfrənˈteɪʃən] *n* конфронтация
confuse [kənˈfju:z] *n* запутывать; путать
confused [kənˈfju:zd] *adj* озадаченный (озадачен); запутанный (запутан); **to get ~** запутываться
confusing [kənˈfju:ziŋ] *adj* запутанный
confusion [kənˈfju:ʒən] *n* путаница; замешательство; беспорядок
congeal [kənˈdʒi:l] *vi* запекаться; застывать
congenial [kənˈdʒi:nɪel] *adj* благоприятный (благоприятен); родственный; подходящий
congenital [kənˈdʒenɪtl] *adj мед.* врожденный
conger eel [ˈkɔngər-] *n* морской угорь
congested [kənˈdʒestɪd] *adj* перегруженный (перегружен); перенаселенный (перенаселен); *мед.* застойный
congestion [kənˈdʒestʃən] *n* перегруженность; перенаселенность; *мед.* застой
conglomerate [kənˈglɔmərɪt] *n комм.* конгломерат

C

conglomeration [kənglɔmə'reɪʃən] *n* конгломерация
Congo ['kɔŋgəu] *n* Конго
congratulate [kən'grætjuleɪt] *vt:* **to ab (on)** поздравлять кого-н
congratulations [kəngrætju'leɪʃenz] *npl* поздравления; ~ **(on)** поздравляю; поздравляем
congregate ['kɔŋgrɪgeɪt] *vi* собираться
congregation [kɔŋgrɪ'geɪʃən] *n* прихожане
congress ['kɔŋgres] *n* конгресс; **С~** конгресс США
congressman ['kɔŋgresmən] *irreg n* конгрессмен
congresswoman ['kɔŋgreswumən] *irreg n* конгрессмен
conical ['kɔnɪkl] *adj* конический
conifer ['kɔnɪfə'] *n* хвойное дерево
coniferous [kə'nɪfərəs] *adj* хвойный
conjectural [kən'dʒektʃərəl] предположительный
conjecture [kən'dʒektʃə'] *n* предположение ✧ *vi* предполагать
conjugal ['kɔndʒugəl] брачный, супружеский
conjugate ['kɔndʒugeɪt] *vt лингв.* спрягать
conjugation [kɔndʒə'geɪʃən] *n лингв.* спряжение
conjunctivitis [kəndʒʌŋktɪ'vaɪtɪs] *n мед.* коньюнктивит
conjure ['kʌndʒə'] *vt* создавать из ничего ✧ *vi* показывать фокусы
conjurer ['kʌndʒərə'] *n* фокусник
conjure up *vt* вызывать; пробуждать
conjuring trick ['kʌndʒərɪŋ-] *n* фокус
conk [kɔŋk]: ~ **out** *разг.* сломаться *(о машине)*
conk out [kɔŋk-] *vi* сдыхать
conker ['kɔŋkə'] *n* конский каштан
con man *irreg n* мошенник
connection [kə'nekʃən] *n элек.*связь пересадка; *тел.* соединение; подключение; **in with** в связи с; **what is the ~ between them?** какая связь между ними?; **business ~s** деловые связи; **to miss one's ~** опаздывать на пересадку; **to get one's ~** делать пересадку
connexion [kə'nekʃən] *n* = **connektion**
connect [kə'nəkt] *vt элек.*подсоединять; *телеф.* подключать; связывать ✧ *vi:* **to ~ wlth** согласовываться по расписанию с; **to ~ sb/sth (to)** *телеф.* соединять кого-н/что-н; **he is/was ~ed with** он связан/был связан с; **I am trying to ~ you** *тел.* я пытаюсь наладить связь
conning tower ['kɔnɪŋ-] *n мор.* рубка
connivance [kə'naɪvəns] потворство
connive [kə'naɪv]: ~ **at** потворствовать; смотреть сквозь пальцы
connoisseur [kɔnɪ'sə:'] *n* знаток
connubial [kə'nju:bɪəl] *adj* брачный
conquer ['kɔŋkə'] *vt воен.* завоевывать побороть
conqueror ['kɔŋkərə'] *n* завоеватель
cons [kɔnz] *npl see* convenience, pro.
conscience ['kɔnʃəns] *n* совесть; **he has a guilty/clear ~** у него совесть нечиста/чиста; **in all ~** по совести
conscientious [kɔnʃɪ'enʃəs] *adj* добросовестный (добросовестен)
conscientious objector *n отказывающийся от призыва в армию по убеждению*
conscious ['kɔnʃəs] *adj* сознательный (сознателен); **to be ~ of sth/that** сознавать что-н/, что; **the patient was ~** пациент находился в сознании; **to become ~ of sth/that** осознавать что-н/, что
consciousness ['kɔnʃəsnɪs] *n мед.* сознание; самосознание; **to lose ~** терять сознание; **to regain ~** приходить в сознание
conscript ['kɔnskrɪpt] *n* призывник, новобранец
conscription [kən'skrɪpʃən] *n* воинская повинность
consecrate ['kɔnsɪkreɪt] *vt* освящать
consensus [kən'sensəs] *n* единое мнение; ~ **(of opinion)** консенсус
consent [kən'sent] *n* согласие; **to ~ to** соглашаться на; **age of ~** совершеннолетие; **by common ~** с общего согласия
consenting [kən'sentɪŋ] *adj:* ~ **sdult** совершеннолетний
consequence ['kɔnsɪkwəns] *n* следствие; **of ~** значительный (значителен); **it's of little ~** это не

имеет большого значения; **in ~** вследствие
consequently [ˈkɔnsɪkwəntlɪ] *adv* следовательно
conservation [kɔnsəˈveɪʃən] *n* сохранение; **nature ~** охрана природы, природоохрана; **energy ~** экономия энергии
conservative [kənˈsə:vətɪv] *adj* консервативный, скромный; **C~** консервативный ✧ *n:* **C~** консерватор
conservatory [kənˈsə:vətrɪ] *n* застекленная веранда; *муз.* консерватория
conserve [kənˈsə:v] *vt* сохранять; рационально использовать ✧ *n* варенье
consider [kənˈsɪdəˈ] *n* считать; рассматривать учитывать; **to ~ that... полагать, что...; to ~ sth** подумывать о чем-н; **they ~ themselves to be superior** они считают себя выше; **she ~ed it a disaster** она считала, что это катастрофа; **~ yourself lucky** считайте, что Вам повезло; **all things ~ed** приняв все во внимание
considerable [kənˈsɪdərəbl] *adj* значительный (значителен)
considerably [kənˈsɪdərəblɪ] *adv* значительно; гораздо
considerate [kənˈsɪdərɪt] *adj* заботливый (заботлив); внимательный (внимателен)
consideration [kənsɪdəˈrəɪʃən] *n* рассмотрение, обдумывание; соображение; внимание; вознаграждение; **out ot ~ for** из уважения к; **to take sth into ~** принимать что-н во внимание; **under ~** на рассмотрении; **my first ~ is my family** я прежде всего забочусь о своей семье
considered [kənˈsɪdəd] *adj* обдуманный; **it is my ~ opinion that...** у меня сложилось мнение, что...
considering [kənˈsɪdərɪŋ] *prep* учитывая; **~ (that)** учитывая (, что)
consign [kənˈsaɪn] *vt* отправлять; **to ~ to** забрасывать в; поручать; обрекать на
consignee [kɔnsaɪˈni:] *n* грузополучатель
consignment [kənˈsaɪnmənt] *n комм.* партия
consignor [kənˈsaɪnəˈ] *n* грузоотправитель
consist [kənˈsɪst] *vi:* **to ~ of** состоять из
consistency [kənˈsɪstənsɪ] *n* последовательность; консистенция
consistent [kənˈsɪstənt] *adj* последовательный; **~ with** соответствующий
consolation [kɔnsəˈleɪʃən] *n* утешение
console *vt* [kənˈsəul], *n* [ˈkɔnsəul] *vt* утешать ✧ *n (panel)* панель
consolidate [kənˈsɔlɪdeɪt] *n (position, power)* укреплять
consolidated balance shee [kənˈsclɪdeɪtɪd-] *n* сводный балансовый отчет
consols [ˈkɔnsɔlz] *npl* консоли *(правительственные облигации)*
consomme [kənˈsɔmeɪ] *n* прозрачный бульон
consonant [ˈkɔnsənənt] *n* согласный
consort *n* [ˈkɔnsɔ:t] супруг, супруга *(особ. королевской семье)* **2.** *v* [kənˈsɔ:t] общаться *(с кем-л.);* гармонировать, соответствовать
conspicuous [kənˈspɪkjuəs] заметный, видный, бросающий в глаза; **make oneself ~** обращать на себя внимание
conspiracy [kənˈspɪrəsɪ] *n* заговор
conspiratorial [kənˈspɪrəˈtɔ:rɪəl] *adj* заговорщический
conspire [kənˈspaɪə] *vi* устраивать заговор; **circumstances ~d against us** обстоятельства складывались против нас
constable [ˈkʌnstəbl] *n* полицейский *adj;* **chief ~** начальник полиции
constabulary [kənˈstæbjulərɪ] *n* полиция
constant [ˈkɔnstənt] *adj (continuous)* постоянный, *(fixed)* неизменный
constantly [ˈkɔnstəntlɪ] *adv (continually)* постоянно
constellation [kɔnstəˈleɪʃən] *n астр.* созвездие
consternation [ˈkɔnstə:neɪʃən] ужас, оцепенение

constipated [kɔnstɪ'peɪtɪd] *adj:* **he/she is ~** у него/нее запор
constipation [kɔnstɪ'peɪʃən] *n* запор
constituency [kən'stɪtjuənsɪ] *n* избирательный округ, избиратели округа
constituency party *n* местная партийная организация
constituent [kən'stɪjuənt] *n полит.* избиратель(ница); компонент
constitute ['kɔnstɪtju:t] *vt (represent)* являться; *(make up)* составлять
constitution [kɔnstɪ'tju:ʃən] *n (of country)* конституция; *(of organization)* устав; *(heelth)* организм; *(of committee etc)* строение
constitutional [kɔnstɪ'tju:ʃənl] *adj* конституционный; **~ monarchy** конституционная монархия
constrain [kən'streɪn] *vt* вынуждать; сдерживать
constrained [kən'streɪnd] *adj* принужденный
constraint [kən'streɪnt] *n (restriction)* ограничение; *(compulsion)* принуждение; *(embarrassment)* стеснение
constrict [kən'strɪkt] *vr (squeeze)* сжимать; *(limit)* стеснить
constriction [kən'strɪkʃən] *n (in throat)* стеснение; *(restriction)* ограничение
construct [kən'strʌkt] *vt* сооружать строить
construction [kən'strʌkʃən] *n (of building etc)* сооружение; *(structure)* конструкция; *(interpretation)* истолкование; **the building is under ~** здание строится
construction industry *n* строительная промышленность
constructive [kən'strʌktɪv] *adj* конструктивный
construe [kən'stru:] *vt* истолковывать
consul ['kɔnsl] *n* консул
consulate ['kɔnsjulɪt] *n* консульство
consult [kən'sʌlt] *vt (friend)* советоваться; *(book, map etc)* справляться; **to ~ sb (about sth)** *(doctor etc)* консультироваться с кем-н. *(о чем-н.)*
consultancy [kən'sʌltənsɪ] *n (company)* консультирующая фирма; *мед.* должность врача-консультанта
consultant [kən'sʌltənt] *n мед.* врач-консультант; *(other specialist)* консультант ◊ *cpd:* **~ engineer/paediatrician** инженер-/педиатр-консультант; **legal ~** юрисконсульт; **management ~** консультант по менеджменту
consultation [kənsəl'teɪʃən] *n мед.* консультация; *(discussion)* совещание; юридическая консультация; **in ~ with** с помощью
consultative [kən'sʌltətɪv] *adj* консультативный
consulting room [kən'sʌltɪŋ-] *n* врачебный кабинет
consume [kən'sju:m] *vt (food, drink)* потреблять; *(fuel, energy etc)* расходовать; *(subj: emotion, fire etc)* охватывать
consumer [kən'sju:mə'] *n комм.* потребитель
consumer credit *n* потребительский кредит
consumer durables *npl* потребительские товары длительного пользования
consumer goods *npl* потребительские товары
consumerism [ken'sju:merizem] *n* защита прав потребителей
consumer society *n* общество потребления
consummate ['kɔnsʌmeɪt] *vt* осуществлять
consumption [kən'sʌmpʃən] *n* потребление; расход; *мед.* туберкулез легких; **not fit for human ~** не годен к потреблению
cont'd *abbr (= continued):* **~ on** продолжение на; **to be ~** продолжение следует
contact ['kɔntækt] *n (communication)* контакт; *(touch) соприкосновение; (person) деловой(-ая) знакомый(-ая)* ◊ *vt* связываться с; **to lose/be in ~ with sb/sth** терять/поддерживать контакт с кем-н./чем-н.; **business ~s** деловые связи
contact lenses *npl* контактные линзы

contagion [kən'teɪdʒən] зараза, инфекция
contagious [kən'teɪdʒəs] *adj (disease)* заразный; заразительный
contain [kən'teɪn] *vt (hold)* вмещать; *(include)* содержать; *(curb)* сдерживать; **to ~ o.s.** сдерживаться
container [kən'teɪnə'] *n комм.* контейнер ✧ *cpd* контейнерный
containerization [kənteɪnəraɪ'zeɪʃən] *n* упаковка грузов в контейнеры
containerize [kən'teɪnəraɪz] *vt* осуществлять контейнерные перевозки
contaminate [kən'tæmɪneɪt] *vt* загрязнять
contamination [kəntæmɪ'neɪʃən] *n* загрязнение
contemplate ['kɔntəmpleɪt] *vt (consider)* размышлять о; *(look at)* созерцать
contemplation [kɔntəm'pleɪʃən] *n (see vb)* размышление; созерцание
contemporary [kən'tempərərɪ] *adj (present-day)* современный; *(belonging to same time)* относящийся к тому времени ✧ *n* современник(-ица); **Samuel Pepys and his contemporaries** Самюэль Пипс и его современники
contempt [kən'tempt] *n* презрение; **~ of court** оскорбление суда; **to have ~ for sb/sth, to hold sb/sth in ~** презирать кого-н./что-н.
contemptible [kən'temptəbl] *adj (conduct)* презренный
contemptuous [kən'temptjuəs] *adj* презрительный
contend [kən'tend] *vt:* **to ~ that** утверждать, что ✧ *vi (struggle):* **to ~ with** *(problem etc)* бороться с; *(compete):* **to ~ for** *(power etc)* бороться за; **to have to ~ with** сталкиваться с; **he has a lot to ~ with** ему приходится справляться со многим
contender [kən'tendə'] *n* претендент(ка)
content *n* ['kɔntent], *adj, vt* [kən'tent] *n* содержание ✧ *adj* довольный ✧ *vt (satisfy)* удовлетворять; **~s** *npl (of bottle etc)* содержимое; *(of book)* содержание; **(table of) ~s** оглавление; **she is ~ with her life** она довольна жизнью; **to ~ o.s. with sth** довольствоваться чем-н.
contented [kən'tentɪd] *adj* довольный
contentedly [kən'tentɪdlɪ] *adv* довольно, удовлетворенно
contention [kən'tenʃən] *n (assertion)* утверждение; *(argyument)* разногласие; **bone of ~** яблоко раздора
contentious [kən'tenʃəs] *adj* спорный
contentment [kən'tentmənt] *n* удовлетворенность
contest *n* ['kɔntest], *vt* [kən'test] *n (competition: sport)* соревнование; (: beauty) конкурс; *(for power etc)* борьба ✧ *vt (statement decision,)* оспаривать; *(compete for)* бороться за; *(election, competition)* бороться на
contestant [kən'testənt] *n (in competition)* участник(-ница); *(in fight)* противник(-ница)
context ['kɔntekst] *n* контекст; **in ~** в контексте; **out of ~** вне контекста
contiguous [kən'tɪgjuəs] соприкасающийся, прилегающий
continent I ['kɔntɪnənt] *a* сдержанный; целомудренный
continent II ['kɔntɪnənt] континент; **~al** [,kɔntɪnəntl] **1.** *a* континентальный, материковый **2.** *n* житель европейского материка
continental [kɔntɪ'nentl] *adj* европейский ✧ *n* европеец(-ейка)
continental breakfast *n* европейский завтрак *(легкий завтрак из кофе и булочки)*
continental quilt *n* стеганое одеяло
contingency [kən'tɪndʒənsɪ] *n* возможность
contingency plan *n* план действий на случай непредвиденных обстоятельств
contingent [kən'tɪndʒənt] *n воен.* контингент ✧ *adj:* **to be ~ upon** зависеть от
continual [kən'tɪnjuəl] *adj* непрерывный
continually [kən'tɪnjuəlɪ] *adv* непре-

C

C

рывно, постоянно

continuation [kəntınju'eıʃən] *n* продолжение

continue [kən'tınjuː] *vi* продолжаться; продолжать ✧ *vt* продолжать; **to ~ to do** продолжать; **to be ~d** продолжение следует; **~d on page 10** продолжение на странице 10

continuing education [kən'tınjuıŋ-] *n* курсы вечернего обучения

continuity [kɔntı'njuːıtı] *n (in management)* преемственность *тел.* непрерывность *(телевизионвых программ и фильмов)*; **~ announcer** диктор, заполняющий пробелы; **~ department** отдел, обеспечивающий непрерывность телевизионных программ

continuous [kən'tınjuəs] *adj (process, growth etc)* непрерывный; *(line)* сплошной; *лингв.* длительный; **~ performance** *тел. показ кинофильма без перерыва между сеансами*

continuously [kən'tınjuəslı] *adv* неоднократно, постоянно; непрерывно

continuous stationery *n комп.* рулонная бумага *(для печатающего устройства)*

contlicting [kən'flıktıŋ] *adj* противоречивый; противоположный

contort [kən'tɔːt] *vi (body)* искривлять; *(face)* кривить

contortion [kən'tɔːʃən] *n* искривление

contortionist [kən'tɔːʃənıst] *n* пластический(-ая) акробат(ка)

contour ['kɔntuə] горизонталь; контур

contraband ['kɔntrəbænd] *n* контрабанда ✧ *adj* контрабандный

contraceptive ['kɔntrə'septıv] противозачаточное средство

contract *n, cpd* ['kɔntrækt], *vb* [kən'trækt] *n комм.* договор, контракт ✧ *vi (become smaller)* сжиматься ✧ *vt (illness)* заболевать ✧ *(price,date)* договорный; **~ of employment** служебный контракт; **~ of service** *договор между компанией и руководящим сотрудником;* **to ~ to do** *комм.* обязывать; **work** работа по контракту

contract in *vi* официально заявлять о желании участвовать в

contraction [kən'trækʃən] *n* сжатие; сокращение; *мед.* родовая потуга

contractor [kən'træktə'] *n* подрядчик

contract out *vi* официально отказываться от участия в

contractual [kən'træktʃuəl] *adj* договорный

contradict [kɔntrə'dıkt] *vt* возражать; возражать на; противоречить

contradiction [kɔntrə'dıkʃən] *n* противоречие; **to be in ~ with** находиться в противоречии с; **a ~ in terms** логическое противоречие

contradictory [kɔntrə'dıktərı] *adj* противоречивый

contralto [kən'træltəu] *n муз.* контральто

contraption [kən'træpʃən] *n* дурацкая вещь

contrary ['kɔntrərı] *adj (opposite, different)* противоположный; неблагоприятный ✧ *n* противоположность **~ to what we thought** в противоположность тому, что мы думали; **on the ~** напротив, наоборот; **unless you hear to the ~** если не будет других инструкций

contrary [kən'treərı] *adj* своенравный

contrast *n* ['kɔntrast] контраст, противоположность **2.** *v* [kən'træst] противопоставлять, контрастировать

contrasting [kən'trɑːstıŋ] *adj (colours)* контрастирующий; *(attitudes, views)* противоположный

contravene [kɔntrə'viːn] *n* преступать

contravention [kɔntrə'venʃən] *n:* **in ~of** в нарушение

contribute [kən'trıbjuːt] *vi* делать вклад ✧ *vt* вносить; **to ~ to** жертвовать на *or* для; писать для; участвовать в; усугублять

contribution [kɔntrı'bjuːʃən] *n* пожертвование; взнос; вклад; *(to journal)* публикация

contributor [kən'trıbjutə'] *n* жертвователь; автор

contributory [kən'trıbjutərı] *adj* способствующий; **it was a ~ factor in...** это явилось одним из способствующих факторов в...

contributory pension scheme *n пенсионный договор, по которому работник принимает частичное участие в формировании своей будущей пенсии*

contrite [ˈkɔntraɪt] кающийся, раскаивающийся

contrivance [kənˈtraɪvəns] *n* уловка; приспособление

contrive [kənˈtraɪv] *vt (meeting)* затевать ✧ *vi:* **to ~ to do** ухитряться

control [kənˈtrəul] *n* контролировать ✧ *n* контроль; *(of oneself)* самообладание; *(also:* **~group)** контрольная группа; **~s** *(of vehicle)* рычаги управления; *(on radio etc)* ручки настройки; **to ~ o.s.** сохранять самообладание; **to take ~ of** брать в свои руки управление; *комм.* брать под контроль; **to be in ~ of** контролировать; **under ~** спокойный; **everything is under ~** все под контролем; **out of ~** неуправляемый; **the car went out of ~** машина потеряла управление; **circumstances beyond our ~** не зависящие от нас обстоятельства; **governmental ~s** государственный контроль

control key *n* управляющая клавиша, клавиша управления

controller [kənˈtrəuləʳ] *n* руководитель

controlling interest [kənˈtrəulɪŋ-] комм. контрольный пакет акций

control panel *n* пульт управления

control point *n* контрольный пункт

control room *n воен.* пункт управления; *тел.* аппаратная

control tower *n* контрольно-диспетчерский пункт

control unit *n комп.* блок управления

controversial [kɔntrəˈvəːʃl] *adj* спорный; неоднозначный

controversy [ˈkɔntrəvəːsɪ] *n* дискуссия, спор.

controvert [ˈkɔntrəvəːt] спорить; отрицать

contumely [ˈkɔntjmɪlɪ] оскорбление

contus||e [kənˈtjuːz] контузить, **~ion** [-ˈtjuːʒən] контузия; ушиб

conundrum [kəˈnʌndrəm] загадка

conurbation [kɔnəˈbeɪʃən] *n* агломерация

convalesce [kɔnvəsˈles] *vi* выздоравливать

convalescence [kɔnvəˈlesns] *n* выздоровление

convalescent [kɔnvəˈlesnt] *n* выздоравливающий ✧ *adj:* **~ home** санаторий; **~ leave** отпуск по выздоровлению

convector [kənˈvektəʳ] *n also:* **~ heater** конвектор

convene [kənˈviːn] *n (meeting)* созывать ✧ *vi (parliament etc)* собираться

convener [kənˈviːnəʳ] *n* = **convner**

convenience [kənˈviːnɪəns] *n* удобство; **at your ~** когда *or* как Вам будет удобно; **at your earliest ~** при первой возможности; **a flat with all modern ~s** *or* **all mod cons** квартира со всеми удобствами

convenience foods *npt* пищевые полуфабрикаты

conveniently [kənˈviːnɪəntlɪ] *adv* как раз; удобно

convent [ˈkɔnvənt] *n рел. (женский)* монастырь

convention [kənˈvenʃən] *n (custom)* условность; *(conference)* конференция; *(agreement)* конвенция; *(in art, literature)* прием

conventional [kənˈvenʃənl] *adj* обычный

convent school *n* монастырская школа

converge [kənˈvəːdʒ] *vi* сходиться; съезжаться; совпадать

conversant [kənˈvəːsənt] хорошо знакомый *(с чем-л.—with)*

conversation [kɔnvəˈseɪʃən] *n* беседа, разговор; **to have a ~ with sb** разговаривать *or* беседовать с кем-н.

conversational [kɔnvəˈseɪʃənl] *adj* разговорный; *комп.* диалоговый

conversationalist [kɔnvəˈseɪʃnəlɪst] *n:* **a good ~** интересный(-ая) собеседник(-ница)

converse I [kənˈvəːs] беседовать

C

converse II 1. *a* перевёрнутый, обратный **2.** *n* обратное положение, утверждение; *мат.* обратная теорема
conversely [kən'vɜ:slɪ] *adv* наоборот
conversion [kən'vɜ:ʃən] *n (of weights)* перевод; *(of substances)* превращение; *рел.* обращение; *(of house)* перестройка; один из приемов получения очков
conversion table *n* таблица преобразования
convert *vt* [kən'vɜ:t], *n* ['kɔnvɜ:t] *vt рел.* обращать; (building, vehicle) преобразовывать; *комм.* переводить ✧ *n рел.* новообращенный(-ая); **to ~sth into** превращать что-н. в
convertible [kən'vɜ:təbl] *adj* конвертируемый ✧ *n* автомобиль с откидным верхом; **~ loan stock** *комм.* конвертабельные акции
convex ['kɔnveks] *adj* выпуклый
convey [kən'veɪ] *vt* передавать; перевозить
conveyance [kən'vəɪəns] *n (of goods)* перевозка; *(vehicle)* транспортное средство
conveyor belt [kən'veɪə'-] *n* конвейер
conviction [kən'vɪkʃən] *n* убеждение; убежденность; осуждение; судимость
convince [kən'vɪns] *vt* уверять; убеждать; **to ~ sb (of sth/that)** убеждать кого-н. (в чем-н./, что)
convinced [kən'vɪnst] *adj:* **~ of/that** убежденный в, что
convincing [kən'vɪnsɪŋ] *adj* убедительный
convincingly [kən'vɪnsɪŋlɪ] *adv* убедительно
convivial [kən'vɪvɪəl] дружеский, дружелюбный
convoke [kən'vouk] созывать *(собрание, парламент и т.п.)*
convoluted ['kɔnvəlu:tɪd] *adj* замысловатый
convoy ['kɔnvɔɪ] *n* колонна; конвой
convsyancing [kən'veiənsɪŋ] *n юрид. составление нотариального акта о передаче прав на недвижимость*
convulse [kən'vʌls] *vt:* **to be ~d with laughter/pain** содрогаться от смеха/боли
convulsion [kən'vʌlʃən] *n* судорога, конвульсия
coo [ku:] *vi* ворковать
cook [kuk] *vt* готовить ✧ *vi* готовиться ✧ *n* повар
cookbook ['kukbuk] *n* поваренная *or* кулинарная книга
cook-chill ['kuktʃɪl] *adj;* **~ food** замороженные полуфабрикаты
cooker ['kukə'] *n* плита
cookery ['kukərɪ] *n* кулинария
cookery book *n* = **cookbook**
cookie ['kukɪ] *n* печенье
cooking ['kukɪŋ] *n* готовка ✧ *cpd (apples, chocolate)* используемый в кулинарии; **her ~ is very good** она хорошо готовит; **Italian ~** итальянская кухня; **~ utensils** кухонные принадлежности
cook up *vt* стряпать
cool [ku:l] *adj (temperature, drink etc)* прохладный, *(dress, clothes)* легкий; *(person: calm, unemotional)* невозмутимый; *(: unfriendly)* холодный ✧ *vt (tea, room)* охлаждать ✧ *vi (water, air)* остывать; **it's ~** прохладно; **to keep sth ~** *or* **in a ~ place** держать что-н. в прохладном месте; **to keep one's ~** сохранять хладнокровие; **to lose one's ~** терять самообладание
coolant ['ku:lənt] *n* хладагент
cool box *n* холодильный ящик
cool down *vi* остывать; нормализоваться
cooler ['ku:lə'] *n* = **cool box**
coolie ['ku:lɪ] кули
cooling ['ku:lɪŋ] *n* охлаждение ✧ *adj* прохладительный, освежающий
cooling tower *n* градирня
coolly ['ku:lɪ] *adv (calmly)* невозмутимо; *(coldly)* холодно
coolness [ku:lnɪs] *n* прохлада; легкость, невозмутимость; холодность
coon [ku:n] енот, *(сокр. от rac(c)oon)*
coop [ku:p] **1.** *n* курятник **2.** *v* сажать в курятник; **~ in, ~ up** держать взаперти в тесном помещении; набивать битком

C

coop [ku:p] *n* клетка ✧ *vt:* **to ~up** запирать
co-op [ˈkəuɔp] *n (= cooperative (society))* кооперативное общество
cooper [ˈku:pə] бондарь, бочар
cooperate [kəuˈɔpəreɪt] *vi* сотрудничать; *(assist)* содействовать; **to ~ with sb** сотрудничать с кем-н.
cooperation [kəuɔpəˈrəɪʃən] *n* кооперация, сотрудничество; содействие.
cooperative [kəuˈɔpərətɪv] *adj* кооперативный ✧ *n* кооператив; **he is very ~** он всегда готов оказать помощь
coopt [kəuˈɔpt] *vt* **to ~ sb onto a committee** кооптировать кого-н. в члены комитета
coordinate *vt* [kəuˈɔ:dɪneɪt], *n* [kəuˈɔdɪnət] *vt* согласовывать; (movements) координировать ✧ *мат.* координата; **~s** *npl (clothes)* предметы одежды, составляющие один ансамбль
coordination [kəuɔ:dɪˈneɪʃən] *n* координация
co-ownership [ˈkəuˈəunəʃɪp] *n* совместное владение
cop [kɔp] *разг.* **1.** *v:* **you'll ~ it** тебе попадет **2.** *n* полисмен
copartner [ˈkouˈpa:tnə] сотоварищ, компаньон
cope [kəup] *vi;* **to ~ with** справляться с
copeck [ˈkoupek] копейка
Copenhagen [ˈkəupnˈheɪgən] *n* Копенгаген
copier [ˈkɔpɪə] *n (also:* **photocopier***)* (фото)копировальная машина
co-pilot [ˈkəuˈpaɪlət] *n* второй пилот
copious [ˈkəupɪəs] *adj* обильный
copper [kɔpə] **1.** *n* медь, медная монета, котёл, *разг.* полицейский **2.** *a* медный **3.** *v* покрывать медью
coppice [ˈkɔpɪs] *n* рощица
coppice, copse [kɔpɪs], [kɔps] роща; подлесок
copse [kɔps] *n* = **coppice**
copulate [ˈkopjuleɪt] *vi* совокупляться
copy [ˈkɔpɪ] *n* копия; *(of book etc)* экземпляр; *(material: for printing)* письменный экземпляр, рукопись ✧ *vt* копировать; **to make good ~** *пресса.* составлять хороший материал (для печати)
copy-book [kɔpɪbuk] тетрадь с прописями
copycat [ˈkɔpɪkæt] *n* обезьяна
copy down *(text)* копировать
copy out *(text)* копировать
copyright [kɔpɪraɪt] **1.** *n* авторское право **2.** *v* обеспечивать авторское право
copy typist *n* машинистка
copywriter [ˈkɔpɪraɪtəˈ] *n* рекламист
coquetry [koukɪtrɪ] кокетство
coquette [kouket] кокетка
coral [kɔrəl] **1.** *n* коралл **2.** *a* коралловый, кораллового цвета
coral reef *n* коралловый риф
cord [kɔ:d] *n (string)* веревка, *элект.* шнур, *(fabric)* вельвет; **~s** *npl (trousers)* вельветовые брюки
cordial [ˈkɔ:dɪəl] *adj (friendly)* сердечный ✧ *n кулин.* фруктовый напиток
cordiality [kɔ:dɪˈælɪtɪ] сердечность; радушие
cordite [ˈkɔ:daɪt] кордит *(бездымный порох)*
cordless [ˈkɔ:dlɪs] *adj* переносной
cordon [kɔ:dn] кордон, орденская лента *(которую носят через плечо)*
cordon bleu [ˈkɔ:dɔnˈblə:] *adj (cookary, cook)* высшего класса *(в кулинарном искусстве)*
cordon off *vt* оцеплять
corduroy [ˈkɔ:dərɔɪ] *n* вельвет
CORE [kɔ:] *n* = **Congress of Racial Equality**
core [kɔ:ˈ] *n (of fruit organization)* сердцевина; *(of earth)* ядро; *(of nucleer reactor)* сердечник; *(of problem)* суть ✧ *vt %вырезать сердцевину;* **rotten to the ~** прогнивший до основания
co-respondent [ˈkourɪs,pɔndənt] *юр.* соответчик
coriander [kɔrɪˈændə] *кули.* кинза, кориандр
cork [kɔ:k] **1.** *n* пробка, поплавок **2.** *v* затыкать пробкой; закупоривать

corked [kɔ:kt] *adj* пропахший пробкой
corkscrew ['kɔ:kskru:] *n* штопор
corky ['kɔ:kɪ] *adj* = **corked**
cormorant ['kɔ:mərɪnt] *n* баклан
corn I [kɔ:n] зерно, *собир.* хлеба; пшеница, майс, кукуруза
corn II: ~ed beef солонина
corn III мозоль
cornea ['kɔ:nɪə] *n* роговая оболочка
corned beef ['kɔ:nd-] *n* консервированная говядина
corner ['kɔ:nə] *n* угол; *спорт. (also:* **~ kick)** угловой *(удар)* ✧ *vt (trap)* загонять в угол; *комм. (market)* приобретать контроль над ✧ *vi (in car)* делать поворот; **to cut ~s** срезать углы
corner flag *n* угловой флажок
corner kick *n* угловой удар
cornerstone ['kɔ:nəstəun] *n* краеугольный камень
cornet [kɔ:nɪt] *муз.* корнет
cornflakes ['kɔ:nfleɪks] *npl* кукурузные хлопья
cornflour ['kɔ:nflauə'] *n* кукурузная мука
cornice ['kɔ:nɪs] карниз
Cornish ['kɔ:nɪʃ] *adj* корнуэльский
corn oil *n* кукурузное масло
cornucopia [kɔ:nju'kəupɪə] *n* рог изобилия
corny ['kɔ:nɪ] *adj* плоский
corolla [kə'rolə] *бот.* венчик
corollary [kə'rɔlərɪ] *n* следствие
coronary ['korənərɪ] *n (also:* **~ thrombosis***)* коронарный тромбоз
coronation [kɔrə'neɪʃən] *n* коронация
coroner ['kɔrənə'] *юрид.* коронер *(судья, расследующий причины смерти, происшедшей при подозрительных обстоятельствах)*
coronet ['kɔrənɪt] *n* диадема
corporal I ['kɔ:pərəl] телесный; физический
corporal II капрал
corporate ['kɔ:pərɪt] *adj комм.* корпорационный; общий; корпоративный
corporate hospitality *n спецобслуживание и привилегии, оказываемые корпорацией особо важным или ценным клиентам*
corporation [kɔ:pə'reɪʃən] *n комм.* корпорация; *(of town)* муниципалитет
corporation tax *n* корпорационный налог
corporeal [kɔ:'pɔ:rɪəl] телесный; материальный
corps [kɔ:] (*pl* corps [kɔ:z]) *воен., дип.* корпус ✧ ~ **de ballet** кордебалет
corpse [kɔ:ps] *n* труп
corpulent ['kɔ:pjulənt] дородный, тучный
corpuscle ['kɔ:pʌsl] частица; red (white) **~s** красные (белые) кровяные тельца
corral [kɔ'rɑ:l] загон *(для скота)*
correct [kə'rekt] *adj (accurate)* правильный; *(proper)* соответствующий ✧ *vt (mistake, fault)* исправлять; *(exam)* проверять; **you are ~** Вы правы
correction [kə'rekʃən] *n* исправление; поправка; корректура
correctly [kə'rektlɪ] *adv* правильно
correlate ['kɔrɪleɪt] *n* соотносить ✧ *vi:* **to ~ with** соотноситься *or* коррелировать с
correlation [kɔrɪ'leɪʃən] *n* соотношение, корреляция
correspond [kɔrɪs'pɔnd] *vi:* **to ~ (with) (write)** переписываться с; *(tally)* согласовываться с; *(equate):* **to ~ (to)** соответствовать
correspondence [kɔrɪs'pɔndəns] *n* корреспонденция, переписка; *(relationship)* соотношение
correspondence course *n* заочный курс
correspondent [kɔrɪs'pɔndənt] *n* пресса, корреспондент(ка)
corresponding [kɔrɪs'pɔndɪŋ] *adj* соответствующий
corridor ['kɔrɪdɔ:] *n* коридор; проход
corrigible ['kɔrɪdʒəbl] исправимый, поправимый
corroborate [kə'rɔbərəɪt] *vt* подтверждать
corrode [kə'rəud] *vt (metal)* разъедать; ржаветь
corrosion [kə'rəuʒən] *n (damage)* ржавчина; *(process)* коррозия

corrosive [kə'rəuzɪv] *adj* коррозийный
corrugated ['kɔrəgeɪtɪd] *adj* рифленый
corrugated iron *n* рифленое железо
corrupt [kə'rʌpt] *adj (person)* продажный, коррумпированный; *комп.* испорченный, искаженный ✧ *vt* развращать; *комп.* искажать; ~ **practices** бесчестные приемы
corruption [kə'rʌpʃən] *n* коррупция, продажность, искажение
corset ['kɔ:sɪt] *n мед.* корсет
Corsica ['kɔ:sɪkə] *n* Корсика
Corsican ['kɔ:sɪkən] *adj* корсиканский ✧ *n* корсиканец(-нка)
cortege ['kɔ:teɪʒ] *n (also:* **funeral ~**) процессия
cortisone ['kɔ:tɪzəun] *n* кортизон
cosh [kɔʃ] *n* дубинка
cosiness ['kəuzɪnɪs] *n* уют
cos lettuce ['kɔs-] *n* латук *(салат)*
cosmetic [kɔz'metɪk] *n* косметика ✧ *adj* косметический; ~ **surgery** косметическая хирургия
cosmic ['kɔzmɪk] *adj* космический
cosmonaut ['kɔzmənɔ:t] *n* космонавт
cosmopolitan [kɔzmə'pɔlɪtn] *adj* космополитический
cosmos ['kɔzmɔs] *n:* **the ~** космос
cosortium [kən'sɔ:tɪəm] *n* консорциум
cosset ['kɔsɪt] *n* баловать
cost [kɔst] *n* стоимость; цена ✧ *vt* стоить; **costed** оценивать; стоимость; **~s** *npl комм.* расходы; *юрид.* судебные издержки; **how much does it ~?** сколько это стоит?; **it ~s $5/too much** это стоит $5/слишком дорого; **what will it ~ to have it repaired?** сколько будет стоить ремонт?; **to ~ sb time/effort** стоить кому-н. времени/усилий; **it ~ him hls life/job** это стоило ему жизни/работы; **the ~ of living** стоимость жизни; **to sell/buy at ~** продавать/покупать по себестоимости: **at all ~s** любой ценой
co-star ['kəusta:] *n* партнер *(главной роли)*
Costa Rica ['kɔstə'ri:kə] *n* Коста-Рика
cost control *n* контроль за уровнем издержек
cost-effective ['kɔstɪ'fəktɪv] *adj* выгодный; *комм.* рентабельный
cost-effectiveness ['kɔstɪ'fektɪvnɪs] *n* выгодность; рентабельность
coster (monger) [kɔstə'mʌŋgə] уличный торговец фруктами и *т. п.*
costing ['kɔstɪŋ] *n комм.* оценка стоимости
costly ['kɔstlɪ] *adj* дорогой; дорогостоящий
cost of living *n* стоимость жизни
cost price *n* себестоимость; **to sell/buy at ~ ~** продавать/покупать по себестоимости
cost accountant *n* бухгалтер *(ведущий учет затрат)*
costume ['kɔstju:m] *n* костюм; (also: **swimming ~**) купальник, купальный костюм
costume jewellery *n* бижутерия
cosy I [kəuzɪ] уютный
cosy II стёганая покрышка *(для чайника и т. п.)*
cot [kɔt] детская кровать ✧ **~ case** лежачий больной
coterminous [kou'tə:mɪnəs] имеющий общую границу
cottage [kɔtɪdʒ] деревенский дом, коттедж
cottagge cheese *n* творог
cottage industry *n* надомный труд
cottage pie *n* запеканка из мяса и картофеля
cotton I ['kɔtn]: **~ on** *(to) разг.* схватывать, понимать
cotton II ['kɔtn] хлопок, бумажная ткань, нитка; хлопок-сырец; вата; **~-mill** [-mɪl] текстильная фабрика
cotton candy *n* сахарная вата
cotton on *vi:* **he has ~ed on to the fact thet...** до него дошло, что...
cotton wool *n* вата
couch [kautʃ] *n* тахта, диван; кушетка ✧ *vt* излагать
couchette [ku:'ʃet] *n* спальное место, полка
couch potato *n* лежебока
cough [kɔf] *vi (person)* кашлять; *(engine)* тарахтеть ✧ *n* кашель
cough drop *n* таблетка от кашля
cough mixture *n* микстура от кашля

C

cough syrup *n* = **cough mixture**
council [ˈkaunsl] *n* совет; **city** *or* **town** ~ городской совет, муниципалитет; **C~ of Europe** Совет Европейского Сообщества
councillor [ˈkaunslə] *n* = член муниципалитета
council tax *n* муниципальный налог
counsel [ˈkaunsl] *n (advice) совет; (lawyer)* адвокат, юрисконсульт ✧ *vt:* **to ~ sth/sb to do** советовать что-н./кому-н.; **~for the defence** защитник; **~ for the prosecution** обвинитель
counsellor [ˈkaunslə'] *n (advisor)* советник; адвокат
count I [kaunt] **1.** *v* считать, подсчитывать; полагать, считать; **it ~s for much** это имеет большое значение; **it ~s for little** это не имеет значения; рассчитывать *(на что-л. — on, upon)* **2.** *n* счёт; lose ~ терять счёт
count II [kaunt] граф *(не английского происхождения)*
countenance [ˈkauntɪnəns] **1.** *n* выражение лица; лицо; **keep one's ~** не показывать вида; удерживаться от смеха; put out of ~ смущать ✧ **give ~ to smb**. поддержать кого-л. **2.** *v* поддерживать, соглашаться
counter [ˈkauntə'] *n* прилавок; стойка, *(in game)* фишка, *тех.* счетчик ✧ *vt (oppose)* опровергать; *(blow)* отражать ✧ *adv:* **~to** в противовес; **to buy under the ~** покупать из-под прилавка; **to ~ sth with sth** противостоять чему-н. чем-н.
counteract [ˈkauntərˈækt] *vt* противодействовать; нейтрализовать; обезвреживать
counterattack [ˈkauntərəˈtæk] *n* контратака ✧ *vi* контратаковать
counterbalance [ˈkauntəˈbæləns] *vt* уравновешивать
countercharge [ˈkauntətˈʃɑːdʒ] **1.** *n* встречное обвинение **2.** *v* предъявлять обвинение **2.** *v* предъявлять встречное обвинение
counterclockwise [ˈkauntəˈklɔkwaɪz] *adv* против часовой стрелки
counterespionage [ˈkauntərˈespɪənɑːʒ] *n* контрразведка
counterfeit [ˈkauntəfit] *n* подделка ✧ *vt* подделывать ✧ *adj* фальшивый
counterfoil [ˈkauntəfɔɪl] *n* корешок
counterintelligence [ˈkauntərɪnˈtelɪdʒəns] *n* контрразведка
countermand [ˈkauntəmɑːnd] *vt* отменять
countermand 1. [ˈkauntəˈmɑːnd] контрприказ; **2.** [kauntəˈmaːnd] отменять (заказ, приказ)
countermeasure [ˈkauntəmeʒə'] *n* контрмера
counteroffensive [ˈkauntərəˈfensɪv] *n* контрнаступление
counterpane [ˈkauntəpeɪn] *n* покрывало
counterpart [ˈkauntəpɑːt] копия, двойник; **~s** лица или вещи, взаимно дополняющие друг друга
counterplot [ˈkauntəplɔt] (контр)заговор
counterpoise [ˈkauntəpɔɪz] **1.** противовес; равновесие; **2.** держать равновесие; уравновешивать
counterproductive [ˈkauntəprəˈdʌktɪv] *adj* непродуктивный
counterproposal [ˈkauntəprəˈpəuzl] *n* встречное предложение
counter-revolution [ˈkauntəˌrevəˈluːʃ(ə)n] контрреволюция; **~ary** [-ˌrevəˈluːʃnərɪ] **1.** *a* контрреволюционный **2.** *n* контрреволюционер
countersign [ˈkauntəsaɪn] *vt* заверять, засвидетельствовать
countess [ˈkauntɪs] *n* графиня
countless [ˈkauntlɪs] *adj* несчетный, бесчисленный
countrified [ˈkʌntrɪfaɪd] *adj* деревенский
country [ˈkʌntrɪ] *n (state, nation)* страна; *(native land)* родина; *(rural area)* деревня; *(region)* район; **in the ~** в деревне; **mountainous ~** гористая местность *f*
country and western *(music) n* кантри *nt ind*
country house *n* загородный дом, дача

countryman [ˈkʌntrɪmən] *n (compatriot)* земляк, соотечественник; *(country dweller)* деревенский *or* сельский житель
countryside [ˈkʌntrɪsaɪd] *n* сельская местность *f*
countrywide [ˈkʌntrɪˈwaɪd] *adj* общенациональный ✧ *adv* по всей стране
county [ˈkauntɪ] *n* графство
county council *n* областной совет, совет графства
county town *n* главный город графства
count on *vt* рассчитывать на; **to ~ on doing** рассчитывать
coup [kuː] удачный ход (удар и т.п.)
coup d'etat [ˈkuːdeɪˈtɑː] государственный переворот
couple [ˈkʌpl] *n (married couple)* супруги; *(of people, things)* пара ✧ *vt (ideas, names)* связывать; *(machinery)* сцеплять; **a ~ of (two, a few)** пара
couplet [ˈkʌplɪt] *n* двустишие
coupling [ˈkʌplɪŋ] совокупление; *тех.* муфта; сцепление; *радио* связь
coupon [ˈkuːpɔn] *n (voucher)* купон; *(detachable form)* талон; *комм.* отрывной бланк
courage [ˈkʌrɪdʒ] *n* смелость, храбрость, мужество
courageous [kəˈreɪdʒəs] *adj* смелый, храбрый, мужественный
courgette [kuəˈʒət] *n* молодой кабачок
courier [ˈkurɪə] *n (messenger)* курьер; *(for tourists)* руководитель группы
course [kɔːs] *n просвещ.* курс; *(of events, time etc)* ход; *(of argument, action)* направление; *(of river)* течение; *(part of meal):* **first/next/last ~** первое/второе/сладкое блюдо; **~ of lectures/treatment** курс лекций/лечения; **in the ~ of the next few days** в течение следующих нескольких дней; **in due ~** в свое время; **~ (of action)** линия поведения; **the best ~ would be...** лучшим выходом было бы...; **we have no other ~ but to...** у нас нет другого выхода, кроме как...; **of ~** *(naturally)* конечно; *(certainly)* безусловно; **of ~!** конечно!; **(no) of ~ not!** (нет,) конечно, нет!; **golf ~** поле для игры в гольф
court [kɔːt] *n юрид.* суд, *спорт.* корт; *(royal)* двор ✧ *vt (woman)* ухаживать за; *(fig: favour)* добиваться; *(: death, disaster)* заигрывать с; **to settle out of ~** приходить к соглашению без судебного разбирательства; **to take sb to ~** подавать на кого-н. в суд
courteous [ˈkəːtɪəs] *adj* вежливый
courtesan [kɔːtɪˈzæn] *n* куртизанка
courtesy [ˈkəːtəsɪ] *n* вежливость; **(by) ~ of** благодаря любезности
courthouse [ˈkɔːthaus] *n* здание суда
courtier [ˈkɔːtɪəˈ] *n* придворный
courtly [ˈkɔːtlɪ] вежливый, изысканный
court martial *(pl ~s ~) n* военный трибунал
court of appeal *(pl ~s ~ ~) n* апелляционный суд
court of inquiry *(pl ~s ~ ~) n* следственная комиссия
courtroom [ˈkɔːtrum] *n* зал суда
courtship [ˈkɔːtʃɪp] ухаживание
court shoe *n* лодочки
courtyard [ˈkɔːtjɑːd] *n* внутренний двор
cousin [ˈkʌzn] *n (relative: male)* неродной брат; *(: female)* неродная сестра; **first ~** *(male)* двоюродный брат; *(female)* двоюродная сестра
cove I [kəuv] небольшая бухта
cove II *разг.* парень, малый
covenant [ˈkʌvənənt] *n* обязательство ✧ *vt:* **to -$200 per year to charity** обязываться перечислять $200 в год в благотворительный фонд
Coventry [ˈkɔvəntrɪ] *n:* **send sb to ~** бойкотировать кого-н.
cover [ˈkʌvə] *vt* закрывать; укрывать; покрывать *воен.* прикрывать; предусматривать; рассматривать; охватывать; *пресса.* освещать ✧ *n (for furniture, machinery etc)* чехол; *(of book, magazine)* обложка; *(shelter)* укрытие; покрытие; *воен.* прикрытие; **~ s** *npl*

C

(bedclothes) постельные принадлежности; **he was ~ed in** *or* **with** он был весь в; **to take ~** укрываться; **under ~** в укрытии; **under ~ of darkness** под покровом темноты; **under separate ~** *комм.* в отдельном пакете; **$10 will ~ my expenses** $10 покроют мои расходы

C

coverage [ˈkʌvərɪdʒ] *n тел.* освещение; **television ~ of the conference** освещение конференции по телевидению; **to give full ~ to** давать полное освещение

coveralls [ˈkʌvərɔːlz] *npl* рабочий комбинезон

cover charge *n* наценка

covering [ˈkʌvərɪŋ] *n* пласт, слой, настил

covering letter *(us cover letter) n* сопроводительное письмо

cover price *n* цена, указанная на обложке

covert [ˈkʌvət] *adj* скрытый; *(attack)* неожиданный; **she gave me a ~ glance** она украдкой на меня посмотрела

cover up *vt (protect, hide)* закрывать; (fig: facts, feelings) скрывать ✧ *vi (fig):* **to ~ up for sb** покрывать кого-н.

cover-up [ˈkʌvərʌp] *n* ширма, прикрытие

covet [ˈkʌvɪt] *vt* жаждать

covey [ˈkʌvɪ] выводок, стая *(особ. куропаток)*

cow I [kau] корова

cow II запугивать

coward [ˈkauəd] *n* трус(иха)

cowardice [ˈkauədɪs] *n* трусость

cowardly [ˈkauədlɪ] *adj* трусливый

cowboy [ˈkaubɔɪ] *n* ковбой; *(tradesman)* шабашник

cow elephant *n* слониха

cower [ˈkauəˈ] *vi* съеживаться

cowherd [ˈkauhəːd] *уст.* пастух

cowl [kaul] мантия с капюшоном; капюшон; зонт *(дымовой трубы)*

cow shed *n* коровник

cowslip [ˈkauslɪp] *n* первоцвет *(настоящий or весенний)*

cox [kɔks] *n abbr* = **coxswain**

coxcomb [ˈkɔkskoum] *бот.* петуший гребешок; фат

coxswain [ˈkɔksweɪn] рулевой

coy [kɔɪ] застенчивый, скромный

coyote [kɔɪˈəutɪ] *n* койот

crab [kræb] *зоол.* краб; *техн.* лебёдка, ворот; ворчливый человек

crab apple *n* дикое яблоко

crab-louse [ˈkræblaus] площица

crack [kræk] *n (noise)* треск; *(gap)* щель; *(in bone, dish wall)* трещина; *(joke)* хохма; крэк *(форма кокаина)* ✧ *vt (whip, twig)* щелкать; *(bone, dish etc)* раскалывать; *(nut)* колоть; *(problem)* решать; *(code)* разгадывать; *(joke)* отпускать ✧ *adj* первоклассный; **at the ~ of dawn** на заре; **to have a ~ (at sth)** пытать свои силы (в чем-н.); **to get ~ing** пошевеливаться

crackdown [ˈkrækdaun] *n:* **~(on)** расправа (с)

crack down on *vt* расправляться с

cracked [krækt] *adj* сломанный

cracker [krækəˈ] *n (biscuit)* крекер; *(Christmas cracker)* хлопушка; *(firework)* шутиха; **a ~ of a goal** сногсшибательный гол; **she's a ~** она сногсшибательная женщина; **he's ~s** он спятил

crackle [ˈkrækl] *vi* потрескивать

crackling [ˈkræklɪŋ] треск; *(of pork)* шкварки

crackpot [ˈkrækpɔt] *n* полоумный(-ая)

crack up *vi (with laughter)* прыская со смеху; **she ~ed up** *(under strain)* у нее был нервный срыв

cradle [ˈkreɪdl] *n (for baby)* колыбель ✧ *vt* прижимать к груди

craft [krɑːft] *n (skill)* мастерство; *(trade)* ремесло; *(boat pl inv)* корабль

craftsman [ˈkrɑːftsmən] ремесленник

craftsmanship [ˈkrɑːftsmənʃɪp] *n (quality)* выделка; *(skill)* мастерство

crafty [ˈkrɑːftɪ] *adj* лукавый

crag [kræg] скала, утёс

craggy [ˈkrægɪ] *adj (mountain, clift)* отвесный; *(face)* с резкими чертами

cram [kræm] *vi (for exams)* зубрить ✧ *vt:* **to ~ sth with** набивать что-н.: **to ~ sth into** втискивать что-н. в
cramming [ˈkræmɪŋ] *n* зубрежка
cramp [kræmp] *n* судорога ✧ *vt* стеснять
cramped [kræmpt] *adj* тесный
crampon [ˈkræmpən] *n* клещи
cranberry [ˈkrænbərɪ] *n* клюква
crane [krəɪn] *n (подъемный)* кран; *(bird)* журавль ✧ *vt:* **to ~ one's neck** вытягивать шею ✧ *vi:* **to ~ forward** высовываться
crania [ˈkreɪnɪə] *npl of* **cranium**
cranium [ˈkreɪnɪəm] *n* череп
crank I [kræŋk] **1.** *n техн.* кривошип; колено **2.** *v* заводить рукоятью
crank II чудачество, причуда; человек с причудами
crankshaft [ˈkræŋkʃɑːft] *техн.* коленчатый вал
cranky [ˈkræŋkɪ] расшатанный *(о механизме);* эксцентричный
cranny [ˈkrænɪ] щель; трещина
crap [kræp] *n* дерьмо ✧ *vi* срать; **to have a ~** посрать (!)
crape [kreɪp] креп; траур
crappy [ˈkræpɪ] *adj* дерьмовый (!)
crash [kræʃ] *n (noise)* грохот; *(of car)* авария; *(of plane, train)* крушение; *комм.* крах ✧ *vi (car, plane)* разбивать ✧ *vi (car, plane)* разбиваться; *(two cars)* сталкиваться; *комм.* потерпеть крах: **to ~ into** врезаться в; **he ~ed the car into a wall** он врезался на машине в стену
crash barrier *n* предохранительный барьер *(на дороге)*
crash course *n* итенсивный курс
crash helmet *n* защитный шлем
crash landing *n* вынужденная посадка
crass [kræs] *adj* тупой
crate [kreɪt] *n (box)* деревянный ящик; *(for bottles)* упаковочный ящик *(для бутылок); (inf car)* драндулет
crater [ˈkreɪtəˈ] *n (of volcano)* кратер; *(of bomt blast)* воронка
cravat [krəˈvæt] *n* шейный платок
crave [kreɪv] просить, умолять, жаждать
craven [ˈkreɪvn] **1.** *a* трусливый **2.** *n* трус
craving [ˈkreɪvɪŋ] страстное желание, стремление
crawl [krɔːl] ползти; тащиться; плавать стилем “кроль”
crayfish [ˈkreɪfɪʃ] речной рак
crayon [ˈkreɪən] цветной мелок, рисунок пастелью, цветным карандашом
craze [kreɪz] **1.** *n* мания, мода **2.** *v* доводить до безумия; **~d** [-d] сумасшедший
crazed [kreɪzd] *adj (look, person)* безумный; *(pottery etc)* потрескавшийся
crazy [kreɪzɪ] *adj* сумасшедший: **he's ~ about skiing** он помешан на лыжах; **to go ~** помешаться
creak [krɪːk] *vi* скрипеть
cream [krɪːm] *n (of milk)* сливки; *(made artificially) (искуственные)* сливки; *(cosmetic)* крем ✧ *adj (colour)* кремовый; **whipped ~** взбитые сливки; **soured ~** сметана; **the ~ of society** сливки общества
cream cake *n* пирожное *nt adj* с кремом
cream cheese *n* сливочный сыр
creamery [ˈkrɪːmərɪ] *n (shop)* молочный магазин; *(factory)* маслобойный завод
cream off *vt* отбирать; *(part of profits)* снимать пенки
creamy [ˈkrɪːmɪ] *adj (colour)* кремовый; *(taste)* сливочный
crease [krɪːs] *n (fold)* складка; *(: in trousers)* стрелка; *(wrinkle: in dress, on brow)* морщина ✧ *vt* мять ✧ *vi* мяться
crease-resistant [ˈkrɪːsrɪzɪstənt] *adj* немнущийся
create [krɪːˈeɪt] *vt* творить; порождать; создавать
creation [krɪːˈeɪʃən] *n* создание; *рел.* сотворение
creative [krɪːˈeɪtɪv] *adj* творческий; изобретательный
creativity [krɪːeɪˈtɪvɪtɪ] *n* творчество
creator [krɪːˈeɪtə] *n* создатель

C

creature ['kri:tʃə] *n* существо; создание
creature comforts [-'kʌmfəts] *npl* удобства
creche [kreʃ] *n (детские)* ясли
credence ['kri:dns] *n:* **to lend** *or* **give ~ to** придавать правдоподобность
credentials [kri'denʃlz] *npl (references)* квалификация, достижения; *(identity papers)* рекомендация, рекомендательное письмо
credibility [kredi'biliti] *n (of fact)* правдоподобность; *(of person)* авторитет
credible ['kredibl] *adj* вероятный, правдоподобный; авторитетный
credit ['kredit] *n комм.* кредит, должное *nt adj; просвещ.* курс, необходимый для получения диплома ✧ *adj комм.* приходный ✧ *vt комм.* кредитовать; *(believe: also:* **give ~ to)** верить; **~s** *npl тел. (вступительные)* титры; **he is/was in ~** он платежеспособен/был платежеспособен; **on ~** в кредит; **to sb's ~** к чьей-н. чести; **to take the ~ for** приписывать себе; **it does him ~** это делает ему честь; **he's a ~ to his family** он делает честь своей семье; **to ~ sb with sth** приписывать кому-н. что-н.; **to ~ $5 to sb** вносить $5 на чей-н. счет
creditable ['kreditəbl] *adj* достойный; похвальный
credit account *n* кредитный счет *(в отдельном магазине)*
credit agency *n* кредитно-информационное бюро
credit balance *n* кредитный остаток на счете
credit bureau *n* = **credit agency**
credit card *n* кредитная карточка
credit control *n* кредитный контроль
credit facilities *npl* кредитный лимит *(кредитной карточки заемщика)*
credit limit *n* кредитный лимит *(в применению к индивидуальному заемщику или определяемый кредитной линией банка)*
credit note *n документ, позволяющий купить товар взамен неисправного*
creditor ['kreditə] *n* кредитор
credit transfer *n* кредитный перевод, жиро
creditworthy ['kre,dit'wə:ði] *adj* кредитоспособный
credulity [kri'dju:liti] *n* доверчивость
creed [kri:d] *n рел.* вероучение
creek [kri:k] *n* узкий залив; ручей: **to be up the ~** влипнуть в историю
creel [kri:l] *n (also:* **lobster ~)** клетка для ловли лангустов
creep [kri:p] *vi (person, animal)* красться; *(plant)* виться ✧ *n* подхалим(ка); **it gives me the ~s** от этого у меня мороз по коже продирает; **to ~ up on sb** подкрадываться к кому-н.
creeper ['kri:pə'] *n* ползучее растение
creepers ['kri:pəz] *npl* ползунки
creepy ['kri:pi] *adj* жуткий
creepy-crawly ['kri:pi'krɔ:li] *n* букашка
cremate [kri'meit] *vt* кремировать
cremation [kri'meiʃən] *n* кремация
crematoria [kremə'tɔ:riə] *npl of* **crematorium**
crematorium [kremə'tɔ:riəm] *n* крематорий
creosote ['kriəsəut] *n* креозот
crepe bandage *n* эластичная повязка
crepe paper *n* крепированная бумага
crepe sole *n* каучуковая подошва
crept [krept] *pt, pp of* **creep**
crescendo [kri'ʃendəu] *n муз.* крещендо; **the noiss reached a ~** шум нарастал крещендо
crescent ['kresnt] *n (shape)* полумесяц; (street) серпообразная улица
cress [kres] *n* кресс-салат
crest [krest] *n (of hil)* гребень; *(of bird)* хохолок, гребешок; *(coat of arms)* герб
crestfallen ['krestfɔ:lən] *adj* удрученный: **he looked ~** у него был удрученный вид
Crete [kri:t] *n* Крит

cretin [ˈkretɪn] кретин; **~ous** [-əs] слабоумный, страдающий кретинизмом
crevasse [krɪˈvæs] *n* расселина *or* расщелина *(в леднике)*
crevice [ˈkrevɪs] щель, расщелина, трещина
crew cut *n* ежик; **to heve a ~ ~** стричься под ежик
crew [kruː] экипаж *(судна);* команда, бригада, артель рабочих, компания, шайка
crew neck *n* вырез под горло
crib [krɪb] *n (cot)* детская кроватка; *рел.* ясли ✧ *vt* сдувать
crick [krɪk] *n (in back)* болезненный спазм; **the neck** вывих шейного позвонка
cricket [ˈkrɪkɪt] *n (game)* крикет; *(insect)* сверчок
cricketer [ˈkrɪkɪtə] *n* игрок в крикет
crier [ˈkraɪə] глашатай
crime [kraɪm] *n* преступление; преступность; **petty ~** мелкое хулиганство
Crimea [kraɪˈmɪə] *n:* **the ~** Крым
crime wave *n* волна преступности
criminal [ˈkrɪmɪnl] *n* преступник ✧ *adj* криминальный, уголовный; *(morally wrong)* преступный: **~ law** уголовное право; **C~ Investigation Department** Уголовный розыск
criminal code *n* уголовный кодекс
crimp [krɪmp] *vt (fabric)* гофрировать; *(pastry)* защипывать; *(hair)* завивать
crimson [ˈkrɪmzn] *adj* малиновый, темно-красный
cringe [krɪndʒ] раболепствовать, низкопоклонничать
crinkle [ˈkrɪŋkl] *vt* мять
cripple [ˈkrɪpl] *n* калека; калечить; повреждать; наносить вред: **~d with rheumatism** искалеченный ревматизмом
crippling [ˈkrɪplɪŋ] *adj (disease)* ведущий к инвалидности; *(taxation, debts)* разорительный
crises [ˈkraɪsiːz] *npl* **crisis**
crisis [ˈkraɪsɪs] *n* кризис
crisp [krɪsp] *adj (vegetables)* хрустящий; *(weather)* свежий; *(reply)* четкий
crisps [krɪsps] *npl* чипсы
crisscross [ˈkrɪskrɔs] *adj* перекрестный ✧ *vt* пересекать
Cristian [ˈkrɪstɪən] *adj* христианский ✧ *n* христианин
Cristmas card *n* рождественская открытка
criteria [kraɪˈtɪərɪə] *npl of* **criterion**
criterion [kraɪˈtɪərɪən] *n* критерий
critic [ˈkrɪtɪk] *n* критик
critical [ˈkrɪtɪkl] *adj* критический, критичный; **he is ~** *мед.* он в критическом состоянии; **she is ~ of him/the system** она критична по отношению к нему/системе
critically [ˈkrɪtɪklɪ] *adv* критически; опасно; критично
criticism [krɪtɪsɪzəm] *n* критика; критический разбор
criticize [ˈkrɪtɪsaɪz] *vt* критиковать
critique [krɪˈtiːk] *n* критический анализ
croak [krəuk] *vi (frog)* квакать; *(bird)* каркать; *(person)* хрипеть ✧ *vi* кваканье; карканье; хрип
crochet [ˈkrəuʃet] *n* вязание крючком
crock [krɔk] *n* глиняный кувшин; *(inf also: old ~)* развалина
crockery [ˈkrɔkərɪ] *n* глиняная *or* фаянсовая посуда
crocodile [ˈkrɔkədaɪl] *n* крокодил
crocus [ˈkrəukəs] *n* шафран
croft [krɔft] небольшая ферма *(в Шотландии)*
crofter [ˈkrɔftə] *n* хуторянин
crone [krəun] *n* карга
crony [ˈkrəunɪ] *n* закадычный друг
crook [kruk] *n (criminal)* жулик; *(of shepherd)* посох; **the ~ of the arm** внутренний сгиб локтя
crooked [ˈkrukɪd] *adj* кривой; *(dishonest)* нечестный
croon [kruːn] **1.** монотонное пение; **2.** напевать
crop [krɔp] *n (сельскохозяйственная)* культура; урожай; сбор; *(also: riding-)* плеть; *(of bird)* зоб ✧ *vt (heir)* коротко подстригать; *(subj: animal)* щипать
cropp circle *n* *таинственные круги из сломанных колосьев, появляю-*

щиеся на засеянных зерновыми полях
cropper [ˈkrɔpə] жнец ✧ **come a ~** *разг.* потерпеть неудачу
crop spraying [-ˈspreɪɪŋ] *n* опрыскивание посевов
crop up *vi* неожиданно возникать
croquet [ˈkrəukeɪ] *n* крокет
croquette [krəˈket] *n кулин.* крокеты
cross [krɔs] *n рел.* крест; *(mark)* крестик; *био.* помесь; *бот.* гибрид ✧ *vt (street, room etc)* пересекать, переходить; *(cheque)* кроссировать; *бот.* скрещивать; препятствовать ✧ *adj* сердитый ✧ *vi:* **the boat ~es from... to...** корабль плывет из...в...; **to ~ o.s.** креститься; **we have a ~ed line** *тел.* кто-то подсоединился к нашей линии; **they've got their lines** *or* **wires ~ed** они совсем запутались; **the thought did not ~ my mind** эта мысль не приходила мне в голову; **to be/get ~ with sb (about sth)** сердиться/рассердиться кого-н. (из-за чего-н.)
crossbar [ˈkrɔsbaː] *n спорт.* перекладина; *(on bicycle)* поперчная планка **crossbow** [ˈkrɔsbəu] *n* самострел, арбалет
crossbreed [ˈkrɔsbriːd] *n* помесь
cross-Channel ferry [ˈkrɔsˈtʃænl-] *n* паром через Ла-Манш
crosscheck [ˈkrɔstʃek] *n* перепроверка ✧ *vt* перепроверять
cross-country (race) [ˈkrɔsˈkʌntrɪ-] *n* бег по пересеченной местности
cross-dressing [krɔsˈdresɪŋ] *n* переодевание в одежду противоположного пола
cross-examination [ˈkrɔsɪgzæmɪˈneɪʃən] *n* перекрестный допрос
cross-examine [krɔsɪgˈzæmɪn] *vt юрид.* подвергать перекрестному допросу
cross-eyed [ˈkrɔsaɪd] *adj* косоглазый
crossfire [ˈkrɔsfaɪə] *n* перекрестный огонь; **to get caught in the ~** *воен.* оказаться под перекрестным огнем; оказаться между двух огней
crossing [ˈkrɔsɪŋ] *n* переправа; переход
crossing guard *n регулировщик или регулировщица движения, который обеспечивает безопасный переход улицы школьникам*
cross out *vt* вычеркивать
cross-purposes [krɔsˈpəːpəsɪz] *npl:* **to be at ~ with sb** не находить общего языка с кем-н,; **we're (talking) at ~** мы говорим о разных вещах
cross-question [ˈkrɔsˈkwestʃən] *vt* подвергать перекрестному допросу
cross-reference [ˈkrɔsˈrefrəns] *n* перекрестная ссылка
crossroads [ˈkrɔsrəudz] *n* перекресток
cross section *n* профиль; *(of object)* поперечное сечение; *био.* поперечный разрез *or* срез
crosswalk [ˈkrɔswɔːk] *n* ереход
crosswind [ˈkrɔswɪnd] *n* боковой ветер
crosswise [ˈkrɔswaɪz] *adv* крест-накрест
crossword [ˈkrɔswəːd] *n* кроссворд
crotch [krɔtʃ] *n анат.* промежность; **the trousers are tight in the ~** брюки жмут в шагу
crotchet [ˈkrɔtʃɪt] *n* четвертная нота
crotchety [ˈkrɔtʃɪtɪ] *adj* раздражительный, брюзгливый
crouch [krautʃ] раболепствовать; притаиться
croup [kruːp] *n* круп
croupier [ˈkruːpɪəˈ] *n* крупье
crouton [ˈkruːtɔn] *n* гренок
crow I [krəu] *n* ворона; *(of cock)* кукареканье ✧ *vi (cock)* кукарекать: **to ~ about** хвастаться
crow II 1. *n* пение петуха **2.** *v (crowed, crew; crowed) петь, кукарекать (о петухе);* гукать *(о младенце)*
crow's-feet [ˈkrəuzfiːt] *npl* гусиные лапки; морщинки *(в уголках глаз)*
crow's-nest [ˈkrəuznest] *n* воронье гнездо
crowbar [ˈkrəubaːˈ] *n* лом
crowd [kraud] *n* толпа, компания ✧ *vt* заполнять: **to ~ sb/sth into sth** набивать что-н. кем-н./чем-н. ✧ *vi:* **to ~ round** толпиться: **to**

~ **into sth** набиваться в что-н.; **~s of people** толпы людей
crowded [ˈkraudɪd] *adj* перенаселенный: **the room was ~** комната была заполнена народом; **~ with** полный, наполненный
crowd scene *n* массовка, массовая сцена
crown [kraun] *n* корона; макушка; вершина; корона; тулья ✧ *vt* короновать; ставить коронку на; венчать; **the C~ корона; and to ~ it all...** и в довершение всего...
crown court *n* коронный суд *(в отличие от магистратры с постоянными судьями и присяжными заседателями)*
crowning [ˈkrauniŋ] *adj* блистательный
crown jewels *npl* королевские регалии
crown prince *n* кронпринц
crucial [ˈkru:ʃl] *adj* решающий, важный; **~ to** важный для
crucifix [ˈkru:sɪfiks] *n* распятие
crucifixion [kru:sɪfikʃn] *n* распятие на кресте
crucify [ˈkru:sɪfaɪ] *vt* распинать
crude [kru:d] *adj* сырой; примитивный; грубый
crude (oil) *n* сырая нефть
cruel [ˈkruəl] *adj* жестокий
cruelty [ˈkruəltɪ] *n* жестокость
cruet [ˈkru:ɪt] *n* судок
cruet-stand [ˈkruɪtstænd] судок
cruise [kru:z] *n (on ship)* круиз ✧ *vi (ship,aircraft)* крейсировать
cruise missile *n* управляемый снаряд с ядерной боеголовкой
cruiser [ˈkru:zəˈ] *n* катер, крейсер
cruising speed [ˈkru:ʒiŋ-] *n* средняя *(экономическая)* скорость
crumb [krʌm] *n* крошка, обрывок; крупица
crumble [ˈkrʌmbl] *vt* крошить ✧ *vi* осыпаться; рушиться, рухнуть
crumbly [ˈkrʌmblɪ] *adj* рассыпчатый
crummy [ˈkrʌmɪ] *adj* задрипанный
crumpet [ˈkrʌmpɪt] *n* = блин
crumple [ˈkrʌmpl] *vt* мять
crunch [krʌntʃ] *vt* грызть; *(stones, glass etc)* скрипеть, хрустеть ✧ *n:* **the ~** критический *or* решающий момент; **if it comes to the ~** если наступит критический момент; **when the ~ comes** когда наступит критический момент
crunchy [ˈkrʌntʃɪ] *adj* хрустящий
crusade [kru:ˈseɪd] *n* крестовый поход ✧ *vi:* **to ~ for/against** бороться за/против
crusader [kru:ˈseɪdə] *n* крестоносец: **~ (for)** борец *(за)*
crush [krʌʃ] *n (squash)* выжимать; *(:grapes)* давить; *(crumple)* мять; *(grind: garlic, ice)* размельчать; *(defeat)* сокрушать; *(devastate)* уничтожать ✧ *n (crowd)* давка: **to have a ~ on sb** сходить с ума по кому-н.; *(drink):* **lemon ~** лимонный напиток
crush barrier *n* ограждение *(сдерживающее толпу)*
crushing [ˈkrʌʃiŋ] *adj* сокрушительный
crush-room [ˈkrʌʃrum] фойе
crust [krʌst] *n* корка; кора
crustacean [krʌsˈteɪʃən] *n* ракообразное *(животное)*
crusty [ˈkrʌstɪ] *adj* хрустящий; раздражительный; корочкой; желчный
crutch [krʌtʃ] *n мед.*костыль, *тех.* опора; *анат.* **crotch**
crux [krʌks] *n* суть
cry [kraɪ] *vi* плакать; *(also: ~ out)* кричать ✧ *n* крик; **what are you ~ing about?** почему Вы плачете?; **he began to ~** он заплакал *or* начал плакать; **to ~ for help** звать на помощь; **she cried out suddenly in pain** она вскрикнула от боли; **she had a good ~** она выплакалась; **it's a far ~ from...** это сильно отличается от...
crying [ˈkraɪiŋ] *adj* острый; **it's a ~ shame** это весьма прискорбно
cry off *vi* отказываться
crypt [krɪpt] *n* склеп
cryptic [ˈkrɪptɪk] *adj* загадочный; зашифрованный
crystal [ˈkrɪstl] *n* горный хрусталь; хрусталь, кристалл
crystal clear *adj* кристально чистый, совершенно ясный

crystallize [ˈkrɪstəlaɪz] *vt* формировать ✧ *vi* кристаллизоваться; **~d fruits** засахаренные фрукты
cub [kʌb] **1.** детёныш (зверя); новичок; **2.** ощениться
cubbyhole [ˈkʌbɪhəul] *n* закуток
cube [kju:b] *n мат.* куб ✧ *vt* возводить в куб; **the ~ of 4 is 64** 4 в кубе равняется 64
cube root *n* кубический корень
cubic [ˈkju:bɪk] *adj* кубический; **~ metre** кубический метр
cubic capacity *n* кубический объем
cubicle [ˈkju:bɪkl] *n* кабинка; бокс
cuckoo [ˈkuku:] *n* кукушка
cuckoo clock *n* часы с кукушкой
cucumber [ˈkju:kʌmbəˈ] *n* огурец
cud [kʌd] жвачка
cuddle [ˈkʌdl] *vt* обнимать ✧ *vi* обниматься ✧ *n* ласка
cuddly [ˈkʌdlɪ] *adj* миленький
cudgel [ˈkʌdʒl] *n* дубина ✧ *vt:* **to ~ one's brains about sth** ломать голову над чем-н.
cue I [kju:] *театр* реплика, намёк
cue II кий *(бильярдный)*
cuff [kʌf] манжета, удар рукой **2.** *v* бить рукой *(слегка)*
cuff links *npl* запонки
cuisine [kwɪˈzɪ:n] *n* кухня *(кушанья)*
cul-de-sac [ˈkʌldəsæk] *n* тупик
culinary [ˈkʌlɪnərɪ] *adj* кулинарный
cull [kʌl] *vt* отбирать; отбраковывать ✧ *n* отбраковка
culminate [ˈkʌlmɪneɪt] *vi:* **to ~ in** завершаться
culmination [kʌlmɪˈneɪʃən] *n* кульминация
culottes [kju:ˈlɔts] *npl* юбка-брюки
culpable [ˈkʌlpəbl] *adj:* **~ (of)** виновный
culprit [ˈkʌlprɪt] *n* виновник(-вница)
cult [kʌlt] *n рел.* культ
cult figure *n* кумир
cultivate [ˈkʌltɪvetɪ] *vt* культивировать; возделывать; обхаживать
cultivation [kʌltɪˈveɪʃən] *n* культивация
cultural [ˈkʌltʃərəl] *adj* культурный
culture [ˈkʌltʃə] *n био.* культура
cultured [ˈkʌltʃəd] *adj* культурный; культивированный
cumber [ˈkʌmbə] затруднять; стеснять; **~some** [-səm], **cumbrous** [ˈkʌmbrəs] громоздкий; обременительный
cumin [ˈkʌmɪn] *n (spece)* тмин
cumulative [ˈkju:mjulətɪv] *adj* суммарный; нарастающий
cunning [ˈkʌnɪŋ] ловкий; хитрый; *амер. разг.* милый, привлекательный
cuntry dancing *n* народные танцы
cup [kʌp] *n* чашка, кубок, чашечка; **a ~ of tea** чашка чая
cupboard [kʌbəd] *n* шкаф, стенной шкаф
cup final *n спорт.* финал розыгрыша кубка
cupful [ˈkʌpful] *n* полная чашка
cupid [ˈkju:pɪd] *n* путти; **C~** Купидон, Амур
cupidity [kjuˈpɪdɪtɪ] алчность, жадность, скаредность
cupola [ˈkju:pələ] *n* купол
cuppa [ˈkʌpə] *n* чашка чая
cup tie *n спорт.* кубковый матч
cur [kə:] дворняжка; *перен.* трусливый нахал; негодяй
curable [ˈkjuərəbl] излечимый
curate [ˈkjuərɪt] *n* викарий
curative [ˈkjuəreɪtɪv] хранитель музея
curator [kjuəreɪtə] *n* хранитель
curb [kə:b] *vt* обуздывать; сдерживать ✧ *n* ограничение; бордюр *(тротуар)*
curd [kə:d] творог; **~le** [kə:dl] свёртываться
curdle [ˈkə:dl] *vi* свертываться
curds [kə:dz] *npl* простокваша
cure [kjuəˈ] *vt* вылечивать; *кулин.* обрабатывать; устранять ✧ *n мед.* лекарство; средство; **to be ~d of sth** вылечиться *or* излечиться от чего-н.
curfew [ˈkə:fju:] *n* комендантский час
curio [ˈkjuərɪəu] *n* редкая антикварная вещь
curiosity [kjuərɪˈɔsɪtɪ] n любознательность; любопытство
curious [ˈkjuərɪəs] *adj* любознательный; любопытный; **I'm ~ about him** он меня интересует
curiously [ˈkjuərɪəslɪ] *adv* странно; с любопытством; **~enough, ...** как ни странно, ...

curl [kə:l] *n* локон, завиток; кольцо ✧ *vt* завивать; закручивать ✧ *vi* виться; клубиться
curler [ˈkə:lə] *n* бигуди; *спорт.* игрок в кэрлинг
curlew [ˈkə:lu:] *n* большой кроншнеп
curling [ˈkə:lɪŋ] *n спорт.* кэрлинг *(шотландская игра на льду, в которой игроки сбивают цель при помощи специальных камней)*
curling tongs *npl* щипцы для завивки
curl up *vi* сворачиваться; **to ~ up into a ball** сворачиваться клубком
curly [ˈkə:lɪ] кудрявый *(о волосах);* волнистый *(о линии)*
currant [ˈkʌrnt] *n* изюминка; смородинка; **~s** изюм; смородина
current [ˈkʌrənt] **1.** *a* ходовой, находящийся в обращении; текущий *(о событии, годе и т.п.)* **2.** *n* течение, поток; **a ~ of air** струя воздуха, течение *(событий)*
current account *n* текущий счет
current affairs *npl* текущие события
current assets *npl* текущие оборотные активы
current liabilities *npl* текущие обязательства
currently [ˈkʌrntlɪ] *adv* в данный *or* настоящий момент
curriculum [kəˈrɪkjuləm], *(pl* **-la** [-lə]) курс обучения, учебный план
curriculum vitae [-ˈvi:taɪ] *n* автобиография *(обычно пишущаяся при поступлении на учебу или работу)*
curry I [ˈkʌrɪ] кэрри *(острая приправа)* мясное, рыбное и т.д. блюдо, приправленное кэрри
curry II [ˈkʌrɪ] чистить скребницей, выделывать кожу ✧ **~ favour** *(with)* заискивать; **~-comb** [-koum] скребница
curse [kə:s] *vi* ругатьса ✧ *vt* проклинать ✧ *n* проклятие; ругательство
cursive [ˈkə:sɪv] **1.** *n* скоропись **2.** *a* скорописный; рукописный
cursor [ˈkə:səˈ] *n* курсор
cursory [ˈkə:sərɪ] *adj* беглый
curt [kə:t] *adj* резкий
curtail [kə:ˈteɪl] *vt* ограничивать; сокращать
curtain [ˈkə:tn] *n* занавеска, *театр.* занавес; **to draw the ~s** задергивать занавески; отдергивать занавески
curtain call *n театр.* поклоны; **they took four ~s** их вызывали четыре раза
curts(e)y [ˈkə:tsɪ] *vi* делать реверанс, приседать в реверансе ✧ *n* реверанс
curvature [ˈkə:vətʃəˈ] *n* кривизна; изгиб; искривление **curve** [kə:v] *n* изгиб ✧ *vi* изгибаться ✧ *vt* сгибать, изгибать
curved [kə:vd] *adj* изогнутый, согнутый
cure-all [ˈkjuərɔ:l] *n* панацея
cushion [ˈkuʃən] *n* подушка ✧ *vt* смягчать; подкладывать подушку
cushy [ˈkuʃɪ] *adj:* **a ~ job** тепленькое местечко; **to have a ~ time** бить баклуши
cuspidor [ˈkʌspɪdɔ:] *амер.* плевательница
cussed [ˈkʌsɪd] *adj* упрямый
custard [ˈkʌstəd] *n* заварной крем
custard powder *n* заварной крем *(порошок)*
custodial [kʌsˈtəudɪəl] *adj:* **~ care** опекунство; **he was given a ~ sentence** он был приговорен к тюремному заключению
custodian [kʌsˈtəudɪən] *n* попечитель
custody [ˈkʌstədɪ] *n* опека; содержание под стражей, заключение; **to take into ~** брать под стражу, арестовывать; **he was remanded in ~** он был оставлен под стражей; **in the ~ of** под опекой; **the mother has ~ of the children** дети находятся под опекой матери
custom [ˈkʌstəm] *n* традиция; обычай; привычка; **we get a lot of ~ from the locals** большая часть наших покупателей *or* нашей клиентуры — местные жители
customary [ˈkʌstəmərɪ] *adj* обычный, традиционный; **it is ~ to** принято

custom-built [ˈkʌstəmˈbɪlt] *adj* изготовленный на заказ
customer [ˈkʌstəmə˞] *n* покупатель(-ница); клиент; закачик; **he's an awkward ~** он трудный тип
custom-house [ˈkʌstəmhaus] таможня
customized [ˈkʌstəmaɪzd] *adj* изготовленный на заказ
custom-made [ˈkʌstəmˈmeɪd] *adj* изготовленный на заказ
customs [ˈkʌstəmz] *npl* таможня; **to go through (the)** проходить таможенный досмотр
customs officer *n* таможенник
cut [kʌt] *vt* резать; стричь; урезывать; снимать; кроить; прогуливать ✧ *vi* резать; пересекаться ✧ *n* порез; снижение; кусок; покрой; отделка; **she is ~ting a tooth** у нее прорезается зуб; **to ~ one's finger** резать палец; **to get one's hair ~** стричься; **to ~ sth short** прерывать что-н.; **to ~ sb short** обрывать кого-н.; **to ~ sb dead** совершенно игнорировать кого-н.; **cold ~s** холодные мясные закуски; **we had a power ~** у нас отключилось злектричество
cut-and-dried [ˈkʌtənˈdraɪd] *adj* готовый
cut-and-dry [ˈkʌtənˈdraɪ] *adj* = **cut-and-dried**
cutaway [ˈkʌtəweɪ] *n* визитка: **a ~ model** модель в разрезе; *тел.* вставка
cut back *vt* подрезать; сокращать
cutback [ˈkʌtbæk] *n* сокращение
cut down *vt* срубать; сокращать; **to ~ sb down to size** поставить кого-н, на место
cut down on *vi:* **to ~ down on smoking/drinking** меньше курить
cute [kjuːt] умный; остроумный; *разг.* милый, привлекательный
cut glass *n* граненое стекло
cuticle [ˈkjuːtɪkl] *n* кожица; **~ remover** *жидкость или крем, размягчающий и уничтожающий кожицу вокруг ногтевой лунки*
cut in *vi авт.* пересекать путь: **to ~ in on** вмешиваться
cutlery [ˈkʌtlərɪ] *n* столовый прибор
cutlet [ˈkʌtlɪt] *n* котлета
cut off *vt* отрезать; отключать; прекращать снабжение; *тел.* разъединять; **we've been ~ off** *(тел.)* нас разъединили
cutoff [ˈkʌtɔf] *n* предел ✧ cpd: **~ date** предельный срок
cutoff switch *n* автоматический выключатель
cut out *vt* вырезать; прекращать
cutout [ˈkʌtaut] *n* автоматический выключатель; вырезанная фигура; аппликация
cut-price [ˈkʌtˈpraɪs] *adj* по сниженной цене
cut-rate [ˈkʌtˈreɪt] *adj* = **cut-price**
cutthroat [ˈkʌtθrəut] *n* головорез ✧ *adj* беспощадный; **~ competition** жесткая конкуренция
cutting [ˈkʌtɪŋ] *adj* острый; язвительный ✧ *n пресса* вырезка, выемка; черенок
cutting edge *n* острие
cuttlefish [ˈkʌtlfɪʃ] *n* каракатица
cut up *vt* разрезать; **it really ~ me up** это очень подкосило меня; **she still feels ~ up about her sister's death** она все еще не оправилась после смерти своей сестры
cyanide [ˈsaɪənaɪd] *n* циан, цианистый калий
cybernetics [saɪbəˈnetɪks] *n* кибернетика
cyclamen [ˈsɪkləmən] *n бот.* цикламен
cycle [ˈsaɪkl] *n* велосипед; *тех.* цикл ✧ *vi* ездить на велосипеде
cycle race *n* велогонка
cycling [ˈsaɪklɪŋ] *n* езда на велосипеде; велоспорт; **to go on a ~ holiday** ехать в отпуск на велосипеде
cyclist [ˈsaɪklɪst] *n* велосипедист
cyclone [ˈsaɪkləun] *n* циклон
cylinder [ˈsɪlɪndə˞] *n тех.* цилиндр; баллон; **a five ~ engine** пятицилиндровый двигатель
cylinder head *n* крышка цилиндра
cylinder-head gasket [ˈsɪlɪndəhed-] *n* прокладка крышки цилиндра
cymbals [ˈsɪmblz] *npl муз.* тарелки
cynic [ˈsɪnɪk] *n* циник
cynical [ˈsɪnɪkl] *adj* циничный
cynicism [ˈsɪnɪsɪzəm] *n* цинизм
cypress [ˈsaɪprɪs] *n* кипарис

Cyprus [ˈsaɪprəs] *n* Кипр
cyst [sɪst] *n* киста
cystitis [sɪsˈtaɪtɪs] *n* цистит
czar [zɑːˈ] *n* царь
Czech Republic *n* Чешская Республика

D

D, d [diː] *четвертая буква англ. алфавита, муз.* нота ре
dab [dæb] **1.** *v* дотрагиваться, тыкать; прикладывать; прикасаться *(чем-л. мягким или мокрым),* наносить мазки *(краской)* **2.** *n* легкое прикосновение, тычок; мазок, пятно *(краски и т.п.)*
dabble [ˈdæbl] забрызгивать *(грязью),* плескаться *(в воде); перен.* заниматься чем-л. поверхностно
dachshund [ˈdækshund] *n* такса
dad, dada, daddy [dæd], [ˈdædə], [ˈdædɪ] *разг.* папа, папочка
daffodil [ˈdæfədɪl] *бот.* бледно-желтый нарцисс
daft [dɑːft] *adj* дурацкий, чокнутый, ненормальный; **to be ~ about sb/sth** рехнуться на ком-н./чем-н.
dagger [ˈdægə] кинжал
dahlia [ˈdeɪljə] *n* георгин
daily [ˈdeɪlɪ] *adj* суточный; повседневный; дневной; ежедневная газета; приходящая домработница ✧ *adv* ежедневно; **twice ~** два раза *or* дважды в день
dainty [ˈdeɪntɪ] **1.** *n* лакомство; деликатес **2.** *a* изысканный; изящный; лакомый
dairy [ˈdeərɪ] *n* молочный магазин; молочная фирма; маслодельня; сыроварня ✧ *cpd* молочный
dairy farm *n* молочная ферма
dairymaid [ˈdeərɪmeɪd] доярка
dairy products *npl* молочные продукты
dairy store *n* молочный магазин
dais [ˈdeɪɪs] *n* помост
daisy [ˈdeɪzɪ] *n* маргаритка
Dakar [ˈdækəˈ] *n* Дакар
dale [deɪl] *n* долина
dally [ˈdælɪ] *vi* болтаться без дела; **to ~ with** носиться с
dalmatian [dælˈmeɪʃən] *n* далматский дог
dam I [dæm] матка *(о животных)*
dam II 1. *n* дамба, плотина **2.** *v* запруживать
damage [ˈdæmɪdʒ] *n* ущерб; повреждение; вред; повреждать; вредить; **~s** *npl* компенсация; **~ to property** имущественный ущерб; **to pay $5.000 in ~s** выплачивать компенсацию в размере $5.000
damaging [ˈdæmɪdʒɪŋ] *adj* вредный
Damascus [dəˈmaːskəs] *n* Дамаск
dame [deɪm] *уст.* госпожа; титул супруги баронета *или* женщины, награждённой орденом Британской империи
damn [dæm] *vt* осуждать; проклинать ✧ *adj* проклятый ✧ *n* **I don't give a ~** мне плевать; **~ (it)!** черт возьми *or* побери!; **~ good** чертовски хороший
damnable [ˈdæmnəbl] *adj* отвратный
damnation [dæmˈneɪʃən] *n рел.* проклятие
damning [ˈdæmɪŋ] *adj* изобличительный
damp [dæmp] *adj* сырой; влажный; ✧ *n* сырость ✧ *vt* смачивать; охлаждать
dampcourse [ˈdæmpkɔːs] *n* гидроизоляция
damper [ˈdæmpəˈ] *n муз.* демпфер; заслонка; **to put a ~ on** портить; охлаждать
dampness [ˈdæmpnɪs] *n* сырость
damp-proof [ˈdæmppruːf] влагонепроницаемый
damson [ˈdæmzən] *n* тернослива
dance [dɑːns] *n* танец; танцы; *mpl* ✧ *vi* танцевать; **to ~ about** скакать
dance hall *n* танцевальный зал
dancer [ˈdɑːnsəˈ] *n* танцор; танцовщик(-ица)
dancing [ˈdɑːnsɪŋ] *n* танец
dandelion [ˈdændɪlaɪən] одуванчик
dandified [ˈdændɪfaɪd] щёгольский
dandle [ˈdændl] качать *(ребёнка)*
dandruff [ˈdændrəf] перхоть
dandy [ˈdændɪ] **1.** *n* денди, щёголь, **2.** *a амер. разг.* превосходный

Dane [deɪn] датчанин
danger [ˈdeɪndʒəˈ] *n* опасность; **there is a ~ of...** есть *or* существует опасность...; **"danger!"** "опасно!"; **in/out of ~** в/вне опасности; **he is in ~ of losing his job** ему грозит потеря работы
danger list *n* **on the ~** *мед.* в списке *or* числе особо тяжелых больных
dangerous [ˈdeɪndʒrəs] *adj* опасный
dangerously [ˈdeɪndʒrəslɪ] *adv* с риском; **~ close (to)** в опасной близости (к; **he is ~ ill** он опасно болен
danger zone *n* опасная зона
dangle [ˈdæŋgl] *vt* болтать ✧ *vi* болтаться
dank [dæŋk] *adj* сырой
dapper [ˈdæpəˈ] *adj* щеголеватый
Dardanelles [dɑːdəˈnelz] *npl* **the ~** Дарданеллы
dare [deəˈ] *vt* **to ~ sb to do** вызывать кого-н. ✧ *vi* **to ~ (to) do** сметь; **I ~n't tell him** я не могу осмелиться сказать ему; **how ~ you say that!** как Вы смеете так говорить!; **I ~say** смею заметить
daredevil [ˈdeədevl] *n* сорвиголова
darn [dɑːn] *n* штопать
daring [ˈdeərɪŋ] *adj* дерзкий; смелый
dark [dɑːk] *adj* темный; смуглый; черный ✧ *n:* **in the ~** в темноте; **~ blue** *etc* темно-синий; **it is getting ~** темнеет; **it is ~** темно; **~ chocolate** черный шоколад; **to be in the ~ about** быть в неведении относительно; **after ~** после наступления темноты
darken [dɑːkn] *vt* затемнять ✧ *vi* темнеть
dark glasses *npl* темные очки
dark horse *n* темная лошадка
darkly [ˈdɑːklɪ] *adv* мрачно
darkness [ˈdɑːknɪs] *n* темнота
darkroom [ˈdɑːkrum] *n* темная комната; проявительная лаборатория
darling [ˈdɑːlɪŋ] *adj* любимый ✧ *n* дорогой(-ая); **he is the ~ of** он любимец; **she is a ~** она прелесть
dart [dɑːt] **1.** *n* дротик, стремительное движение; жало **2.** *v* мчаться стрелой; ринуться; бросать; метать; **~ glances** бросать взгляды
dartboard [ˈdɑːtbɔːd] *n* мишень в дарте
dash [dæʃ] *n* капелька; щепотка; тире; рывок ✧ *vt* швырять; разрушить; разбивать; ✧ *vi:* **to ~ towards** рвануться к; **we'll have to make a ~ forthe house** мы должны бежать к дому
dash away *vi* умчаться
dashboard [ˈdæʃbɔːd] *n авт.* приборная панель
dashing [ˈdæʃɪŋ] *adj* шикарный
dash off *vi* = **dash away**
dastardly [ˈdæstədlɪ] *adj* подлый, мерзкий
data [ˈdeɪtə] *npl* данные
database [ˈdeɪtəbeɪs] *n* база данных
data capture *n* сбор данных
data processing *n* обработка данных
data transmission *n* передача данных
date [deɪt] *n* число; дата; свидание; финик ✧ *vt* датировать; встречаться с; **what's the ~ today?** какое сегодня число?; **~ of birth** дата рождения; **the closing ~ for applications is...** срок подачи заявлений истекает...; **to ~** на сегодняшний день; **out of ~** устарелый; просроченный; **up to ~** современный; **to bring up to ~** обновлять; пополнять; вводить в курс дела; **letter ~d 5th July** *or* **July 5th** письмо, датированное 5-ым июля
dated [ˈdeɪtɪd] *adj* устарелый
dateline [ˈdeɪtlaɪn] *n* указание места и даты *(описываемого события)*
date stamp *n* календарный штемпель
dative [ˈdeɪtɪv] *n* дательный падеж
daub [dɔːb] *vt* размазывать; **to ~ with** мазать
daughter [ˈdɔːtəˈ] *n* дочь
daughter-in-law [ˈdɔːtərɪnlˈɔː] *n* невестка, сноха
daunt [dɔːnt] *vt* страшить
daunting [ˈdɔːntɪŋ] *adj* устрашающий
dauntless [ˈdɔːntlɪs] *adj* бесстрашный
dawdle [ˈdɔːdl] *vi* копаться, возить-

ся; **to ~ over one's work** возиться с работой
dawn [dɔ:n] *n* рассвет; заря ✧ *vi* рассветать; светать; **it ~ed on him that...** его осенило, что...; **from ~ to dusk** с рассвета до заката, от зари до зари
dawn chorus *n* пение птиц на рассвете
day [deɪ] *n* сутки; день; рабочий день; время; **the ~ before** накануне; **the ~ after** на следующий день; **the ~ after tomorrow** послезавтра; **the ~ before yesterday** позавчера; **the following ~** на следующий день; **the ~ that...** в тот день, когда...; **~ by ~** каждый день; **~ after ~** изо дня в день; **by ~** днем; **he is paid by the ~** ему платят поденно; **I have a ~ off tomorrow** завтра у меня отгул; **to work an 8 hour ~** работать 8 часов в день; **these ~s, in the present ~** в наши дни, в настоящее время
daybook [ˈdeɪbuk] *n админ.* журнал
dayboy [ˈdeɪbɔɪ] *n* приходящий ученик
daybreak [ˈdeɪbreɪk] *n* рассвет
day-dream [ˈdeɪdri:m] грёзы, мечты
day-labourer [ˈdeɪˌleɪbərə] подёнщик
daylight [ˈdeɪlaɪt] дневной свет, рассвет
daylight robbery *n* грабеж средь бела дня
day return *n* обратный билет *(действительный в течение одного дня)*
day shift *n* дневная смена
day-time [ˈdeɪtaɪm] день; **in the ~** днём
day-to-day [ˈdeɪtəˈdeɪ] *adj* повседневный, ежедневный; **on a ~ basis** ежедневно
day trip *n* однодневная экскурсия
daze [deɪz] *vt* ошеломлять; туманить сознание; ошеломить ✧ *n:* **in a ~** как в тумане
dazed [deɪzd] *adj* ошеломленный
dazzle [ˈdæzl] *n* завораживать; ослеплять
dazzling [ˈdæzlɪŋ] *adj* ослепительный
deacon [ˈdi:kən] *n* дьякон
dead [ded] *adj* мертвый; мертвый; онемелый; самый ✧ *adv* внезапно; прямо ✧ *npl:* **the ~** мертвые; погибшие; **the battery is ~** батарейка села; **the telephone is ~** телефон отключился; **to shoot sb ~** застрелить кого-н.; **~ on time** точно во-время; **to stop** останавливаться как вкопанный; **~tired** смертельно усталый; **the line has ~ gone** телефон замолчал
dead-beat [ˈdedbi:t] *adj* смертельно уставший, совершенно вымотанный
deaden [dedn] *vt* заглушать
dead end n тупик
dead-end [ˈdedend] *adj:* **a ~job** бесперспективная работа
dead heat *n:* **to finish in a ~ ~** приходить к финишу одновременно
deadline [ˈdedlaɪn] *n* последний *or* предельный срок; **to work to a ~** работать в рамках ограниченого срока
deadlock [ˈdedlɔk] *n* тупик; **the meeting ended in ~** собрание зашло в тупик
deadloss *n:* **she is a ~ ~** она никчемна
deadly [ˈdedlɪ] *adj* смертоносный; смертельный; гибельный ✧ *adv* смертельно
deadpan [ˈdedpæn] *adj* невозмутимый
Dead Sea *n:* **the ~ ~** Мертвое море
dead season *n* мертвый сезон
deaf [def] *adj* глухой; тугоухий; **to turn a ~ ear to sth** игнорировать что-н.
deaf aid *n* слуховой аппарат
deaf-and-dumb [ˈdefənˈdʌm] *adj* глухонемой; **~ alphabet** алфавит для глухонемых
deafen [defn] *vt* оглушать
deafening [ˈdefnɪŋ] *adj* оглушительный
deaf-mute [ˈdefmju:t] *n* глухонемой(-ая)
deafness [ˈdefnɪs] *n* глухота
deal [di:l] *n* сделка; ✧ *vt* наносить; сдавать; **to strike a ~ with sb** заключать сделку с кем-н.; **it's ~!**

D

по рукам!; **he got a fair/bad ~ from them** с ним обошлись честно/нечестно; **a good ~ (of)** много; **a grest ~ (of)** очень много
dealer ['di:lə'] *n комм.* торговец; дилер; *карт.* сдающий карты, банкомет; **drug ~** торговец наркотиками
dealership ['di:ləʃıp] *n комм.* агентство *(по продаже продукции определенной фирмы*
deal in *vt комм.*торговать; заниматься; продажей
dealings ['di:lıŋz] *npl* операции; дела
dealt [delt] *pt, of* **deal**
deal with *vt* иметь дело с; решать; заниматься
dean [di:n] *n рел.* настоятель; *просвещ.* декан
dear [dıə'] *adj* дорогой; милый; ✧ *n: (my)* ~дорогой (мой); дорогая (моя) ✧ *excl;* ~**me**~ о, Господи!; **D ~ Sir** уважаемый господин; **D ~ Madam** уважаемая госпожа; **D ~ Mr Smith** дорогой *or* уважаемый мистер Смит; **D ~ Mrs Smith** дорогая *or* уважаемая миссис Смит
dearly ['dıəlı] *adv* очень; дорого
dear money *n комм.* "дорогие" деньги
dearth [də:θ] *n:* **a ~ of** нехватка, недостаток
death ['deθ] смерть ✧ **be the ~ of smb.** загнать в гроб кого-л.; **put to ~** казнить, умертвить; **I am** *(или* feel) **worked to ~** я устал до смерти; **~-blow** [-blou] смертельный удар; **-less** бессмертный
deathbed ['deθbed] *n:* **to be on one's ~** быть на смертном одре
death certificate *n* свидетельство о смерти
deathly ['deθlı] *adj* смертельный; мертвый ✧ *adv* смертельно
death penalty *n* смертная казнь
death rate *n* смертность
death sentence *n* смертный приговор
death toll *n* число погибших
deathtrap ['deθtræp] *n* гиблое место
deb [deb] *n abbr* = **debutante**
debacle [deı'bɑ:kl] *n* разгром; фиаско
debar [dı'bɑ:] воспрещать; лишать *(права)*
debarkation [,di:bɑ:'keıʃən] выгрузка; высадка
debase [dı'beıs] *vt* снижать; унижать; **to ~o.s.** унижаться
debatable [dı'beıtəbl] *adj* спорный; **it is ~ whether he can come** сможет ли он прийти — вопрос спорный
debate [di'beıt] *n* дебаты ✧ *vt* обсуждать; обдумывать; **he ~d whether to stay** он размышлял, следует ли остаться
debauch [dı'bɔ:tʃ] **1.** *v* развращать **2.** *n* дебош; **-ed** [-t] развращённый; **-ery** [-ərı] распущенность; развращённость
debenture [dı'bentʃə] долговое обязательство
debilitate [dı'bılıteıt] *vt* истощать
debilitating [dı'bılıteıtıŋ] *adj* изнурительный
debit ['debıt] *n* дебет ✧ *vt* **to ~ a summ to sb** *or* **to sb's account** дебетовать сумму с кого-н. *or* с чьего-н. счета; *see also* **direct debit**
debit balance *n* дебетовый остаток
debit note *n* дебетовое авизо
debonaire [debə'neə'] *adj* галантный
debrief [di:b'ri:f] *vt* опрашивать
debriefing [di:b'ri:fıŋ] *n* расспрос
debris ['debri:] *n* обломки; развалины
debt [det] *n* долг; задолженность; **to be in ~** быть в долгу; **bad ~** безнадежный долг
debt collector *n* человек, взыскивающий долги
debtor ['detə'] *n* должник
debug ['di:'bʌg] *n* отлаживать
debunk [di:'bʌŋk] *vt* опровергать; развенчивать
debut ['deıbju:] *n* дебют
debutante ['debjutænt] *n* девушка, выходящая в (высший) свет
decade ['dekeıd] *n* десятилетие
decadence ['dekədəns] *n* упадок
decadent ['dekədənt] *adj* упадочнический; упадочный
de-caff ['di:kæf] *adj* без кофеина ✧

n кофе без кофеина
decaffeinated [dɪ'kæfineɪtɪd] *adj* без кофеина
decamp [dɪ'kæmp] *vi* удирать
decant [dɪ'kænt] *vt* переливать
decanter [dɪ'kæntə'] *n* графин
decapitate [dɪ'kæpɪteɪt] обезглавить
decarbonize [di:'kɑ:bənaɪz] *vt* очищать от нагара
decathlon [dɪ'kæθlən] *n* десятиборье
decay [dɪ'keɪ] *n* разрушение; разложение ✧vi разлагаться; разрушаться
decease [dɪ'si:s] *n юрид.*: **upon your ~** по Вашей кончине
deceased [dɪ'si:st] *n*: **the ~** покойный
deceit [dɪ'si:t] *n* обман
deceitful [dɪ'si:tful] *adj* лживый
deceive [dɪ'si:v] *vt* обманывать; **to ~ o.s.** обманываться
decelerate [di:'seləreɪt] *vi* замедлять скорость
December [dɪ'sembə'] *n* декабрь; *(see also July)*
decency ['di:sensɪ] *n* благопристойность; порядочность
decennary [dɪ'senərɪ] десятилетие
decent ['di:sənt] *adj* приличный; порядочный; **we expect you to do the ~ thing** мы ожидаем, что Вы поступите порядочно; **they ware very ~ about it** они отреагировали на это очень благородно; **it was very ~ of him** это было очень порядочно с его стороны; **are you ~** Вы прилично одеты?
decently ['di:səntlɪ] *adv* прилично; порядочно
decentralization ['di:sentrəlaɪ'zeɪʃən] *n* децентрализация
decentralize [di:'sentrəlaɪz] *n* децентрализовать
deception [dɪ'sepʃən] *n* обман
deceptive [dɪ'septɪv] *adj* обманчивый
decibel ['desɪbel] *n* децибел
decide [dɪ'saɪd] *vt* убеждать; решать ✧ *vi*: **to ~ to do/that** решать, что; **to ~ on sth** останавливаться на что-н.; **to ~ on doing/against doing** решать не
decided [dɪ'saɪdɪd] *adj* решительный; определенный; несомненный
decidedly [dɪ'saɪdɪdlɪ] *adv* несомненно; решительно
deciding [dɪ'saɪdɪŋ] *adj* решающий
deciduous [dɪ'sɪdjuəs] *adj* листопадный
decimal [desiməl] *adj* десятичный ✧ *n* десятичная дробь; **to three ~ places** с точностью до третьего знака
decimalize ['desɪməlaɪz] *vt* переводить в метрическую систему мер
decimal point *n* точка *or* запятая *(определяющая целое от дроби)*
decimate ['desɪmeɪt] *vt* истреблять
decimetre ['desɪ,mi:tə] дециметр
deci pher [dɪ'saɪfə] расшифровывать; разбирать
decision [dɪ'sɪʒən] решение; решимость; **to make a ~** принимать решение
decisive [dɪ'saɪsiv] *adj* решительный
deck [dek] *n мор.* палуба; колода; проигрыватель; **top ~** верхний этаж; **to go up on ~** подниматься на палубу; **below ~** под палубой; **cassette ~** кассетная дека
deck chair *n* шезлонг
deck hand *n* матрос
declamation [,dekləˈmeɪʃən] декламация
declaration [,deklə'reɪʃən] объявление, заявление; декларация; *юр.* исковое заявление
declare [dɪ'kleə] объявлять, провозглашать; заявлять; высказываться за, против
declasse [,deɪklɑ:'seɪ] деклассированный
declassify [di:klæsɪfaɪ] *vt* рассекречивать
declension [dɪ'klenʃən] *грам.* склонение
decline [dɪ'klaɪn] *n* падение; уменьшение; упадок; ✧ *vt* падать; приходить в упадок; **~ in living standards** снижение уровня жизни; **to be in** *or* **on the ~** быть в упадке
declivity [dɪ'klɪvɪtɪ] склон; покатость
declutch ['dɪ:'klʌtʃ] *vi* выключать; сцепление
decode ['dɪ:'kəud] *vt* декодировать; расшифровать
decoder [di:'kəudə'] *n человек, обра-*

D

щающийся к словарю с целью понять смысл слова в иностранном языке; декодер

decompose [di:kəm'pəuz] *vi* разлагаться

decomposition [di:kɔmpə'zɪʃən] *n* разложение

decompression [di:kəm'preʃən] *n* декомпрессия

decompression chamber n декомпрессионная камера

decongestant [di:kən'dʒestənt] *n* сосудосужающее средство

decontaminate [dɪ:kən'tæmɪnent] *vt* обеззараживать

decontrol [di:kən'trəul] *vt* освобождать от контроля

decor ['deɪkɔ:'] *n* отделка; *театр.* декорация

decorate ['dekəreɪt] *vt* отделывать; **to ~ (with)** украшать

decoration [dekə'reɪʃən] *n* украшение; отделка, награда

decorative ['dekərətɪv] *adj* декоративный

decorator ['dekəreɪtə'] *n* обойщик; **painter and ~** маляр и обойщик

decorum [dɪ'kɔ:rəm] *n* благопристойность; декорум

decoy [dɪ'kɔɪ] **1.** *n* ловушка, приманка; *воен.* макет **2.** *v* заманивать в ловушку; вводить в заблуждение

decrease ['di:kri:s] *vt* уменьшать ✧ *vi* уменьшаться ✧ *n:* **~ in** уменьшение; **to be on the ~** идти на убыль

decreasing [di:'kri:sɪŋ] *adj* уменьшающийся

decree [dɪ'kri:] **1.** *n* декрет, указ; решение **2.** *v* издавать указ, декрет; предписывать, постановлять

decree absolute *n* окончательное решение о разводе

decree nisi [-'naɪsaɪ] *n условно-окончательное решение суда о разводе*

decrepit [dɪ'krepɪt] дряхлый, ветхий; **~ude** [-ju:d] дряхлость, ветхость

decry [di'kraɪ] принижать, умалять значение *(чего-л.)*

dedicate ['dedɪkeɪt] *vt:* **to ~ to** посвящать

dedication [dedɪ'keɪʃən] *n* преданность; посвящение

dedocated ['dedɪkeɪtɪd] *adj* преданный; *комп.* выделенный, назначенный; **~ word processor** специализированный процессор для обработки текстов

deduce [dɪ'dju:s] *vt* **to ~ that** заключать, что

deduct [dɪ'dʌkt] *vt* вычитать; **to ~ sth (from)** вычитать что-н.

deduction [dɪ'dʌkʃən] *n* умозаключение; вычитание; вычет

deed [di:d] *n* деяние, поступок, акт; **~of covenant** акт о передаче

deem [di:m] *vt* полагать; **to ~ it wise to do** полагать целесообразным

deep ['di:p] **1.** *a* глубокий; тёмный и густой *(о цвете);* низкий *(о звуке)* **~ in smth**. погружённый во что-л., поглощённый чем-л. ✧ **in ~ water** в беде, в затруднении **2.** *n* пучина, бездна **3.** *adv* глубоко; **~en** [-ən] углублять, углубляться

deepen [di:pn] *vt* углублять ✧ *vi* углубляться

deepfreeze ['di:p'fri:z] *n* моророзильная камера

deep-fry ['di:p'fraɪ] *vt* жарить во фритюре

deeply ['di:plɪ] *adv* глубоко

deep-rooted ['di:p'ru:tɪd] *adj* глубоко укоренившийся; глубокий; закоренелый

deep-sea ['di:p'si:] *cpd* глубоководный; **~ diver** водолаз

deep-seated ['di:p'si:tɪd] *adj* укоренившийся

deep-set ['di:pset] *adj* глубоко посаженный

deer [dɪə'] *n* олень; **(red) ~** благородный олень; **(roe) ~** косуля; **(fallow) ~** лань

deerskin ['dɪəskɪn] *n* замша

deerstalker ['dɪəstɔ:kə'] *n* охотничья войлочная шляпа

deface [dɪ'feɪs] *vt* обезображивать

defamation [defə'meɪʃən] *n* клевета, диффамация.

defamatory [dɪ'fæmətrɪ] *adj* клеветнический

default [dɪ'fɔ:lt] *n комп.* значение по

умолчанию ✧ *vi:* **to ~ on a debt** не выплачивать долг; **by ~** за неявкой противника
defaulter [dɪˈfɔːltəˈ] *n* неплательщик
default option *n комп.* параметр *or* вариант, выбираемый по умолчанию
defeat [dɪˈfiːt] *n* поражение ✧ *vt* наносить поражение
defeatism [dɪˈfiːtɪzəm] *n* пораженчество
defeatist [dɪˈfiːtɪst] *adj* пораженческий ✧ *n* пораженец
defecate [ˈdefəkeɪt] *vi* испражняться
defect [ˈdiːfekt] *n* недостаток ✧ *vi:* **to ~ to the enemy** перебегать на сторону врага; **physical/mental ~** физический/умственный недостаток
defective [dɪˈfektɪv] *adj* дефектный
defector [dɪˈfektə] *n* перебежчик
defence [dɪˈfens] *n* защита; *воен.* оборона; **in ~ of** в защиту; **witness for the ~** свидетель защиты; **the Ministry of D~** Министерство обороны; **the Department of Defense** Департамент по обороне
defenceless [dɪˈfenslɪs] *adj* беззащитный
defend [dɪˈfend] *vt спорт.* защищать;
defendant [dɪˈfendənt] *n* подсудимый; обвиняемый; ответчик
defender [dɪˈfendəˈ] *n* защитник: *спорт.* защитник
defending champion [dɪˈfendɪŋ-] *n* чемпион, защищающий свое звание
defending counsel *n* адвокат подсудимого
defense *etc* = **defence** *etc*
defensive [dɪˈfensɪv] *adj* оборонительный; вызывающий ✧ *n:* **he was on the ~** он был готов к обороне
defer I [dɪˈfɜː] откладывать, отсрочивать
defer II уступать
deference [ˈdefərəns] *n* почтение; **out of** *or* **in ~ to** из почтения к
deferential [defəˈrenʃəl] *adj* почтительный
deferred creditor [dɪˈfɜːd-] *n* кредитор, получивший отсрочку
defiance [dɪˈfaɪəns] *n* вызов; **in ~ of** вопреки
defiant [dɪˈfaɪnt] *adj* дерзкий; вызывающий
defiantly [dɪˈfaɪəntlɪ] *adv* дерзко, вызывающе
deficiency [dɪˈfɪʃənsɪ] *n* нехватка; недостаток; *комм.* дефицит
deficiency disease *n* авитаминоз
deficient [diˈfɪʃənt] *adj* несовершенный: **to be ~ in** испытывать недостаток в
deficit [ˈdefɪsɪt] недочёт, нехватка, дефицит
defile [dɪˈfaɪl] *vt* осквернять ✧ *n* ущелье
define [dɪˈfaɪn] *vt* определять; давать; определение
definite [ˈdefɪnɪt] *adj* определенный; **he was ~ about it** его мнение на этот счет было определенным
definite article *n* определенный артикль
definitely [ˈdefɪnɪtlɪ] *adv* определенно; несомненно
definition [defɪˈnɪʃən] *n* определение; четкость
definitive [dɪˈfɪnɪtɪv] *adj* окончательный
deflate [diːˈfleɪt] *n* спускать; сбивать; *эконом.* **to ~ the money supply** осуществлять дифляцию
deflation [diːˈfleɪʃən] *n эконом.* дефляция
deflationary [diːˈfleɪʃənrɪ] *adj* дефляционный
deflect [dɪˈflekt] *n* оклонять; отвлекать
defog [ˈdiːˈfɔg] *vt* устранять запотевание стекла
defogger [ˈdiːˈfɔgəˈ] *n авт. устройство, устраняющеезапотевание стекла*
deform [dɪˈfɔːm] *vt* деформировать; искажать
deformed [dɪˈfɔːmd] *adj* деформированный; искаженный
deformity [dɪˈfɔːmɪtɪ] *n* физический недостаток; деформация
defraud [dɪˈfrɔːd] *vt:* **to ~ sb of sth** обманом лишать кого-н. чего-н.
defray [dɪˈfreɪ] *vt:* **to ~ sb's expenses**

D

возмещать чьи-н. расходы
defrost [diːˈfrɔst] vt размораживать; очищать ото льда
defroster [diːˈfrɔstəˈ] *n* дефростер
deft [deft] *adj* ловкий
defunct [diˈfʌŋkt] *adj* бездейственный
defuse [diːˈfjuːz] *vt* разряжать
defy [dɪˈfaɪ] *vt* оспаривать; не поддаваться: **to ~ sb to do** призывать кого-н.
degenerate *vb* [dɪˈdʒenəreɪt], *adj* [dɪˈdʒenərɪt] *vi* ухудшаться ✧ *adj* растленный
degenerate **1.** [dɪˈdʒenərɔɪt] вырождаться; **2.** [-rɪt] вырождающийся
degradation [degrəˈdeɪʃən] *n* деградация
degrade [dɪˈgreɪd] *vt* унижать; ухудшать
degrading [dɪˈgrɪdɪŋ] *adj* унизительный
degree [dɪˈgriː] *n* степень; градус; *просвещ. (ученая)* степень; **10 ~s below (zero)** 10 градусов ниже нуля; **a considerable ~ of risk** значительная степень риска; **by ~s** постепенно; **to some ~, to a certain ~** до некоторой степени
dehydrated [diːhaiˈdreɪtɪd] *adj мед.* обезвоженный; порошковый
dehydration [diːhaɪˈdreɪʃən] *n* обезвоживание, дегидратация
de-ice [ˈdiːˈaɪs] *vt* удалять лед
de-icer [ˈdiːˈaɪsəˈ] *n* антиобледенитель
deign [deɪn] *vi:* **to ~ to do** соизволять
deity [ˈdiːɪtɪ] *n* божество
deja vu [deɪʒaːˈvuː] *n* чувство узнавания в незнакомом месте; **I had a sense of ~ ~** у меня было такое чувство, будто я здесь уже был
dejected [dɪˈdʒektɪd] *adj* унылый
dejection [dɪˈdʒekʃən] *n* уныние
delay [dɪˈleɪ] *vt* откладывать; задерживать ✧ *vi* медлить ✧ *n* задержка; **to be ~ed** задерживаться; **without ~** без отлагательств
delayed-action [dɪˈleɪdˈækʃən] *adj:* **~ device** приспособление с регулируемой задержкой действия
delectable [dɪˈlektəbl] *adj* притягательный; лакомый
delegate *n* [ˈdelɪgɪt], *vt* [ˈdelɪgeɪt] *n* делегат ✧ *vt* делегировать; поручать; **to ~ sth to sb/sb to do** поручать что-н. кому-н./кому-н.
delegation [delɪˈgeɪʃən] *n* делегация; передача
delete [dɪˈliːt] *vt* вычеркивать; *комп.* удалять
delft [delft] фаянс
Delhi [ˈdelɪ] *n* Дели
deli [ˈdelɪ] *n* магазин “деликатесы”
deliberate *adj* [dɪˈlɪbərɪt], *vi* [dɪˈlɪbəreɪt] *adj* намеренный; неторопливый ✧ *vi* обдумывать
deliberately [dɪˈlɪbərɪtlɪ] *adv* намеренно; нарочно; неторопливо
deliberation [dɪlɪbəˈreɪʃən] *n* размышление; обсуждение
delicacy [ˈdelɪkəsɪ] *n* тонкость; деликатес
delicate [ˈdelɪkɪt] *adj* тонкий; нежный; деликатный; хрупкий
delicately [ˈdelɪkɪtlɪ] *adv* тонко
delicatessen [delɪkəˈtesn] *n* магазин деликатесов
delicious [dɪˈlɪʃəs] *adj* очень вкусный; восхитительный
delight [dɪˈlaɪt] *n* восторг; прелесть ✧ *vt* радовать; **to take (a) ~ in** находить удовольствие в; **her son was her ~** она души не чаяла в своем сыне; **she was a ~ to interview** брать у нее интервью было истинным удовольствием; **the ~s of country life** прелести деревенской жизни
delighted [dɪˈlaɪtɪd] *adj:* **(to be) ~ (at *or* with)** (быть в восторге); **he was ~ to see her** он был рад видеть ее; **I'd be ~ to help** я с радостью помогу; **I am to meet you** очень приятно познакомиться
delightful [dɪˈlaɪtful] *adj* восхитительный
delimit [dɪːˈlɪmɪt] *vt* определять границы
delineate [dɪˈlɪnɪeɪt] *vt* очерчивать
delinquency [dɪˈlɪŋkwənsɪ] *n* правонарушение
delinquent [dɪˈlɪŋkwənt] *adj* преступный ✧ *n* несовершеннолетний; правонарушитель
delirious [dɪˈlɪrɪəs] *adj:* **to be ~** быть в

бреду; быть в забытье
delirium [dɪˈlɪrɪəm] *n мед.* бред
deliver [dɪˈlɪvəˈ] *vt* доставлять; вручать; передавать; произносить; наносить; принимать; предъявлять: **to ~ (from)** избавлять; **to the goods** выполнять обещанное
deliverance [dɪˈlɪvrəns] *n* избавление
delivery [dɪˈlɪvərɪ] *n* доставка; стиль изложения; *мед.* роды; **to take ~ of** получить
delivery note *n* транспортная накладная
delivery van *n* автофургон для доставки товаров
dell [del] лесистая лощина
delouse [ˈdiːˈlaus] *n* избавлять от вшей
delta [ˈdeltə] *n гео.* дельта
delude [dɪˈluːd] *n* вводить в заблуждение; **to ~ o.s.** заблуждаться
deluge [ˈdeljuːdʒ] *n* ливень; лавина
delusion [dɪˈluːʒən] *n* заблуждение; **he has ~s of grandeur** у него мания величия
de luxe [dəˈlʌks] *adj* роскошный; **a ~ ~ car/hotel** машина/гостиница люкс
delve [delv] *vi:* **to ~ into** углубляться в; рыться в
demagogus [ˈdeməgɔg] *n* демагог
demand [dɪˈmɑːnd] *vt* требовать ✧ *n* требование; *экон.* спрос (на); **to sth (from** *or* **of stb)** требовать (потребовать) чего-н. (от кого-н.); **to be in ~** пользоваться спросом; **specialists are in great** на специалистов большой спрос; **on ~** по требованию
demanding [dɪˈmɑːndɪŋ] *adj* требовательный; трудный; ответственный; тяжелый
demarcation [diːmɑːˈkeɪʃən] *n* разграничение
demean I [dɪˈmiːn] унижать
demean II [dɪˈmiːn]: **~ oneself** вести себя недостойно
demeanour [dɪˈmiːnəˈ] *n* манера поведения
demented [dɪˈmentɪd] *adj* помешанный
demilitarized zone [diːˈmɪlɪtəraɪʒd-] *n воен.* демилитаризованная зона
demise [dɪˈmaɪz] *пи* упадок; кончина
demob [deːˈmɔb] *vt воен.* демобилизовать
demobilize [diːˈməubɪlaɪz] *vt воен.* демобилизовать
democracy [dɪˈmɔkrəsɪ] *n* демократия; демократическая страна
democrat [ˈdeməkræt] *n* демократ; **D~** член партии демократов
democratic [deməˈkrætɪk] *adj* демократический; **D~ Party** партия демократов
demography [dɪˈmɔgrəfi] *n* демография
demolish [dɪˈmɔlɪʃ] *vt* сносить; разгромить
demolition [deməˈlɪʃən] *n* снос; разгром
demon [ˈdɪːmən] демон, дьявол
demonstrate [ˈdemənstreɪt] *vt* демонстрировать ✧ *vi полит.:* **to ~ (for/against)** демонстрировать (за/против)
demonstration [demənˈstreɪʃən] *n* демонстрация; **to hold a ~** *полит.* проводить демонстрацию
demonstrative [dɪˈmɔnstrətɪv] *линг.* указательный; **she's very ~** она открыто выражает свои чувства
demonstrator [ˈdemənstreɪtəˈ] *n пол.* демонстрант; демонстратор
demoralize [dɪˈmɔrəlaɪz] *vt* деморализовать
demote [dɪˈməut] *vt* понижать в должности
demotion [dɪˈməuʃən] *n* понижение в должности
demur [dɪˈməːˈ] *vi* возражать ✧ *n:* **without ~** без возражений; **they ~red at his suggestion** они возразили на его предложение
demure [dɪˈmjuə] скромный, сдержанный; притворно застенчивый
den [den] логовище; берлога; притон
denationalization [ˈdiːnæʃnəlaɪˈzeɪʃən] *n* денационализация
denationalize [diːˈnæʃnəlaɪz] *vt* денационализировать
denatured alcohol [diːˈneɪtʃəd-] *n* денатурат

D

D

denigrate ['denɪgreɪt] *vt* принижать
denim ['denɪm] грубая хлопчатобумажная ткань *(для джинсов и т.п.)*
denim jacket *n* джинсовая куртка
denizen ['denɪzn] натурализовавшийся иностранец; акклиматизировавшееся растение *или* животное
Denmark ['denmɑ:k] *n* Дания
denomination [dɪnɔmɪ'neɪʃən] *n* достоинство; *рел.* исповедание
denominator [dɪ'nɔmɪneɪtə'] *n мат.* знаменатель
denote [dɪ'nəut] *vt* указывать на; обозначать
denounce [dɪ'nauns] *vt* осуждать; доносить на
dense [dens] *adj* плотный; густой; тупой
densely ['denslɪ] *adv* **~ populated** густо населенный; **~ wooded** покрытый густым лесом
density ['densɪtɪ] *n:* плотность; **single/double~ disk** *комп.* диск с одинарной/двойной плотностью
dental ['dentl] *adj* зубной
dental floss [-flɔs] *n нить для чистки межзубных промежутков*
dental surgeon *n* зубной врач, стоматолог
dentifrice ['dentɪfrɪs] *n мед.* зубная паста; зубной порошок
dentist ['dentɪst] *n* зубной врач, стоматолог; стоматологический кабинет
dentistry ['dentɪstrɪ] *n* стоматология
dentures ['dentʃəz] *npl* зубной протез
denuded [di:'nju:dɪd] *adj* оголенный; **~ of** лишенный
denunciation [dɪnʌnsɪ'eɪʃən] *n* обличение; осуждение
deny [dɪ'naɪ] *vt* отрицать; отвергать; отрекаться: **to ~ sb sth** отказывать кому-н. в чем-н.; **he denies having said it** он отрицает, что он это сказал
deodorant [di:'əudərənt] *n* дезодорант
depart [di'pɑ:t] *vi* отбывать; отправляться; улетать; **to ~ from** отклоняться от
departed [dɪ'pɑ:tɪd] *adj* покойный ✧ *n* покойный; умерший
department [di'pɑ:tmənt] *n* отдел; отделение; *просвещ.* ведомство, департамент; **D~ of Trade and Industry** Министерство торговли и промышленности; **that's not my ~** я не специалист в этом деле; **D~ of State** Государственный департамент
departmental [di:pɑ:t'mentl] *adj комм. админ.:* **~ meeting/activities** собрание/деятельность отдела; **~ manager** заведующий(-ая) отделом
department store *n* универсальный магазин
departure [dɪ'pɑ:tʃə'] *n* отъезд; уход; отправление; отлет; **~ from** отклонение от; **a new ~** новое направление
departure lounge *n* зал отлета
depend [dɪ'pend] *vi:* **to ~ on** зависеть от; полагаться на; **it ~s** смотря по обстоятельствам, как получится: **~ing on the outcome...** в зависимости от исхода...
dependable [dɪ'pendəbl] *adj* надежный
dependant [dɪ'pedənt] *n* иждивенец(-нка)
dependence [dɪ'pendəns] *n* зависимость
dependent [dɪ'pendənt] *adj:* **~ (on)** зависимый (от) ✧ *n* **= deptndant**
depict [dɪ'pɪkt] рисовать, изображать; описывать
depilatory [dɪ'pɪlətrɪ] n крем для удаления волос
depleted [dɪ'pli:tɪd] *adj* истощенный
deplorable [dɪ'plɔ:rəbl] *adj* плачевный; возмутительный
deplore [dɪ'plɔ:'] *vt* негодовать по поводу
deploy [dɪ'plɔɪ] *vt* дислоцировать
depopulate [di:'pɔpjuleɪt] *vt* обезлюдить
depopulation ['di:pɔpju'leɪʃən] *n* опустошение
deport [dɪ'pɔ:t] *vt* депортировать; выслать
deportation [di:pɔ:'teɪʃən] *n* депортация; высылка
deportation order *n* приказ депортации

deportee [di:pɔ:'ti:] *n* депортированный

deportment [dɪ'pɔ:tmənt] поведение, манеры; осанка

depose [dɪ'pouz] смещать, свергать; *юр.* свидетельствовать

deposit [dɪ'pɔzɪt] *n* депозит; вклад; первый взнос; задаток; залог; стоимость посуды; *хим.* осадок; залежь ✧ *vt* помещать; намывать; сдавать; **to put down a ~ of $50** давать задаток $50

deposit account *n* депозитный счет

depositor [dɪ'pɔzɪtə'] *n* вкладчик

depository [dɪ'pɔzɪtərɪ] *n* доверенное лицо; хранилище

depot ['depəu] *n* склад; парк; депо; станция

depraved [dɪ'preɪvd] *adj* развращенный

depravity [dɪ'prævɪtɪ] *n* развращенность

deprecate ['deprɪkeɪt] возражать, выступать против

deprecating ['deprɪkeɪtɪŋ] *adj* неодобрительный

depreciate [dɪ'pri:ʃɪeɪt] *vi* обесцениваться

depreciation [dɪpri:ʃɪ'eɪʃən] *n* обесценивание

depredation [,deprɪ'deɪʃən] грабёж, расхищение

depress [dɪ'pres] *vt психол.* подавлять; угнетать; снижать; нажимать на

depressant [dɪ'presnt] *n мед.* депрессант, успокоительное средство

depressed [dɪ'prest] *adj* подавленный, угнетенный; сниженный; **to be ~** находиться в состоянии спада; **to get ~** впадать в депрессию; **~ area** район, находящийся в состоянии экономического упадка

depressing [dɪ'presɪŋ] *adj* тяжелый; удручающий

depression [dɪ'preʃən] *n психол. экон.* депрессия; *метеор.* область низкого давления; углубление; впадина

deprivation [deprɪ'veɪʃən] *n* нужда; лишение

deprive [dɪ'praɪv] *vt:* **to ~ sb of** лишать кого-н.

deprived [dɪ'praɪvd] *adj* бедный; **~ child** ребенок из бедной семьи

depth [depθ] *n* глубина; **in the ~s of despair/a crisis** в глубоком отчаянии/кризисе; **in the ~s of winter** глубокой зимой; **at a ~ of three metres** на глубине трех метров; **to be out of one's ~** не доставать до дна; **I'm out ot my ~ with this job** мне эта работа не по плечу; **to study sth in ~** изучать что-н. углубленно

depth charge *n* глубинная бомба

deputation [,depju:teɪʃən] делегация, депутация

deputize ['depjutaɪz] *vi:* **to ~ for sb** замещать кого-н.

deputy ['depjutɪ] *n* заместитель; *полит.* депутат; исполняющий обязанности шерифа ✧ *cpd:* **~ leader/chairman** заместитель лидера/председателя; **~ head** *просвещ.* заместитель директора

derail [dɪ'reɪl] *vt:* **to be ~ed** сходить с рельсов

derange [dɪ'reɪndʒ] расстраивать

Derby ['dɑ:bɪ] Дерби *(скачки)*

deregulation [dɪ'regju'leɪʃən] *n* ослабление государственного контроля

derelict ['derɪlɪkt] *adj* заброшенный

derestrict ['di:rɪs'trɪkt] снимать ограничения

deride [dɪ'raɪd] *vt* насмехаться

derision [dɪ'rɪʒən] *n* презрение

derisive [dɪ'raɪsɪv] *adj* презрительный

derisory [dɪ'raɪsərɪ] *adj* смехотворный; презрительный

derivation [derɪ'veɪʃən] *n* происхождение

derivative [dɪ'rɪvətɪv] *n хим.* дериват; лингв. производное слово, дериват ✧ *adj* производный; неоригинальный

derive [dɪ'raɪv] *vt:* **to ~ (from)** получать (от); извлекать ✧ *vi:* **to from** происходить от

derived demand [dɪ'raɪvd-] *n* косвенный *or* производственный спрос

dermatitis [də:mə'taɪtɪs] *n* дерматит

dermatology [də:mə'tɔlədʒɪ] *n* дерматология

derogatory [dɪ'rɔgətərɪ] *adj* пренебре-

жительный
derrick [ˈderɪk] *n* деррик; буровая вышка
derv [dɜ:v] *n* дизельное топливо
desalination [di:sælɪˈneɪʃən] *n* опреснение
descend [dɪˈsend] *n* спускаться по; спускаться с; **to ~ from** происходить; **to ~ to** опускаться до; **in ~ing order of importance** в нисходящем порядке
descendant [dɪˈsendənt] *n* потомок
descend on *vt* обрушиваться; опускаться; воцаряться; **visitors ~ed (up) on us** к нам нагрянули гости
descent [dɪˈsent] *n* спуск; *авиа* снижение; происхождение
describe [dɪsˈkraɪb] *vt* описывать
description [dɪsˈkrɪpʃən] *n* описание; род; **of every ~** всевозможного рода
descriptive [dɪsˈkrɪptɪv] *adj* описательный
descry [dɪsˈkraɪ] замечать, распознавать
desecrate [ˈdesɪkreɪt] осквернять
desegregate [di:ˈsegrɪgeɪt] *vt:* **to ~ a society/school** ликвидировать сегрегацию в обществе/школе
desert *n* [ˈdezət], *vb* [dɪˈzɜ:t] *n* пустыня ✧ *vt* покидать ✧ *vi воен.* дезертировать: **deserts**
deserter [dɪˈzɜ:tə]] *n воен.* дезертир
desertion [dɪˈzɜ:ʃən] *n воен.* дезертирство; *юрид.* оставление
desert island *n* необитаемый остров
deserts [dɪˈzɜ:ts] *npl:* **to get one's just ~** получать по заслугам
deserve [dɪˈzɜ:v] *vt* заслуживать
deservedly [dɪˈzɜ:vɪdlɪ] *adv* заслуженно
deserving [dɪˈzɜ:vɪŋ] *adj* достойный
desiccated [ˈdesɪkeɪtɪd] *adj* сушеный
design [dɪˈzaɪn] *n* дизайн; моделирование; проект; модель; рисунок; замысел ✧ *vt* проектировать; разрабатывать; **to have ~s on** иметь виды на; **by ~** с умыслом
designate *vt* [ˈdezɪgneɪt] *adj* [ˈdezɪgnɪt] *vt* назначать; обозначать ✧ *adj* **minister ~** назначенный министр *(до вступления в должность)*
designatiąn [dezɪgˈneɪʃən] *n* обозначение
designer [dɪˈzaɪnəˊ] *n искусст.* дизайнер; разработчик; проектировщик; конструктор; модельер ✧ *adj* модельный; **~ label** фирменный знак *(модельера)*
desirability [dɪzaɪərəˈbɪlɪtɪ] *n:* **the ~ of** желательность
desirable [dɪˈzaɪərəbl] *adj* желательный; привлекательный; **it is ~ that** желательно, чтобы
desire [dɪˈzaɪəˊ] *n* желание ✧ *vt* желать; **to ~ to do/that** желать, чтобы
desirous [dɪˈzaɪərəs] *adj:* **to be ~ of doing** желать
desist [dɪˈzɪst] *vi:* **to ~ (from)** воздерживаться (от)
desk [desk] *n (письменный)* стол, парта; стойка; касса
desktop [ˈdesktɔp] *adj* настольный
desolate [ˈdesəlɪt] *adj* заброшенный; покинутый
desolation [desəˈleɪʃən] *n* опустошение; опустошенность
despair [dɪsˈpeəˊ] *n* отчаяние ✧ *vi:* **to ~ of sth/doing** отчаиваться в; **to be in ~** быть в отчаянии
desperate [ˈdespərɪt] *adj* отчаянный; отъявленный: **he/she is ~** он/она в отчаянии; **to be ~ to do** жаждать; **to be ~ for money** страшно нуждаться в деньгах
desperately [ˈdespərɪtlɪ] *adv* отчаянно; чрезвычайно
desperation [despəˈreɪʃən] *n* отчаяние; **in (sheer) ~** в (полном) отчаянии
despicable [dɪsˈpɪkəbl] *adj* презренный
despise [dɪsˈpaɪz] *vt* презирать
despite [dɪsˈpaɪt] *prep* несмотря на
despondent [dɪsˈpɔndənt] *adj* унылый
despot [ˈdespɔt] *n* деспот
dessert [dɪˈzɜ:t] *n* десерт
dessertspoon [dɪˈzətspu:n] *n* десертная ложка
destabilize [dɪ:ˈsteɪbɪlaɪz] *vt* дестабилизировать
desth rowy [-rəu] *n часть тюрьмы, где расположены камеры приго-*

воренных к смертной казни; **prisoners on ~ ~** заключенные, ожидающие смертной казни
destination [destɪ'neɪʃən] *n* цель назначения
destined ['destɪnd] *adj:* **he/she is ~ to do** ему/ей суждено; **to be ~ for** предназначаться для
destiny ['destin] *n* судьба
destitute ['destɪtju:t] *adj* обездоленный
destroy [dɪs'trɔɪ] *vt* уничтожать; разрушать; усыплять; забивать
destroyer [dɪs'trɔɪə'] *n мор.* миноносец
destruction [dɪs'trʌkʃən] *n* уничтожение, разрушение; гибель
destructive [dɪs'trʌktɪv] *adj* разрушительный; деструктивный; губительный: **he's very ~** он все ломает
desultory ['desəltərɪ] *adj* слабый; беспорядочный
detach [dɪ'tætʃ] *vt* снимать; отделять
detachable [dɪ'tætʃəbl] *adj* съемный
detached [dɪ'tætʃt] *adj* беспристрастный; **~ house** особняк
detachment [dɪ'tætʃmənt] *n* отдаленность, *воен.* отряд
detail ['di:teɪl] *n* деталь; подробность ✧ *vt* перечислять; **in ~** подробно, в деталях; **to go into ~s** вдаваться в детали *or* подробности
detailed ['di:teɪld] *adj* детальный; подробный
detain [di'teɪn] *vt* задерживать; **to ~in hospital** оставлять в больнице
detainee [di:teɪ'ni:] *n полит.* узник
detect [dɪ'tekt] *vt* чувствовать; обнаруживать
detection [dɪ'tekʃən] *n* обнаружение; **crime ~** уголовный розыск; **the criminal escaped ~** преступник не обнаружен; **the mistake escaped ~** ошибка осталась незамеченной
detective [dɪ'tektɪv] *n полиц.* сыщик, детектив
detective story *n* детектив
detector [dɪ'tektə'] *n тех.* детектор
detente [deɪ'tɑ:nt] *n полит.* разрядка
detention [dɪ'tenʃən] *n* задержание; содержание под стражей; *просвещ.* **to give sb ~** оставлять кого-н. после уроков
deter [dɪ'tə:'] *vt* удерживать
detergent [dɪ'tə:dʒənt] *n* моющее средство
deteriorate [dɪ'tɪərɪəreɪt] *vi* ухудшаться
deterioration [dɪtɪərɪə'reɪʃən] *n* ухудшение
determination [dɪtə:mɪ'neɪʃən] *n* решимость; установление
determine [dɪ'tə:mɪn] *vt* устанавливать; определять; **to ~ that** устанавливать что; **to ~ to do** решать
determined [dɪ'tə:mɪnd] *adj* решительный; определенный; **~ to do** полный решимости
deterrence [dɪ'terəns] *n* сдерживание
deterrent [dɪ'terənt] *n* средство сдерживания, сдерживающее средство; **nuclear ~** средство ядерного сдерживания; **to act as a ~** являться средством сдерживания
detest [dɪ'test] *vt* ненавидеть
detestable [dɪ'testəbl] *adj* отвратительный
detonate ['detəneɪt] *vi* взрываться ✧ *vt* взрывать
detonator ['detəneɪtə'] *n* детонатор
detour ['di:tuə'] *n* объезд; обход; **to make a ~** поехать в обьезд; пойти в обход
detract [dɪ'trækt] *vi:* **to ~ from** умалять
detractor [dɪ'træktə'] *n* недоброжелатель
detriment ['detrɪmənt] *n:* **to the ~ of** в ущерб; **without to** без ущерба для
detrimental [detrɪ'mentl] *adj:* **~ to** вредный для
deuce ['dju:s] чёрт ✧ **what the ~ ?** какого чёрта?; **there will be the ~ to play** будут большие неприятности
devaluation [,di:vælju'eɪʃən] девальвация
devalue ['di:vælju:] *vt* обесценивать; недооценивать
devastate ['devəsteɪt] *vt* опустошать: **she is ~d by** она потрясена
devastating ['devəsteɪtɪŋ] *adj* разрушительный; ошеломляющий
devastation [devəs'teɪʃən] *n* разрушение, опустошение

D

D

develop [dɪ'veləp] *vt* развивать; разрабатывать; застраивать; *фото.* проявлять; заболевать ✧ *vi* развиваться; проявляться; **the machine ~ed a fault** в машине возникли неполадки; **to ~ taste for sth** пристраститься к чему-н.; **to ~ into** превращаться в
developer [dɪ'veləpə'] *n* строительная фирма; разработчик
developing country [dɪ'veləpɪŋ-] *n* развивающаяся страна
development [dɪ'veləpmənt] *n* развитие; разработка; застройка; **housing ~** жилищный комплекс
development area *n территория, на развитие которой направлены дополнительные правительственные средства*
deviant ['di:vɪənt] *adj* отклоняющийся от нормы
deviate ['di:vieɪt] *vi:* **to (from)** отклоняться (от)
deviation [di:vɪ'eɪʃən] *n:* **~ (from)** отклонение (от)
device [dɪ'vaɪs] *n* устройство, прибор; средство; **explosive ~** взрывчатое устройство
devil ['devl] *n* дьявол, черт; **go on,be a ~!** давай, позволь себе!; **talk of the ~!** легок на помине!
devil's advocate [devlz-] *n* провокатор
devilish ['devlɪʃ] *adj* дьявольский
devious ['di:vɪəs] *adj* лукавый; извилистый
devise [dɪ'vaɪz] *vt* разрабатывать
devoid [dɪ'vɔɪd] *adj:* **~ of** лишенный
devolution [,di:və'lu:ʃən] передача *(власти и т.п.) биол.* вырождение
devoted [dɪ'vəutɪd] *adj* преданный; верный; **he is ~ to her** он предан ей; **his book is ~ to the history of Scotland** его книга посвящена истории Шотландии
devotee [devəu'ti:] *n* приверженец; *рел.* правоверный(-ая)
devotion [dɪ'vəuʃən] *n* преданность; *рел.* поклонение
devour [dɪ'vauə] пожирать, *перен.* поглощать; **~ a novel** проглотить роман; истреблять; **be ~ed by curiosity** быть снедаемым любопытством
devout [dɪ'vaut] благоговейный; набожный; искренний
dew ['dju:] роса; **~y** [-ɪ] покрытый росой; росистый, влажный
dext(e)rous ['dekstrəs] *adj* ловкий; сообразительный
dexterity [deks'terɪtɪ] *n* ловкость; сообразительность
dexter||ity [deks'terɪtɪ] проворство, ловкость
diabetes [daɪə'bi:tɪz] *n* диабет
diabetic [daɪə'betɪk] *n* диабетик ✧ *adj* диабетический
diabolical [daɪə'bɔlɪkl] *adj* дьявольский; жуткий
diaeresis [daɪ'eɪərɪsɪs] *n* диереза, трема
diagnose [daɪəg'nəuz] *vt* диагностировать; определять
diagnoses [daɪəg'nəusz] *prl* **of diagnosis**
diagnosis [daɪəg'nəusɪs] *n* диагноз
diagonal [daɪ'ægənl] *adj* диагональный ✧ *n* диагональ
diagram ['daɪgræm] диаграмма
dial ['daɪəl] **1.** *n* циферблат, диск *(телефона)* **2.** *v* набирать номер *(по телефону)*
dialect ['daɪəlekt] диалект, наречие, говор; **local ~** местный диалект
dialling code ['daɪəlɪŋ-] *n* код; **the ~ for London** код Лондона
dialling tone *n* непрерывный гудок
dialogue ['daɪəlɔg] *n* диалог
dial tone *n* = **dialling tone**
dialysis [daɪ'ælɪsɪs] *n мед.* диализ
diameter [daɪ'æmɪtə'] *n* диаметр
diametrically [daɪə'metrɪklɪ] *adv:* **~ opposed (to)** диаметрально противоположный
diamond ['daɪəmənd] *n* алмаз; бриллиант; ромб; **~s** *npl* бубны
diamond ring *n* бриллиантовое кольцо
diaper ['daɪəpə] узорчатое полотно, подгузник
diaphragm ['daɪəfræm] *n* диафрагма
diarrhoea [daɪə'ri:ə] *n* понос
diary ['daɪərɪ] дневник
diatribe ['daɪətraɪb] обличительная речь; уничтожающая критика
dice [daɪs] *npl of* **die;** кубик; кости ✧ *vl кулин.* резать кубиками
dicey ['daɪsɪ] *adj:* **it's a bit ~** это не-

много рискованно
dichotomy [daɪˈkɔtəmɪ] *n* дихотомия
dickens [ˈdɪkɪnz] *разг.* чёрт
dickhead [ˈdɪkhed] *n* пень
dicky [ˈdɪkɪ] *разг.* неустойчивый, шаткий, ненадёжный
Dictaphone [ˈdɪktəfəun] *n* диктофон
dictate [dɪkˈteɪt] *vt* диктовать ✧ *n* веление ✧ *vi:* **to ~ to** диктовать; **the ~s of** веление; **I won't be ~d to by him** я не позволю, чтобы он мне диктовал
dictation [dɪkˈteɪʃən] *n* диктовка; *просвещ.* диктант; **at ~ speed** со скоростью диктовки
dictator [dɪkteɪtəˈ] *n* диктатор
dictatorship [dɪkˈteɪtəʃɪp] *n* диктатура
diction [ˈdɪkʃən] стиль, манера выражаться, дикция
dictionary [ˈdɪkʃənrɪ] *n* словарь
didactic [daɪˈdæktɪk] *adj* дидактический; поучительный
diddle [ˈdɪdl] *vt* надувать
die [daɪ] *n* игральная кость; матрица, штамп ✧ *vi* умирать; угасать; **to ~ of** *or* **from** умирать от; **to be dying** умирать; **to be dying for sth/to do** до смерти хотеть чего-н.
die away *vi* замирать; угасать
die down *vi* утихать; потухать; улечься
die-hard [ˈdaɪhɑːd] *(полит.)* твердолобый
die out *vi* умирать; вымирать
diesel [ˈdiːzl] *n* дизель; дизельное топливо
diesel engine *n* дизельный мотор
diet I [ˈdaɪət] парламент *(не английский)*
diet II [ˈdaɪət] пища, стол, диета; **~ary** [-ərɪ] **1.** *a* диетический **2.** *n* паёк, диета; **~etic** [ˌdaɪɪˈtetɪk] диетический
dietician [daɪəˈtɪʃən] *n* диетолог
differ [ˈdɪfə] *vi:* **to ~ (from)** отличаться; **to ~ about** расходиться в вопросе; **we agreed to ~** каждый из нас остался при своем мнении
difference [ˈdɪfrəns] *n* различие; разница; разногласие; **it makes no ~ to me** мне все равно; **a ~ of opinion** расхождение во мнениях; **to settle one's ~s** улаживать разногласия
different [ˈdɪfrənt] *adj* другой, иной; различный, разный; **to be ~ from** отличаться от
differential [dɪfəˈrenʃəl] *n мат.* дифференциал; разница в тарифах
differentiate [dɪfəˈrenʃɪeɪt] *vi:* **to ~ (between)** проводить различие (между) ✧ *vt:* **to ~ from** отличать от
differently [ˈdɪfrəntlɪ] *adv* иначе; по-другому; по-разному
difficult [ˈdɪfɪkəlt] *adj* трудный; тяжелый; **~ to understand/see** трудно понять/видеть
difficulty [ˈdɪfɪkəltɪ] *n* трудность; затруднение; **to have difficulties** испытывать трудности; **to be in difficulties** находиться в трудном положении
diffidence [ˈdɪfɪdəns] *n* застенчивость
diffident [ˈdɪfɪdənt] *adj* застенчивый
diffuse *vt* [dɪˈfjuːz], *adj* [dɪˈfjuːs] *vt* распространять ✧ *adj* расплывчатый; рассеянный
dig [dɪg] *vt* копать, рыть; вскапывать ✧ *n* толчок; раскопки; **to have a ~ at sb** подкалывать кого-н.; **to ~ one's nails/claws into sth** впиваться ногтями/когтями во что-н.
digest *vt* [daɪˈdʒest], *n* [ˈdaɪdʒest] *vt* переваривать; усваивать ✧ *n* сборник *(адаптированных произведений)*
digestible [dɪˈdʒestəbl] *adj* удобоваримый
digestion [dɪˈdʒestʃən] *n* пищеварение
digestive [dɪˈdʒestɪv] *adj* пищеварительный ✧ *n* печенье из муки грубого помола
digger [ˈdɪgə] копатель; землекоп, экскаватор
diggins [ˈdɪgɪŋz] золотые прииски; *разг.* жильё
dig in *vi:* **to ~ in (to)** налегать (на) ✧ *vt* **to ~ in (to)** вкапывать (в); вонзать (в); **to ~ into one's heels** упираться
dig into *vt* зарывать; закапывать; **to ~ into one's savings** начать тратить сбережения; **to ~ into one's pockets** запускать руку в карман

digit [ˈdɪdʒɪt] палец, цифра; однозначное число
digital [ˈdɪdʒɪtl] *adj:* ~ **watch** электронные часы; ~ **recording** электронная запись
digital compact cassette *n* дискретизированная компактная кассета
digital computer *n* электронно-вычислительная машина
dignified [ˈdɪgnɪfaɪd] *adj* полный достоинства
dignitary [ˈdɪgnɪtərɪ] *n* высокопоставленное лицо
dignity [ˈdɪgnɪtɪ] *n* достоинство
dig out *vt* откапывать
digress [daɪˈgres] отступать, отклоняться
digression [daɪˈgreʃən] *n* отступление
digs [dɪgz] *npl* жилище
dig up *vt* выкапывать; раскапывать
dike [daɪk] *n* = **dyke**
dilapida||ted [dɪˈlæpɪdeɪtɪd] полуразрушенный, ветхий; **~tion** [dɪˌlæpɪˈdeɪʃən] обветшание; упадок
dilate [daɪˈleɪt] расширять; распространять; расширяться, распространяться
dilatory [ˈdɪlətərɪ] *adj* замедляющий; медлительный
dilemma [daɪˈlemə] *n* дилемма; **to be in a** ~ стоять перед дилеммой
dilettante [ˌdɪlɪˈtæntɪ] дилетант, любитель
diligence I [ˈdɪlɪʒɑːns] дилижанс
dilig||ence II [ˈdɪlɪdʒəns] прилежание; старание; **~ent** [-dʒənt] прилежный, старательный
dill [dɪl] укроп
dilly-dally [ˈdɪlɪˈdælɪ] *разг.* колебаться, мешкать
dilute [daɪˈljuːt] *vt* разбавлять; ослаблять; разбавленный
dim [dɪm] **1.** *a* тусклый; матовый; смутный; слабый *(о зрении)* **2.** *v* делать тусклым; затемнять, тускнеть
dime [daɪm] *амер.* монета в 10 центов
dimension [dɪˈmenʃən] измерение, размеры, величина
diminish [dɪˈmɪnɪʃ] *vi* уменьшаться; принижать
diminished [dɪˈmɪnɪʃt] *adj:* ~ **responsibility** *юрид.* ограниченная ответственность
diminutive [dɪˈmɪnjutɪv] *adj* крошечный ✧ *n лингв.* уменьшительно-ласкательное слово
dimly [ˈdɪmlɪ] *adv* тускло; смутно
dimmer [ˈdɪməˈ] *n* регулятор освещенности
dimmers [ˈdɪməz] *npl* ближний свет фар; стояночный свет
dimple [ˈdɪmpl] ямочка *(на лице);* рябь *(на воде)*
dim-witted [ˈdɪmˈwɪtɪd] *adj* тупоумный
din [dɪn] *n* грохот ✧ *vt:* **to ~ sth into sb** вдалбивать что-н. в кого-н.
dine [daɪn] *vi* обедать
diner [ˈdaɪnəˈ] *n* обедающий(-ая); дешевый ресторанчик
dingey, dinghy [ˈdɪŋgɪ] шлюпка, ялик
dingy [ˈdɪndʒɪ] тусклый; грязноватый
dining car [ˈdaɪnɪŋ-] *n* вагон-ресторан
dining room *n* столовая
dinner jacket *n* смокинг
dinner party *n* званый обед
dinner service *n* столовый сервиз
dinner time *n* обеденное время; время ужина
dinosaur [ˈdaɪnəsɔːˈ] *n* динозавр
dint [dɪnt] *n:* **by ~ of** посредством
diocese [ˈdaɪəsɪs] *n* епархия
dioxide [daɪˈɔksaɪd] *n* двуокись
dip [dɪp] *n* уклон; впадина; *кулин.* соус; дезинфицирующий раствор; погружать; окунать; обмакивать; пригашать ✧ *vi* идти под уклон; **to go for a ~ in the sea** окунаться в море
diphtheria [dɪfˈθɪərɪə] *n* дифтерит
diphthong [ˈdɪfθɔŋ] *n* дифтонг
diploma [dɪˈpləumə] *n* диплом
diplomacy [dɪˈpləuməsɪ] *n* дипломатия
diplomat [ˈdɪpləmæt] *n* дипломат
diplomatic [dɪpləˈmætɪk] *adj полит.* дипломатический; дипломатичный; **to break off ~ relations (with)** *полит.* разрывать дипломатические отношения (с)
diplomatic corps *n* дипломатический корпус

diplomatic immunity *n* дипломатическая неприкосновенность
dipper ['dɪpə] ковш, черпак; (the D., *амер.* Big D.) Большая Медведица *(созвездие)*
dip stick *n авт. щуп для измерения уровня масла*
dip switch *n авт. переключатель света фар*
dire ['daɪə] ужасный, страшный; **~ plight** ужасное положение
direct [daɪ'rekt] *adj* прямой ✧ *adv* прямо ✧ *vt* руководить; ставить; **to ~ to** направлять; **to ~ (towards** *or* **at)** направлять (на); **to ~ sb to do** велеть кому-н.; **can you ~ me to..?** Вы не укажите, где находится..?
direct access *n комп.* прямой доступ
direct cost *m комп.* прямые затраты
direct current *n* постоянный ток
direct debit *n комм.* прямое дебетование
direct dialling *n* автоматическая телефонная связь
direct hit *n воен.* прямое попадание
direction [dɪ'rekʃən] *n* направление; *тел.* постановка; **~s** *npl* указания; **to have a good sense of ~** хорошо ориентироваться; **~s for use** инструкция (по эксплуатации); **to ask for ~s (to)** спрашивать дорогу (к); **in the ~ of** в направлении
directive [dɪ'rektɪv] *n админ.* директива, постановление; **a government ~** правительственное постановление
direct labour *n* постоянная рабочая сила
directly [dɪ'rektlɪ] *adv* прямо; сейчас же; как только
direct-mail shot [dɪ'rekt'meɪl-] *n* почтовая реклама
direct mail *n* продажа товаров по почте
directness [daɪ'rektnɪs] *n* прямота
director [dɪ'rektə'] *n комм.* директор; руководитель(ница); *тел.* режиссер
directory [dɪ'rektərɪ] *n комп.* справочник; указатель
directory enquiries *n* телефонная справочная
dirk [dɜ:k] кинжал
dirt [dɜ:t] *n* грязь; **to treet sb like ~** ни во что не ставить кого-н.
dirt-cheap ['dɜ:t'ʃi:p] *adv* по дешевке
dirt road *n* грунтовая дорога
dirty ['dɜ:tɪ] *adj* грязный ✧ *vt* пачкать
dirty trick *n* злаа шутка
disability [dɪsə'bɪlɪtɪ] *n* инвалидность; умственная неполноценность; **physical disabilities** физические недостатки
disability allowance *n пособие по инвалидности*
disable [dɪs'eɪbl] *vt* калечить, выводить из строя
disabled [dɪs'eɪbld] *adj* умственно неполноценный; **~ person** инвалид ✧ *npl:* **the ~** инвалиды
disabuse [dɪsə'bju:z] *vt:* **to ~ sb** разуверять кого-н.
disadvantage [dɪ'sɘd'va:ntɪdʒ] *n* недостаток; **to be at a ~** быть в невыгодном положении
disadvantaged [disəd'va:ntɪdʒd] *adj* обездоленный
disadvantageous [dɪsædva:n'teɪdʒəs] *adj* невыгодный
disaffected [dɪsə'fektɪd] *adj* разочаровавшийся
disaffection [dɪsə'fəkʃən] *n:* **~ (with)** потеря доверия (к)
disagree [disə'gri:] *vi* расходиться; **to (with)** не соглашаться (с); **I ~ with you** я с Вами не согласен; **we ~ on many things** мы во многом расходимся; **garlic ~s with me** я плохо переношу чеснок
disagreeable [dɪsə'grɪ:əbl] *adj* неприятньй
disagreement [dɪsə'gri:mənt] *n* разногласие; **with sb/sth** несогласие с кем-н/чем-н; **to have a ~ with sb** иметь разногласие с кем-н.
disallow ['dɪsə'lau] отвергать; не признавать; запрещать
disappear [dɪsə'pɪə] *vi* исчезать
disappearance [dɪsə'pɪərens] *n* исчезновение

disappoint [dɪsə'pɔɪnt] *vt* разочаровывать
disappointed [dɪsə'pɔɪntɪd] *adj* разочарованный
disappointing [dɪsə'pɔɪntɪŋ] *adj:* **the film is rather ~** этот фильм разочаровывает: **the election results were ~ for the Democrats** демократы были разочарованы результатами выборов
disappointment [dɪsə'pɔɪntmənt] *n* разочарование
disapproval [dɪsə'pru:vəl] *adv* неодобрение
disapprove [dɪsə'pru:v] *vi:* **to ~ (of)** не одобрять
disapproving [dɪsə'pru:vɪŋ] *adj* неодобрительный
disarm [dɪs'ɑ:m] *vt воен.* разоружить; обезоруживать ✧ *vi* разоружаться
disarmament [dɪs'ɑ:məmənt] *n* разоружение
disarming [dɪs'ɑ:mɪŋ] *adj* обезоруживающий
disarray [dɪsə'reɪ] *n:* **in ~** в смятении; в беспорядке; **to throw into ~** приводить в смятение
disaster [dɪ'zɑ:stə'] *n* бедствие; катастрофа
disaster area *n* зона бедствия
disastrous [dɪ'zɑ:strəs] *adj* губительный
disavow ['dɪsə'vau] отрицать; отказываться; не признаваться; **~al** [-əl] отрицание; отречение; отказ *(от своих слов и т.п.);* непризнание
disband [dɪs'bænd] *vt* распускать ✧ *vi* расформировываться
disbelief [dɪsbə'lɪ:f] *n* неверие; **in ~** с неверием
disbelieve ['dɪsbə'li:v] *vt* не верить; не верить *or* в; **I don't ~ you** я не могу сказать, что не верю Вам
disc [dɪsk] *n анат.* межпозвоночный хрящ; диск; *комп.* = **disk**
discard [dɪs'kɑ:d] *vt* выбрасывать; отбрасывать
disc brake *n* дисковый тормоз
discern [dɪ'sə:n] *vt* различать; определять
discernible [dɪ'sə:nəbl] *adj* различимый
discerning [dɪ'sə:nɪŋ] *adj* разборчивый; **he has ~ tastes** он тонкий ценитель
discharge [dɪs'tʃɑ:dʒ] **1.** *v* разгружать, выпускать, выливать, выстрелить, *элек.* разряжать; увольнять; выполнять *(обязательства, долг);* расплачиваться *(с долгами);* впадать *(о реке)* **2.** *n* разгрузка, выстрел; *элек.* разряд; спуск, сток; освобождение; увольнение; уплата *(долга);* выполнение *(обязанностей); юр.* оправдание
disciple [dɪ'saɪpl] ученик, последователь
disciplinary ['dɪsɪplɪnərɪ] *adj* дисциплинарный; **~ problems** проблемы с дисциплиной; **to take ~ action against sb** принимать дисциплинарные меры к кому-н.
discipline ['dɪsɪplɪn] *n* дисциплина ✧ *vt* дисциплинировать; налагать дисциплинарное взыскание на; **to ~ o.s. to do** приучаться
discjockey *n* диск-жокей
disclaimer [dɪs'kleɪmə'] *n* отказ от ответственности; **to issue a ~** обнародовать отказ *or* отречение от ответственности
disclain [dɪs'kleɪm] *vt* отрицать
disclose [dɪs'kləuz] *vt* раскрывать
disclosure [dɪs'kləuʒə'] *n* раскрытие
discolour [dɪs'kʌlə'] *vt* обесцвечивать *vt* обесцвечиваться
discolouration [dɪskʌlə'reɪʃən] *n* обесцвечивание
discoloured [dɪs'kʌləd] *adj* выцветший
discomfort [dɪs'kʌmfət] неудобство, трудности
discompose [,dɪskəm'pouz] смущать, тревожить
disconcerting [dɪskən'sə:tɪŋ] *adj* вызывающий чувство неловкости
disconcert [dɪskən'sə:t] *vt* смущать
disconnect [dɪskə'nekt] *vt* разъединять; *элект.* отключать
disconnected [dɪskə'nektɪd] *adj* бессвязный
disconsolate [dɪs'kɒnsəlɪt] *adj* неутешный безутешный
discontent [dɪskən'tent] *n* недовольство

discontented [dɪskən'tentɪd] *adj:* ~ **(with)** недовольный
discontinue [dɪskən'tɪnju:] *vt* прекращать; **"discontinued"** *комм.* "снято с производства"
discord ['dɪskɔ:d] *n* разлад; *муз.* диссонанс
discordant [dɪs'kɔ:dənt] *adj* несогласующийся; *муз.* диссонирующий
discotheque ['dɪskəutek] *n* дискотека
discount *n* ['dɪskaunt], *vt* [dɪs'kaunt] *n* скидка ✧ *vt комм.* снижать цену на; не принимать в расчет; **to give sb a ~ on sth** делать кому-н скидку на что-н; ~ **for cash** скидка при условии оплаты наличными; **at a ~** со скидкой
discount rate *n* сниженная цена
discourage [dɪs'kʌrɪdʒ] обескураживать, озадачивать; расхолаживать
discouragement [dɪs'kʌrɪdʒmənt] *n* разочарование; **to act as a ~ to sb** отбивать охоту у кого-н *or* к
discouraging [dɪs'kʌrɪdʒɪŋ] *adj* расхолаживающий
discourteous [dɪs'kə:tɪəs] *adj* нелюбезный
discover [dɪs'kʌvə'] *vt* обнаруживать
discovery [dɪs'kʌvərɪ] *n* открытие; обнаружение
discredit [dɪs'kredɪt] *n* дискредитировать ✧ *n:* **it is to his ~ that he...** его дискредитирует то, что он...
discreet [dis'kri:t] *adj* тактичный; осмотрительный; неприметный
discrepancy [dɪs'krepənsɪ] различие; противоречие; несоответствие; расхождение; различие
discretion [dɪs'kreʃən] *n* тактичность; **at the ~ of** на усмотрение; **use your (own) ~** поступайте, по своему усмотрению
discretionary [dɪs'kreʃənrɪ] *adj* дискреционный
discriminate [dɪs'krɪmɪneɪt] *vi:* **to ~ between** различать; **to ~ against** дискриминировать
discriminating [dɪs'krɪmɪneɪtɪŋ] *adj* разборчивый; дифференциальный
discrimination [dɪsrɪmɪ'neɪʃən] *n* дискриминация; разборчивость; **rasial ~** расовая дискриминация; **sexual ~** дискриминация по половому признаку
discus ['dɪskes] *n* диск; метание диска
discussion [dɪs'kʌʃən] *n* обсуждение; дискуссия; **the matter is ~ under!** этот вопрос обсуждается
disdain [dɪs'deɪn] *n* презрение ✧ *vt* презирать ✧ *vi:* **to ~ to do** считать ниже своего достоинства
disease [dɪ'zi:z] *n* болезнь
diseased [dɪ'zi:zd] *adj* больной
disembark [dɪsɪm'bα:k] *vt* выгружать: высаживать ✧ *vi* высаживаться
disembarkation [dɪsembα:'keɪʃən] *n* выгрузка; высадка
disembodied ['dɪsɪm'bɔdɪd] *adj* отчлененный; бестелесный
disembowel ['dɪsɪm'bauəl] *n* потрошить
disenchanted ['dɪsɪn'tʃα:ntɪd] *adj:* ~ **(with)** разочарованный
disenfranchise ['dɪsɪn'fræntʃaɪz] *n полит.* лишать избирательных прав; *комм.* лишать франшизы
disengage [dɪsɪn'geɪdʒ] *vt техн.* расцеплять; *авт.:* **to ~ the clutch** выключать сцепленке
disengagement [dɪsɪn'geədʒmənt] *n* освобождение; **military ~** вывод вооруженных сил
disentangle [dɪsɪn'tæŋgl] *vt* высвобождать; распутывать; **to ~ o.s. (ftom)** выпутываться (из)
disfavour ['dɪs'feɪvə] **1.** *n* немилость; **fall into ~** впасть в немилость **2.** *v* не одобрять
disfigure [dɪs'figə] обезображивать, уродовать; **~-ment** обезображивание; уродство
disfranchise ['dɪs'fræntʃaɪz] лишать избирательного права *или* голоса
disgorge [dɪs'gɔ:dʒ] извергать *(лаву и т.п.);* изрыгать *(пищу);* впадать *(о реке);* неохотно отдавать *(что-л., сосб. присвоенное незаконно)*
disgrace [dɪs'greɪs] *n* позор ✧ *vt* позорить
disgraceful [dɪs'greɪsful] *adj* позорный
disgruntled [dɪs'grʌntld] *adj* недовольный
disguise [dɪs'gaɪz] *n* маскировка; гри-

D

мировка; ✧ *vt* маскировать; скрывать; **to ~ (as)** переодевать; гримировать; **in ~ переодетый; to ~ o.s. as** переодеваться; **there's no disguising the fact that...** нельзя скрыть того, что...
disgust [dɪs'gʌst] *n* отвращение ✧ *vt* внушать отвращение; **she walked off in ~** она с возмущением ушла
disgusting [dɪs'gʌstɪŋ] *adj* отвратительный
dish [dɪʃ] *n* блюдо; параболическая антенна; **to do** *or* **wash the ~es** мыть посуду
dishcloth ['dɪʃklɔθ] *n* тряпка для мытья посуды
dishearten [dɪs'hɑ:tn] *vt* приводить в уныние
dishevelled [dɪ'ʃevəld] *adj* растрепанный
dishonest [dɪs'ɔnɪst] *adj* нечестный
dishonesty [dɪs'ɔnɪstɪ] *n* нечестность
dishonourable [dɪs'ɔnərəbl] *adj* бесчестный
dish out *vt* раздавать; раскладывать *(по тарелкам)*
dish soap *n* хозяйственное мыло
dishtowel ['dɪʃtauəl] *n* кухонное *or* посудное полотенце
dish up *vt* подавать к столу; преподносить
dishwasher ['dɪʃwɔʃə'] *n* посудомоечная машина
dish-water ['dɪʃ,wɔ:tə] помои
dishy [dɪʃɪ] *adj:* **~ bloke** клевый парень
disillusion [dɪsɪ'lu:ʒən] *n* разочаровывать ✧ *n* разочарование; **to become ~ed (with)** разочаровываться
disillusionment [dɪsɪ'lu:ʒənmənt] *n* разочарование
disincentive [dɪsɪn'sentɪv] *n* сдерживающее обстоятельство; **to be a ~ to sb** являться сдерживающим обстоятельством для кого-н.
disinclined [dɪsɪn'klaɪnd] *adj:* **I am ~ to do it** мне не хочется это делать
disinfect [dɪsɪn'fekt] *n* дезинфицировать
disinfectant [dɪsɪn'fektənt] *n* дезинфицирующее средство
disinflation [dɪsɪn'fleɪʃən] *n эконом.* дезинфицирующее средство
disinformation [dɪsɪnfə'meɪʃən] *n* дезинформация
disingenuous [dɪsɪn'dʒenjuəs] *adj* неискренний
disinherit [dɪsɪn'herɪt] *vt:* **to ~ sb** лишать кого-н. наследства
disintegrate [dɪs'ɪntɪgreɪt] *vi* распадаться на части; разлагаться
disinterested [dɪs'ɪntrəstɪd] *adj* бескорыстный
disjointed [dɪs'dʒɔɪntɪd] *adj* бессвязный
disk [dɪsk] диск, (грам)пластинка
disk drive *n* дисковод
diskreetly [dɪs'kri:tlɪ] *atv* тактично; осмотрительно; неприметно
dislike [dɪs'laɪk] *n* неприязнь; нелюбимая вещь ✧ *vt* не любить; **to take a ~ to sb/sth** невзлюбить кого-н./что-н.; **I ~ the idea** мне не нравится идея; **he ~ cooking** он не любит готовить
dislocate ['dɪsləkeɪt] *n* вывихнуть; **he has ~d his shoulder** он вывихнул плечо
dislodge [dɪs'lɔdʒ] вытеснять, выбивать
disloyal ['dɪs'lɔɪəl] вероломный, предательский
dismal ['dɪsməl] гнетущий; мрачный
dismantle [dɪs'mæntl] выносить *(мебель и т.п.);* разоружать; расснащивать *(корабль);* разбирать *(машину)*
dismast [dɪs'mɑ:st] *vt мор.* снимать мачты
dismay [dɪs'meɪ] *n* смятение ✧ *vt* приводить в смятение; **mush to my ~** к моему смятению; **he gasped in ~** он ахнул в смение
dismember [dɪs'membə] расчленять; **~ment** расчленение
dismiss [dɪs'mɪs] *vt* увольнять; распускать; *юрид.* прекращать; отбрасывать
dismissal [dɪs'mɪsl] *n* увольнение
dismount [dɪs'maunt] *vi* спешиваться; слезать
disobedience [dɪsə'bi:dɪəns] *n* непослушание

disobedient [dısə'bi:dıənt] *adj* непослушный
disobey ['dısə'beı] ослушаться; не слушаться
disorder [dıs'ɔ:də] *n* беспорядок *мед.* расстройство; **civil** ~ социальные беспорядки
disorderly [dıs'ɔ:dəlı] *adj* беспорядочный; неорганизованный; бесчинствующий
disorderly conduct *n* нарушение общественного порядка
disorganize [dıs'ɔ:gənaız] расстраивать; дезорганизовать
disorganized [dıs'ɔ:gənaızd] *adj* неорганизованный
disorientated [dıs'ɔ:rıenteıtıd] *adj* лишенный чувства ориентации
disown [dıs'əun] *vt* отказываться от; отрекаться от
disparaging [dıs'pærıdʒıŋ] *adj* пренебрежительный; **to be ~ about sb/sth** относиться пренебрежительно к кому-н./чему-н.
disparate ['dıspərıt] *adj* несравнимый
disparity [dıs'pærıtı] *n* неравенство
dispassionate [dıs'pæʃənət] *adj* бесстрастный
dispatch [dıs'pætʃ] *vt* отправлять; разделываться с; покончить с ✧ *n* отправка; *пресса* сообщение; *воен.* донесение
dispatch department *n* отдел отправки
dispatch rider *n воен.* мотоциклист связи
dispel [dıs'pel] разгонять, рассеивать
dispence [dıs'pens] *vt* приготовлять и отпускать; раздавать; **to ~ justice** отправлять правосудие
dispencer [dıs'pencə'] *n* торговый автомат
dispensary [dıs'pensərı] *n* аптека
dispensation [dıspen'seıʃən] *n* осуществление; **(spesial)** ~ особое разрешение
dispense with *vt* обходиться без; освобождать от необходимости
dispensing chemist [dıs'pensıŋ-] *n* аптека
dispersal [dıs'pe:sl] *n* рассеивание
disperse [dıs'pə:s] *vt* рассеивать; разгонять; распространять ✧ *vi* рассеиваться
dispirited [dı'spırıtıd] удручённый, унылый
displace [dıs'pleıs] *vt хим.* замещать
displaced person [dıs'pləıst-] *n* перемещенное лицо
displacement [dis'pleısmənt] *n* замещение; *физ.* вытеснение
display [dıs'pleı] **1.** *v* выставлять, показывать; проявлять, обнаруживать **2.** *n* выставка; показ; проявление; выставление напоказ, хвастовство
display advertising *n* витринно-выставочная реклама
displease [dıs'pli:z] *vt* раздражать
displeased [dıs'pli:zd] *adj:* **~ with** раздраженный
displeasure [dıs'pleʒə'] *n* неудовольствие
disposable [dıs'pəuzəbl] *adj* одноразового употребления; одноразовый; **~ income** *доход, которым население располагает после уплаты налогов*
disposable nappy *n* одноразовая пеленка
disposal [dıs'pəuzl] *n* реализация; распродажа; удаление; удаление; **to have sth at one's ~** располагать чем-н; **to put sth at sb's ~** предоставлать что-н. в чье-н. распоряжение
dispose [dıs'pəuz] *vi:* **~ of** избавляться; управляться с; *комм.* реализовывать
disposed [dıs'pəuzd] *adj:* **I am ~ to do** я настроен; **to be well ~ towards sb** хорошо относиться к кому-н.
disposition [dıspə'zıʃən] *n* нрав; склонность
dispossess ['dıspə'zes] лишать собственности, (права) владения
disproportion [dıspr'ə'pɔ:ʃən] *n* диспропорция
disproportionate [dısprə'pɔ:ʃənət] *adj* неоправданно большой; **our income is ~ to our expenditure** наши доходы не соизмеримы с нашими расходами

D

D

disprove [dɪs'pru:v] *vt* опровергать
dispute [dɪs'pju:t] *n воен.* спор; *юрид.* тяжба; ✧ *vt* оспаривать; **to be is** *or* **under ~** опротестовываться; оспариваться
disqualification [dɪskwɔlɪfɪ'keɪʃən] *n:* **~ from sth** лишение права на участие в чем-н.; **from driving** лишение водительских прав
disqualify [dɪs'kwɔlɪfaɪ] *vt спорт.* дисквалифицировать; **to ~ sb for sth/from doing** лишать кого-н. права на участие в чем-н.; **to ~ sb from driving** лишать кого-н. водительских прав
disquiet [dɪs'kwaɪət] *n* беспокойство
disregard [dɪsrɪ'gɑ:d] *vt* пренебрегать ✧ *n:* **~ (for)** пренебрежение (к)
disrepair ['dɪsrɪ'peə'] *n:* **to fall into ~** приходить в негодность
disreputable [dɪs'repjutəbl] *adj* недостойнный
disrepute ['dɪsrɪ'pju:t] *n* дурная слава; **to fall into ~** приобретать дурную славу; **to bring sb/sth into ~** навлекать на кого-н./что-н. дурную славу
disrespectful [dɪsrɪ'spektful] *adj* непочтительный
disrupt [dɪs'rʌpt] *vt* нарушать
disruption [dɪs'rʌpʃən] *n* нарушение; социальные беспорядки
disruptive [dɪs'rʌptɪv] *adj* подрывной; разрушительный
dissatisfaction [dɪssætɪs'fækʃən] *n* недовольство; неудовлетворенность
dissatisfied [dɪs'ætɪsfaɪd] *adj:* **~ (with)** недовольный
dissect [dɪ'sekt] анатомировать; анализировать
dissemble [dɪ'sembl] скрывать *(чувства и т.п.)*
disseminate [dɪ'semɪneɪt] распространять *(учение, взгляды)*
dissent [dɪ'sent] *n* инакомыслие; **~ from the party line** отход от партийной линии
dissenter [dɪ'sentə'] *n рел.* инакомыслящий
dissertation ['dɪsə:'teɪʃən] диссертация
disservice ['di:s'sə:vɪs] плохая услуга, ущерб
dissident ['dɪsidnt] *adj* диссидентский ✧ *n рел.* диссидент
dissimilar [dɪ'sɪmɪlə'] *adj:* **~ (to)** несходный (с); **this is not ~ to...** это сходно с...
dissipate ['dɪsɪpeɪt] *vt* рассеивать; растрачивать
dissipated ['dɪsɪpeɪtɪd] *adj* распущенный
dissociate [dɪ'səuʃɪeɪt] *vt:* **to ~ from** отделять от; **to ~ o.s. from** отмежевываться от
dissolute ['dɪsəlu:t] *adj* развратный
dissolution [dɪsə'lu:ʃən] *n* роспуск; расторжение
dissolve [dɪ'zɔlv] *vt* растворять; распускать; расторгать ✧ *vt* растворяться; **to ~ in(to) tears** заливаться слезами
dissonǁance ['dɪsənəns] неблагозвучие, диссонанс; **~-ant** [-ənt] нестройный *(о звуках)*
dissuade [dɪ'sweɪd] отговаривать, отсоветовать
distaff ['dɪstɑ:f] *n:* **on the ~ side** по женской линиии
distance ['dɪstns] *n* расстояние; дистанция; отдаленность; сдержанность ✧ *vt* **to ~ o.s. (from)** отдаляться (от); **in the ~** вдалеке, вдали; **from a ~** издалека, издали; **what's the ~ to London?** каково расстояние до Лондона; **into the ~** вдаль; **it's within walking ~** туда можно дойти пешком: **the town is some ~ from the sea** город находиться в некотором отдалении от моря; **at a ~ of two metres** на расстоянии двух метров; **keep your ~!** соблюдайте дистанцию!; **to keep sb at a ~** держать кого-н. на расстоянии
distant ['dɪstnt] *adj* далекий; дальний; сдержанный; **in the ~ past/future** в далеком прошлом/будущем
distaste [dɪs'teɪst] *n* неприязнь
distasteful [dɪs'teɪstful] *adj* неприятный
distend [dɪs'tend] *vt* расширять; раздувать ✧ *vi* раздуваться
distended [dɪs'tendɪd] *adj* вздутый
distil [dɪs'tɪl] *vt* дистиллировать; перегонять; извлекать

distillery [dɪs'tɪlərɪ] *n* спирто-водочный завод
distinct [dɪs'tɪŋkt] *adj* отчетливый; определенный; **~ (from)** отличный (от); **as ~ from** в отличие от
distinction [dɪs'tɪŋkʃən] *n* отличие; честь = "отлично"; **to draw a ~ between** проводить различие между; **to draw a ~ between** проводить различие между; **to pass an exam with ~** сдаваать экзамен на отлично; **he is a writer of ~** он выдающийся писатель
distinctive [dɪs'tɪŋktɪv] *adj* своеобразный; характерный; отличительный
distinctly [dɪs'tɪŋktlɪ] *adv* отчетливо; определенно
distinguish [dɪs'tɪŋgwɪʃ] *vt* различать; **to ~ (between)** проводить различие (между); **to ~ o.s.** отличаться
distinguished [dɪs'tɪŋgwɪʃt] *adj* выдающийся; благородный
distinguishing [dɪs'tɪŋgwɪʃəŋ] *adj* отличительный
distort [dɪs'tɔːt] *vt* искажать
distortion [dɪs'tɔːʃən] *n* искажение
distract [dɪs'trækt] *vt* отвлекать
distracted [dɪs'træktɪd] *adj* невнимательный; отсутствующий; встревоженный
distraction [dɪs'trækʃən] *n* отвлечение; путаница; развлечение; **to drive sb to ~** доводить кого-н. до безумия
distrait [dɪs'treɪ] рассеянный
distraught [dɪs'trɔːt] *adj;* **~ (with)** обезумевший (от)
distress [dɪs'tres] *n* отчаяние; страдание ✧ *vt* огорчать; **the ship is in ~** корабль терпит бедствие; **he is in ~** он в бедственном положении; **~ed area** район бедствия
distressing [dɪs'tresɪŋ] *adj* огорчительный
distress signal *n* сигнал бедствия
distribute [dɪs'trɪbjuːt] *vt* раздавать; распределять
distribution [dɪstrɪ'bjuːʃən] *n* распространение; распределение
distribution cost *n* издержки обращения
distributor [dɪs'trɪbjutə'] *n комм.* дистрибьютер; *авт.* распределитель зажигания
district ['dɪstrɪkt] *n* район
district council *n* районный совет
district nurse *n* участковая медсестра
distrustful [dɪs'trʌstful] *adj:* **~ (of)** недоверчивый (к)
disturb [dɪs'təːb] *vt* беспокоить; мешать; нарушать; **sorry to ~ you** извините за беспокойство
disturbance [dɪs'təːbəns] *n* расстройство; волнения; беспорядки; расстройство; нарушение (общественного) порядка; **to cause a ~** вызывать беспорядки; **~ of the peace** нарушение общественного порядка
disturbed [dɪs'təːbd] *adj* расстроенный; неспокойный; **mentally ~** душевнобольной; **emotionally ~** психически неуравновешенный
disturbing [dɪs'təːbɪŋ] *adj* тревожный
disuni||on ['dɪs'juːnjən] разъединение, разобщение; разлад; **~te** [dɪsjuː'naɪt] разъединять, разъединяться
disuse ['dɪs'juːz] **1.** *v* переставать пользоваться; **a ~d well** колодец, которым не пользуются; **2.** *n* ['dɪs'juːs] неупотребление; **fall into ~ выйти из употребления**
disused [dɪs'juːzd] *adj* заброшенный
ditch [dɪtʃ] *n* ров, канава; канал ✧ *vt* бросать; забрасывать
dither ['dɪðə'] *vi* колебаться
ditrust [dɪs'trʌst] *n* недоверие ✧ *vt* не доверять
ditto ['dɪtəu] *adv* так же
ditty ['dɪtɪ] песенка
divan I [dɪ'væn] диван
divan II диван *(государственный совет на Востоке)*
dive [daɪv] *n* прыжок *(в воду)*; ныряние; погружение; забегаловка ✧ *vi* нырять; погружаться; **to ~ into** запускать руку; нырять в
diven [dɪ'væn] *n* тахта
diver ['daɪvə] *n* водолаз
diverge [daɪ'vəːdʒ] *vi* расходиться
divergent [daɪ'vəːdʒənt] *adj* расходящийся

D

divers [ˈdaɪvəːz] *уст.* разные
diverse [daɪˈvəːs] *adj* разнообразный
diversification [daɪvəːsɪfɪˈkeɪʃən] *n* диверсификация
diversify [daɪˈvəːsɪfaɪ] *vi* разнообразить; *комм.* расширять выбор
diversion [daɪˈvəːʃən] *n авт.* объезд; отвлечение
diversionary [daɪˈvəːʃənrɪ] *adj* диверсионный
diversity [daɪˈvəːsɪtɪ] *n* разнообразие, многообразие
divert [daɪˈvəːt] *vt* отвлекать; отводить
divest [daɪˈvest] раздевать, разоблачать, лишать; **I cannot ~ myself of the idea** я не могу отделаться от мысли; **~ment** раздевание, лишение *(прав и т.п.)*
divide [dɪˈvaɪd] *vt* разделять; *мат.* делить ✧ *vi* делиться; разделяться ✧ *n* расхождение; **to ~ (between** *or* **among)** делить (между); **40 ~d by 5** 40 разделить на 5
divided [dɪˈvaɪdɪd] *adj* разделенный; **opinions were ~** мнения разделились
divided highway *n* шоссе
dividend [ˈdɪvɪdend] *n комм.* дивиденд; **to pay ~s** окупаться
dividend cover *n комм.* покрытие дивиденда
divide out *vt:* **to ~ out (between** *or* **amond)** разделять (между)
dividers [dɪˈvaɪdəz] *npl мат.* разделительный циркуль
divine I [dɪˈvaɪn] **1.** *a* божественный, *разг.* превосходный **2.** *n* богослов
divine II угадывать; предсказывать
diving [ˈdaɪvɪŋ] *n* ныряние; *спорт.* прыжки в воду
diving board *n* вышка *(для прыжков в воду)*
divinity [dɪˈvɪnɪtɪ] *n* божественность; божество; *просвещ.* богословие
diviny suit *n* гидрокостюм
divisible [dɪˈvɪzəbl] *adj мат.:* **~ (by)** делимый (на); **to be ~ into** подразделяться на
division [dɪˈvɪʒən] *n мат.* деление; разделение; разногласие; *полит. парламентское голосование, совершаемое в разных комнатах; комм.* подразделение, отделение; *воен.* дивизия; *спорт.* лига; **~ of labour** разделение труда
divisive [dɪˈvaɪsɪv] *adj* вызывающий разногласия
divisor [dɪˈvaɪzə] *мат.* делитель
divorce [dɪˈvɔːs] **1.** *n* развод, расторжение брака; разъединение **2.** *v* расторгать брак; разъединять, отделять
divot [ˈdɪvət] *n* вырванный кусок дерна
divulge [dɪˈvʌldʒ] *vt* разглашать
dixie, dixy [ˈdɪksɪ] *воен.* кухонный котёл; походный котелок
dizziness [ˈdɪzɪnɪs] *n* головокружение
dizzy [ˈdɪzɪ] *adj* головокружительный; **~ turn** *or* **spell** приступ головкружения; **I feel ~** у меня кружится голова; **to make sb ~** приводить кого-н. в смятение
djing [ˈduɪŋ] *n:* **this is your ~** это твоих рук дело
Dnieper [ˈdniːpəˈ] *n:* **the~** Днепр
do [duː] *(pl* **did,** *pp done) aux vb* **1. I don't understand** я не понимаю; **she doesn't want it** она не хочет это; **didn't you know?** разве Вы не знали?; **what do you think?** что Вы думаете?; **2.** да; **she does look rather pale** да, она выглядит очень бледной: **oh do shut up!** ну, замолчите же!; **3.** пожалуйста: **do sit down/help yourself** пожалуйста, садитесь/-угощайтесь; **do take care** пожалуйста, берегите себя!; **4: she swims better than I do** она плавает лучше меня *or* чем я; **do you read/buy newspapers? — yes, I do/no, I don't** Вы читаете/покупаете газеты? — да, (читаю/покупаю)/нет, (не читаю/-покупаю); **she lives in Glasgow — so do I** она живет в Глазго — а я тоже; **he didn't like it and neither did we** ни ему, ни нам это не понравилось: **who made this mess? — I did** кто здесь насорил? — я; **he asked me to help him and I did** он попросил меня помочь ему, что я и сделал; **5.** верно, ведь; **you like him, don't**

you? он Вам нравится, верно?, он ведь Вам нравится; I don't know him, do I? я ведь его не знаю ✧ *vt* **1.** делать; **what are you doing tonight?** что Вы делаете сегодня вечером?; **I've got nothing to do** мне нечего делать; **what can I do for you?** чем я могу Вам помочь?; **we're doing "Otello" at school** мы проходим "Отелло" в школе; мы ставим "Отелло" в школе; **to do one's teeth** чистить зубы; **to do one's hair** причесываться; **to do the washing-up** мыть посуду; **2.** *авт.:* **the car was doing 100 (km/h)** машина шла со скоростью 100 км/ч; **we've done 200 km already;** мы уже проехали 200 км; **he can do 100 mph in that car** на этой машине он может ехать со скоростью 100 миль в час ✧ *vi* **1.** делать; **do as I do** делайте, как я; **you did well to react so quickly** Вы молодец, что так быстро среагировали; **2: he's doing well/badly at school** он хорошо/плохо учится; **the firm is doing well** дела в фирме идут успешно; **how do you do?** очень приятно; **3.** подходить; **will it do?** это подойдет?; **4.** хватать; **will ten pounds do?** десяти фунтов хватит?; **that'll do** ладно, хорошо; **that'll do!** довольно!, хватит!; **to make do (with)** обходиться ✧ *n;* **we're having a bit of a do on Saturday** у нас будет вечеринка в субботу; **it was a formal do** это был официальный прием;

do away with *vt* прикончить; покончить с;

doc [dɔk] *n* доктор

docile ['dəusaıl] *adj* кроткий

dock [dɔk] *n мор.* док; *юрид.* скамья подсудимых; *бот.* щавель ✧ *vi мор.* причаливать; *космос.* стыковаться ✧ *vt:* **they ~ed a third of his wages** они удержали треть его зарплаты; **~s** *npl мор.* док, верфь

dock dues [-dju:z] *prl комм.* плата за пользование доком

docker ['dɔkə'] *n* докер

docket ['dɔkıt] *n комм.* квитанция; опись

dockyard ['dɔkjɑ:d] *n* док, верфь

doctor ['dɔktə] *n мед.* врач, *просвещ.* доктор ✧ *vt:* **I ~ed his coffee with arsenic** я подмешал в его кофе мышьяк; **~'s office** врачебный кабинет

doctorate ['dɔktərıt] *n* докторская работа; докторская степень

Doctor of Philosophy *n* доктор философии *or* философских наук

doctrine ['dɔktrın] *n* доктрина

docudrama ['dɔkjudrɑ:mə] *n фильм или программа, в основу которых вошли реальные события*

document *n* ['dokjumənt], *vb* ['dɔkjument] *n* документ ✧ *vt* документировать

documentary [dɔkju'mentərı] *adj* документальный ✧ *n тел.* документальный фильм

documentation [dɔkjumən'teıʃən] *n комп.* документация

dodder ['dɔdə] ковылять

doddering ['dɔdərıŋ] *adj* дряхлый

doddery ['dɔdərı] *adj* = **doddering**

doddle ['dɔdl] *n* пустяк, пара пустяков

dodge [dɔdʒ] *n* увертка, уловка ✧ *vt* увертываться от ✧ *vi* увертываться; *спорт.* делать обманное движение; **to ~ out of the way** отскакивать в сторону; **to ~ through the traffic** лавировать в потоке машин

dodgems ['dɔdʒəmz] *npt* аттракционный электромобиль

dodgy ['dɔdʒı] *adj* рискованный; **~ character** подозрительный тип

doe [dou] самка *(оленя, зайца, кролика)*

doeskin ['douskın] оленья кожа; замша

do for *vt* убирать;

dog [dɔg] *n* собака ✧ *vt* преследовать; **to go to the ~s** приходить в упадок

dog biscuits *npl* галеты для собак

dog collar *n* ошейник; *рел. высокий жесткий воротник у священников*

D

dog-days [ˈdɔgdeɪz] жаркие летние дни
dog-eared [ˈdɔgɪəd] *adj* потрепанный
dog food *n* корм для собак
dogged [ˈdɔgɪd] упорный, упрямый; **it's ~ does it ~** упорством всего добьёшься
doggie [ˈdɔgɪ] *детск.* собачка
doggy bag [ˈdɔgɪ-] *n пакет, в котором посетители ресторана могут унести объедки*
dogma [ˈdɔgmə] *n* догма
dogmatic [dɔgˈmætɪk] *adj* догматический
do-gooder [duːˈgudəˈ] *n* благодетель
dogsbody [ˈdɔgzbɔdɪ] *n* ишак
doily [ˈdɔɪlɪ] *n* ажурная *or* кружевная салфеточка
doings [ˈduːɪŋz] дела, поступки; *амер. разг.* затейливые блюда
do-it-yourself [ˈduːɪtjɔːˈself] *n* сделай сам
doldrums [ˈdɔldrəmz] *npl:* **to be in the ~** хандрить; находиться в упадке
dole [dəul] *n* пособие по безработице; **to be on the ~** получать пособие по безработице
doleful [ˈdəulful] *adj* скорбный **dole out** *vt* раздавать
doll [dɔl] *n* кукла
dollar [ˈdɔləˈ] *n* доллар
dollar area *n* долларовая зона
dolled up *adj* разряженный
dollop [ˈdɔləp] *n:* **a ~ (of)** ложка
dolly [ˈdɔlɪ] *n* кукла
dolorous [ˈdɔlərəs] печальный
dolphin [ˈdolfɪn] дельфин
dolt [doult] болван
domain [dəˈmeɪn] владения; имение; *перен.* область, сфера
dome [doum] купол; **~ of heaven** *поэт.* небесный свод; *поэт.* величественное здание
domestic [dəˈmestɪk] *adj* домашний; внутренний; семейный
domesticated [dəˈmestɪkeɪtɪd] *adj* одомашненный; домовитый; **he's very ~** он очень домовитый
domesticity [dəumesˈtɪsɪtɪ] *n* домашняя жизнь
domestic servant *n* прислуга
domicile [ˈdɔmɪsaɪ] *n юрид. админ.* место жительства
dominant [ˈdɔmɪnənt] *adj* преобладающий, доминирующий; властный
dominate [ˈdɔmɪneɪt] *vt* доминировать над
domination [dɔmɪˈneɪʃən] *n* преобладание, доминирование
domineering [dɔmɪˈnɪərɪŋ] *adj* властный
dominion [dəˈmɪnɪən] *n* доминион; **to have ~ over** владычествовать над
domino [ˈdɔmɪnəu] *n* домино
domino effect *n* цепная реакция
dominoes [ˈdɔmɪnəiz] *n* домино
don [dɔn] *n просвещ.* преподаватель(ница) ✧ *vt* надевать
don't [dəunt] = **do not**
donate [dəˈneɪt] *vt:* **to ~ (to)** жертвовать
donation [dəˈneɪʃən] *n* пожертвование
done [dʌn] *pp* **do**
donkey [ˈdɔŋkɪ] *n* осел
donkey-work [ˈdɔŋkɪwəːk] *n* ишачья работа
donor [ˈdounə] жертвователь, донор
donor card *n* донорская карточка
donut [ˈdəunʌt] *n* = **doughnut**
doodle [ˈduːdl] *vi* чиркать ✧ *n* каракули
doom [duːm] **1.** *n* рок; гибель **2.** *v* обрекать *(на что-л.)*
doomsday [ˈduːmzdeɪ] *n* страшный суд
door [dɔːˈ] *n* дверь; **to go from ~ to ~** ходить от дома к дому
doorbell [ˈdɔːbel] *n (дверной)* звонок
door handle *n* дверная ручка; *авт.* ручка двери
doorman [ˈdɔːmən] *n* швейцар; привратник
doormat [ˈdɔːmæt] *n* половик; тряпка
doorpost [ˈdɔːpəust] *n* дверной косяк
doorstep [ˈdɔːstep] *n* порог; **on the ~** на пороге
door-to-door [ˈdɔːtəˈdɔːˈ] *adj:* **~ salesman** *агент, сбывающий товары и различные виды услуг непосредственно в домах потребителей;* **~ selling** продажа вразнос
doorway [ˈdɔːweɪ] *n* дверной проем; **in the ~** в дверях

dope [dəup] *n* наркотик; допинг; придурок; секретная информация ✧ *vt* вводить наркотик
dopey [ˈdəupɪ] *adj* одурманенный; одурелый
dormant [ˈdɔːmənt] *adj* покоящийся; спящий: **to lie ~** бездействовать
dormer [ˈdɔːməˈ] *n (also:* **~ window)** мансардное окно
dormer-window [ˈdɔmə-wɪndou] слуховое окно
dormice [ˈdɔːmaɪs] *npl of* **dormouse**
dormitory [ˈdɔːmɪtrɪ] *n* общая спальня; общежитие
dormouse [ˈdɔːmaus] **(dormise)** *n зоол.* соня
dosage [ˈdousɪdʒ] дозировка; доза
dose [dous] **1.** *n* доза **2.** *v* давать лекарство дозами
doss-house [ˈdɔshaus] ночлежный дом
dossier [ˈdɔsɪeɪ] *n* досье
dot [dɔt] *n* точка; пятнышко ✧ *vt:* **~ted with** усеянный; **on the ~** минута в минуту
dotage [ˈdoutɪdʒ] старческое слабоумие
dote [dəut]: **to ~ on** *vt* души не чаять в
dot-matrix printer [dotˈmeɪtrɪks-] *n комп.* матричный принтер
dotted line [ˈdɔtɪd-] *n* пунктирная линия; **to sign on the ~ ~** окончательно соглашаться
dotty I [ˈdɔtɪ] усеянный точками
dotty II *разг.* рехнувшийся; **be ~** рехнуться
double [ˈdʌbl] *adj* двойной ✧ *adv:* **to cost ~** стоить вдвое дороже ✧ *n* двойник ✧ *vt* удваивать; складывать ✧ *vi* удваиваться; **to ~ as** совмещать обязанности; служить одновременно: **he ~s as a servant in this play** он также исполняет роль слуги в этом спектакле; **on the ~,at the ~**; бегом; **~ five two six (5526)** *телеф.* пятьдесят пять двадцать шесть; **it's spelt with a ~ "l"** пишется с двумя "л"
double back *vi* разворачиваться и идти назад
double bass *n* контрабас
double bend *n* двуспальная кровать
double blind *n сравнительный эксперимент, в котором личность участников неизвестна ни экспериментаторам, ни экспериментируемым*
double-breasted [ˈdʌblˈbrestɪd] *adj* двубортный
double check [ˈdʌblˈtʃek] *vti* перепроверять
double cream *n* густые сливки
doublecross [ˈbʌblˈkrɔs] *vt* надувать
doubledecker [ˈdʌblˈdekəˈ] *n* двухэтажный автобус
double exposure *n фото.* двойная экспозиция
double glazing [-ˈgleɪzɪŋ] *n* двойные рамы
double indemnity *n выплата страховой суммы в двойном размере*
double-page spread [ˈdʌblpeɪdʒ-] *n* двойной разворот (газеты, журнала)
double parking *n* парковка вторым рядом
double room *n* двухместный номер; комната на двоих
doubles [ˈdablz] *n* пары
double time *n* двойная оплата
double up *vi* скорчиваться; делить
double whammy [-ˈwæmɪ] *n* двойной удар
doubly [ˈdʌblɪ] *adv* вдвойне
doubt [daut] *n* сомнение ✧ *vt* сомневаться; сомневаться в; недоверять; **without (a) ~** без сомнения; **I ~ it (very much)** я (очень) сомневаюсь; **I ~ if** *or* **whether she'll come** я сомневаюсь, что она придет; **I don't ~ that** я не сомневаюсь, что...
doubtful [ˈdautful] *adj* сомнительный: **to be ~ about sth** сомневаться насчет чего-н; **I'm a bit ~** я несколько сомневаюсь; **it's ~ whether...** сомнительно, что...
doubtless [ˈdautlɪs] *adv* несомненно
dough [dəu] *n* тесто; бабки
doughnut [ˈdəunʌt] *n* пончик
do up *vt* завязывать; застегивать; ремонтировать;
dour [duəˈ] *adj* суровый
douse [dauz] *vt:* **to ~ (with)** обливать

D

✧ *vt* тушить, гасить
dove [dʌv] *n* голубь
Dover ['dəuvə'] *n* Дувр; **Straits of ~** Па-де-Кале
dovetail ['dʌvteɪl] *vi* совпадать; дополнять друг друга ✧ *n тех.*: **~ joint** ласточкин хвост
dovote [dɪ'vəut] *vt:* **to ~ stb to** посвящать что-н.

D

dowager ['dauədʒə'] *n* престарелая светская дама; **the ~ duchess** вдовствующая герцогиня
dowdy ['daudɪ] *adj* неказистый
do with *vt:* **I could do with a drink** я бы выпил чего-нибудь; **I could do with some help** помощь мне бы не помешала; **what has it got to do with you?** какое это к Вам имеет отношение?; **I won't have anything to do with it** я не желаю иметь к этому никакого отношения; **it has to do with money** это относительно денег;
do without *vt* обходиться без; **it you're late for tea then you'll do without** если Вы опоздаете, то останетесь без чая
down [daun] *n* пух; холм ✧ *adv* вниз; внизу ✧ *prep* с *or* по; проглатывать; **~ there** вон там; **~ here** вот здесь; **the price of meat is ~** цена на мясо упала; **I've got it ~ somewhere** у меня где-то это эаписано; **to pay $2 ~** платить первый взнос $2; **England is two goals ~** Англия проигрывает на два очка; **to ~ tools** прекращать работать; **~ with the government!** долой правительство!
Down's syndrome [daunz-] *n* синдром Дауна
down-and-out ['daunəndaut] *n* бездомный(-ая)
down-at-heel ['daunət'hi:l] *adj* стоптанный; потрепанный
downbeat ['daunbi:t] *n муз.* сильная доля ✧ *adj* небрежный
downcast ['daunka:st] *adj* подавленный; опущенный
downer ['daunə'] *n* успокоительное; **to be on a ~** быть в депрессии
downfall ['daunfɔ:l] ливень; сильный снегопад; *перен.* падение; ниспровержение
downgrade ['daùngreɪd] *vt:* **he was ~d** его понизили
downhearted ['daun'ha:tɪd] *adj* упавший духом
downhill ['daun'hɪl] **1.** *a* покатый **2.** *adv* под гору; вниз ✧ **go ~** ухудшаться *(о здоровье и т.п.)*
download ['daunləud] *vt comп.* загружать *(в память)*
down-market ['daun'ma:kɪt] *adj* дешевый
down payment *n* первый взнос
downplay ['daunpleɪ] *vt* преуменьшать
downpour ['daunpɔ:'] *n* ливень
downright ['daunraɪt] **1.** *a* прямой; откровенный; честный; явный **2.** *adv* совершенно
downstairs ['daun'steəz] *adv* внизу; вниз
downstream ['daunstri:m] *adv* вниз по течению
downtime ['dauntaɪm] *n* простой
downtown ['daun'taun] *adv* в центре; в центр ✧ *adj:* **~ Chicago** центр Чикаго
downtrodden ['dauntrɔdn] *adj* забитый
down under *adv* другой конец света; **he lives ~** он живет иа другом конце света
downward ['daunwəd] *adj* направленный вниз ✧ *adv* вниз; **a ~ trend** понижательная тенденция
downwards ['daunwədz] *adv* = **downward**
downy ['daunɪ] пушистый; мягкий как пух
dowry ['dauərɪ] приданное; природный дар, талант
doze [dəuz] *vi* дремать
dozen ['dʌzn] *n* дюжина; **a ~ books** дюжина книг; **80 pence a ~** 80 пенсов за дюжину; **~s of** десятки
doze off *vi* задремать
drab [dræb] **1.** *a* тускло-коричневый; скучный **2.** *n* тускло-коричневый цвет; однообразие
draft I [dra:ft] **1.** *n* чертёж, план; эскиз; черновик *(документа и т.п.);* проект, набросок; чек; трата **2.** *v* набросать *(документ, законопроект);* сделать чертёж

draft II призыв; набор в армию
draftsman [ˈdrɑ:ftsmən] чертёжник; составитель документа, автор законопроекта
drag [dræg] *vt* тащить; прочесывать ◇ *vi* тянуться ◇ *n* обуза; бремя *мор., авиат.* лобовое сопротивление; **in ~** в костюме женщины *(о мужчине)*
drag away *vt:* **to ~ sb away (from)** оттаскивать кого-н. (он)
draggle [ˈdrægl] пачкать *(волоча по земле);* тащиться в хвосте
dragnet [ˈdrægnet] *n* невод, бредень; облава
drag on *vi* тянуться
dragon [ˈdrægn] *n* дракон
dragonfly [ˈdrægənflaɪ] *n* стрекоза
dragoon [drəˈgu:n] *n* драгун ◇ *vt:* **to ~ sb into sth** втягивать кого-н. в что-н.
drain [dreɪn] *n* водосток, водоотвод; утечка; расход ◇ *vt* осушать; сливать ◇ *vi* стекать; **I feel ~ed** я истощен; **I feel ~ed of emotion** у меня истощились эмоции
drainage [ˈdreɪnɪdʒ] *n* канализация; дренаж, осушение
drainboard [ˈdreɪnbɔ:d] *n* = **draining board**
draining board [ˈdreɪnɪŋ-] *n* сушка
drainpipe [ˈdreɪnpaɪp] *n* водосточная труба
drake [dreɪk] *n* селезень
dram [dræm] *n* глоток *(о спиртном)*
drama [ˈdrɑ:mə] *n* драма
dramatically [drəˈmætɪklɪ] *adv* драматически; резко
dramatik [drəˈmætɪk] *adj* драматический; резкий; разительный
dramatist [ˈdræmətɪst] *n* драматург
dramatize [ˈdræmətaɪz] *vt* драматизировать; инсценировать
drank [dræŋk] *pt of* **drink**
drape [dreɪp] *vt* драпировать
drapes [dreɪps] *npl* занавески
drastically [ˈdræstɪklɪ] *adv* коренным образом; резко
drastik [ˈdræstɪk] *adj* решительный; коренной
draught I [drɑ:ft] сквозняк; тяга *(воздуха);* тяга; **beasts of ~** тягловый скот
draught II глоток; **drink at a ~** выпить залпом
draught III *pl* шашки
draught IV чертёж
draught beer *n* бочковое пиво
draughtboard [ˈdrɑ:ftbɔ:d] *n* шашечная доска
draught-horse [ˈdrɑ:fthɔ:s] ломовая лошадь
draughts [drɑ:fs] *n* шашки
draughtsman [ˈdrɑ:ftsmən] *n* чертежник(-ица)
draughtsmanship [ˈdrɑ:ftsmənʃɪp] *n* черчение; искусство черчения
draw [drɔ:] *vt искусст.* рисовать; *тех.* чертить; тащить; задергивать; вырывать; привлекать; собирать; снимать; получать ◇ *vi спорт.* играть в ничью ◇ *n спорт.* ничья; лотерея; жеребьевка; **to ~ near** приближаться; **to ~ to a close** подходить к концу; **to ~ a conclusion** делать вывод; **to ~ a comparison between** проводить сравнение между
drawback [ˈdrɔ:bæk] *n* недостаток
draw back *vi:* **to ~ back (from)** отпрянуть (от)
drawbridge [ˈdrɔ:brɪdʒ] *n* подъемный *or* разводной мост
drawee [drɔ:ˈi:] *n* трассат
drawer [drɔ:ˈ] *n* ящик
drawers [drɔ:z] *pl* кальсоны
draw in *vi* останавливаться; подъезжать; становиться длиннее
drawing [ˈdrɔ:ɪŋ] *n* рисунок; рисование
drawing board *n* чертежная доска; **to go back to the ~ ~** все начинать сначала
drawing pin *n* (канцелярская) кнопка
drawing room *n* гостиная
drawl [drɔ:l] *n* протяжное произношение ◇ *vi* протягивать
drawn [drɔ:n] *pp of* **draw** ◇ *adj* измученный
draw on *vt* использовать
draw out *vi* растягивать ◇ *vt* снимать
drawstring [ˈdrɔ:strɪŋ] *n* шнур *(который продернут во что-нибудь)*
draw up *vi* подъезжать ◇ *vt* при-

D

двигать; составлять
dray [dreɪ] подвода
dread [ˈdred] **1.** *v* страшиться **2.** *n* страх; **~ful** ужасный, страшный
dreadful [ˈdredful] *adj* ужасный; **I feel ~!** я ужасно себя чувствую!
dream [driːm] *n* сон; мечта ✧ *vt:* **I must have ~t it** мне, наверное, это приснилось ✧ *vi* видеть сон; мечтать; **I had a ~ about you** ты мне приснился; **sweet ~s!** приятных сновидений!
dreamer [ˈdriːməˈ] *n* мечтатель
dreamt [dremt] *pp of* **dream**
dream up *vt* выдумывать
dream world *n:* **to live in a ~ ~** жить в придуманном мире
dreamy [ˈdriːmɪ] *adj* мечтательный; убаюкивающий
dreary [ˈdrɪərɪ] *adj* тоскливый
dredge [ˈdredʒ] драга; **~r** землечерпалка
dredger [ˈdredʒəˈ] *n* землечерпалка, драга; *сосуд с маленькими дырочками в крышке для сахара*
dredge up *vt* драгировать; вытаскивать
dregs [dregz] *pl* отбросы; подонки ✧ **drink to the ~** выпить до дна
drench [drentʃ] *vt:* **to be ~ed** мокнуть; **ed to the skin** насквозь промокший
dress [dres] *n* платье; одежда ✧ *vt* одевать; перевязывать ✧ *vi* одеваться; **she ~es very well** она очень хорошо одевается; **to ~ a shop window** оформлять витрину; **to get ~ed** одеваться
dress circle *n* бельэтаж
dress designer *n* модельер
dresser [ˈdresəˈ] *n* кухонный шкаф; туалетный столик; оформитель(ница) витрин
dressing [ˈdresɪŋ] перевязочные средства, приправа, соус, гарнир
dressing-down [ˈdressɪŋˈdaun] *разг.* нагоняй, взбучка
dressing gown *n* халат
dressing room *n театр.* артистическая уборная; *спорт.* раздевалка
dressing table *n* туалетный столик
dressmaker [ˈdresmeɪkəˈ] *n* портниха
dressmaking [ˈdresmeɪkɪŋ] *n* пошив женского платья
dress rehearsal *n* генеральная репетиция
dress up *vi* наряжаться
dressy [ˈdresɪ] *adj* нарядный
dribble I [ˈdrɪbl] капать; пускать слюни
dribble II *спорт.* вести мяч *(в футболе и т.п.)*
dried [draɪd] *adj* сушеный; сухой
drift [drɪft] *n* скорость; занос, сугроб; смысл ✧ *vi* дрейфовать; **sand/snow had ~ed over the road** дорогу занесло песком/снегом; **to let things ~** пускать все на самотек; **to ~ apart** расходиться; **I get** *or* **catch your ~** я понимаю, куда Вы клоните
drifter [ˈdrɪftəˈ] *n* бродяга
driftwood [ˈdrɪftwud] *n* плавник
drill I [drɪl] **1.** *n* обучение *(строевое);* муштровка; упражнение, тренировка **2.** *v* обучать; тренировать; **~ in grammar** натаскивать по грамматике
drill II 1. *n техн.* сверло **2.** *v* сверлить
drill III 1. *n* рядовая сеялка **2.** *v* сеять *или* сажать рядами
drilling [ˈdrɪlɪŋ] *n* бурение
drilling rig *n* буровая установка
drink [drɪŋk] *n* напиток (спиртной); глоток ✧ *vt* пить; **to have a ~** попить; выпить; **a ~ of water** глоток воды; стакан воды; **would you like something to ~?** хотите чего-нибудь выпить?; **we had ~s before lunch** мы выпили перед обедом
drinkable [ˈdrɪŋkəbl] *adj* питьевой; неплохой; приятный
drink-driving [ˈdrɪŋkˈdraɪvɪŋ] *n* вождение в нетрезвом состоянии ✧ *cpd:* **they are running a ~ campaign** они ведут кампанию против водителей, садящихся за руль в нетрезвом состоянии
drinker [ˈdrɪŋkəˈ] *n* пьющий(-ая)
drink in *n* упиваться
drinking [ˈdrɪŋkɪŋ] *n* питье; **there was a lot of ~ at the party** на вечеринке много пили
drinking fountain *n* питьевой фонтанчик

drinking water *n* питьевая вода
drip [drɪp] *n* капанье; капля; *мед.* капельница ✧ *vi* капать; **the tap is ~ping** кран течет; **the washing is ~ping** с белья капает
drip-dry [ˈdrɪpˈdraɪ] *adj:* **~ material** *ткань, которой дают стечь после стирки и которую не гладят*
drip-feed [ˈdrɪpfiːd] *vt мед.* вливать через капельнацу ✧ *n:* **to be on a ~** быть на капельнице
dripping [ˈdrɪpɪŋ] *n кулин. (топленный)* жир ✧ *adj* мокрый; **I'm ~** с меня течет; **~ wet** совершенно мокрый
drive [draɪv] *n* поездка; подъезд; напористость; кампания; *футбол.* удар; *теннис.* драйв; *комп.* дисковод: **Rose D~** Роуз Драйв ✧ *vt* водить/вести; *тех.* приводить в движение; гнать; ударять: **to ~ sth into sth** вбивать что-н. во что-н. ✧ *vi авт.* водить (машину); ездить/ехать **to go for a ~** поехать; **the town is three hours' ~ from London** город в трех часах езды от Лондона; **left-/right-hand ~** *авт.* право-/левосторонее управление; **front-/rear-wheel ~** *авт.* привод на передние/задние колеса; **economy ~** борьба за экономию; **he ~s a taxi** он водит такси; **to ~ at 50 km an hour** ездить/ехать со скростью 50 км в час; **to ~ sb home/to the airport** отвозить кого-н. домой/в аэропорт; **to ~ sb mad** сводить кого-н. с ума; **to ~ sb to sth** доводить кого-н. до чего-н; **what are you driving at?** куда Вы клоните?
drive-by shooting [ˈdraɪvbaɪ-] *n* стрельба из движущегося автомобиля
drivel [ˈdrɪvl] *n* чушь
drive off *vt* отбрасывать
drive out *vt* вытеснять; выгонять
driver [ˈdraɪvə] шофёр; водитель; машинист; вагоновожатый; кучер; погонщик скота; *техн.* ведущее колесо
driver's license [ˈdraɪvəz-] *n* водительские права
driveway [ˈdraɪvweɪ] *n* подъезд
driving [ˈdraɪvɪŋ] *n* вождение ✧ *adj:* **~ rain** проливной дождь; **~ snow** метель
driving belt *n* приводной ремень
driving force *n* движущая сила
driving instructor *n* инструктор по вождению
driving lesson *n* урок по вождению
driving licence *n* водительские права
driving mirror *n* зеркало заднего вида
driving school *n* автошкола
driving test *n* экзамен по вождению
drizzle [drɪzl] *n* моросящй дождь ✧ *vi* моросить
droll [ˈdroul] забавный, чудной; **~ery** [-ərɪ] шутки; юмор
dromedary [ˈdrɔmədərɪ] *n* одногорбый верблюд
drone [drəun] *n n* гудение; трутень ✧ *vi* жужжать; гудеть; бубнить
drool [druːl] *vi:* **he is ~ing** у него текут слюни; **to ~ over sth/sb** ронять слюни по поводу чего-н./кого-н.
droop [druːp] *vi* поникать; ссутулиться
drop [drɔp] *n* капля; падение; расстояние *(сверху вниз);* снижение; сбрасывание на парашюте *(продовольствия, боеприпасов)* ✧ *vt* ронять; опускать; понижать; высаживать; исключать ✧ *vi* падать; стихать; **~s** *npl мед.* капли; **cough ~s** леденцы от кашля; **there is a 30 ft ~ from the window to the ground** высота от окна до земли 30 футов; **there's been a ~ of 10 % in protits** прибыль упала на 10 %; **to anchor** бросать якорь; **to ~ sb a line** черкнуть кому-н. несколько строчек
drop in *vi:* **to ~ in on sb** заглядывать к кому-н.
droplit [ˈdrɔplɪt] *n* капелька
drop off *vi* засыпать ✧ *vt* высаживать
drop out *vi* выходить; **to ~ out of college** бросать колледж
drop-out [ˈdrɔpaut] *n* отщепенец; *просвещ.* недоучка
dropper [ˈdrɔpəˈ] *n* пипетка
droppings [ˈdrɔpɪŋz] *npl* помет

dross [drɔs] *техн.* окалина; шлак
drought [draut] *n* засуха
drove [drəuv] *pt of* **drive** ✧ *n:* **~s of people** толпы людей
drown [draun] *vt* топить; заглушать ✧ *vi* тонуть
drowse [drauz] *vi* дремать
drowsy [ˈdrauzɪ] *adj* сонный
drudge [ˈdrʌdʒ] **1.** *v* исполнять тяжёлую, нудную работу **2.** *n* лицо, исполняющее тяжёлую, нудную работу; **~ry** [-(ə)rɪ] тяжёлая, нудная работа
drug [drʌg] *n мед.* лекарство; наркотик ✧ *vt* вводить наркотик; **to be on ~s** быть на наркотиках; **hard/soft ~s** сильные/слабые наркотики
drug addict *n* наркоман
druggist [ˈdrʌgɪst] *n* аптекарь
drug peddler *n* торговец наркотиками
drugstore [ˈdrʌgstɔ:ˈ] *n* аптека *(иногда с небольшим кафе)*
drum [drʌm] *n* барабан; бочка ✧ *vi* барабанить; **~s** *npl* ударные инструменты
drummer [ˈdrʌməˈ] *n* барабанщик; ударник
drum roll *n* барабанный бой
drumstick [ˈdrʌmsɪk] *n* барабанная палочка; ножка
drum up *vt* призывать
drunk [drʌŋk] *pp of* **drink** ✧ *adj* пьяный ✧ *n* пьяный(-ая); пьяница; **to get ~** напиваться: **~ driving** вождение в нетрезвом состоянии
drunken [ˈdrʌŋkən] *adj* пьяный; **~ driving** вождение в нетрезвом состоянии
drunkenness [ˈdrʌŋkənnɪs] *n* пьянство
dry [draɪ] *adj* сухой; высохший; сдержанный; скучный ✧ *vt* сушить; вытирать ✧ *vi* сохнуть; **on ~ land** на суше; **to ~ one's hands/eyes** вытирать руки/глаза; **to ~ one's hair** вытирать волосы; сушить волосы; **to ~ the dishes** вытирать посуду
dry clean *vt* чистить *(в химчистке)*
dry cleaner *n* работник химчистки
dry-cleaner's [ˈdraɪˈkli:nəz] *n* химчистка
dry-cleaning [ˈdraɪˈkli:nɪŋ] *n* химическая чистка
dry dock *n мор.* сухой док
dryer [ˈdraɪəˈ] *n* сушилка
dry goods *npl* галантерея и ткани
dry ice *n* сухой лед
dryly [ˈdraɪlɪ] *adv* иронично
dryness [ˈdraɪnɪs] *n* сухость
dry rot *n* сухая гниль *(болезнь древесины)*
dry run *n* холостой прогон
dry ski slope *n* склоны с искусственным покрытием
dry up *vi* высыхать; иссякать
dual [ˈdjuəl] *adj* двойной; двойственный
dual carriageway *n* шоссе
dual nationality *n* двойное гражданство
dual-purpose [ˈdjuəlˈpə:pəs] *adj* двойного назначения
dub I [dʌb] давать прозвище
dub II дублировать *(фильм)*
dubbed [dʌbd] *adj кино.* дублированный; прозванный
dubious [ˈdju:bɪəs] *adj* сомнительный; **I'm very ~ about it** у меня серьезные сомнения на этот счет
Dublin [ˈdʌblɪn] *n* Дублин
duchess [ˈdʌtʃɪs] *n* герцогиня
duck I [dʌk] нырять; окунаться; быстро наклонять голову, уклоняясь от удара *и т.п.; разг.* приседать
duck II грубое полотно, парусина; парусиновые брюки
duck III [ˈdʌk] утка; *разг.* голубушка; голубчик ✧ **like water off a ~ 's back ~** как с гуся вода
duckling [ˈdʌklɪŋ] *n* утенок
duct [dʌkt] *n элек.* кабельный канал; *тех.* трубопровод; проток, канал
dud [dʌd] *adj* бесполезный; неразорвавшийся; недействительный ✧ *n* подделка
due [dju:] *adj* предполагаемый; должный: **I am ~ $20** мне должны *or* прилагаются $20 ✧ *n:* **to give sb his** *or* **her** отдавать кому-н. должное ✧ *adv* **~ north** прямо

на север; ~**s** *npl* взносы; портовые сборы; **in ~ course** в свое время; ~ **to** из-за; **he is ~ to go** он должен идти; **the rent ~ on the 30th** за квартиру должно быть заплачено 30-ого числа; **the train is ~ at 8** поезд должен прийти в 8 часов; **she is ~ back tomorrow** она должна вернуться завтра; **I am ~ 6 days leave** мне причитается 6 свободных дней

due date *n* срок производства платежей

duel [ˈdjuəl] *n* дуэль; поединок

duet [djuːˈet] *n* дуэт

duff [dʌf] *adj* дрянной

duffel bag [ˈdʌfl-] *n* сумка-мешок

duffer [ˈdʌfəˊ] *n* тупица

duff up *vt* колошматить

dug-out [ˈdʌgaut] челнок, выдолбленный из ствола дерева; землянка; *воен.* убежище; блиндаж

duke [ˈdjuːk] герцог; ~**-dom** [-dəm] герцогство, титул герцога

dull [ˈdʌl] **1.** *a* тупой; скучный; тусклый; пасмурный; вялый *(о торговле)* **2.** *v* притуплять, притупляться; делаться вялым, скучным; ~**ard** [-əd] тупица

duly [ˈdjuːlɪ] должным образом; вовремя

dumb [dʌm] немой; бессловесный; ~ **show** пантомима; молчаливый; глупый

dumb-bells [ˈdʌmbelz] *спорт.* гантели

dumbfounded [dʌmˈfaundɪd] *adj* ошеломленный

dummy [ˈdʌmɪ] *n* манекен; *тех.* макет; *комм.* модель; *спорт.* обманный прием; соска, пустышка ✧ *adj* холостой; фиктивный

dummy run *n* испытательный прогон

dump [dʌmp] *n* свалка; дыра; *воен.* полевой склад ✧ *vt* сваливать; выбрасывать; бросать; *комп.* выгружать, сбрасывать; **to be down in the ~s** хандрить; **"no ~ing"** "свалка мусора запрещена"

dumpling [ˈdʌmplɪŋ] *n кулин.* клецка

dumpy [ˈdʌmpɪ] *adj* кряжистый

dunce [dʌns] *n* тупица

dunderhead [ˈdʌndəhed] болван

dune [djuːn] *n* дюна

dung [dʌŋ] *n* навоз

dungarees [dʌŋgəˈriːz] *npl* комбинезон

dungeon [ˈdʌndʒən] *n* темница

dungeos [ˈdʌndʒəs] подземная тюрьма; темница

dunk [dʌŋk] *vt* макать

duo [ˈdjuːəu] *n* дуэт

duodenal [djuːəuˈdiːnl] *adj* дуоденальный; ~ **ulcer** язва двенадцатиперстной кишки

duodenum [djuːəuˈdiːnəm] *n* двенадцатиперстная кишка

dupe [djuːp] **1.** *n* обманутый человек; простофиля **2.** *v* обманывать

duplex [ˈdjuːpleks] двусторонний, двойной

duplicate *n, adj* [ˈdjuːplɪkət], *vt* [ˈdjuːplɪkeɪt] *n* дубликат, копия ✧ *adj* запасной ✧ *vt* копировать; дублировать; **in ~** в двойном экземпляре

duplicating machine [ˈdjuːplɪkeɪtɪŋ-] *n* копировальная машина

duplicator [ˈdjuːplɪkəɪtəˊ] *n* копировальная машина

duplicity [djuːˈplɪsɪtɪ] *n* двуличие

durability [djuərəˈbɪlɪtɪ] *n* прочность

durable [ˈdjuərəbl] *adj* прочный

duration [djuəˈreɪʃən] *n* продолжительность

duress [djuəˈres] *n:* **under ~** под давлением

during [ˈdjuərɪŋ] *prep* во время, в течение;

Dushanbe [duːˈʃɑːnbɪ] *n* Душанбе

dusk [dʌsk] *n* сумерки

dusky [ˈdʌskɪ] *adj* сумеречный, темный

dust [dʌst] *n* пыль ✧ *vt* вытирать пыль с: **to ~ with** посыпать

dustbin [ˈdʌstbɪn] *n* мусорное ведро

dustbin liner *n целлофановая прокладка для мусорного ведра*

dust-colour [ˈdʌstˌkʌlə] серовато-коричневый цвет

duster [ˈdʌstəˊ] *n* тряпка для пыли

dust jacket *n* суперобложка

dustman [ˈdʌstmən] *n* мусорщик
dust off *vt* стряхивать пыль с
dustpan [ˈdʌstpæn] *n* совок для мусора
dusty [ˈdʌstɪ] *adj* пыльный
Dutchman [ˈdʌtʃmən] *n* голландец
Dutchwoman [ˈdʌtʃwumən] *n* голландка
dutiable [ˈdju:tɪəbl] *adj комм.* облагаемый пошлиной
dutiful [ˈdju:tɪful] *adj* послушный; покорный; исполнительный
duty [ˈdju:tɪ] *n* обязанность; долг; пошлина; **to make it one's ~ to do** считать своим долгом; **to pay ~ on sth** платить пошлину за что-н.; **on ~** на дежурстве; **off ~** вне службы
duty-free [ˈdju:tɪˈfri:] *adj* беспошлинный; **~ shop** *магазин товаров, не облагаемых пошлиной*
duty officer *n воен.* дежурный офицер
duvet [ˈdu:veɪ] *n* пуховое одеяло
dwarf [dwɔ:f] *n* карлик ✧ *vt* делать крохотным
dwarves [dwɔ:vz] *n pl of* **dwarf**
dwell [dwel] *vi* проживать
dweller [ˈdwelə'] *n* житель(ница); обитатель(ница); **city ~** городской(-ая) житель(ница)
dwelling [ˈdwelɪŋ] *n* жилище
dwell on *vt* задерживаться на
dwelt [dwelt] *pp of* **dwell**
dwindle [ˈdwɪndl] *vi* сокращаться
dwindling [ˈdwɪndlɪŋ] *adj* убывающий; сокращающийся
dye [daɪ] *n* краситель, краска ✧ *vt* красить
dyestuffs [ˈdaɪstʌfs] *npl* красители
dying [ˈdaɪŋ] *adj* умирающий; предсмертный
dyke [daɪk] *n* дамба; канава; насыпь
dynamic [daɪˈnæmɪk] *adj* динамичный
dynamics [daɪˈnæmɪks] *n or npl тех.* динамика
dynamite [ˈdaɪnəmaɪt] *n* динамит ✧ *vt* взрывать динамитом
dynamo [ˈdaɪnəməu] *n* элек. динамомашина
dynasty [ˈdɪnəstɪ] *n* династия
dysentery [dɪsntrɪ] *n* дизентерия
dyspepsia [dɪsˈpepsɪə] *n* диспепсия

E

E, e [i:] *n 5-ая буква английского алфавита;* ~ очень плохо
each [i:tʃ] *adj* каждый; **~ other** друг друга; **they hate ~ other** они ненавидят друг друга; **they don't talk to ~ other** они не разговаривают друг с другом; **they think about ~ other** они думают друг о друге; **they are jealous of ~ other** они завидуют друг другу; **~ day** каждый день; **they have two books ~** у каждого из них по две книги; **they cost $5 ~** они стоят $5 штука *or* за штуку; **~ of us** каждый из нас
eager [ˈi:gə] *adj* нетерпеливо ожидающий; **to be ~ for** жаждать; **he is ~ to...** он полон желания...
eagerly [ˈi:gəlɪ] *adv* с воодушевлением; с нетерпением
eagle [ˈi:gl] *n* орел
ear I [ɪə] ухо; слух
ear II [ɪə] колос
earache [ˈɪəreɪk] *n* боль в ухе; **I have ~** у меня болит ухо
eardrum [ˈɪədrʌm] *n* барабанная перепонка
earful [ˈɪəful] *n:* **to give sb an ~** устраивать разное кому-н.
earl [ə:l] *n* граф
earlier [ˈə:lɪə'] *adj* более ранний ✧ *adv* раньше; **I can't come any ~** я не могу прийти раньше
early [ˈə:lɪ] *adv* рано ✧ *adj* ранний; незамедлительный; первый; **~ in the morning** рано утром; **To have an ~ night** рано ложиться спать; **in the ~ spring, ~ in the spring** ранней весной; **in the ~ 19th centrury, ~ in the 19th centry** в начале 19-го века; **you need to take the ~ train** Вам надо ехать ранним поездом; **you're ~!** Вы пришли рано!; **she's in her ~ forties** ей немного за сорок; **at your earliest convenience** в ближайшее удобное для Вас время
early retirement *n* **to take ~ ~** рано уходить на пенсию
earmark [ˈɪəmɑ:k] **1.** *n* тавро, клей-

мо; отличительный признак **2.** *v* накладывать клеймо; откладывать, предназначать

earn [ə:n] *vt* зарабатывать; приносить; заслуживать; **to ~ one's living** зарабатывать на жизнь; **this ~ed him much praise, he ~ed much praise for this** это принесло ему много похвал, он заслужил много похвал за это; **he's ~ed his rest/reward** он заслужил свой отдых/свою награду

earned income [ə:nd-] *n комм.* трудовой доход

earnest I ['ə:nɪst] **1.** *a* серьёзный; важный; убеждённый, искренний **2.** *n* серьёзность; **in ~** серьёзно

earnest II задаток, залог

earnings ['ə:nɪŋz] *npl* заработок; прибыль

ear nose and throat specialist *n мед.* отоларинголог, врач ухо-горло-нос

earphones ['ɪəfəunz] *npl* наушники

earplugs ['ɪəplʌgz] *npl* затычки для ушей

earring ['ɪərɪŋ] *n* серьга

earshot ['ɪəʃɔt] *n:* **within/out of ~** в пределах/вне пределов слышимости

earth [ə:θ] *n* земля; *элек.* заземление; нора ✧ *vt элек.* заземлять; **E~** Земля

earthenware ['ə:θnweə'] *n* керамика, гончарные изделия ✧ *adj* глиняный

earthly ['ə:θlɪ] *adj:* **~ paradise** земной рай; **there is no ~ reason to think...** нет ни малейшей причины думать...

earthquake ['ə:θkweɪk] *n* землетрясение

earthshattering ['ə:θʃætərɪŋ] *adj* потрясающий

earth tremor *n* подземный толчок

earthworks ['ə:θwə:ks] *npl* земляные работы

earthworm ['ə:θwə:m] *n* земляной червь

earthy ['ə:θɪ] *adj* грубоватый

ease [i:z] *n* легкость; покой ✧ *vt* облегчение; уменьшать, ослаблять; отпускать ✧ *vi* упрощаться; слабеть; становиться тише; **to ~ sth into sth** вставлять что-н. в что-н.; **to ~ sth out of sth** выдвигать что-н.из чего-н.; **to ~ o. s. into** отпускаться в; **at ~!** *воен.* вольно!; **with ~** с легкостью; **life of ~** жизнь в покое и довольстве

easel ['ɪ:zl] *n* мольберт

ease off *vi* становиться тише; замедляться

easiness ['i:sɪnɪs] *n* легкость; непринужденность

easlly ['i:zɪlɪ] *adv* легко; непринужденно; несомненно

east ['i:st] *n* восток ✧ *adj* восточный ✧ *adv* на восток; **the E~** Восток

Easter ['i:stə] *n* пасха ✧ *adj* пасхальный

Easter egg *n* пасхальное яйцо; шоколадное пасхальное яйцо

Easter island *n* остров Пасхи

easterly ['i:stəlɪ] *adj* восточный

eastern ['i:stən] *adj* восточный; *полит.* восточно-европейский; **~ Europe** Восточная Европа; **the E~ blok** Восточно-Европейский блок

Easter Sunday *n* светлое *or* Христово воскресенье

easterward(s) ['i:stwəd(z)] *adv* на восток

easy ['i:zɪ] *adj* легкий; непринужденный ✧ *adv:* **to take it** *or* **things ~** не напрягаться; не волноваться; **payment on ~ terms** *comm.* платеж на легких условиях; **that's easier said than done** легче сказать, чем сделать; **I'm ~** мне все равно

easy chair *n* удобное кресло

easy-going ['i:zɪ'gəuɪŋ] *adj* с легким характером

easy touch *n:* **she is an ~ ~** ее легко убедить

eat [i:t] *vt* есть ✧ *vi* есть

eatable ['i:təbl] съедобный **eat away** *vt* разъедать; съедать

eat out *vi* есть в ресторане

eat up *vt* доедать; **it ~s up electricity** это потребляет много электро-

энергии
eau de Cologne [ˈəudəkəˈləun] *n* одеколон
eaves [i:vz] *npl* карниз
eavesdrop [ˈi:vzdrɔp] *vi:* **to ~ (on)** подслушивать
ebb [eb] *n* отлив ✧ *vi* отливать; угасать; **~ and flow** отлив и прилив; **to be at a low ~** находиться в состоянии упадка
ebullient [ɪˈbʌljənt] кипящий; кипучий
eccentric [ɪkˈsentrɪk] *adj* эксцентричный ✧ *n* эксцентричный человек
ecclesiastic [ɪkli:zɪˈæstɪk] *adj* духовный
echelon [ˈeʃəlɔn] *воен.* эшелон
echo [ˈekou] **1.** *n* эхо, подражание **2.** *v* вторить; подражать; отдаваться *(о звуке)*
eclair [ˈəɪkleəˈ] *n* эклер
eclat [ˈeɪklɑ:] известность; успех
eclectic [ekˈlektɪk] эклектический
eclipse [ɪˈklɪps] *n* затмение ✧*vt* затмевать
eco- [ˈi:kəu] эко-
eco-friendly [ˈi:kəuˈfrendlɪ] *adj* экологически безопасный
ecological [i:kəˈlɔdʒɪkəl] *adj* экологический
ecologist [ɪˈkɔlədʒɪst] *n* эколог
ecology [ɪˈkɔlədʒɪ] *n просвещ.* экология; окружающая среда
economic [i:kəˈnɔmɪk] *adj* экономический; рентабельный
economical [i:kəˈnɔmɪkl] *adj* экономичный; экономный
economically [i:kəˈnɔmɪklɪ] *adv* экономно; экономически
economics [i:kəˈnɔmɪks] *n* экономика ✧ *npl* экономический расчет
economic warfare *n* экономическая война
economist [ɪˈkɔnəmɪst] *n* экономист
economize [ɪˈkɔnəmaɪz] *vi* экономить
economy [ɪˈkɔnəmɪ] *n* экономика, хозяйство; экономия; **economies of scale** *комм.* экономичность за счет крупных объемов операций
ecosystem [ˈɪ:kəusɪstəm] *n* экосистема
ecourage [ɪnˈkʌrɪdʒ] *vt* поощрять; способствовать; **to ~ sb to do** убеждать кого-н.
ecstasy [ˈekstəsɪ] *n* экстаз; **to go into ecstasies over** впадать в экстаз от; **in ecstasy** в экстазе
ecstatic [eksˈtætɪk] *adj* восторженый
Ecuador [ˈekwədɔ:ˈ] *n* Эквадор
eczema [ˈeksɪmə] *n* экзема
edd tide *n* отлив
eddy [ˈedɪ] *n* водоворот; вихрь
Eden [ˈi:dn] Эдем; рай
edge [edʒ] *n* край; острие ✧ *vt* окаймлять ✧ *vi:* **to ~ forward** медленно продвигаться; **on ~** = **edgy; to have the ~ on** иметь преимущество перед; **to ~ past** протиснуться; **to ~ away from** отходить бочком от; **to ~ up** *комм.* незначительно изменяться
edging [ˈedʒɪŋ] *n* кайма
edible [ˈedɪbl] *adj* съедобный
edict [ˈi:dɪkt] *n* указ
edifice [ˈedɪfɪs] *n* величественное здание
edifying [ˈedɪfaɪɪn] *adj* поучительный
edit [ˈedɪt] *vt комп.* редактировать; готовить к печати; монтировать
edition [ɪˈdɪʃən] *n* издание; выпуск
editor [ˈedɪtəˈ] *n* редактор; **foreign/political ~** *пресса.* редактор отдела зарубежных новостей/политики
editorial [edɪˈtɔ:rɪəl] *adj* редакцнонный ✧ *n* передовица, передовая статья
editor-in-chief [ˈedɪtərɪntʃi:f] главный редактор
educate [ˈedjukeɪt] *vt* давать образование; просвещать; **to be ~d at...** получать образование в
education [edjuˈkeɪʃən] *n* образование; обучение; образованность; **primary or elementary/secondary ~** начальное/среднее образование
educational [edjuˈkeɪʃənl] *adj* учебный; преподавательский; учебный, воспитательный; обучающий; **~ system** система образования; **~ technology** технические средства обучения
eel [i:l] *n* угорь
eerie [ˈɪərɪ] *adj* жуткий
efface [ɪˈfeɪs] *vt* стирать; **to ~ o. s.** держаться в тени

effect [ɪ'fekt] *n* эффект, последствие; впечатление; ✧ *vt* производить; **~s** *npl* имущество; *театр., кино.* эффекты; **to take ~** действовать; вступать в силу; **to put into ~** осуществлять; **to have an ~ on sb/sth** действовать на кого-н./что-н.; **in ~** в сущности; **his letter is to the ~ that...** суть его письма заключается в том, что...
effective [ɪ'fektɪv] *adj* эффективный; действительный; **to become ~** *юрид.* входить в силу; **~ date** дата вступления в силу
effectively [ɪ'fektɪvlɪ] *adv* эффективно; фактически
effectiveness [ɪ'fetɪvnɪs] *n* эффективность
effeminate [ɪ'femɪnɪt] *adj* женоподобный
effervescent [efə'vesnt] *adj* шипучий
efficacy ['efikəsɪ] *n* эффективность
efficiency [ɪ'fiʃənsɪ] *n* эффективность; деловитость
efficient [ɪ'fiʃənt] *adj* эффективный; деловитый
efficiently [ɪ'fiʃəntlɪ] *adv* эффективно
effigy ['efɪdʒɪ] *n* чучело; изображение
efflorescence [,eflɔːresns] цветение
effluent ['efluənt] река, вытекающая из другой реки *или* протока
efflux ['eflʌks] истечение; исток
effort ['efət] *n* попытка; усилие; **to make an ~ to do** прикладывать усилия, чтобы
effortless ['efətlɪs] *adj* не требующий усилий; легкий
effrontery [ɪ'frʌntərɪ] *n* нахальство, наглость; **to have the ~ to do** иметь нахальство *or* наглость, чтобы
effusive [ɪ'fjuːsɪv] *adj* экспансивный
egalitarian [ɪgælɪ'teərɪən] *adj* эгалитарный ✧ *n* поборник(-ица) равноправия
egg [eg] *n* яйцо; **hard-boiled/soft-bolled ~** яйцо вкрутую/всмятку
egg cup *n* рюмка для яйца
egg on *n* подстрекать
eggplant ['egplaːnt] *n* баклажан
eggshell ['egʃel] *n* яичная скорлупа ✧ *adj* матовый
egg timer *n* таймер
egg white *n* яичный белок
egg youk n яичный желток
ego ['iːgəu] *n* самолюбие
egoism ['egəuɪzəm] *n* эгоизм
egoist ['egəuɪst] *n* эгоист(ка)
egotism ['egəutɪzəm] *n* эгоизм
egotist ['egəutɪst] *n* эготист(ка)
ego trip *n* самоублажение
egret ['iːgret] белая цапля; эгрет
eider ['aɪdə] гага
eiderdown ['aidədaun] *n* ватное одеяло
eight [eɪt] *n* восемь *see also* **five**
eighteen [eɪ'tiːn] *n* восемнадцать; *see also* **five**
eighteenth [,eɪ'tiːnθ] *adj* восемнадцатый; *see also* **flfth**
eighth [eɪtθ] *adj* восьмой ✧ *n* восьмая *adj see also* **figth**
eightieth ['eɪtɪəθ] *adj* восьмидесятый; *see also* **fifth**
eighty ['eɪtɪ] *n* восемьдесят; *see also* **fifty**
ejaculation [ɪdʒækju'leɪʃən] *n физиол.* эякуляция
eject [ɪ'dʒekt] *n* выбрасывать; выселять; выгонять ✧ *vi* катапультироваться
ejector seat [ɪ'dʒektə-] *n авиа.* катапультируемое кресло
eke [iːk] добавлять недостающее
elaborate 1. *a* [ɪ'læbərɪt] тщательно сделанный; детально разработанный; **~ plan** хорошо подготовленный план; **~ hair-do** замысловатая причёска **2.** *v* [ɪ'læbəreɪt] детально разрабатывать
elapse [ɪ'læps] *vi* проходить
elastic [ɪ'læstɪk] *n* резинка ✧ *adj* эластичный; гибкий
elastic band *n* резинка
elasticity [ɪlæs'tɪsɪtɪ] *n* эластичность
elated [ɪ'leɪtɪd] *adj:* **to be ~** быть в приподнятом настроении
elation [ɪ'leɪʃə] *n* приподнятое настроение
elbow ['elbou] **1.** *n* локоть *тех.* колено, коленчатая труба **2.** *v* толкать локтем, локтями; **~ one's way through** проталкиваться, работать локтями

elbow grease *n:* **a lot of ~ ~ is required** придется хорошенько потрудиться
elbowroom ['elbəurum] *n* простор
elder ['eldə'] *adj* старший ✧ *n* бузина: **~s** старшие
elderly ['eldəlı] *adj* пожилой; **the ~** *npl* старые люди, престарелые
elder statesman *n* заслуженный политический деятель
eldest ['eldıst] *adj (самый)* старший ✧ *n* старший(-ая)

E

elect [ı'lekt] *vt* избирать ✧ *adj:* **the president ~** избранный президент; **to ~ to do** предпочитать
election [ı'lekʃən] *n* выборы; избрание; **to hold an ~** проводить выборы
election campaign *n* избирательная кампания
electioneering [ılekʃə'nıərıŋ] *n* агитация
elector [ı'lektə'] *n* избиратель
electoral [ı'lektərəl] *adj* избирательный
electoral college *n* коллегия выборщиков
electorate [ı'lektərıt] *n:* **the ~** избиратели
electric [ı'lektrık] *adj* электрический
electrical [ı'lektrıkl] *adj* электрический; **~ failure** отключение тока
electrical engineer *n* инженер-электрик
electric blanket *n* одеяло-грелка
electric chair *n* электрический стул
electric cooker *n* электрическая плита
electric current *n* электрический ток
electric fire *n* электрический камин
electrician [ılek'trıʃən] n электромонтер, электрик
electricity [ılek'trısıtı] *n* электричество ✧ *cpd* электрический; **to switch on/off the ~** подключать/отключать электричество; **~ bill** счет за электричество
electricity board *n* управление электрификации
electric light *n* электрический свет
electric shock *n* удар током
electrify [ı'lektıfaı] *vt* электрифицировать; электрифизовать
electro... [ı'lektrəu] *prefix* электро...
electrocardiogram [ı'lektrə'kɑ:dıəgræm] *n* электрокардиограмма
electroconvulsive therapy [ı'lektrəkən'vʌlsıv-] *n* электротоковая терапия
electrocute [ı'lektrəkju:t] *vt* убивать электрическим током; ударять электрическим током
electrode [ı'lektrəud] *n* электрод
electroencephalogram [ı'lektrəuən'sfələgræm] *n* электроэнцефалограмма
electrolysis [ılek'trɔlısıs] *n* электролиз
electromagnetic [ı'lektrəmæg'netık] *adj* электромагнитный
electron [ı'lektrɔn] *n* электрон
electronic [ılek'trɔnık] *adj* электронный
electronic data processing *n* электронная обработка информации
electronics [ılek'trɔnıks] *n* электроника **electron microscope** *n* электронный микроскоп
electroplate [ı'lektropleıt] гальванизировать
electroplated [ılektrə'pleıtıd] *adj покрытый металлом с помощью электролиза*
electrotherapy [ı'lektrə'θerəpı] *n* электротерапия
electronic mall *n комп.* электронная почта
elegance ['elıgəns] *n* элегантность
elegant ['elıgənt] *adj* элегантный
elegy ['elıdʒı] элегия
element ['elımənt] *n* элемент; электронагревательный элемент; **the ~s** *npl* стихия; **you are in your ~** Вы в своей стихии
elementary [elı'mentərı] *adj* элементарный; начальный
elephant ['elıfənt] *n* слон(иха)
elevate ['elıveıt] *n* повышать; возводить; поднимать
elevated railroad ['elıveıtıd-] *n* надземная железная дорога
elevation [elı'veıʃən] *n* повышение; возведение; поднятие; высота; *архит.* фасад
elevator ['elıveıtə] *n* лифт; грузоподъемник

eleven [ɪ'levn] *n* одиннадцать; *see also* **five**
elevenses [ɪ'levnzɪz] *npl легкий завтрак около одиннадцати часов утра*
eleventh [ɪ'levnθ] *adj* одиннадцатый; **at the ~ hour** в последнюю минуту
elf [elf] *n* эльф
elicit [ɪ'lɪsɪt] *vt:* **to ~ (from)** извлекать (из); вызывать; **to ~ a reply** добиваться ответа; **to ~ applause from the audience** вызывать аплодисменты аудитории
eligible ['elɪdʒəbl] *adj* подходящий; **to be ~ for sth** быть подходящей кандидатурой для чего-н.; **to be ~ for a pension** иметь право на пенсию
eliminate [ɪ'lɪmɪneɪt] *vt* ликвидировать; исключать; отсеивать; **they were ~d in the first round** они были отсеяны на первом туре
elimination [ɪlɪmɪ'neɪʃən] *n* ликвидация, исключение; устранение; **by process of ~** путем исключения *or* ликвидации
elite [e'li:t] *n* элита
elitist [eɪ'li:tɪst] *adj* элитарный
elixir [ɪ'lɪksə'] *n* эликсир
ellipse [ɪ'lɪps] *n мат.* эллипс
elliptical [ɪ'lɪptɪk] *adj мат.* эллиптический
elm [elm] *n* вяз
elocution [elə'kju:fən] *n* ораторское искусство
elongated ['i:lɔŋgeɪtɪd] *adj* удлиненный
elope [ɪ'ləup] *vi:* **to ~ (with)** тайно сбежать (с)
elopement [ɪ'ləupmənt] *n* тайное бегство
eloquence ['eləkwəns] *n* красноречие; яркость
eloquent ['eləkwənt] *adj* красноречивый; яркий
else [els] *adv* еще; **nothing ~** больше ничего; **somewhere ~** *(be)* где-нибудь еще; *(go)* куда-нибудь еще; откуда-то еще; **everywhere ~** везде; **where ~?** где еще?; куда еще?; **is there anything ~I can do to help?** я могу чем-нибудь еще помочь?; **there was little ~ to do** мало, что можно было делать; **everyone ~** все остальные; **nobody ~ spoke** больше никто не выступал; **or...** не то (будет хуже)...
elsewhere [els'weə'] *adv be)* где-нибудь еще *(а другом месте); (go)* куда-нибудь еще *(в другое место)*
elucidate [ɪ'lu:sɪdeɪt] *vt* разъяснять
elude [ɪ'lu:d] *vt* ускользать от; **to ~ sb** не приходить кому-н. на ум
elusive [ɪ'lu:sɪv] *adj* неуловимый; не поддающийся описанию; **he's very ~** он очень замкнутый
elves [elvz] *npl of* **elf**
emaciate [ɪ'meɪʃɪeɪt] истощать, изнурять
emanate ['eməneɪt] *vi:* **to ~ from** исходить от
emancipate [ɪ'mænsɪpeɪt] *vt* освобождать; эмансипировать
emancipation [ɪmænɪ'peɪʃən] *n* освобождение, эмансипация
emasculate [ɪ'mæskjuleɪt] *n* ослаблять
emasculate 1. *v* [ɪ'mæskjuleɪt] ослаблять; изнеживать; выхолащивать **2.** *a* [ɪ'mæskjulɪt] расслабленный; изнеженный; выхолощенный
embalm [ɪm'bɑ:m] *n* бальзамировать
embankment [ɪm'bæŋkmənt] насыпь; набережная
embargo [ɪm'bɑ:gəu] *n* эмбарго ✧ *vt* запрещать; **to put** *or* **impose** *or* **place an ~ sth** накладывать эмбарго на что-н.; **to lift an ~ from** снимать эмбарго с
embark [ɪm'bɑ:k] *vi:* **to ~ (on)** грузиться (на); **to ~ on** отправляться в; предпринимать
embarkation [embɑ:'keɪʃən] *n* посадка; погрузка
embarkation card *n* посадочный талон
embarrass [ɪm'bærəs] *vt* смущать; затруднять
embarrassed [ɪm'bærəst] *adj* смущенный; **to be ~** смущаться
embarrassing [ɪm'bærəsɪŋ] *adj* вызывающий смущение, щекотливый

E

embarrassment [ɪmˈbærəsmənt] *n* смущение; стыд
embassy [ˈembəsɪ] посольство
embed [ɪmˈbed] вделывать; *перен.* запечатлеть; **the facts ~ded in his memory** факты, запечатлевшиеся в его памяти
embedded [ɪmˈbedɪd] *adj* заделанный; устоявшийся
embellish [ɪmˈbelɪʃ] *vt* приукрашивать; **~ed with** украшенный
ember [ˈembə] горячая зола; тлеющие угли
embezzle [ɪmˈbezl] *vt* присваивать
embezzlement [ɪmˈbezlmənt] *n* растрата
embezzler [ɪnˈbezləˈ] *n* растратчик(-ица)
embitter [ɪmˈbɪtəˈ] *vt* озлоблять
embittered [ɪmˈbɪtəd] *adj* озлобленный
emblem [ˈembləm] **1.** *n* символ, эмблема **2.** *v* символизировать, изображать
embodiment [ɪmˈbɔdɪmənt] *n:* **she is the ~ of** она — воплощение
embody [ɪmˈbɔdɪ] *vt* воплощать; содержать (в себе)
embolden [ɪmˈbəuldn] *vt* ободрять
embolism [ˈembəlɪzəm] *n* эмболия
embossed [ɪmˈbɔst] *adj* рельефный; **~ with his initials** с рельефными инициалами
embrace [ɪmˈbreɪs] **1.** *v* обнимать; обниматься; принимать *(теорию, учение и т.п.);* включать, охватывать **2.** *n* объятия
embrasure [ɪmˈbreɪʒə] амбразура, бойница
embrocation [ˈembroukeɪʃən] жидкая мазь для растирания
embroider [ɪmˈbrɔɪdəˈ] *vt* вышивать; приукрашивать
embroidery [ɪmˈbrɔɪdərɪ] *n* вышивка; вышивание
embroil [ɪmˈbrɔɪl] *vt:* **to become ~ed** оказываться вовлеченным(-ой) (во что-н)
embryo [ˈembrɪəu] **1.** *n* зародыш; **in ~** в зачаточном состоянии **2.** *a* зачаточный; **~nic** [ˌembrɪɔnɪk] эмбриональный
emend [ɪˈmend] *vt* исправлять
emerald [ˈemərəld] *n* изумруд
emerge [ɪˈmə:dʒ] *vi* всплывать; появляться; **to ~ from** выходить из; пробуждаться от; **it ~s that** выяснилось, что
emergence [ɪˈmə:dʒəns] *n* появление
emergency [ɪˈmə:dʒənsɪ] *n* крайняя необходимость ◊ *cpd:* **~ repair** срочный ремонт; **in an ~** в случае опасности; **state of ~** чрезвычайное положение; **~ talks** экстренные переговоры
emergency cord *n* стоп-кран
emergency exit *n* запасный выход
emergency landing *n авиа.* вынужденная посадка
emergency lane *n авт.* аварийная полоса
emergency road service *n* аварийная дорожная служба
emergency services *npl:* **the ~** аварийная служба
emergency stop *n авт.* внезапная остановка *(в критической ситуации)*
emergent [ɪˈmə:dʒənt] *adj* получивший независимость, образовавшийся; **an ~ industrial class** заявивший о себе промышленный класс
emeritus [ɪˈmərɪtəs] *adj:* **professor ~** заслуженный профессор в отставке
emersion [i:ˈməʃən] появление *(солнца, луны после затмения)*
emery board [ˈemərɪ-] *n* палочка для ногтей *(покрытие корундом)*
emery paper *n* наждачная бумага
emetic [ɪˈmetɪk] **1.** *n* рвотное *(лекарство)* **2.** *a* рвотный
emigrant [ˈemɪgrənt] **1.** *a* эмигрирующий **2.** *n* эмигрант *(не политический)*
emigrate [ˈemɪgrəɪt] *vi* эмигрировать
emigration [emɪˈgreɪʃən] *n* эмиграция
emigre [ˈemɪgreɪ] *n* политический эмигрант(ка)
eminence [ˈemɪnəns] *n* знаменитость
eminent [ˈemɪnənt] *adj* знаменитый
eminently [ˈemɪnəntlɪ] *adv* весьма
emirate [ˈemɪrɪt] *n* эмират
emissary [ˈemɪsərɪ] эмиссар; *воен.* лазутчик

emission [ɪ'mɪʃən] выделение *(тепла); излучение (света); физ.* эмиссия электронов
emit [ɪ'mɪt] испускать *(свет);* выделять *(тепло);* издавать *(звук)*
emollient [ɪ'mɔlɪənt] **1.** *a* смягчающий **2.** *n* смягчающее средство
emolument [ɪ'mɔljumənt] *n* доход; вознаграждение; жалование
emotion [ɪ'mouʃən] волнение; эмоция; **~al** [ɪ'mouʃənl] эмоциональный, волнующий
emotional [ɪ'məuʃənl] *adj* эмоциональный; волнующий
emotionally [ɪ'məuʃnəlɪ] *adv* эмоционально; **~ disturbed** эмоционально неуравновешенный
emotive [ɪ'məutɪv] *adj* вызывающий эмоции, эмоционально волнующий; **~ power** эмоциональная сила
empathy ['empəθɪ] *n* сочувствие; **to feel ~ with sb** сочувствовать кому-н.
emperor ['empərə'] *n* император
emphases ['emfəsi:z] *npl of* **emphasis**
emphasis ['emfəsɪs] *n* значение; ударение, акцент; **to lay** *or* **place ~ on sth** подчеркивать что-н.; **the ~ is on reading** наибольшее значение придается чтению
emphasize ['emfəsaɪz] *vt* подчеркивать; **I must ~ that...** я должен подчеркнуть, что...
emphatic [em'fætɪk] *adj* убедительный; настойчиво убеждающий; **to be ~ about sth** настойчиво убеждать в чем-н.
emphatically [em'fætɪklɪ] *adv* настойчиво; убедительно
emphysema [emfɪ'si:mə] *n* эмфизема
empire [empaɪə'] *n* империя
empiric [em'pɪrɪk] **1.** *a* эмпирический **2.** *n* эмпирик; **~al** [-əl] *см.* empiric 1; **~ism** эмпиризм
empirical [em'pɪrɪkl] *adj* эмпирический
emplacement [ɪm'pleɪsmənt] расположение; *воен.* оборудованная огневая позиция
emplane [ɪm'pleɪn] садиться, производить погрузку на самолет
employ [ɪm'plɔɪ] *vt* нанимать; трудоустраивать; давать работу; применять; **he's ~ed in a bank** он работает в банке
employee [ɪmplɔ'i:] *n* работник
employer [ɪm'plɔɪə'] *n* работодатель
employment [ɪmplɔɪmənt] *n* работа; **to find ~** трудоустраиваться; **without ~** без работы; **place of ~** место работы
employment agency *n* бюро по трудоустройству
employment exchange *n* биржа труда
emporium [em'pɔ:rɪəm] торговый центр; рынок; *разг.* универмаг
empower [ɪm'pauə'] *vt:* **to ~ sb to do** уполномочивать кого-н.
empress ['emprɪs] *n* императрица
empties ['emptɪz] *npl* тара
emptiness ['emptɪnɪs] *n* пустота
empty ['emptɪ] *adj* пустой ✧ *vt* опорожнять; опустошать ✧ *vi* вытекать; **on an ~ stomach** на пустой желудок; **to ~ into** впадать в
empty-handed ['emptɪ'hændɪd] *adj* с пустыми руками; **he returned ~** он вернулся с пустыми руками
empty-headed ['emptɪ'hedɪd] *adj* пустоголовый
emu ['i:mju:] *n* страус эму
emulate ['emjuleɪt] *vt* подражать
emulsion [ɪ'mʌlʃən] эмульсия; эмульсионная краска
enable [ɪ'neɪbl] *vt* способствовать; **to ~sb to do** давать возможность кому-н.
enact [ɪ'nækt] *vt* вводить; ставить; играть
enamel [ɪ'næməl] *n* эмаль; эмалевая краска
enamour [ɪ'næmə] возбуждать любовь; **be ~ed of smb.** быть влюбленным в кого-л.
enamoured [ɪ'næməd] *adj:* **to be ~ of** питать слабость к
encamp [ɪn'kæmp] располагать лагерем; располагаться лагерем; **~ment** лагерь
encampment [ɪn'kæmpmənt] *n* лагерная стоянка
encase [ɪn'keɪs] упаковывать; **~ment** упаковка
encased [ɪn'keɪst] *adj:* **~ in** закован-

E

ный в; заключенный в
encash [ɪn'kæʃ] *vt* инкассировать
enchant [ɪn'tʃa:nt] *vt* очаровывать
enchanted [ɪn'tʃa:ntɪd] *adj* заколдованный, зачарованный
enchanting [ɪm'tʃa:ntɪŋ] обворожительный
encircle [ɪn'sə:kl] *vt* окружать
encl. *abbr* приложение
en clair [a:n'kleə] незашифрованный *(о телеграммах и т.п.)*
enclave ['enkleɪv] *n:* **an ~ of** анклав; остров
enclose [ɪn'kləuz] *vt* огораживать; заключать; **to ~ (with)** прилагать (к); **please find ~d a cheque $100** здесь прилагается чек на $100
enclosure [ɪn'kləuʒə'] *n* огороженное место; приложение
encoder [ɪn'kəudə'] *n комп.* кодирующее устройство, кодер
encomium [en'koumjəm] *книжн.* панегирик
encompass [ɪn'kʌmpəs] *n* охватывать
encore [ɔŋ'kɔ:'] *excl* бис ✧ *n:* **as an ~** на "бис"
encounter [ɪn'kauntə'] *n* встреча; столкновение ✧ *vt* встретиться с; сталкиваться с
encourage [ɪn'kʌrɪdʒ] ободрять, поощрять, поддерживать; **~ment** ободрение, поощрение; поддержка
encouragement [ɪn'kʌrɪdʒmənt] *n* поощрение; поддержка
encouraging [ɪn'kʌrɪdʒɪŋ] *adj* обнадеживающий
encroach [ɪn'krəutʃ] *vi:* **to ~ (up) on** покушаться *or* посягать на
encrust [ɪn'krʌst] покрывать коркой; инкрустировать
encrusted [ɪn'krʌstɪd] *adj:* **~ with** покрытый
encumber [ɪn'kʌmbə'] *vt* **~ed with** загроможденный; обремененный
encyclop(a)edia [ensaɪkləu'pi:dɪə] *n* энциклопедия
end [end] *n* конец; часть; цель ✧ *vt* заканчивать; прекращать ✧ *vi* кончаться; **from ~ to ~** с начала до конца; **to come to an ~** подходить к концу, кончаться; **to be at an** заканчиваться; **in the** в конце концов; **on ~** стоймя; **to stand on ~** стоять дыбом; **for hours on ~** часами: **for 5 hours on ~** 5 часов подряд; **at the ~ of the street** в конце улицы; **at the ~ of the day** в конце концов; **to this ~, with this ~ in view** с этой целью
endanger [ɪn'deɪndʒə'] *vt* подвергать опасности; **an ~ed species** вымирающий вид
endear [ɪn'dɪə] расположить к себе; **~ment** ласка, выражение нежности, привязанности
endearing [ɪn'dɪərɪŋ] *adj* покоряющий
endearment [ɪn'dɪemənt] *n:* **to whisper ~s** шептать ласковые слова; **term of ~** ласковое обращение
endeavour [ɪn'devə] **1.** *v* пытаться, стараться **2.** *n* попытка, усилие
endemic [en'demɪk] *adj* эндемический
ending ['endɪŋ] *n* конец; *линг.* окончание
endive ['endaɪv] *n* эвдивный салат; цикорный салат
endless ['endlɪs] бесконечный; бесчисленный
endorse [ɪn'dɔ:s] *vt* расписываться на; поддерживать
endorsee' [ɪndɔ:'si:] *n* индоссат
endorsement [ɪn'dɔ:sɪnənt] *n* индоссамент; отметка
endorser [ɪn'dɔ:sə'] *n* индоссант
endow [ɪn'dau] *vt* обеспечивать; **~ed with** наделенный
endowment [ɪn'daumənt] *n* пожертвование *(для обеспечения ежегодным доходом);* способности
endowment mortgage *n ипотечная ссуда в сочетании со страхованием жизни*
endowment policy *n* полис включающий страхование жизни
end product *n промыш.*конечный продукт; результат
end result *n* конечный результат
endue [ɪn'dju:] наделять *(полномочиями, качествами)*
end up *vi:* **to ~ up in** кончать в; **we ~ed up taking a taxi** мы кончили тем, что взяли такси
endurable [ɪn'djuərəbl] *adj* терпимый

endurance [ɪn'djuərəns] *n* выносливость
endurance test *n* испытание на прочность
endure [ɪn'djuə] *vt* переносить ✧ *vi* выдерживать *(испытание временем);*
enduring [ɪn'djuərɪŋ] *adj* прочный
end user *n комп.* конечный пользователь
enema ['enɪmə] *n мед.* клизма
enemy ['enɪmɪ] враг, неприятель, противник
energetic [,enə'dʒetɪk] энергичный
energy ['enədʒɪ] энергия, сила; усилия
energy-saving ['enədʒɪ'seɪvɪŋ] *adj* сокращающий расход энергии; ~ **policy** политика экономии энергии
enervate ['enə:veɪt] обессиливать, расслаблять
enervating ['enəveɪtɪŋ] *adj* обессиливающий, отнимающий силы
enfeeble [ɪn'fi:bl] ослаблять
enfold [ɪn'fould] завернуть *(кого-л. во что-л.);* **~oneself in one's cloak** завернуться в плащ; обхватить, обнять
enforced [ɪn'fɔ:st] *adj* вынужденный
enfranchise [ɪn'fræntʃaɪz] *vt* предоставлять избирательные права
engagement [ɪn'geɪdʒmənt] *n* договоренность; контракт; обручение; *воен.* бой; **I have a previous ~** у меня уже есть договоренность
engage [ɪn'geɪdʒ] *vt* привлекать; нанимать; зацеплять; вступать в бой с ✧ *vi тех.* входить в зацепление; **to ~ in** заниматься; **to ~ sb in conversation** вовлекать кого-н. в разговор
engaged [ɪn'geɪdʒd] *adj* обрученный; занят; ~ **to** обручен с; **to get ~** обручиться; **he is ~ in research** он занимается исследованием
engaged tone *n телеф.* гудки “занято”
engagement ring *n* обручальное кольцо
engaging [ɪn'geɪdʒɪŋ] *adj* привлекательный
engender [ɪn'dʒendə'] *n* порождать
engine ['endʒɪn] *n авт.* двигатель, мотор; локомотив
engine driver *n* машинист
engineer [endʒɪ'nɪə'] *n* инженер; *мор.* механик; машинист; **civil ~** инженер-строитель; **mechanical ~** инженер-механик
engineering [endʒɪ'nɪərɪŋ] *n* инженерное дело; технический дизайн; строительство; производство ✧ *cpd:* ~ **works** *or* **fartory** машиностроительный завод
engine failure *n* отказ двигателя
engine trouble *n* неисправность двигателя
engraft [ɪn'grɑ:ft] делать прививку *(дереву); перен.* прививать *(идеи и т.п.)*
engrain [ɪn'greɪn] глубоко внедрять; **~ed** [-d] укоренившийся; закоренелый
engrave [ɪn'greɪv] *vt* гравировать
engraving [ɪn'greɪvɪŋ] *n* гравюра
engross [ɪn'grous] **~ed** in his work погруженный в работу
engrossed [ɪn'grəust] *adj:* ~ **in** поглощенный
engulf [ɪn'gʌlf] *n* поглощать; охватывать
enhance [ɪn'hɑ:ns] *vt* увеличивать; улучшать
enigma [ɪ'nɪgmə] *n* загадка
enigmatic [enɪg'mætɪk] *adj* загадочный
enjoin [ɪn'dʒɔɪn] предписывать; приказывать
enjoy [ɪn'dʒɔɪ] *vt* любить; обладать; **to ~ o. s.** хорошо проводить время; **I ~ dandcing** я люблю танцевать
enjoyable [ɪn'dʒɔɪəbl] *adj* приятный
enjoyment [ɪn'dʒɔɪmənt] *n* удовольствие
enkindle [ɪn'kɪndl] *перен.* зажигать, воспламенять
enlarge [ɪn'lɑ:dʒ] *vt* увеличивать ✧ *vi:* **to ~ on** распространяться о
enlarged [ɪn'lɑ:dʒd] *adj* дополненный; увеличенный
enlargement [ɪn'lɑ:dʒmənt] *n* фото. увеличение
enlighten [ɪn'laɪtn] *vt* просвещать
enlightened [ɪn'laɪtnd] *adj* просвещенный

E

enlightening [ɪnˈlaɪtɪŋ] *adj* просвещающий
enlightenment [ɪnˈlaɪtnmənt] *n:* **the E~** Просвещение
enlist [ɪnˈlist] *vt* вербовать; заручаться ✧ *vi:* **to ~ in** идти в; **~ed man** *воен.* военнослужащий *adj (рядового или сержантского состава)*
enliven [ɪnˈlaɪvn] *vt* оживлять; подбодрять
enmesh [ɪnˈmeʃ] опутывать
enmity [ˈenmɪtɪ] неприязнь, вражда
ennoble [ɪˈnəubl] *vt* возводить в титул; облагораживать
ennui [ɑːˈnwiː] скука
enormity [ɪˈnɔːmɪtɪ] *n* величина
enormous [ɪˈnɔːməs] *adj* громадный
enormously [ɪˈnɔːməslɪ] *adv* чрезвычайно
enough [ɪˈnʌf] *adj* достаточно ✧ *pron* достаточно ✧ *adv:* **big ~** достаточно большой; **I've had ~!** с меня хватит!; **have you got ~ work to do?** у Вас достаточно работы?; **have you had ~ to eat?** Вы наелись?; **that's ~, thanks** достаточно, спасибо; **I've had ~ of him** он мне надоел; **he has not worked ~** он недостаточно работал; **will five pounds be ~?** пяти фунтов будет достаточно?; **I do not have ~ money to buy it** у меня не хватает денег, чтоббы купить это; **it's hot ~ as it is** и так довольно жарко; **he was kind ~ to fend me the money** он был настолько добр, чтобы одолжить мне деньги; **~!** довольно!; **strangely** *or* **oddly ~...** как это ни странно...
enquire [ɪnˈkwaɪəˈ] *vti* = **inquire**
enrage [ɪnˈreɪdʒ] *vt* бесить
enrapture [ɪnˈræptʃə] восхищать
enrich [ɪnˈrɪtʃ] обогащать, удобрять *(почву)*
enrol [ɪnˈrəul] *vt* зачислять; записывать ✧ *vt* зачисляться; записываться
enrolment [ɪnˈrəulmənt] *n* зачисление; запись
en route [ɔnˈruːt] *adv* по пути; **~ ~ for** *or* **to/from** по пути в/из
ensconce [ɪnˈskɔns] *vt:* **to o. s. in** устраиваться в
enslave [ɪnˈsleɪv] порабощать; **~ment** порабощение
ensemble [ɔnˈsɔmbl] *n* ансамбль
enshrine [ɪnˈʃraɪn] *vt* хранить; **to be ~d in** сохраняться в
ensign [ˈensaɪn] флаг, знамя; значок, эмблема, кокарда; *амер. мор.* энсин *(первичное офицерское звание), ист.* прапорщик
ensilage [ˈensɪlɪdʒ] *см.* **silage**
ensnare [ɪnˈsneə] поймать в ловушку; опутать
ensue [ɪnˈsjuː] следовать; вытекать
ensuing [ɪnˈsjuːɪŋ] *adj* последующий
ensure [ɪnˈʃuə] *vt* обеспечивать; **to ~ that** обеспечивать, что
entail I [ɪnˈteɪl] влечь за собой, вызывать
entail II майорат
entance ramp *n авт.* въезд на автостраду
entangled [ɪnˈtæŋgld] *adj:* **to become ~ (in)** запутываться (в)
enter [ˈentəˈ] *vt* входить в; поступать; вступать в; записывать; *комп.* вводить ✧ *vi* входить; **I ~ed my son in the marathon** я подал заявку на включение моего сына в марафон
enter (up) on *vt* начинать
enter for *vt* подавать заявку на участие в
enter into *vt* вступать в
enteritis [entəˈraɪtɪs] *n* энтерит
enterprise [ˈentəpraɪz] *n* предприятие; предприимчивость; **free/private ~** свободное/частное предпринимательство
enterprising [ˈentəhraɪzɪŋ] *adj* предприимчивый; предпринимательский
entertain [entəˈteɪn] *vt* развлекать; принимать; раздумывать над
entertainer [entəˈteɪnəˈ] *n* ведущий(-ая) *adj* развлекательной программы
entertaining [entəˈteɪnɪŋ] *adj* занимательный; развлекательный ✧ *n:* **we do a lot of ~** мы часто приглашаем к себе гостей
entertainment [entəˈteɪnmənt] *n* раз-

влечение; представление
entertainment allowance *n* средства на представительские расходы
enthral [ɪn'θrɔ:l] *vt* приводить в восторг
enthralled [ɪn'θrɔ:ld] *adj* увлеченный; **he was ~ by** *or* **with the book** он был увлечен книгой
enthralling [ɪn'θrɔ:lɪŋ] *adj* увлекательный
enthrone [ɪn'θroun] возводить на престол
enthuse [ɪn'θu:z] *vi:* **to ~ about** *or* **over** приходить в восторг от
enthusiasm [ɪn'θu:zɪæzəm] *n* энтузиазм
enthusiast [ɪn'θu:zɪæst] *n:* **a jazz ~** энтузиаст джаза
enthusiastic [ɪnθu:zɪ'æstɪk] *adj* полный энтузиазма; восторженный; **he is ~ about** он полон энтузиазма по поводу
entice [ɪn'taɪs] *vt* заманивать; соблазнять
enticing [ɪn'taɪsɪŋ] *adj* соблазнительный
entire [ɪn'taɪə'] *adj* весь
entirely [ɪn'taɪəlɪ] *adv* полностью; совершенно; **~ different** совершенно различный
entirety [ɪn'taɪərətɪ] *n:* **in its ~** весь целиком
entitle [ɪn'taɪtl] *vt:* **to ~ sb to sth/to do** давать право кому-н. на что-н.
entitled [ɪn'taɪtld] *adj* озаглавленный; **to be ~ to sth/to do** иметь право на что-н./на то, чтобы
entity ['entɪtɪ] *n* сущность; **a separate ~** отдельная личность
entomb [ɪn'tu:m] *книжн.* погребать; *перен.* заточать
entomology [,entə'mɔlədʒɪ] энтомология
entourage [ɔntu'rɑ:ʒ] *n* антураж, окружение
entrails ['entreɪlz] *npl* внутренности
entrain [ɪn'treɪn] сажать, грузить в поезд *(войска);* садиться в поезд
entrance *n* ['entrns], *vt* [ɪn'trɑ:ns] *n* вход; вступление; появление *театр.* выход (на сцену) ✧ *vt* очаровывать; **to gain ~ to** поступать в; получать доступ к; **to make an ~** вступать
entrance examination *n* вступительный экзамен
entrance fee *n* входная плата
entrancing [ɪn'trɑ:nsɪŋ] *adj* восхитительный
entrant ['entrnt] *n* участник(-ица)
entrap [ɪn'træp] поймать в ловушку; *перен.* провести
entreat [en'tri:t] *vt:* **to ~ sb to do** умолять кого-н.
entreaty [en'tri:tɪ] *n* мольба
entree ['ɔntreɪ] *n кулин.* главное блюдо
entrenched [en'trentʃt] *adj* укоренившийся
entrepreneur ['ɔntrəprə'nə:'] *n* предприниматель(ница)
entrepreneurial ['ɔntrəprə'nə:rɪəl] *adj* предпринимательский
entrust [ɪn'trʌst] *vt:* **to ~ sth to sb** доверять что-н. кому-н; **to ~ sb with sth** возлагать на кого-н. что-н.
entry ['entrɪ] *n* вход; запись; статья; число участников; въезд; **"no ~"** "нет входа"; *авт.* "нет въезда"; **single/double ~ book-keeping** *комм.* простая/двойная бухгалтерия
entry form *n* заявка на участие
entry phone *n* входное переговорное устройство
entwine [ɪn'twaɪn] *vt:* **to ~ (with)** переплетать (с)
enumerate [ɪ'nju:məreɪt] *vt* перечислять
enunciate [ɪ'nʌnsɪeɪt] *vt* произносить; излагать
envelop [ɪn'veləp] *vt* облегать
envelope ['envələup] *n* конверт
envenom [ɪn'venəm] отравлять
enviable ['envɪəbl] завидный
envious ['envɪəs] *adj* завистливый; **to be ~ of sth/sb** завидовать чему-н./кому-н.
environment [ɪn'vaɪərnmənt] *n* среда; **the ~** окружающая среда: **Department of the E~** отдел охраны окружающей среды
environmental [ɪnvaɪərn'mentl] *adj* связанный с окружающей средой, экологический; **children respond**

E

to ~ stimull дети реагируют на стимулы предлагаемые средой; ~ studies экология
environmentalist [ınvarıən'mətlıst] *n* сторонник(-ица) защиты окружающей среды
environmentally [ınvaıərn'mentlı] *adv* экологически
envisage [ın'vızıdʒ] смотреть в лицо *(опасности и т.п.);* рассматривать *(вопрос);* представлять себе
envoy ['envɔı] *n* посланник
envy ['envı] **1.** *n* зависть **2.** *v* завидовать
enwrap [ın'ræp] завёртывать
ephemeral [ı'femərl] *adj* эфемерный
epic ['epık] *n* эпопея; эпическая поэма ✧ *adj* эпохильный
epicentre ['epısentə'] *n* эпицентр
epidemic [epı'demık] *n* эпидемия
epigram ['epıgræm] *n* эпиграмма
epilepcy ['epılepsı] *n* эпилепсия
epileptic [epı'leptık] *adj* эпилептический ✧ *n* эпилептик
epilogue ['epılɔg] *n* эпилог
Epiphany [ı'pıfənı] *n* Богоявление, Крещение
episode ['epısəud] *n* эпизод
epistle [ı'pısl] *n* послание
epitaph ['epıtɑːf] *n* эпитафия
epithet ['epıθet] *n* эпитет
epitome [ı'pıtəmı] конспект
epitomize [ı'pıtəmaız] *vt* воплощать
epoch ['ıːpɔk] *n* эпоха
epoch-making ['ıːpɔkmeıkıŋ] *adj* эпохальный
eponymous [ı'pɔnıməs] *adj:* ~ **hero** герой, именем которого названо произведение
equable ['ekwəbl] ровный *(о климате и т.п.);* уравновешенный, спокойный *(о человеке)*
equal ['iːkwl] *adj* равный; одинаковый ✧ *n* равный(-ая) ✧ *vt* равняться; не уступать; **they are roughly ~ in size** они примерно равны по размеру; **the number of exports should be ~ to imports** количество экспорта должно быть равно количеству импорта; **he is ~ to** он может справиться с
equal(s) sign *n* знак равенства
equality [iːkɔlıtı] *n* равенство, равноправие; ~ **of opportunity** равенство возможностей
equalize ['iːkwəlaız] *vt* уравнивать ✧ *vi спорт.* сравнивать счет
equally ['iːkwəlı] *adv* равно; одинаково; **they are ~ clever** они в равной степени умны
equanimity [ekwə'nımıtı] *n* хладнокровие; **with ~** хладнокровно
equate [ı'kweıt] *vt:* **to ~ sth with sth, ~ sth to sth** приравнивать что-н. к чему-н.
equation [ı'kweıʃən] *n мат.* уравнение
equator [ı'kweıtə] *n* экватор
equatorial [ekwə'tɔːrıəl] *adj* экваториальный
equestrian [ı'kwesrıən] *adj* конный ✧ *n* всадник(-ица)
equilibrium [iːkwı'lıbrıəm] *n* равновесие
equinox ['iːkwınɔks] *n* равноденствие; **the spring/autumn ~** весеннее/осеннее равноденствие
equipment [ı'kwıpmənt] снаряжение; снабжение; оборудование
equipoise ['ekwıpɔız] **1.** *n* равновесие; противовес **2.** *v* уравновешивать
equity ['ekwıtı] справедливость, беспристрастность
equivalent [ı'kwıvələnt] *n* эквивалент ✧ *adj:* ~ **(to)** эквивалентный; **it is ~ to** это эквивалентно
equivocal [ı'kwıvəkl] *adj* двусмысленный; сомнительный
equivocate [ı'kwıvəkeıt] *vi* говорить двусмысленно
equivocation [ıkwıvə'keıʃən] *n* уклончивость
era ['ıərə] *n* эра
eradicate [ı'rædıkeıt] *vt* искоренять
erase [ı'reız] *vt* стирать
eraser [ı'reızə] *n* резинка, ластик для стирания
ere [eə] *уст., поэт.* до, перед; ~ **long** вскоре
erect [ı'rekt] *adj* прямой; вертикальный; поднятый ✧ *vt* возводить; ставить
erection [ı'rekʃən] *n* возведение; установка; эрекция
ermine ['əːmın] *n* горностай
erode [ı'rəud] *vt* выветривать; раз-

мывать; разъедать; подрывать
erogenous [ɪˈrɔdʒənəs] *adj* эрогенный
erosion [ɪˈrəuʒən] *n* эрозия
erotic [ɪˈrɔtɪk] *adj* эротический
eroticism [ɪˈrɔtɪsɪzəm] *n* эротизм
err [ə:ˈ] *vi* допускать ошибку; **to ~ on the side of...** слишком склоняться к...
errant [ˈerənt] странствующий, блуждающий
erratic [ɪˈrætɪk] *adj* беспорядочный; сумасбродный
erratum [eˈrɑ:təm] *(errata)* опечатка
erroneous [ɪˈrəunɪəs] ошибочный
error [ˈerə] ошибка; **commit an ~** сделать ошибку
erstwhile [ˈə:stwaɪl] *adj* бывший
erudite [ˈerjudaɪt] *adj* эрудированный
erupt [ɪˈrʌpt] *vi* раздражаться; **the volcano ~ed** произошло извержение вулкана
eruption [ɪˈrʌpʃən] *n* извержение; взрыв
escalate [ˈeskəleɪt] *vi* обостряться
escalation [eskəˈleɪʃən] *n* обострение, эскалация
escalation clause *n оговорка о скользящих ценах или скользящей зарплате*
escalator [ˈeskələɪtə] *n* эскалатор
escape [ɪsˈkeɪp] *n* побег; избегание; *тех.* выход; выделение, выпуск ✧ *vi* убегать; бежать; утекать, давать утечку ✧ *vt* избегать; **his name ~s me** его имя выпало у меня из памяти; **to ~ from** сбегать *or* убегать из/от; сбегать *or* убегать от; **he ~d with minor injuries** он спасся отделавшись небольшими повреждениями; **to ~ to** сбегать *or* убегать в/на; **to ~ to safety** скрываться в безопасном месте; **to ~ notice** ускользать незамеченным
escape artist *n* трюкач
escapee [ɪskeɪˈpi:] *n* сбежавший
escape hatch *n* аварийный люк
escape key *n комп.* клавиша выхода
escape route *n* запасной (пожарный) выход; маршрут побега
escapism [ɪsˈkeɪpɪzəm] *n* бегство от действительности, эскапизм
escapist [ɪsˈkeɪpɪst] *adj* уводящий от острых проблем жизни, эскапистский
escarpment [ɪsˈkɑ:pmənt] *n* откос
eschew [ɪsˈtʃu:] *книжн.* воздерживаться *(от чего-л.)*
escort 1. *n* [ˈeskɔ:t] охрана,экскорт **2.** *v* [ɪsˈkɔ:t] эскортировать, сопровождать
escort agency *n* бюро по найму сопровождающих
Eskimo [ˈeskɪməu] *n* эскимос(ка)
especially [ɪsˈpeʃlɪ] *adv* особенно
Esperanto [ˌespəˈræntou] эсперанто
espionage [ˈespɪənɑ:ʒ] *n* шпионаж
espouse [ɪsˈpauz] *уст.* жениться ✧ **~ a theory** поддерживать теорию
esprit [ˈespri:] остроумие ✧ **~ de corps** честь мундира
espy [ɪsˈpaɪ] увидеть, заметить издалека
essay [ˈeseɪ] *n просвещ.* сочинение; *литер.* очерк
essence [ˈesns] *n* сущность; *кулин.* эссенция; **in ~** в сущности; **speed is of the ~** все дело в скорости
essential [ɪˈsenʃl] *adj* существенно необходимый; основной ✧ *n* существенно необходимая вещь; основное; **it is ~ that** существенно важно, чтобы
essentially [ɪˈsenʃəlɪ] *adv* в сущности
establish [ɪsˈtæblɪʃ] *vt* учреждать; устанавливать; утверждать за собой
established [ɪsˈtæablɪʃt] *adj* упроченный: признанный
establishment [ɪsˈtæblɪʃmənt] *n* учреждение; установление; утверждение; заведение; **the E~** истеблишмент
estate [ɪsˈteɪt] *n* поместье; жилой комплекс; состояние
estate agency *n* агенство по продаже недвижимости
estate agent *n* агент по продаже недвижимости
estate car *n* автомобиль m-пикап
esteem [ɪs ti:m] *n:* **to hold sb in high ~** относиться' к кому-н. с большим почтением
estimable [ˈestɪməbl] достойный уважения
estimate *vb* [ˈestɪmeɪt], *n* [ˈestɪmət] *vt*

E

предварительно подсчитывать; оценивать ✧ *n* подсчет; оценка; смета ✧ *vi ком.*: **to ~ for** составлять смету; **I ~ that** я полагаю, что; **to give sb an ~** давать кому-н. оценку; **at a rough ~** по грубым подсчетам
estimation [estı'meıʃən] *n* оценка; подсчет; **in my ~** по моим подсчетам
estimator ['estımeıtə] n оценщик
Estonia [es'təunıə] *n* Эстония
estranged [ıs'treındʒd] *adj* отчужденный; **his ~ wife** ушедшая от него жена; **he is ~ from his wife** он разошелся с женой
estrangement [ıs'treındʒmənt] *n* отчуждение
estuary ['estjuərı] *n* устье
et cetera [ıt'setrə] и т.д., и пр.; **~s** всякая всячина
etch [etʃ] *vt* гравировать; **to ~ (on)** травить (на); **it will be ~ed on my memory** это запечатлеется в моей памяти
etching ['etʃıŋ] *n* гравировка; гравюра, офорт
eternal [ı'tə:nl] *adj* вечный
eternity [ı'tə:nıtı] *n* вечность
ether ['i:Θə'] *n* эфир
ethereal [ı'Θıərıəl] *adj* эфирный
ethical ['eΘıkl] *adj* этический; этичный
ethics ['eΘıks] *n*, этика
Ethiopia [i:Θı'əupıə] *n* Эфиопия
ethnic ['eΘnık] *adj* этнический
ethnic cleansing *n* этническая чистка
ethnology [eΘ'nɔlədʒı] *n* этнология
ethos ['i:Θɔs] *n* этос
etiquette ['etıket] *n* этикет
etravagance [ıks'trævəgəns] *n* экстравагантность; расточительство
etymology [etı'mɔlədʒı] *n* этимология
eucalyptus [ju:kə'lıptes] *n* эвкалипт
Eucharist ['ju:kərıst] *n рел.*: **the ~** евхаристия, причастие
eulogy ['ju:lədʒı] *n* восхваление
euphoria [ju:'fɔ:rıə] *n* эйфория
Eurasia [juə'reıʃə] n Евразия
Europe ['juərəp] *n* Европа
European Community *n*: **the ~ ~** Европейское Сообщество
European [juərə'pi:ən] adj европейский ✧ *n* европеец
evacuate [ı'vækjueıt] *vt* эвакуировать; очищать
evacuation [ıvækju'eıʃən] *n* эвакуация; очистка
evacuee [ıvækju'i:] *n* эвакуированный
evade [ı'veıd] *vt* уклоняться от; избегать
evaluate [ı'væljueıt] *vt* оценивать
evanescent [,i:və'nesnt] мимолётный; недолговечный
evangelical [i:væn'dʒelıkl] *adj* евангелический
evangelist [ı'vændʒəlıst] *n* евангелист
evangelize [ı'vændʒəlaız] *vi* проповедовать евангелизм
evaporate [ı'væpərəıt] *vi* испаряться; пропадать
evaporated milk [ı'væpərəıtıd-] *n* сгущенное молоко *(без сахара)*
evaporation [ıvæpə'reıʃən] *n* испарение
evasion [ı'veıʒən] *n* уклоненне
evasive [ı'veısıv] *adj* уклончивый
eve [i:v] *n*: **on the ~ of** накануне; **Christmas E~** канун Рождества; **New Year's E~** канун Нового года
even I ['i:vən] **1.** *a* ровный; гладкий; уравновешенный; равный, одинаковый; чётный *(о числах)* ✧ **now we are ~** теперь мы квиты **2.** *v* равнять, уравнивать; выравнивать, делать ровным
even II даже; **~ if** даже если; **though** хотя бы; **~ as** как раз; **~ better** еще лучше; **~ so** всё-таки
even III *поэт.* вечер
even-handed ['i:vnhændıd] *adj* беспристрастный
evening ['i:vnıŋ] *n* вечер; **in the ~** вечером; **this ~** сегодня вечером; **tomorrow/yesterday** завтра/вчера вечером
evening class *n* вечерние курсы
evening dress *n* вечерний туалет; вечернее платье
evenly ['i:vnlı] *adv* равномерно; ровно
even out *vt* выравнивать ✧ *vi* выравниваться
evensong ['i:vnsɔŋ] *n* вечерня

event [ɪ'vent] *n* событие; *спорт.* соревнование, вид; **in the normal course of ~s** при нормальном течении событий; **in the ~ of** в случае; **in the ~** в конечном счете; **at all ~s, in any ~** во всяком *or* любом случае
eventful [ɪ'ventful] *adj* насыщенный событиями
eventide ['i:vəntaɪd] *поэт.* вечер, сумерки
eventing [ɪ'ventɪŋ] *n участие в ряде состязаний по верховой езде*
eventual [ɪ'ventʃuəl] *adj* конечный
eventuality [ɪventʃu'ælɪtɪ] *n* возможность
eventually [ɪ'ventʃuəlɪ] *adv* в конце концов
ever ['evə] adv всегда; когда-либо, когда-нибудь; **why ~ not?** почему же нет?; **the best ~** самый лучший; **have you ~ been to Russia?** Вы когда-либо *or* когда-нибудь были в России?; **for ~** навсегда; **hardly ~** почти никогда; **I hardly ~ read** я почти никогда не читаю; **better than ~** лучше чем бы то ни было *or* чем когда-либо; **~ since** с тех пор, как; **~ since that day** с того дня; **~ so pretty** ужасно симпатичная; **thanr you ~ so much** я Вам так благодарен; **yours ~** преданный Вам
Everest ['evərɪst] *n* Эверест
evergreen ['evegri:n] *n* вечнозеленый
everlasting [evə'la:stɪŋ] *adj* вечный
every ['evrɪ] *adj* **1.** каждый; **every child will receive a present** каждый ребенок получит подарок; **every one of them** каждый из них; **every shop in the town was closed** все магазины в городе были закрыты; **2. I gave you every assistance** я помог Вам, всем чем только можно; **I tried every option** я испробовал все пути; **I have every confidence in him** я в нем совершенно уверен; **we wish you every success** мы желаем Вам всяческого успеха; **he's every bit as clever/stupid as his brother** он столь же умен/глуп, как и его брат; **3.** каждый; **every week** каждую неделю; **every other car** каждая вторая машина; **she visits me every third/other day** она приходит ко мне каждые два дня/через день; **every now and then** время от времени
everybody ['evrɪbɔdɪ] *pron* каждый; все; **~ knows about it** об этом каждый знает; **else** все остальные
everyday ['evrɪdeɪ] *adj* ежедневный; повседневный
everyone ['evrɪwʌn] *pron* = **everybody**
everything ['evrɪθɪn] *pron* все; **~ is ready** все готово; **he did ~ possible** он сделал все возможное; **you think of ~** Вы думаете обо всем: **I don't agree with he says** я не согласен со всем, что он говорит
everywhere ['evrɪweə'] *adv* везде, повсюду; **~ you go you meet...** куда ни пойдешь, везде *or* повсюду встречаешь...
evict [ɪ'vɪkt] *vt* выселять
eviction [ɪ'vikʃən] *n* выселение
eviction notice *n* предупреждение о выселении
eviction order *n* приказ о выселении
evidence ['evɪdns] *n* доказательство; показание; признаки; **to give ~** давать (свидетельские) показания; **to show ~ of** проявлять признаки; **in ~** заметен
evident ['evɪdnt] *adj* заметный
evidently ['evɪdntlɪ] *adv* очевидно
evil ['i:vl] **1.** *a* злой, пагубный **2.** *n* зло, вред; бедствие, несчастье
evince [ɪ'vɪns] проявлять, выказывать
evocative [ɪ'vɔkətɪv] воскрешающий в памяти
evoke [ɪ'vouk] вызывать *(улыбку, восхищение, воспоминания и т.п.)*
evolution [i:və'lu:ʃən] *n* эволюция
evolve [ɪ'vɔlv] *vt* развивать ✧ *vi* эволюционировать; развиваться
ewe [ju:] *n* овца
ewer ['ju:ə] *n* кувшин
ex- [eks] *prefix* экс-, бывший; **the price ex works** цена с предприятия

E

E

exacerbate [eks'æsəbeɪt] *vt* обострять
exact [ɪg'zækt] *adj* точный ◊ *vt:* **to ~ sth from** требовать чего-н. от; взыскивать что-н с.
exacting [ɪg'zæktɪŋ] *adj* трудный; взыскательный
exactly [ɪg'zæktlɪ] *adv* точно; **~ I** вот именно!
exaggerate [ɪg'zædʒəreɪt] *vti* преувеличивать
exaggerated [ɪg'zædʒəreɪtɪd] *adj* преувеличенный
exaggeration [ɪgzædʒə'reɪʃən] *n* преувеличение
exalted [ɪg'zɔːltɪd] *adj* высокий; восторженный
exam [ɪg'zæm] *n abbr* = **examination**
examination [ɪgzæmɪ'neɪʃən] *n* изучение; рассмотрение; экзамен; *юрид.* допрос; *мед.* осмотр; **to take** *or* **sit an ~** сдавать экзамен; **the matter is under ~** дело находится на рассмотрении
examine [ɪg'zæmɪn] *vt* смотреть на; осматривать; рассматривать; *просвещ.* экзаменовать; *юрид.* допрашивать; *мед.* осматривать
examiner [ɪg'zæmɪnə'] *n просвещ.* экзаменатор
example [ɪg'zaːmpl] *n* пример; **for ~** например; **to set a good/bad ~** подавать хороший/плохой пример
exasperate [ɪg'zaːspəreɪt] *vt* изматывать; **~d by** *or* **with** измотанный
exasperating [ɪg'zaːspəreɪtɪŋ] *adj* раздражающий
exasperation [ɪgzaːspə'reɪʃən] *n* раздражение; **in ~** в раздражении
excavate ['ekskəveɪt] *vt* раскапывать; выкапывать ◊ *vi* производить раскопки
excavation [ekskə'veɪʃən] *n* раскапывание; **~s** раскопки
excavator ['ekskəveɪtə'] *n* экскаватор
exceed [ɪk'siːd] *vt* превышать; превосходить
exceedingly [ɪk'siːdɪŋlɪ] *adv* чрезвычайно
excel [ɪk'sel] *vt* превосходить ◊ *vi:* **to ~ (in** *or at)* отличаться (в); **to o. s.** превосходить самого себя
excellence ['eksələns] *n* мастерство; превосходство
Excellency ['eksələnsɪ] *n:* **His ~** его Превосходительство
excellent ['eksələnt] *adj* отличный; превосходный ◊ *excl:* **~ I** отлично!, превосходно!
except [ɪk'sept] *prep* кроме ◊ *vt:* **to ~ sb (from)** исключать кого-н. (из); **~ if/when** кроме *or* за исключением тех случаев если/когда; **~ that** кроме того, что
excepting [ɪk'septɪŋ] *prep* за исключением
exception [ɪk'sepʃən] *n* исключение; **to take ~ to** обижаться на; **with the ~ of** за исключением
exceptional [ɪk'sepʃənl] *adj* исключительный
excerpt ['eksəːpt] *n* отрывок
excess [ɪk'ses] *n* избыток; превышение; эксцесс; крайности; **an ~ of $15, $15 ~** излишек в $15; **in ~ of** сверх; свыше; **to drink to ~** пить сверх меры
excess baggage *n* излишек багажа
excess fare *n* доплата *(за билет)*
excessive [ɪk'sesɪv] *adj* чрезмерный
excess supply *n* избыточное предложение
exchange [ɪks'tʃeɪndʒ] *n* обмен мнениями; перепалка; коммутатор ◊ *vt:* **to ~ (for)** обменивать (на); **in ~ for** обмен на; **foreign ~** валютная биржа
exchange control *n* валютный контроль
exchange market *n* валютный рынок
exchange rate *n* валютный *or* обменный курс
Exchequer [ɪks'tʃekə'] *n:* **the ~** казначейство
excisable [ek'saɪzbl] *adj* облагаемый акцизным сбором
excise I [ek'saɪz] вырезать; ампутировать
excise II 1. *n* акциз **2.** *v* взимать акцизный сбор
excise *n* ['eksaɪz], *vt* [ek'saɪz] *n* акциз. акцизный сбор ◊ *vt* вырезать
excise duties *npl* акцизный сбор
excitable [ɪk'saɪtəbl] *adj (легко)* возбудимый

excite [ɪk'saɪt] *vt* возбуждать; заинтересовать; **to get ~d** волноваться

excitement [ɪk'saɪtmənt] *n* возбуждение; оживление

exciting [ɪk'saɪtɪŋ] *adj* восхитительный

exclaim [ɪks'kleɪm] *vi* восклицать

exclamation [eksklə'meɪʃən] *n* восклицание

exclamation mark *n* восклицательный знак

exclude [ɪks'klu:d] *vt* исключать

excluding [ɪks'klu:dɪg] *prep* исключая

exclusion [ɪks'klu:ʒən] *n* исключение; **to the ~ of** исключая

exclusion clause *n* статья об исключениях

exclusion zone *n* запретная зона

exclusive [ɪks'klu:sɪv] *adj* недоступный, для избранных; исключительный; уникальный ✧ *n пресса.* материал *(напечатанный только в одной газете)* ✧ *adv:* **~ of** *ком.* не считая; **mutually ~** взаимоисключающие; **~ of postage** без стоимости почтовых расходов; **from the 1st to the 15th March ~** с 1-ого до 15-е марта, включительно; **~ of tax** не считая налога

exclusively [ɪks'klu:sɪvlɪ] *adv* исключительно

exclusive rights *npl* исключительные права

excommunicate [ekskə'mju:nɪkeɪt] *vt* отлучать от церкви

excrement ['eksrɪmənt] экскременты, испражнения

excrescence [ɪks'kresns] нарост

excre||te [eks'kri:t] выделять из организма *(о животных, растениях);* **~tion** [-'kri:ʃən] выделение; **~tive** [-tɪv] способствующий выделению; **~tory** [-tərɪ]: **~tory duct** *анат.* выводной проток

exculpat||e ['ekskʌlpəɪt] оправдывать, реабилитировать; **~ory** [-'kʌlpətərɪ] оправдывающий; оправдательный

excursion [ɪks'kɔ:ʃən] *n* экскурсия

excursion ticket *n дешевый билет на короткую экскурсию*

excusable [ɪks'kju:zəbl] *adj* простительный

excuse *n* [ɪks'kju:s], *vt* [ɪks'kju:z] *n* оправдание ✧ *vt* оправдывать; прощать; **to make ~s for sb** находить оправдание кому-н.; **that's no ~!** это не причина!; **to ~ sb from sth/doing** освобождать кого-н. от чего-н/от того, чтобы; **~ me!** извините!; простите! *or* (меня)!; **if you will ~ me, I have to...** Вы простите, мне надо...; **to o. s. for sth/for having done sth** извиняться за что-н./за то, что сделал что-н.

ex-directory ['eksdɪ'rektərɪ] *adj не включенный в телефонный справочник;* **she's ~** ее номер не включен в телефонный справочник

execrable ['eksɪkrəbl] *adj* отвратительный

execute ['eksɪkju:t] *vt* казнить; выполнять

execution [eksɪ'kju:ʃən] *n* казнь; выполнение

executioner [eksɪ'kju:ʃənə] *n* палач

executive [ɪg'zekjutɪv] *n* руководитель; исполнительный орган ✧ *adj* руководящий; ответственный; для руководящих работников

executive director *n* директор; распорядитель

executor [ɪg'zekjutə'] *n юрид.* исполнительный

exemplary [ɪg'zemplərɪ] *adj* примерный

exemplify [ɪg'zemplɪfaɪ] *vt* служить примером; пояснить примером

exempt [ɪg'zempt] *adj:* **~from** освобожденный от ✧ *vt:* **to ~ sb from** освобождать кого-н. от

exemption [ɪg'zemnpʃən] освобождение

exercise ['eksəsaɪz] *n* гимнастика; зарядка *просвещ., муз.* упражнение; проявление ✧ *vt* проявлять; осуществлять; выгуливать; занимать ✧ *vi* упражняться; **military ~s** военные учения; **you need more ~** Вам надо больше двигаться

exercise book *n* тетрадь

E

exert [ɪg'zɜːt] *vt* оказывать; применять; **to ~ o. s.** напрягаться
exertion [ɪg'zɜːʃən] *n* усилие; напряжение
ex gratia ['eks'greɪʃə] *adj:* **~ ~ payment** денежное вознаграждение
exhale [eks'heɪl] выдыхать; испаряться
exhaust [ɪg'zɔːst] *n* выхлопная труба; выхлопные газы ✧ *vt* изнурять; истощать; исчерпывать; **to ~ o. s.** доводить себя до изнеможения *or* изнурения
exhausted [ɪg'zɔstɪd] *adj* изнуренный, изнеможенный
exhausting [ɪg'zɔːsɪŋ] *adj* изнурительный
exhaustion [ɪg'zɔːstʃən] *n* изнеможение; **nervous ~** нервное истощение
exhaustive [ɪg'zɔːstɪv] *adj* исчерпывающий
exhibit [ɪg'zɪbɪt] *n* экспонат; *юрид.* вещественное доказательство ✧ *vt* экспонировать; проявлять
exhibition [eksɪ'bɪʃən] *n* выставка; проявление; **to make an ~ of o. s.** выставлять себя на посмешище
exhibitionist [ksɪ'bɪʃənɪst] *n* эксгибиционист; **he's a real ~** он все делает напоказ
exhibitor [ɪg'zɪbɪtə] *n* экспонент
exhilarating [ɪg'zɪləreɪtɪŋ] *adj* волнующий
exhilaration [ɪgzɪlə'reɪʃən] *n* взволнованность
exhort [ɪg'zɔːt] *vt:* **to ~ sb to do** увещевать кого-н.
exhume [eks'hjuːm] выкапывать *(труп)*
exig||ency ['eksɪdʒənsɪ] острая необходимость, крайность; **~ent** [-ənt] срочный; требовательный
exile ['eksaɪl] *n* ссылка, изгнание; ссыльный(-ая); изганник ✧ *vt* ссылать; высылать; **in ~** в ссылке *or* изгнании
existence [ɪg'zɪstəns] *n* существование; **to be in ~** существовать
existentialism [egzɪs'tenʃəlɪzm] *n* экзистенциализм
existing [ɪg'zɪstɪŋ] *adj* существующий
exit ['eksɪt] *n* выход; выезд; уход ✧ *vi театр.* уходить; *комп.* выходить; **to ~ from** выходить из; съездить с
exit poll *n* предварительный подсчет голосов
exit ramp *n* съезд с автострады
exit visa *n* выездная виза
exodus ['eksədəs] *n* массовое бегство; **the ~ to the cities** массовое переселение в городе
ex officio ['eksə'fɪʃɪəu] *adv* по должности
exonerate [ɪg'zɔnəreɪt] *vt:* **to ~ sb from guilt/responsibility** снимать с кого-н. обвинение/ответственность
exorbitant [ɪg'zɔːbɪtnt] *adj* непомерный
exorcize ['eksɔːsaɪz] *vt* изгонять дьявола из;
exotic [ɪg'zɔtɪk] *adj* экзотический
expand [ɪks'pænd] *vt* расширять; увеличивать ✧ *vi:* **to ~ on** подробно разъяснять
expanse [ɪks'pæns] *n:* **an ~ of sea/sky** морской/небесный простор
expansion [ɪks'pænʃən] *n* расширение; увеличение; рост
expansionism [ɪks'pænʃənɪzəm] *n* экон. экспансионизм
expansionist [ɪks'pænʃənɪst] *adj* экспансионистский
expatiate [eks'peɪʃɪeɪt] распространяться *(о чём-л.)*
expatriat||e [eks'pætrɪeɪt] **1.** *v* изгонять *(из отечества);* **~ oneself** отказываться от гражданства; эмигрировать **2.** *n* эмигрант; эмигрантский
expect [ɪks'pekt] *vt* ожидать; ждать; полагать ✧ *vi:* **to be ~ing** ждать ребенка; **he ~s me to finish by Tuesday** он ожидает, что я закончу ко вторнику; **to ~ to do** рассчитывать; **as ~ed** как и ожидалось; **I ~ so** я полагаю
expectancy [ɪks'pektɪensɪ] *n* предвкушение; **life ~** средняя продолжительность/жизни
expectant [ɪks'pektənt] *adj* выжидающий
expectantly [ɪks'pektəntlɪ] *adv* с надеждой

expectant mother *n* беременная женщина
expectation [ekspek'teɪʃən] *n* ожидание; **in ~ of** в ожидании; **contrary to** *or* **against all ~(s)** вопреки всем ожиданиям; **to come** *or* **live up to sb's ~s** оправдывать чьи-н. ожидания
expedience [ɪks'pi:dɪəns] *n* = **expediency**
expediency [ɪks'pi:dɪənsɪ] *n* выгода; **for the sake of ~** ради выгоды
expedient [ɪks'pi:dɪənt] *adj* целесообразный ✧ *n* уловка
expedite ['ekspədaɪt] *vt* ускорять
expedition [ekspə'dɪʃən] *n* экспедиция; поход
expeditionary force [ekspə'dɪʃənrɪ-] *n* экспедиционные войска
expeditious [ɪkspə'dɪʃəs] *adj* эффективный
expel [ɪks'pel] *vt* исключать; изгонять; выводить
expend [ɪks'pend] *vt* расходовать; тратить
expendable [ɪks'pendəbl] *adj* подлежащий списанию; **he is entirely ~** его можно сбросить со счетов
expenditure [ɪks'pendɪtʃə'] *n* затраты; расходование; затрата
expense [ɪks'pens] *n* стоимость; **~s** расходы; затраты; **at the ~ of** за счет; **to go to the ~ of doing** тратиться; **at great/little ~** с большими/небольшими затратами
expense account *n* счет подотчетных сумм
expensive [ɪks'pensɪv] *adj* дорогой; **to be ~** дорого стоить; **to have ~ tastes** иметь вкус к дорогим вещам
experience [ɪks'pɪərɪəns] *n* опыт; случай; испытание; переживание ✧ *vt* испытывать; переживать; **to know by** *or* **from ~** знать по опыту; **to learn by ~** учиться на опыте
experienced [ɪks'pɪərɪənst] *adj* опытный
experiment [ɪks'perɪmənt] *n* эксперимент опыт ✧ *vi:* **to ~ (with/on)** экспериментировать (с; **to carry out** *or* **perform an ~** проводить эксперимент; **as an ~** в качестве эксперимента; **to ~ with a new vaccine** проводить опыты с новой вакциной
experimental [ɪksperɪ'mentl] *adj* экспериментальный; пробный; **at the ~ stage** на стадии эксперимента
expert ['ekspə:t] *n* эксперт, специалист ✧ *adj* умелый; **~ opinion/avdice** мнение/совет эксперта *or* специалиста; **an ~ on sth** специалист по чему-н.; **she is ~ at resolving disputes** она прекрасно умеет разрешать споры; **~ witness** *юрид.* судебный эксперт
expertise [ɪkspə:'ti:z] *n* знания и опыт
expiat||e ['ekspɪeɪt] искупать *(вину, грех);* **~ion** ['ekspɪ'eɪʃən] искупление
expirat||ion ['ekspaɪə'reɪʃən] выдыхание; истечение *(срока);* **~ory** [ɪkspaɪərətərɪ] выдыхательный, экспираторный
expire [ɪks'paɪə] выдыхать; умирать; угасать; кончаться, истекать *(о сроке)*
expiry [ɪks'paɪərɪ] *n* истечение срока
expiry date *n* дата истечения срока
explain [ɪks'pleɪn] *vt* объяснять
explain away *vr* находить оправдание
explanation [ɪksplə'neɪʃən] *n* объяснение; **to find an ~ for sth** находить объяснение чему-н.
explanatory [ɪks'plænətrɪ] *adj* объяснительный; **~ notes** примечания
expletive [ɪks'plɪ:tɪv] *n* бранное слово, ругательство
explicable [ɪks'plɪkəbl] *adj* объяснимый; **for no ~ reason** по необъяснимой причине
explicit [ɪks'plɪsɪt] полностью высказанный, не оставляющий сомнений, точный, определённый
explode [ɪks'pləud] *vi* взрываться; резко возрастать; опровергать; **to ~ with laughter** разражаться смехом
exploit ['eksplɔɪt] подвиг
exploitation [eksplɔɪ'teɪʃən] *n* эксплуатация; использование

E

exploration [ɪksplə'reɪʃən] *n* исследование; изучение
exploratory [ɪks'plɔrətrɪ] *adg* исследовательский; предварительный
explore [ɪks'plɔ:] *vt* исследовать; ощупывать; изучать
explorer [ɪks'plɔ:rə'] *n* исследователь
explosion [ɪks'pləuʒən] *n* взрыв; **population ~** демографический взрыв
explosive [ɪks'pləusɪv] *adj* взрывной; взрывоопасный ✧ *n* взрывчатое вещество; взрывное устройство; **he has an ~ temper** он очень вспыльчивый
exponent [ɪks'pəunənt] *n* сторонник; мастер; показатель степени
exponential [ɪkspəu'nenʃl] *adj* стремительный; *мат.* экспоненциальный ✧ *n мат.* экспонента
export *n, cpd* ['ekspɔ:t], *vt* [eks'pɔ:t] *n* экспорт, вывоз; предмет экспорта ✧ *vt* экспортировать; вывозить ✧ *cpd* экспортный
exportation [ekspɔ:'teɪʃən] *n* экспортирование
exporter [eks'pɔ:tə] *n* экспортер
expose [ɪks'pəuz] *vt* обнажать; раскрывать; разоблачать; *фото.* экспонировать; **to ~ sb to ath** подвергать кого-н. чему-н.; **to ~ o. s.** *юрид.* демонстрировать половые органы
exposed [ɪks'pəuzd] *adj* оголенный; **~ (to)** открытый
exposition [ɪkspə'zɪʃən] *n* изложение; экспозиция
expostulat||e [ɪks'pɔstjuleɪt] дружески пенять, увещевать; **~ion** [ɪks'pɔstju'leɪʃən] увещевание
exposure [ɪks'pəuʒə'] разоблачение; *фото.* экспозиция, выдержка; кадр; **~ to radiation** пребывание под воздействием радиации; **to suffer/die from ~** *мед.* страдать/умирать от переохлаждения
exposure meter *n фото.* экспонометр
expound [ɪks'paund] *vt* излагать
express [ɪks'pres] *adj* четкий; срочный ✧ *n* экспресс ✧ *adv* экспрессом ✧ *vt* выражать; **to ~ o. s.** выражать себя
expression [ɪks'preʃən] *n* выражение; выразительность
expressionism [ɪks'preʃənizəm] *n* экспрессионизм
expressive [ɪks'presɪv] *adj* выразительный
expressly [ɪks'preslɪ] *adv* определенно; специально
expressway [ɪks'presweɪ] *n* скоростная автострада
expropriate [ɪks'prəuprɪeɪt] *n* экспроприировать
expulsion [ɪks'pʌlʃən] *n* исключение; изгнание; вывод
expunge [eks'pʌndʒ] вычёркивать
expurgate ['ekspə:geɪt] *vt:* **to ~ a text** вычеркивать нежелательные места из текста; **the ~d version** вариант с купюрами
exquisite ['ekskwɪzɪt] *adj* изысканный; острый
exquisitely [ɪks'kwɪzɪtlɪ] *adv* изысканно; обостренно
ex-service ['eks'sə:vɪs] отставной
extemporize [ɪks'tempəraɪz] *vi* импортировать
extend [ɪks'tend] *vt* продлевать; расширять; протягивать; оказывать; предоставлять ✧ *vi* простираться; продолжаться; **to ~ an invitation to sb** приглашать кого-н
extension [ɪks'tenʃən] *n* продление; расширение; пристройка; продолжение; *элек.* удлинятель; *тел.* параллельный телефон; добавочный телефон; **~ 3718** *тел.* добавочный (номер) 3718
extension cable *n* удлинитель
extension lead *n* = **extension cable**
extensive [ɪks'tensɪv] *adj* обширный; **~ damage** значительный ущерб
extensively [ɪks'tensɪvlɪ] *adv:* **he has travelled ~** ом много путешествовал
extent [ɪks'tent] *n* протяженность; масштаб; размер; **to some ~** до некоторой степени; **to a large ~** в значительной степени; **to go to the ~ of...** доходить до того, что...; **to such an ~ that...** до такой степени, что...; **to what ~?** до какой степени?

extenuating [ɪks'tenjueɪtɪŋ] *adj:* **~ circumstances** смягчающие обстоятельства
exterior [eks'tɪərɪə'] *adj* наружный; внешний ✧ *n* внешняя сторона; внешность
exterminate [ɪks'tə:mɪneɪt] *n* истреблять
extermination [ɪkstə:mɪ'neɪʃən] *n* истребление
external [eks'tə:nl] *adj* внешний; **the ~s** *n pl* внешняя сторона; **"for ~ use only"** "для наружного употребления"; **~ affairs** *полит.* внешняя политика; **~ evidence** свидетельство со стороны
externally [eks'tə:nəlɪ] *adv* внешне
extinct [ɪks'tɪŋkt] потухший *(о вулкане);* вымерший *(о племени, виде животного и т.п.);* **~ion** [-kʃ(ə)n] потухание; вымирание
extinction [ɪks'tɪŋkʃən] *n* вымирание; исчезновение
extinguish [ɪks'tɪŋgwɪʃ] *vt* тушить; гасить; уничтожать
extinguisher [ɪks'tɪŋgwɪʃə] *n* огнетушитель
extirpat||e [eks'tə:peɪt] искоренять, истреблять; **~ion** ['ekstə:'peɪʃən] искоренение, истребление; **~or** искоренитель; *с.-х.* культиватор, инстирпатор
extol [ɪks'təul] *vt* превозносить
extort [ɪks'tɔ:t] *vt:* **to ~ sth (from)** вымогать что-н.
extortion [iks'tɔ:ʃən] *n* вымогательство
extortionate [ɪks'tɔ:ʃnɪt] *adj* грабительский; вымогательский
extra ['ekstrə] *adj* дополнительный; лишний ✧ *adv* дополнительно; особенно ✧ *n* излишество: доплата; *кино.* статист(ка); **wine will cost ~** за вино нужно будет заплатить отдельно; **the room charge does not include ~s** цена номера не включает плату за дополнительные услуги и удобства
extra... ['ekstrə] *prefix* экстра.., особо.., сверх...
extract *vt* [ɪks'trækt], *n* ['ekstrækt] *vt* удалять; добывать; вытягивать ✧ *n* отрывок; *кулин.* экстракт: **to ~ sth (from)** извлекать что-н.
extraction [ɪks'trakʃən] *n* извлечение; удаление; добыча; **of Scottish ~** шотландец по происхождению
extractor fan [iks'trækrə-] *n* вытяжное устройство; вентилятор
extracurricular ['ekstrəkə'rɪkjulə'] *adj* внекласный, внеучебный
extradite ['ekstrədɪt] *vt:* **to~ sb to/from** выдавать кого-н. из
extradition [ekstrə'dɪʃən] *n* выдача *(преступление)* ✧ *cpd* **~ order/treaty** просьба/соглашение о выдаче
extramarital ['ekstrə'mærɪtl] *adj* внебрачный
extramural ['ekstrə'mjuərl] *adj* заочный
extraneous [eks'treɪnɪəs] *adj* посторонний
extraordinary [ɪks'trɔ:dnrɪ] *adj* незаурядный необычайный; чрезвычайный; **the ~ thing is that...** самое удивительное в том, что...
extraordinary general meeting *n* чрезвычайное общее собрание
extrapolation [ekstræpə'leɪʃən] *n* экстраполяция
extrasensory perception ['ɪkstrə'sensərɪ-] *n* сверхчувственное *or* экстрасенсорное восприятие
extra time *n* дополнительное время
extravagant [ɪks'trævəgənt] *adj* экстравагантный; расточительный; неэкономный; сумасбродный
extreme [ɪks'tri:m] *adj* крайний; сильнейший ✧ *n* крайность; **to ~ right/left** *пол.* крайне правые/левые; **~ s of temperature** перепады температуры
extremely [ɪks'tri:mlɪ] *adv* крайне
extremist [ɪks'tri:mɪst] *n* экстремист(ка) ✧ *adj* экстремистский
extremitles [ɪks'tremɪtɪz] *npl анат.* конечности
extremity [ɪks'tremɪtɪ] *n* конечность крайность
extricate ['ɪkstrɪkeɪt] *vt:* **to ~ sb/sth (from)** высвобождать кого-н./что-н. (из); **to ~ o. s. (from)** выпутываться (из)
extrinsic [eks'trɪnsɪk] не свойственный; не относящийся *(к делу);* внешний

E

extrovert ['ekstrəvə:t] *n* экстроверт
extrude [eks'tru:d] выталкивать, вытеснять
exuberance [ɪg'zju:bərns] *n* экспансивность
exuberant [ɪg'zju:bərnt] *adj* экспансивный; буйный
exude [ɪg'zju:d] *vt* источать; выделять; издавать
exult [ɪg'zʌlt] *vi:* **to ~ (in)** ликовать (по)
exultant [ɪg'zʌltənt] *adj* ликующий, торжествующий; **to be ~** ликовать, торжествовать
exultation [egzʌl'teɪʃən] *n* экзальтация, ликование
eye [aɪ] *анат.* глаз ✧ *vt* разглядывать; **to keep an ~ on** присматривать за; следить за; **in the publlic ~** на виду, в центре внимания; **to have an ~ for sth** знать толк в чем-н.; **with an ~ to doing** с расчетом; **as far as the ~ can see** насколько можно охватить взглядом; **there's more to this than meets the ~** это не так просто, как кажется на первый взгляд
eyeball ['aɪbɔ:l] *n* глазное яблоко
eyebath ['aɪbɑ:θ] *n* глазная ванночка
eyebrow ['aɪbrau] *n* бровь
eyebrow pencil *n* карандаш для бровей
eye-catching ['aɪkætʃɪŋ] *adj* бросающийся в глаза
eyecup ['aɪkʌp] *n* = **eyebath**
eye drops *npl* глазные капли
eyeful ['aɪful] *n:* **an ~ of sand/dust** полные глаза песка/пыли; **to get an ~of sb/sth** разглядеть кого-н./что-н.
eyeglass ['aɪglɑ:s] *n* монокль
eyelash ['aɪlæʃ] *n* ресница
eyelet ['aɪlɪt] *n* фестон
eye level *n:* **at ~ ~** на уровне глаз
eyelevel ['aɪlevl] *adj* расположенный на уровне глаз
eyelid ['aɪlɪd] *n* веко
eyeliner ['aɪlaɪnə] *n* карандаш для глаз
eye-opener ['aɪəupnə] *n* откровение
eye shadow *n* тени *(для век)*
eyesight ['aɪsaɪt] *n* зрение
eyesore ['aɪsɔ:'] *n:* **that building is a real ~** это здание, как бельмо на глазу
eyestrain ['aɪstrein] *n* чрезмерное напряжение глаз
eyeteeth ['aɪti:θ] *npl* **eyetooth**
eyetooth ['aɪtu:θ] *n* глазной зуб; **to give one's eyeteeth for sth/to do** жертвовать всем за что-н./за то, чтобы
eyewash ['aɪwɔʃ] *n* примочка для глаз; очковтирательство
eyewitness ['aiwɪtnis] *n* очевидец ✧ *cpd* **an ~ account** свидетельство очевидца
eyrie ['ɪərɪ] *n* орлиное гнездо

F

F, f [ef] *n 6-ая буква английского алфавита*
F [ef] *n муз.* фа
fable ['feɪbl] *n* басня
fabric ['fæbrɪk] *n* ткань; структура; конструкция
fabricate ['fæbrɪkeɪt] выдумывать; подделывать *(документы)*
fabrication [fæbrɪ'keɪʃən] *n* фабрикация; производство
fabric ribbon *n* печатная лента
fabulous ['fæbjuləs] *adj* невероятный (невероятен); сказочный (сказочен)
facade [fə'sɑ:d] фасад; *перен.* внешний вид, наружность
face [feɪs] *n* лицо; гримаса; циферблат; склон; фасад; сторона ✧ *vt* признавать; **the house is facing the sea** дом обращен к морю; **he was facing the door** он был обращен лицом к двери; **we are facing difficulties** нам предстоят трудности; **down** лицом вниз; **to lose/save ~** терять/спасать репутацию; **to make** *or* **pull a ~** делать гримасу; **in the ~ of** несмотря на; **on the ~ of it** на первый взгляд; **~ to ~ (with)** лицом к лицу; **to the fact that...** признавать тот факт, что...
face cloth *n* махровая салфетка *(для обтирания лица)*

face cream *n* крем для лица
faceless [ˈfeɪslɪs] *adj* безликий
face-lift [ˈfeɪslɪft] *n* подтяжка кожи на лице; облицовка
face powder *n* пудра для лица
face-saving [ˈfeɪsˈseɪvɪŋ] *adj* для спасения репутации
facet [ˈfæsɪt] *n* грань
facetious [fəˈsiːʃəs] *adj* остроумный
face to face *adv* лицом к лицу
face up to *vt fus* признавать; справляться с
face value *n* номинальная стоимость; **to take sth at~ ~** принимать что-н за чистую монету
facial [ˈfeɪʃəl] **1.** *a* лицевой; **~ expression** выражение лица **2.** *n* массаж лица
facile [ˈfæsaɪl] *adj* поверхностный
facilitate [fəˈsɪlɪteɪt] *vt* способствовать
facilities *npl* помещение; оборудование; **credit ~** кредитный лимит *(кредитной карточки заемщика);* **cooking ~** условия для приготовления пищи
facility [fəˈsɪlɪtɪ] *n* приспособление; услуга; **to have a ~ for** иметь способности к
facing [ˈfeɪsɪŋ] *prep* напротив ✧ *n* отделка
facsimile [fækˈsɪmɪlɪ] *n* факсимиле; факс
fact [fækt] факт, событие; обстоятельство; **in ~** в самом деле; **the ~ is** дело в том
fact-finding [ˈfæktfaɪndɪŋ] *adj* для расследования фактов
faction [ˈfækʃən] *n* фракция
factor [ˈfæktə] *n* фактор; *комм.* комиссионер; агент; **safety ~** фактор безопасности; **human ~** человеческий фактор
factory [ˈfæktərɪ] *n* фабрика; завод
factory ferming *n* ведение животноводства промышленными методами
factory floor *n* рабочие *pl adj* у станка
factory ship *n* плавучая фабрика
factual [ˈfæktjuəl] *adj* фактический
faculty [ˈfækəltɪ] *n* способность; факультет; профессорско-преподавательский состав
fad [fæd] *n* причуда
fade [feɪd] *vi* выцветать; угасать; замирать; вянуть; угасать; сглаживаться
fade in *vt:* **to ~ the picture/sound in** постепенно увеличивать четкость изображения/силу звука
fade out *vt:* **to ~ the picture/sound out** постепенно уменьшать четкость изображения/силу звука
faeces [ˈfiːsiːz] *npl* фекалии
fag [fæg] *n* сигарета; гомик; **what a ~** ну и работенка!
Fahrenheit [ˈfærənhaɪt] *n* Фаренгейт
fail [feɪl] *n* проваливать; изменять, подводить; покидать ✧ *vi* проваливаться; отказывать; **my eyesight/ health is ~ing** у меня слабеет зрение/ здоровье; **to ~ to do** не смочь; **without ~** обязательно; **the light is ~ing** смеркается
fail-safe [ˈfeɪlseɪf] *adj* предохранительный
failure [ˈfeɪljəˈ] *n* неудача; повреждение; неурожай; провал; неудачник; **his ~ to complete the work** то, что он не смог выполнить работу; **the evening was a complete** вечер было полным провалом
faint [feɪnt] *adj* слабый (слаб); смутный (смутен); едва заметный (заметен); легкий ✧ *n мед.* обморок ✧ *vi мед.* падать в обморок; **to feel ~** чувствовать слабость
faintest [ˈfeɪntɪst] *adj* малейший; **I haven't the ~ idea** я не имею ни малейшего понятия
faint-hearted [ˈfeɪnˈhɑːtɪd] *adj* малодушный (малодушен)
faintly [ˈfeɪntlɪ] *adv* слабо; едва
fair [feəˈ] *adj* справедливый (справедлив); значительный; хороший; светлый (светел); ясный ✧ *n:* **trade ~** ярмарка: **funfair** аттракционы ✧ *adv:* **to play ~** вести дела разумно *or* честно; **it's not ~!** это нечестно!; **a ~ amount of money** значительная сумма денег; **a ~ amount of success** значительный успех; **I had a pretty**

F

~ **idea** у меня была довольно хорошая идея; ~ **wear and tear** обоснованный износ
fair copy *n* чистовой экземпляр
fair game *n:* **he is ~ ~** он законная добыча
fairground [ˈfeəgraund] *n* луна-парк
fair-haired [feəˈheəd] *adj* светловолосый (световолос)
fairly [ˈfeəlı] *adv* справедливо; довольно; **I'm ~ sure** я почти уверен
fairness [ˈfeənıs] *n* справедливость; **in all** со всей справедливостью
fair play *n* честная игра
fairway [ˈfeəweı] *мор.* фарватер
fairy [ˈfeərı] **1.** *n* фея **2.** *a* волшебный, сказочный; прекрасный; **~-tale** [-teıl] сказка; выдумка, небылица
fairy godmother *n* добрая волшебница
fairy lights *npl* электрическая гирлянда
fairy tale *n* сказка
faith [feıθ] *n рел.* вера; **to have ~ in sb/sth** верить в кого-н/что-н
faithful [ˈfeıθful] *adj:* **~ (to)** верный
faithfully [ˈfeıθfəlı] *adv* верно
faith healer *n* знахарь
fake [feık] *n* подделка; притворщик ✧ *adj* фальшивый, поддельный ✧ *vt* подделывать; симулировать; **his illness is a ~** его болезнь — симуляция
fakir [ˈfa:kıə] факир
falkon [ˈfɔ:lkən] *n* сокол
fall [fɔ:l] *n* падение; осень ✧ *vi* падать; пасть; наступать; охватывать; **~s** *npl* водопад; **a ~ of snow** снегопад; **a ~ of esrth** обвал; **to fiat** не удаваться; не иметь успеха; **to ~ flat (on one's face)** падать ничком; **to ~ in love (wlth sb/sth)** влюбляться (в кого-н/во что-н); **to ~ short of (sb's expectations)** не оправдывать (чьих-н ожиданий); **a lot of rain/snow fell yesterday** вчера выпало много снега/дождя; **darkness/night fell** наступила темная/ночь
fallacy [ˈfæləsı] *n* заблуждение
fall apart *vi* разваливаться; расклеиваться
fall back *vt fus воен.* отступать
fall-back [ˈfɔ:lbæk] *adj:* **~ position** позиция для отступления
fall back on *vt fus* прибегать к; **to have sth to ~ back on** иметь что-н в запасе
fall behind *vi* отставать; **to ~ behind with the payments** просрочивать платежи
fall down *vi* падать; рушиться
fall for *vt fus* попадаться на удочку; верить; влюбляться в
fallible [ˈfæləbl] *adj* способный (способен) ошибаться
fall in *vi* обваливаться; *мил.* строиться
falling [ˈfɔılıŋ] *n* недостаток ✧ *prep* за неимением; **~ that** за неимением этого
falling off *n* снижение
falling out *n* размолвка
fall in with *vt fus* соглашаться с
fall off *vi* падать
Fallopian tube [fəˈləupıən-] *n* фаллопиевы трубы
fall out *vi* выпадать; **to ~ out with sb** ссориться с кем-н
fallout [ˈfɔ:laut] *n* радиоактивные осадки
fallout shelter *n* убежище от радиоактивных осадков
fall over *vi* упасть ✧ *vt:* **to ~ over o. s. to do** лезть из кожи вон, чтобы
fallow [ˈfæləu] земля под паром
fall through *vi* проваливаться
false [fɔ:ls] *adj* ложный; фальшивый; **~ imprisonment** незаконное лишение свободы
false alarm *n* ложная тревога
falsehood [ˈfɔ:lshud] *n* ложь
falsely [ˈfɔlslı] *adv* ложно
false pretences *npl:* **under ~ ~** под ложным предлогом
false teeth *npl* искусственные зубы
falsify [ˈfɔ:lsıfaı] *n* фальсифицировать, подделывать
falter [ˈfɔ:ltəˊ] *vi* кашлять; замяться; запинаться; спотыкаться
fame [feım] *n* слава
familiar [fəˈmılıəˊ] *adj* знакомый (знаком); дружеский; **he is/was ~**

F

with он знаком/был знаком с; **to make o. s. ~ with sth** знакомиться с чем-н; **to be on ~ terms with sb** быть в приятельских (дружеский) отношениях с кем-н
familiarity [fəmɪlɪ'ærɪtɪ] *n* знание; фамильярность
familiarize [fə'mɪlɪəraɪz] *vt:* **to ~ o. s. with sth** ознакомляться с чем-н
family ['fæmɪlɪ] *n* семья; дети
family business *n* семейный бизнес
family credit *n денежное пособие, выплачиваемое государством семьям с низким уровнем доходов*
family doctor *n* семейный врач
family life *n* семейная жизнь
family man *n* семьянин, семейный человек
family planning *n* контроль рождаемости; **~ ~ clinic** женская консультация
family tree *n* родословное дерево
famine ['fæmɪn] *n* голод
famished ['fæmɪʃt] *adj* голодный; **I'm ~** я умираю с голоду
famous ['feɪməs] *adj* знаменитый (знаменит)
famously ['feɪməslɪ] *adv* великолепно
fan I [fæn] **1.** *n* веер; вентилятор **2.** *v* освежать; обмахивать *(веером и т.п.);* разжигать *(войну, страсти и т.п.); с.-х.* веять
fan II *разг.* энтузиаст, "болельщик"
fanatic [fə'nætɪk] *n* фанатик
fanatical [fə'nætɪkl] *adj* фанатичный
fan belt *n авт.* вентиляторный ремень
fanciful ['fænsɪful] мечтательный; причудливый; фантастический
fan club *n* клуб поклонников
fancy ['fænsɪ] *n* прихоть; воображение; фантазия ✧ *adj* изысканный ✧ *vt* хотеть; воображать; думать; **to take a ~ to** увлекаться; **when the ~ takes him** когда ему вздумается; **the idea took** *or* **caught my ~** идея пришлась мне по вкусу; **to ~ that** думать, что; **he fancies her** она ему нравиться; **~ that** представьте себе
fancy dress *n* маскарадный костюм
fancy-dress ball ['fænsɪdres-] *n* костюмированный бал
fancy goods *npl* украшения *(обычно для дома)*
fancy-work ['fænsɪwə:k] вышивка
fanfare ['fænfeə'] *n* фанфара
fang [fæŋ] *n* клык, ядовитый зуб
fan heater *n* электрообогреватель *(нагнетающий теплый воздух при помощи вентилятора)*
fanicate ['fæ:nɪkeɪt] *vi* прелюбодействовать
fan-light ['fænlaɪt] окно над дверью
fanny ['fænɪ] *n* задница
fan out *vi* развертываться веером; *(roads)* расходиться веером
fantasize ['fæntəsaɪz] *vi* фантазировать
fantastic [fæn'tæstɪk] *adj* фантастический, **that's ~!** это фантастика!
fantasy ['fæntəsɪ] *n* фантазия
far [fa:'] *adj* дальний ✧ *adv* далеко; гораздо; **at the ~ end** в дальнем конце; **at the ~ side** на другой стороне; **the ~ left/right** *полит.* крайне левый/правый; **~ away, ~ off** далеко; **~ better** гораздо лучше; **he was ~ from poor** он был далеко (отнюдь) не бедным; **by ~** намного; **is it ~ to London?** далеко ли до Лондона?; **it's not ~ from here** это недалеко отсюда; **go as ~ as the post office** дойдите до почты; **as ~ back as the 13 th century** еще в 13-ом веке; **as ~ as I know** насколько мне известно; **as ~ as possible** насколько возможно; **how ~?** как далеко?; насколько?; **how ~ have you got with your work?** насколько Вы продвинулись в своей работе?
faraway ['fa:rəweɪ] *adj* дальний, далекий, отсутствующий
farce [fa:s] *n* фарс
farcical ['fa:sɪkl] *adj* нелепый
fare [feə'] *n* плата за проезд; стоимость проезда; пассажир; еда ✧ *vi:* **how did you ~?** как успехи?; **half/full ~** полстоимости/полная стоимость проезда; **bus/train ~** плата за проезд в автобусе/на поезде; **they ~ batter than we do under the present system** с

ними обращаются лучше, чем с нами при нынешней системму; **they ~d well/badly in the recent elections** им повезло/не повезло не недавних выборах
Far East *n:* **the ~ ~** Дальний Восток
farewell [feə'wel] *excl* прощайте ✧ *n* прощание ✧ *cpd* прощальный
far-fetched ['fɑ:'fetʃt] *adj* неправдоподобный, невероятный
farm [fɑ:m] *n* ферма ✧ *vt* обрабатывать
farmer ['fɑ:mə'] *n* фермер
farm hand *n* работник фермы
farmhouse ['fɑ:mhaus] *n* фермерский дом
farming ['fɑ:mɪŋ] *n* сельское хозяйство; выращивание; разведение; **sheep ~** разведение овец, овцеводство; **intensive ~** интенсивное ведение сельского хозяйства
farm labourer *n* работник на ферме
farmland ['fɑ:mlænd] *n* сельскохозяйственные угодья
farm out *vt* отдавать
farm produce *n* продукты сельского хозяйства
farmyard ['fɑ:mjɑ:d] *n* фермерский двор
far-reaching ['fɑ:'ri:tʃɪn] *adj* далеко идущий; глубокий
farrow ['færou] **1.** *n* опорос; помёт поросят **2.** *v* пороситься
far-sighted ['fɑ'saɪtɪd] *adj* дальнозоркий (дальнозорок); дальновидный (дальновиден); **he is ~** у него дальнозоркость
fart [fɑ:t] *vi* пердеть ✧ *n* пердение
farther ['fɑ:ðə'] *adv* дальше ✧ *adj* более длинный, далекий
fascia ['feɪʃə] *n* *авт.* панель
fascinate ['fæsɪneɪt] *n* захватывать; очаровывать
fascinating ['fæsɪneɪtɪŋ] *adj* захватывающий; очаровательный (очарователен)
fascination [fæsɪ'neɪʃən] *n* очарование
fascism ['fæʃɪzəm] *adj* *полит.* фашизм
fascist ['fæʃɪst] *adj* фашистский ✧ *n* фашист
fashion ['fæʃən] *n* мода; индустрия моды ✧ *n* мастерить; **in/out of ~** в/не в моде; **in an animated ~** оживленно; **friendly ~** по-дружески; **he did it after a ~** он сделал это кое-как; **in the Greek ~** в греческом стиле
fashionable ['fæʃnəbl] *adj* модный
fashion designer *n* модельер
fashion show *n* показ (демонстрация) мод
fast I [fɑ:st] **1.** *a* твёрдый; крепкий; стойкий; нелиняющий *(о краске);* верный *(о друге)* **2.** *adv* крепко, стойко
fast II 1. *a* скорый, быстрый; легкомысленный, беспутный **2.** *adv* быстро ✧ **live ~** прожигать жизнь
fast III 1. *n* пост **2.** *v* поститься
fasten (up) on *vt fus* сосредотачиваться на
fastener ['fɑ:snə'] *n* застежка
fast food *n* быстроприготавливаемая еда ✧ *cpd:* **~ ~ restaurant** ресторан быстроприготавливаемой еды
fastidious [fæs'tɪdɪəs] *adj* скрупулезный (скрупулезен)
fat [fæt] *adj* толстый (толст); солидный ✧ *n* жир; **that's a ~ lot of use to us** нам это нигде не надо; **to live off the ~ of the land** как сыр в масле кататься
fatal ['feɪtl] *adj* фатальный (фатален); роковой; смертельный (смертелен)
fatalistic [fəɪtə'lɪstɪk] *adj* фаталистический
fatality [fə'tælɪtɪ] *n* смертельный случай
fatally ['feɪtəlɪ] *adv* смертельно; фатально, роковым образом
fate [feɪt] *n* судьба; рок; **to meet one's ~** находить свой конец
fated [fə'ɪtɪd] *adj* обреченный (обречен); **it seemed ~** казалось, этому было суждено случиться
fateful ['feɪtful] *adj* роковой
fat-free ['fæt'fri:] *adj* обезжиренный
father ['fɑ:ðə] **1.** *n* отец; *перен.* творец, создатель; предок; старейший член *(общества и т.п.);* старейшины **2.** *v* порождать, быть отцом; создавать; **~hood**

[-hud] отцовство
Father Christmas *n* Дед Мороз
fatherhood [ˈfɑːðəhud] *n* отцовство
father-in-law [ˈfɑːðərənlɔː] *n* свекор; тесть
fatherland [ˈfɑːðəlænd] *n* отечество
fatherly [ˈfɑːðəlɪ] *adj* отеческий
fatigue [fəˈtiːg] **1.** *n* утомление, усталость **2.** *v* утомлять
fatness [ˈfætnɪs] *n* полнота; толщина
fatten [ˈfætn] *vt* откармливать ✧ *vi* жиреть; **chocolate is ~ing** от шоколада толстеют
fatty [ˈfætɪ] *adj* жирный ✧ *n* толстяк
fatuous [ˈfætjuəs] *adj* бессмысленный
faucet [ˈfɔːsɪt] *n* (водопроводный) кран
faugh [fɔː] тьфу!, фу!
fault [ˈfɔːlt] недостаток; погрешность, ошибка; вина; проступок, **find ~** *(with)* придираться, осуждать; *техн.* повреждение
faultless [ˈfɔːltlɪs] *adj* безупречный (безупречен)
faulty [ˈfɔːltɪ] *n* испорченный; поврежденный
fauna [ˈfɔːnə] *n* фауна
faux pas [ˈfəuˈpɑː] *n inv* неверный шаг
favour [ˈfeɪvə] *n* расположение; одолжение ✧ *vt* оказывать предпочтение; выделять; благоприятствовать; **to aks a ~ of sb** просить кого-н об одолжении; **to do sb a ~** оказывать кому-н услугу; **in ~ of** в пользу; **to be in ~ of sth/doing** быть за что-н/за то, чтобы; **to find ~ with sb** завоевывать расположение кого-н; находить поддержку кого-н
favourable [ˈfeɪvrəbl] *adj* благоприятный (благоприятен)
favourably [ˈfeɪvrəblɪ] *adv* положительно, благоприятно; **to compare ~ with** выигрывать в сражении с
favourite [ˈfeɪvrɪt] *adj* любимый ✧ *n* любимец; фаворит
favouritism [ˈfeɪvrɪtizəm] *n* фаворитизм
fawn I [fɔːn] олененок
fawn II вилять хвостом; подхалимничать
fax [fæks] *n* факс ✧ *vt* посылать факсом
fear [fɪəˈ] *n* страх; боязнь; опасение ✧ *vt* бояться ✧ *vi* бояться; **to ~ for** бояться за; **to ~ that** бояться, что; **~ of heights** боязнь высоты; **for ~ of missing my flight** боясь опоздать на самолет
fearful [ˈfɪəful] *adj* боязливый; ужасающий; страшный; **to be ~ of** страшиться
fearfully [ˈfɪəfəlɪ] *adv* боязливо; ужасно
fearless [ˈfɪəlɪs] *adj* бесстрашный
fearsome [ˈfɪəsəm] *adj* внушающий страх; устрашающий
feasibility [fiːzeːˈbɪlɪty] *n* осуществимость
feasibility study *n* технико- экономическое обоснование
feasible [ˈfiːʒəbl] *adj* осуществимый
feast [fiːst] **1.** *n* праздник; банкет; пир **2.** *v* пировать; чествовать; потчевать ✧ **~ one's eyes on smb.** (*или* **smth**) любоваться кем-л. (*или* чем-л.)
feat [fiːt] подвиг; **~ of arms** боевой подвиг
feather [ˈfeðəˈ] *n* перо ✧ *spd* перьевой ✧ *vt:* **to ~ one's nest** набивать себе карман; **~ bed** перина
feathering [ˈfeðərɪŋ] оперение
featherweight [ˈfeðəweɪt] *n* боксер полулегкого веса
feathery [ˈfeðərɪ] оперённый; легкий (как пёрышко)
feature [ˈfiːtʃəˈ] *n* черта, особенность; *пресса* очерк; *тел., радио* передача ✧ *vi:* **to ~ in** фигурировать в ✧ *vt:* **the film ~s 2 famous actors** в фильме снимаются 2 известные актера; **~s** черты; **a film featuring...** фильм с участием...; **his article ~d in all the newspapers** его статья фигурировала во всех газетах; **a special ~ on sth/sb** специальная передача о чем-н/ком-н
feature film *n* художественный фильм
featureless [ˈfiːtʃəlɪs] *adj* невыразительный (невыразителен)
February [ˈfebruərɪ] *n* февраль

F

feckless [ˈfeklɪs] *n* безответственный
federal [ˈfedərəl] *adj* федеральный
Federal Republic of Germany *n* Федеративная Республика Германии
federation [fedəˈreɪʃən] *n* федерация
fed up *adj:* **he is ~ ~** ему надоело
fee [fiː] *n* плата; гонорар; **school ~s** плата за обучение; **entrance ~** входная плата; **membership ~** членский взнос; **for a small ~** за небольшое вознаграждение
feeble [ˈfiːbl] *adj* хилый (хил); слабый
feeble-minded [ˈfiːblˈmaɪndɪd] *adj* слабоумный
feed [fiːd] *n* кормление; корм; загрузка ✧ *vt* кормить; **to ~ sth into sth** загружать что-н во что-н; подавать что-н во что-н
feed back *vt* подавать обратно
feedback [ˈfiːdbæk] *n* обратная связь; отзыв
feeder [ˈfiːdə] едок; *техн.* питатель, подающий механизм; приток *(реки);* детский рожок *(для молока);* детский нагрудник
feeding bootle [ˈfiːdɪŋ-] *n* бутылочка *(для кормления младенца)*
feed on *vt fus* питаться
feel [fiːl] *n* ощущение ✧ *vt* трогать; чувствовать; **to ~ (that)** считать (,что); **to get the ~ of sth** осваиваться с чем-н; **I ~ that you ought to do it** я считаю, что Вы должны это сделать; **he ~s hungry** он голоден; **she ~s cold** ей холодно; **to ~ lonely/better** чувствовать себя одиноким/лучше; **I don't ~ well** я плохо себя чувствую; **he ~s sorry for me** ему меня жалко (жаль); **the material ~s soft/like velvet** этот материал на ощупь мягкий/как бархат; **it ~s colder here** здесь холоднее; **I ~ like...** мне хочется...; **I'm still ~ing my way** я все еще осваиваюсь (присматриваюсь)
feel about *vi:* **to ~ about for sth** искать что-н на ощупь; **to ~ about** *or* **around in one's pocket for** шарить в кармане в поисках
feel around *vi* = **feel about**
feeler [ˈfiːlə] *n* усик, щупальце; **to put out a ~ (~s)** зондировать почву
feeling [ˈfiːlɪŋ] *n* чувство; ощущение; **~s ran high** страсти разгорелись; **what are your ~s about the matter?** каково Ваше отношение к этому вопросу?; **I have a ~ that...** у меня такое ощущение, что...; **my ~ is that...** по-моему мнению...; **to hurt sb's ~s** задевать чьи-н чувства
fee-paying [ˈfiːpeɪɪŋ] *adj:* **~ school** платная школа; **~ student** студент, платящий за обучение
feet [fiːt] *npl of* **foot**
feign [feɪn] *vt* симулировать
feigned [feɪnd] *adj* притворный (притворен)
feint [feɪnt] *n* линовка; **a pad of narrow ~** блокнот в узкую линейку
felicitous [fɪˈlɪsɪtəs] *adj* удачный (удачен)
feline [ˈfiːlaɪn] *adj* кошачий
fell I [fel] шкура
fell II [fel] *pt of* **fall** ✧ *vt* валить ✧ *n* гора, холм или болота в названиях ✧ *adj:* **in one ~ swoop** одним махом; **the ~s** болотистая местность
fellow [ˈfeləu] *n* парень; товарищ; действительный член; член совета ✧ *cpd:* **their ~ prisoners/students** их сокамерники/сокурсники; **his ~ workers** его товарищи по работе
fellow citizens *npt* сограждане
fellow countryman *irreg n* соотечественник
fellow men *npl* ближние
fellowship [ˈfeləuʃɪp] *n* содружество; членство; *просвещ.* стипендия аспиранта *(звание члена совета колледжа или научного общества*
fell-walking [ˈfelwɔːkɪŋ] *n* хождение по горам, болотистой местности и т.п.
felon [ˈfelən] *n юрид.* уголовный преступник
felony [ˈfelənɪ] *n юрид.* уголовное преступление
felt [felt] *pt, pp of* **feel** ✧ *n* фетр

felt-tip pen [ˈfelttɪp-] *n* фломастер
female [ˈfiːmeɪl] *n* самка ✧ *adj* женский; женского пола; *элек.* охватывающий; ~ **suffrage** избирательное право для женщин; **male and ~ students** студенты и студентки
feminine [ˈfemɪnɪn] *adj* женственный (женственен); *линг.* женского рода ✧ *n линг.* женский род
femininity [femɪˈnɪnɪtɪ] *n* женственность
feminism [ˈfemɪnɪzəm] *n* феминизм
feminist [ˈfemɪnɪst] *n* феминист(ка)
fen [fen] *n* болота; **the F~s** *низкая болотистая местность в Кеймбредшире и Линкольншире*
fence [fens] *n* забор, изгородь; *спорт.* препятствие ✧ *vt:* ~ **in** огораживать ✧ *vi спорт.* фехтовать; **to sit on the ~** занимать выжидательную позицию в споре
fencing [ˈfensɪŋ] *n спорт.* фехтование
fend [fend] *vi:* **to ~ for o.s.** заботиться о себе
fender [ˈfendəˈ] *n* каминная решетка; кранец; крыло
fend off *vt* отражать
fennel [ˈfenl] укроп
ferility drug *n* препарат от бесплодия
ferment *n* [ˈfəːment], *vi* [fəˈment] *n* брожение ✧ *vi* бродить
fermentation [fəːmenˈteɪʃən] *n* брожение
fern [fəːn] *n* папоротник
ferocious [fəˈrəuʃəs] *adj* свирепый (свиреп); дикий (дик); жестокий (жесток); ужасный (ужасен)
ferocity [fəˈrɔsɪtɪ] *n* жестокость; ярость; **the ~ of the sun** невыносимое пекло
ferret [ˈferɪt] *n* хорек
ferret about *vi* шарить
ferret out *vt* выведывать
ferro-concrete [ˈferou-kɔːŋkriːt] железобетон
ferrous [ˈferəs] *хим.* железистый; ~ **metals** чёрные металлы; ~ **metallurgy** чёрная металлургия
ferry [ˈferɪ] *n:* **~boat** паром ✧ *vt* перевозить; **to ~ sth/sb across** *or* **over** переправлять что-н/кого-н
ferryman [ˈferɪmən] *irreg n* паромщик
fertile [ˈfəːtaɪl] *adj* плодородный (плодороден); богатый (богат); способный к зачатию; ~ **perlod** плодотворный период
fertility [fəˈtɪlɪtɪ] *n* плодородие; богатство; способность к зачатию
fertilization [fəːtɪlaɪˈzeɪʃən] *n* оплодотворение
fertilize [ˈfəːtɪlaɪz] *n* удобрять; оплодотворять; опылять
fertlilzer [ˈfəːtɪlaɪzə] *n* удобрение
fervent [ˈfəːvənt] *adj* пылкий
fervour [ˈfəːvə] *n* пыл
fester [ˈfestə] *vi* гноиться; разрастаться
festival [ˈfəstɪvəl] *n рел.* праздник; *искусст., муз.* фестиваль
festive [ˈfestɪv] *adj* праздничный; **the ~ season** святки
festivities [fesˈtɪvɪtɪz] *npl* празднества
festoon [fəsˈtuːn] *n:* **to ~ with** украшать
fetch [fetʃ] *vt* приносить; приводить; привозить; **would you ~ me a jug of water please?** принесите мне, пожалуйста, кувшин воды; **how much did the book ~?** сколько Вы выручили за книгу?; **his pictur ~ very high prices** его картины продаются по высоким ценам
fetching [ˈfetʃɪŋ] *adj* прелестный
fetch up *n* оказаться
fete [feɪt] *n* благотворительный праздник-базар
fetid [ˈfetɪd] зловонный, вонючий
fetish [ˈfiːtɪʃ] фетиш; идол, кумир
fetter [ˈfetə] *vt* заковывать; спутывать; сковывать
fetters [ˈfetəz] *npl* оковы
fettle [ˈfetl] *n:* **in fine ~** в прекрасной форме
fetus [ˈfiːtəs] *n* = **foetus**
feud [fjuːd] *n* вражда ✧ *vi* враждовать; **a family ~** фамильная вражда *(между двумя семьями)*
feudal [ˈfjuːdl] *adj* феодальный
feudalism [ˈfjuːdlɪzəm] *n* феодализм
feul play *n юрид.* преступные действия; **~ is not suspected** нет по-

F

дозрения о преступных действиях

fever [ˈfi:və] *n* жар; лихорадка; **he has a ~** у него жар

feverish [ˈfi:vərɪʃ] *adj* лихорадочный; возбужденный; **he is ~** у него жар, его лихорадит

few [fju:] *adj* немногие; **a ~** несколько; некоторые ✧ *pron:* **(a) ~** немногие; **a ~ more** еще несколько; **for a ~ days** на несколько дней; **with a ~ of them** с некоторыми из них; **they were ~** их было мало *or* немного; **~ succeed** немногим удается; **very ~ survive** очень немногие выживают; **I know a ~** я знаю нескольких; **a good ~** довольно многие; **quite a ~** довольно много; **in the next ~ days** в ближайшие несколько дней; **in the past ~ days** за последние несколько дней; **every ~ days/months** через каждые несколько дней/ месяцев

fewer [ˈfju:əˊ] *adj* меньше; **they are ~** их меньше; **there are ~ buses on Sundays** по воскресеньям ходит меньше автобусов

fewest [ˈfju:ɪst] *adj* меньше всего

fez [fez] феска

fiance [fiˈɑ:ŋseɪ] *n* жених

fiancee [fiˈɑ:ŋseɪ] *n* невеста

fiasco [fiˈæskəu] *n* фиаско

fib [fɪb] *n* вранье; **to tell ~s** привирать; **a few small ~s don't hurt** немножко приврать не повредит

fibre [ˈfaɪbə] *n* волокно, клетчатка

fibreboard [ˈfaɪbəbɔ:d] *n* фибровый картон

fibreglass [ˈfaɪbeglɑ:s] *n* стекловолокно

fibrositis [faɪbrəˈsaɪtɪs] *n* фиброз

fickle [ˈfikl] *adj* непостоянный

fiction [ˈfikʃən] *n лит.* художественная литература; вымысел; выдумка

fictional [ˈfikʃənl] *adj* вымышленный; беллетристический

fictionalize [ˈfikʃnəlaɪz] *n* беллетризировать

fictitious [fikˈtɪʃəs] *adj* фиктивный; вымышленный

fiddle [ˈfidl] *n муз.* скрипка; обман ✧ vt подделывать; **tax ~** махинации с налогами; **to work a ~** мошенничать

fiddler [ˈfidlə] *n* скрипач

fiddlestick [ˈfidlstɪk] смычок; **~s** глупости!, чепуха!

fiddle with *vt fus* вертеть в руках

fiddly [ˈfidlɪ] *adj* трудновыполнимый; неудобный в обращении

fidelity [fiˈdelɪtɪ] верность; точность

fidget [ˈfidʒɪt] *vi* ерзать

fidgety [ˈfidʒɪtɪ] *adj* беспокойный

fiduciary [fiˈdju:ʃɪərɪ] *n юрид.* доверенное лицо

field [fi:ld] *n элек., комп.* поле; *спорт.* поле, площадка; область ✧ *cpd* полевой; **the ~** участники состязания; **they lead the ~** *комм.* они ведущие в своей области

field day *n:* **to have a ~ ~** праздновать, торжествовать

field glasses *npl* полевой бинокль

field hospital *n* полевой госпиталь

field marshal *n* фельдмаршал

field work *n* полевые исследования; работа в поле

fiend [fi:nd] *n* злодей

fiendish [ˈfi:ndɪʃ] *adj* дьявольский

fierce [fiəs] *adj* свирепый; яростный; горячий; лютый; страшный

fiery [ˈfaɪərɪ] *adj* жгучий, огненный; обжигающий; горячий; **~ red** огненно-красный

fife [faɪf] маленькая флейта

fifteen [fifˈti:n] *n* пятнадцать

fifteenth [fifˈti:nθ] *adj* пятнадцатый

fifth [fɪfθ] *adj* пятый ✧ *n* пятая; *авт.:* **~ gear** пятая скорость; **~ he came ~ in the competition** он занял пятое место в соревновании; **~ form** *просвещ.* пятый класс; **I was (the) ~ to arrive** я пришел пятым; **Henry the F~** Генрих Пятый; **the ~ of July, July the ~** пятое июля; **I wrote to him on the ~** я написал ему пятого числа

fifth column *n* пятая колонна *(предатели внутри страны или организации)*

fifties [ˈfɪftɪz]: **the ~** пятидесятые годы; шестой десяток; возраст между 49 и 60 годами

fiftieth [ˈfɪftɪθ] *adj* пятидесятый
fifty [ˈfɪftɪ] *n* пятьдесят; **there are about ~ people here** здесь около пятидесяти человек; **he'll be ~ (years old) next week** на следующей неделе ему будет пятьдесят (лет); **he's about ~** ему около пятидесяти; **the Fifties (1950s)** пятидесятые годы; **he is in his fifties** ему за пятьдесят лет; **the temperature was in the fifties** температура была выше пятидесяти градусов; **to do ~ (miles per hour)** *авт.* ехать со скоростью пятьдесят миль в час
fifty-fifty [ˈfɪftɪˈfɪftɪ] *adj* равный ✧ *adv* пополам, поровну; **to share ~ with sb** делить пополам с кем-н; **to have a ~ chance (of success)** иметь равные шансы (на успех)
fig [fɪg] *n* инжир
fight [faɪt] *n* драка; *воен.* бой; борьба ✧ *vt* драться с; *воен.* воевать с; бороться с; участвовать в предвыборной борьбе; *юрид.* защищать ✧ *vi* драться; *воен.* воевать; **to put up a ~** упорно сопротивляться; **to ~ one's way through a crowd/the undergrowth** прокладывать себе дорогу через толпу/заросли; **to ~ with sb** драться с кем-н; **to ~ (for/against)** бороться (за за/против)
fight back *vi* защищаться; *спорт.* вернуть себе спортивную форму ✧ *vt fus* сдерживать
fight down *vt* подавлять
fighter [ˈfaɪtə] *n* борец; боец; истребитель
fighter pilot *n* летчик-истребитель
fighting [ˈfaɪtɪŋ] *n* бой, драка
fight off *vt* отбивать; отгонять
fight out *vt:* **to ~ it out** отстаивать что-нибудь в борьбе
figment [ˈfɪgmənt] *n:* **a ~ the imagination** плод воображения
figurative [ˈfɪgjurətɪv] *adj* образный, переносный
figure [ˈfɪgəˈ] *n геом.* фигура; цифра; личность *vt* считать *vi* фигурировать; **to put a ~ on** назначать цену *or* на; **public ~** известная личность
figurehead [ˈfɪgəhed] *n мор.* фигура на носу корабля; номинальная глава
figure of speech *n* фигура речи
figure out *vt* понимать; подсчитывать
figure skating *n* фигурное катание
filament [ˈfɪləment] *n елек., тех.* нить накала; *био.* тычиночная нить
filch [fɪltʃ] *vt* стянуть
file I [faɪl] **1.** *n* напильник **2.** *v* подпиливать, шлифовать
file II 1. *n* очередь, "хвост"; ряд, шеренга; *комп.* файл; **in single** (*или* **in Indian**) **~** гуськом **2.** *v* проходить в колонне по одному, идти гуськом
file III 1. *n* регистратор *(для бумаг);* подшитые бумаги; дело; картотека **2.** *v* подшивать бумаги *(к делу)*
filename [ˈfaɪlneɪm] *n комп.* имя файла
filibuster [ˈfɪlɪbʌstəˈ] *n пол.:* **~er** обструкционист ✧ *vi тормозить принятие закона путем обструкции*
filing [□faɪlɪŋ] *n* систематизация
filing cabinet *n* картотечный шкаф, шкаф с картотекой
filing clerk *n* делопроизводитель
Filipino [fɪlɪˈpiːnəu] *n* филиппинец; *лингв.* филиппинский язык
fill [fɪl] *vi* наполняться ✧ *vt* пломбировать; заполнять; удовлетворять ✧ *n:* **to eat one's ~** наедаться; **to ~ (with)** наполнять; заполнять
fillet [ˈfɪlɪt] *n* филе ✧ *vt* отделять от костей
fillet steak *n* вырезка
fill in *vt* заполнять; коротать ✧ *vi:* **to ~ in for sb** замещать кого-н временно; **to sb in** вводить кого-н в курс дела
filling [ˈfɪlɪŋ] *n* пломба; начинка; прослойка
filling station *n* заправочная станция
fillip [ˈfɪlɪp] *n* толчок
fill out *n* заполнять
fill up *vt* наполнять; заполнять ✧ *vi авт.* заправляться; **~ it up,**

F

please *авт.* заправьте мне машину, пожалуйста
filly [ˈfılı] *n* молодая кобыла
film [film] *n кино* фильм; *фото, комм.* пленка, тонкий слой ✧ *vti* снимать
film star *n* кинозвезда
film strip *n* диафильм
film studio *n* киностудия
filofax [ˈfaıleufæks] *n* записная книжка или дневник
filter [ˈfıltəˊ] *n* фильтр ✧ *vt* фильтровать
filter coffee *n кофе тонкого помола для кофеварок с фильтром*
filter in *vi* просачиваться
filter lane *n авт. полоса, по которой Вы должны должны ехать, чтобы повернуть по указанию стрелки светофора*
filter through *n* = **filter in**
filter tip *n* фильтр *(сигареты)*
filter-tipped [ˈfıltəˈtıpt] *adj* с фильтром
filth [filθ] *n* грязь; непристойность
filthy [ˈfılθı] *adj* грязный; мерзкий
fin [fin] *n* плавник; *тех.* стабилизатор
final [ˈfaınl] *adj* последний, *спорт.* финальный; заключительный; окончательный *n спорт.* финал; ~**s** *просвещ.* выпускные экзамены
final demand *n* окончательное требование
final dividend *n* окончательный дивиденд
finalist [ˈfaınəlıst] *n* финалист
finality [faıˈnælıtı] *n* окончательность; **to speak with an air of** ~ говорить тоном, не допускающим возражения
finalize [ˈfaınəlaız] *vt* окончательно уточнять
finally [ˈfaınəlı] *adv* в конце концов; наконец; окончательно
finance [faıˈnæns] *n* финансы ✧ *vt* финансировать; ~**s** финансы
financial [faıˈnænʃəl] *adj* финансовый; ~ **statement** финансовый отчет
financially [faıˈnænʃəlı] *adv* в финансовом отношении
financial management *n* финансовое руководство
financial year *n* финансовый год
financier [faıˈnænsıəˊ] *n* финансист
finch [fintʃ] зяблик
find [faınd] *vt* находить; обнаруживать ✧ *n* находка, **to ~ sb at home** застать кого-н дома; **to ~ sb guilty** *юрид.* признавать кого-н виновным
findings [ˈfaındıŋz] *npl юрид.* заключение; результаты
find out *vt* узнавать; разоблачать ✧ *vi:* **to ~ out about** узнавать
fine [faın] *adj* прекрасный; тонкий; мелкий; точный ✧ *adv* прекрасно; мелко ✧ *n* штраф ✧ *vt* штрафовать; **he's** ~ он чувствует себя хорошо; у него все в порядке; **the weather is** ~ погода хорошая; **to cut it** оставлять слишком мало времени; **you're doing** ~ у Вас все в порядке
fine arts *npl* изящные искусства
finely [ˈfaınlı] *adv* превосходно; мелко; тонко
fine print *n* написанное *or* напечатанное мелким шрифтом
finery [ˈfaınərı] *n* наряд; украшения
finesse [fiˈnes] *n* тонкость, изящество
fine-tooth comb [ˈfaıntuːθ-] *n:* **to go through sth with a ~ ~** скрупулезно изучать что-н
finger [ˈfiŋgəˊ] *n* палец ✧ *vt* трогать; **little** ~ мизинец; **index** ~ указательный палец
fingernail [ˈfiŋgəneıl] *n* ноготь
fingerprint [ˈfiŋgəprınt] *n* отпечаток пальца ✧ *vt* брать отпечатки пальцев у
fingerstall [ˈfiŋgəstɔːl] *n* напальчник
fingertip [ˈfiŋgətıp] *n* кончик пальца; **to have sth at one's** ~ иметь что-н под рукой; знать что-н как свои пять пальцев
finicky [ˈfinıkı] *adj* привередливый
finis [ˈfaınıs] конец
finish [ˈfinıʃ] *n* конец; *спорт.* финиш, отделка ✧ *vt* заканчивать, кончать ✧ *vi* заканчиваться; **have you ~ed?** Вы уже закончили?; **to doing** кончать; **he ~ed third** он закончил третьим; **to ~ with sth** покончить

с чем-н; **she's ~ ed with him** у нее с ним все кончено
finished [ˈfɪnɪʃt] *adj* отделанный ; отточенный; измотанный
finishing line [ˈfɪnɪʃɪŋ-] *n спорт.* финишная черта
finishing school *n* частный женский пансион
finishing touches *npl* последние штрихи
finish off *vt* заканчивать; приканчивать
finish up *vt* доедать; допивать ◇ *vi* кончать
finite [ˈfaɪnaɪt] *adj* ограниченный, конечный; личный
Finn [fɪn] *n* финн
Finnish [ˈfɪnɪʃ] *adj* финский ◇ *n* финский язык
fir [fəːˈ] *n* ель
fire [ˈfaɪəˈ] *n* пламя; огонь; пожар; костер ◇ *vt* выстрелить; разлагать; увольнять ◇ *vi* выстрелить; **the house is on ~ дом горит; to set ~ to sth, set sth on ~** поджигать что-н; **the house is insured against ~** дом застрахован на случай пожара; **electric ~** электрообогреватель; **to come under ~ (trom)** оказываться под обстрелом (со стороны); **to be under ~** быть под обстрелом; **to ~ a gun** стрелять из пушки
fire alarm *n* пожарная сигнализация
firearm [ˈfaɪərɑːm] *n* огнестрельное оружие
fire brigade *n* пожарная команда
fire chief *n* начальник пожарной команды
fire department *n* = **fire brigade**
fire door *n* пожарная дверь
fire drill *n* пожарное учение
fire engine *n* пожарная машина
fire escape *n* пожарная лестница
fire-extinguisher [ˈfaɪərɪkˈstiŋgwɪʃəˈ] *n* огнетушитель
fireguard [ˈfaɪegɑːd] *n* каминная решетка
fire hazard *n*: **that's a ~ ~** это огнеопасно
fire hydrant *n* пожарный насос
fire insurance *n* страхование на случай пожара
fireman [ˈfaɪəmən] *irreg n* пожарный, пожарник
fireplace [ˈfaɪəpleɪs] *n* камин
fireplug [ˈfaɪəplʌg] *n* = **fire hydrant**
fire practice *n* = **fire drill**
fireproof [ˈfaɪəpruːf] *adj* несгораемый; огнеупорный
fire regulations *npl* правила пожарной безопасности
fire screen *n* каминный экран; противопожарное заграждение
fireside [ˈfaɪəsaɪd] *n*: **by the ~** у камина
fire station *n* пожарное депо
firewood [ˈfaɪəwud] *n* дрова
fireworks [ˈfaɪəwəːks] *npl* фейерверк; фейерверк, салют
firing line [ˈfaɪərɪŋ-] *n* линия огня; **to be in the ~ ~** находиться на линии огня
firing squad *n взвод, наряженный для расстрела*
firm [fəːm] *adj* твердый; жесткий; крепкий; окончательный ◇ *n* фирма; **to be a ~ believer in sth** твердо верить во что-н
firmly [ˈfəːmlɪ] *adv* твердо; крепко
firmness [ˈfəːmnɪs] *n* твердость; жесткость; крепость
first [fəːst] *adj* первый ◇ *adv* первый; сначала; во-первых; впервые ◇ *n* первый; *авт.* **~ gear** первая скорость; диплом первой степени; **the of January** первое января; **at ~** сначала; **of all** прежде всего; **in the ~ instanse** в первую очередь; **I'll do it ~ thing (tomorrow)** я сделаю это завтра в первую очередь; **from the very ~** с самого начала
first aid *n* первая помощь
first-aid kit [fəːstˈeɪd-] *n* пакет первой помощи
first-class [ˈfəːstˈklɑːs] *adj* первого класса; первоклассный ◇ *adv* первым классом
first-hand [ˈfəːstˈhænd] *adj* личный; **a ~ account** рассказ очевидца
first lady *n* первая леди; **the ~ ~ of jazz** королева джаза
firstly [ˈfəːstlɪ] *adv* во-первых
first name *n* имя

F

first night *n театр.* премьера
first-rate [ˈfəstˈreɪt] *adj* первоклассный, отменный
first-time buyer [ˈfəsttaɪm] *n человек, впервые покупающий дом или квартиру*
firth [fəːθ] узкий морской залив; устье реки *(особ. в Шотландии)*
fir tree *n* ель
fiscal [ˈfɪskl] *adj* фискальный; **~ year** фискальный *or* финансовый год
fish [fɪʃ] *n inv* рыба ✧ *vt* ловить рыбу в ✧ *vi* заниматься рыболовством; заниматься рыбной ловлей; **to do ~ing** ходить/идти на рыбалку
fishbone [ˈfɪʃbəun] *n* рыбная кость
fish cake *n* рыбная котлета
fisherman [ˈfɪʃəmən] *irreg n* рыбак
fishery [ˈfɪʃərɪ] *n* рыбные места; рыбоводческое хозяйство
fish factory *n* рыбозавод
fish farm *n* рыбоводческая ферма
fish fingers *npl* рыбные палочки
fish hook *n* рыболовный крючок
fishing boat [ˈfɪʃɪn-] *n* рыболовное судно
fishing line *n* леса *(рыболовная)*
fishing net *n* рыболовная сеть
fishing rod *n* удочка
fishing tackle *n* рыболовная снасть
fish market *n* рыбный рынок
fishmonger [ˈfɪʃmʌŋgəˈ] *n* торговец рыбой
fishmonger's (shop) [ˈfɪʃmʌŋgəʒ-] *n* рыбный магазин
fish out *vt* выуживать; вытаскивать
fish slice *n* лопаточка для переворачивания рыбы на сковороде
fish sticks *npt* = **fish fingers**
fishy [ˈfɪʃɪ] *adj* сомнительный
fission [ˈfɪʃən] *n* расщепление; **atomic** *or* **nuclear ~** атомное *or* ядерное расщепление
fissure [ˈfɪʃəˈ] *n* расщелина; щель, трещина
fist [fɪst] *n* кулак
fasten [ˈfɑːsn] *vt* закреплять; завязывать; застегивать; пристегивать ✧ *vi* застегиваться; запираться
fistfight [ˈfɪstfaɪt] *n* драка, кулачный бой
fit [fɪt] *adj* пригодный (пригоден); в хорошей форме ✧ *vt* быть впору, подходить по размеру; подгонять; примерять; соответствовать; устанавливать; оборудовать; подходить ✧ *vi* подходить по размеру, быть впору; подходить ✧ *n мед.* припадок, приступ; **to do** готовый; **~ to keep** пригодный для хранения; **~ for** пригодный для; **to keep ~** сохранять форму; **~ for work** годный к работе; **she's not ~ to be a teacher** работа учителя ей не подходит; **do as you think** *or* **see ~** делайте так, как Вы считаете нужным; **the suit ~s her** костюм сидит на ней хорошо; **to ~ into** входить; **a ~ of anger** приступ гнева; **a ~ of pride** порыв гордости; **he had a ~** *мед.* у него был припадок; **he hearly had a ~ when he learned about it** его чуть удар не хватил, когда он об этом узнал; **this dress is a good ~** это платье хорошо сидит; **by ~s and starts** урывками
fitful [ˈfɪtful] *adj* прерывистый
fit in *vi* вписываться ✧ *vt* находить время для; **to ~ in with sb's plans** совпадать с чьими-н планами
fitment [ˈfɪtmənt] *n* предмет обстановки, оборудование
fitness [ˈfɪtnɪs] *n мед.* состояние здоровья
fitted carpet [ˈfɪtɪd-] *n* ковровое покрытие
fitted cupboards *npl* встроенные шкафы
fitted kitchen *n* полностью оборудованная кухня
fitter [ˈfɪtəˈ] *n* механик; установщик
fitting [ˈfɪtɪŋ] *adj* надлежащий ✧ *n* примерка; установка; **~s** *npl* обстановка
fitting room *n* примерочная
five [faɪv] *n* пять; **she is ~ (years) old** ей пять лет; **they live at number 5/at 5 Green Street** они живут в доме номер 5/в доме номер 5 по Зеленой улице; **there are ~ of us** нас пятеро; **all ~ of them came**

все пятеро пришли; **about ~** около пяти; **the book costs ~ pounds** книга стоит пять фунтов; **~ and a half/quarter** пять с половиной/и одна четверть; **it's ~ (o'clock)** сейчас пять часов; **to divide sth into ~** делить что-н на пять; **they are sold in ~s** они продаются по пять

five-day week ['faɪvdəɪ-] *n* пятидневная рабочая неделя

fiver ['faɪvə] *n* пять фунтов, пять долларов

fix [fɪks] *vt* устанавливать; назначать; налаживать; организовать; подстраивать ✧ *n:* **to be in a ~** быть в положении; **to ~ sth to** прикреплять что-н к; **to ~ one's eyes on** останавливать глаза на; **to ~ one's attention on** сосредотачивать внимание на; **the fight was a ~** исход поединка был предрешен

fixation [fɪk'seɪʃən] *n* помешательство; **she has a ~ about cleanliness** чистота — ее пунктик

fixative ['fɪksətɪv] *n* фиксатив

fixed [fɪkst] *adj* твердый; установленный; навязчивый; застывший; **there's a ~ charge** существует установленная плата; **how are you ~ for money?** как у тебя с деньгами?

fixed assets *npl* недвижимое имущество

fixed charge *n комм.* постоянные издержки

fixed-price contract ['fɪkstpraɪs-] *n* контракт с фиксированной ценой

fixture ['fɪkstʃə'] *n* оборудование; *спорт.* назначенный матч

fix up *vt* устраивать; **to ~ sb up with sth** устраивать кому-н что-н

fizz [fɪz] **1.** *v* шипеть **2.** *n* шипение; *разг.* шампанское

fizzle out ['fɪzl-] *vi* оканчиваться неудачей; угасать; проваливаться

fizzy ['fɪzɪ] *adj* шипучий, газированный

fjord [fjɔ:d] *n* фьорд, фиорд

flabbergast ['flæbəgɑ:st] *разг.* поражать, изумлять

flabbergasted ['flæbəgɑ:stɪd] *adj* изумленный (изумлен)

flabby ['flæbɪ] *adj* дряблый

flacy pastry *n* слоеное тесто

flag I [flæg] **1.** *n* флаг; знамя **2.** *v* сигнализировать флагами, флажками

flag II повиснуть, поникнуть *(о растениях и т.п.);* ослабевать *(о силе, энтузиазме и т.п.)*

flag III 1. *n* каменная плита **2.** *v* выстилать плитами

flagging ['flægɪŋ] *adj:* **~ spirits** упадок духа

flagon ['flægən] *n* бутыль, кувшин

flagpole ['flægpeul] *n* флагшток

flagrant ['fleɪgrənt] *adj* вопиющий

flagship ['flægʃɪp] *n* флагман

flagstone ['flægstəun] *n* каменная плита

flag stop *n* остановка по требованию

flail [fleɪl] цеп

flair [fleə] чутьё, нюх; способность, склонность

flak [flæk] *n воен.* зенитная артиллерия; нахлобучка

flake [fleɪk] *n* хлопья; слой ✧ *vi:* **~ off** лупиться; трескаться; шелушиться

flake out *vi* отключаться

flaky ['fleɪkɪ] *adj* облупленный; шелушащийся

flamboyant [flæm'bɔɪənt] *adj* броский; колоритный

flame [fleɪm] *n* пламя; **to burst into ~s** вспыхнуть; **to be in ~s** пылать; **an old ~** старая страсть

flaming ['fleɪmɪng]] *n adj* дьявольский

flamingo [flə'mɪŋgəu] *n* фламинго

flammable ['flæməbl] *adj* легко воспламеняющийся

flan [flæn] *n* открытый круглый пирог

Flanders ['flɑ:ndəz] *n* Фландрия

flange [flændʒ] *n* кромка

flank [flæŋk] *n* бок; фланг ✧ *vt* окаймлять; **~ed by** между

flannel ['flænl] *n* фланель; **face ~** махровая салфетка для лица; **~s** фланелевые брюки; **to give sb some ~** морочить кому-н голову

flannelette [flænə'let] *n* байка
flap [flæp] **1.** *v* хлопать, шлёпать; взмахивать крыльями; *разг.* трепыхаться **2.** *n* пола; клапан; заслонка; хлопанье, шлёпанье
flapjack ['flæpdʒæk] *n* оладья; овсяное печенье
flapper ['flæpə] хлопушка; *разг.* молоденькая девушка; клапан; ласт *(тюленя, моржа)*
flare [fleə'] *n* сигнальная ракета; клеш
flared [fleəd] *adj:* **~ trousers** брюки-клеш; **~ skirt** юбка-клеш
flare up *vi* вспыхивать ярким пламенем; вспыхивать
flash [flæʃ] *n фото* вспышка; **news ~** "молния"; фонарик ✧ *vt* (внезапно) освещать; посылать молнией; метать ✧ *vi* сверкать; мигать; **quick as a ~** с быстротой молнии; **~ of inspiration** порыв вдохновения; **to ~ one's headlights** сигналить; **to ~ a smile at sb** улыбаться мимоходом кому-н; **the thought ~ed through his mind** у него промелькнула мысль; **to ~ by** *or* past мчаться мимо
flashbask ['flæʃbæk] *n кино* ретроспективный кадр
flashbuld ['flæʃbʌlb] *n* фотовспышка, лампа-вспышка
flash card *n просвещ. карточка со словом или буквой, используемая при обучении чтению*
flashcube ['flæʃkju:b] *n* фотовспышка
flasher ['flæʃə] *n авт.* поворот; эксгибиционист
flashlight ['flæʃlait] *n* фонарь; прожектор
flash point *n:* **to be at ~ ~** находиться на грани взрыва
flashy ['flæʃi] *adj* кричащий
flask [flɑ:sk] колба, фляга, фляжка
flat [flæt] *adj* плоский; спущенный; севший; выдохшийся; категорический; *муз.* бемольный; однотонный; единый (един) ✧ *n* квартира; *авт.:* **~ tyre** спущенная шина; *муз.* бемоль; **to work ~ out** выкладываться полностью, работать на износ; **~ rate of pay** единая ставка
flat-footed ['flæt'futid] *adj:* **he is ~** у него плоскостопие
flatly ['flætli] *adv* начисто; наотрез
flatmate ['flætmeit] *n* сосед(ка) по квартире
flatness ['flætnis] *n* ровность
flat-screen ['flætskri:n] *adj* с плоским экраном; **~ TV set** телевизор с плоским экраном
flatten ['flætn] *vt:* **~ out** выравнивать; сносить; побивать; сравнять с землей; разбивать в пух и прах; **to ~ o.s. against a wall/door** плотно прижиматься к стене/двери
flatterer ['flætərə'] *n* льстец
flattering ['flætəriŋ] *adj* лестный (лестен); **that dress is very ~** это платье скрывает все недостатки
flattery ['flætəri] *n* лесть
flatulence ['flætjuləns] *n мед.* метеоризм
flaunt [flɔ:nt] *n* щеголять
flautist ['flɔ:tist] флейтист
flavour ['fleivə'] *vt* приправлять ✧ *n* вкус; сорт; **music with an African** музыка с африканскими мотивами *or* в африканском стиле; **strawberry** с клубничным привкусом; **to give** *or* **add ~ to** придавать вкус
flavouring ['fleivəriŋ] *n* ароматическое вещество
flaw [flɔ:] *n* недостаток, изъян; дефект
flawless ['flɔ:lis] *adj* безупречный
flax [flæks] *n* лен
flaxen ['flæksən] *adj* льняной
flay [flei] сдирать кожу, свежевать; резко критиковать
flea [fli:] *n* блоха
flea market *n* барахолка
fleck [flek] пятно, крапинка
fled [fled] *past и p.p. от* **flee**
fledg(e)ling ['fledʒliŋ] оперившийся птенец; *перен.* зелёный юнец
flee [fli:] *vt* бежать от; бежать из ✧ *vi* спасаться бегством
fleece [fli:s] *n* руно; овечья шерсть ✧ *vi* обирать
fleecy ['fli:si] *adj* пушистый
fleet [fli:t] *n* флот; парк
fleeting ['fli:tiŋ] *adj* мимолетный

Flemish [ˈflemɪʃ] *adj* фламандский ✧ *n лингв.* фламандский язык; **the ~** *гео.* Фламандцы
flesh [fleʃ] *n анат.* плоть; тело; мякоть
flesh out *vt* излагать во всехдеталях
flesh wound [-wu:nd] *n* поверхностная рана
Flett Street [ˈfli:tˈstri:t] английская пресса *(по названию улицы в Лондоне)*
flew [flu:] *pt of* **fly**
flex [flэks] *n* гибкий шнур ✧ *vt* разминать
flexibility [fleksɪˈbɪlɪtɪ] *n* гибкость
flexible [ˈfleksəbl] *adj* гибкий
flexitime [ˈfleksɪtaɪm] *n* гибкий график *(рабочего дня)*
flick [flɪk] *n* щелчок ✧ *vt* смахивать; стряхивать; хлестнуть; щелкнуть; **~s** киношка
flick knife *n* кнопочный нож
flick through *vt fus* просматривать
flicker [ˈflɪkəˈ] *vi* мерцать; трепетать ✧ *n* мерцание; вспышка; тень; проблеск; трепетание
flier [ˈflaɪə] *n* летчик
flight I [flaɪt] полёт; перелёт; стая *(птиц);* течение *(времени); ав.* рейс; марш *(лестницы); ав.* звено *(самолётов)*
flight II бегство; отступление; **put to ~** обратить в бегство
flight [flaɪt] *n* полет; бегство; пролет *(лестницы);* **to take ~** обращаться в бегство; **to put to ~** обращать в бегство
flight attendant *n* стюард(есса)
flight crew *n* экипаж самолета
flight deck *n авиа.* кабина экипажа; *мор. взлетно-посадочная полоса на палубе*
flight path *n* курс полета; траектория полета
flight recorder *n* "черный ящик"
flighty [ˈflaɪtɪ] непостоянный, капризный
flimsy [ˈflɪmzɪ] **1.** *a* лёгкий, непрочный; *перен.* неубедительный **2.** *n* тонкая бумага, папиросная бумага; *разг.* банкнота
flinch [flɪntʃ] отступать; увиливать *(от неприятных обязанностей и т.п.);* вздрагивать *(от боли)*
fling [flɪŋ] **1.** *v* **(flung)** бросать, кидать; швырять; бросаться, кидаться ✧ **~ in one's teeth** бросить в лицо *(упрёк, оскорбление и т.п.)* **2.** *n* бросок; **have a ~** повеселиться; пляска
flint [flɪnt] кремень, огниво
flinty [ˈflɪntɪ] кремнёвый, кремнистый
flip I [flɪp] **1.** *n* щелчок **2.** *v* слегка ударить; щёлкнуть
flip II *амер. разг.* флип *(род спиртного напитка)*
flippant [ˈflɪpənt] *adj* несерьезный
flipper [ˈflɪpə] плавник; плавательная перепонка; ласт
flip side *n* оборот
flip through *n* просматривать
flirt [flə:t] *vi* флиртовать, заигрывать ✧ *n* кокетка, любитель(-ница) пофлиртовать
flirtation [flə:ˈteɪʃən] *n* флирт
flit [flɪt] *vi* перелетать; порхать; мелькать
float [fləut] *n* поплавок; *пенопластовая доска для обучающихся плавать; украшенная платформа на колесах в праздничной процессии;* разменные деньги ✧ *vi* плавать, держаться на поверхности; плыть; летать; *комм.* свободно колебаться ✧ *vt* пускать в ход; **to ~ currency** вводить плавающий валютный курс; **to ~ a company** выпускать акции компании через биржу
float around *vi* носиться в воздухе; плавать
flock [flэk] *n* стадо; стая; *рел.* паства ✧ *vi:* **to ~ to** стекаться в
floe [fləu] *n:* **ice ~** плавучая льдина
flog [flэg] *vt* сечь; сплавлять
flood [flʌd] *n* наводнение; поток ✧ *vt* заливать; наводнять; *авт.* наполнять ✧ *vi* наполняться водой; **to ~ into** хлынуть в/на; **the river is in ~** река вышла из берегов; **to ~ the market with** *комм.* наводнить рынок
flooding [ˈflʌdɪŋ] *n* наводнение
floodlight [ˈflʌdlaɪt] *n* прожектор ✧ *vt* освещать прожектором

floodlit [ˈflʌdlɪt] *pt, pp of* **floodlight**
flood tide *n* прилив
flood water *n* (разлившаяся) вода *(во время наводнения)*
floor [flɔːˈ] *n* пол, этаж; дно ✧ *vt* валить на пол, сбивать с ног; сражать; **on the ~** на полу; **ground** *or* **first ~** первый этаж; **first** *or* **second ~** второй этаж; **top ~** последний этаж; **to take the ~** брать слово; **to have the ~** получать слово
floorboard [ˈflɔːbɔːd] половица
flooring [ˈflɔːrɪŋ] *n* пол; настил; настилка полов
floor lamp *n* торшер
floor show *n* развлекательная программа
floorwalker [ˈflɔːwɔːkə] *n* дежурный администратор магазина
floozy [ˈfluːzɪ] *n* шлюха
flop [flɔp] *n* провал ✧ *vi* проваливаться; шлепаться
floppy [ˈflɔpɪ] *adj* свисающий, отвислый ✧ *n:* **~ disk** гибкий диск, дискета, флоппи-диск; **~ hat** шляпа с отвислыми полями
flora [ˈflɔːrə] *n* флора
floral [ˈflɔːrl] *adj* цветистый
Florence [ˈflɔrəns] *n* Флоренция
Florentine [ˈflɔrəntaɪn] *adj* флорентийский
floriculture [ˈflɔːrɪkʌltʃə] цветоводство
florid [ˈflɔrɪd] *adj* цветистый; красный
florist [ˈflɔrɪst] *n* торговец цветами; цветочница
florist's (chop) [ˈflɔɔrɪsts-] *n* цветочный магазин
floss [flɔs] шёлк-сырец
flotation [fləuˈteɪʃən] *n* свободная продажа; распродажа акций компании
flotilla [flouˈtɪlə] флотилия
flotsam [ˈflɔtsəm] *n:* **~ and jetsam** мусор; бродяги
flounce I [flauns] **1.** *v* бросаться, метаться **2.** *n* резкое движение
flounce II 1. *n* оборка **2.** *v* отделывать оборками
flounce out *vi:* **she ~d out of the room** она бросилась вон из комнаты
flounder I [ˈflaundə] камбала
flounder II барахтаться; путаться *(в словах);* говорить с трудом
flour [ˈflauəˈ] *n* мукá
flourish [ˈflʌrɪʃ] *vi* процветать; пышно расти ✧ *vt* размахивать ✧ *n* завитушка; **with a ~** демонстративно
flourishing [ˈflʌrɪʃɪŋ] *adj* процветающий
flout [flaut] *n* пренебрегать
flow [fləu] *n* течение; *элек.* поток; прилив ✧ *vi* течь; ниспадать; падать
flow chart *n* блок-схема
flow diagram *n* = **flow chart**
flower [ˈflauə] *n* цветок ✧ *vi* цвести; **~s** цветы; **in ~** в цвету
flowerbed [ˈflauəbed] *n* клумба
flowerpot [ˈflauərɔt] *n* цветочный горшок
flowery [ˈflauərɪ] *adj* цветочный; цветистый
flu [fluː] *n мед.* грипп
fluctuate [ˈflʌktjueɪt] *vi* колебаться; меняться
fluctuation [flʌktjuˈeɪʃən] *n:* **~ (in)** колебание
flue I [fluː] дымоход; *тех.* жаровая труба
flue II род рыболовной сети
fluency [ˈfluːənsɪ] *n* беглость; **his ~ in Russian** его беглость в русском языке
fluent [ˈfluːənt] *adj* бегло говорящий; беглый, плавный; **he's a ~ speaker** он очень красноречив; **he's a ~ reader** он быстро читает; **he speaks ~ Russian, he's ~ in Russian** он свободно *or* бегло говорит по-русски
fluently [ˈfluːəntlɪ] *adv* бегло; свободно
fluff [flʌf] *n* ворс; пух ✧ *vt* спутывать; заваливать; **~ out** взбивать; распушать
fluffy [ˈflʌfɪ] *adj* пушистый; **~ toy** мягкая игрушка
fluid [ˈfluːɪd] *adj* текучий; переменчивый (переменчив); неустойчивый (неустойчив) ✧ *n* жидкость
fluke [fluːk] счастливая случайность
flummox [ˈflʌməks] *разг.* смущать ста-

вить в затруднительное положение

flunk [flʌŋk] *разг.* провалиться *(на экзамене)*

flunkey [ˈflʌŋkı] лакей; низкопоклонник, подхалим

fluorescent [fluəˈresnt] *adj* флюоресцирующий; флюоресцентный

fluoride [ˈfluəraıd] *n* фторид

fluorine [ˈfluəri:n] *n* фтор

flurre [ˈflʌrı] **1.** *n* волнение; шквал, порыв ветра **2.** *v:* **don't get flurried** не волнуйтесь

flurry [ˈflʌrı] *n* порыв; **snow ~** снежный вихрь; **a ~ of activity** бурная деятельность; **a ~ of excitement** бурное возбуждение

flush I [flʌʃ] **1.** *v* приливать к лицу *(о крови);* краснеть *(от стыда и т.п.);* воодушевлять, возбуждать; промывать *(струёй);* **~ the toilet** спустить воду в уборной; затоплять **2.** *n* внезапный прилив воды; прилив крови; румянец; упоение *(успехом и т.п.);* расцвет; приступ *(лихорадки)* **3.** *a* находящийся на одном уровне; изобилующий; полный

flush II 1. *v* вспорхнуть; спугнуть *(дичь)* **2.** *n* вспугнутая стая *(птиц)*

flushed [ˈflʌʃt] *adj* раскрасневшийся

flush out *vt* вспугивать; спугивать

fluster [ˈflʌstə] **1.** *v* волновать; волноваться; возбуждаться; *уст.* подпоить **2.** *n* возбуждение

flustered [ˈflʌstəd] *adj* смущенный (смущен)

flute [flu:t] *n* флейта

fluted [ˈflu:tıd] *adj* рифленый, гофрированный

flutter [ˈflʌtə] **1.** *v* бить *(крыльями);* порхать; развеваться; волноваться, трепетать **2.** *n* порхание; возбуждение; сенсация; *разг.* риск *(обыкн. в азартной игре)*

fluvial [ˈflu:vjəl] речной

flux [ˈflʌks] **1.** *n* постоянное движение; течение; поток; прилив; *мед.* истечение; *тех.* флюс; плавить; **~ion** [-kʃ(ə)n] *мат.* флюксия, производная

fly I [flaı] муха ✧ **a ~ in the ointment** ложка дёгтя в бочке мёда

fly II 1. *v* (flew; flown) летать; пролетать; развеваться *(о флаге);* нестись, проноситься; нападать; *перен.* набрасываться с бранью; перемахнуть; поднимать *(аэростат);* управлять *(самолётом)* ✧ **~ in to a rage** прийти в ярость; **~ into pieces** разлететься на куски; **~ open** распахнуться **2.** *n* полёт; одноконный экипаж; откидное полотнище *(палатки)*

fly away *vi* улетать

fly-fishing [ˈflaıfıʃıŋ] *n* ужение на блесну

fly in *vi* прилетать

flying [ˈflaiŋ] *n* летное дело; полет ✧ *adj:* **a ~ visit** краткий визит; **he doesn't like ~** он не любит летать самолетом; **with ~ colours** блестяще

flying saucer *n* летающая тарелка

flying squad *n* полицейский спецотряд *(для быстрого налета)*

flying start *n:* **to get off to a ~ ~** начинать очень успешно

flyleaf [ˈflaıli:f] *n* форзац

fly out *vi* вылетать

flyover [ˈflaıəuvəˈ] *n* эстакада

fly-paper [ˈflaı,peıpə] липкая бумага от мух

fly-past [ˈflaıpa:st] *n* воздушный парад

fly sheet *n* навес

fly-trap [ˈflaıtræp] мухоловка; *бот.* дионея

flyweight [ˈflaıweıt] *n* боксер легкой весовой категории

flywheel [ˈflaıwi:l] *n* маховое колесо

foal [fəul] *n* жеребенок

foam [foum] **1.** *n* пена **2.** *v* пениться; покрываться пеной; быть в мыле *(о лошади)* ✧ **with rage** (*или* **at the mouth**) быть в бешенстве

foam-rubber [ˈfoum,rʌbə] пенопласт

foamy [ˈfoumı] пенящийся, пенистый; покрытый пеной; взмыленный

fob I [fɔb] *уст.* кармашек *(для часов)*

fob II ~ smb off with smth,smth off on

F

smb "надуть" кого-л. *(ложными обещаниями, всучив подделку и т.п.)*
fobidding [fəˈbɪdɪŋ] *adj* неприязненный; мучительный (мучителен)
focal [ˈfoukəl] *физ.* фокусный
focus [ˈfoukəs] **1.** *n* фокус, средоточие; центр **2.** *v* собирать, помещать в фокусе; собираться, помещаться в фокусе; сосредоточивать; сосредоточиваться
fodder [ˈfɔdə] фураж; корм
foe [fou] враг
foetus [ˈfiːtəs] *n* плод, зародыш
fog [fɔg] *n* туман
fogey [ˈfougɪ] старомодный человек
foggy [ˈfɔgɪ] туманный, мглистый
fog lamp *n авт.* фара для тумана
foible [ˈfɔɪbl] слабая струнка; причуда
foil I [fɔɪl] фольга; контраст; фон
foil II сбиваться со следа; отражать, парировать; расстраивать, срывать *(планы и т.п.)*
foil III рапира
foist [fɔɪst] всучивать, всунуть
fold I [fould] **1.** *n* загон *(для овец); церк.* паства **2.** *v* загонять *(овец)*
fold II [ˈfould] **1.** *v* складывать, сгибать; обнимать; **~ one's arms** скрещивать руки; завёртывать; окутывать **2.** *n* складка, сгиб; створ *(двери); техн.* фальц
folder [ˈfəuldə] *n* папка *(с металлическим зажимом);* брошюра
folding [ˈfəuldɪŋ] *adj* складной
fold up *vi* складываться ; сворачиваться ✧ *vt* складывать
foliage [ˈfəulɪdʒ] *n* листва
folk [fəuk] *n* люди, народ ✧ *cpd* народный; **~s** близкие
folklore [ˈfəuklɔːˈ] *n* фольклор
folk music *n* народная музыка
folk song *n* народная песня
foll [fuːl] *n* дурак, дура; *кулин. сладкое блюдо из сливок и фруктов* ✧ *vt* обманывать; одурачивать ✧ *vi дурачиться;* **to make a ~ of sb** выставлять кого-н на посмешище; одурачивать кого-н; **to make a ~ of o.s.** ставить себя в глупое положение: **you can't ~ me** меня не проведете
follow [ˈfɔləu] *vt* следовать за; следовать; следить; держаться; провожать взглядом ✧ *vi* следовать; **to ~ in sb's footsteps** идти по чьим-н стопам; **I don't quite ~ you** я не совсем Вас понимаю; **to ~ sb's advice** следовать чьему-н совету; **I left the room, and he ~ed** я вышел из комнаты и он последовал за мной; **It ~s that he...** отсюда следует, что он...; **to ~ suit** следовать примеру
follower [ˈfɔləuəˈ] *n* последователь(-ница); сторонник(-ица)
following [ˈfɔləuɪŋ] *adj* следующий ✧ *n* сторонники; **a large ~** много сторонников
follow on *vi:* **to ~ on from** следовать за
follow out *vt* приводить в исполнение
follow up *n* рассматривать; расследовать
follow-up [ˈfɔləuʌp] *n* продолжение ✧ *adj* последующий
folly [ˈfolɪ] *n* глупость; *декоративное парковое сооружение*
fond [fɔnd] *adj* ласковый; приятный; тщетный; **to be ~ of** любить; **she's ~ of swimming** она любит плавать
fondle [ˈfɔndl] *n* ласкать
fondly [ˈfɔndlɪ] *adv* ласково; наивно; **he ~ believed that...** он наивно верил, что...
fondness [ˈfondnɪs] *n* любовь; **a special ~ for** особенная любовь к
font [fɔnt] *n* купель; комплект (шрифта)
food [fuːd] *n* еда, пища
food chain *n* пищевой симбиоз
food mixer *n* миксер
food poisoning *n* пищевое отравление
food processor *n* кухонный комбайн
food stamp *n* продуктовый талон
foodstuffs [ˈfuːdstʌfs] *npl* продукты питания
fool about *vi* валять дурака; дурачиться
foolery [ˈfuːlərɪ] дурачество; глупый поступок
foolhardy [ˈfuːlhɑːdɪ] *adj* безрассудный

foolish [ˈfu:lɪʃ] *adj* глупый; опрометчивый
foolishly [ˈfu:lɪʃlɪ] *adv* глупо; опрометчиво
foolishness [ˈfu:lɪʃnɪs] *n* дурачество
foolproof [ˈfu:lpru:f] *adj* надежный
foot [fut] *n* нога, ступня; конец; подножие; фут; низ ◇ *vt:* **to ~ the bill** платить; **on ~** пешком; **at the ~ of the page/stairs** внизу страницы/лестницы; **to find one's feet** вставать на ноги; **to put one's ~ down** *авт.* нажимать на педаль; занимать твердую позицию
footage [ˈfutɪdʒ] *n* кино кадры; метраж
foot-and-mouth [futənˈmauθ] *n* ящур
football [ˈfutbɔ:l] *n* футбольный мяч; футбол; американский футбол
footballer [ˈfutbɔ:ləˊ] *n* футболист
football ground *n* футбольное поле
football match *n* футбольный матч
football player *n* футболист
foot brake *n* ножной тормоз
footbridge [ˈfutbrɪdʒ] *n* пешеходный мост
foothills [ˈfuthɪlz] *npl* предгорья
foothold [ˈfuthəuld] *n* опора; **to get a ~** укрепляться, утвердиться
footing [futɪŋ] *n* основа; **to be on a friendly ~** быть на дружеской ноге; **to lose one's ~** терять опору; **on an equal ~** на равных (основаниях)
footle [ˈfu:tl] *разг.* валять дурака
footlights [ˈfutlaɪts] рампа
footling [ˈfu:tlɪŋ] *разг.* пустяковый
footman [ˈfutmən] (ливрейный) лакей
foot-mark [ˈfutmɑ:k] след
foot-note [ˈfutnout] сноска, примечание
foot-path [ˈfutpɑ:θ] тропинка
footprint [ˈfutprɪnt] след, отпечаток ноги
foot-race [ˈfutreɪs] состязание в беге
footrest [ˈfutrest] *n* скамеечка для ног
footsie [ˈfutsɪ] *n:* **to play ~ with sb** толкать ножкой кого-н
footsore [ˈfutsɔ:] со стёртыми ногами
footstep [ˈfutstep] шаг, след
footstool [ˈfutstu:l] скамеечка для ног
foot-wear [ˈfutweə] обувь
footwork [ˈfutwə:k] *n* фигуры *(движения ног в танце)*
foozle [ˈfu:zl] делать кое-как *(работу и т. п.)*
fop [ˈfɔp] фат, хлыщ; **~-pery** [-ərɪ] щегольство, фатовство; **~pish** фатоватый
for [fɔ:ˊ] **1. the train for London/Paris** поезд в Лондон/ Париж; **he left for Rome/work** он уехал в Рим/ на работу; **when does the train for Moscow leave?** когда отправляется поезд на Москву?; **he went for the paper/the doctor** он пошел за газетой/врачом; **is this for me?** это мне *or* для меня?; **there's a letter for you** Вам письмо; **it's time for lunch/bed** пора обедать/спать **2.** для; **what's it for?** для чего это?; **give it to me — what for?** дайте это мне — зачем?; **to pray for forgiveness** молить о прощении; **to pray for peace** молиться о мире **3. to speak to sb** говорить от лица кого-н; **MP for Brighton** член парламента, представляющий Брайтон; **he works for the government** он на государственной службе; **he works for a local firm** он работает в местной фирме; **I'll ask him for you** я спрошу его от вашего имени; **to do sth for sb** делать что-н за кого-н **4.** из-за; **for lack of funds** из-за отсутствия средств; **for this reason** по этой причине; **for some reason, for whatever reason** почему-то; **for fear of being criticized** боясь критики; **to be famous for sth** быть известным чем-н **5. it's cold for July** для июля сейчас холодно; **he's tall for fourteen/for his age** для четырнадцати лет/для своего возраста он высокий; **a gift for languages** способности к языкам; **for everyone who voted yes, 50 voted no** на каждый голос "за", приходится 50 голосов "против" **6.** за; **I sold it for $5** я продал это за $5; **I'm all for**

F

it я целиком и полностью за это **7. there are roadworks tor five miles** дорожные работы на протяжении пяти миль; **to stretch for miles** простираться на много миль; **we walked for miles/for ten miles** мы прошли много миль/десять миль **8.** на; **he was away tor 2 years** он был в отъезде 2 года; **she will be away for a month** она уезжает на месяц; **can you do it for tomorrow?** Вы можете сделать это на завтра?; **it hasn't rained for 3 weeks** уже 3 недели не было дождя; **for hours** часами **9. it is not for me to deside** не мне решать; **there is still time for you to do it** у Вас еще есть время сделать это; **for this to be possible...** чтобы это осуществить... **10.** несмотря на; **for all his complaints** несмотря на все его жалобы **11. for the first/last time** в первый/последний раз; **for the time being** пока ✧ *conj* ибо

forage [ˈfɔrɪdʒ] *n* корм ✧ *vi:* **to ~ tor sth** рыскать в поисках чего-н

forage cap *n* фуражка, пилотка

foray [ˈfɔreɪ] *n* набег

forbearing [fəˈbeərɪŋ] *adj* сдержанный

forbid [fəˈbɪd] *vt* запрещать; **to ~ sb to do** запрещать кому-н

forbidden [fəˈbɪdn] *pp of* **forbid** ✧ *adj* запрещенный; запретный; **It's ~ to...** запрещено...

force [fɔ:s] *n физ.* сила; воздействие ✧ *vt* заставлять; принуждать; толкать; взламывать; **the F~s** *воен.* вооруженные силы; **in ~** в большом числе; **to come into ~** вступать в силу; **to join ~s** объединять усилия; **it's a ~ five wind** сила ветра — пять баллов; **the sales ~** *комм.* торговые агенты; **to ~ o.s. to do** заставлять себя; **to ~ sb to do** заставлять *or* вынуждать кого-н

force back *vt* отражать; сдерживать

forced [fɔ:st] *adj* вынужденный; натянутый; **~ labour** принудительный труд

force down *vt* есть с трудом

force-feed [ˈfɔ:sfi:d] *vt* насильно кормить

forceful [ˈfɔ:sful] *adj* сильный

force-meat [ˈfɔ:smi:t] фарш

forceps [ˈfɔ:seps] щипцы; пинцет

force-pump [ˈfɔ:spʌmp] *мех.* нагнетательный насос

forcible [ˈfɔ:səbl] *adj* насильственный; убедительный

forcibly [ˈfɔ:səblɪ] *adv* насильно; с силой

ford [fɔ:d] *n* брод ✧ *vt* переходить вброд

fore [fɔ:ˈ] *n:* **to come to the ~** выдвигаться

forearm [ˈfɔ:rɑ:m] *n* предплечье

forebear [ˈfɔ:beəˈ] *n* предок

foreboding [fɔ:ˈbəudɪŋ] *n* предчувствие

forecast [ˈfɔ:kɑ:st] *n* прогноз ✧ *vt* предсказывать

foreclose [fɔ:ˈkləuz] *vt юрид.:* **~ on** лишать прав собственности

foreclosure [fɔˈkləuʒə] *n комм.* лишение прав собственности

forecourt [ˈfɔ:kɔ:t] *n* передняя площадка

forefathers [ˈfɔ:fɑ:ðəz] *npl* предки

forefinger [ˈfɔ:fiŋgəˈ] *n* указательный палец

forefront [ˈfɔ:frʌnt] передовая линия фронта; *перен.* центр деятельности

forego [fɔ:gəu] *vt* поступаться

foregoing [ˈfɔ:gəuɪŋ] *adj* предшествующий ✧ *n:* **the ~** вышеупомянутое

foregone [ˈfɔ:gɔn] *adj:* **it's a ~ conclusion** это предрешенный исход

foreground [ˈfɔ:graund] *n комп.* передний план

forehand [ˈfɔ:hænd] *n теннис* удар справа

forehead [ˈfɔrɪd] *n* лоб

foreign [ˈfɔrɪn] *adj* иностранный; зарубежный; внешний, посторонний

foreign body *n* инородное тело

foreign currency *n* иностранная валюта

foreigner [ˈfɔrɪnə] *n* иностранец

foreign exchange *n* обмен валюты, валюта
foreign-exchange market [fɔrɪnɪk-'tʃeɪndʒ-] *n* валютный рынок
foreign-exchange rate *n* валютный курс
foreign minister *n* министр иностранных дел
Foreign Office *n* министерство иностранных дел
foreleg ['fɔ:leg] *n* передняя нога
foreman ['fɔ:mən] мастер; десятник; прораб; *юр.* старшина присяжных
foremast ['fɔ:mɑ:st] *мор.* фок-мачта
foremost ['fɔ:moust] **1.** *a* передовой; первейший; самый главный; выдающийся **2.** *adv* прежде всего; во-первых
forename ['fɔ:nəɪm] *n* имя
forenoon ['fɔ:nu:n] время до полудня
forensic [fə'rensɪk] *adj* судебный; **~ expert** специалист по судебной медицине
foreplay ['fɔ:pleɪ] *n* возбуждающие ласки
forerunner ['fɔ:ˌrʌnə] предвестник; предшественник; предтеча
foresee [fɔ:'si:] *vt* предвидеть
foreseeable [fɔ:'si:əbl] *adj* предвидимый; **in the ~ future** в обозримом будущем
foreshadow [fɔ:'ʃædəu] *vt* предзнаменовать
foresight ['fɔ:saɪt] *n* предусмотрительность
foreskin ['fɔ:skɪn] *n* крайняя плоть
forest ['fɔrɪst] *n* лес
forestall [fɔ:'stɔ:l] *n* приостанавливать; опережать
forestry ['fɔrɪstrɪ] *n* лесоводство, лесничество
foretaste ['fɔ:teɪst] *n:* **a ~ of** представление о
foretell [fɔ:'tel] *vt* предсказывать
forethought ['fɔ:θɔ:t] *n* предусмотрительность
forever [fə'revə'] *adv* навсегда; вечно; **that time has gone ~** то время ушло навсегда; **it will last ~** это будет длиться вечно; **you're ~ finding difficulties** Вы вечно находите трудности
forewarn [fɔ:'wɔ:n] *n* предупреждать
foreword ['fɔ:wə:d] *n* предисловие
forfeit ['fɔ:fɪt] *n* штраф ✧ *vt* терять; поплатиться
forgather [fɔ:'gæðə] собираться, сходиться, встречаться
forge I [fɔ:dʒ] **1.** *n* кузница; (кузнечный) горн **2.** *v* ковать ✧ **~ ahead** настойчиво, с трудом продвигаться
forge II фабриковать; подделывать
forge ahead *vi* вырываться вперед
forger ['fɔ:dʒə'] *n* подделыватель; фальшивомонетчик
forgery ['fɔ:dʒərɪ] *n* подделка
forget [fə'get] *vt* забывать ✧ *vi* забывать; **to ~ o. s.** забыться
forgetful [fə'getful] *adj* забывчивый (забывчив); **~ of** забыв о
forgetfulness [fə'getfulnɪs] *n* забывчивость; забвение
forget-me-not [fə'gətmɪnət] *n* незабудка
forgive [fə'gɪv] *vt* прощать; **to ~ sb for sth** прощать кому-н *or* кого-н за что-н; **I forgave him for doing it** я простил ему *or* его за то, что он это сделал; **~ my ignorence but...** простите мое невежество, но...; **they ~ could be ~n for thinking that...** их можно простить за то, что они думают, что...
forgiveness [fə'gɪvnɪs] *n* прощение
forgiving [fə'gɪvɪŋ] *adj* великодушный
forgo [fɔ:'gou] (forwent; forgone) отказываться, воздерживаться *(от чего-л.)*
forgone [fɔ:'gɔn] *p. p. от* **forgo**
fork [fɔ:k] *n* вилка; вилы; развилка, стык; разветвление ✧ *vi* разветвляться
forked [fɔ:kt] *adj* зигзагообразный
fork-lift truck ['fɔ:klɪft-] *n* грузоподъемник
fork out ✧ *vt* выкладывать ✧ *vi* раскошеливаться
forlorn [fə'lɔ:n] *adj* несчастный; покинутый; слабый
form [fɔ:m] *n* вид; форма; *просвещ.* класс; анкета ✧ *vt* образовывать; формировать; вырабатывать; **in the ~ of** в форме; **to be in**

F

good ~ *спорт.* быть в хорошей форме; **in top ~** в лучшей форме; **on ~** в форме; **to ~ part of sth** являться частью чего-н; **I ~ed a good impression of her** у меня создалось хорошее впечатление о ней

formal [ˈfɔ:məl] *adj* формальный; церемонный; официальный; английский; **~ clothes** официальная форма одежды; **~ dress** вечерняя одежда

formalities [fɔ:ˈmælɪtɪz] *npl* формальности

F

formalize [ˈfɔ:məlaɪz] *vt* оформлять

formally [ˈfɔ:məlɪ] *adv* формально; церемонно; **to be ~ invited** получать официальное приглашение

format [ˈfɔ:mæt] *n* формат ✧ *vt* форматировать

formation [fɔ:ˈmeɪʃən] *n* формирование; формация; скопление

formative [ˈfɔ:mətɪv] *adj:* **in his ~ years** в годы формирования его характера

former [ˈfɔ:mə] бывший, прежний; **the ~... the latter...** первый... последний; **the ~ president** бывший президент

formerly [ˈfɔ:məlɪ] *adv* раньше, до этого

form feed *n* подача страниц

formidable [ˈfɔ:mɪdəbl] *adj* чрезвычайно трудный; грозный

formality [fɔ:mæ:lɪtɪ] *n* формальность; церемонность; официальность

formula [ˈfɔ:mjulə] *n мат., хим.* формула; схема; **F~ One** *авт. обозначение гоночной машины*

formulate [ˈfɔ:mjulɪt] *vt* вырабатывать, разрабатывать; формулировать

forsake [fəˈseɪk] *vt* покидать

forsaken [fəˈseɪkən] *pp of* **forsake**

forsook [fəˈsuk] *pp of* **forsake**

forswear [fɔ:ˈsweə] **(forswore; forsworn)** отрекаться; зарекаться

forswore [fɔ:ˈswɔ:] *past от* forswear

forsworn [fɔ:ˈswɔ:n] *p. p. от* **forswear**

fort [fɔ:t] *n* крепость, форт; **to hold the ~** стоять на страже

forte [ˈfɔ:tɪ] *n* сильная сторона

forth [fɔ:θ] *adv:* **to go ~** идти вперед; **to send ~ послать; to do back and ~** ходить взад и вперед; **to bring ~** вынимать; **and so ~** и так далее

forthcoming [fɔ:θˈkʌmɪŋ] *adj* предстоящий; общительный; **to be ~** ожидаться, появляться

forthright [ˈfɔ:θraɪt] *adj* прямой

forthwith [ˈfɔ:θˈwɪθ] *adv* тотчас

fortiaication [fɔ:tɪfiˈkeɪʃən] *n воен.* укрепление

forties [ˈfɔ:tɪz]: **the ~** сороковые годы; пятый десяток; возраст между 39 и 50 годами

fortieth [ˈfɔ:tiθ] *adj* сороковый

fortified wine [ˈfɔ:tɪfaɪd-] *n* крепленое вино

fortify [ˈfɔ:tɪfaɪ] *vt* укреплять; придавать силы

fortitude [ˈfɔ:tɪtju:d] *n* стойкость

fortnight [ˈfɔ:tnaɪt] *n* две недели; **it's a ~ since...** прошло две недели с тех пор, как...

fortnightly [ˈfɔ:tnaɪtlɪ] *adv* раз в две недели ✧ *adj:* **~ magazine** журнал, выходящий раз в две недели

fortress [ˈfɔ:trɪs] *n* крепость

fortuitous [fɔ:ˈtju:ɪtəs] *adj* случайный (случаен)

fortunate [ˈfɔ:tʃənɪt] *adj* счастливый (счастлив); счастливый; **he is/was ~** ему везет/повезло; **he is ~ to have...** ему хорошо, что у него есть...; **it is ~ that...** удачно, что...

fortunately [ˈfɔ:tʃənɪtlɪ] *adv* к счастью

fortune [ˈfɔ:tʃən] *n* состояние; счастье, удача; **bad** *or* **ill ~** несчастье, неудача; **to make a ~** наживать себе состояние; **to tell sb'e ~** гадать кому-н, предсказывать чью-н судьбу

fortune-teller [ˈfɔ:tʃəntelə'] *n* гадалка, предсказатель

forty [ˈfɔ:ty] *n* сорок

forum [ˈfɔ:rən] *n* форум

forward [ˈfɔ:wəd] *adv* вперед ✧ *n спорт.* нападающий ✧ *vt* пересылать; продвигать ✧ *adj* передний, дерзкий (дерзок); заблаговременный; **to move ~** продвигаться; **"please ~"** "перешлите адресату"; **~ movement** дви-

жение вперед; **planning** предварительное планирование
forward contract *n* форвардный *or* срочный контракт
forward rate *n форвардный (срочный) валютный курс, по которому заключается срочная валютная сделка*
forwards [ˈfɔːwədz] *adv* вперед
fossil [ˈfɔsl] *n* окаменелость, ископаемое
foster [ˈfɔstəˈ] *vt* брать на воспитание; поощрять; питать; **to ~ an idea** вынашивать мысль
foster child *n* ребенок
foster mother *n* приемная мать
fought [fɔːt] *pt, pp of* **fight**
foul [faul] *adj* отвратительный (отвратителен); непристойный (непристоен); гневливый ✧ *n спорт.* нарушение ✧ *vt* гадить; *спорт.* нарушать правила против; опутывать
found I [faund] *past и p.p. от* **find I**
found II закладывать (фундамент); основывать; учреждать; создавать; обосновывать
foundation [faunˈdeɪʃən] *n* основание; основа; устои; общество, фонд; **~ cream** крем под макияж; **~s** фундамент; **the rumours are without ~** слухи не имеют оснований; **to lay the ~s** закладывать основы
foundation stone *n* краеугольный камень
founder I [ˈfaundə] основатель, учредитель
founder II наполниться водой и затонуть *(о судне);* охрометь *(о лошади)*
founder III плавильщик, литейщик
founder member *n* член-учредитель-(ница)
founding fathers [ˈfaundɪŋ-] *npl* основоположники
foundling [ˈfaundlɪŋ] подкидыш, найдёныш
foundry [ˈfaundrɪ] *n* литейная, литейный цех
fount [faunt] *n* источник; *типог.* комплект шрифта
fountain [ˈfauntɪn] *n* фонтан
fountain pen *n* чернильная ручка
four [fɔːˈ] *n* четыре, **on all ~** на четвереньках
four-letter word [ˈfɔːletə] *n* мат
four-poster [ˈfɔːˈpəustəˈ] *n:* **~ bed** кровать с пологом
foursome [ˈfɔːsəm] *n* четверка
fourteen [ˈfɔːˈtiːn] *n* четырнадцать
fourteenth [ˈfɔːˈtiːnθ] *adj* четырнадцатый
fourth [ˈfɔːθ] *adj* четвертый ✧ *n авт.:* **~ gear** четвертая скорость
four-wheel drive [ˈfɔːwiːl-] *n авт.:* **with ~ ~** с приводом на четыре колеса
fowl [faul] *n* птица; дичь
fowling-piece [ˈfaulɪŋpiːs] охотничье ружьё
fox [fɔks] *n* лиса ✧ *vt* озадачивать
foxglove [ˈfɔksglʌv] *n бот.* наперстянка
foxhole [ˈfɔkshoul] *воен.* одиночный окоп
fox-hunting [ˈfɔkshʌntɪŋ] *n* охота на лис
foxtrot [ˈfɔkstrɔt] *n* фокстрот
foxy [ˈfɔksɪ] *adj:* **~ lady** шикарная женщина
foyer [ˈfɔɪɔɪ] *n* фойе
fracas [ˈfrækaː] *n* скандал
fraction [ˈfrækʃən] *n* небольшая часть; *мат.* дробь; **a ~ of a second** доля секунды
fractionally [ˈfrækʃnəlɪ] *adv:* **~ smaller** незначительно меньше
fractious [ˈfrækʃəs] *adj* капризный; **she was ~** она капризничала
fracture [ˈfraktʃəˈ] *n* перелом ✧ *vt* ломать
fragile [ˈfradʒaɪl] *adj* хрупкий
fragment [ˈfrægmənt] *n* фрагмент; осколок, обломок
fragmentary [ˈfrægməntərɪ] *adj* отрывочный (отрывочен)
fragrance [ˈfreɪgrəns] *n* благоухание
fragrant [ˈfreɪgrənt] *adj* душистый
frail [fraɪl] *adj* слабый; хрупкий непрочный
frame [freɪm] *n* каркас; остов; рама; **~s** оправа ✧ *vt* обрамлять; формулировать; **of mind** настроение; **to ~ sb** подставить кого-н
framework [ˈfreɪmwəːk] *n* каркас; рамки
franchise [ˈfræntʃaɪz] *n полит.* право

F

голоса; *комм.* франшиза
franchisee [fræntʃaɪ'zi:] *n* держатель франшизы
franchiser ['fræntʃaɪzə] *n* предоставитель франшизы
frank [fræŋk] *adj* откровенный; открытый ✧ *vt* франкировать
frankfurter ['fræŋkfə:tə'] *n* сосиска
franking machine ['fræŋkɪŋ-] *n* франкировальная машина
frankly ['fræŋklɪ] *adv* откровенно
frankness ['fræŋknɪs] *n* откровенность
frantic ['fræntɪk] *adj* обезумевший; суматошный; безумный; неистовый; **we were ~ with worry** мы обезумели от волнения
frantically ['fræntɪklɪ] *adv* отчаянно
fraternal [frə'tə:nl] *adj* братский
fraternity [frə'tə:nɪtɪ] *n* братство; содружество
fraternize ['frætənaɪz] *vi* общаться
fraud [frɔ:d] *n* мошенничество; мошенник
fraudulent ['frɔ:djulənt] *adj* мошеннический
fraught [frɔ:t] *adj* нервный; **~ with** чреватый
fray [freɪ] *vi* обтрепываться ✧ *n:* **the ~** бой, драка; **tempers were ~** все были на грани от издерганных нервов; **her nerves were ~** у нее были истрепаны нервы; **to return to the ~** снова ринуться в бой *or* драку
freak [fri:k] *n* странный; уродец, выродок; **he is a ~** он со странностями; **she's an aerobics ~** она помешалась на аэробике
freakish ['fri:kɪʃ] *adj* странный
freak out *vi* входить в раж
freckle ['frekl] *n* веснушка
freckled ['frekld] *adj* веснушчатый
free [fri:] *adj* свободный; бесплатный ✧ *vt* освобождать, выпускать; высвобождать, вытаскивать; **to give sb a ~ hand** предоставлять кому-н свободу действовать по-своему; **~and easy** непринужденный; **admission ~** свободный вход; **~ (of charge), tor** бесплатно; **~ alongside ship** франко вдоль борта судна; **~ of tax** освобожденный от уплаты налогов; **~on rail** франко — железнодорожный вагон
free agent *n:* **he's a ~ ~** он сам себе хозяин
freebie ['fri:bɪ] *n* подарок
freedom ['fri:dəm] *n* свобода
freedom fighter *n* боец за свободу
freedom of association *n* свобода объединения *or* ассоциации
free enterprise *n* свободное предпринимательство
Freefone ['fri:fəun] *n система, позволяющая звонить бесплатно в определенные организации*
free-for-all ['fri:fərɔ:l] *n* всеобщая драка
free gift *n* подарок
free-hand ['fri:hænd]: **a ~ drawing** рисунок от руки; **~ed** [-ɪd] щедрый
freehman ['freʃmən] *irreg n* = **fresher**
freehold ['fri:əuld] *n* полное право на владение
free kick *n фут.* свободный удар
freelance [fri:lɑ:ns] *adj* внештатный, работающий по договорам
freelance work *n* работа по контракту *or* договорам
freeloader ['fri:ləudə'] *n* дармоед
freely ['fri:li] *adv* свободно; обильно; **drugs are ~ available in the city** наркотики можно легко достать в городе
free-market economy ['fri:'mɑ:kɪt-] *n* рыночная экономика
Freemason ['fri:meɪsn] *n* масон
Freemasonry ['fri:meɪsnrɪ] *n* масонство
Freepost ['fri:pəust] *n* бесплатная почта
free-range ['fri:'reɪndʒ] *adj:* **~ eggs** яйца от кур свободно-выгульного содержания
free sample *n* бесплатный образец
freesia ['fri:zɪə] *n* фрезия
free speech *n* свобода слова
freestyle ['fri:staɪl] *n* кроль
free-thinker ['fri:'θɪŋkə] вольнодумец
free trade *n* неограниченная беспошлинная торговля
freeway ['fri:weɪ] *n авт.* скоростная автострада
freewheel [fri:'wi:l] *vi* катиться; идти свободным ходом

free will *n* свобода воли; **of one's own ~ ~** по доброй воле
freeze [fri:z] *vi* холодать; замерзать; застывать ✧ *vt* замораживать ✧ *n* заморозки; замораживание; **it's freezing** очень холодно
freeze-dried ['fri:zdraɪd] *adj обработанный методом замораживания-высушивания*
freeze-dry ['fri:zdraɪ] *vt быстро замораживать и затем высушивать в вакууме*
freeze over *vi* замерзать
freezer ['fri:zə'] *n* морозильник
freeze up *vi* замерзать
freezing ['fri:zɪŋ] *adj:* **~ (cold)** ледяной ✧ *n:* **3 degrees below ~** минус 3 градуса, 3 градуса мороза; **I'm ~** я замерз
freezing point *n* температура замерзания
freight [freɪt] *n* фрахт; **~ forward** фрахт, уплачиваемый в порту выгрузки; **~ inward** фрахт, уплачиваемый по прибытию
freight car *n* товарный вагон
freighter ['frəɪtə'] *n мор.* грузовое судно, *авиа.* грузовой самолет
freight forwarder [-'fɔ:wədə'] *n* экспедитор
freight train *n* товарный поезд
French ['frentʃ] *adj* французский ✧ *n лингв.* французский язык; **the ~** французы
French bean *n* стручковая фасоль
French Canadian *n* франкоязычный канадец
French-Canadian [frentʃkə'neɪdjən] *adj* франко-канадский
French dressing *n соус для салата из растительного масла и уксуса*
French fried potatoes *npl* чипсы
French fries [-fraɪz] *npl* = **French fried potatoes**
French Guiana [-gaɪ'æ:nə] Французская Гвиана
Frenchman ['frentʃmən] *irreg n* француз
French stick *n* длинный французский батон
French window *n* двустворчатое окно до пола
Frenchwoman ['frentʃwumən] *irreg n* француженка
frenetic [frə'netɪk] *adj* лихорадочный
frenzied ['frenzid] *adj* бешеный, взбешенный; неистовый
frenzy ['frenzɪ] *n* бешенство, неистовство; **~ of joy** безумная радость; **of excitement** безумное возбуждение; **to drive sb into a ~** довести кого-н до бешенства, привести кого-н в бешенство; **to be in a ~** быть в бешенстве
frequency ['fri:kwənsi] *n радио* частота
frequency modulation *n* частотная модуляция
frequent *adj* ['fri:kwənt], *vt* [frɪ'kwent] *adj* частый ✧ *vt* посещать
frequentative [frɪ'kwəntətɪv] *грам.* многократный
frequently ['fri:kwəntlɪ] *adv* часто
fresco ['friskəu] *n* фреска
fresh [freʃ] *adj* свежий; новый; нахальный, фамильярный; **to make a ~ start** начать заново; **~ in one's mind** свежо в памяти
freshen ['freʃən] *vi* свежеть
freshener ['freʃnə'] *n:* **skin ~** лосьон для освежения кожи; **air ~** освежитель воздуха
freshen up *vi* освежиться
fresher ['freʃə'] *n* первокурсник
freshly ['freʃlɪ] *adv:* **~made** свежеприготовленный; **~ painted** свежепокрашенный
freshness ['freʃnɪs] *n* свежесть
freshwater ['freʃwɔ:tə'] *adj* пресный; пресноводный
fret [fret] *vi* волноваться
fretful [fretful] *adj* беспокойный
fretwork ['fretwə:k] *архит.* резное *или* лепное украшение
Freudian ['frɔɪdɪən] *adj* фрейдистский; **~ slip** оговорка по Фрейду
friable ['fraɪəbl] крошащийся, рыхлый
friar ['fraɪə'] *n* монах
friction ['frɪkʃən] *n* трение; трения
friction feed *n* подача бумаги с помощью валика
Friday ['fraɪdɪ] *n* пятница
fridge [frɪdʒ] *n* холодильник
fridge-freezer ['frɪdæ'fri:zə'] *n* холо-

дильник с большой морозильной камерой

fried [fraɪd] *pt, pp of* **fry** ✧ *adj* жареный

friend [frend] *n друг; подруга;* **to make ~s with** подружиться с

friendliness [ˈfrendlɪnɪs] *n* дружелюбие

friendly [ˈfrendlɪ] *adj* дружелюбный (дружелюбен); дружественный (дружествен); приятный (приятен); товарищеский ✧ *n:* **~ match** товарищеская встреча; **to be ~ with** дружить с; **to be ~ to sb** относиться к кому-н дружелюбно

friendly fire *n* огонь со своих позиций

friendly society *n* общество *or* касса взаимопомощи

friendship [ˈfrendʃɪp] *n* дружба

frieze [fri:z] *n* фриз, бордюр

frigate [ˈfrigit] *n* фрегат

frige [frɪdʒ] *разг. (сокр. от* refrigerator) холодильник

fright [fraɪt] *n* испуг; **to take ~** испугаться; **she looks a ~** она выглядит как пугало

frighten [ˈfraɪtn] *n* пугать

frighten away *vt* спугивать

frightened [ˈfraɪtnd] *adj* испуганный (испуган); **I am ~** я боюсь; **to be ~ (of)** бояться; **he is ~ by change** его пугают изменения

frightening [ˈfraɪtnɪŋ] *adj* страшный

frighten off *vt* = **frighten away**

frightful [ˈfraɪtful] *adj* кошмарный (кошмарен), ужасный (ужасен)

frightfully [ˈfraɪtfəlɪ] *adv* ужасно; **I'm ~ sorry** мне ужасно стыдно

frigid [ˈfrɪdʒɪd] *adj* фригидный

frigidity [frɪˈdʒɪdɪtɪ] *n* фригидность

frill [frɪl] *n* оборка; **without ~s** без прикрас

frilly [ˈfrɪlɪ] *adj* с оборками

fringe [frɪndʒ] *n* челка, бахрома; край, окраина; периферия

fringe benefits *npl* дополнительные льготы

fringe theatre *n* экспериментальный театр

frippery [ˈfrɪpərɪ] мишура; безделушки

Frisbee [ˈfrɪzbɪ] *n* тарелки *(летающий диск)*

frisk [frɪsk] *vt* обыскивать ✧ *vi* резвиться

frisky [ˈfrɪskɪ] *adj* игривый

fritter [ˈfrɪtə] оладья

fritter away *vt* растрачивать по мелочам; попусту терять

frivolity [frɪˈvɔlɪtɪ] *n* легкомыслие

frivolous [ˈfrɪvələs] *adj* легкомысленный (легкомыслен); пустячный

frizzy [ˈfrɪzɪ] *adj* курчавый, мелковьющийся

fro [frəu] *adv:* **to and ~** туда-сюда

frock [frɔk] *n* платье

frock-coat [ˈfrɔkˈkout] сюртук

frog [frɔg] *n* лягушка; **to have a ~ in one's throat** хрипеть

frogman [ˈfrɔgmən] *irreg n* водолаз; ныряльщик

frogmarch [ˈfrɔgma:tʃ] *vt:* **to sb in/out** втаскивать/вытаскивать кого-н за руки лицом вниз

frolic [ˈfrɔlɪk] *vi* веселиться ✧ *n* веселье

from [frɔm] *prep* **1. where do you come from?** откуда Вы?; **from London to Glasgow** из Лондона в Глазго; **a letter from my sister** письмо от моей сестры; **a quotation from Dickens** цитата из Диккенса; **to drink from ths bottle** пить из бутылки **2.** из; с(о); от; из-за; **she ran from the house** она выбежала из дома; **the car drove away from the house** машина отъехала от дома; **he took the magazine from the table** он взял журнал со стола; **they got up from the table** они встали из-за стола **3.** с; **from two o'clock to** *or* **until** *or* **till three** с двух часов до трех (часов); **from January (to August)** с января (по август) **4.** от; до; **the hotel is 1 km from the beach** гостиница находится в километре от пляжа; **we're still a long way from home** нам еще далеко до дома **5** от; с; **prices range from $10 to $50** цены от $10 до $50; **the interest rate was increased from nine per cent to ten per cent** проценты на вклады повысили с девяти до десяти (процентов) 6 от; **to be different from sb/sth** отличаться от кого-н/чего-н 7. **from what he says** из того, что он говорил; **from what I understand** насколько я знаю; **to act from conviction** действовать по убеждению; **he is weak from hunger** он слаб от голода

frond [frɔnd] *n* ветвь; **paim ~** лист пальмы

front [frʌnt] *n* фасад; перед; передняя часть; **sea ~** набережная; **воен.** фронт ✧ *adj* передний ✧ *vi:* **to ~ onto sth** выходить фасадом на что-н; **in ~** вперед; **in ~ of** перед; **on the political ~** на политическом фронте

frontage [ˊfrʌntɪdʒ] *n* фасад

frontal [ˊfrʌntl] *adj* лобовой, фронтальный; **~ view** вид спереди

front bench *n полит. министры правящей партии и руководители партии оппозиции*

front desk *n* стойка администратора; регистратура

front door *n* входная дверь

frontier [ˊfrʌntɪəˊ] *n* граница

frontispiece [ˊfrʌntɪspiːs] *n* фронтиспис

front page *n* первая страница (газеты)

front room *n* гостиная

frontrunner [ˊfrʌntrʌnəˊ] *n* претендент

front-wheel drive [ˊfrʌntwiːl-] *n авт.* передний привод

frost [frɔst] *n* мороз; иней

frostbite [ˊfrɔstbaɪt] *n* обморожение

frosted [ˊfrɔstɪd] *adj* матовый; глазированный

frosting [ˊfrɔstɪŋ] *n* глазурь

frosty [ˊfrɔstɪ] *adj* морозный (морозен); ледяной; покрытый (покрыт) инеем, замерзший

froth [ˊfrɔθ] *n* пена

frothy [ˊfrɔθɪ] *adj* пенистый

frown [fraun] *n* нахмуренный взгляд ✧ *vi* хмуриться

frown on *vt fus* смотреть с неодобрением на

frowzy [ˊfrauzɪ] затхлый, спёртый

froze [frəuz] *pt of* **freeze**

frozen [frəuzn] *pp of* **treeze** ✧ *adj* мороженый; *комм.* замороженный

frugal [ˊfruːgl] *adj* бережливый; скудный

fruit [fruːt] *n inv с/х* фрукт; *бот.* плод; плоды

fruiterer [ˊfruːtərə] *n* торговец фруктами

fruit fly *n* фруктовая мушка

fruitful [ˊfruːtful] *adj* плодотворный

fruition [fruːˊɪʃən] *n:* **to come to ~** осуществляться; реализовываться

fruit juice *n* фруктовый сок

fruitless [ˊfruːtlɪs] *adj* бесплодный

fruit machine *n* игральный автомат

fruit salad *n* фруктовый салат

fruity [ˊfruːtɪ] *adj* фруктовый; зычный

frump [frʌmp] *n* замухрышка

frustrate [frʌsˊtreɪt] *vt* расстраивать; срывать

frustrated [frʌsˊtreɪtɪd] *adj* неудовлетворенный; сорванный; **~ artist/poet** неудавшийся художник/поэт

frustrating [frʌsˊtreɪtɪŋ] *adj* неудачный; **I find this job very ~** я очень неудовлетворен этой работой

frustration [frʌsˊtrəɪʃən] *n* досада; крушение

fry I [fraɪ] мальки ✧ **small ~** *презр.* мелюзга; мелкая сошка

fry II 1. *v* жарить; жариться **2.** *n* жаркое

frying pan [fraiŋ-] сковорода

fry-pan [ˊfraɪpæn] *n* = **frying pan**

fuchsia [ˊfjuːʃə] *n* фуксия

fuck [fʌk] *vi* трахать; **~ off!** иди на фиг!

fuddled [ˊfʌdld] *adj* одурманенный

fuddy-duddy [ˊfʌdɪdʌdɪ] *n* старый зануда

fudge [fʌdʒ] **1.** *v* делать кое-как **2.** *int* вздор!

fuel [ˊfjuəl] *n* топливо; горючее ✧ *vt* топить; заправлять

fuel oil *n* мазут

fuel pump *n* топливный насос

fuel tank *n* топливный бак; бензобак

fug [fʌg] *n* духота

fugitive [ˊfjuːdʒɪtɪv] *n* беглец

fugue [fjuːg] *муз.* фуга

fulcrum [ˊfʌlkrəm] *тех.* точка опоры;

F

центр вращения
fulfil [fulˈfil] *vt* исполнять; реализовывать
fulfilled [fulˈfild] *adj* состоявшийся; наполненный
fulfilment [fulˈfilmənt] *n* исполнение; удовлетворение; реализация
full [ful] *adj* полный; широкий наполненный; **at ~ volume/pover** на полную громкость/ мощность ✧ *adv:* **to know ~ well that** прекрасно знать, что; **I'm ~ (up)** я сыт; **he is ~ of enthusiasm/hope** он полон энтузиазма/надежды; **~ details** все детали; **marks** отличные оценки; **at ~ speed** на полной скорости; **a ~ two hours** целых два часа; **in ~** полностью
fullback [ˈfulbæk] *n* спорт. защитник
full-blooded [ˈfulˈblʌdɪd] *adj* энергичный
full-blown [ˈfulˈbloun] совсем распустившийся
full board *n:* **hotel with ~ ~** гостиница с трехразовым питанием
full-cream [ˈfulˈkri:m] *adj:* **~ milk** неснятое молоко
full employment *n* полная занятость
full-grown [ˈfulˈgrəun] *adj* взрослый; выросший
full-length [ˈfulˈleŋθ] *adj* полнометражный; длинный; во весь рост
full moon *n* полная луна
fullness [ˈfulnɪs] *n:* **in the ~ of time** по прошествии времени
full-page [ˈfulpeɪdʒ] *adj* на всю страницу
full-scale [ˈfulskeɪl] *adj* в натуральную величину; широкомасштабный
full-sized [ˈfulˈsaɪzd] *adj* в полную величину
full stop *n* точка
full-time [ˈfulˈtaɪm] *adj, adv* на дневном отделении; на полной ставке, на полную ставку
fully [ˈfulɪ] *adv* полностью, вполне; **~ as big as** по крайней мере такой же величины, как
fully fledged [-ˈfledʒd] *adj* вполне сложившийся; полноправный, оперившийся
fully-paid share [ˈfulɪpəɪd-] *n* полностью оплаченная акция
fulminant [ˈfʌlmɪnənt] молниеносный; *мед.* скоротечный
fulminat||e [ˈfʌlmɪneɪt] сверкать; греметь; взрываться; громить, обрушиваться; **~ion** [ˈfʌlmɪˈneɪʃən] страстный протест
fulsome [ˈfulsəm] *adj* чрезмерный
fumble [ˈfʌmbl] *vi:* **to ~ with** возиться с ✧ *vt:* **to ~ the ball** неуклюже стараться поймать мяч; **to in** рыться в; **she ~d for the switch in the dark** она шарила в темноте в поисках выключателя
fume [fju:m] *vi* дымить; **he was fuming** он был разъярен
fumes [fju:mz] *npl* пары, испарения
fumigate [ˈfju:mɪgeɪt] *n* окуривать
fumy [ˈfju:mɪ] дымный; наполненный парами
fun [fʌn] шутка, забава; развлечение; **make ~ (of)** высмеивать; **for ~** шутки ради
function [ˈfʌŋkʃən] *n мат.* функция; производная; прием ✧ *vi* функционировать; **to ~ as** выполнять *or* исполнять функции
functional [ˈfʌŋkʃənl] *adj* действующий, функциональный
function key *n комп.* функциональная клавиша
fund [fʌnd] *n* фонд; запас; **~s** (денежные) средства, фонды
fundamental [fʌndəˈmentl] *adj* фундаментальный
fundamentalism [fʌndəˈmentəlɪzəm] *n* фундаментализм
fundamentalist [fʌndəˈmentəlɪst] *n* фундаменталист
fundamentally [fʌndəˈmentəlɪ] *adv* в своей основе; **they are ~ different** они коренным образом различаются
fundamentals [fʌndəˈmentlz] *npl* основы
funding [ˈfʌndɪŋ] *n* финансирование
fund raising [-reɪzɪŋ] *n* сбор средств
funeral [ˈfju:nərəl] *n* похороны
funeral director *n* распорядитель на похоронах
funeral parlour *n* похоронное бюро
funeral service *n* панихида
funereal [fju:ˈnɪərɪəl] *adj* траурный

funfair [ˈfʌnfeəˈ] *n* ярмарка
fungi [ˈfʌŋgaɪ] *npl of* **fungus**
fungous [ˈfʌŋgəs] губчатый, ноздреватый
fungus [ˈfʌŋgəs] (*pl* fungi [fʌŋgaɪ]) гриб; грибок; плесень
funicular [fju:ˈnɪkjulə] канатный; ~ **railway** фуникулёр
funk [fʌŋk] *разг.* **1.** *n* страх, паника; трус **2.** *v* трусить; уклоняться, увиливать
funnel [ˈfʌnl] *n* воронка, труба
funnily [ˈfʌnɪlɪ] *adv* странно; ~ **enough** как ни странно
funny [ˈfʌnɪ] *adj* смешной; забавный; странный, чудной
funny bone *n* локтевая кость
fun run *n* благотворительный пробег
fur [fə:ˈ] мех; накипь
furbish [ˈfə:bɪʃ] полировать; подновлять
fur coat *n* меховая шуба
furious [ˈfjuərɪəs] *adj* взбешенный; бурный; неистовый; **I am ~ with her** я очень сердит на нее
furiously [ˈfjuərɪəslɪ] *adv* неистово
furl [fə:l] убирать *(паруса);* свёртывать; свёртываться; складывать *(зонтик)*
furlong [ˈfəˈlɔŋ] *n 201.2 метр в конных скачках*
furlough [ˈfə:ləu] *n воен.* увольнение
furnace [ˈfə:nɪs] *n* печь
furnish [ˈfə:nɪʃ] *vt* обставлять; **to ~ sb with sth** предоставлять что-н кому-н; **~ed flat** *or apartment* меблированная квартира
furnishings [ˈfə:nɪʃɪŋz] *npl* обстановка
furniture [ˈfə:nɪtʃəˈ] *n* мебель; **piece of ~** предмет мебели
furniture polish *n средство для полировки мебели*
furore [fjuəˈrɔ:rɪ] *n* негодование
furrier [ˈfʌrɪəˈ] *n* меховщик, скорняк
furrow [ˈfʌrou] **1.** *n* борозда; глубокая морщина **2.** *v* пахать; бороздить; морщить; **~ed** [-d] морщинистый
furry [ˈfə:rɪ] *adj* пушистый
further I [ˈfə:ðə] (*сран. ст. от far*) **1.** *adv* дальше; далее; датем; кроме того **2.** *a* более отдалённый; дальнейший; добавочный, дополнительный
further II [ˈfə:ðə] содействовать, способствовать
further education *n* дальнейшее обучение *(не включая высшее образование)*
furthermore [fə:ðəˈmɔ:ˈ] *adv* более того
furthermost [ˈfə:ðəməust] *adj* самый дальний
furthest [ˈfə:ðɪst] *превосх. ст. от* **far**
furtive [ˈfə:tɪv] сделанный украдкой, тайный; **~ly** украдкой
furtively [ˈfə:tɪvlɪ] *adv* украдкой
fury [ˈfjuərɪ] *n* ярость, бешенство; **to be in a ~** быть в бешенстве *or* в ярости
fuse [fju:z] *n элек.* предохранитель; фитиль ✧ *vt* плавить; сливать ✧ *vi* плавиться; сливаться; **a ~ has blown** предохранитель перегорел; **to ~ the lights** вызывать короткое замыкание
fuse box *n* блок предохранителей
fuselage [ˈfju:zəla:ʒ] *n* фюзеляж
fuse wire *n* плавкая проволока *(для предохранителей)*
fusillade [ˌfju:zɪˈleɪd] стрельба; расстрел
fusion [ˈfju:ʒən] плавка; расплавленная маска; сплав; слияние, объединение
fuss [fʌs] *n* суматоха; суета; шум ✧ *vi* суетиться ✧ *vt* надоедать; **to make** *or* **kick up a ~** поднимать шум; **to make a ~ of sb** носиться с кем-н
fuss over *vt fus* трястись над
fusspot [ˈfʌspɔt] *n* хлопотун
fussy [ˈfʌsɪ] *adj* суетливый; мелочный, суетный; вычурный; **I'm not ~** мне все равно
fusty [ˈfʌstɪ] *adj* старомодный; затхлый
futile [ˈfju:taɪl] *adj* тщетный; бесплодный
futility [fju:tɪlɪtɪ] *n* тщетность; бесплодность
futon [ˈfu:tɔn] *n* футон *(японский матрас)*
future [ˈfju:tʃə] *adj* будущий ✧ *n* будущее; *линг.* будущее время; **~s**

комм. фьючерсы, фьючерский товар *(с согласованной датой продажи);* **in (the) ~** в будущем; **be more careful in ~** в будущем будьте осторожнее; **in the near/ immediate ~** в недалеком/ближайшем будущем

futuristic [fju:tʃə'rɪstɪk] *adj* футуристический

fuze [fju:z] = **fuse**

fuzz [fʌz] пух, пушинка

fuzzy [fʌzɪ] *adj фото* расплывчатый; кудрявый

G

G,g [dʒɪ:] *n (letter) 7-ая буква английского алфавита*

G [dʒɪ:] *n (муз.)* соль *nt ind.*

g. *abbr* (= **gram**) *r= грамм; (физ.)=* **gravity.**

gab [gæb] *n (inf):* **he has the gift of the ~** у него хорошо подвешен язык

gabble ['gæbl] *vi* тараторить *(perf)*

gaberdine [gæbə'di:n] *n* сукно, габардин

gable ['geɪbl] *n* фронтон

gadabout ['gædəbaut] бродяга

gad about [gæd-] *vi (inf)* болтаться *(impf)* без дела

gad-fly ['gædflaɪ] овод, слепень

gadget ['gædʒɪt] *разг.* приспособление *(о механизме)*

gaffe [gæf] оплошность, ошибка

gaffer ['gæfə'] *(inf) n (supervisor)* старшой *m adj; (fellow)* старик

gag [gæg] *n (on mouth)* кляп *(joke)* хохма ✧ *vt* вставлять кляп, завязывать рот *+dat; (fig)* затыкать (заткнуть *perf)* рот *+dat* ✧ *vi:* **the smell made him** у него горло перехватило от запаха

gaga ['gɑ:gɑ:] *adj:* **he is ~** у него не все дома

gage [geɪdʒ] *n, vt (US)* = **gauge**

gaiety ['geɪtɪ] *n* веселье

gaily ['geɪlɪ] *adv* весело; *(coloured)* ярко

gain [geɪn] *n (increase)* увеличение; *(profit)* прибыль *f* ✧ *vt (confidence, experience)* приобретать (приобрести *perf); (speed)* набирать (набрать *perf)* ✧ *vi (clock, watch)* спешить *(impf); (benefit):* **to ~ from sth** извлекать (из- влечь *perf)* пользу из чего-н.; **to do sth for ~** делать (сделать *perf)* что-н. ради выгоды; **what will you ~ by that?** чего вы этим добьетесь; **to ~ ground** получать (получить *perf)* большое распространение; **to ~ 3 pounds (in weight)** поправиться *(perf)* на 3 фунта; **to ~ on sb** догонять (догнать *perf)* кого-н.

gainful ['geɪnful] *adj (employment)* выгодный (выгоден)

gainfully ['geɪnfəlɪ-] *adv:* **~ employed** по оплачиваемой работе

gainsay [geɪn'seɪ] противоречить; отрицать

gait [geɪt] походка

gaiter ['geɪtə] гамаши; *pl* гетры

gala ['gɑ:lə] празднество

galaxy ['gæləksɪ] Млечный Путь; *перен.* плеяда

gale [geil] шторм; взрыв *(хохота)*

gall I [gɔ:l] **1.** *n* ссадина, натёртое место **2.** *v* ссадить *(кожу),* натереть; *перен.* раздражать

gall II жёлчь; *перен.* горечь

gallant ['gælənt] *adv (brave)* доблестный; *(chivalrous)* галантный

gallantry ['gæləntrɪ] *n (see adj)* доблесть *f;* галантность *f*

gall bladder *n* желчный пузырь *m*

gallery ['gælərɪ] *n (also:* **art ~)** галерея; *(in hall, church, theatre)* балкон

galley ['gælɪ] *n (chip's kitchen)* камбуз; *(chip)* галера; *(публ.: also:* **~ proof)** гранка

galling ['gɔ:lɪŋ] *adj* раздражающий

gallon ['gæln] *n* галлон *(4,5 литра)*

gallop ['gæləp] *n* галоп ✧ *vi (horse)* скакать *(impf)* (галопом), галопировать *(impf); (person)* носиться/нестись *(impf);* **~ing inflation** галопирующая инфляция

gallows ['gæləuz] *n* веселиться

gallstone ['gɔ:lstəun] *n* желчный камень *m*

galore [gə'lɔ:'] *adv* в изобилии

galosh [gə'lɔʃ] галоша

galvanize ['gælvənaɪz] *vt (person)* возбуждать (возбудить *perf);*

(support) обеспечивать (обеспечить *pref); **to ~ sb into action*** побуждать (побудить *perf)* кого-н. к действию

gamble [ˈgæmbl] *n* риск, рискованное предприятие ✧ *vt (money)* ставить ✧ *vi* рисковать; (bet) играть в азартные игры; **to ~ on the Stock Exchange** играть на бирже; **to ~ on sth** *(also fig)* делать ставку на что-н.

gambler [ˈgæmbləˈ] *n* игрок

gambling [ˈgæmblɪŋ] *n* азартные игры

gambol [ˈgæmb(ə)l] **1.** *n* прыжок **2.** *v* прыгать

game I [geɪm] дичь

game II 1. *n* игра ✧ **play the ~** соблюдать правила; поступать благородно; **none of your ~s** *разг.* оставьте свои штучки!; **make ~** *(of)* высмеивать; **the ~ is up** дело проиграно **2.** *a* смелый; готовый *(сделать что-л.)*; **he's ~ for anything** он готов на всё **3.** *v* играть в азартные игры

game bird *n* пернатая дичь

gamekeeper [ˈgeɪmkiːpəˈ] *n* егерь

gamely [ˈgeɪmlɪ] *adv* храбро

game reserve *n* охотничий заповедник

gaming [ˈgeɪmɪŋ] *n* азартные игры

gammon [ˈgæmən] *n (bacon)* окорок; *(ham)* ветчина

gamp [gæmp] *шутл.* зонтик

gamut [ˈgæmət] гамма

gander [ˈgændə] гусак; олух

gang [ˈgæŋ] группа, партия *(людей)*; шайка; банда

ganger [ˈgæŋə] десятник

gangland [ˈgæŋlænd] *adj* мафиозный

gangling [gæŋglɪŋ] *adj* долговязый (долговяз)

ganglion [ˈgæŋglɪən] (*pl тж.* **-lia** [-lə] *анат.* нервный узел

gangplank [ˈgæŋplæŋk] *n* трап

gangrene [ˈgæŋgriːn] *n* гангрена

gangster [ˈgæŋstəˈ] *n* гангстер

gang up *vi:* **to ~ up on sb** ополчаться на *or* против кого -н.

gangway [ˈgæŋweɪ] *n* трап *(BRIT: in cinema, bus etc.)* проход

gantry [ˈgæntrɪ] *n* портал; *(for railway signal)* сигнальный мостик; *(for rocket)* ракетная установка

gaol [ˈdʒeɪ] **1.** *n* тюрьма **2.** *v* заключать в тюрьму; **~er** тюремщик

gap [gæp] брешь; расхождение *(во взглядах)*; прорыв, пробел; **stop a ~** заполнить пропуск (*или* пробел); ущелье

gape [geɪp] **1.** *v* широко разевать рот; зевать; глазеть; зиять **2.** *n* зевок; изумлённый взгляд; зияние

gaping [ˈgeɪpɪŋ] *adj (hole)* зияющий; *(shirt)* распахнутый

garage [ˈgærɑːʒ] *n* гараж; заправочная станция

garb [gɑːb] *n* одежда

garbage [ˈgɑːbɪdʒ] *n (US: rubbish)* мусор; ерунда; дрянь

garbage can *n (US)* помойный ящик

garbage collector *n (US)* мусорщик

garbage disposal (unit) *n (US)* мусоропровод

garbage truck *n (US)* мусороуборочная машина

garbled [ˈgɑːbld] *adj* запутанный; (запутан)

garden [ˈgɑːdn] *n* сад ✧ *vi* заниматься садоводством; **Rose G ~s** Роуз Гарденз; **she was busy ~ing** она работала в саду

garden centre *n* магазин садовых принадлежностей

garden city *n* город-сад, зеленый город

gardener [ˈgɑːdnəˈ] *n* садовод; садовник(-ица)

gardening [ˈgɑːdnɪŋ] *n* садоводство

gargle [ˈgɑːgl] полоскать горло

garish [geərɪʃ] кричащий *(о красках и т.п.)*

garland [ˈgɑːlənd] гирлянда

garlic [ˈgɑːlɪk] чеснок

garnet [ˈgɑːnɪt] *мин.* гранат

garnish [ˈgɑːnɪʃ] **1.** *n* гарнир **2.** *v* гарнировать *(блюдо)*

garret [ˈgærət] чердак; мансарда

garrison [ˈgærɪsn] **1.** *n* гарнизон **2.** *v* ставить гарнизон

garrulous [ˈgærjuləs] *adj* болтливый, говорливый

garter [ˈgɑːtəˈ] *n* подвязка

garter belt *n (US)* пояс *(с подвязками)*

G

gas [gæs] *n* газ; *(US: gasoline)* бензин; ингаляционный анестетик ✧ *vt (kill)* удушать; отравлять газом
gas cooker *n (BRIT)* газовая плита
gas cylinder *n* газовый баллон
gaseous [ˈgæsɪəs] *adj* газообразный
gas fire *n (BRIT)* газовый камин
gas-fired [ˈgæsfaɪəd] *adj* газовый, работающий на газе
gash [gæʃ] *n* глубокая рана; глубокий порез ✧ *vt* наносить глубокую рану; распарывать; наносить глубокий порез
gasket [ˈgæskɪt] *n (AUT)* прокладка
gas mask *n* противогаз
gas meter *n* газовый счетчик
gasoline [ˈgæsəliːn] *n (US)* бензин
gasp [gɑːsp] *n* вдох ✧ *vi* тяжело дышать; издавать вздох; **I am ~ing for a smoke** я умираю от желания курить
gasp out *vt* выпаливать
gas ring *n* камфорка
gas station *n (US)* заправочная станция, бензоколонка
gas stove *n* газовая плита
gassy [ˈgæsɪ] *adj* газированный (газирован)
gas tank *n* бензобак
gastric [ˈgæstrɪk] *adj* желудочный
gastric ulcer *n* язва желудка
gastroenteritis [ˈgæstrəuentəˈraɪtɪs] *n* гастроэнтерит
gastronomy [gæsˈtrɔnəmɪ] *n* кулинарное искусство
gasworks [ˈgæswəːks] *n* газовый завод
gate [geɪt] *n* калитка; ворота; выход; шлагбаум
gateau [ˈgætəu] *pl ~ n* торт
gate-crash [ˈgeɪtkræʃ] *vt (BRIT):* **to ~ a party** приходить на вечеринку без приглашения
gate-crasher [ˈgeɪtkræʃəˈ] *n* незванный гость
gatehouse [ˈgeɪthəus] *n* сторожка у ворот
gateway [ˈgeɪtweɪ] *n* ворота
gather [ˈgæðəˈ] *vt* собирать; полагать; собирать в складки ✧ *vi* собираться; скапливаться; оседать **to ~ from sb** выяснять у кого-н.; **I ~ that ...** я полагаю, что...; **as far as I can ~** насколько я понимаю; **to ~ speed** набирать скорость
gathering [ˈgæðərɪŋ] *n* собрание
gauche [gəuʃ] *adj* неловкий
gaudy [ˈgɔːdɪ] *adj* пестрый
gauge [geɪdʒ] *n* измерительный прибор; ширина коллеи ✧ *vi* измерять; оценивать; получать; **gas ~** указатель *m* уровня бензина; **to ~ the right moment** выбирать подходящий момент
gaunt [gɔːnt] *adj* изможденный; угрюмый
gauntlet [ˈgɔntlɪt] *n* перчатка; *(fig):* **to run the ~** подвергаться нападкам; **to throw down the ~** бросать перчатку
gauze [gɔːz] *n (fabric)* марля
gave [geɪv] *pt of* **give**
gawk [gɔːk] *vi* **to ~ at** таращить глаза на
gawky [ˈgɔːkɪ] *adj* неотесанный
gay [geɪ] весёлый; яркий; пёстрый *(о красках);* беспутный
gaze [geɪz] **1.** *v* пристально смотреть **2.** *n* пристальный взгляд
gazelle [gəˈzel] газель
gazette [gəˈzet] **1.** *n* официальная правительственная газета **2.** *v (обыкн. pass)* помещать в официальной правительственной газете *(сообщения о назначениях, наградах и т.п.)*
gazetteer [ˌgæzəˈtɪə] географический справочник
gear [gɪəˈ] *n* снасти; зубчатое колесо; скорость ✧ *vt:* **to ~ sth to** приспосабливать что-н. к; **our service is ~ed to meet the needs of the disabled** наши услуги направлены на удовлетворение потребностей инвалидов
gearbox [ˈgɪəbɔks] *n* коробка передач или скоростей
gear lever переключатель скоростей
gear up *vi:* **to ~ up (to do)** готовиться ✧ *vi:* **to ~ o.s. up (to do)** готовить себя
gee [dʒiː] вот здорово!; но! *(понукание лошади)*
geek [giːk] *n* придурок

geezer [ˈgi:zə] *n* чувак
gel [ʒel] *n* гель
gelatin(e) [ˈdʒelәti:n] *n* желатин
gem [dʒem] *n* драгоценный камень, самоцвет; сокровище
gen [dʒen] *разг.* информация
gender [ˈdʒendә] *грам.* род
gene [dʒi:n] *n* ген
genealogy [dʒi:nɪˈælәdʒɪ] *n* генеалогия
general [ˈdʒenәrl] *n* генерал ✧ *adj* общий; **in ~** в общем; **the ~ public** широкая публика; **~ audit** аудиторская проверка
general anaesthetic *n* общий наркоз
general delivery *n* почта "до востребования"
generalize [ˈdʒenrәlaɪz] *vi* обобщать
generally [ˈdʒenrәlɪ] *adv* вообще; обычно; **it is ~ accepted that ...** обычно считается, что ...; **to become ~ available** становиться общедоступным
general practitioner *n* врач-терапевт
general strike *n* всеобщая забастовка
generate [ˈdʒenәreɪt] *vt* производить; вызывать; создавать
generator [ˈdʒenәreɪtәˈ] *n* генератор
generic [dʒɪˈnerɪk] *adj* общий
generous [ˈdʒenәrәs] *adj* щедрый; великодушный; изрядный
genetic [dʒɪˈnetɪk] *adj* генетический
genetics [dʒɪˈnetɪks] *n* генетика
Geneva [dʒɪˈni:vә] *n* Женева
genial [dʒi:nɪәl] *adj* приветливый; радушный; мягкий
genitals [ˈdʒenɪtlz] *n pl* половые органы
genitive [ˈdʒenɪtɪv] *n* родительный падеж
genius [ˈdʒi:nɪәs] *n* талант; гений
Genoa [ˈdʒenәuә] *n* Генуя
genocide [ˈdʒenәusaɪd] *n* геноцид
genteel [dʒenˈti:l] *adj* благородный, благородного происхождения; светский
gentle [ˈdʒentl] *adj* нежный; мягкий; **a ~ hint** тонкий намек
gentleman [ˈdʒentlmәn] джентльмен; дворянин; **~'s agreement** джентльменское соглашение
gentlemanly [ˈdʒentlmәnlɪ] *adj* джентльменский
gentleness [ˈdʒentlnɪs] *n* нежность; мягкость
gently [ˈdʒentlɪ] *adj* нежно; мягко; ласково
gentry [ˈdʒentrɪ] *n*: **the ~** дворянство
gents [dʒents] *n*: **the ~** мужская уборная
genuine [ˈdʒenjuɪn] *adj* искренний; подлинный
genuinely [ˈdʒenjuɪnlɪ] *adv* искренне; по-настоящему
genus [ˈdʒi:nәs] *(pl* genera) *биол.* род, класс
geodesy [dʒi:ˈɔdɪsɪ] геодезия
geographer [dʒɪˈɔgrәfәˈ] *n* географ
geographic(al) [dʒɪәˈgræfikl] *adj* географический
geography [dʒɪˈɔgrәfɪ] *n* география
geological [dʒɪәˈlɔdʒɪkl] *adj* геологический
geologist [dʒɪˈɔlәdʒɪst] *n* геолог
geology [dʒɪˈɔlәdʒɪ] *n* геология
geomertic(al) [dʒɪәˈmetrɪkl] *adj* геометрический
geometry [dʒɪˈɔmәtrɪ] *n* геометрия
Georgia [ˈdʒɔ:dʒә] *n* Грузия
geranium [dʒɪˈreɪnɪәm] *n* герань
geriatric [dʒerɪˈætrɪk] *adj* гериатрический ✧ *n* дряхлый старик
germ [dʒә:m] *n* микроб; зачаток; **the ~ of an idea** зачаток идеи
German Democratic Republic *n* Германская Демократическая Республика
Germany [ˈdʒә:mәnɪ] *n* Германия
germinate [ˈdʒә:mɪneɪt] *vi* прорастать; давать ростки
germination [dʒә:mɪˈneɪʃәn] *n* прорастание
germ warfare *n* бактериологическая война
gestation [dʒesˈteɪʃәn] *n* созревание плода
gesticulate [dʒesˈtɪkjuleɪt] *vi* жестикулировать
gesture [ˈdʒestjәˈ] *n* жест; **as a ~ of friendship** в знак дружбы
get [get] *vi* **1. it's getting late** становится поздно; **to get old** стареть; **to get tired** уставать; **to get cold** мерзнуть; **to get annoyed easily** часто раздражаться; **he was**

G

getting bored ему стало скучно; **he gets drunk quickly** он быстро пьянеет; **he gets drunk every weekend** он напивается каждый выходной; **he got killed** его убили; **when do I get paid?** когда мне заплатят? **2. to get to /from** добираться; **to get home** приходить домой; **how did you get here/there?** как Вы сюда/туда добрались?; **3. to get to know sb** познакомиться с кем-н.; **to get to know sb well** близко познакомиться с кем-н.; **I'm getting to like him** он начинает мне нравиться; **let's get started** давайте начнем ✧ **you've got to do it** вы должны это сделать ✧ *vi:* **1. to get sth done** сделать что-н.; **to get the washing done** постирать; **to get the dishes done** помыть, вымыть посуду; **to get the car started** *or* **to start** завести машину; **to get sb to do** заставлять кого-н.; **to get sb ready** собрать кого-н.; **to get sth ready** приготовить что-н.; **to get sb drunk** напоить кого-н.; **she got me into trouble** я влип с ней в неприятности **2.** получать; доставать; находить; звать; забирать; вызывать; приносить; покупать; **I'll get the car** я схожу за машиной; **can I get you something to drink?** что Вам можно предложить? **3.** получать; **to get a reputation for sth** заработать дурную репутацию; **what did you get for your birthday?** что Вам подарили на день рождения? **4.** хватать; **the bullet got him in the leg** пуля попала ему в ногу; **I'll get you there somehow** я Вас как-нибудь туда доставлю; **do you think we'll get the piano through the door?** как Вы думаете, пианино пройдет через дверь?; **we must get him to hospital** мы должны отвезти его в больницу; **I'll get the book to you tomorrow** завтра книга будет у Вас **5. we dot a taxi** мы взяли такси; **did she get her plane?** она успела на самолет?; **what train are you getting?** каким поездом Вы едете?; **where do I get the train?** где мне садиться на поезд? **6.** понимать; расслышать; **(do you) get it?** сечешь?; **I've got it!** теперь понятно!; **I'm sorry, I didn't get your name** простите, я не расслышал Ваше имя **7. how many children have you got?** сколько у Вас детей?; **I've got very little time** у меня очень мало времени

get about *vi* ходить; распространяться; **I don't get about much now** теперь я мало где бываю

get across *vt* объяснять; **it's important ot get this message across to them** важно, чтобы они это поняли

get along *vi* ладить; **I'd better be getting along** мне пора

get around *vt* = **get round; get at** *vt* придираться; дотягиваться; **what are you getting at?** что Вы хотите сказать?

get away *vi* уйти; уехать; убежать

get away with *vt:* **he always gets away with it** ему все сходит с рук; **he'll never get away with it!** это ему даром не пройдет!

getaway ['getəweı] *n:* **to make a** *or* **one' ~** бежать

getaway car *n* машина, использованная при побеге

get back *vi* возвращаться ✧ *vt* получить; обратно *or* назад; **get back!** отойдите!

get back at *vt:* **I'll get back at you (for that)** ты у меня (за это) получишь

get back to *vt* возвращаться; связаться; **to get back to sleep** снова засыпать

get by *vi* проходить; **to get by without** обходиться; **I can /will get by** мне хватает/хватит; **I can get by in Dutch** я могу объясниться по-голландски

get down *vi:* **to get down from** слезать ✧ *vt* действовать угнетающе; записывать; впихивать в себя; **to get down on your hands**

and knees вставать на четвереньки
get down to *vt* садиться *or* браться
get in *vi* прибывать; приходить; **he dot in by ten votes** его избрали большинством в десять голосов; **as soon as the bus pulled up we all dot in** как только автобус подошел, мы сели в него; **we queued for a long time for the concert but couldn't get in** мы долго стояли в очереди, но так и не попали на концерт ✧ *vt* заготавливать; закупать; вставлять
get into *vt* входить; прибывать; садиться; влезать; вступать; поступать; **to get into bed** ложиться в постель; **I can't get into this skirt** эта юбка не налезает на меня; **she has got into the habit of going for a walk before breakfast** у нее вошло в привычку выходить гулять до завтрака
get off *vi:* **to get off lightly/with sth** отделываться легко/чем-н. ✧ *vt* снимать; выводить; отправлять; **we got 2 days/2 weeks off last month** у нас было два выходных дня/две свободных недели в прошлом месяце
get on *vi* стареть: **how are you getting on?** у тебя подвигается дело?; **to get on (with)** ладить; справляться ✧ *vt* садиться в; садиться на; **time is getting on** время идет
get on to *vt* переходить; связываться с; **how did we get on to this?** как мы к этому пришли?
get out *vi* выходить; выезжать; уезжать; выбираться ✧ *vt* выводить; доставать; публиковать; **get out!** убирайся!; **the news got out that...** стало известно, что...; **the news got out in the end** новости разошлись в конце концов
get out of *vt* отделываться ✧ *vt* получать: **to get out (of)** брать; **I couldn't get a word out of him** я не могу и слова добиться от него
get over *vt* поправляться ✧ *vt:* **to get sth over with** закончить что-н.; **to get the message over that ...** объяснить что ...; **let's get it over with!** давайте покончим с этим делом
get round *vt* обходить; добиваться
get round to *vt:* **to get round to doing** собираться; **I'll get around to it some day** когда-н. я доберусь до этого
get through *vi* дозвониться ✧ *vt* заканчивать
get through to *vt* дозвониться до
get together *vi* собираться; встречаться ✧ *vt* собирать; составлять
get-together *n* неофициальное собрание; вечеринка
get up *vi* вставать; ✧ *vt* поднимать; **I can't get up any enthusiasm for it** у меня не возникает энтузиазма на этот счет
get-up [ˈgetʌp] *n* наряд
get up to *vt* заниматься; **they're always getting up to mischief** они всегда проказничают
get-well card [ˈgetˈwel-] *n* открытка с пожеланиями выздоровления
geyser [ˈgiːzəˈ] *n* гейзер; газовая колонка
Ghana [ˈgɑːnə] *n* Гана
Ghanaian [ˈgɑːˈneɪən] *adj* ганский ✧ *n* житель(ница) Ганы
ghastly [ˈgɑːstlɪ] *adj* ужасный, отвратительный; безобразный; мертвенно-бледный; **you look ~!** Вы ужасно выглядите!
gherkin [ˈgəːkɪn] *n* мелкий огурец для маринования
ghetto [ˈgetəu] *n* гетто
ghetto blaster [-ˈblɑːstəˈ] *n* переносной радиомагнитофон
ghost [gəust] *n* привидение; призрак ✧ *vt* являться тайным автором; **to give up the ~** приказать долго жить
ghost town *n* заброшенный город
ghostwriter [ˈgəustraɪtəˈ] *n* тайный автор, писатель-невидимка
ghoul [guːl] *n* вурдалак, вампир
ghoulish [ˈguːlɪʃ] *adj* мерзкий
giant [ˈdʒaɪənt] *n* великан; гигант ✧ *adj* огромный
gibber [ˈdʒɪbə] **1.** *v* говорить быстро

G

и невнятно, бормотать **2.** *n* быстрая, невнятная речь
gibberish [ˈdʒɪbərɪʃ] *n* тарабарщина
Gibraltar [dʒɪˈbrɔːltəˈ] *n* Гибралтар
giddiness [ˈgɪdɪnɪs] *n* головокружение
giddy [ˈgɪdɪ] *adj* головокружительный; **I feel ~** у меня кружится голова; **~ with success** опьяненный успехом
gift [ˈgɪft] *n* подарок; **free ~** бесплатный подарок; дар, талант; **to have a ~ for sth** обладать талантом чего-н.
gifted [ˈgɪftɪd] *adj* одаренный
gig [gɪg] кабриолет; *мор.* гичка
gigantic [dʒaɪˈgæntɪk] *adj* гигантский
giggle [ˈgɪgl] *vi* хихикать ✧ *n:* **it was just a ~!** это был просто смех!; **to do sth for a ~** делать что-н. для смеха
gild [gɪld] *vt* золотить
gills [gɪlz] *n pl* жабры
gilt [gɪlt] *adj* позолоченный ✧ *n* позолота; **~s** *npl* = **gilt-edged securities**
gimlet [ˈgɪmlɪt] *n* буравчик
gimmick [ˈgɪmɪk] *n* уловка; трюк
gin I [dʒɪn] джин
gin II хлопкоочистительная машина; капкан, ловушка
ginger [ˈdʒɪndʒəˈ] *n* имбирь ✧ *adj* рыжый
ginger beer *n* имбирное пиво
gingerbread [ˈdʒɪndʒəbred] *n* коврижка, имбирный пирог; пряник, имбирное печенье
ginger-haired [ˈdʒɪndʒəˈheəd] *adj* рыжеволосый
gingerly [ˈdʒɪndʒəlɪ] *adv* опасливо
ginsend [ˈdʒɪnseŋ] *n* женьшень
gipsy [ˈdʒɪpsɪ] *n* цыган(ка)
gipsy caravan *n* цыганская кибитка
giraffe [dʒɪˈrɑːf] *n* жираф
girder [ˈgəːdə] *mex.* балка; ферма
girdle [ˈgəːdl] **1.** *n* пояс **2.** *v* подпоясывать
girl [gəːl] *n* девочка; девушка; **this is my little ~** это моя дочь; **an English ~** англичанка
girlfriend [ˈgəːlfrend] *n* подруга; девушка, подруга
girlish [ˈgəːlɪʃ] *adj* девичий
giro [dʒaɪrəu] *n* перевод денег через банк; перевод денег через почту
girth [gəːθ] *n* окружность; подпруга
gist [dʒɪst] суть, сущность; главный пункт
give [gɪv] *vt* **to give sb sth** *or* **sth to sb** давать кому-н. что-н.; **they gave her a book for her birthday** они подарили ей книгу на день рождения
give-and-take [ˈgɪvəndˈteɪk] *n* гибкость; свобода
give away *vt* отдавать; выдавать
giveaway [ˈgɪvəweɪ] *n:* **her expression was a ~** выражение (ее) лица выдавало ее; ✧ *adj:* **~ prices** даровые цены; **the exam was a ~!** экзамен был ерундовый
give back *vt* отдавать обратно
give in *vi* сдаваться ✧ *vt* сдавать
given [ˈgɪvn] *pp of* **give** ✧ *adj* данный ✧ *conj:* **~ the circumnstances...** с учетом обстоятельств..., учитывая обстоятельства...; **~ that** учитывая, что
give off *vt fus* дымить; **the radiator/coal fire gives off a lot of heat** от батареи/камина идет тепло
give out *vt* раздавать; объявлять
give up *vt* сдаваться
give way *vi* не выдерживать; обваливаться; проламываться; уступать
glacial [ˈgleɪsɪəl] *adj* ледяной
glacier [ˈglæsɪəˈ] *n* ледник
glade [ˈgleɪd] *n* поляна
gladioli [glædɪˈəulaɪ] *n pl* гладиолусы
gladly [ˈglædlɪ] *adv* с радостью
glamorous [ˈglæmərəs] *adj* очаровательный
glamour [ˈglæməˈ] *n* очарование
glance [glɑːns] *n* взгляд ✧ *vt* **to ~ at** взглядывать
glance off *vt* отскакивать
glancing [ˈglaːnsɪŋ] *adj* боковой
gland [glænd] *n* железа
glare [gleəˈ] *n* свирепый взгляд; враждебный взгляд; ослепительное сияние ✧ *vi* ослепительно сиять; **she lives in the full ~ of publicity** все подробности ее жизни становятся достоянием прессы; **to ~ at** свирепо *or* при-

стально смотреть
glaring [ˈgleərɪŋ] *adj* явный, очевидный
glasnost [ˈglæznɔst] *n* гласность
glass [ˈglɑːs] *n* стекло; стакан; **~es** очки
glass-blowing [ˈglɑːsbləuɪŋ] *n* стеклодувное дело
glass fibre *n* стекловолокно
glasshouse [ˈglɑːshaus] *n* теплица, парник
glassware [ˈglɑːsweəˈ] *m* стеклянная посуда
glassy [ˈglɑːsɪ] зеркальный, гладкий; *перен.* стеклянный *(о взгляде)*
glaze [gleɪz] *vt* застеклять; покрывать глазурью; ✧ *n* глазурь
glazed [gleɪzd] *adj* мутный, тусклый, покрытый глазурью
glazier [ˈgleɪzɪəˈ] *n* стекольщик
gleam [gliːm] **1.** *n* слабый свет; отблеск; *перен.* проблеск *(надежды и т.п.)* **2.** *v* светиться
gleaming [ˈgliːmɪŋ] *adj* сияющий
glean [gliːn] подбирать колосья; *перен.* собирать *(по мелочам из разных источников)*
glee [gliː] веселье
gleeful [ˈgliːful] *adj* ликующий
glen [glen] *n* долина реки
glib [glɪb] *adj* болтливый; бойкий
glibly [ˈglɪblɪ] *adv* бойко
glide [glaɪd] *vt* скользить; планировать; парить ✧ *n* скольжение
glider [ˈglaɪdəˈ] *n* планер
gliding [ˈglaɪdɪŋ] *n* планирование
glimmer [ˈglɪmə] *n* мерцание; проблеск ✧ *vi* мерцать
glimpse [glɪmps] *n* мимолетное впечатление ✧ *vt* видеть мельком; **to catch a ~ of** увидеть мельком
glint [ˈglint] *vi* блеснуть; сверкать ✧ *n* блеск, сверкание
glisten [ˈglɪsn] *vi* блестеть
glitter [ˈglɪtəˈ] *vt* сверкать ✧ *n* сверкание
glittering [ˈglɪtərɪŋ] *adj* блестящий; сверкающий
glitz [glɪts] *n* блеск
gloat [gləut] пожирать глазами; внутренне ликовать, злорадствовать
global [ˈgləubl] *adj* всеобщий; общий
globe [gləub] *n* земной шар; глобус; шар
globetrotter [ˈgləubtrɔtəˈ] *n* путешественник
globule [ˈglɔbjuːl] *n* капля
gloom [gluːm] *n* мрак; уныние
gloomily [ˈgluːmɪlɪ] *adv* уныло
gloomy [ˈgluːmɪ] *adj* мрачный
glorification [glɔːrɪfɪˈkeɪʃən] *n* прославление; **the ~ of war** прославление войны
glorify [ˈglɔːrɪfaɪ] *vt* прославлять
glorious [ˈglɔːrɪəs] *adj* великолепный; славный; прекрасный
glory [glɔːrɪ] **1.** *n* слава; великолепие **2.** *v* гордиться
glory hole *n* кладовка
gloss [glɔs] лоск; *перен.* обманчивая наружность
glossary [ˈglɔsərɪ] словарь; глоссарий
glossy [ˈglɔsɪ] *adj* глянцевый; блестящий; ✧ *n* журнал в глянцевой обложке
glove [glʌv] *n* перчатка
glove compartment *n* перчаточный ящик, бардачок
glow [gləu] *vi* светиться ✧ *n* свет
glower [ˈglauəˈ] *vi:* **to ~ at sb** смотреть с негодованием на кого-н.
glowing [ˈgləuɪŋ] *adj* ярко светящийся; блестящий
glow-worm [ˈgləuwɜːm] *n* светлячок
glucose [ˈgluːkəus] *n* глюкоза
glue [gluː] *n* клей ✧ *vt:* **to ~ sth onto sth** приклеивать что-н. на что-н.
glue-sniffing [ˈgluːsnɪfɪŋ] *n* токсикомания
glum [glʌm] *adj* мрачный
glut [glʌt] *n* переизбыток ✧ *vt:* **to be ~ted** быть заваленным
glutton [ˈglʌtn] *n* обжора; **he is a ~ for work** он охоч до работы; **he is ~ for punishment** он жаден до работы
gluttonous [ˈglʌtənəs] *adj* ненасытный
gluttony [ˈglʌtənɪ] *n* ненасытность
glycerin(e) [ˈglɪsəriːn] *n* глицерин
gm *abbr* **(= gram)** = *грамм.*
gnarled [nɑːld] *adj* сучковатый
gnash [næʃ] *vt* **to ~ one's teeth** скрежетать зубами
gnat [næt] комар

gnaw [nɔː] грызть; глодать; *перен.* мучить
gnome [nəum] гном
go [gəu] *vi* ходить; ездить; **she went into the kitchen** они пошли на кухню; **he often goes to China** он часто ездит в Китай; **they are going to the theatre tonight** сегодня вечером они идут в театр; уходить; улетать; уезжать; **the plane goes at 6 am** самолет улетает в 6 часов утра; **the train/bus goes at 6 pm** поезд/автобус уходит в 6 часов; **now I must go** теперь я должен идти; **to go to** ходить; **she went to university in Aberdeen** она училась в Абердинском университете; **she doesn't go to lectures** она не ходит на лекции; **is your watch going** Ваши часы идут?; **the clock stopped going;** часы остановились; **the bell went just then** зазвонил звонок; **the tape recorder was still going** магнитофон не был выключен; **to go pale** бледнеть; **to go mouldy** плесневеть; **the books went for $10** книга была продана за $10; **to go with** подходить; **how did it go?** ну как все прошло?; **the job is to go to someone else** работу должны отдать кому-то другому; **the proceeds will go to charity** прибыль пойдет на благотворительные цели; **the fuse went** предохранитель перегорел; **the leg of the chair went** ножка стула сломалась; **the milk goes in the fridge** молоко нужно поставить в холодильник; **where does this cup go?** куда поставить эту чашку; **the suitcase goes on top of the wardrobe** чемодан обычно лежит на шкафу; ✧ **to have a go (at sth/ at doing sth)** пробовать; **whose go is it?** чей ход?; чья очередь?; **to be on the go** быть на ногах
go about *vi* ходить ✧ *vt* **to go about one's business** заниматься своими делами; **how do I go about (doing) this?** как мне это сделать?
goad [gəud] *vt* подстрекать;
goad on *vt* подгонять
go after *vt* бежать; **to go after a job** получить работу
go against *vt:* **to go against sb** на чью-н. пользу
go ahead *vi* продвигаться: **to go ahead with** приступить; **may I begin? -yes, go ahead!** можно начать? -да, пожалуйста!
go-ahead [ˈgəuəhed] *adj* предприимчивый; ✧ *n* добро; **to give sb the ~** давать кому-н. добро
goal [gəul] *n* гол; **to score a ~** забивать гол
goal difference *n* разница мячей
goalie [ˈgəulɪ] *n* вратарь, голкипер
goalkeeper [ˈgəulkiːpəˊ] *n* вратарь, голкипер
go along *vi* идти; **I went along with him/his decision** я не стал противиться ему/его решению; **to go along with sb** идти с кем-н.
goal post *n* боковая штанга, стойка ворот
goat [gəut] *n* козел; коза
go away *vi* уходить; **go away and think about it for a while** пойди и подумай немножко на этот счет
gob [gɔb] *разг.* рот
go back *vi* возвращаться; идти еще раз; **we went back into the house** мы пошли обратно; **I am never going back to her house again** я никогда больше не пойду к ней; **to go back to** относиться
go back on *vt* не сдерживать
gobble [ˈgɔbl] жадно проглатывать
go-between [ˈgəubɪtwiːn] *n* посредник(-ица)
Gobi Desert [ˈgəubɪ-] *n:* **the ~** пустыня Гоби
goblet [ˈgɔblɪt] *n* кубок
goblin [ˈgɔblɪn] *n* гоблин, домовой
gobsmacked [ˈgɔbsmækt] *adj:* **I was** совершенно обалдел
go by *vi* приходить ✧ *vt* делать; **as time goes by** ......время идет и ...
God [gɔd] *n* Бог ✧ *excl* Господи!, о Боже!
god [gɔd] *n* божество, Бог
god-awful [gɔdˈɔːfəl] *adj* жуткий, кошмарный
godchild [ˈgɔdtʃaɪld] *n* крестник

goddam [ˈgɔddæm] *adj* проклятый
goddamned [ˈgɔddæmd] *adj* проклятый
goddaughter [ˈgɔddɔːtə] *n* крестница
goddess [ˈgɔdɪs] *n* богиня
godfather [ˈgɔdfaːðəˈ] *n* крестный отец
godmother [ˈgɔdmʌðəˈ] *n* крестная мать
go down *vi* спускаться; тонуть; заходить; падать; спадать ✧ *vt* спускаться; **that should go down well with him** это ему должно понравиться; **he went to London/to see his sister** он поехал в Лондон/в гости к своей сестре
godparent [ˈgɔdpeərənt] *n* крестный
godsend [ˈgɔdsend] *n* благодать
godson [ˈgɔdsʌn] *n* крестник
goes [gəuz] *vb see* **go**
go for *vt* идти; набрасываться; **that goes for me too** и я тоже
goggle [ˈgɔgl] *vi:* **to ~ at** таращиться
goggles [ˈgɔglz] *n pl* защитные очки
go in *vi* входить; **it's time to go in** пора идти внутрь;
go in for *vt* принимать участие; заняться;
going [ˈgəuɪŋ] *n:* **the ~** обстоятельства ✧ *adj:* **the ~ rate** существующие расценки; **this book is heavy ~** эта книга трудно читается ; **it was hard ~** поначалу приходилось трудно; **a ~ concern** действующее предприятие
going-over [gəuɪŋˈəuvəˈ] *n* осмотр; трепка
goings-on [ˈgə(u)ɪnzˈɔn] *pl* поступки, поведение
go into входить; рассматривать; **to go into detail** вдаваться в подробности
goitre [ˈgɔɪtə] *мед.* зоб
gold [gəuld] *n* золото ✧*adj* золотой **~ reserves** золотой запас
golden [ˈgəuldən] *adj* золотой; золотистый; прекрасный
golden age *n* золотой век
golden rule *n* золотое правило
goldfish [ˈgəuldfɪʃ] *n* золотая рыбка
gold leaf *n* сусальное золото
gold medal *n* золотая медаль
gold mine *n* золотой прииск
gold-plated [ˈgəuldˈpleɪtɪd] *adj* позолоченный
goldsmith [ˈgəuldsmɪθ] *n* золотых дел мастер
gold standard *n* золотой стандарт
golf [gɔlf] *n* гольф
golf ball *n* мяч для игры в гольф; *металлический шар с буквами в электрической печатной машинке*
golf course *n* поле для игры в гольф
golfer [ˈgɔlfəˈ] *n* игрок в гольф
golfing [ˈgɔlfɪŋ] *adj* для игры в гольф
golly [ˈgɔlɪ] *разг.:* **by ~ !** ей-богу!
gondola [ˈgɔndələ] гондола
gone [gɔn] *pp of* **go** ✧ *adj* уехавший; ушедший
goner [ˈgɔnəˈ] *n:* **I was a ~** со мной было все покончено
gong [gɔŋ] *n* гонг
good [gud] *adj* хороший; приятный; добрый ✧*n* добро; польза; **~s** *(комм.)* товары; **~!** хорошо!; **to be ~ at** иметь способности к; **to be ~ for** быть полезным для; **it's ~ for you** это Вам полезно (для здоровья); **it's a ~ thing you were there** хорошо, что Вы были там; **she is ~ with children** она умеет обращаться с детьми; **she is ~ with her hands** у нее золотые руки; **to feel ~** чувствовать себя хорошо; **it's ~ to see you** очень приятно Вас видеть; **would you be ~ enough to...?** не будете ли Вы так добры...?; **that's very ~ of you** это очень мило с Вашей стороны; **is this any ~?** это пойдет?; понравилось ли это Вам?; **a ~deel (of)** большое количество; **a ~ many** много; **to take a ~ look** смотреть хорошенько; **a ~ while ago** очень давно; **to make ~** ремонтировать; восполнять; **afternoon/evening!** добрый день/вечер!; **~ morning!** доброе утро!;**~ night!** до свидания! *or* доброй ночи!; **he's up to on ~** он задумал что-то плохое; **for the common ~** для общего блага; **it's no ~ complaning** что толку жаловаться; **for ~** навсегда; **~s and chattels** личные вещи
goodbye [gudˈbaɪ] *excl* до свидания;

G

to say ~ (to) прощаться с
good-for-nothing [ˈgudfənʌθiŋ] *adj* никудышный
good-humoured [ˈgudˈhjuːməd] *adj* добродушный; добрый
good-looking [ˈgudˈlukiŋ] *adj* красивый
goodly [ˈgudli] красивый; значительный
good-natured [ˈgudˈneitʃəd] *adj* добродушный; послушный; спокойный
goodness [ˈgudnis] *n* доброта; **for ~ sake!** ради Бога!; **~ gracious!** Господи!
goods train *n* товарный поезд
goodwill [gudˈwil] *n* доброжелательность; *(комм.)* престиж фирмы
goody [ˈgudi] *(обыкн. pl)* сласти, конфеты
goody-goody [ˈgudigudi] *n* паинька
gooey [ˈguːi] *adj* липкий
go off *vi* уходить; уезжать ✧ *vi* разлюбить; **to go off to sleep** засыпать
goofy [ˈguːfi] *разг.* глупый
go on *vi:* **to go on (doing)** продолжать; **life goes on** жизнь продолжается; **what's going on here?** что здесь происходит?; **we don't have enough evidence/information to go on** у нас нет достаточных доказательств/информации
go on at *vt* приставать
go on with *vt* продолжать
goose [guːs] *pl geese)* гусь; *разг.* дурак, простак
gooseberry [ˈguzb(ə)ri] крыжовник
goose-flesh *n* = **goose pimples**
goose pimples *npl* гусиная кожа
goose step *n* (воен.) гусиный шар
go out *vi* гаснуть; **to go out of** выходить; **are you going out tonight?** Вы сегодня вечером куда-нибудь идете?
go over *vi* идти
gore [gɔːˈ] *vt* бодать ✧ *n* (запекшаяся) кровь
gorge [gɔːdʒ] **1.** *n* ущелье; глотка ✧ **his ~ rises at it** его тошнит от этого **2.** *v* жадно глотать
gorgeous [ˈgɔːdʒəs] великолепный; ярко окрашенный
gorilla [gəˈrilə] *n* горилла
gormandize [ˈgɔːməndaiz] объедаться; пожирать
gormless [ˈgɔːmlis] *adj* тупой
go round *vi* ходить; вращаться; хватать на всех; **to go round (to sb's)** заходить (к кому-н.); **to go round (by)** идти кругом; ехать кругом
gorse [gɔːs] *бот.* дрок
gory [ˈgɔːri] окровавленный; кровопролитный
gosh [gɔʃ]: **by ~** чёрт побери!
gosling [ˈgɔzliŋ] гусёнок
gospel [ˈgɔspl] *n* (рел.) Евангелие; проповедь *f*
gossamer [ˈgɔsəmə] тонкая ткань
gossip [ˈgɔsip] *n* сплетня; разговоры; сплетник(-ица) ✧ *vi* болтать; **a piece of ~** сплетня, слух
gossip column *n* колонка светской хроники
Gothic [ˈgɔθik] *adj* готический
go through *vt* проходить; проезжать через; просматривать; читать
go through with *vt* осуществлять; **I couldn't go through with it** я не могу осуществить это
gotten [ˈgɔtn] *pp of* **get**
gouge [gaudʒ] *vt* выдалбливать; вырезать; **to sb's eyes out** выкалывать кому-н. глаза
go under *vi* идти под воду
go up *vi* подниматься; расти; вырастить; **to go up in flames** загораться
gourd [guəd] *n* тыква
gourmet [ˈguəmei] *n* гурман
gout [gaut] *n* (мед.) подагра
govern [ˈgʌvən] *vt* управлять; руководить
governess [ˈgʌvənis] *n* гувернантка
governing [ˈgʌvəniŋ] *adj* (полит.) правящий, руководящий
governing body *n* руководящий орган; орган управления
government [ˈgʌvnmənt] *n* управление; правительство ✧ *cpd* правительственный
governmental [gʌvnˈmentl] *adj* правительственный
governor [ˈgʌvənəˈ] *n* губернатор; директор; начальник
go with *vt* походить

go without *vt* оставаться; **I can go without food for 24 hours** я могу сутки не есть
gown [gaun] *n* платье; мантия
grab [græb] *n* хватать; перехватывать; урывать; ✧ *vi* **to ~ at** хвататься за
grace [greɪs] *n* грация; *(рел.)* молитва *(перед едой)* ✧ *vt* удостаивать; украшать; **5 days'~** пять дней отсрочки; **with (a) bad ~** нелюбезно, без достоинства; **his sense of homour is his saving ~** его спасает чувство юмора; **to say ~** молиться перед едой
graceful ['greɪsful] *adj* грациозный; изящный; достойный
gracious ['greɪʃəs] *adj* любезный; прекрасный; красивый ✧*excl:* **(good) ~! Боже мой!**
gradation [grə'deɪʃən] *n* градация
grade [greɪd] *n* (комм.) сорт; ранг; оценка; класс; уклон ✧ *vt* распределять; сортировать; **to make the ~** добиваться своего *or* успеха
grade crossing *n* железнодорожный поезд
grade school *n* начальная школа
gradient ['greɪdɪənt] *n* уклон; *(геом.)* градиент
gradual ['grædjuəl] *adj* постепенный
gradually ['grædjuəlɪ] *adv* постепенно
graduate ['græljuɪt] *n* выпускник(-ица) ✧ *vi:* **to ~ from** заканчивать; **I ~d last year** я закончил университет в прошлом году
graft I [grɑ:ft] *амер.* **1.** *n* взяточничество, система подкупа **2.** *v* давать, брать взятки
graft II 1. *n бот.* прививать; *мед.* пересаживать ткань
grain [greɪn] зерно; крупинка; гран; строение, структура *(дерева, камня)*
grammar ['græmə] *n* грамматика; учебник грамматики
grammar school *n* средняя школа *(для одаренных детей)*
grammatical [grə'mætɪkl] *adj* грамматический
gramme [græm] грамм
gramophone ['græməfəun] граммофон, патефон
granary ['grænərɪ] *n* амбар; зернохранилище
grand [grænd] *adj* грандиозный; величественный; великолепный, восхитительный ✧ *n* тысяча
grandchild ['græntʃaɪld] *n* внук(-учка)
granddad ['grændæd] *n* дедушка *m*
granddaughter ['grændɔ:tə'] *n* внучка
grandeur ['grændjə'] *n* великолепие
grandfather ['grændfɑ:ðə'] *n* дедушка
grandiose ['grændɪəus] *adj* грандиозный
grandma ['grænmɑ:] *n* бабушка
grandmother ['grænmʌðə'] *n* бабушка
grandparents ['grændpeərənts] *npl* дедушка *m* и бабушка
grand piano *n* рояль *m*
grandson ['grænsʌn] *n* внук
grandstand ['grændstænd] *n* (спорт) центральная трибуна
granite ['grænɪt] *n* гранит
granny ['grænɪ] *n* бабушка
grant [grɑ:nt] *vt* выдавать; назначать; удовлетворять; признавать ✧ *n* *(просвещ.)* стипендия; *(админ.)* субсидия; **to take sb/sth for ~ed** принимать кого-н./что-н. как должное ; **to ~ that** признавать, что
granulated sugar ['grænjuleɪtɪd] *n* сахарный песок
granule ['grænju:l] *n* гранула; крупица
grape [greɪp] *n* виноград *no pl;* **a butch of ~s** кисть *f or* гроздь винограда
grapefruit ['greɪpfru:t] *n* грейпфрут
grapevine ['greɪpvaɪn] *n* виноградная лоза; **I heard on the ~ that...** я слышал, что..., говорят, что...
graph [grɑ:f] *n* график
graphic designer *n* художник-оформитель *m*
graphic equalizer *n* графический выравниватель *m*
graphics ['græfiks] *n* графика ✧ *npl* рисунки *mpl*
graphite ['græfaɪt] *n* графит
graph paper *n* миллиметровка
grapple ['græpl] *vi:* **to ~ with sb** схватываться с кем-н.; **to ~ with a**

G

problem биться над проблемой
grasp [grɑːsp] *vt* схватывать ✧ *n* хватка; **the vase slipped from my ~** ваза выскользнула из моих рук; **success was now within his ~** успех был теперь в его руках; **to have a good ~ of sth** хорошо разбираться в чем-н.
grasp at *vt fus* хвататься за; цепляться за
grasping [ˈgrɑːspɪŋ] *adj* жадный
grass [grɑːs] *n* трава; газон; стукач; доносчик
grasshopper [ˈgrɑːshɔpə´] *n* кузнечик
grass-roots *adj* низовой; рядовой
grassy [ˈgrɑːsɪ] *adj* травянистый
grate [greɪt] *n* каминная решетка ✧ *vt* (кулин.) тереть ✧ *vi:* **to ~ (on)** скрипеть (по)
grateful [ˈgreɪtful] *adj* благодарный; **~ thanks** искренняя благодарность
gratefully [ˈgreɪtfəlɪ] *adv* благодарно
grater [ˈgreɪtə´] *n* терка
gratification [grætɪfiˈkeɪʃən] *n* удовлетворение
gratify [ˈgrætɪfaɪ] *vt* радовать; удовлетворять
gratifying [ˈgrætɪfaɪiŋ] *adj* приятный
grating [ˈgreɪtɪŋ] *n* решетка ✧ *adj* резкий
gratis [ˈgreɪtɪs] бесплатно
gratitude [ˈgrætɪtjuːd] благодарный
gratuity [grəˈtjuːɪtɪ] *n* чаевые *pl adj*
gratutous [grəˈtjuːɪtəs] *adj* бессмысленный
grave I [greɪv] серьёзный; степенный
grave II могила
grave digger *n* могильщик
gravel [ˈgrævl] *n* гравий
gravely [ˈgreɪvlɪ] *adv* серьезно; **~ ill** тяжело больной
gravestone [ˈgreɪvstəun] *n* надгробье
graveyard [ˈgreɪvjɑːd] *n* кладбище
gravitas [ˈgrævɪtæs] *n* многозначительность *f*
gravitate [ˈgrævɪteɪt] *vi:* **to ~ towards** стремиться к
gravity [ˈgrævɪtɪ] *n* (физ.) сила тяжести; серьезность *f*
gravy [ˈgreɪvɪ] *n* подливка; соус
gravy boat *n* соусник
gravy train *n (inf):* **to ride the ~~** иметь легкий заработок
graze I [greɪz] слегка касаться, задевать; ссадить *(руку и т. п.);* натереть *(кожу)*
graze II пасти; пастись
grazing [ˈgreɪzɪŋ] *n* пастбище
grease [griːs] *n* смазка; жир ✧ *vt* смазывать; **to ~ sb's palm** давать кому-н. взятку
grease gun *n* смазочный шприц
greasepaint [ˈgriːspeɪnt] *n* (театральный) грим
greaseproof paper [ˈgriːspruːf-] *n* жиронепроницаемая бумага
greasy [ˈgriːsɪ] *adj* жирный; засаленный; скользкий
great [greɪt] *adj* большой; сильный; знаменитый; замечательный; **they're ~ friends** они большие друзья; **we had a ~ time** мы замечательно провели время; **it was ~!** это было замечательно; **the ~ thing is that...** самое главное, что...
Great Britain *n* Великобритания
great-grandchild [greɪtˈgræntʃaɪld] *n* правнук(-учка)
great-grandfather [greɪtˈgrænfɑːðə´] *n* прадедушка
great-grandmother [greɪtˈgrænmʌðə´] *n* прабабушка
greatly [ˈgreɪtlɪ] *adv* очень; в значительной степени
greatness [ˈgreɪtnɪs] *n* величие
Greece [griːs] *n* Греция
greed [griːd] *n* жадность; жажда
greedily [ˈgriːdɪlɪ] *adv* жадно
greedy [ˈgriːdɪ] *adj* жадный
green [griːn] *adj* зеленый ✧ *n* зеленый цвет (*also:* **village ~)** газон в центре деревни; **~s** овощи *mpl;* (по- лит.): **the G~s** зеленые *pl adj;* **the G~ Party** партия зеленых; **he has ~ fingers** *or* **a ~ thumb** что он ни посадит, все у него растет; **to give sb ~ light** давать кому-н. зеленую улицу
greenback [ˈgriːnbæk] *амер.* банкнота
green belt *n* зеленая зона, зеленый пояс
greenery [ˈgriːnərɪ] *n* зелень *f*

green-eyed [ˈgri:naɪd] ревнивый, завистливый
greenfly [ˈgri:nflaɪ] *n* тля
greengage [ˈgri:ngeɪdʒ] *n* слива-венгерка
greengrocer [ˈgri:n,grəusə] зеленщик; фруктовщик
greenhorn [ˈgri:hɔ:n] новичок, молокосос
greenhouse [ˈgri:nhaus] теплица
greenhouse effect *n:* **the ~~** парниковый эффект
greenish [ˈgri:nɪʃ] *adj* зеленоватый
Greenland [ˈgri:nlənd] *n* Гренландия
greenness [ˈgri:nnɪs] зелень; *перен.* неопытность
greet [gri:t] *vt* приветствовать; здороваться; встречать
greeting [ˈgri:tɪŋ] *n;* приветствие **Christmas/birthday ~s** поздравляю с Рождеством/с днем рождения; **Season's ~s** поздравления с Рождеством и Новым годом
greeting(s) card *n* поздравительная открытка
gregarious [grəˈgeərɪəs] *adj* общительный
Grenada [grəˈneɪdə] *n* Гренада
grenade [grəˈneɪd] *n (also:* **hand ~***)* граната
grew [gru:] *pt of* **grow**
grey [greɪ] *adj* серый; седой; мрачный; **to go ~** седеть
grey-haired [grəɪˈheəd] *adj* седой
greyhound [ˈgreɪhaund] *n* борзая *adj*
grid [grɪd] *n* сетка, сеть; решетка; (элек.) энергосистема
gridlock [ˈgrɪdlɔk] *n* затор
grief [gri:f] *n* горе; **to come to ~** рушиться; терпеть неудачу; **good ~!** Боже мой!
grievance [ˈgri:vəns] *n* жалоба
grieve [gri:v] *vi* горевать ✧ *vt* огорчать; **to ~ for** горевать о
grievous [ˈgri:vəs] *adj* серьезный; сильный
grille [grɪl] *n* решетка; *(авт.)* решетка радиатора
grillroom [ˈgrɪlrum] *n* гриль-бар
grim [grɪm] *adj* мрачный; тяжелый
grimace [grɪˈmeɪs] *n* гримаса ✧ *vi* гримасничать
grime [graɪm] *n* копоть *f;* грязь *f*
grimy [ˈgraɪmɪ] *adj* грязный
grin [grɪn] *n* ухмылка ✧ *vi:* **to ~ (at)** (широко) улыбаться
grind [graɪnd] *vt* молоть; пропускать через мясорубку; точить; шлифовать ✧ *vi* скрежетать ✧ *n* изнурительная работа; **to ~ one's teeth** скрежетать зубами; **to ~ one's heel into the ground** вдавливать каблук в землю; **to ~ to a halt** останавливаться с лязгом; **the daily ~** рутина будней
grinder [ˈgraɪndəʳ] *n* кофемолка; дробилка
grip [grɪp] *n* хватка; схватывание; сцепление; ручка; дорожная сумка ✧ *vt* схватывать; захватывать; **to come to ~s with** браться за решение; **to ~ the road** иметь хорошее сцепление с дорогой; **to lose one's ~** стираться; изнашиваться; терять хватку
gripe [graɪp] *n* жалоба ✧ *vi* ворчать ; **the ~s** (мед.) колики *pl*
gripping [ˈgrɪpɪŋ] *adj* захватывающий
grisly [ˈgrɪslɪ] *adj* ужасный
grist [grɪst] зерно для помола ✧ **bring ~ to the mill** приносить доход, быть выгодным
gristle [ˈgrɪsl] *n* хрящ
gristly [ˈgrɪstlɪ]: **~ meat** *разг.* жёсткое мясо
grit [grɪt] **1.** *n* гравий, крупный песок; *разг.* твёрдость характера, выдержка **2.** *v* скрежетать (зубами)
grits [grɪts] *pl* овсяная крупа
gritty [ˈgrɪtɪ] песчаный
grizzle [ˈgrɪzl] *vi* хныкать
grizzly [ˈgrɪzlɪ] *n (also:*~**bear)** гризли *m ind*
groan [grəun] *n* стон ✧ *vi* стонать; вздыхать
grocer [ˈgrəusəʳ] *n* бакалейщик
grocer's (shop) *n* бакалейный магазин
groceries [ˈgrəusərɪz] *npl* бакалея *fsg*
grog [grɔg] *n* грог
groin I [grɔɪn] пах
groin II *архит.* крестовый свод
groom [grum] **1.** *n* грум, конюх; жених **2.** *v* ходить за лошадьми; :

well ~ed хорошо одетый, выхоленный
groosly [ˈgrəuslɪ] *adv* чрезмерно
groove [gru:v] **1.** *n* выемка, желобок; нарезка; паз; *перен.* рутина **2.** *v* делать выемку
grope [group] идти ощупью; *перен.* нащупывать
gross [grəus] *adj* вульгарный; вопиющий; (комм.) валовой ✧ *n inv* гросс *(12 дюжин)* ✧ *vt:* (*комм.*) **to ~$500,000** получать общую прибыль в $500 000; **~ weight** вес брутто
gross national product *n* валовой национальный продукт
gross profit *n* валовая прибыль *f*
gross sales *npl* валовой объем продажи
grotto [ˈgrɔtəu] *n* грот
grotty [ˈgrɔtɪ] *adj* паршивый
grouch [grautʃ] недовольство, дурное настроение; брюзга
ground [graund] *pt,pp of* **grind** ✧ *n* земля; кол; *(спорт)* поле; (*also:* **wire**) заземление; основание ✧ *vt* заземлять ✧ *adj* молотый ✧ *vi* садиться на мель; **~s** *npl* гуща *fsg;* **school ~s** пришкольный участок; **sports ~** спортивная площадка; **on the ~** на земле; **to the ~** дотла; **below ~** под землей; **to gain ~** продвигаться вперед; **to lose ~** отступать; **common ~** *вопрос, в котором спорящие стороны сходятся;* **on the ~s that** на том основании, что; **the plane was ~ed by the fog** самолет не мог подняться в воздух из-за тумана
ground floor *n* первый этаж
grounding [ˈgraundɪŋ] *n* подготовка
groundless [ˈgraundlɪs] *adj* беспочвенный, необоснованный
groundnut [ˈgraundnʌt] *n* земляной орех
ground rent *n* земельная рента
ground rule *n* основное правило
ground-to-air [ˈgrauntəˈeəˈ] *adj* противовоздушный
ground work [ˈgraundwɔ:k] *n* фундамент, основа
group [gru:p] *n* группа ✧ *vt (also:* **together)** группировать ✧ *vi (also:* **together)** группироваться
groupie [ˈgru:pɪ] *n* девица из антуража *(поп-группы, певца и т.п.)*
grouse [graus] *n inv* (шотландская) куропатка ✧ *vi* ворчать
grove [grəuv] *n* роща
grovel [grəu] *vi* ползать: **to ~ (before)** заискивать перед
grow [grəu] *vi* расти; увеличиваться: **to ~ rich/weak** становиться богатым/слабым ✧ *vt:* выращивать; отращивать; **to ~ (out for** *or* **from)** вырастать (из); возникать (из); **to ~ tired of waiting** уставать от ожидания
grow apart *vi* отдаляться друг от друга
grow away from *vt fus* отдаляться от
grower [ˈgrəuəˈ] *n* (бот.) садовод; **lily/rose ~** садовод, разводящий лилии/розы
growing [ˈgrəuɪŋ] *adj* растущий
growl [graul] *vi* рычать
grown [grəun] *pp of* **grow**
grow on *vt fus:* **that painting is ~ing on me** эта картина нравится мне все больше
grow out of *vt fus* вырастать из; перестать; **he'll ~ out of it** он перерастет это
growth [grəuθ] *n* рост; прирост; заросли *fpl;* щетина; *мед.* опухоль *f*
growth rate *n* темп роста
grow up *vi* расти, взрослеть; возникать
grow-up [grəunˈʌp] *n* взрослый ✧ *adj* взрослый
grub [grʌb] *n* личинка; жратва ✧ *vi:* **to ~ about** *or* **around (for)** рыться (в поисках)
grubby [ˈgrʌbɪ] *adj* грязный
gruddingly [ˈgrʌdʒɪŋlɪ] *adv* неохотно
grudge [grʌdʒ] *n* недовольство ✧ *vt:* **to ~ sb sth** жалеть, что-н. для кого-н.; **to bear sb a ~** быть на кого-н. в обиде
grudging [ˈgrʌdʒɪŋ] *adj* вынужденный; скупой
gruel [ˈgruəl] жидкая каша
gruelling [ˈgruəlɪŋ] *adj* изнурительный; тяжелый
gruesome [ˈgru:səm] ужасный, отвратительный

gruff [grʌf] грубоватый
grumble [ˈgrʌmbl] *vi* ворчать
grumpy [ˈgrʌmpɪ] *adj* сварливый
grunt [grʌnt] *vi* хрюкать; бурчать ✧ *n* хрюканье; бурчание
guarantee [gærənˈtiː] *n* поручительство; (комм.) гарантия ✧ *vt* гарантировать; **he can't ~ (that) he'll come** он не может поручиться за то, что он придет
guarantor [gærənˈtɔːˈ] *n* (комм.) поручитель(ница) *m(f)*
guard [gɑːd] *n* часовой, охранник; охрана; (воен.) караул; (*also:* **fireguard)** предохранительная решетка ✧ *vt* охранять; хранить; **to ~ (against)** охранять (от); **to be on one's ~** быть настороже *or* начеку
guard's van *n* багажный вагон
guard-against *vt fus* предохранять от
guard dog *n* сторожевая собака
guarded [ˈgɑːdɪd] *adj* осторожный
guardian [ˈgɑːdɪən] *n* (юрид.) опекун; защитник(-ица)
guardrail [ˈgɑːdreɪl] *n* перила *pl*
guerrilla [gəˈrɪlə] *n* партизан(-ка)
guerrilla warfare *n* партизанская война
guess [ges] *vt* считать приблизительно; рассчитывать приблизительно; угадывать ✧ *vi* догадываться ✧ *n* догадка; **to take** *or* **have a ~** отгадывать; **my ~ is that...** мне сдается, что...; **I ~...**мне кажется...; **I ~ you're right** Вы, наверное, правы; **to keep sb ~ing** держать кого-н. в неведении
guesstimate [ˈgestɪmɪt] *n* прикидка
guesswork [ˈgeswɜːk] *n* догадки *fpl,* предположения *ntpl;* **I got the answer by ~** я угадал ответ
guest [gest] *n* гость; постоялец, проживающий *adj;* **be my ~** пожалуйста
guesthouse [ˈgesthaus] *n* пансион
guest-room *n* комната для гостей
guffaw [gʌˈfɔː] **1.** *n* хохот *(грубый)* **2.** *v* хохотать *(грубо)*
guidance [ˈgaɪd(ə)ns] руководство
guide [gaɪd] *n* гид, экскурсовод; проводник; (*also:* **book)** путеводитель; *m* руководство; (*also:* **Girl G~)** девочка-скаут *f* ✧ *vt* водить, вести; направлять; **to be ~d by sb/sth** руководствоваться чьим-н. советом/чем-н.
guidebook [ˈgaɪdbuk] *n* путеводитель
guided missile *n* управляемая ракета
guide dog *n* собака-поводырь *f*
guidelines [ˈgaɪdlaɪnz] *npl* директива
guild [gɪld] *n* ассоциация; гильдия
guile [gaɪl] *n* хитрость *f*
guileless [ˈgaɪllɪs] *adj* бесхитростный
guillotine [ˈgɪlətiːn] *n* гильотина; резальная машина
guilt [gɪlt] *n* вина; виновность *f*
guilty [ˈgɪltɪ] *adj* виноватый; виновный; позорный; **to plead ~/not guilty** признавать себя виновным/невиновным; **to feel ~ about sth** чувствовать себя виноватым в чем-н.
guinea pig *n* морская свинка; "подопытный кролик"
guitar [gɪˈtɑːˈ] *n* гитара
guitarist [gɪˈtɑːrɪst] *n* гитарист
gulf [gʌlf] морской залив; пропасть, бездна
gull I [gʌl] чайка
gull II 1. *n* простак **2.** *v* обманывать, дурачить
gullet [ˈgʌlɪt] глотка; пищевод
gullibility [gʌlɪˈbɪlɪtɪ] *n* легковерие
gullible [ˈgʌlɪbl] *adj* легковерный
gully [ˈgʌlɪ] *n* глубокий овраг
gulp [gʌlp] **1.** *v* (жадно) глотать **2.** *n* большой глоток
gum I [gʌm] десна
gum II [ˈgʌm] **1.** *v* склеивать **2.** *n* клей; *амер. разг.* резина; **~my** [-ɪ] клейкий, липкий
gumboots [ˈgʌmbuːts] *npl* резиновые сапоги *mpl*
gumption [ˈgʌmpʃən] *n* сообразительность *f,* находчивость *f*
gum up *vt* **: to ~ up the works** застопорить работу
gun [gʌn] *n* пистолет; ружье; пушка ✧ *vt (also:* **~ down)** расстреливать, застрелить; **to stick to one's ~s** не складывать оружие
gun dog *n* охотничья собака
gung ho [gʌŋhəu] *adj* безрассудный, фанатичный
gunk [gʌŋk] *n* гадость *f*

G

gunman [ˈgʌnmən] *n* вооруженный бандит
gunner [ˈgʌnə] *n воен.* артиллерист
gunpowder [ˈgʌnpaudəˈ] *n* порог
gunrunning [ˈgʌnrʌnɪŋ] *n* контрабанда оружием
gunshot [ˈgʌnʃɔt] *n* выстрел
gunsmith [ˈgʌnsmɪθ] *n* оружейный мастер
gurgle [ˈgə:gl] *vi* гукать
guru *n* (рел.) гуру *m ind;* духовный наставник
gush [gʌʃ] *vi* хлынуть; захлебываться от восторга
gushing [ˈgʌʃɪŋ] *adj* восторженный; неуемный
gusset [ˈgʌsɪt] *n* клин
gust [gʌst] *n* порыв
gusto [gʌstəu] *n:* **with ~** с удовольствием; с жаром
gusty [ˈgʌstɪ] *adj* порывистый; ветреный
gut [gʌt] *n* кишка; *муз.,спорт.* струна ✧ *vt* потрошить; **~s** *npl анат.* кишки *fpl,* внутренности *fpl;* мужество *ntsg;* **the house was ~ted by fire** дом сгорел полностью; **to hate sb's ~s** не принимать кого-н. на дух, смертельно ненавидеть кого-н.
gutsy [ˈgʌtsɪ] *adj* напористый
gutter [ˈgʌtəˈ] *n* сточная канава; водосточный желоб
gutter press *n* бульварная пресса
guttural [ˈgʌtərl] *adj* гортанный
guy [gaɪ] *n* парень *m*
guzzle [ˈgʌzl] *vt* пить с жадностью; есть с жадностью
gym [dʒɪm] *n (also:* **nasium)** гимнастический зал; (*also:* **nastics)** гимнастика
gymnasium [dʒɪmˈneɪzɪəm] *n* гимнастический зал
gymnast [dʒɪmˈnæst] *n* гимнаст
gymnastics [dʒɪmˈnæstɪks] *n* гимнастика
gym shoes *npl* спортивные тапочки
gynaecologist [gaɪnɪˈkɔlədʒɪst] *n* гинеколог
gynaecology [gaɪnəˈkɔlədʒɪ] *n* гинекология
gyrate [dʒaɪˈreɪt] *vi* вращаться по кругу

H

H,h [eɪtʃ] *n 8-ая буква английского алфавита*
haberdashery [hæbəˈdæʃərɪ] *n* галантерейные товары *mpl*
habit [ˈhæbɪt] *n* привычка; пристрастие; облачение; **to get out of the ~ of doing** отвыкать; **to get into the ~ of doing** привыкать; **to be in the ~ of doing** иметь обыкновение
habitable [ˈhæbɪtəbl] *adj* пригодный для жилья
habitat [ˈhæbɪtæt] *n* естественная среда обитания
habitation [hæbɪˈteɪʃən] *n* жилище; **fit for human ~** пригодный для жилья
habitual [həˈbɪtjuəl] *adj* привычный
habitually [həˈbɪtjuəlɪ] *adv* обычно
hack I [hæk] **1** *n* наёмная лошадь; *перен.* литературный подёнщик, халтурщик; *амер.* наёмный экипаж **2.** *v* ехать верхом не спеша
hack II 1. *n* зарубка **2.** *v* грубо обтёсывать *(камень или кирпич);* делать зарубку
hacking [ˈhækɪŋ]: **~ cough** частый сухой кашель
hackle [ˈhækl] перья на шее птицы ✧ **with his ~s up** разъярённый
hackles [ˈhæklz] *npl:* **to make sb's ~ rise** приводить в состояние раздражения
hackney [ˈhæknɪ] верховая лошадь; **~-coach** [-koutʃ] наёмная карета
hackney cab [ˈhæknɪ-] *n* наемный экипаж
hackneyed [ˈhæknɪd] *adj* избитый
hacksaw [ˈhæksɔ:] *n* ножовка
hack-work [ˈhækwə:k] халтура
had [hæd] *pt,pp of* **have**
haddock [ˈhædək] *n* треска; **smoked ~** копченая треска
Hades [ˈheɪdi:z] ад
hadn't [ˈhædnt] = **had not**
haemoglobin [ˈhi:məˈgləubɪn] *n* гемоглобин
haemorrhage [ˈhemərɪdʒ] *n* кровоте-

чение; **brain ~** кровоизлияние (в мозг)
haemorrhoids [ˈhemərɔɪdz] *npl* геморрой *msg*
hag [ˈhæg] *n* карга; ведьма
haggard [ˈhægəd] *adj* изможденный
haggle [ˈhægl] *vi* торговаться
haggling [ˈhæglɪŋ] *n* торговля
Hague [ˈheɪg] *n:* **The ~** Гаага
hail I [heɪl] **1.** *v* приветствовать; окликать ✧ **where do you ~ from?** откуда вы родом? **2.** *n* оклик, приветствие
hail II [heɪl] **1.** *n* град **2.** *v* сыпаться градом; **it is ~ing** идёт град
hailstorm [ˈheɪlstɔːm] *n* гроза с градом
hair [heəʹ] *n* волосы *pl* шерсть *f;* **to do one's ~** причесываться; **to miss by a ~'s breadth** чуть-чуть
hairbrush [ˈheəbrʌʃ] *n* щетка для волос
haircut [ˈheəkʌt] *n* стрижка
hairdo [ˈheəduː] *n* прическа
hairdresser [ˈheədresəʹ] *n* парикмахер
hairdresser's [ˈheədresəz] *n* парикмахерская *f adj*
hair dryer *n* фен
hairgrip [ˈheəgrɪp] *n* невидимка
hairline [ˈheəlaɪn] *n* линия волос
hairline fracture *n* трещина
hairnet [ˈheənet] *n* сетка для волос
hair oil *n* масло для волос
hairpiece [ˈheəpiːs] *n* накладные волосы *npl*
hairpin [ˈheəpɪn] *n* шпилька
hair remover *n* крем для удаления волос
hair slide *n* заколка для волос
hair spray *n* лак для волос
hairstyle [ˈheəstaɪl] *n* прическа
hairy [ˈheərɪ] *adj* волосатый; мохнатый; рискованный
hake [ˈheɪk] *n* серебристый хек
hale [heɪl] *adj:* **~ and hearty** здоровый и бодрый
halcyon [ˈhælsɪən] *adj:* **~ dais** безмятежные дни
half [hɑːf] *n* половина; (*also:* **pint:** полпинты *of beer etc*) *f;* ✧ *adv* наполовину; **first/second ~** первый/второй тайм; **one and a ~** полтора; полторы; **three and a ~** три с половиной; **~-an-hour** полчаса *m;* **~ a dozen (of)** полдюжины *f;* **~ a pound (of)** полфунта *m;* **a week and a ~** полторы *f* недели; **~ (of)** половина; **~ the amount of** половина; **to cut sth in ~** разрезать что-н. пополам; **~ past three** половина четвертого; **to go halves (with sb)** делить пополам (с кем-н.); **she never does things by halves** она никогда не останавливается на полпути; **he's too clever by ~** он чересчур уж умный; **~ empty/closed** наполовину пустой/закрытый; **a ~ bottle (of) полбутылки**
half-baked [ˈhɑːfˈbeɪkt] *adj* непродуманный
half-brother [ˈhɑːfbrʌðəʹ] *n* единоутробный брат; единокровный брат
half-day [hɑːfˈdeɪ] *n* короткий день
half-hearted [ˈhɑːfˈhɑːtɪd] *adj* ленивый
half-hour [hɑːfauəʹ] *n* полчаса *m*
half-life [ˈhɑːflaɪf] *n* период полураспада
half-price [ˈhɑːfˈpraɪs] *adj, adv* за полцены
half-sister [ˈhɑːfsɪstəʹ] *n* единоутробная сестра; единокровная сестра
half-time [hɑːfˈtaɪm] *n* перерыв между таймами
halfway [ˈhɑːfˈweɪ] *adj* на полпути; **I am prepared to meet you ~** я готов пойти Вам навстречу
halfway house *n* дом на полпути; середина
halfwit [ˈhɑːfwɪt] *n* придурок, полуумный, *m (f) adj*
half-yearly [hɑːfˈjɪəlɪ] *adv* раз в полгода ✧ *adj* полугодовой
hall [hɔːl] *n* прихожая; *adj* коридор; усадьба; зал ; **to live in ~s** жить в общежитии
hallbut [ˈhælɪbət] *n inv* палтус
hallmark [ˈhɔːlmɑːk] *n* проба; отличительная черта
hallo [həˈləu] *excl* = **hello**
hall of residence *n* общежитие
hallowed [ˈhæləud] *adj* святой; почитаемый

H

halltosis [hælı'təusıs] *n* дурной запах изо рта
hallucination [həlu:sı'neıʃən] *n* галлюцинация
hallway ['hɔ:lweı] *n* прихожая *f adj*
halo ['heıləu] *n* ореол
halt [hɔ:lt] *n* остановка ✧ *vt* останавливать ✧ *vi* останавливаться; **to call a ~ to sth** давать отбой чему-н.
halter ['hɔ:ltə'] *n* повод
halve [hɑ:v] *vt* сокращать наполовину; делить пополам
halves [hɑ:vz] *pl of* **half**
ham [hæm] *n* ветчина; (*inf: also:* **radio ~**) радиолюбитель *m* бездарный; ✧ *vt:* **to ~ it up** переигрывать
Hamburg ['hæmbə:g] *n* Гамбург
ham-fisted ['hæm'fistıd] *adj* неловкий
hamlet ['hæmlıt] *n* деревушка
hammer ['hæmə] *n* молоток, молот ✧ *vi* колотить ✧ *vt* критиковать; **to ~ in** забивать, вбивать; **to ~ sth into sb** вдалбливать что-н. кому-н.
hammer out *vt* расплющивать; вырабатывать
hammock ['hæmək] *n* койка, гамак
hamper I ['hæmpə] корзина с крышкой
hamper II мешать, затруднять; тормозить *(развитие и т. п.)*
hamster ['hæmstə'] *n* хомяк
hamstring ['hæmstrıŋ] *n* подколенное сухожилие ✧ *vt* ограничивать
hand [hænd] *n* рука, кисть руки; стрелка; почерк *m adj; fpl f* ✧ *vt* передавать; **to give** *or* **lend sb a ~** помогать кому-н.; **at ~** под рукой; **by ~** вручную; **in ~** в распоряжении;под контролем; **the job in ~** текущее дело; **on ~** в распоряжении; **to get out of ~** отбиваться от рук; **to dismiss out of ~** отвергнуть сразу; **I have the information to ~** я располагаю информацией; **on the one ~...,on the other ~...** с одной стороны..., с другой стороны; **to force sb's ~** заставлять кого-н раскрыть свои карты; **he has a free ~** у него развязаны руки; **to change ~s** переходить из рук в руки; **to have in one's ~** держать под контролем; **~s off !** **руки прочь!**
hand about *vi* слоняться
handbag ['hændbæg] *n* (дамская) сумочка
hand baggage *n* ручной багаж
handball ['hændbɔ:l] *n* гандбол
hand basin *n* таз
handbook ['hændbuk] *n* руководство
handbrake ['hænlbreık] *n* ручной тормоз
hand cream *n* крем для рук
handcuff ['hændkʌf] *vt* надевать наручники
handcuffs ['hændkʌfs] *npl* наручники *mpl*
hand down *vt* передавать
handful ['hændful] *n* горсть *f* горстка
hand-held ['hænd'held] *adj* ручной
handicap ['hændıkæp] *n* физическая неполноценность *f* препятствие ✧ *vt* препятствовать; **mentally/phisically ~ ped** умственно/физически неполноценный
handicraft ['hændıkrɑ:ft] *n* рукоделие
hand in *vt* сдавать
handkerchief ['hæŋkətʃıf] *n* носовой платок
handle ['hændl] *n* ручка; ✧ *vt* держать в руках; справляться с; **to fly off the ~** срываться; **to get a ~ on a problem** браться за решение проблемы; **"handle with care"** "обращаться осторожно"
handlebar(s) ['hændlbɑ:z] *n (pl)* руль *msg (велосипеда или мотоцикла)*
handling ['hændlıŋ] *n:* **~ of** подход к; обращение; ведение
handling charges *npl* плата *fsg* за услуги
hand luggage *n* ручной багаж
handmade ['hænd'meıd] *adj* ручной работы; **it's ~** это ручная работа
hand out *vt* раздавать
hand-out ['hændaut] *n* благотворительная помощь *f* рекламный листок
hand over *vt* передавать
handrail ['hændreıl] *n* перила *pl*
hand round *vt* раздавать; разносить
handshake ['hændʃeık] *n* рукопожатие
handsome ['hænsəm] *adj* красивый;

интересный; внушительный; щедрый
hands-on [ˈhændzˈɔn] *adj* практический
handstand [ˈhændstænd] *n:* **to do a ~** делать стойку на руках
hand-to-mouth [ˈhændtəˈmauθ] *adj:* **they live a ~ existence** они живут впроголодь
handwriting [ˈhændraɪtɪŋ] *n* почерк
handy [ˈhændɪ] *adj* ловкий; **to come in ~** пригождаться
handyman [ˈhændɪmæn] *n* мастер на все руки *m adj* подручный
hang [hæŋ] *vt* вешать ✧ *vi* висеть ✧ *n:* **to get the ~ of sth** разбираться в чем-н.; **to ~ one's head** вешать голову
hangar [ˈhæŋə] *n* ангар
hang around *vi* = **hang about**
hang back *vi:* **to ~ back (from doing)** быть в нерешительности
hangdog [ˈhæŋdɔg] *adj* виноватый
hanger [ˈhæŋəˈ] *n* вешалка
hang-glider [ˈhæŋglaɪdəˈ] *n* дельтаплан;
hang-gliding [ˈhæŋglaɪdɪŋ] *n* дельтапланеризм
hanging [ˈhæŋɪŋ] *n* повешение; портьера
hangman [ˈhæŋmən] *n* палач
hang on *vi* подождать ✧ *vt fus* зависеть; **to ~ on to** цепляться; держать в себе
hang out *vt* вывешивать ✧ *vi* высовываться; **this is where the students always ~ out** студенты всегда там околачиваются
hangover [ˈhæŋəuvəˈ] *n* похмелье
hang together *vi* быть убедительным
hang up *vi* вешать трубку ✧ *vt* вешать
hang-up [ˈhæŋʌp] *n* комплекс
hank [hæŋk] *n* моток
hanker [ˈhæŋkə] страстно желать
hanky-panky [ˈhæŋkɪ-pæŋkɪ] *разг.* проделки
hansom [ˈhænsəm] двухколёсный экипаж
haphazard [ˈhæpˈhæzəd] **1.** *a* случайный **2.** *adv* случайно
hapless [ˈhæplɪs] несчастный, злополучный
happen [ˈhæpən] *vi* случаться, происходить; **I ~ed to meet him in the park** я случайно встретил его в парке; **as it ~s** кстати; **what's ~ing?** что происходит?; **she ~ed to be free** она оказалась свободной; **if anything ~ed to him** если с ним что-н. случится
happen (up) on *vt fus* натыкаться
happening [ˈhæpnɪŋ] *n* случай
happily [ˈhæpɪlɪ] *adv* к счастью, радостно
happiness [ˈhæpɪnɪs] *n* счастье
happy [ˈhæpɪ] *adj* счастливый; веселый; удачный; **I am ~ (with it)** я доволен (этим); **he is allways ~ to help** он всегда с удовольствием помогает; **~birthday!** с днем рождения!
happy-go-lucky [ˈhæpɪgəuˈlʌkɪ] *adj* беспечный
harangue [həˈræŋ] *vt* увещевать
harass [ˈhærəs] *vt* изводить
harassed [ˈhærəst] *adj* изнуренный
harbour [ˈhaˈːbə] *n* гавань *f* ✧ *vt* затаивать; укрывать; **to ~ a grudge against sb** держать зло на кого-н.
harbour dues *npl* портовые сборы *mpl*
harbour master *n* начальник порта
hard [haːd] *adj* твердый; трудный; тяжелый; суровый; неопровержимый ✧ *adv:* **to work ~** много и усердно работать; **~ luck!** не везет!; **no ~ feelings!** не держите зла; **I don't have any ~ feelings** я не держу зла; **he is ~ of hearing** он туг на ухо; **to think ~** хорошо подумать; **to try ~ to win** упорно добиваться победы; **to look ~ at** смотреть пристально на; **I felt ~ done by** я почувствовал, что со мной обошлись несправедливо; **I find it ~ to believe that ...** мне трудно поверить, что...
hard-and-fast [ˈhadənˈfaːst] *adj* непреложный
hardback [ˈhaːdbæk] *n* книга в твердом переплете
hard-boiled egg [ˈhaːdˈbɔɪld-] *n* яйцо
hard core *n* группа преданных сторонников

H

hard-core [ˈhɑːdˈkɔːˈ] *adj* предельно откровенный; верный
hard court *n* твердый корт
hard disk *n* жесткий диск
harden [ˈhɑːdn] *vt* делать твердым; ожесточать ✧ *vi* твердеть; ожесточаться
hardened [ˈhɑːdnd] *adj* закоренелый
hardening [ˈhɑːdnɪŋ] *n* закаливание; усиление
hard-headed [ˈhɑːdˈhedɪd] *adj* расчетливый
hardhearted [ˈhɑːdˈhɑːtɪd] *adj* бессердечный
hardily [ˈhɑːdɪlɪ] смело, отважно
hard labour *n* принудительные работы
hardliner [hɑːdˈlaɪnə] *n* сторонник жесткой линии *(в политике)*
hard-luck story [ˈhɑːdlʌk-] *n* жалостливая история
hardly [ˈhɑːdlɪ] едва; едва ли; резко, сурово; с трудом
hard-nosed [hɑːdˈnəuzd] *adj* трезвый
hardship [ˈhɑːdʃɪp] лишения, нужда
hard up *adj* на мели
hardware [ˈhɑːdweəˈ] *n* скобяные изделия; оборудование; аппаратура; военная техника
hardware shop *n* магазин скобяных изделий
hard-wearing [hɑːdˈweərɪŋ] *adj* крепкий
hard-won [hɑːdˈwʌn] *adj* с трудом завоеванный; с трудом одержанный
hard-working [hɑːdˈwəːkɪŋ] *adj* усердный
hardy [ˈhɑːdɪ] *adj* выносливый; морозоустойчивый
hare [heəˈ] *n* заяц
harebell [ˈheəbel] колокольчик
hare-brained [ˈheəbreɪnd] *разг.* легкомысленный, опрометчивый
harelip [ˈheəlɪp] *n* заячья губа
harem [hɑːˈriːm] *n* гарем
haricot [ˈhærɪkou] фасоль
hark! [hɑːk] чу!
hark back [hɑːk-] *vi:* **to ~~ to** напоминать; вспоминать о
harlot [ˈhɑːlət] *уст.* проститутка
harm [hɑːm] *n* телесное повреждение ✧ *vt* повреждать; наносить; **to mean no ~** не хотеть обидеть; **to come to no ~** закончиться благополучно ; **out of ~'s way** от греха подальше; **there's no ~ in trying** попытка - не пытка
harmful [hɑːˈmful] *adj* вредный
harmless [hɑːmlɪs] *adj* безобидный; невинный
harmonic [ˈhɑːmɔnɪk] *adj* гармонический
harmonica [hɑːˈmɔnɪkə] *n* губная гармоника
harmonics [hɑːˈmɔnɪks] *npl* гармония *fsg*
harmonious [hɑːˈməunɪəs] *adj* гармоничный
harmonium [hɑːˈməunɪəm] *n* фисгармония
harmonize [ˈhɑːmənaɪz] *vi:* гармонировать **to ~ (with)** гармонировать (с)
harmony [ˈhɑːmənɪ] *n* гармония
harness [ˈhɑːnɪs] *n* упряжь; постромки *v fpl mpl* ✧ *vt* запрягать; обуздывать
harp [hɑːp] **1.** *n* арфа **2.** *v* играть на арфе; твердить одно и то же *(on)*
harpist [ˈhɑːpɪst] *n* арфист(ка)
harpoon [hɑːˈpuːn] острога, гарпун
harpsichord [ˈhɑːpsɪkɔːd] клавесин
harpy [ˈhɑːpɪ] гарпия; *перен.* хищник
harridan [ˈhærɪd(ə)n] ведьма, карга
harried [ˈhærɪd] *adj* замученный
harrier [ˈhærɪə] гончая *(собака)*
harrow [ˈhærou] **1.** *n* борона **2.** *v* боронить; нервировать; мучить, терзать
harrowing [ˈhærəuɪŋ] *adj* душераздирающий
harry [ˈhærɪ] совершать набеги; опустошать, грабить; тревожить
harsh [hɑːʃ] *adj* резкий; жесткий
harshly [ˈhɑːʃlɪ] *adv* резко; строго
harshness [ˈhɑːʃnɪs] *n* резкость; жесткость; строгость; суровость
harum-scarum [ˈheərəmˈskeərəm] легкомысленный, безрассудный
harvest [ˈhɑːvɪst] *n* жатва; урожай ✧ *vt* собирать урожай
harvester [ˈhɑːvɪstə] *n* комбайн
has [hæz] *vt vb see* **have**
has-been [ˈhæzbiːn] *n:* **he's/she's a ~** его/ее время прошло
hash [hæʃ] *n* мясное рагу; *nt ind;* **to**

H

make a ~ of sth запарывать что - н.
hashish [ˈhæʃɪʃ] *n* гашиш
hasn't [ˈhæznt] = **has not**
hasp [hɑːsp] засов, запор; застёжка
hassle [ˈhæsl] *n* морока ✧ *vt* надоедать
haste [heɪst] *n* спешка; **in ~** в спешке; **to make ~ (to do)** торопиться
hasten [ˈheɪsn] *vt* торопить ✧ *vi:* **to ~ to do** торопиться; **I ~ to add ...** спешу добавить; **she ~ed back to the house** она поспешила обратно к дому
hastily [ˈheɪstɪlɪ] *adv* поспешно; опрометчиво
hasty [ˈheɪstɪ] *adj* поспешный; опрометчивый
hat [hæt] *n* шляпа; шапка; **to keep sth under one's ~** держать что-н. в секрете
hatbox [ˈhætbɔks] *n* шляпная коробка
hatch I [hætʃ] люк
hatch II 1. *v* высиживать *(птенцов);* замышлять *(что-л.);* вылупливаться *(о птенцах)* **2.** *n* выводок
hatch III [hætʃ] штриховать
hatchback [ˈhætʃbæk] *n* машина-пикап *f*
hatchet [ˈhætʃɪt] *n* топорик; **to bury the ~** мириться
hatchet man *n* наемник
hate [heɪt] *vt* ненавидеть ✧ *n* ненависть *f;* **to ~ to do** *or* **doing** ненавидеть; **I ~ to trouble you, but...** мне очень не хочется беспокоить Вас, но...
hateful [ˈheɪtful] *adj* ненавистный
hatred [ˈheɪtrɪd] *n* ненависть *v*
haughty [ˈhɔːtɪ] *adj* надменный
haul [hɔːl] **1.** *v* тянуть; перевозить ✧ **~ over the coal** сделать выговор **2.** *n* перевозка; добыча, улов; трофеи
haulage [ˈhɔːlɪdʒ] перевозка
haulier [ˈhɔːlɪə] *n* руководитель *m* фирмы, производящей перевозки
haunch [hɔːntʃ] *n* бедро; бедренная часть *f*
haunt [hɔːnt] *n* притон; любимое место ✧ *vt* преследовать; **to ~ sb/a house** являться кому-н. в доме
haunting [ˈhɔːntɪŋ] *adj* преследующий
Havana [həˈvænə] *n* Гавана
have [hæv] (*pt. pp* **had)** *aux vb:* **1:to have arrived** приехать; **have you already eaten?** ты уже поел?; **he has been kind to me** он проявил доброту по отношению ко мне; **he has been promoted** он получил повышение по службе; **has he told you?** он Вам сказал?; **having finished** *or* **when he had finished, he went to bed** закончив *or* когда он закончил, он пошел спать **2: you've done it, haven't you?** вы сделали это, да?; **he hasn't done it, has he?** он ведь это не сделал, верно; **3: you've made a mistake - no I haven't/so I have; we haven't paid - yes we have!** Вы ошиблись - нет, не ошибся/да, ошибся; **I've been there before, have you?** я там был, а Вы? ✧ *modal aux vb:* **to have (got) to do** быть должным; **I have (got) to finish this work** я должен закончить эту работу; **you haven't to tell her;** Вы не должны говорить ей; **I haven't got** *or* **I don't have to wear glasses** я могу не носить очки; **this has to be a mistake** это, наверняка, ошибка ✧ *vt* **1: I** *etc* **have** у меня *etc;* **he has (got) blue eyes/dark hair** у него голубые глаза/темные волосы; **do you have** *or* **have you got a car/phone** у Вас есть машина/телефон? **2: to have breakfast** завтракать; **to have dinner** обедать; **to have a cigarette** выкуривать сигарету; **to have a glass of wine** выпивать стакан вина **3: may I have your address** Вы мне можете дать свой адрес?; **you can have the book for $5** эта книга Ваша за $5; **I must have it by tomorrow** это должно быть у меня к завтрашнему дню; **she is having a baby in March** у нее в марте будет ребенок **4: he will have it that he is right** он настаивает на том, что

он прав; **I won't have it!** я этого не допущу **5: I am having my television repaired** мне должны починить телевизор; **to have sb do** попросить кого-н.; **he soon had them all laughing/working** они у него все тут же стали смеяться/работать **6: I have flu/a headache** у меня грипп/болит голова; **to have a cold** простужаться; **she had her bag stolen** у нее украли сумку; **he had an operation** ему сделали операцию **7: to have a swim** плавать; **to have a rest** отдыхать; **let's have a look** давайте посмотрим; **we are having a meeting/party tomorrow** завтра у нас будет собрание/будут гости; **let me have a try** дайте мне попробовать; **8: he's been had** его провели; **to have sb on** водить кого-н. за нос

have in *vt (inf):* **he has got it in for me** у него против меня зуб

haven [ˈheɪvn] *n* гавань; *f* убежище

haven't [ˈhævnt] = **have not**

have on *vt:* **have you anything on tomorrow?** у Вас есть на завтра какие-нибудь планы?; **I don't have any money on me** у меня нет при себе денег; **he had a black sweater on** на нем был черный свитер

have out *vt:* **to have it out with sb** объясняться с кем-н.; **she had her tooth out** ей удалили зуб; **she had her tonsils/appendix out** ей вырезали гланды/аппендицит

haversack [ˈhævəsæk] *n* рюкзак; ранец

have to ✧ *(pt,pp* **hove)** *vi* ложиться в дрейф

havoc [ˈhævək] *n* хаос; **to play ~ with** играть злые шутки над

Hawaii [həˈwaɪː] *n* Гавайи *m ind*

hawk [hɔːk] *n* ястреб

hawker [ˈhɔːkə] *n* уличный торговец

hawkish [ˈhɔːkɪʃ] *adj* хищный

hawthorn [ˈhɔːθɔːn] *n* боярышник

hay [heɪ] *n* сено

hay fevel *n* сенная лихорадка

haystack [ˈheɪstæk] *n* стог сена; **it's like looking for a needle in a~** это как искать иголку в стоге сена

hazard [ˈhæzəd] *n* опасность *f* ✧ *vt:* **to ~a guess** осмеливаться предположить; **smoking is a fire ~** курение может служить причиной пожара

hazardous [ˈhæzədəs] *adj* опасный

haze [heɪz] туман

hazel [ˈheɪzl] **1.** *n* орешник **2.** *a* светло-коричневый, карий *(о глазах);* **~-nut** [-nʌt] орех

hazelnut [ˈheɪzlnʌt] *n* лесной орех

hazy [ˈheɪzɪ] *adj* туманный; **I'm rather ~ about the details** у меня довольно смутное представление о подробностях

H-bomb [ˈeɪtʃbɔm] *n* водородная бомба

he [hiː] *pron* он

head [hed] *n* голова; начало; глава ✧ *vt* стоять первым(-ой) в; возглавлять; **~s or tails** орел или решка; **~ over heels in love** влюблен по уши; **to ~ a ball** забивать мяч головой; **$10 a** *or* **per ~** по $10 каждому *or* на каждого; **to sit at the ~ of the table** сидеть во главе стола; **he has a ~ for business** у него способности к бизнесу; **I have no ~ for heights** у меня кружится голова от высоты; **to come to a ~** доходить до критической точки; **let's put our ~s together** давайте обсудим это вместе; **to say sth off the top of one's ~** говорить что-н. не задумываясь; **on your own ~ be it!** пусть это будет на вашей совести; **to bite** *or* **snap sb's ~ off** огрызаться кому -н., грубо обрывать кого-н.; **to go to sb's ~** ударять кому-н. в голову; кружить кому-н.голову; **to keep/lose one's ~'s** не терять/терять голову; **I can't make ~ nor tail of this** я ничего не могу понять в этом; **he's off his ~!** он рехнулся

headache [ˈhedeɪk] *n* головная боль *f* неприятность *f;* **I've got a ~** у меня болит голова

headband [ˈhedbænd] *n* обруч для волос

headboard [ˈhedbɔːd] *n* спинка кровати
head cold *n* насморк
headdress [ˈheddres] *n* головное украшение
headed notepaper [ˈhedɪd-] *n* бланк; *бланк для письма со штампом отправителя*
header [ˈhedəˈ] *n* удар головой
headgear [ˈhedgɪəˈ] *n* головной убор
heading [ˈhedɪŋ] *n* заголовок
headlight [ˈhedlaɪt] *n* фара
headline [ˈhedlaɪn] *n* заголовок
headlong [ˈhedlɔŋ] *adv* головой вперед; опрометчиво
headmaster [ˈhedˈmɑːstə] *n* директор школы
headmistress [ˈhedˈmɪstrɪs] *n* директор школы
head off *vt* отводить
head office *n* дирекция
head of state *n* глава государства
headphones [ˈhedfəunz] *npl* наушники *mpl*
headscarf [ˈhedskɑːf] *n* косынка; головной платок
headstone [ˈhedstəun] *n* надгробный камень
headstrong [ˈhedstrɔŋ] *adj* упорный
head teacher *n* директор школы
head waiter *n* главный официант
headway [ˈhedweɪ] *n:* **to make ~** продвигаться вперед
headwind [ˈhedwɪnd] *n* встречный ветер
heady [ˈhedɪ] *adj* головокружительный; хмельной
heagdland [ˈhedlənd] *n* мыс
heal [hiːl] *vt* излечивать; заживлять; восстанавливать ✧ *vi* заживать; восстанавливаться
health [helθ] *n* здоровье; **good ~** крепкое здоровье
health care *n* здравоохранение
health centre *n* поликлиника
health food *n* здоровая пища
health-food shop *n* магазин здорового питания
health hazard *n* опасность для здоровья
healthy [ˈhelθɪ] *adj* здоровый; **it's not ~ to drink too much** слишком много пить вредно для здоровья
heap [hiːp] *n* куча; груда ✧ *vt:* **to ~ (up)** сваливать в кучу; **to ~ with sth** наполнять чем-н.; **to ~ sth on** наваливать что-н. на; **~s of** куча; **to ~ favours/praise/gifts on sb** осыпать кого-н. милостями/похвалами/подарками
hear [hɪəˈ] *vt* слышать; слушать; **to ~ about** слышать; **did you ~ about the move?** Вы слышали о переезде?; **to ~ from sb** слышать от кого-н.; **I can't ~ you** Вас не слышно; **I've never ~d of that book** я никогда не слышал об этой книге; **I would't ~ of it!** я и слышать об этом не хочу!
heard [həːd] *pf, pp of* **hear**
heardquarters [ˈhedkwɔːtəz] *npl* главное управление; штаб-квартира *fsg*
hearing [ˈhɪərɪŋ] *n* слух; слушание; **she is a bit hard of ~** она туговата на ухо; **within/out of ~ distance** в пределах/за пределами слышимости; **to give sb a (fair)** дать кому-н. высказаться
hearing aid *n* слуховой аппарат
hear out *vt* выслушивать
hearsay [ˈhɪəseɪ] *n* слух; **by ~** по слухам
hearse [həːs] *n* катафалк
heart [hɑːt] *n* сердце; сердцевина; суть *f;* **~s** *npl* черви *fpl;* **to lose/take ~** пасть; не падать духом; **at ~** в глубине души; **(off) by ~** наизусть; **he has a weak ~** у него слабое сердце; **to set one'a ~ on sth/on doing** стремиться всей душой к чему-н.; **to pour one's ~ out to sb** изливать кому-н. душу; **he's a man after my own ~** он мне по сердцу; **the ~ of the matter** суть дела
heartache [ˈhɑːteɪk] *n* сердечная боль
heart attack *n* сердечный приступ
heartbeat [ˈhɑːtbiːt] *n* сердечное сокращение; сердцебиение
heartbreak [ˈhɑtbreɪk] *n* большое горе
heartbreaking [ˈhɑːtbreɪkɪŋ] *adj* душераздирающий
heartbroken [ˈhɑːtbrəukən] *adj:* **he is**

H

~ он убит горем
heartburn [ˈhɑ:tbə:n] *n* изжога
hearted [ˈhɑ:tɪd] *suffix:* **kind ~** добросердечный
hearten [ˈhɑ:tn] *vt* воодушевлять
heart failure *n* остановка сердца
heartfelt [ˈhɑ:tfelt] *adj* искренний
hearth [hɑ:θ] *n* очаг
heartily [ˈhɑ:tɪlɪ] *adv:* сердечно; всем сердцем; **to laugh ~** смеяться от души
heartless [ˈhɑ:tlɪs] *adj* бессердечный
heart-to-heart [ˈhɑ:tˈtəˈhɑ:t] *adj* сердечный; **to have a ~** говорить по душам
heart transplant *n* пересадка сердца
heartwarming [ˈhɑ:twɔ:mɪŋ] *adj* трогательный
hearty [ˈhɑ:tɪ] *adj* веселый; сердечный; здоровый; глубокий
heat [hi:t] *n* тепло; жар; жара; *(also:* **qualifying ~:** *in race etc)* забег; заплыв; **our dog is in** *or* **on ~** у нашей собаки течка ✧ *vt* греть *or* нагревать
heat up *vi* согреваться; ✧ *vt* подогревать; обогревать; разогревать
heated [ˈhi:tɪd] *adj* отапливаемый; горячий; обозреваемый
heater [ˈhi:təˈ] *n* обогреватель *m*
heathen [ˈhi:ðn] *n* язычник
heather [ˈheðə] *n* вереск
heating [ˈhi:tɪŋ] *n* отопление
heat-resistant [ˈhi:trɪzɪstənt] *adj* жаропрочный; термостойкий
heat-seeking [ˈhi:tsi:kɪŋ] *adj* теплоулавливающий
heatstroke [ˈhi:tstrəuk] *n* тепловой удар
heatwave [ˈhi:tweɪv] *n* период сильной жары
heave [hi:v] *vt* вытягивать; толкать; взваливать; швырять ✧ *vi* вздыматься; чувствовать тошноту ✧ *n* подъем; **to ~ a sigh** глубоко вздохнуть
heaven [ˈhevn] *n* рай; **that ~(s)!** слава Богу!; **~ forbid!** Боже упаси!; **for ~'s sake!** ради Бога!
heavenly [ˈhevnlɪ] *adj* небесный; райский
heavily [ˈhevɪlɪ] *adv* тяжело; сильно; крепко
heavy [ˈhevɪ] *adj* тяжелый; сильный; грузный; бурный; **he is a ~ drinker/smoker** он много пьет/курит; **the work is ~ going** работа идет тяжело; **he is ~ going** с ним трудно иметь дело
heavy cream *n* жирные сливки *pl*
heavy-duty [ˈhevɪˈdju:tɪ] *adj* сверхпрочный
heavy-handed [ˈhevɪˈhændɪd] *adj* властный
heavy industry *n* тяжелая промышленность
heavy metal *n* хэви метал, металл
heavy-set [ˈhevɪˈset] *adj* коренастый; плотный
heavyweight [ˈhevɪweɪt] *n* боксер тяжелого веса
Hebrew [ˈhi:bru:] *adj* древнееврейский ✧ *n* древнееврейский язык; иврит
heck [hek] *excl* черт
heckle [ˈhekl] *vt* перебивать
hectare [ˈhektɑ:ˈ] *n* гектар
hectic [ˈhektɪk] чахоточный; **~ fever** изнурительная лихорадка *(при туберкулёзе); (разг.* возбуждённый, лихорадочный
hector [ˈhektə] задирать *(кого-л.)*
hedfirst [ˈhedˈfə:st] *adv* головой вниз; сломя голову
hed for *vt fus* направляться в/на; обрекать себя на
hedge [hedʒ] **1.** *n* (живая) изгородь; *перен.*препятствие **2.** *v* обносить изгородью; ограждать *(себя);* уклоняться *(от ответа);* **~ off** отгораживаться
hedgehog [ˈhedʒhɔg] *n* еж
hedge in *vt* ограничивать
heed [hi:d] *vt (also:***take ~ of)** принимать во внимание ✧ *n:* **to pay (no) ~ to,take (no) ~ of** (не) принимать во внимание
heel [hi:l] *n* пятка; каблук; ✧ *vt* подбивать; **to bring to ~** заставлять идти *or* стоять рядом; **to take to one's ~s** пускаться наутек
hefty [ˈheftɪ] *adj* здоровенный; изрядный
heifer [ˈhefə] *n* телка
height [haɪt] *n* высота; рост; вершина; возвышенность; разгар;

верх; **what ~ are you?** какой у Вас рост?; **of average ~** среднего роста; **to be afraid of ~s** бояться высоты; **it's the ~ of fashion** это верх моды; **at the ~ of the tourist season** в разгар туристического сезона

heighten [ˈhaɪtn] *vt* усиливать

heinous [ˈheɪnəs] *adj* чудовищный

heir [eə] *n* наследник

heir apparent *n* прямой наследник

heiress [ˈeəres] *n* наследница

heirloom [eəluːm] *n* семейная реликвия

heist [haɪst] *n* грабеж

helicopter [ˈhelɪkɔptəˈ] *n* вертолет

helium [ˈhiːlɪəm] *n* гелий

hell [hel] *n* ад; **~!** черт!; **a** *or* **one ~ of a mess** кошмарный беспорядок; **a** *or* **one ~ of a party** классная вечеринка

hellish [ˈhelɪʃ] *adj* кошмарный

hello [həˈləu] *excl* здравствуйте; привет; эй; **~ (what's this!)** эй, (что это!)

helm [helm] *n* руль *m;* **man at the ~** рулевой; ,at the ~ of у кормила

helmet [ˈhelmɪt] *n* каска; *(also:* **crash~**) шлем

helmsman [helmzmən] *n m adj* рулевой

help [help] *n* помощь; прислуга ✧ *vt* помогать; **with the ~ of** с помощью; при помощи; **can I be of (any) ~?** я могу Вам чем-н. помочь; **~!** помогите!; **can I ~ you?** чем могу быть полезен?; **~ yourself** угощайтесь; **he can't ~ it** он ничего не может поделать с этим; **I can't ~thinking that ...** я не могу не думать, что...

helper [ˈhelpəˈ] *n* помощник(-ица)

helpful [ˈhelpful] *adj* полезный

helping [ˈhelpɪŋ] *n* порция

helping hand *n:* **to lend a ~~** протягивать руку помощи

helpless [ˈhelplɪs] *adj* беспомощный

helplessly [ˈhelplɪslɪ] *adj* беспомощно

helpline [ˈhelplaɪn] *n* телефон доверия

Helsinki [ˈhelsɪŋkɪ] *n* Хельсинки *m ind*

helter-skelter [ˈheltəˈskeltə] как попало, беспорядочный

he-man [ˈhiːmæn] *разг.* настоящий мужчина

hem I [hem] **1.** *n* рубец *(на платье)* **2.** *v* подрубать; окружать

hem II [mm] *int* гм!

hemisphere [ˈhemɪsfɪə] полушарие

hemp [hemp] конопля; пенька

hem-stitch [ˈhemstɪtʃ] мережка *(вышивка)*

hen [hen] курица

henbane [ˈhenbeɪn] белена

hence [ˈhens] с этих пор; следовательно; **~forth, ~forward** [-ˈfɔːθ], [-ˈfɔːwəd] с этих пор, отныне

henceforth [hensˈfɔːθ] *adv* впредь

henchman [ˈhentfmən] приверженец, ставленник

hen-hearted [ˈhenˈhɑːtɪd] малодушный

hen-house [ˈhenhaus] курятник

henna [ˈhenə] *n* хна

hen party *n* девичник

henpecked [ˈhenpekt]: **be ~** быть у жены под каблуком

hepatitis [hepəˈtaɪtɪs] *n* гепатит

her [həːˈ] *pron* ее; ей; ней; нее; *see also* **me** ✧ *adj* ее; свой; *see also* **my**

herald [ˈherəld] *n* предвестник ✧ *vt* предвещать

heraldry [ˈherəldrɪ] *n* геральдика; герб

herb [həːb] *n* трава; лекарственная трава; **~s** *npl* зелень *fsg*

herbal [ˈhəːbl] *adj:* **medicine ~** лечение травами; **~ remedy** лекарство от трав; **~ tea** чай из трав

herbicide [ˈhəːbɪsaɪd] *n* гербицид

herd [həːd] *n* стадо ✧ *vt* гнать; сгонять

here [hɪəˈ] *adv* здесь; сюда; **from ~** отсюда; тут; **"here!"** здесь; **~ is..., ~ are ...** вот; **you are** вот, пожалуйста; **where are my keys? ~ we are!** где мои ключи? вот они!; **~'s my sister** вот моя сестра; **~ she comes** вот она идет; **come ~!** идите сюда!; **she left ~ yesterday** она уехала отсюда вчера; **~ and there** там и сям; туда и сюда; **"here's to...!"** "за ...!"

hereabouts [ˈhɪərəˈbauts] *adv* поблизости

hereafter [hɪərˈɑːftəˈ] *adv* в дальнейшем

H

hereby [hɪə'baɪ] *adv:* **we ~ scknowledge ...** ... настоящим подтверждаем...
hereditary [hɪ'redɪtrɪ] *adj* наследственный
heredity [hɪ'redɪtɪ] *n* наследственность
heresy ['herəsɪ] *n* ересь
heretage ['herɪtɪdʒ] *n* наследие; **our national ~** наше национальное богатство
heretic ['herətɪk] *n* еретик(-ичка)
heretical [hɪ'retɪkl] *adj* еретический
herewith [hɪə'wɪð] *adv:* **please find enclosed ~ ...** ... при сем прилагается...
hermit ['hɜ:mɪt] *n* отшельник
hernia ['hɜ:nɪə] *n* грыжа
hero ['hɪərəu] *n* герой
heroic [hɪ'rəuɪk] *adj* героический
heroin ['herəuɪn] *n* героин
heroin addict *n* наркоман
heroine ['herəuɪn] *n* героиня
heroism ['herəuɪzəm] *n* героизм
heron ['herən] *n* цапля
hero worship *n* культ героя
herring ['herɪŋ] *n* сельдь *f* селедка
hers [hɜ:z] *pron* ее; свой; *see also* **mine**
herself [hɜ:'self] *pron:* себя; сама; **by ~** одна; *see also* **myself**
hesitant ['hezɪtənt] *adj* нерешительный ; **to be ~ about doing** не решаться *or* колебаться
hesitate ['hezɪteɪt] *vi* колебаться; не решаться; **to ~ (about/to do)** не решаться; **don't ~ to see a doctor if you are worried** если Вы обеспокоены (этим), без колебаний обратитесь к врачу
hesitation [hezɪ'teɪʃən] *n* колебание; **I have no ~ in saying (that)...**я говорю не колеблясь (, что) ...
hessian ['hesɪən] *n* мешковина
heterogeneous ['hetərə'dʒi:nɪəs] *adj* разнородный
het up [het-] *adj:* **to get ~ ~ (about)** заводиться
hew [hju:] *vt* выдалбливать; вырубать
hex [heks] *n* колдунья, ведьма ✧ *vt* завораживать
hexagon ['heksəgən] *n* шестиугольник
hexagonal [hek'sægənl] *adj* шестиугольный
hey [heɪ] *excl* эй
heyday ['heɪdeɪ] *n:* **the ~ of** расцвет
hi [haɪ] *excl* привет; эй
hiatus [haɪ'eɪtəs] *n* пробел; пауза
hibernation [haɪbə'neɪʃən] *n* зимняя спячка
hiccup ['hɪkʌp] *vi* икать
hick [hɪk] *n* деревенщина *m/f*
hid [hɪd] *pt of* **hide**
hide [haɪd] *n* шкура; укрытие ✧ *vt* прятать; скрывать; закрывать ✧ *vi;* **to ~ (from sb)** прятаться (от кого-н.); **to ~ sth (from sb)** прятать что-н. (от кого-н.); скрывать что-н. (от кого-н.)
hide-and-seek ['haɪdən'si:k] *n* прятки
hideaway ['haɪdəweɪ] *n* убежище
hideous ['hɪdɪəs] *adj* жуткий; омерзительный
hideously ['hɪdɪəslɪ] *adv* омерзительно; жутко
hide-out ['haɪdaut] *n* укрытие; логовище
hiding place *n* укрытие; тайник, потайное место
hierarchy ['haɪərɑ:kɪ] *n* иерархия
hieroglyphic [haɪərə'glɪfɪk] *adj* иероглифический
hieroglyphics [haɪərə'glɪfɪks] *npl* иероглифы *mpl*
higgledy-piggledy ['hɪgldɪ'pɪgldɪ] *adj* беспорядочный ✧ *adv* кое-как, беспорядочно
high [haɪ] *adj* высокий; сильный; выдержанный; ✧ *adv* высоко ✧ *n;* **exports have reached a new ~** экспорт достиг новой высоты; **the building is 20 m ~** высота здания - 20м; **to be ~** кайфовать; **~ risk** высокая степень риска; **~ in the air** высоко в воздухе; **to pay a ~ price for sth** платить высокую цену за что-н.; **it's ~ time you learned how to do it** Вам давно пора научиться делать это
highball ['haɪbɔ:l] *n* виски с содовой и льдом *(в высоком стакане)*
highboy ['haɪbɔɪ] *n* высокий комод
highbrow ['haɪbrau] *adj* ученый; интеллектуальный
high-class ['haɪ'klɑ:s] *adj* первоклассный; высокого класса

High Court *n;* **the ~ ~** Верховный суд
higher [ˈhaɪə] *adj* высший ✧ *adv* выше
higher education *n* высшее образование
high-five [haɪˈfaɪv] *n* пятерня *(хлопок ладонью по чьей-нибудь)*
high-flying [haɪˈflaɪŋ] *adj* честолюбивый; шикарный
high-handed [haɪˈhændɪd] *adj* своевольный
high jump *n* прыжок в высоту
highlight [ˈhaɪlaɪt] *n* кульминация ✧ *vt* выявлять; **~s** *npl* пряди *fpl;* **the match ~s were shown on TV** кульминационные моменты матча были показаны по телевидению
highlighter [ˈhaɪlaɪtəˈ] *n (also~* **pen)** фломастер *(для выделения частей текста)*
highly [ˈhaɪlɪ] *adv* очень; высоко; **to speak ~of** высоко отзываться; **to think ~ of** быть высокого мнения
highly strung *adj* нервозный
High Mass *n* торжественная месса
highness [ˈhaɪnɪs] *n:* **Her/His H~** Ее/Его Высочество
high-pitched [haɪˈpɪtʃt] *adj* пронзительный
high point *n* кульминация
high-powered [ˈhaɪˈpauəd] *adj* мощный; ответственный; высокого мнения
high-pressure [ˈhaɪpreʃəˈ] *adj* высокого давления
high-rise [ˈhaɪraɪz] *adj* высотный
high school *n* средняя школа *(для 11-18-тилетних)*
high season *n* разгар сезона
high spirits *npl* приподнятое настроение *ntsg*
high street *n* центральная улица
high tide *n* прилив
highway [ˈhaɪweɪ] *n* шоссе *nt ind*
Highway Code *n* автострада *ntpl*
highwayman [ˈhaɪweɪmən] *irreg n* разбойник с большой дороги
hijack [ˈhaɪdʒæk] *vt* угонять; перехватывать ✧ *n (also:* **~ing)** угон
hijacker [ˈhaɪdʒækəˈ] *n* угонщик
hike [haɪk] **1.** *v разг.* совершать длинный путь пешком **2.** *n* пешеходная экскурсия
hiker [ˈhaɪkəˈ] *n* турист(ка)
hiking [ˈhaɪkɪŋ] *n:* **to go ~** ходить/идти в поход
hilarious [hɪˈleərɪəs] весёлый, шумный
hilarity [hɪˈlærɪtɪ] *n* буйное веселье
hill [hɪl] *n* холм; гора; склон; подъем
hillbilly [ˈhɪlbɪlɪ] *n* горец; деревенщина *m/f*
hillock [ˈhɪlək] *n* пригорок
hillside [ˈhɪlsaɪd] *n* склон
hilltop [ˈhɪltɔp] *n* вершина *(холма, горы)*
hilly [ˈhɪlɪ] *adj* холмистый
hilt [hɪlt] *n* рукоятка; **to back sb to the ~** поддерживать кого-н. полностью
him [hɪm] *pron* его; ему; него; нему; ним; нем; *see also* **me**
Himalayas [hɪməˈleɪəz] *npl:* **the ~** Гималаи *pl*
himself [hɪmˈself] *pron* себя; собой; себе; сам; **by ~** один;
hind I [haɪnd] лань
hind II [haɪnd] задний *(о ногах и лапах животного, о колёсах)*
hinder I [ˈhaɪndə] *уст. см.* **hind II**
hinder II [ˈhɪndə] мешать, препятствовать *(выполнению чего-л.)*
Hindi [ˈhɪnˈdiː] хинди *(язык)*
hindmost [ˈhaɪn(d)moust] самый задний; последний
hindrance [ˈhɪndr(ə)ns] помеха
hindsight [ˈhaɪndsaɪt] задним умом крепок
Hindu [ˈhɪnˈduː] **1.** *n* индус *2. a* индусский
hinge [hɪndʒ] **1.** *n* петля *(на двери);* шарнир *(в машине)* **2.** *v* прикреплять *(на петлях);* зависеть от
hint [hɪnt] **1.** *n* намёк; **take the ~** понять (намёк) с полуслова **2.** *v* намекать; ~ at намекать на
hinterland [ˈhɪntəlænd] районы вглубь от прибрежной полосы *или* границы
hip [hɪp] бедро; *attr.:* **~ pocket** задний карман
hip flask *n* набедренная фляга
hippie [ˈhɪpɪ] *n* хиппи

H

hip pocket *n* задний карман
hippodrome [ˈhɪpədroum] ипподром
hippopotamus [ˌhɪpəˈpɔtəməs] (*pl* **-es** [ɪz], **-mi** [-maɪ]) гиппопотам
hire [ˈhaɪəˈ] *vt* брать напрокат; снимать; арендовать; нанимать ◇ *n* прокат; аренда; **for ~** напрокат; **on ~** взятый напрокат
hire(d) car *n* машина, взятая напрокат
hire out *vt* давать напрокат; сдавать внаем
Hiroshima [hɪˈrɔʃɪmə] *n* Хиросима
his [hɪz] *adj* его; свой; see also **my** ◇ *pron* его; *see also* **mine**
hiss [hɪs] *vi* шипеть; освистывать; шикать ◇ *n* шипение; свист; шикание
historian [hɪˈstɔːrɪən] *n* историк
historic [hɪˈstɔrɪk] *adj* исторический
historical [hɪˈstɔrɪkl] *adj* исторический
history [ˈhɪstərɪ] *n* история; **medical ~** история болезни; **there's long ~ of illness in his family** болезнь передавалась в его семье по наследству
hit [hɪt] *vt* ударять; попадать в; сталкиваться с; ударять по ◇ *n* удар; **the play was a big~** пьеса пользовалась большим успехом; **to~ it off (with sb)** найти общий язык (с кем-н.); **to ~ the headlines** попасть на первые страницы газет; **to ~ the road** отправляться в путь; **he'll ~ the roof when he finds out about it** он все здесь разнесет, когда узнает об этом
hit (up) on *vt fus* отыскивать
hit and miss *adj* непредсказуемый
hit-and-run driver *n водитель, который, сбив пешехода, уезжает с места происшествия*
hit back *vi:* **to ~ back at sb** наносить ответный удар на кого-н.
hitch [hɪtʃ] **1.** *v* подтягивать; прицеплять *(крючком);* прицепляться, зацепляться **2.** *n* толчок; *мор.* узел; задержка, помеха; **without a ~** гладко; без сучка, без задоринки
hitch(-hike) [ˈhɪtʃhaɪk] *разг.* бесплатно проехать на попутной машине
hitchhiker [ˈhɪtʃhaɪkəˈ] *n* путешественник(-ица) автостопом
hi-tech [ˈhaɪˈtek] *adj* высокотехнический
hither [ˈhɪðə] сюда ◇ **~ and thither,** *амер.* **~ and yon** то туда, то сюда; **~to** [-ˈtuː] до сих пор, прежде
hitherto [hɪðəˈtuː] *adv* до настоящего времени
hit man *irreg n* наемный убийца *m*
hit-or-miss [ˈhɪtəˈmɪs] *adj* сделанный наугад; сделанный как попало *or* кое-как; непредсказуемый; **it's ~ whether I'll be able to come** трудно предсказать, смогу ли я придти
hit out at *vt fus* набрасываться на
hit parade *n* хит-парад
hive [haɪv] *n* улей; **Moscow is a ~ of activity** жизнь в Москве кипит
hive off *vt* отделять
hoard [hɔːd] *n* (тайный) запас; клад ◇ *vt* запасать; копить
hoarding [ˈhɔːdɪŋ] *n* рекламный щит
hoarfrost [ˈhɔːfrɔst] *n* иней
hoarse [hɔːs] *adj* хриплый
hoary [ˈhɔːrɪ] покрытый инеем, седой
hoax [həuks] *n* мистификация; ложная тревога
hobble [ˈhɔbl] *vi* ковылять
hobby [ˈhɔbɪ] *n* хобби *nt ind*
hobgoblin [ˈhobˌgoblɪn] домовой; *перен.* пугало
hobnailed [ˈhɔbneɪld]: ~ boots горные ботинки
hob-nob [ˈhɔbnɔb] пить вместе; общаться
hobo [ˈhoubou] *амер. разг.* бродяга
hock I [hɔk] *анат.* поджилки
hock II рейнвейн
hockey [ˈhɔkɪ] *n* хоккей (на траве)
hocus-pocus [ˈhəukəsˈpəukəs] *n* очковтирательство; фокус-покус; белиберда
hod [hɔd] *n* лоток *(для переноски кирпичей)*
hoe [həu] *n* мотыга, тяпка ◇ *vt* мотыжить
hog [hɔg] **1.** *n* свинья ◇ **go the whole ~** сделать что-л. полностью, до

конца **2.** *v* : ~ **it** *разг.* обжираться

hogmanay [ˈhɔgmənei] *шотл.* канун вого года

hogshead [ˈhɔgzhed] большая бочка; мера жидкости *(около 238 л)*

hoist [hɔist] **1.** *v* поднимать *(парус, флаг, груз);* ~ **in** поднять на борт **2.** *n* подъёмник; подсаживание

hoity-toity [ˈhɔitiˈtɔiti] *разг.* надменный

hold I [hould] *мор.* трюм

hold II 1. *v* (held) держать; вмещать; придерживаться *(мнения);* **I ~ him to be wrong** я считаю, что он неправ; *воен.* оборонять; владеть; иметь; проводить *(собрание, демонстрацию)* иметь силу *(о законе);* ~ **good** остаться в силе; *амер.* держать в тюрьме; ~ **back** воздерживаться; сдерживаться; удерживать; сдерживать *(from);* ~ **down** держать в подчинении; ~ **forth** разглагольствовать; ~ **off** держаться поодаль; ~ **on** держаться *(за что-л.);* : ~ **on** подождите; ~ **out** держаться, не сдаваться; выдерживать; протягивать *(руку);* ~ **over** отложить; ~ **up** поддерживать; выставлять; задерживать, останавливать; грабить ✧ ~ **dear** дорожить; ~ **in esteem** уважать; ~ **oneself ready** быть наготове; ~ **one's own** (*или* ground) сохранять достоинство *или* самообладание; **it doesn't ~ water** это не выдерживает никакой критики, это не логично; ~ **it against smb.** иметь претензию к кому-л. **2.** *n* владение; захват; **take ~** *(of)* схватить, завладеть; власть; влияние; **have a ~** *(on)* иметь влияние

holdall [ˈhəuldɔ:l] *n* дорожная сумка

holdback [ˈhouldbæk] задержка

hold back *vt* придерживать; удерживать; скрывать

hold down *vt* удерживать; **to ~ down a job** удерживаться на работе

holder [ˈhəuldə] *n* держатель; обладатель; **post ~** занимающий пост; **title ~** носящий титул

hold forth *vi:* **to ~ forth (on** *or* **about)** увлеченно говорить

holding [ˈhəuldiŋ] *n* вклад; участок земли ✧ *adj:* ~ **operation/tactic** операция/тактика сдерживания

hold off *vt* сдерживать ✧ *vi:* **if the rain ~s off** если не пойдет дождь

hold on *vi* держаться; ждать; ~ **on!** не вешайте трубку!

hold on to *vt fus* держаться; придерживать; сохранять

hold out *vt* протягивать; сохранять ✧ *vi* держаться

hold over *vt* откладывать

hold up *vt* поднимать; поддерживать; задерживать; грабить

hold-up [ˈhəuldʌp] *n* ограбление; задержка

hole [həul] *n* дыра; нора; дырка; брешь ✧ *f vt* пробивать; ~ **in the heart** порок сердца; **to pick ~s (in)** находить слабое место (в)

hole up *vi* уединяться

holiday [ˈhɔlidei] *n* каникулы; выходной день *m; (also:* **public ~)** праздник; **on ~** на каникулах; **tomorrow is a (public) ~** завтра праздник

holiday camp *n* молодежный лагерь *(also:* **holiday centre)** база отдыха

holiday-marker [ˈhɔlədimeikəˈ] *n* отпускник, отдыхающий

holiday pay *n* отпускные *pl adj*

holiday resort *n* курорт

holiday season *n* курортный сезон

holiness [ˈhəulnis] *n* святость *f*

holistic [həuˈlistik] *adj* целостный

Holland [ˈhɔlənd] *n* Голландия

holler [ˈhɔləˈ] *vt* орать

hollow [ˈhɔləu] *adj* полый; дуплистый; впалый; ввалившийся; неискренний; пустой; поверхностный ✧ *n* впадина; дупло ✧ *vt:* **to ~ out** выкапывать

hollyhock [ˈhɔlihɔk] *n* алтей розовый

Hollywood [ˈhɔliwud] *n* Голливуд

holocaust [ˈhɔləkɔ:st] полное уничтожение

holster [ˈhoulstə] кобура

holy [ˈhouli] святой; **H. Write** Библия

Holy Communion *n* Святое Причастие

Н

Holy Father *n* Его святейшество
Holy Ghost *n* святой дух
Holy Land *n:* **the ~~** святая земля
homage [ˈhɔmɪdʒ] *n* почтение; **to pay ~ to** воздавать почести
home address *n* домашний адрес
home-brew [həumˈbru:] *n* домашнее пиво
homecoming [həumkʌmɪŋ] *n* возвращение домой
home-grown [ˈhəumgrəun] *adj* домашний; отечественный
home economics *n* домоводство
home in on *vt fus*
homeland [ˈhəumlænd] *n* родина
homeless [ˈhəumlɪs] *adj* бездомный ✧ *npl:* **the ~** бездомные *pl adj*
homely [ˈhəumlɪ] *adj* простой, уютный
home-made [həumˈmeɪd] *adj* домашний; самодельный
homesick [ˈhəumsɪk] *adj:* **to be ~** скучать по дому; скучать по родине
homestead [ˈhəumsted] *n* усадьба
home stretch *n* финишная прямая
home town *n* родной город
homeward [ˈhəumwəd] *adj* обратный ✧ *adv:* **~(s)** домой
homework [ˈhəumwə:k] *n* домашняя работа, домашнее задание
homicidal [hɔmɪˈsaɪdl] *adj* предрасположенный к убийству
homicide [ˈhɔmɪsaɪd] *n* убийство
homily [ˈhɔmɪlɪ] *церк.* проповедь
homoeopath [ˈhəumɪəupæθ] *n* гомеопат
homoeopathy [həumɪˈɔpəθɪ] *n* гомеопатия
homogeneous [hɔməuˈdʒi:nɪəs] *adj* однородный
homosexual [hɔməuˈseksjuəl] *adj* гомосексуальный ✧ *n* гомосексуалист(ка)
hone [həun] *n* точильный камень *m* ✧ *vt* точить; хонинговать; оттачивать
honest [ˈɔnɪst] *adj* честный; **to be quite ~ (with you)...** честно говоря, ...
honestly [ˈɔnɪstlɪ] *adv* честно
honesty [ˈɔnɪstɪ] *n* честность *f*
honey [ˈhʌnɪ] *n* мед; милый *m (f) adj* голубчик
honeycomb [ˈhʌnɪkəum] *n* соты (пчелиные) *fpl* шестиугольный мозаичный узор ✧ *vt:* **to ~ with** кишеть
honeymoon [ˈhʌnɪmu:n] *n* медовый месяц
honeysuckle [ˈhʌnɪsʌkl] *n* жимолость
Hong Kong *n* Гонконг
honk [hɔŋk] крик диких гусей; звуки автомобильной сирены
honor [ˈɔnə] *см.* *honour*
honorary [ˈɔn(ə)rərɪ] почетный; неоплачиваемый
honour [ˈɔnəˈ] *vt* почитать; чтить; выполнять ✧ *n* честь *f* почесть *f;* **in ~ of** в честь
honourable [ˈɔnərəbl] *adj* благородный
honour-bound [ˈɔnəˈbaund] *adj:* **he is ~ to keep his word** сдерживать слово является для него делом чести
honours degree [ˈɔnəz-] *n* ученая степень *f*
hood [hud] *n* капюшон; откидной верх; капот; вытяжной колпак
hooded [ˈhudɪd] *adj* в маске; с капюшоном
hoodlum [ˈhu:dləm] *амер.* хулиган
hoodwink [ˈhudwɪŋk] обманывать, дурачить
hoof [hu:f] *(pl* hoofs [-s] *и* **hooves**) копыто; **~ed** [-t] копытное
hook [huk] *n* крючок ✧ *vt* прицеплять; поймать (на крючок); **by ~ or by crook** всеми правдами и неправдами; **he is ~ed on her sweets** он помешан на ней/конфетах; **to get ~ed (on)** пристраститься (к)
hook an eye *n* крючок и петля *(на одежде)*
hook up *vt* застегивать на крючок: **to ~ up to the main network** подключать к центральной сети
hooligan [ˈhu:lɪgən] *n* хулиган
hooliganism [ˈhu:lɪgənɪzəm] *n* хулиганство
hoop [hu:p] *n* обруч; ворота *pl*
hooray [hu:ˈreɪ] *excl* = **hurrah**
hoot [hu:t] *vi* гудеть; выть; ухать; улюлюкать ✧ *vt* гудеть ✧ *n* гудок; вой; уханье; улюлюканье;

to ~ with laughter разражаться оглушительным смехом
hooter [ˈhu:təˈ] *n* гудок
hoover [ˈhu:və] *n* пылесос ✧ *vt* пылесосить
hooves [hu:vz] *npl of* **hoof**
hop [hɔp] *vi* скакать на одной ноге; скакать ✧ *n* скачок
hope [həup] *vti* надеяться ✧ *n* надежда; **to ~ that/to do** надеяться, что; **I ~ so/not** надеюсь, что да/нет; **to ~ for the best** надеяться на лучшее; **I have no ~ of sth/doing** у меня нет никакой надежды на что-н.; **in the ~ of/that** в надежде на что
hopeful [ˈhəupful] *adj* полный надежд; обнадеживающий; **to be ~ of sth** надеяться на что-н.; **I'm ~ that she'll manage to come** я надеюсь, что она сможет прийти
hopper [ˈhɔpəˈ] *n* бункер
hops [hɔps] *npl* хмель *msg*
horde [hɔ:d] *n* полчище
horizon [həˈraɪzn] *n* горизонт
horizontal [hɔrɪˈzɔntl] *adj* горизонтальный
hormone [ˈhɔ:məun] *n* гормон
horn [hɔ:n] *n; (also:* **French ~)** валторна; гудок
horned [hɔ:nd] *adj* рогатый
hornet [ˈhɔ:nɪt] *n* шершень *m*
horny [ˈhɔ:nɪ] *adj* возбужденный
horoscope [ˈhɔrəskəup] *n* гороскоп
horrendous [həˈrendəs] *adj* ужасающий
horrible [ˈhɔrɪbl] *adj* ужасный
horrid [ˈhɔrɪd] *adj* противный; мерзкий
horrific [hɔˈrɪfɪk] *adj* ужасный; **it was simple ~** это было просто ужасно
horrify [ˈhɔrɪfaɪ] *vt* ужасать
horrifying [ˈhɔrɪfaɪŋ] *adj* ужасающий
horror [ˈhɔrə] *n* ужас; отвращение
horror film *n* фильм ужасов
horror-struck [ˈhɔrəstrʌk] *adj* объятый ужасом
hors d'oeuvre [ɔ:ˈdə:vrə] *n* закуска
horse [hɔ:s] *n* лошадь *f* конь *m*
horseback [ˈhɔ:sbæk] *adj* верховой ✧ *adv:* **on ~** верхом; **police on ~** конная полиция
horsebox [ˈhɔ:sbɔks] *n* вагон для лошадей
horse chestnut *n* конский каштан
horse-drawn [ˈhɔ:sdrɔ:n] *adj* конный; гужевой
horsefly [ˈhɔ:sflaɪ] *n* слепень *m*
horseman [ˈhɔ:smən] *irreg n* всадник
horsemanship [ˈhɔ:smənʃɪp] *n* искусство верховой езды
horseplay [ˈhɔ:spleɪ] *n* возня
horse racing *n* скачки fpl
horseradish [ˈhɔ:srædɪʃ] *n* хрен
horseshoe [ˈhɔ:sʃu:] *n* подкова
horse show *n* соревнования по выездке
horsewhip [ˈhɔ:swɪp] *n* хлыст ✧ *vt* хлестать
horsewoman [ˈhɔ:swumən] *irreg n* всадница
horsey [ˈhɔ:sɪ] *adj* увлекающийся лошадьми; лошадиный
horticulture [ˈhɔ:tɪkʌltʃəˈ] *n* садоводство
hose [həuz] *n (also:* **~ pipe)** шланг
hose down *vt* поливать из шланга
hosepipe [ˈhəuzpaɪp] *n* шланг
hosiery [ˈhəuzɪərɪ] *n* чулочные изделия *ntpl*
hospice [ˈhɔspɪs] *n* больница *(для безнадежно больных)*
hospitable [ˈhɔspɪtəbl] *adj* гостеприимный; благоприятный
hospital [ˈhɔspɪtl] *n* больница; **to be in ~** *or* **in the ~** лежать в больнице
hospitality [hɔspɪˈtælɪtɪ] *n* гостеприимство
hospitalize [ˈhɔspɪtəlaɪz] *vt* госпитализировать
host I [houst] хозяин *(дома, гостиницы)*
host II сонм, множество
hostage [ˈhɔstɪdʒ] заложник
hostel [ˈhɔst(ə)l] общежитие
hostess [ˈhoustɪs] хозяйка *(дома)*
hostile [ˈhɔstaɪl] *adj* враждебный; неблагоприятный; вражеский; **~ to** *or* **towards** враждебный по отношению к
hostility [hɔˈstɪlɪtɪ] *n* враждебность
hot [hɔt] *adj* горячий; жаркий; острый; **she is ~** ей жарко; **it's ~**

жарко; **I'm not too ~ on mathematics** я не очень разбираюсь в математике
hot air *n* пустословие, болтовня
hot-air balloon [hɔt'eə-] *n* воздушный шар
hotbed ['hɔtbed] *n* рассадник
hot-blooded [hɔt'blʌdɪd] *adj* пылкий
hot dog *n* сосиска в булке
hotel [həu'tel] *n* гостиница, отель *m*
hotelier [həu'telɪə'] *n* владелец гостиницы; администратор гостиницы
hotel industry *n* гостиничный бизнес
hotel room *n* гостиничный номер
hot flush *n* прилив
hotfoot ['hɔtfut] *adv* стремглав
hothead ['hɔthed] *n* горячая голова
hot-headed [hɔt'hedɪd] *adj* порывистый; необдуманный

H

hothouse ['hɔthaus] *n* оранжерея, теплица
hotly ['hɔtlɪ] *adv* горячо
hotplate ['hɔtpleɪt] *n* конфорка
hotpot ['hɔtpɔt] *n* жаркое
hot spot *n* горячая точка
hot spring *n* горячий источник
hot stuff *n* красотка; классная вещь
hot-tempered ['hɔt'tempəd] *adj* вспыльчивый
hot up *vi* накаляться; разгораться ◊ vt разогревать; ускорять
hot-water bottle [hɔt'wɔːtə-] *n* грелка
hound [haund] *vt* травить ◊ *n* гончая *f adj*
hour ['auə'] *n* час; **at 60 miles an** *or* **per ~** со скоростью 60 миль в час; **24 ~ job** круглосуточная работа; **I am paid by the ~** я получаю почасовую оплату
hourly ['auəlɪ] *adj* почасовой, ежечасный ◊ *adv* ежечасно; с часу на час
house [haus], [hauz] *n* дом; фирма; зал ◊ *vt* селить; размещать; **at my ~** у меня дома; **to my ~** ко мне домой; **the H~ of Commons/Lords** палата общин/лордов; **the H~ (of Representatives)** палата представителей; **the H~s of Parliament** здание парламента; **on the ~** бесплатно
house arrest *n* домашний арест
houseboat ['hausbəut] *n* плавучий дом
housebreaking ['hausbreɪkɪŋ] *n* грабеж со взломом
housecoat ['hauskəut] *n* домашний халат
household ['haushəuld] *n* дом; **~ name** известная марка; широко известная личность
householder ['haushəuldə'] *n* домовладелец
house-hunting ['haushʌntɪŋ] *n*: **to go ~** заниматься поисками дома
housekeeper ['hauskiːpə'] *n* экономка
housekeeping ['hauskiːpɪŋ] *n* домашние дела *ntpl; (also:* **~ money)** деньги на хозяйственные нужды
house-owner ['hausəunə'] *n* домовладелец(-лица)
house-proud ['hauspraud] *adj* домовитый
house-warming ['hauswɔːmɪŋ] *n (also:* **~ party)** новоселье
housewife ['hauswaɪf] *n* домашняя хозяйка, домохозяйка
housework ['hauswəːk] *n* домашнее хозяйство
housing ['hauzɪŋ] *n* жилище, жилье; жилищное снабжение; корпус, кожа ◊ *spd* жилищный; **~ shortage** недостаток жилья
housing conditions *npl* жилищные условия ntpl
housing estate *n* жилищный комплекс; жилой массив
hovel ['hɔvl] *n* лачуга
hover ['hɔvə'] *vi* парить; мыться; **to ~ round sb** увиваться вокруг кого-н.
hovercraft ['hɔvəkrɑːft] *n* судно на воздушной подушке
hoverport ['hɔvəpɔːt] *n* порт для суден на воздушной подушке
how [hau] как, каким образом; **~ many?, ~ much?** сколько? ◊ **~ do you do?** здравствуйте
however [hau'evə] **1.** *cj* однако, тем не менее **2.** *adv* как бы ни
howler ['haulə'] *n* ляпсус
howitzer ['hauɪtsə] *воен.* гаубица
howl ['haul] **1.** *v* выть, завывать **2.** *n*

завывание; ~er *разг.* грубейшая *или* глупейшая ошибка
howling [ˈhaulɪŋ] *adj* невероятный
hoy! [hɔɪ] эй!
hub [hʌb] ступица *(колени); перен. тж.* центр *(чего-л.)*
hubbub [ˈhʌbʌb] гам, шум
hubby [ˈhʌbɪ] *разг.* муженёк
hubcap [ˈhʌbkæp] *n* покрышка
huckleberry [ˈhʌklberɪ] черника
huckster [hʌkstə] разносчик
huddle [ˈhʌdl] 1. *n* беспорядочная куча; свалка; груда; толпа ◇ **go** (*или* **get**) **into a** ~ *разг.* собираться для совещания 2. *v* жаться, тесниться, толпиться; (*обыкн.* ~ **up**) ёжиться
hue I [hju:] оттенок
hue II: ~ **and cry** шум, крик; погоня
huff [hʌf] *n:* **he's in a** ~ он обижен ◇ *vi:* **to** ~ **and puff** пыхтеть
huffy [ˈhʌfɪ] *adj* надутый
hug [hʌg] *vt* обнимать; обхватывать ◇ *n* объятие; **to give sb a** ~ обнимать кого-н.
huge [hju:dʒ] *adj* огромный; громадный
hugely [ˈhju:dʒlɪ] *adv* чрезвычайно
hulk [hʌlk] *n* корпус *(затонувшего корабля);* громадина
hull [hʌl] *n* корпус; шелуха; чашечка ◇ *vt* лущить
hullabal(l)oo [ˈhʌləbəˈlu:] *n* шумиха
hum [hʌm] *vt* напевать *(без слов)* ◇ *vi* напевать; гудеть ◇ *n* гудение; гул
human [ˈhju:mən] *adj* человеческий ◇ *n (also:* ~ **being)** человек
humane [hju:ˈmeɪn] *adj* человечный; гуманный
humanely [hju:ˈmeɪnlɪ] *adv* по-человечески, гуманно
humanism [ˈhju:mənɪzəm] *n* гуманизм
humanitarian [hju:mænɪˈteərɪən] *adj* гуманитарный; гуманный
humanity [hju:ˈmænɪtɪ] *n* человечество; человечность *f* гуманность *f* человеческая суть; **the humanities** *npl fpl* гуманитарные науки
humanly [ˈhju:mənlɪ] *adv:* **it's not** ~ **possible** это вне человеческих возможностей; **it is** ~ **possible** это в пределах человеческих возможностей
humanoid [ˈhju:mənɔɪd] *adj* человекоподобный ◇ *n* гуманоид
human rights *npl* права *ntpl* человека
humble [ˈhʌmbl] *adj* скромный ◇ *vt* сбивать спесь с
humbly [ˈhʌmblɪ] *adv* скромно, смиренно
humbug [ˈhʌmbʌg] *n* надувательство
humdrum [ˈhʌmdrʌm] *adj* нудный
humid [ˈhju:mɪd] *adj* влажный
humidifier [hju:ˈmɪdɪfaɪəˈ] *n* увлажнитель воздуха
humidity [hju:ˈmɪdɪtɪ] *n* влажность *f*
humiliate [hju:mɪlɪeɪt] *vt* унижать
humiliating [hju:ˈmɪlɪeɪtɪŋ] *adj* унизительный
humility [hju:ˈmɪlɪtɪ] *n* скромность; смирение
humilliation [hju:mɪlɪˈeɪʃən] *n* унижение
humming bird [ˈhʌmɪŋ-] *n* колибри *m/f ind*
hummock [ˈhʌmək] пригорок; холмик
humorist [ˈhju:mərɪst] *n* юморист(ка)
humorous [ˈhju:mərəs] *adj* юмористический; шутливый; с юмором
humour [ˈhju:məˈ] *n* юмор; настроение ◇ *vt* ублажать; **sense of** ~ чувство юмора; **to be in good/bad** ~ быть в хорошем/плохом настроении
humourless [ˈhju:məlɪs] *adj* лишенный чувства юмора
hump [hʌmp] *n* бугор; горб
humus [ˈhju:məs] *n* перегной
hunch [hʌntʃ] *n* догадка; **I have a** ~ **that ...** я предчувствую, что ...
hunchback [ˈhʌntʃbæk] *n* горбун
hunched [hʌntʃt] *adj* сутулый
Hundgary [ˈhʌŋgərɪ] *n* Венгрия
hundred [ˈhʌndrəd] *n* сто; **a** *or* **one** ~ **books/people/dollars** сто книг/людей/долларов; **about a**~ около ста; ~ **and first** сто первый; **to live to be a** ~ жить до ста лет; **~s of** сотни; **people came in their ~s** *or* **by the** ~ пришли сотни людей; **I'm a** ~ **per cent sure** я уверен на сто процентов

H

hundredth [ˈhʌndrədθ] *adj* сотый ✧ *n* одна сотня *f adj*
hunger [ˈhʌŋgeˈ] *n* голод ✧ *vi:* **to ~ for** жаждать
hunger strike *n* голодовка
hung over *adj:* **I'm feeling ~ ~** у меня похмелье
hungrily [ˈhʌŋgrəlɪ] *adv* жадно
hungry [ˈhʌŋgrɪ] *adj* голодный; **~ for** жаждущий; **he is ~** он голоден; **to go ~** голодать
hunk [ˈhuŋk] *n (большой)* кусок; ломоть *m* красавчик
hunt [hʌnt] *vt* охотиться на; охотиться за ✧ *vi* охотиться ✧ *n* охота; розыск; **to ~ (for)** искать
hunt down *vt* выслеживать
hunter [ˈhʌntəˈ] *n* охотник
hunting [ˈhʌntɪŋ] *n* охота
hurdle [ˈhə:dl] *n* препятствие; барьер
hurl [hə:l] *vt* швырять; **to ~ abuse** *or* **insults at sb** осыпать кого-н. руганью
hurly-burly [ˈhə:lɪˈbə:lɪ] *n* суматоха
hurrah [huˈra] *excl* ура
hurricane [huˈreɪ] *n* ураган
hurried [ˈhʌrɪd] *adj* поспешный
hurriedly [ˈhʌrɪdlɪ] *adv* поспешно
hurry [ˈhʌrɪ] *n* спешка ✧ *vi* спешить, торопиться ✧ *vt* подгонять, торопить; ускорять; **to be in a ~** спешить; **to do sth in a ~** делать что-н. в спешке; **there's no ~** нет никакой спешки; **what's the ~?** почему такая спешка?; **to ~ in/out** поспешно входить/выходить; **they hurried to help him** они поспешили ему на помощь; **to ~ home** спешить домой
hurry along *vi* поспешно проходить
hurry away *vi* поспешно уходить
hurry off *vi* = **hurry away**
hurry up *vt* подгонять; торопить; ускорять ✧ *vi* торопиться; **~up!** поторопись!
hurtful [ˈhə:tful] *adj* обидный
hurtle [ˈhə:tl] сталкиваться, мчаться
husband [ˈhʌzbənd] **1.** *n* муж **2.** *v* относиться по-хозяйски; тратить экономно
hush [hʌʃ] *n* тишина ✧ *vt* заставлять молчать; **~!** тихо! тише!
hushed [hʌʃt] *adj* тихий; приглашенный
hush-hush [hʌʃˈhʌʃ] *adj* сугубо секретный
hush up *vt* заминать
husk [hʌsk] *n* шелуха
husky I [ˈhʌskɪ] полный шелухи; хриплый *разг.* рослый, сильный
husky II лайка *(собака)*
hussy [ˈhʌsɪ] нахальная девка
hustle [ˈhʌsl] **1.** *v* толкать; проталкиваться *(сквозь толпу);* действовать быстро и энергично **2.** *n* толкотня; энергичная деятельность
hut [hʌt] *n* избушка, хижина; сарай
hutch [hʌtʃ] *n* клетка *(для кроликов и т.п.)*
hyacinth [ˈhaɪəsɪnθ] *n* гиацинт
hybrid [ˈhaɪbrɪd] *n* гибрид; смесь *f* ✧ *adj* гибридный; смешанный
hydrant [ˈhaɪdrənt] *n (also:* **fire ~)** пожарный кран
hydraulic [haɪˈdrɔ:lɪk] *adj* гидравлический
hydraulics [haɪˈdrɔ:lɪks] *n* гидравлика
hydrochloric acid [ˈhaɪdrəuˈklɔrɪk-] *n* соляная кислота
hydrogen [ˈhaɪdrədʒən] *n* водород
hydrogen bomb *n* водородная бомба
hydrophobia [ˈhaɪdrəˈfəubɪə] *n* водобоязнь *f*
hydroplane [ˈhaɪdrɪpleɪn] *n* глиссер; гидросамолет ✧ *vi* глиссеровать
hyena [haɪˈi:nə] *n* гиена
hygiene [ˈhaɪdʒi:n] *n* гигиена
hygienic [haɪˈdʒi:nɪk] *adj* гигиенический; гигиеничный
hymn [hɪm] *n* церковный гимн
hype [haɪp] *n* ажиотаж
hypercritical [ˈhaɪpə:ˌkrɪtɪk(ə)l] придирчивый
hyper-inflation [ˈhaɪpərɪnˈfleɪʃən] *n* гиперинфляция
hypermarket [ˈhaɪpəmɑ:kɪt] *n* крупный универсам
hypersonic [ˈhaɪpə:ˈsounɪk] сверхзвуковой
hypertension [ˈhaɪpəˈtenʃən] *n* гипертония
hyphen [ˈhaɪfn] *n* дефис

H

hypnosis [hɪp'nəusɪs] *n* гипноз
hypnotic [hɪp'nɔtɪk] *adj* гипнотический
hypnotism ['hɪpnətɪzəm] *n* гипнотизм
hypnotist ['hɪpnətɪst] *n* гипнотизер
hypnotize ['hɪpnətaɪz] *vt* гипнотизировать
hypoallergenic ['haɪpəuælə'dʒenɪk] *adj* не вызывающий аллергической реакции
hypocrisy [hɪ'pɔkrɪsɪ] *n* лицемерие
hypocrite ['hɪpəkrɪt] *n* лицемер(ка)
hypocritical [hɪpə'krɪtɪkl] *adj* лицемерный
hypodermic [haɪpə'dəːmɪk] *adj* подкожный ✧ *n (also:* ~ **syringe)** шприц для подкожных инъекций
hypotenuse [haɪ'pɔtɪnjuːz] *n* гипотенуза
hypothesis [haɪ'pɔθɪsɪs] *n* гипотеза
hypothesize [haɪ'pɔθɪsaɪz] *vi* предполагать
hypothetic(al) [haɪpəu'θetɪkl] *adj* гипотетический
hysterectomy [hɪstə'rektəmɪ] *n* удаление матки
hysteria [hɪ'stɪərɪə] *n* истерия
hysterical [hɪ'sterɪkl] *adj* истерический; уморительный; **to become** ~ впадать в истерику
hysterically [hɪ'sterɪklɪ] *adv* истерически; ~ **funny** очень смешной
hysterics [hɪ'sterɪks] *npl:* **to be in** *or* **have** ~ быть в истерике

I

I,i [aɪ] *n 9-я буква английского алфавита*
I [aɪ] *pron я*
I've [aɪv] = **I have**
ice [aɪs] *n* лед; мороженое ✧ *vt* покрывать глазурью; **to put sth on** ~ заморозить что-н.
Ice Age *n* ледниковый период
ice axe *n* ледоруб
iceberg ['aɪsbəːg] *n* айсберг; **the tip of the** ~ верхушка айсберга
icebox ['aɪsbɔks] *n* холодильник; морозильник; сумка-холодильник
ice breaker *n* ледокол
ice-cap ['aɪskæp] *n* ледниковый покров
ice cream *n* мороженое *nt adj*
ice cube *n* кубик льда
iced [aɪst] *adj* покрытый глазурью; ~ **tea** холодный чай со льдом; ~ **beer** холодное пиво
ice hockey *n* хоккей *(на льду)*
Iceland ['aɪslənd] *n* Исландия
Icelander ['aɪsləndə'] *n* исландец(-дка)
Icelandic [aɪs'lændɪk] *adj* исландский ✧ *n* исландский язык
ice lolly *n* фруктовое мороженое на палочке
ice over *vi* обледенеть; покрываться льдом
ice pick *n* топорик для льда
ice rink *n* каток
ice-skate ['aɪsskeit] *n* конек ✧ *vi* кататься на коньках
ice-skating ['aɪsskeɪtɪŋ] *n* катание на коньках
ice up *vi* = **ice over**
icicle ['aɪsɪkl] *n* сосулька
icing ['aɪsɪŋ] *n* глазурь *f* обледенение
icon ['aɪkɔn] *n* икона
icy ['aɪsɪ] *adj* ледяной; покрытый льдом
idea [aɪ'dɪə] *n* представление; задача; **good** ~**!** прекрасная идея; **to have an** ~ **that** подозревать что; **I haven't the least** ~ я не имею ни малейшего представления
ideal [aɪ'dɪəl] *n* идеал ✧ *adj* идеальный
idealist [aɪ'dɪəlɪst] *n* идеалист
ideally [aɪ'dɪəlɪ] *adv* идеально; ~ **the work should be done by tomorrow** в идеале, работа должна быть закончена к завтрашнему дню; **she's** ~ **suited for the job** она идеально подходит для этой работы
identical [aɪ'dentɪkl] *adj* одинаковый
identification [aɪdentɪfɪ'keɪʃən] *n* определение; выявление; опознание; **(means of)** ~ удостоверение личности
identify [aɪ'dentɪfaɪ] *vt* определять; узнавать; опознавать; отличать; **he is identified with radical politics** он

I

отличается радикальными политическими взглядами
identity [aɪ'dentɪtɪ] *n* личность *f;* самосознание
identity card *n* удостоверение личности
ideological [aɪdɪə'lɔdʒɪkl] *adj* идеологический
ideology [aɪdɪ'ɔlədʒɪ] *n* идеология
idiocy ['ɪdɪəsɪ] *n* идиотизм
idiom ['ɪdɪəm] *n* стиль *m;* идиома
idiosyncrasy [ɪdɪəu'sɪŋkrəsɪ] *n* особенность *f,* характерная черта
idiosyncratic [ɪdɪəusɪŋ'krætɪk] *adj* индивидуальный, особенный
idiot ['ɪdɪət] *n* идиот(ка)
idiotic [ɪdɪ'ɔtɪk] *adj* идиотский
idle ['aɪdl] *adj* праздный; ленивый; безработный; бездействующий ✧ *vi* простаивать; работать на холостом ходу; **to be ~** бездействовать; **to lie ~** быть неиспользованным; **an ~ hour** час досуга
idle away *vt:* **to ~ away the time** коротать время
idle capacity *n* неиспользуемая производственная мощность *f*
idleness ['aɪdlnɪs] *n* безделье; лень *f*
idler ['aɪdlə'] *n* бездельник(-ица); лентяй(ка)
idle time *n* простой
idly ['aɪdlɪ] *adv* праздно, лениво
idol ['aɪdl] *n (рел.)* идол; кумир
idolize ['aɪdəlaɪz] *vt* боготворить
idyllic [ɪ'dɪlɪk] *adj* идиллический
if [ɪf] *conj* **1.** если; **if I finish early today, I will ring you** если я закончу рано сегодня, я тебе позвоню; **if I were you (I would...)** на Вашем месте (я бы...) **2.** когда **3.: (even) if** (даже) если; **I'll get it done, even if it takes all night** я сделаю это, если даже это займет у меня всю ночь; **I like it, (even) if you don't** хоть Вам и не нравится это, а мне (все равно) нравится **4.** ли; **I don't know if he is here** я не знаю, здесь ли он; **ask him if he can stay** спросите, сможет ли он остаться **5.: if so/not** если да/нет; **if only** если только; **if only I could** если бы я только мог *see also* **as**
iffy ['ɪfɪ] *adj* подозрительный; **I'm feeling a bit ~ today** я сегодня фигово себя чувствую
igloo ['ɪglu:] *n* иглу *nt ind (жилище эскимосов)*
igneous ['ɪgnɪəs] огненный; *геол.* вулканического происхождения
ignite [ɪg'naɪt] зажигать, загораться
ignition [ɪg'nɪʃən] *n (авт.)* зажигание; **to switch on/off the ~** включать/выключать зажигание
ignition key *n (авт.)* ключ зажигания
ignoble [ɪg'nəubl] подлый, низкий
ignominious [ɪgnə'mɪnɪəs] *adj* позорный
ignoramus [ɪgnə'reɪməs] *n* невежда
ignorance ['ɪgnərəns] *n* невежество; **~ of the facts** незнание фактов; **to keep sb in ~ of sth** держать кого-н. в неведении по поводу чего-н.
ignorant ['ɪgnərənt] *adj* несведущий; невежественный; **to be ~ of** быть неосведомленным(-ой) относительно
ignore [ɪg'nɔ:'] *vt* игнорировать; упускать из виду
il- [ɪl-] *префикс, имеющий отрицательное значение*
ilk [ɪlk] *шотл.:* **and others of that ~** и другие того же рода
ill [ɪl] *adj* больной; дурной ✧ *n* зло; беда ✧ *adv:* **to speak/think ~ (of) sb** плохо говорить, думать (о ком-н.); **he is ~** он болен; **to be taken ~** заболевать
ill-advised [ɪləd'vaɪzd] *adj* опрометчивый
ill-at-ease [ɪlət'i:z] *adj* неловкий
ill-considered [ɪlkən'sɪdəd] *adj* необдуманный
ill-disposed [ɪldɪs'pəuzd] *adj:* **to be ~ towards sb/sth** недоброжелательно относиться к кому-н./чему-н.
illegal [ɪ'li:gl] *adj* нелегальный; незаконный
illegally [ɪ'li:gəlɪ] *adv* нелегально, незаконно
illegitimate [ɪlɪ'dʒɪtɪmət] *adj* внебрачный; незаконный
ill-fated [ɪl'feɪtɪd] *adj* злополучный

I

ill-favoured [ɪl'feɪvəd] *adj* некрасивый
ill feeling *n* неприязнь *f*
ill-health [ɪl'helθ] *n* плохое здоровье
illicit [ɪ'lɪsɪt] *adj* незаконный
illigible [ɪ'ledʒɪbl] *adj* неразборчивый
ill-informed [ɪlɪn'fɔ:md] *adj* неосведомленный
illiterate [ɪ'lɪtərət] *adj* неграмотный
ill-mannered [ɪl'mænəd] *adj* невоспитанный, невежливый
illness ['ɪlnɪs] *n* болезнь *f*
illogical [ɪ'lɔdʒɪkl] *adj* нелогичный
ill-suited *adj*: **they are ~** они не подходят друг к другу; **he is ~ to the job** он не годится для этой работы
ill-timed [ɪl'taɪmd] *adj* несвоевременный; **her comments were ~** ее замечания были не к месту
ill-treat [ɪl'tri:t] *vt* плохо обращаться с
ill-treatment [ɪl'tri:tmənt] *n* жестокость *f*
illuminate [ɪ'lu:mɪneɪt] *vt* освещать
illuminated sign [ɪ'lu:mɪneɪtɪd] *n* освещенная вывеска
illuminating [ɪ'lumɪneɪtɪŋ] *adj* разъясняющий; просвещенный, познавательный
illumination [ɪlu:mɪ'neɪʃən] *n* освещение; **~s** *npl* иллюминация *fsg*
illusion [ɪ'lu:ʒən] *n* иллюзия; фокус; **to be under the ~ that ...** находиться под впечатлением, что...
illusory [ɪ'lu:sərɪ] *adj* иллюзорный, обманчивый
illustrate ['ɪləstreɪt] *vt* иллюстрировать
illustration [ɪlə'streɪʃən] *n* иллюстрация; иллюстрирование
illustrator ['ɪləstreɪtə'] *n* иллюстратор
illustrious [ɪ'lʌstrɪəs] *adj* блестящий; прославленный
ill will *n* неприязнь *f*
image ['ɪmɪdʒ] *n* образ; имидж; отражение
imagery ['ɪmɪdʒərɪ] *n (лит.)* образность *f* образный мир
imaginable [ɪ'mædʒɪnəbl] *adj* вообразимый; **we've tried every ~ solution** мы перепробовали все вообразимые решения; **she had the prettiest hair ~** у нее были невообразимо красивые волосы
imaginary [ɪ'mədʒɪnərɪ] *adj* воображаемый; мнимый
imagination [ɪmædʒɪ'neɪʃən] *n* воображение; фантазия; **it's just your ~** это просто плод Вашего воображения
imaginative [ɪ'mədʒɪnətɪv] *adj* обладающий богатым *or* творческим воображением; хитроумный
imagine [ɪ'mædʒn] *vt* представлять *(себе)*, воображать; полагать
imbalance [ɪm'bæləns] *n* несоответствие; неравновесие
imbecile ['ɪmbəsi:l] *n* ненормальный *adj*
imbroglio [ɪm'brouIɪou] путаница
imbue [ɪm'bju:] вдохновлять
imitate ['ɪmɪteɪt] *vt* копировать; подражать, имитировать
imitation [ɪmɪ'teɪʃən] *n* копирование; подражание; имитация
imitator ['ɪmɪteɪtə'] *n* подражатель
immaculate [ɪ'mækjulət] *adj* безупречный; *(рел.)* непорочный
immaterial [ɪmə'tɪərɪəl] *adj* несущественный
immature [ɪmə'tjuə'] *adj* неспелый; незрелый; недоразвившийся
immaturity [ɪmə'tjuərɪtɪ] *n* незрелость
immeasurable [ɪ'meʒrəbl] *adj* неизмеримый
immediacy [ɪ'mi:dɪəsɪ] *n* непосредственность; безотлагательность
immediate [ɪ'mi:dɪət] *adj* немедленный, мгновенный; безотлагательный; ближайший
immediately [ɪ'mi:dɪətlɪ] *adv* немедленно; непосредственно; **~ next to** непосредственно рядом с
immemorial [ɪmɪ'mɔ:rɪəl] незапамятный; **from time ~** с незапамятных времён
immense [ɪ'mens] *adj* необъятный; огромный
immensely [ɪ'menslɪ] *adv* бесконечно; необычайно; **I enjoyed it ~** мне это очень понравилось
immensity [ɪ'mensɪtɪ] *n* необъятность
immerse [ɪ'mə:s] *vt* погружать; **to ~ sth in** погружать что-н. в; **to be ~d in** быть погруженным в
immersion heater [ɪ'mə:ʃən-] *n* бойлер

I

immigrant [ˈımıgrənt] *n* иммигрант
immigration [ımıˈgreıʃən] *n* иммиграция; *(also:* ~ **control:** *at airport etc)* пограничный контроль *m* ✧ *cpd:* ~ **laws** законы *mpl* об иммиграции; ~ **authorities** пограничная служба
imminent [ˈımınənt] *adj* неминуемый
immobile [ıˈməubaıl] *adj* неподвижный
immobilize [ıˈməubılaız] *vt* останавливать; связывать
immoderate [ıˈmɔd(ə)rıt] неумеренный, чрезмерный
immodest [ıˈmɔdıst] нескромный; наглый
immoral [ıˈmɔrl] *adj* аморальный, безнравственный
immorality [ımɔˈrælıtı] *n* аморальность *f* безнравственность
immortal [ıˈmɔ:tl] *adj* бессмертный
immortality [ımɔ:ˈtælıtı] *n* бессмертие
immortalize [ıˈmɔ:tlaız] *vt* увековечивать
immovable [ıˈmu:vəbl] *adj* неподвижный; неизменный
immune [ıˈmju:n] *adj:* ~ **(to)** обладающий иммунитетом (к); **he is ~ to ...** он неподвержен влиянию
immune system *n* иммунная система
immunity [ıˈmju:nıtı] *n* иммунитет; невосприимчивость *f* неприкосновенность
immunization [ımjunaıˈʒeıʃən] *n* иммунизация, прививка
immunize [ˈımjunaız] *vt (мед.):* **to ~ (against)** прививать против
imp [ımp] *n* бесенок
impair [ımˈpeəˈ] *vt* ослаблять
impaired [ımˈpeəd] *adj* ослабленный
impale [ımˈpeıl] *vt* накалывать; **to ~ sth on** насаживать что-н.на
impart [ımˈpɑ:t] *vt:* **to ~ (to)** передавать; придавать
impartial [ımˈpɑ:ʃl] *adj* беспристрастный
impartiality [ımpɑ:ʃıˈælıtı] *n* беспристрастие
impassable [ımˈpɑ:səbl] *adj* непроходимый
impasse [æmˈpɑ:s] *n* тупик; **to reach an ~** зайти в тупик
impassive [ımˈpæsıv] *adj* бесстрастный
impatience [ımˈpeıʃəns] *n* нетерпеливость *f*
impatient [ımˈpeıʃənt] *adj* нетерпеливый; **to get** *or* **grow ~** начинать терять терпение; **she was ~ to leave** ей не терпелось уйти
impatiently [ımˈpeıʃəntlı] *adv* нетерпеливо
impeach [ımˈpi:tʃ] *vt* привлекать к ответственности
impeachment [ımˈpi:tʃmənt] *n* привлечение к ответственности
impeccable [ımˈpekəbl] *adj* безупречный
impecunious [ımpıˈkju:nıəs] *adj* нуждающийся
impede [ımˈpi:d] *vt* затруднять
impediment [ımˈpedımənt] *n* препятствие; **speech ~** дефект речи
impel [ımˈpel] приводить в движение; принуждать *(to);* побуждать *(to)*
impending [ımˈpendıŋ] предстоящий; грозящий, неминуемый
impenetrable [ımˈpenıtrəbl] *adj* непроходимый; непроницаемый; непроглядный; недоступный (для понимания)
imperative [ımˈperətıv] *adj* властный; настоятельный ✧ *n (линг.)* повелительное наклонение; **it is ~ that...** необходимо, чтобы...
imperceptible [ımpəˈseptıbl] *adj* незаметный
imperfect [ımˈpə:fikt] *adj* несовершенный; дефектный ✧ *n (линг.: also:* ~ **tense)** имперфект
imperfection [ımpə:ˈfekʃən] *n* недостаток; изъян
imperial [ımˈpıərıəl] имперский; императорский; *перен.* величественный
imperialism [ımˈpıərıəlızəm] *n* империализм
imperil [ımˈperıl] *vt* подвергать опасности
imperious [ımˈpıərıəs] повелительный, властный, могущественный; высокомерный; настоятельный
imperishable [ımˈperıʃəbl] нерушимый, вечный

impermeable [ɪm'pə:mjəbl] непроницаемый (*обыкн.* водонепроницаемый)
impersonal [ɪm'pə:sənl] *adj* безликий
impersonate [ɪm'pə:səneɪt] *vt* выдавать себя за; *(театр.)* изображать
impersonation [ɪmpə:sə'neɪʃən] *n* изображение; *(юрид.)* самозванство; *(театр.)* исполнение роли
impertinent [ɪm'pə:tɪnənt] *adj* дерзкий; нахальный
imperturbable [ɪmpə'tə:bəbl] *adj* невозмутимый
impervious [ɪm'pə:vɪəs] *adj:* **he is ~ to ...** на него не действует...
impetuous [ɪm'petjuəs] *adj* порывистый
impetus ['ɪmpətəs] *n* инерция; стимул
impinge [ɪm'pɪndʒ] : **to ~ on** *vt fus* посягать на; попирать на
impious ['ɪmpɪəs] нечестивый
impisch ['ɪmpɪʃ] шаловливый
implacable [ɪm'plækəbl] неумолимый; непримиримый
implant [ɪm'plɑ:nt] насаждать *(идеи и т.п.);* внушать
implausible [ɪm'plɔ:zɪbl] *adj* неправдоподобный
implement ['ɪmplɪment] *vt* проводить в жизнь ✧ *n:* **gardening ~** садовый инструмент; **farming ~s** сельскохозяйственные орудия; **cooking ~s** кухонные принадлежности
implicate ['ɪmplɪkeɪt] *vt* вовлекать
implication [ɪmplɪ'keɪʃən] *n* вывод; причастность *f;* **by ~** судя по всему
implicit [ɪm'plɪsɪt] *adj* подразумевающийся; безоговорочный
implicitly [ɪm'plɪsɪtlɪ] *adv* безоговорочно
implore [ɪm'plɔ:'] *vt* умолять; **to ~ sb to do** умолять кого-н.
imply [ɪm'plaɪ] *vt* намекать на; подразумевать
impoderable [ɪm'pɔndərəbl] *adj* неуловимый ✧ *n вещь, не поддающаяся определению*
impolite [ɪmpə'laɪt] *adj* невежливый
import I 1. *v* [ɪm'pɔ:t] ввозить, импортировать **2.** *n* ['ɪmpɔ:t] импорт, ввоз; *(обыкн. pl)* ввозимые товары
import II 1. *v* [ɪm'pɔ:t] иметь значение, значить **2.** *n* ['ɪmpɔ:t] значение, смысл
importance [ɪm'pɔ:tns] *n* важность *f;* **it is of great/little ~** это очень/не очень важно
important [ɪm'pɔ:tnt] *adj* важный; **it's not ~** это не важно
importantly [ɪm'pɔ:tntlɪ] *adv* важно; **but more ~ ...** но еще важнее..., но самое главное...
importation [ɪmpɔ:'teɪʃən] *n* импорт
imported [ɪm'pɔ:tɪd] *adj* импортный
importer [ɪm'pɔ:tə'] *n* импортер
impose [ɪm'pouz] облагать *(налогом и т.п.);* навязывать *(решение и т.п.);* **oneself upon smb.** навязывать кому-л.; обманывать
imposing [ɪm'pəuzɪŋ] *adj* внушительный, величественный
imposition [ɪmpə'zɪʃən] *n* обложение; **to be an ~ on sb** быть обузой кому-н.
impossibility [ɪmpɔsə'bɪlɪtɪ] *n* невозможность
impossible [ɪm'pɔsɪbl] *adj* невозможный; невероятный; **it's ~ for me to leave now** я не могу сейчас уйти
impossibly [ɪm'pɔsɪblɪ] *adj* невозможно
impostor [ɪm'pɔstə'] *n* самозванец
impotence ['ɪmpətns] *n* бессилие; *(мед.)* импотенция
impotent ['ɪmpətnt] *adj* бессильный *(мед.)* импотентный
impound [ɪm'paund] *vt* конфисковывать
impoverished [ɪm'pɔvərɪʃt] *adj* обедневший
impracticable [ɪm'præktɪkəbl] невыполнимый; непроходимый *(о дороге)*
impractical [ɪm'præktɪkl] *adj* нереальный; непрактичный
imprecation [ˌɪmprɪ'keɪʃ(ə)n] проклятие
imprecise [ɪmprɪ'saɪs] *adj* неточный
impregnable [ɪm'pregnəbl] неприступный; неуязвимый, стойкий
impregnate ['ɪmpregneɪt] *vt* пропиты-

вать; оплодотворять

impresario [ımprı'sɑ:rıəu] *n* импресарио *m ind*

impress [ım'pres] *vt* производить впечатление на; отпечатывать; **to ~ sth on sb** внушать что-н.кому-н.

impression [ım'preʃən] *n* впечатление; отпечаток; имитация; **to make a good/bad ~ on sb** производить хорошее/плохое впечатление на кого-н.; **he is under the ~ that...** у него создалось впечатление, что...

impressionable [ım'prəʃnəbl] *adj* впечатлительный

impressionist [ım'preʃənıst] *n (искусст.)* импрессионист; имитатор

impressive [ım'presıv] *adj* впечатляющий

imprint ['ımprınt] *n* отпечаток; выходные данные *pl adj;*

imprinted [ım'prıntıd] *adj:* **~ on** отпечатавшийся в/на; запечатленный в

imprison [ım'prızn] *vt* заключать в тюрьму

imprisonment [ım'prıznmənt] *n* (тюремное) заключение

improbable [ım'prɔbəbl] *adj* маловероятный; неправдоподобный

impromptu [ım'prɔmptju:] **1.** *adv* без подготовки, экспромтом **2.** *n* экспромт; импровизация

improper [ım'prɔpə'] *adj* неуместный; неправильный; незаконный

impropriety [ımprə'praıətı] *n* неприличие; **the ~ of his conduct** непристойность его поведения

improve [ım'pru:v] *vt* улучшать ✧ *vi* улучшаться; становиться лучше; начинать выздоравливать

improvement [ım'pru:vmənt] *n:* **~ (in)** улучшение; **to make ~s to** вносить улучшения в

improvisation [ımprəvaı'zeıʃən] *n (театр.)* импровизация

improvise ['ımprəvaız] *vt* наскоро готовить; наскоро устраивать ✧ *vi (театр., муз.)* импровизировать

imprudence [ım'pru:dns] *n* неблагоразумное поведение

imprudent [ım'pru:dnt] *adj* неблагоразумный; **it would be ~ of you to insult him** оскорбить его будет неблагоразумно с Вашей стороны

impudent ['ımpjudnt] *adj* наглый

impugn [ım'pju:n] оспаривать, опровергать

impulse ['ımpʌls] *n* порыв *(элек.)* импульс; **to act on ~** поддаваться порыву

impulse buy *n* случайная покупка

impulsive [ım'pʌlsıv] *adj* случайный; импульсивный; порывистый

impunity [ım'pju:nıtı] *n:* **with ~** безнаказанно

impute [ım'pju:t] вменять в вину; приписывать

in [ın] *prep* **1.** в/на; **in the house/garden** в доме/саду; **in the street/Ukraine/north** на улице/Украине/севере; **in London/Canada** в Лондоне/Канаде; **in the country** за городом; **in town** в городе; **in here** здесь; **in there** там **2.** в; **in the house/room** в дом/комнату **3.** в; **in spring/summer/autumn/winter** весной/летом/осенью/зимой; **in the morning/afternoon/evening** утром/днем/вечером; **they often play cards in the evening** они часто играют в карты по вечерам; **at 4 or o'clock in the afternoon** в 4 часа дня **4.** за; через; **I did it in 3 hours** я сделала это за 3 часа; **I'll see you in 2 weeks** увидимся через 2 недели **5. in a loud/quiet voice** громким/тихим голосом; **in English/Russian** по-английски/по-русски, на английском/русском языке; **the boy in the blue shirt** мальчик в голубой рубашке **6: in the sun** на солнце; **in the rain** под дождем; **in the shade** в тени; **there has been a change in public opinion** общественное мнение переменилось; **a rise in prices** повышение цен **7.** в **8.: one in ten households have a second car** одна из десяти семей имеет вторую машину; **20 pence in the pound** 20 пенсов с фунта; **they**

lined up in twos они выстроились по двое; **a gradient of one in five** уклон один к пяти **9.: the disease is common in children** это заболевание часто встречается у детей; **in Dickens** у Диккенса; **you have a good friend in him** он тебе хороший друг **10.: to be in teaching** работать учителем; **to be in publishing** заниматься издательским делом; **to be in the army** быть в армии **11.** в; **the best doctor in the city** лучший врач в городе **12.: in saying this** говоря это; **in behaving like this, she ...** поступая таким образом, она ... ✧ *adv:* **to be in** прибыть; быть в моде; **is he in today? - yes, he's in/no, he's not in** он сегодня на работе? - да, он на работе/ нет, его сегодня нет; он сегодня дома? - да, он дома/нет, его сегодня нет; **he wasn't in yesterday** его вчера не было; **he'll be in later today** он будет сегодня позже; **to ask sb** предложить кому-н. зайти; **to run/walk** *etc* **in** вбегать, входить ✧ *n:* **to know all the ins and outs** знать все ходы

inability [ɪnə'bɪlɪtɪ] *n:* **~ (to do)** неспособность

inaccessible [ˌɪnæk'sesəbl] недосягаемый, неприступный, недоступный

inaccuracy [ɪn'ækjurəsɪ] *n* неточность *f* ошибка

inaccurate [ɪn'ækjurət] *adj* неточный

inaction [ɪn'ækʃən] *n* бездействие

inactivity [ɪnæk'tɪvɪtɪ] *n* бездеятельность *f*

inadequate [ɪn'ædɪkwət] *adj* недостаточный; неадекватный; неудовлетворительный; неполноценный

inadmissible [ɪnəd'mɪsəbl] *adj* недопустимый; неприемлемый

inadvertently [ɪnəd'vɜːtntlɪ] *adv* неумышленно

inadvisable [ɪnəd'vaɪzəbl] *adj* нецелесообразный; **it is ~ to ...** не рекомендуется...

inane [ɪ'neɪn] *adj* глупый; бессмысленный

inanimate [ɪn'ænɪmət] неодушевлённый; **~ matter** неживая материя; скучный

inanition [ˌɪnə'nɪʃ(ə)n] истощение

inanity [ɪ'nænɪtɪ] пустота, бессодержательность; глупость

inapplicable [ɪn'æplɪkəbl] *adj* неподходящий; неприменимый

inappropriate [ɪnə'prəuprɪət] *adj* неподходящий, неуместный

inapt [ɪn'æpt] неподходящий; неумелый, неискусный

inarticulate [ˌɪnɑː'tɪkjulət] нечленораздельный, невнятный

inasmuch [ɪnəz'mʌtʃ]: **~ as** ввиду того, что; так как

inattention [ɪnə'tenʃən] *n* невнимание

inattentive [ɪnə'tentɪv] *adj* невнимательный

inaudible [ɪn'ɔːdɪbl] неслышный, невнятный

inaugural [ɪ'nɔːgjurəl] *adj* вступительный; первый

inaugurate [ɪ'nɔːgjureɪt] *vt* вводить в должность; вводить; открывать

inauguration [ɪnɔːgju'reɪʃən] *n* вступление в должность; введение; открытие

inauspicious [ˌɪnɔːs'pɪʃəs] зловещий

in-between [ɪnbɪ'twiːn] *adj* промежуточный; **~ stage** промежуточная стадия

inborn [ɪn'bɔːn] *adj* врожденный; природный

inbred [ɪn'bred] *adj* врожденный, природный; **an ~ family** *семья, в которой дети рождены от родителей, состоящих в кровном родстве*

inbreeding [ɪn'briːdɪŋ] *n* родственное спаривание; узкородственные брачные отношения *ntpl*

inbuilt [ɪn'bɪlt] *adj* врожденный

inca ['ɪŋkə] *adj:* **the ~** *or* **~n civilization** инки

incalculable [ɪn'kælkjuləbl] *adj* огромный; неисчислимый; непредвиденный

incandescent [ˌɪnkæn'desnt] раскалённый; **~ lamp** лампа накаливания

incapable [ɪn'keɪpəbl] *adj:* беспомощный ~ **of sth/doing** неспособный на что-н.

incapacitate [ɪnkə'pæsɪteɪt] *vt:* **to ~sb** выводить кого-н. из строя; **to ~ sb for work** делать кого-н. нетрудоспособным(-ой)

incapacitated [ɪnkə'pæsɪteɪtɪd] *adj* лишенный права

incapacity [ɪnkə'pæsɪtɪ] *n* беспомощность *f* неспособность *f*

incarcerate ['ɪnkɑːsəreɪt] *vt* заключать в тюрьму

incarnate [ɪn'kɑːnɪt] *adj* воплощенный; олицетворенный; **evil ~** воплощение *or* олицетворение зла

incarnation [ɪnkɑː'neɪʃən] *n* воплощение; олицетворение; *(рел.)* инкарнация

incautious [ɪn'kɔːʃəs] опрометчивый

incendiary [ɪn'sendjərɪ] **1.** *a* зажигательный; *перен.* подстрекающий **2.** *n* поджигатель; *перен. тж.* подстрекатель

incense I [ɪn'sens] сердить

incense II ['ɪnsens] ладан; фимиам

incense burner *n* курильница

incentive [ɪn'sentɪv] *n* стимул ✧ *cpd:* **~ scheme** система поощрения; **~ bonus** материальное поощрение

inception [ɪn'sepʃən] *n* открытие, основание; начало

incertitude [ɪn'səːtɪtjuːd] неуверенность

incessant [ɪn'sesnt] непрекращающийся, непрерывный, непрестанный

incest ['ɪnsest] кровосмешение

inch [ɪntʃ] дюйм ✧ **by ~es** понемногу; **every ~** целиком, полностью; **he's every ~ a soldier** он настоящий солдат

inch forward *vi* медленно трогаться с места

inchoate ['ɪnko(u)eɪt] только что начатый; зачаточный

incidence ['ɪnsɪdns] *n* численность *f*

incident ['ɪnsɪdnt] *n* инцидент; **without ~** без происшествий

incidental [ɪnsɪ'dentl] *adj* дополнительный; **these duties are ~ to the job** эти обязанности сопряжены с работой; **ills ~ to old age** недуги, присущие старости; **~ expenses** побочные расходы

incidentally [ɪnsɪ'dentəlɪ] *adv* кстати; между прочим

incidental music *n (кино)* музыка к кинофильму

incident room *n* диспетчерская *v adj (в полицейском управлении)*

incinerate [ɪn'sɪnəreɪt] *vt* сжигать

incinerator [ɪn'sɪnəreɪtə'] *n* мусоросжигатель *m*

incipient [ɪn'sɪpɪənt] *adj* начинающийся; в начальной стадии

incision [ɪn'sɪʒən] *n (мед.)* разрез

incisive [ɪn'saɪsɪv] *adj* острый; резкий

incisor [ɪn'saɪzə'] *n* резец

incite [ɪn'saɪt] *vt* подстрекать; вызывать

inclement [ɪn'klemənt] *adj* ненастный

inclination [ɪnklɪ'neɪʃən] *n* склонность *f* желание

incline ['ɪnklaɪn] *n* уклон, наклон ✧ *vt* наклонять ✧ *vi* наклоняться; **to be ~d to sth/to do** быть склонным(-ой) к чему-н.; **to be well ~d towards sb** быть благосклонным(-ой) к кому-н.

include [ɪn'kluːd] *vt* включать; **to be ~d (in)** быть включенным (в); **to ~ sth in the price** включать в цену

including [ɪn'kluːdɪŋ] *prep* включая; **~ service change** включая плату за обслуживание

inclusion [ɪn'kluːʒən] *n* включение

incoherent [ɪnkəu'hɪrənt] *adj* непоследовательный; несвязный; косноязычный

income ['ɪnkʌm] *n* заработок; **gross/net ~** валовой/чистый доход; **~ and expenditure account** приходно-расходный счет; **high/low ~ bracket** *группа населения с высоким/низким уровнем дохода*

income tax *n* подоходный налог ✧ *cpd (комм.)* налоговый

incoming ['ɪnkʌmɪŋ] *adj* прибывающий; поступающий; входящий; новоизбранный; вступающий в должность; **~ tide** прилив

incommunicado ['ɪnkəmjunɪ'kɑːdəu] *adj:* **to hold sb ~** держать кого-н. взаперти

incomparable [ɪnˈkɔmpərəbl] *adj* несравненный
incompatible [ɪnkəmˈpætɪbl] *adj* совершенно разный; несовместимый; **they are ~** они совершенно разные
incompetence [ɪnˈkɔmpɪtns] *n* некомпетентность *f*
incompetent [ɪnˈkɔmpɪtnt] *adj* некомпетентный; неумелый
incomplete [ɪnkəmˈpliːt] *adj* незаконченный; неполный
incomprehensible [ɪnkɔmprɪˈhensɪbl] *adj* непонятный
inconceivable [ɪnkənˈsiːvəbl] *adj* немыслимый; **it is ~ that ...** немыслимо, что ...
inconciderate [ɪnkənˈsɪdərət] *adj* не считающийся ни с кем; бездумный; **~ towards** невнимательный к
inconclusive [ɪnkənˈkluːsɪv] *adj* недостаточный; неокончательный; неубедительный; **the experiment was ~** эксперимент не дал определенных результатов; **the discussion was ~** дискуссия закончилась ничем **incongruous** [ɪnˈkɔŋgruəs] *adj* нелепый; неуместный
inconsequential [ɪnkɔnsɪˈkwenʃl] *adj* несущественный; незначительный
inconsiderable [ɪnkənˈsɪdərəbl] *adj:* **not ~** значительный
inconsistency [ɪnkənˈsɪstənsɪ] *n* непоследовательность *f* противоречивость *f*
inconsistent [ɪnkənˈsɪstnt] *adj* непоследовательный; неровный; противоречивый **~ with** несовместимый с
inconsolable [ɪnkənˈsəuləbl] *adj* безутешный
inconspicuous [ɪnkənˈspɪkjuəs] *adj* незаметный; неприметный; **to make o.s. ~** стараться не привлекать к себе внимания
incontinence [ɪnˈkɔntɪnəns] *n (мед.)* недержание *(мочи или кала)*
inconvenience [ɪnkənˈviːnjəns] *n* неудобство; беспокойство ✧ *vt* причинять неудобство; **don't ~ yourself** не утруждайте себя; **sorry about the ~** извините за причиненное неудобство
inconvenient [ɪnkənˈviːnjənt] *adj* неудобный; пришедший не ко времени; **that time is very ~ for me** это очень неудобное для меня время
incorporate [ɪnˈkɔːpəreɪt] *vt* содержать; **to ~ (into)** включать (в); **safety features have been ~d in the design** предохранительные устройства были внесены в проект; **the coat of arms ~s three lions** на гербе изображены три льва
incorrect [ɪnkəˈrekt] *adj* неверный, неправильный
incorrigible [ɪnˈkɔrɪdʒɪbl] *adj* неисправимый
incorruptible [ɪnkəˈrʌptɪbl] *adj* неподкупный
increase [ɪnkˈriːs] *n:* **~ (in), ~ (of)** увеличение ✧ *vi* увеличиваться ✧ *vt* увеличивать; поднимать; расширять; **an ~ of 5%** увеличение на 5%; **to be on the ~** увеличиваться; расти
increasing [ɪnˈkriːsɪŋ] *adj* возрастающий
incredible [ɪnˈkredɪbl] *adj* неправдоподобный; невероятный; потрясающий; **it was an ~ experience** это было потрясающе
incredulity [ɪnkrɪˈdjuːlɪtɪ] *n* недоверие
incredulous [ɪnˈkredjuləs] *adj* недоверчивый
increment [ˈɪnkrɪmənt] *n* прибавка
incriminate [ɪnˈkrɪmɪneɪt] *vt* изобличать
incriminating [ɪnˈkrɪmɪneɪtɪŋ] *adj* изобличающий
incubate [ˈɪnkjubeɪt] *vt* высиживать ✧ *vi* вылупляться; развиваться
incubation [ɪnkjuˈbeɪʃən] *n* выведение цыплят; инкубационный период
incubation period *n* инкубационный период
incubator [ˈɪnkjubeɪtəˈ] *n* инкубатор
inculcate [ˈɪnkʌlkeɪt] *vt:* **to ~ sth in sb** внушать что-н. кому-н.
incur [ɪnˈkəːˈ] *vt* нести; наделать; на-

влекать на себя
incurable [ɪn'kjuərəbl] *adj* неизлечимый
incursion [ɪn'kə:ʃən] *n* вторжение
Indean Ocean *n:* **the ~~** Индийский океан
Indean Summer *n* индийское *or* бабье лето
Indea paper *n* китайская бумага
Indea rubber *n* резина; каучук
indebted [ɪn'detɪd] *adj:* **to be ~ to sb** быть обязанным(-ой) кому-н.
indecency [ɪn'di:snsɪ] *n* непристойность
indecent [ɪn'di:snt] *adj* непристойный; неприличный
indecipherable [ɪndɪ'saɪfərəbl] *adj* неразборчивый; загадочный
indecision [ɪndɪ'sɪʒən] *n* нерешительность
indecisive [ɪndɪ'saɪsɪv] *adj* нерешительный
indeed [ɪn'di:d] *adv* конечно, безусловно; в самом деле; скорее даже; **I'm upset, ~ shocked** я расстроен, пожалуй даже шокирован; **this book is very interesting ~** эта книга чрезвычайно интересна; **thank you very much ~** большое Вам спасибо; **he was ~ were talented** он и вправду *or* в самом деле очень талантлив; **yes~!** ну, конечно!
indefatigable [ɪndɪ'fætɪgəbl] *adj* неутомимый; неослабевающий
indefensible [ɪndɪ'fensɪbl] *adj* непростительный
indefinable [ɪndɪ'faɪnəbl] *adj* не поддающийся определению
indefinite [ɪn'definɪt] *adj* неопределенный; неограниченный
indefinite article *n (лингв.)* неопределенный артикль
indefinitely [ɪn'definɪtlɪ] *adv* бесконечно; на определенное время
indelible [ɪn'delɪbl] *adj* неотстирывающийся; несмываемый; неизгладимый
indelicate [ɪn'delɪkɪt] *adj* нетактичный
indemnify [ɪn'demnɪfaɪ] *vt* гарантировать возмещение убытков
indemnity [ɪn'demnɪtɪ] *n* гарантия возмещения убытков; возмещение
indent I 1. *v* [ɪn'dent] вырезывать; зазубривать; *полигр.* делать отступ, абзац **2.** *n* ['ɪndent] зазубрина, выемка
indent II 1. *v* [ɪn'dent] заказывать товары **2.** *n* ['ɪndent] заказ на товары
indentation [ˌɪnden'teɪʃ(ə)n] зубец; выемка; абзац, отступ
indenture [ɪn'dentʃə] **1.** *n* документ; договор **2.** *v* связывать договором
independence [ɪndɪ'pendns] *n* независимость *f*
independent [ɪndɪ'pendnt] *adj* независимый
independently [ɪndɪ'pendntlɪ] *adv* независимо; **~ of** независимо от
in-depth ['ɪndepθ] *adj* детальный, глубокий
indescribable [ɪndɪs'kraɪbəbl] *adj* неописуемый
indestructible [ɪndɪs'trʌktəbl] *adj* неразрешимый; нерушимый; непобедимый
indeterminate [ɪndɪ'tə:mɪnɪt] *adj* неопределенный
index ['indeks] *n* (словарь-)указатель; каталог *m (мат.)* показатель *msg*
index finger *n* указательный палец
India ['ɪndɪə] *n* Индия
indicate ['ɪndɪkeɪt] *vt* указывать на; давать знать о ✧ *vi:* **to ~ that** показывать, что; *(авт.):* **to ~ left/right** включать левый/правый указатель поворота
indication [ɪndɪ'keɪʃən] *n* знак; **all the ~s are that ...**все указывает на то, что...
indicative [ɪn'dɪkətɪv] *n (лингв.)* изъявительное наклонение ✧ *adj;* **to be ~ of** свидетельствовать о; указывать на
indicator ['ɪndɪkeɪtə'] *n* указатель *m* *(авт.)* указатель поворота; показатель *m*
indices ['ɪndɪsi:z] *npl of* **index**
indict [ɪn'daɪt] *vt (юрид.)* предъявлять обвинение
indictment [ɪn'daɪtmənt] *n* осуждение; обвинительный акт
indifference [ɪn'dɪfrəns] *n* безразличие, равнодушие

I

indifferent [ɪnˈdɪfrənt] *adj* безразличный, равнодушный; посредственный
indigenous [ɪnˈdɪdʒɪnəs] туземный, местный
indigent [ˈɪndɪdʒənt] нуждающийся
indigestion [ˌɪndɪˈdʒestʃ(ə)n] расстройство желудка
indignant [ɪnˈdɪgnənt] *adj* возмущенный; **to be ~ at sth/with sb** быть возмущенным чем-н./кем-н.
indignation [ɪndɪgˈneɪʃən] *n* возмущение, негодование
indignity [ɪnˈdɪgnɪtɪ] оскорбление, унижение
indigo [ˈɪndɪgou] индиго *(краска);* синий цвет
indirect [ˌɪndɪˈrekt] непрямой, косвенный, побочный;окольный *(о пути)*
indirectly [ɪndɪˈrektlɪ] *adv* косвенно
indiscernible [ˌɪndɪˈsə:nəbl] неразличимый
indiscreet [ɪndɪsˈkri:t] *adj* неосмотрительный; неблагоразумный
indiscretion [ɪndɪsˈkreʃən] *n* неосмотрительность *f;* неблагоразумный поступок
indiscriminate [ɪndɪsˈkrɪmɪnət] *adj* беспорядочный; неразборчивый; огульный
indispensable [ɪndɪsˈpensəbl] *adj* необходимый; незаменимый
indisposed [ɪndɪsˈpəuzd] *adj* нездоровый
indisputable [ɪndɪsˈpju:təbl] *adj* неоспоримый
indissoluble [ˌɪndɪˈsɔljubl] нерастворимый; прочный, неразрывный
indistinct [ˌɪndɪsˈtɪŋkt] неясный, смутный
indistinguishable [ˌɪndɪsˈtɪŋgwɪʃəbl] неразличимый
indivertible [ˌɪndɪˌvə:təbl] неотвратимый
individual [ɪndɪˈvɪdjuəl] *n* личность *f* индивидуум ✧ *adj* индивидуальный; личный; отдельный; своеобразный; **certain ~s** некоторые люди
individualist [ɪndɪˈvɪdjuəlɪst] *n* индивидуалист(ка)
individuality [ɪndɪvɪdjuˈælɪtɪ] *n* индивидуальность *f*
individually [ɪndɪˈvɪdjuəlɪ] *adv* отдельно; **he is ~ responsible** он несет личную ответственность; **we'll help each of you ~** мы поможем каждому из Вас
indivisible [ɪndɪˈvɪzɪbl] *adj* неделимый
indoctrination [ɪndɔktrɪˈneɪʃən] *n* идеологическая обработка
indolence [ˈɪndələns] *n* леность
indolent [ˈɪndələnt] *adj* ленивый
indomitable [ɪnˈdɔmɪtəbl] неукротимый; упорный
Indonesian [ˌɪndo(u)ˈni:zɪən] **1.** *a* индонезийский **2.** *n* индонезиец; индонезийка
indoor [ˈɪndɔ:] находящийся *или* происходящий внутри дома; комнатный; **~ games** комнатные игры
indubitable [ɪnˈdju:bɪtəbl] несомненный
induce [ɪnˈdju:s] *vt* вызывать; побуждать; *(мед.)* стимулировать; **to ~ sb to do** побуждать кого-н.
inducement [ɪnˈdju:smənt] *n* стимул; подкуп
induct [ɪnˈdʌkt] *vt* назначать на должность; посвящать в
induction [ɪnˈdʌkʃ(ə)n] *элек.* индукция; **~-coil** [-kɔɪl] индукционная катушка, индуктор
induction course *n* вводный курс
indulge [ɪnˈdʌldʒ] *vt* потворствовать, потакать; баловать ✧ *vi:* **to ~ in** баловаться
indulgence [ɪnˈdʌldʒəns] *n* прихоть *f* потворство
indulgent [ɪnˈdʌldʒənt] *adj* снисходительный; **he has very ~ parents** его родители (во всем) ему потакают
industrial [ɪnˈdʌstrɪəl] *adj* индустриальный, промышленный **~ accident** несчастный случай на производстве
industrial action *n* забастовка
industrial design *n* промышленный дизайн
industrial estate *n* промышленный комплекс
industrialist [ɪnˈdʌstrɪəlɪst] *n* промышленник

I

industrial relations *npl* производственные отношения *ntpl*
industrious [ɪn'dʌstrɪəs] *adj* трудолюбивый
industry ['ɪndəstrɪ] *n* индустрия, промышленность *f no pl;* трудолюбие; **industries** отрасли *pl* промышленности; **the oil/textile ~** нефтяная/текстильная промышленность
indwelling ['ɪndwelɪŋ] постоянно пребывающий; живущий
inebriate 1. *n* [ɪ'ni:brɪɪt] пьяница **2.** *a* [ɪ'ni:brɪɪt] пьяный **3.** *v* [ɪ'ni:brɪet] опьянять
inedible [ɪn'edɪbl] несъедобный
ineffable [ɪn'efəbl] невыразимый; **~ joy** неописуемый восторг
ineffaceable [ˌɪnɪ'feɪsəbl] неизгладимый
ineffective [ˌɪnɪ'fektɪv] безрезультатный; недейственный
ineffectual [ˌɪnɪ'fektjuəl] бесплодный
inefficiency [ɪnɪ'fɪʃənsɪ] *n* неэффективность *f* непроизводительность *f*
inefficient [ɪnɪ'fɪʃənt] *adj* неэффективный; непроизводительный
inelegant [ɪn'elɪgənt] *adj* неэлегантный
inept [ɪ'nept] неуместный; глупый
inequality ['ɪni:'kwɔlɪtɪ] неравенство; различие; разница; неровность *(поверхности)*
inequitable [ɪn'ekwɪtəbl] несправедливый
ineradicable [ˌɪnɪ'rædɪkəbl] неискоренимый
inert [ɪ'nə:t] *adj* неподвижный; инертный
inertia [ɪ'nə:ʃə] *n* инертность *f;* инерция
inescapable [ɪnɪ'skeɪpəbl] *adj* неизбежный
inessential [ɪnɪ'senʃɪəl] *adj* несущественный
inessentials [ɪnɪ'senʃlz] *npl* роскошь *fsg*
inestimable [ɪn'estɪməbl] *adj* неоценимый; неподдающийся оценке
inevitability [ɪnevɪtə'bɪlɪtɪ] *n* неизбежность *f;* **the ~ of change** неизбежность изменений; **it is an ~** это неизбежность
inevitable [ɪn'evɪtəbl] *adj* неизбежный
inexact [ɪnɪg'zækt] *adj* неточный
inexcusable [ɪnɪks'kju:zəbl] *adj* непростительный
inexhaustible [ɪnɪg'zɔ:stɪbl] *adj* неисчерпаемый
inexorable [ɪn'eks(ə)rəbl] безжалостный; непреклонный
inexpedient [ˌɪnɪks'pi:djənt] нецелесообразный; неблагоразумный
inexpensive [ˌɪnɪks'pensɪv] недорогой, дешёвый
inexperienced [ˌɪnɪks'pɪərɪənst] неопытный
inexpert [ˌɪneks'pə:t] неумелый, неопытный
inexpiable [ɪn'ekspɪəbl] неискупимый; непримиримый
inexplicable [ɪn'eksplɪkəbl] необъяснимый
inexplicit [ˌɪnɪks'plɪsɪt] неясно выраженный
inexpressible [ɪnɪk'spresɪbl] *adj* невыразимый
inextinguishable [ˌɪnɪks'tɪŋgwɪʃəbl] неугасимый
inextricable [ɪn'ekstrɪkəbl] безнадёжно запутанный
inextricably [ɪnɪk'strɪkəblɪ] *adv* неразрывно
infallibility [ɪnfælə'bɪlɪtɪ] *n* непогрешимость *f*
infallible [ɪn'fælɪbl] *adj* непогрешимый; надежный
infamous ['ɪnfəməs] имеющий позорную известность; низкий; бесчестный
infamy ['ɪnfəmɪ] позор; гнусность
infancy ['ɪnfənsɪ] *n* младенчество
infant ['ɪnfənt] *n* младенец; ребенок ✧ *cpd* детский
infanticide [ɪn'fæntɪsaɪd] детоубийство
infantile ['ɪnfəntaɪl] младенческий; инфантильный
infantry ['ɪnf(ə)ntrɪ] пехота; **mounted ~** механизированная пехота
infant school *n* начальная школа *(для детей от 5-и до 7-и лет)*
infatuated [ɪn'fætjueɪtɪd] *adj:* **~ with** увлеченный; **to become ~ with** увлекаться
infatuation [ɪnfætju'eɪʃən] *n* увлечение
infect [ɪn'fekt] *vt* заражать; **to become ~ed** заражаться

infection [ɪn'fekʃən] *n* инфекция
infectious [ɪn'fekʃəs] *adj* заразный; инфекционный; заразительный
infelicity [ˌɪnfi'lɪsɪtɪ] несчастье
infer [ɪn'fə:'] *vt* заключать; подразумевать
inference ['ɪnfərəns] *n* заключение; вывод
inferiority [ɪnfiərɪ'ɔrətɪ] *n* подчиненное положение; низкосортность
inferiority complex *n* комплекс неполноценности
inferiror [ɪn'fiərɪə'] *adj* подчиненный; низкого качества ✧ *n* подчиненный(-ая); младший по чину; **to feel ~ (to)** ощущать свою неполноценность (по сравнению с); **he is ~ to me in rank** он ниже меня по должности; **the second model is ~ to the first** вторая модель уступает первой в качестве
infernal [ɪn'fə:nl] *adj* адский
inferno [ɪn'fə:nəu] *n* ад
infertile [ɪn'fə:taɪl] *adj* неплодородный; бесплодный
infertility [ɪnfə:'tɪlɪtɪ] *n* неплодородность *f;* бесплодие
infidelity [ɪnfi'delɪtɪ] *n* неверность *f*
infighting ['ɪnfaɪtɪŋ] *n* внутренний конфликт
infiltrate ['ɪnfɪltreɪt] пропускать *(жидкость)* через фильтр; просачиваться, проникать *(об идеях и т.п.)*
infinite ['ɪnfinɪt] *adj* бесконечный; несметный
infinitely ['ɪnfinɪtlɪ] *adv* бесконечно
infinitesimal [ɪnfinɪ'tesɪməl] *adj* бесконечно малый
infinitive [ɪn'fɪnɪtɪv] *n* инфинитив, неопределенная форма глагола
infinity [ɪn'finɪtɪ] *n* бесконечность *f*
infirm [ɪn'fə:m] *adj* немощный
infirmary [ɪn'fə:mərɪ] *n* больница
infirmity [ɪn'fə:mɪtɪ] *n* немощь *f*
inflame [ɪn'fleɪm] *vt* распалять; накалять
inflamed [ɪn'fleɪmd] *adj* воспаленный
inflammable [ɪn'flæməbl] *adj* легко воспламеняющийся; горючий
inflammation [ɪnflə'meɪʃən] *n* воспаление
inflammatory [ɪn'flæmətərɪ] *adj* подстрекательский
inflatable [ɪn'fleɪtəbl] *adj* надувной
inflate [ɪn'fleɪt] *vt* накачивать; надувать; вздувать; раздувать
inflated [ɪn'fleɪtɪd] *adj* напыщенный; вздутый
inflation [ɪn'fleɪʃən] *n* инфляция
inflationary [ɪn'fleɪʃənərɪ] *adj* инфляционный
inflect [ɪn'flekt] *грам. изменять (слово);* **~ive** [-ɪv] *грам.* изменяемый, склоняемый, спрягаемый
inflexible [ɪn'fleksəbl] негибкий; негнущийся; *перен.* непреклонный
inflexion [ɪn'flekʃ(ə)n] сгибание; модуляция голоса; *грам.* изменение *(слова);* флексия
inflict [ɪn'flɪkt] наносить *(удар, ущерб);* причинять *(страдание)*
inflow ['ɪnfləu] *n* приток
influence ['ɪnfluəns] *n* влияние; воздействие ✧ *vt* влиять на, оказывать влияние на; **under the ~ of alcohol** под воздействием алкоголя
influential [ɪnflu'enʃl] *adj* влиятельный
influenza [ɪnflu'enzə] *n* грипп
influx ['ɪnflʌks] *n* приток
inform [ɪn'fɔ:m] *vt:* **to ~ sb of sth** сообщать кому-н. о чем-н., информировать кого-н. о чем-н. ✧ *vi:* **to ~ on sb** доносить на кого-н.
informal [ɪn'fɔ:ml] *adj* неофициальный; непринужденный; будничный, повседневный; разговорный
informality [ɪnfɔ:'mælɪtɪ] *n* непринужденность
informally [ɪn'fɔməlɪ] *adv* неофициально; непринужденно; буднично; без церемоний
information [ɪnfə'meɪʃən] *n* информация; **to get ~ on** получать информацию о; **a piece of ~** сообщение; **for your ~** к Вашему сведению
information office *n* справочное бюро
information processing *n* обработка информации
information retrieval *n (комп.)* поиск информации, информационный поиск

I

information science *n* информатика
informed [ɪn'fɔ:md] *adj* осведомленный, информированный; **well/ill ~** хорошо/плохо информированный; **an ~ guess** обоснованная догадка
informer [ɪn'fɔ:mə'] *n (also:* **police ~**) осведомитель
infra dig ['ɪnfrə'dɪg] *adj abbr* ниже чего-н. достоинства
infrared [ɪnfrə'red] *adj* инфракрасный
infrastructure ['ɪnfrəstrʌktʃə'] *n* инфраструктура
infrequent [ɪn'fri:kwənt] *adj* редкий
infringe [ɪn'frɪndʒ] *vt* преступать ✧ *vi:* **to ~ on** ущемлять, посягать на
infringement [ɪn'frɪndʒmənt] *n* нарушение; ущемление, посягательство
infuriate [ɪn'fjuərɪeɪt] *vt* приводить в ярость *or* бешенство, бесить
infuriating [ɪn'fjuərɪeɪtɪŋ] *adj* приводящий в ярость *or* бешенство; **the noise is ~** шум приводит меня *etc* в ярость
infuse [ɪn'fju:z] *vt* настаивать; **to ~ sb with sth** вселять что-н. в кого-н.
infusion [ɪn'fju:ʒən] *n* настойка
ingathering ['ɪn,gæð(ə)rɪŋ] *поэт.* сбор урожая
ingenious [ɪn'dʒi:njəs] *adj* хитроумный; изобретательный
ingenuity [ɪndʒɪ'nju:ɪtɪ] *n* хитроумность *f;* изобретательность *f*
ingenuous [ɪn'dʒenjuəs] *adj* бесхитростный
ingle-nook ['ɪŋglnuk] местечко у огня
inglorious [ɪn'glɔ:rɪəs] бесславный; позорный; постыдный
ingot ['ɪŋgət] слиток; брусок *(металла); тех.* болванка
ingrained ['ɪn'greɪnd] укоренившийся; закоренелый
ingratiate [ɪn'greɪʃɪeɪt] *vt:* **to ~ o.s. with** заискивать перед
ingratiating [ɪn'greɪʃɪeɪtɪŋ] *adj* заискивающий; льстивый
ingratitude [ɪn'grætɪtju:d] *n* неблагодарность *f*
ingredient [ɪn'gri:dɪənt] *n (кулин.)* ингредиент; составная часть *f*
ingress ['ɪngres] вход; право входа
inhabit [ɪn'hæbɪt] *vt* населять
inhabitant [ɪn'hæbɪtnt] *n* житель(ница) *m (f)*
inhale [ɪn'heɪl] *vt* вдыхать ✧ *vi* вдыхать; затягиваться
inhaler [ɪn'heɪlə'] *n* ингалятор
inherent [ɪn'hɪərənt] *adj* прирожденный; **~ in** *or* **to** свойственный, присущий
inherently [ɪn'hɪərəntlɪ] *adv* по природе; по натуре
inherit [ɪn'herɪt] *vt* наследовать; унаследовать
inheritance [ɪn'herɪtəns] *n* наследство; наследие; **right of ~** право наследования
inhibit [ɪn'hɪbɪt] *vt* сковывать; задерживать
inhibited [ɪn'hɪbɪtɪd] *adj* скованный; задержанный
inhibiting [ɪn'hɪbitɪŋ] *adj* скрывающий; препятствующий
inhibition [ɪnhɪ'bɪʃən] *n* скованность *f no pl;* задержка
inhospitable [ɪn'hɔspɪtəbl] *adj* негостеприимный; неприветливый
inhuman [ɪn'hju:mən] *adj* бесчеловечный; нечеловеческий
inhumane [ɪnhju:'meɪn] *adj* негуманный
inimical [ɪ'nɪmɪkəl] враждебный; вредный
inimitable [ɪ'nɪmɪtəbl] неподражаемый
iniquitous [ɪ'nɪkwɪtəs] *adj* чудовищный; чудовищно несправедливый
iniquity [ɪ'nɪkwɪtɪ] *n* чудовищность *f;* несправедливость *f*
initial [ɪ'nɪʃl] *adj* первоначальный, начальный ✧ *n (also:* **~ letter**) начальная буква ✧ *vt* ставить инициалы на; **~s** инициалы
initially [ɪ'nɪʃəlɪ] *adv* вначале, сначала; первоначально
initiate [ɪ'nɪʃɪeɪt] *vt* класть начало; посвящать; **to ~ sb into a secret** посвящать кого-н. в тайну; **to ~ proceedings against sb** возбуждать дело против кого-н.
initiation [ɪnɪʃɪ'eɪʃən] *n* основание; посвящение; **~ ceremony** церемония посвящения

initiative [ɪ'nɪʃətɪv] *n* инициатива, начинание; инициативность *f;* **to take the ~** брать на себя инициативу
inject [ɪn'dʒekt] *vt* вводить: **to ~ sb with sth** делать укол *or* инъекцию чего-н. кому-н.; **to ~ into** вливать в
injection [ɪn'dʒekʃən] *n* укол, инъекция; вливание; **to give an ~** делать укол *or* инъекцию; **I had an ~** мне сделали укол
injudicious [,ɪndʒu:'dɪʃəs] неразумный; неуместный
injunction [ɪn'dʒʌŋkʃ(ə)n] предписание; судебное постановление
injure ['ɪndʒə'] *vt* ранить; повреждать; **to ~ o.s.** пораниться; ушибаться
injured ['ɪndʒəd] *adj* раненый; поврежденный; ушибленный; **~ party** *(юрид.)* потерпевшая сторона
injurious [ɪn'dʒuərɪəs] *adj:* **~ to** вредный для, губительный для
injury ['ɪndʒərɪ] *n* повреждение; ранение; травма; оскорбление; **to escape without ~** избегать ранений
injury time *n (спорт.)* добавочное время *nt*
injustice [ɪn'dʒʌstɪs] *n* несправедливость *f;* **you do me an ~** Вы ко мне несправедливы
ink [ɪŋk] *n* чернила *pl;* типографская краска
ink-jet printer ['ɪŋkdʒet-] *n (комп.)* струйный принтер
inkling ['ɪŋklɪŋ] *n:* **to have an ~ of** иметь понятие о
ink pad *n* штемпельная подушечка
inky ['ɪŋkɪ] в чернилах; очень чёрный; **~ darkness** тьма кромешная
ink||-pot ['ɪŋkpɔt] чернильница; **~stand** [-stænd] чернильный прибор; **~well** [-wel] чернильница *(в парте и т.п.)*
inlaid ['ɪnleɪd] *adj:* **~ (with)** инкрустированный
inland 1. *n* ['ɪnlənd] территория, удалённая от моря *или* границы **2.** *a* ['ɪnlənd] удалённый от моря *или* границы; внутренний **3.** *adv* [ɪn'lænd] внутри *(страны)*
in-law ['ɪnlɔ:] родственники со стороны мужа *или* жены
inlay 1. *n* ['ɪnleɪ] мозаичная работа; инкрустация **2.** *v* ['ɪn'leɪ] (inlaid) делать инкрустацию; выстилать *(пол и т.п.)*
inlet ['ɪnlet] залив, бухточка; *техн.* впуск; впускное отверстие; *элек.* ввод; *attr.:* **~ sluice** впускной шлюз
inmate ['ɪnmeɪt] жилец, обитатель *(приюта);* заключённый *(в тюрьме);* больной *(в больнице)*
inmost ['ɪnmoust] глубочайший, сокровенный
inn [ɪn] гостиница; *уст.* постоялый двор
innate ['ɪ'neɪt] врождённый, природный
inner ['ɪnə] внутренний; **~most** [-moust] *см.* **inmost**
innings ['ɪnɪŋz] *(pl без измен.)* период пребывания у власти *(партии, лица)*
innkeeper ['ɪn,ki:pə] хозяин гостиницы
innocence ['ɪnəsns] *n (юрид.)* невиновность *f;* невинность *f*
innocent ['ɪnəsnt] *adj (юрид.)* невиновный; невинный
innocuous [ɪ'nɔkjuəs] *adj* безвредный; безобидный
innovation [ɪnəu'veɪʃən] *n* новшество
innuendo [ɪnju'endəu] *n* инсинуация
innumerable [ɪ'nju:mrəbl] *adj* бесчисленный
inoculate [ɪ'nɔkjuleɪt] *vt:* **to ~ sb against sth** делать кому-н. прививку против чего-н.; **to ~ sb with sth** прививать кому-н. что-н.
inoculation [ɪnɔkju'leɪʃən] *n* прививка
inoffensive [ɪnə'fensɪv] *adj* безобидный
inopportune [ɪn'ɔpətju:n] *adj* неподходящий; несвоевременный
inordinate [ɪ'nɔ:dɪnət] *adj* необычный
inordinately [ɪ'nɔ:dɪnətlɪ] *adv* необычайно
inorganic [ɪnɔ:'gænɪk] *adj* неорганический
inpatient ['ɪnpeɪʃənt] *n* стационарный больной

I

input [ˈinput] *тех.* вход; подвод; подводимая мощность
inquest [ˈinkwest] *юр.*следствие, дознание
inquietude [inˈkwaitju:d] беспокойство
inquire after *vt fus* спрашивать
inquire into *vt fus* расследовать
inquiring [inˈkwaiəriŋ] *adj* пытливый
inquiry [inˈkwaiəri] *n* вопрос; запрос; расследование; *(юрид.)* следствие; **to make inquiries about sth** наводить справки о чем-н.; **to hold an ~ into sth** вести расследование чего-н.
inquiry desk *n* справочный стол
inquiry office *n* справочное бюро
inquisition [inkwiˈziʃən] *n* следствие *no pl; (рел.):* **the I~** Инквизиция
inquisitive [inˈkwizitiv] *adj* любопытный
inroads [ˈinrəudz] *npl:* **to make ~ into** тратить
inrush [ˈinrʌʃ] напор *(воды);* an ~ of tourists наплыв туристов
insane [inˈsein] *adj* безумный; душевно больной
insanitary [inˈsænitəri] *adj* антисанитарный
insanity [inˈsæniti] *n* безумие, сумасшествие
insatiable [inˈseiʃəbl] *adj* ненасытный
inscribe [inˈskraib] *vt* надписывать
inscription [inˈskripʃən] *n* надпись *f*
inscrutable [inˈskru:təbl] *adj* загадочный
insect [ˈinsekt] *n* насекомое *nt adj*
insect bite *n* укус насекомого
insecticide [inˈsektisaid] *n* инсектицид
insect repellent *n* средство от насекомых
insecure [insiˈkjuəˈ] *adj* ненадежный; неуверенный в себе
insecurity [insiˈkjuəriti] *n* ненадежность; неуверенность в себе
insemination [insemiˈneiʃən] *n:* **artificial ~** искусственное оплодотворение
insensible [inˈsensibl] *adj* без сознания; **~ to** нечувствительный; **~ of** не сознающий
insensitive [inˈsensitiv] *adj* бесчувственный
inseparable [inˈseprəbl] *adj* неразделимый; неразлучный
insert [inˈsə:t] *vt:* **to ~ (into)** вставлять (в); вкладывать ◊ *n* вкладыш; вкладка
inshore [ˈinˈʃɔ:] **1.** *a* прибрежный **2.** *adv* у берега
inside [ˈinˈsaid] **1.** *n* внутренняя сторона, внутренность; *разг.* желудок **2.** *a* внутренний **3.** *adv* внутри
inside forward *n (фут.)* полусредний нападающий *m adj*
inside out *adv* наизнанку; вдоль и поперек
inside story *n* информация из первых рук
insidious [inˈsidiəs] *adj* коварный
insight [ˈinsait] проницательность; понимание
insignia [inˈsigniə] *pl* знаки отличия *или* различия
insignificant [insigˈnifiknt] *adj* незначительный
insincere [insinˈsiəˈ] *adj* неискренний
insincerity [insinˈseriti] *n* неискренность
insinuate [inˈsinjueit] *vt* намекать на
insinuation [insinjuˈeiʃən] *n* инсинуация
insipid [inˈsipid] *adj* бесцветный; блеклый; пресный
insist [inˈsist] *vi:* **to ~ (on)** настаивать (на); **to ~ that** настаивать на том, чтобы; настаивать на том, что
insistent [inˈsistənt] *adj* настойчивый
insofar as [insəuˈfa:ˈ-] *adv* поскольку
insole [ˈinsəul] *n* стелька
insolence [ˈinsələns] *n* наглость *f*
insolent [ˈinsələnt] *adj* наглый
insolvent [inˈsɔlv(ə)nt] **1.** *a* несостоятельный *(о должнике)* **2.** *n* банкрот
insomnia [inˈsɔmniə] бессонница
insomuch [ˌinso(u)ˈmʌtʃ]: **~ as** (*или* that) настолько... что
inspect [inˈspekt] *vt* осматривать; проверять
inspection [inˈspekʃən] *n* осмотр; проверка
inspector [inˈspektəˈ] *n (админ.)* инспектор, контролер
inspiration [inspəˈreiʃən] *n* вдохновение

I

inspire [ɪnˈspaɪəˈ] *vt* вдохновлять; **to ~ sth (in sb)** внушать что-н. (кому-н.)
inspired [ɪnˈspaɪəd] *adj* вдохновленный; **in an ~ moment** в момент вдохновения
inspiring [ɪnˈspaɪərɪŋ] *adj* вдохновляющий
install [ɪnˈstɔːl] *vt* устанавливать; ставить
installation [ɪnstəˈleɪʃən] *n* установка; *(воен.)* объект
installment plan *n* рассрочка
instalment [ɪnˈstɔːlmənt] *n* взнос; часть; **to pay in ~s** платить в рассрочку
instance [ˈɪnstəns] *n* пример; **for ~** например; **in this** *or* **that ~** в данном случае; **in many ~s** во многих случаях; **in the first ~** в первую очередь
instant [ˈɪnstənt] *n* мгновение, миг ✧ *adj* мгновенный; **come here this ~!** иди сюда сию минуту!; **the 10th ~** *(админ., комм.)* 10-ое число сего месяца; **~ coffee** растворимый кофе; **~ food** пищевой концентрат
instantaneous [ɪnstənˈteɪnɪəs] *adj* мгновенный
instantly [ˈɪnstəntlɪ] *adv* немедленно, сразу
instant replay *n (тел.)* повтор
instead [ɪnˈsted] *adv* взамен ✧ *prep:* **~ of** вместо, взамен; **~ of sb** вместо кого-н.
instebility [ɪnstəˈbɪlɪtɪ] *n* нестабильность *f*
instep [ˈɪnstep] *n* подъем *(ноги, туфли)*
instigate [ˈɪnstɪgeɪt] *vt* подстрекать к; **to ~ talks** давать толчок переговорам
instigation [ɪnstɪˈgeɪʃən] *n* подстрекательство; **at my ~** по моей инициативе
instil [ɪnˈstɪl] *vt:* **to ~ sth in (to) sb** вселять что-н. в кого-н.
instinct [ˈɪnstɪŋkt] *n* инстинкт; **by ~** инстинктивно; **maternal ~** материнский инстинкт
instinctive [ɪnˈstɪŋktɪv] *adj* инстинктивный
instinctively [ɪnˈstɪŋktɪvlɪ] *adv* инстинктивно
institute [ˈɪnstɪtjuːt] *n* институт; ассоциация ✧ *vt* учреждать; назначать; **to ~ proceedings (against)** возбуждать судебное дело (против)
institution [ɪnstɪˈtjuːʃən] *n* учреждение; институт
institutional [ɪnstɪˈtjuːʃənl] *adj* закрепленный; осуществляемый крупными учреждениями; **~ care** попечение; *(осуществляемое учреждениями);* **~ reform** реформа социальных учреждений
instruct [ɪnˈstrʌkt] *vt:* **to ~ sb in sth** обучать кого-н. чему-н.; **to ~ sb to do** поручать кому-н.
instruction [ɪnˈstrʌkʃən] *n* обучение ✧ *cpd:* **~ manual, ~ leaflet** инструкция; **~s** *npl* указания *ntpl;* **~s (for use)** инструкция, руководство (по применению)
instructive [ɪnˈstrʌktɪv] *adj* поучительный
instructor [ɪnˈstrʌktə] *n* преподаватель(ница) *m (f);* инструктор
instrument [ˈɪnstrumənt] *n* инструмент
instrumental [ɪnstruˈment] *adj* инструментальный; **to be ~ in** играть существенную роль в
instrumentalist [ɪnstruˈmentəlɪst] *n* инструменталист
insubordination [ɪnsəbɔːdəˈneɪʃən] *n* неповиновение
insufferable [ɪnˈsʌfrəbl] *adj* невыносимый
insufficient [ɪnsəˈfɪʃənt] *adj* недостаточный
insufficiently [ɪnsəˈfɪʃəntlɪ] *adv* недостаточно
insular [ˈɪnsjuləˈ] *adj* ограниченный
insulate [ˈɪnsjuleɪt] *vt (элек.)* изолировать; утеплять; (звуко)изолировать
insulating tape [ˈɪnsjuleɪtɪŋ] *n* изоляционная лента
insulation [ɪnsjuˈleɪʃən] *n* изоляция; (тепло)изоляция; (звуко)изоляция
insulin [ˈɪnsjulɪn] *n* инсулин
insult [ɪnˈsʌlt] *vt* оскорблять ✧ *n* оскорбление

insulting [ɪn'sʌltɪŋ] *adj* оскорбительный

insuperable [ɪn'sju:prəbl] *adj* непреодолимый

insurance [ɪn'ʃuərəns] *n* страхование; **life/fire ~** страхование жизни/на случай пожара; **to take out ~ (against)** брать страховку

insurance agent *n* страховой агент

insure [ɪn'ʃuə'] *vt:* **to ~ (against)** страховать; **to ~ (o.s.) against** страховаться; **the car is ~d for $5000** машина застрахована на сумму $5000

insured [ɪn'ʃuəd] *n:* **the ~** страхователь

insurer [ɪn'ʃuərə'] *n* страховщик

insurgent [ɪn'sə:dʒənt] *adj* восставший ✧ *n* повстанец

insurmountable [ɪnsə'mauntəbl] *adj* непреодолимый

insurrection [ɪnsə'rekʃən] *n* восстание

intake ['ɪnteɪk] *n* потребление; поглощение; набор

intangible [ɪn'tændʒəbl] неосязаемый; *перен.* неуловимый, непостижимый

integer [ɪn'tɪdʒə'] *n* целое число

integral ['ɪntɪgrəl] *adj* неотъемлемый ✧ *n (мат.)* интеграл

integrate ['ɪntɪgreɪt] *vt* интегрировать ✧ *vi* объединяться

integrity [ɪn'tegrɪtɪ] *n* честность *f*

intellect ['ɪntəlekt] *n* интеллект

intellectual [ɪntə'lektjuəl] *adj* интеллектуальный ✧ *n* интеллектуал

intelligence [ɪn'telɪdʒəns] *n* ум, умственный способности; *(воен.)* разведка

intelligence quotient *n* коэффициент умственного развития

intelligent [ɪn'telɪdʒənt] *adj* умный; разумный

intelligently [ɪn'telɪdʒəntlɪ] *adv* умно

intelligentsia [ɪntelɪ'dʒentsɪə] *n:* **the ~** интеллигенция

intelligible [ɪn'telɪdʒɪbl] *adj* понятный

intemperate [ɪn'tempərət] *adj* несдержанный

intend [ɪn'tend] *vt:* **to ~ sth for** предназначать что-н. для; **to ~ to do** намереваться

intended [ɪn'tendɪd] *adj* запланированный; предполагаемый; преднамеренный

intense [ɪn'tens] *adj* сильный; напряженный; интенсивный; **she is very ~** она все очень серьезно воспринимает

intensely [ɪn'tenslɪ] *adv* сильно; напряженно

intensify [ɪn'tensɪfaɪ] *vt* усиливать

intensity [ɪn'tensɪtɪ] *n* интенсивность; напряженность

intensive [ɪn'tensɪv] *adj* интенсивный

intensive care *n* интенсивная терапия

intent [ɪn'tent] *n* намерение ✧ *adj:* **~ (on)** сосредоточенный (на); **to all ~s and purposes** чтобы там ни было; **to be ~ on doing** стремиться

intention [ɪn'tenʃən] *n* намерение

intentional [ɪn'tenʃənl] *adj* намеренный

intentionally [ɪn'tenʃnəlɪ] *adv* намеренно; преднамеренно

intently [ɪn'tentlɪ] *adv* пристально

inter- [ɪntə:-] *префикс, имеющий значение взаимодействия, взаимонаправленности*

interact [,ɪntər'ækt] находиться во взаимодействии

interaction [ɪntər'ækʃən] *n* взаимодействие

interactive [ɪntər'æktɪv] *adj* взаимодействующий; *(комп.)* интерактивный, диалоговый

interbreed ['ɪntə:'bri:d] скрещивать, скрещиваться

intercede [,ɪntə:'si:d]: **~ with smb. for smb.** ходатайствовать, вступаться за кого-л. перед кем-л.

intercept [ɪntə'sept] *vt* перехватывать

interception [ɪntə'sepʃən] *n* перехват

interchangeable [ɪntə'tʃeɪndʒəbl] *adj* взаимозаменяемый

intercity [ɪntə'sɪtɪ] *adj* международный

intercom ['ɪntəkɔm] *n* селектор

intercommunication ['ɪntə:kə'mju:nɪ'keɪʃ(ə)n] сношение, общение; собеседование; связь

interconnection [,ɪntə:kə'nekʃ(ə)n] взаимосвязь; *эл.* кустование, объединение энергосистем

intercontinental [ˈɪntəːkɔntɪˈnentl] межконтинентальный

intercourse [ˈɪntəkɔːs] общение; сношение (между странами); половые сношения

interdepartmental [ˈɪntəˌdiːpɑːtˈmentl] междуведомственный

interdependence [ˌɪntəˈdɪˈpendəns] взаимозависимость

interdict [ˌɪntəːdɪkt] воспрещать; удерживать *(от чего-л.)*

interest [ˈɪntrɪst] *n:* ~ **(in)** интерес (к); *(комм.)* доля; проценты *mpl* ◊ *vt* интересовать; **compound/simple** ~ сложные/простые проценты; *npl;* **it is in our ~s** это в наших интересах; **British ~s in the Middle East** британские интересы на Ближнем Востоке; **his main ~ is history** его основной интерес - это история

interested [ˈɪntrɪstɪd] *adj* заинтересованный; **to be ~ (in sth)** интересоваться (чем-н.); **they are ~ in increasing production** они заинтересованы в увеличении производительности; **~she is ~ in becoming a nurse** она хочет стать медсестрой

interesting [ˈɪntrɪsɪŋ] *adj* интересный

interest rate *n* процентная ставка

interfere [ɪntəˈfɪə] *vi:* **to ~ in** вмешиваться (в); **to ~ with** трогать; мешать; **don't ~** не вмешивайтесь

interference [ɪntəˈfɪərəns] *n* вмешательство; *(радио, тел.)* помехи

interfering [ɪntəˈfɪərɪŋ] *adj* назойливый

interim [ˈɪntərɪm] *adj* временный; промежуточный ◊ *n:* **in the ~** тем временем

interior [ɪnˈtɪərɪə] *n* интерьер; внутренность *f* глубинные районы *mpl* ◊ *adj* внутренний; **~ minister/department** министр/департамент внутренних дел

interior decorator *n* художник(-ица) по интерьеру

interjection [ɪntəˈdʒekʃən] *n* перебивающий возглас; *(лингв.)* междометие

interlock [ɪntəˈlɔk] *vi* сцепляться

interloper [ˈɪntələupə] *n* нарушитель *m*

interlude [ˈɪntəluːd] *n* перерыв; *(театр.)* антракт

intermediary [ɪntəˈmiːdɪərɪ] *n* посредник(-ица)

intermediate [ɪntəˈmiːdɪət] *adj* промежуточный; **~ student** студент средней ступени обучения

interment [ɪnˈtəːmənt] *n* погребение

interminable [ɪnˈtəːmɪnəbl] *adj* бесконечный

intermission [ɪntəˈmɪʃən] *n* перерыв

intermittent [ɪntəˈmɪtnt] *adj* периодический

intermittently [ɪntəˈmɪtntlɪ] *adv* периодический

internal [ɪnˈtəːnl] *adj* внутренний

international [ɪntəˈnæʃənl] *adj* международный ◊ *n (спорт.) (also:* **~ match)** международная встреча

international relations *npl* международные отношения *ntpl*

interplay [ˈɪntəpleɪ] *n:* **~ (of** *or* **between)** взаимодействие

interpol [ˈɪntəpɔl] *n* интерпол

interpret [ɪnˈtəːprɪt] *vt* интерпритировать; толковать; переводить *(устно)* ◊ *vi* переводить *(устно)*

interpretation [ɪntəːprɪˈtəɪʃən] *n* интерпретация; толкование

interpreter [ɪnˈtəːprɪtə] *n* переводчик

interpreting [ɪnˈtəːprɪtɪŋ] *n (устный)* перевод

interregnum [ˌɪntəˈregnəm] междуцарствие

interrelated [ɪntərɪˈleɪtɪd] *adj* взаимосвязанный

interrogate [ɪnˈterəugeɪt] *vt* допрашивать

interrogation [ɪnterəuˈgeɪʃən] *n* допрос

interrogative [ɪntəˈrɔgətɪv] *adj (лингв.)* вопросительный

interrogator [ɪnˈterəgeɪtə] *n* следователь *m*

interrupt [ɪntəˈrʌpt] *vti* прерывать

intersect [ɪntəˈsekt] *vi* пересекаться ◊ *vt* пересекать

intersection [ɪntəˈsekʃən] *n* пересечение; *(мат.)* точка пересечения

intersperse [ɪntəˈspəːs] *vt:* **to ~ with** перемежать с

I

intertwine [ɪntə'twaɪn] *vi* переплетаться
interval ['ɪntəvl] *n (муз.)* интервал; *(спорт.)* перерыв; *(театр.)* антракт; **bright ~s** прояснения *ntpl;* **at ~s** время от времени
intervene [ɪntə'vi:n] *vi* вмешиваться; мешать; проходить
intervening [ɪntə'vi:nɪŋ] *adj* промежуточный
intervention [ɪntə'venʃən] *n* вмешательство; посредничество; **military ~** военная интервенция
interview ['ɪntəvju:] *n* собеседование; *(радио, тел.)* интервью *nt ind* ✧ *vt* проводить собеседование с; интервьюировать; брать интервью у; **to give an ~** давать интервью
interviewee [ɪntəvju'i:] *n* интервьюируемый *m (f) adj*
interviewer ['ɪntəvjuə] *n* проводящий *m (f) adj* собеседование; *(радио, тел.)* интервьюер
intestate [ɪn'testeɪt] *adj:* **to die ~** скончаться, не оставив завещания
intestinal [ɪn'testɪnl] *adj* кишечный
intestine [ɪn'testɪn] *n* кишка; **large/small ~** толстая/тонкая кишка; **~s** кишечник *msg*
intimacy ['ɪntɪməsɪ] *n* интимность *f*
intimate ['ɪntɪmət] *adj* близкий, интимный; глубокий ✧ *vt* намекать на; **to ~ that** намекать, что
intimately ['ɪntɪmətlɪ] *adv* интимно, глубоко
intimation [ɪntɪ'meɪʃən] *n* намек
intimidate [ɪn'tɪmɪdeɪt] *vt* запугивать
into ['ɪntu] *prep* **1.** в/на; **into the house/garden** в дом/сад; **into the post office/factory** на почту/фабрику; **research into cancer** исследования *ntpl* в области раковых заболеваний; **he worked late into the night** он работал до поздней ночи **2.: she has translated the letter into Russian** она перевела письмо на русский язык; **the vase broke into pieces** ваза разбилась вдребезги *or* на кусочки; **they got into trouble for it** им попало за это; **he lapsed into silence** он погрузился в молчание; **to burst into tears** расплакаться; **to burst into flames** загораться
intolerable [ɪn'tɔlərəbl] *adj* нетерпимый, невыносимый
intolerance [ɪn'tɔlərns] *n* нетерпимость
intolerant [ɪn'tɔlərnt] *adj:* **~ (of)** нетерпимый
intonation [ɪntəu'neɪʃən] *n* интонация
intoxicated [ɪn'tɔksɪkeɪtɪd] *adj* опьяневший; опьяненный
intoxication [ɪntɔksɪ'keɪʃən] *n* опьянение
intractable [ɪn'træktəbl] *adj* неподатливый; трудноразрешимый; трудноизлечимый
intransigence [ɪn'trænsɪdʒəns] *n* упорство
intransigent [ɪn'trænsɪdʒənt] *adj* упорный
intransitive [ɪn'trænsɪtɪv] *adj (лингв.)* непереходный
intravenous [ɪntrə'vi:nəs] *adj* внутривенный
intrepid [ɪnt'repɪd] *adj* неустрашимый
intricacy ['ɪntrɪkəsɪ] *n* сложность *f* замысловатость *f*
intricate ['ɪntrɪkət] *adj* замысловатый
intrigue [ɪn'tri:g] *n* интрига ✧ *vt* интриговать
intriguing [ɪn'tri:gɪŋ] *adj* интригующий
intrinsic [ɪn'trɪnsɪk] присущий; внутренний; существенный
introduction [ɪntrə'dʌkʃən] *n* введение; знакомство; **a letter of ~** рекомендательное письмо
introductory [ɪntrə'dʌktərɪ] *adj* вступительный; **~ remarks** вступительные замечания; **an ~ offer** предварительная цена
introspection [,ɪntro(u)'spekʃ(ə)n] самоанализ; самонаблюдение
introspective [ɪntrəu'spektɪv] *adj* самосозерцательный
introvert ['ɪntro(u)və:t] *психол.* человек, сосредоточенный на самом себе
introverted ['ɪntrəuvə:tɪd] *adj* самоуглубленный
intrude [ɪn'tru:d] *vi:* **to ~ (on)** втор-

гаться (в/на); **am I intruding?** я не помешаю?

intrusion [ɪn'tru:ʒən] *n* вторжение

intrusive [ɪn'tru:sɪv] *adj* назойливый

intuition [ɪntju:'ɪʃən] *n* интуиция

intuitive [ɪn'tju:ɪtɪv] *adj* интуитивный

inundate ['ɪnʌndeɪt] *vt:* **to ~ with** заваливать; **Moscow is ~d with visitors** Москва наводнена приезжими

inure [ɪ'njuə]: **~ oneself to** приучать себя к; **be ~d to hardships** приучиться переносить трудности

invade [ɪn'veɪd] *vt (воен.)* вторгаться в; наводнять

invader [ɪn'veɪdə'] *n (воен.)* захватчик

invalid ['ɪnvəlɪd] *n (мед.)* инвалид ✧ *adj* недействительный

invalidate [ɪn'vælɪdeɪt] *vt* доказывать несостоятельность; делать недействительным

invaluable [ɪn'væljuəbl] *adj* неоценимый

invariable [ɪn'veərɪəbl] *adj* неизменный

invariably [ɪn'veərɪəblɪ] *adv* неизменно; **she is ~ late** она неизменно опаздывает

invasion [ɪn'veɪʒən] *n (воен.)* вторжение; посягательство; **an ~ of privacy** вторжение в личную жизнь

invective [ɪn'vektɪv] бранная, обличительная речь; брань

inveigh [ɪn'veɪ] **: ~ against smth.** ругать, поносить что-л.

inveigle [ɪn'vi:gl] заманивать, обольщать

invent [ɪn'vent] *vt* изобретать; выдумывать

invention [ɪn'venʃən] *n* изобретение; выдумка

inventive [ɪn'ventɪv] *adj* изобретательный

inventiveness [ɪn'ventɪvnɪs] *n* изобретательность *f*

inventor [ɪn'ventə'] *n* изобретатель *m*

inventory ['ɪnvəntrɪ] *n* (инвентаризационная) опись

invert [ɪn'və:t] *vt* переворачивать

inverted commas [ɪn'və:tɪd-] *mpl (линг.)* кавычки *fpl*

invest [ɪn'vest] *vt* инвестировать в(о); вкладывать ✧ *vi:* **~ in** *(комм.)* помещать капитал в; вкладывать деньги в; **to ~ sb with sth** облекать кого-н. чем-н.

investigate [ɪn'vestɪgeɪt] *vt* расследовать; исследовать

investigation [ɪnvestɪ'geɪʃən] *n* исследование

investigative [ɪn'vestɪgeɪtɪv] *adj:* **~ journalism** журналистское расследование

investigator [ɪn'vestɪgeɪtə'] *n* исследователь(ница) *m (f);* **private ~** частный следователь

investiture [ɪn'vestɪtʃə'] *n* введение в должность *f;* пожалование звания

investment [ɪn'vestmənt] *n* инвестирование; инвестиция, вклад

investor [ɪn'vestə'] *n (комм.)* инвестор, вкладчик

inveterate [ɪn'vetərət] *adj* неисправимый; заядлый; давний

invidious [ɪn'vɪdɪəs] вызывающий враждебное отношение, недоброжелательство, зависть

invigilate [ɪn'vɪdʒɪleɪt] следить за студентами во время экзамена

invigorating [ɪn'vɪgəreɪtɪŋ] *adj* бодрящий; воодушевляющий

invincible [ɪn'vɪnsɪbl] *adj* непобедимый; неукротимый

inviolate [ɪn'vaɪələt] *adj* ненарушенный

invisible [ɪn'vɪzɪbl] *adj* невидимый ✧ *cpd (комм.)* невидимый

invisible mending *n* художественная штопка

invitation [ɪnvɪ'teɪʃən] *n* приглашение; **by ~ only** только по приглашению; **at sb's ~** по приглашению кого-н.

invite [ɪn'vaɪt] *vt* приглашать; побуждать к; **to ~ sb to do** предлагать кому -н.; **to ~ sb to dinner** приглашать кого-н. на обед

invite out *vt* приглашать

inviting [ɪn'vaɪtɪŋ] *adj* соблазнительный

invoice ['ɪnvɔɪs] *n (комм.)* счет, фактура ✧ *vt* выписывать счет *or* фактуру; **to ~ sb for goods** выписывать счет *or* фактуру кому-н. за товары

I

invoke [ɪn'vəuk] *vt* обращаться к; взывать к
involve [ɪn'vɔlv] *vt* вовлекать в; включать; **to ~ sb (in sth)** вовлекать кого -н. (во что-н.)
involved [ɪn'vɔlvd] *adj* запутанный; включенный; **to be ~ in** быть вовлеченным(ой) в(о); **to feel ~** быть вовлеченным; **to become ~ with sb** связываться с кем-н.; увлекаться кем-н.
invulnerable [ɪn'vʌlnərəbl] *adj* неуязвимый
inward ['ɪnwəd] *adj* внутренний; направленный внутрь ✧ *adv* = **inwards**
inwardly ['ɪnwədlɪ] *adv* внутри
inwards ['ɪnwədz] *adv* внутрь
iodine ['aɪəudi:n] *n* йод
ion ['aɪən] *n (элек.)* ион
iota [aɪ'outə] йота; **not an ~ of truth in a story** в этой истории нет ни капли правды
IOU ['aɪo(u)'ju:] долговая расписка
Iran [ɪ'ra:n] *n* Иран
Iraq [ɪ'ra:k] *n* Ирак
irascible [ɪ'ræsɪbl] *adj* вспыльчивый
irate [aɪ'reɪt] *adj* разгневанный
Ireland ['aɪələnd] *n* Ирландия; **the Republic of ~** Ирландская Республика
iridescent [,ɪrɪ'desnt] радужный; переливчатый
iris ['aɪərɪs] *анат.* радужная оболочка *(глаза);* ирис
irk [ə:k] *vt* раздражать
irksome ['ə:ksəm] *adj* надоедливый
iron ['aɪən] *n* железо; утюг ✧ *cpd* железный ✧ *vt* гладить
iron foundry *n* чугунолитейный цех
ironic(al) [aɪ'rɔnɪkl] *adj* иронический
ironing ['aɪənɪŋ] *n* глаженье; белье для глаженья
ironing board *n* гладильная доска
iron lung *n (мед.)* аппарат (для) искусственного дыхания
ironmonger ['aɪənmʌŋgə'] *n* торговец скобяными изделиями
ironmonger's (shop) ['aɪənmʌŋgəz-] *n* магазин скобяных изделий
iron ore *n* железная руда
iron out *vt* улаживать
irons ['aɪəns] *npl* кандалы *pl;* **to clap sb in ~** заковывать кого-н. в кандалы
ironworks ['aɪənwə:ks] *n* чугунолитейный завод
irony ['aɪrənɪ] *n* ирония
irrational [ɪ'ræʃənl] *adj* нерациональный; неразумный
irreconcilable [ɪrekən'saɪləbl] *adj* непримиримый
irrecoverable ['ɪrɪ'kʌv(ə)rəbl] непоправимый
irredeemable ['ɪrɪdi:məbl] неисправимый, безнадёжный; не подлежащий выкупу *(об акциях)*
irreducible [,ɪrɪ'dju:səbl] непревратимый *(в иное состояние); мат.* несократимый
irrefutable [ɪ'refjutəbl] неопровержимый
irregularity [ɪregju'lærɪtɪ] *n* неровность; неправильность; нерегулярность *f;* распущенность
irrelevance [ɪ'reləvəns] *n* неуместность
irrelevant [ɪ'relɪvənt] не относящийся к делу
irreligious [ɪrɪ'lɪdʒəs] *adj* неверующий
irremediable [,ɪrɪ'mi:djəbl] неизлечимый; непоправимый
irremovable [,ɪrɪ'mu:vəbl] несменяемый, назначенный постоянно *(на какую-л. должность)*
irreparable [ɪ'rep(ə)rəbl] непоправимый
irreplaceable [ɪrɪ'pleɪsəbl] незаменимый
irrepressible [,ɪrɪ'presəbl] неукротимый; неугомонный
irreproachable [,ɪrɪ'proutʃəbl] безупречный
irresistible [,ɪrɪ'zɪstəbl] неотразимый; непреодолимый
irresolute [ɪ'rezəlu:t] нерешительный
irrespective [,ɪrɪs'pektɪv]: **~ of** безотносительно; независимо *(от чего-л.)*
irresponsible [,ɪrɪs'pɔnsɪbl] безответственный
irretrievable [,ɪrɪ'tri:vəbl] непоправимый; безвозвратный
irreverent [ɪ'revərnt] *adj* непочтительный
irrevocable [ɪ'revəkəbl] *adj* бесповоротный

irrigate [ˈɪrɪgeɪt] *vt (c/x)* орошать
irrigation [ɪrɪˈgeɪʃən] *n (c/x)* орошение, ирригация
irritable [ˈɪrɪtəbl] *adj* раздражительный
irritant [ˈɪrɪtənt] *n* раздражитель *m*
irritate [ˈɪrɪteɪt] *vt (мед.)* раздражать
irritating [ˈɪrɪteitɪŋ] *adj* раздражающий
irritation [ɪrɪˈteɪʃən] *n (мед.)* раздражение; раздражающий фактор
islamic [ɪzˈlæmɪk] *adj* мусульманский
island [ˈaɪlənd] *n* остров; *(also:* **traffic** ~) островок безопасности
isle [aɪl] *n* остров
isolate [ˈaɪsəleɪt] *vt* изолировать; выделять
isolated [ˈaɪsəleɪtɪd] *adj* изолированный; отдельный
isolation [aɪsəˈleɪʃən] *n* изоляция
isoluble [ɪnˈsɔljubl] *adj* неразрешимый
isotope [ˈaɪsəutəup] *n* изотоп
Israel [ˈɪzreɪl] *n* Израиль *m*
Israeli [ɪzˈreɪlɪ] *adj* израильский ✧ *n* израильтянин(-нка)
issue [ˈɪʃu:] *n* вопрос; суть; выпуск *(юрид.)* потомок ✧ *vt* издавать; выдавать ✧ *vi:* **to ~ from** вытекать из; исходить из/от ; **to be at ~** быть предметом обсуждения; **to avold the ~** обходить суть дела; **to confuse** *or* **obscure the ~** заменять суть вопроса; **to ~ sth to sb** выдавать что-н. кому-н.; **to ~ sb with sth** снабжать кого-н. чем-н.; **to take ~ with sb (over)** начинать спорить с кем-н.; **to make an ~ of sth** делать историю из чего-н.
Istanbul [ɪstænˈbu:l] *n* Стамбул
isthmus [ˈɪsməs] *n* перешеек
it [ɪt] *pron* **1.** он (она, оно); его (ее); ему (ей); его (ее); ему (ей); им (ей); нем (ней); **where is your car? - it's in the garage** где Ваша машина? - она в гараже; **I like this hat whose it it?** мне нравится эта шляпа, чья она?; **have you got the dictionary with you? - no, I gave it to Mary** у Вас с собой словарь? - нет, я его дал Мэри; **this pen is fine, I wrote with it yesterday** эта ручка работает, я писал ею вчера **2.** это; **what king of car is it? - it's a Lada** какая это машина? - это Лада; **who is it? - it's me** кто это? - это я; **3.** этого; этому; этим; этом; **I spooke to him about it** я говорил с ним об этом; **that's just it!** вот именно!; **why is it that ...** почему же тогда ...; **what is it?** что такое?; **that's it for today** на сегодня все; **4. it's raining** идет дождь; **it's cold today** сегодня холодно; **it's interesting that...** интересно, что...; **it's 6 o'clock** сейчас 6 часов; **it's the 10th of August** сегодня 10-ое августа
it's [ɪts] = **it has, it is**
Italy [ˈɪtəlɪ] *n* Италия
itch [ɪtʃ] *n* зуд ✧ *vi* чесаться; **I am ~ing all over** у меня все чешется; **he was ~ing to know our secret** ему не терпелось узнать наш секрет
itchy [ˈɪtʃɪ] *adj* зудящий; **I feel all ~** у меня все чешется; **my back is ~** у меня чешется спина
item [ˌaɪtem] **1.** *n* пункт; параграф; статья; любой из перечисленных предметов; вопрос *(на повестке дня);* номер *(программы);* статья *(счёта)* **2.** *adv* также, тоже
itemize [ˈaɪtemaɪz] *амер.* указывать, перечислять по пунктам
iterate [ˈɪtəreɪt] повторять
iteration [ˌɪtəˈreɪʃ(ə)n] повторение
itinerant [aɪˈtɪnərənt] *adj* странствующий
itinerary [aɪˈtɪnərərɪ] *n* маршрут
its [ɪts] *adj* его/ее; свой/своя/свое; *see also* **my** ✧ *pron* его/ее; свой/своя/свое; *see also* **mine**
itself [ɪtˈself] *pron* себя; он сам/она сама/оно само
ivory [ˈaɪvərɪ] *n* слоновая кость *f;* цвет слоновой кости
Ivory Coast *n* Берег Слоновой Кости
ivory tower *n* башня из слоновой кости
ivy [ˈaɪvɪ] *n (бот.)* плющ
Ivy League *n (просвещ.)* группа старейших университетов США

I

J

J, j [dʒeɪ] *n десятая буква латинского алфавита*
jab [dʒæb] *vt* тыкать ✧ *n (мед.)* укол ✧ *vi:* **to ~ at** стучать по; **to ~ sth into sth** втыкать что-н. в что-н.
jabber ['dʒæbə] **1.** *v* болтать; тараторить; бормотать **2.** *n* болтовня; бормотание
jabe [dʒaɪb] *см.* gibe
jack [dʒæk] **1.** *n* парень; рычаг; *тех.* домкрат; щука; *карт.* валет **2.** *v* поднимать домкратом
jackal ['dʒækl] *n* шакал
jackass ['dʒækæs] *n* осел
jackdaw ['dʒækdɔ:] *n* галка
jacket ['dʒækɪt] *n* пиджак; куртка; **potatoes in their ~s, jacket potatoes** картошка в мундире
jack in *vt* завязывать с
jack-in-the-box ['dʒækɪnðəbɔks] *n* чертик в табакерке
jackknife ['dʒæknaɪf] *n* складной нож ✧ *vi:* **the lorry ~d** грузовик заносило
jack plug *n* штекер
jackpot ['dʒækpɔt] *n* куш; **to hit the ~** срывать куш
jack up *vt* поднимать домкратом
jade [dʒeɪd] *n* нефрит
jaded ['dʒeɪdɪd] *adj* утомленный и равнодушный
jagged ['dʒægɪd] *adj* зубчатый
jagua ['dʒægjuə] *n* ягуар
jail [dʒeɪl] *n* тюрьма ✧ *vt* заключать в тюрьму
jailbird ['dʒeɪlbə:d] *n* уголовник
jailbreak ['dʒeɪlbreɪk] *n* побег из тюрьмы
jalopy [dʒe'lɔpɪ] *n* драндулет
jam I [dʒæm] **1.** *v* сжимать, прищемлять; **~ one's fingers in the door** прищемить пальцы дверью; набивать битком; *(обыкн. pass) тех.* заедать, застревать; *радио* искажать передачу ✧ **~ on the brakes** резко затормозить **2.** *n* давка, толчея; **traffic ~** затор, "пробка"; перебой в работе *(машины, аппараты и т.п.); разг.* неловкое положение
jam II варенье; джем
Jamaica [dʒe'meɪkə] *n* Ямайка
jamb ['dʒæm] *n* косяк
jamboree [dʒæmbə'ri:] *n* гулянье
jam-packet [dʒæm'pækt] *adj:* **~ (with)** битком набитый
jangle ['dʒæŋgl] **1.** *n* резкий звук; **2.** *v* шуметь; шумно спорить
janitor ['dʒænɪtə] *n* вахтер(ша)
January ['dʒænjuərɪ] *n* январь *m; see also* **July**
Japan [dʒə'pæn] *n* Япония
jar I [dʒɑ:] **1.** *v* дребезжать; действовать на нервы, раздражать; ссориться; дисгармонировать, не согласовываться **2.** *n* режущий ухо звук; несогласие, ссора; нервное потрясение, шок
jar II кувшин, банка
jargon ['dʒɑ:gen] жаргон
jasmin(e) ['dʒæzmɪn] жасмин
jaunty ['dʒɔ:ntɪ] *adj* бойкий
Java ['dʒɑ:və] *n* Ява
javelin ['dʒævlɪn] *n* копье
jaw [dʒɔ:] *n* челюсть
jawbone ['dʒɔ:bəun] *n* челюстная кость
jaw-breaker ['dʒɔ:ˌbreɪkə] *разг.* труднопроизносимое слово
jay [dʒeɪ] сойка *(птица);* болтун
jay-walker ['dʒeɪˌwɔ:kə] неосторожный пешеход
jazz [dʒæz] *n* джаз
jazz band *n* джазовый оркестр, джаз-банд
jazz up ✧ *vt* оживлять; придавать пикантность
jealous ['dʒeləs] *adj* ревнивый; **to be ~ of** ревновать к
jealously ['dʒeləslɪ] *adv* ревниво; ревностно
jealousy ['dʒeləsɪ] *n* ревность *f;* зависть
jeans [dʒi:nz] *n pl* джинсы *pl*
jeep [dʒi:p] *n* джип
jeer [dʒɪə] *vi:* **to ~ (at)** насмехаться над; высмеивать
jeering ['dʒɪərɪŋ] *adj* насмешливый ✧ *n* насмешки *fpl*
jeers ['dʒɪəz] *npl* улюлюканье *ntsg*
jelly ['dʒelɪ] *n* желе; джем
jellyfish ['dʒelɪfɪʃ] *n* медуза
jeopardize ['dʒeəpədaɪz] *vt* подвергать

J

опасности; ставить под угрозу
jeopardy [ˈdʒepədɪ] *n:* **to be in ~** быть в опасности
jerk [dʒəːk] *n* толчок, рывок; болван ✧ *vt* дергать; рвануть ✧ *vi* дергаться; **the car ~ed to a halt** машина резко затормозила
jerkin [ˈdʒəːkɪn] *n* безрукавка
jerky [ˈdʒəːkɪ] *adj* судорожный
jerry-built [ˈdʒerɪbɪlt] *adj* построенный кое-как *or* на скорую руку
jerry can [ˈdʒerɪ-] *n* канистра
jersey [ˈdʒəːzɪ] *n* свитер; джерси
Jerusalem [dʒəˈruːsləm] *n* Иерусалим
jest [dʒest] *n* шутка
jester [ˈdʒestə] *n* шут
Jesus [ˈdʒiːzəs] *n (рел.)* Иисус; **~ Christ** Иисус Христос
jet [dʒet] *n* струя; *(авиа.)* реактивный самолет; агат
jet-black [ˈdʒetˈblæk] *adj* черный как смоль; агатовый
jet engine *n* реактивный двигатель *m*
jet-propelled [ˈdʒetˈprəpeld] *adj* реактивный
jetsam [ˈdʒetsəm] *n* плавник
jettison [ˈdʒetɪsn] *vt* выбрасывать за борт
jetty [ˈdʒetɪ] *n* причал
Jew [dʒuː] *n* еврейка
jewel [ˈdʒuːəl] *n* драгоценный камень; *m* камень
jeweller [ˈdʒuːələ] *n* ювелир
jeweller's (shop) ювелирный магазин *n*
jewellery [ˈdʒuːəlrɪ] *n* драгоценности
Jewess [ˈdʒuːɪs] *n* еврейка, жидовка *(пренебр.)*
Jewish [ˈdʒuːɪʃ] *adj* еврейский
jib I [dʒɪb] **1.** *n тех.* стрела подъемного крана; укосина; *мор.* кливер
jib II [ˈdʒɪb] пятиться *(о лошади); перен.* упираться; **~ber** норовистая лошадь
jiffy [ˈdʒɪfɪ] *n:* **in a ~** мигом
jig [dʒɪg] *n* джига
jigsaw [ˈdʒɪgsɔː] *n (also:* **puzzle)** головоломка *(в виде картины, кусочки которой нужно сложить вместе);* ажурная плита
jilt [dʒɪlt] *vt* бросать
jingle [ˈdʒɪŋgl] **1.** *n* звонок, звяканье; *лит.* аллитерация **2.** *v* звенеть, звяканье
jingoism [ˈdʒɪŋgəuɪzəm] *n* шовинизм
jinx [dʒɪŋks] *разг.* человек *или* вещь, приносящие несчастье **jitters** [ˈdʒɪtəz] *разг.:* the ~ нервное состояние; have the ~ нервничать
job [ˈdʒɔb] **1.** *n* работа; служба; занятие; место; **out of a ~** без работы; урок, задание; *разг.* трудное дело; злоупотребление служебным положением; *attr.:* **a ~ lot** вещи, купленные по дешёвке для перепродажи ✧ **a bad ~** гиблое дело; **an inside ~** кража, совершённая кем-л. из своих **2.** *v* выполнять задание; работать сдельно; брать *или* давать напрокат *(лошадь, экипаж и т.п.);* злоупотреблять служебным положением; спекулировать; **~ber** маклер, комиссионер; **~less** безработный
jobbing [ˈdʒɔbɪŋ] *adj:* **~ workman** шабашник
jobless [ˈdʒɔblɪs] *adj* безработный; **the ~** безработные
job security *n* гарантия работы
jock [dʒɔk] *n* спортсмен
jockey [ˈdʒɔkɪ] **1.** *n* жокей **2.** *v* обманывать, надувать
jocular [dʒɔkjulə] *adj* веселый; шутливый
jocund [ˈdʒɔkənd] весёлый, живой; забавный
jog [dʒɔg] **1.** *n* толчок; медленная ходьба *или* езда **2.** *v* толкать, подталкивать; **~ smb. memory** *перен.* напомнить кому-л.; помочь кому-л. припомнить; ехать *или* двигаться подскакивая; *перен. (часто* **~ along)** медленно продвигаться вперёд
jog along *vi* медленно продвигаться
jogger [ˈdʒɔgə] *n* бегун
jogging [dʒɔgɪŋ] *n* бег трусцой
joggle [ˈdʒɔgl] трясти; трястись
jog-trot [ˈdʒɔgˈtrɔt] рысца; однообразное движение
Johannesburg [dʒəuˈhænɪsbəːg] *n* Йоханнесбург

john [dʒɔn] *n* туалет

join [dʒɔɪn] *vt* вставать в; вступать в; соединять; присоединяться к ✧ *vi* сливаться; сходиться ✧ *n* сочленение; **to ~forces (with)** объединять усилия (с); **will you ~ us for dinner?** не хотите с нами поужинать?; **I'll ~ you later** я присоединюсь к Вам позже

joiner [ˈdʒɔɪnə] *n* столяр

joinery [ˈdʒɔɪnərɪ] *n* столярное ремесло

join in *vi* присоединяться ✧ *vt* принимать участие в

joint [dʒɔɪnt] *n (тех.)* сочленение; стык; *(анат.)* сустав; *(кулин.)* кусок *(мяса)*; притон; скрутка с марихуаной ✧ *adj* совместный

jointly [ˈdʒɔɪntlɪ] *adv* совместно

joint owners *npl* совладельцы *mpl*

joint venture *n* совместное предприятие

join up *vi* соединяться; *(воен.)* поступать на военную службу

joist [dʒɔɪst] *n* балка

joke [dʒəuk] *n* шутка; анекдот; *also:* **practical ~)** розыгрыш ✧ *vi* шутить; **to play a ~ on** шутить над; сыграть шутку с

joker [ˈdʒəukə] *n* шутник; *(карт.)* джокер

joking [ˈdʒəukɪŋ] *adj* шуточный

jokingly [ˈdʒəukɪŋlɪ] *adv* в шутку

jollity [ˈdʒɔlɪtɪ] *n* жизнерадостность *f*

jolly [ˈdʒɔlɪ] *adj* веселый ✧ *adv* очень ✧ *vt:* **to ~ sb along** ободрять кого-н.; **~ good!** очень хорошо!, здорово!

jolt [dʒəult] *n* толчок *or* потрясение ✧ *vt* тряхнуть *or* встряхивать; потрясать

Jordan [dʒɔ:dən] *n* Иордания; Иордан

jostle [ˈdʒɔsl] *vt* толкать; расталкивать ✧ *vi* толкаться

jot [dʒɔt] **1.** *n* йота, ничтожное количество **2.** *v* кратко записать, набросать, бегло очертить

jot down *vt* помечать

jotter [ˈdʒɔtə] *n* блокнот

journal [ˈdʒə:nl] *n* журнал; дневник

journalese [dʒə:nəˈli:z] *n* газетный штамп

journalism [ˈdʒə:nəlɪzəm] *n* журналистика

journalist [ˈdʒə:nəlɪst] *n* журналист

journey [ˈdʒə:nɪ] *n* поездка; путь; дорога ✧ *vi* путешествовать; **a five-hour ~** пятичасовая поездка; **return ~** обратный путь; обратная дорога

jovial [ˈdʒəuvɪəl] *adj* бодрый; жизнерадостный

jowl [dʒaul] *n* челюсть *f*

joy [dʒɔɪ] *n* радость *f*

joyful [ˈdʒɔɪful] *adj* радостный

joy-ride [ˈdʒɔɪraɪd] *разг.* увеселительная прогулка в чужой машине *(особ. без разрешения)*

joystick [ˈdʒɔɪstɪk] *n (авиа.)* рычаг управления; *(комп.)* джойстик

jubilant [ˈdʒu:bɪlnt] *adj* ликующий

jubilation [dʒu:bɪˈleɪʃən] *n* ликование

jubilee [ˈdʒu:bɪli:] *n* юбилей; **silver/golden ~** 25-летний/50-летний юбилей

judg(e)ment [ˈdʒʌdʒmənt] *n (юрид.)* приговор; решение суда *f*; **in my ~** суждение; рассудительность; **to pass ~ (on)** *(юрид.)* выносить решение на; судить

judge [dʒʌdʒ] *n* судья *m* ✧ *vt (юрид.)* выносить приговор; судить; оценивать ✧ *vt:* **judging** *or* **to ~ by his expression** судя по его выражению; **she's a good ~ of character** она хорошо разбирается в людях; **I'll be the ~ of that** ну это уж мне судить; **I ~d it necessary to inform him** я посчитал нужным сообщить ему об этом; **as far as I can ~** насколько я могу судить

judicial [dʒu:dɪʃl] *adj (юрид.)* судебный; рассудительный; **~ review** судебное разбирательство

judiciary [dʒu:ˈdɪʃɪərɪ] *n:* **the ~** судебные органы

judicious [dʒu:ˈdɪʃəs] *adj* благоразумный

judo [ˈdʒu:dəu] *n* дзюдо

jug [dʒʌg] *n* кувшин

juggle [ˈdʒʌgl] *vi* жонглировать ✧ *vt* жонглировать; **to ~ with sth** жонглировать чем-н.

juggler [ˈdʒʌglə] *n* жонглер

J

juice [dʒu:s] *n* сок; бензин
juicy [ˈdʒu:sɪ] *adj* сочный
jukebox [ˈdʒu:kbɔks] *n* музыкальный автомат
July [dʒu:ˈlaɪ] *n* июль *m;* **the first of ~** первое июля; **on the eleventh of ~** одиннадцатого июля; **in the month of ~** в июле месяце; **at the beginning/end of ~** в начале/конце недели; **in the middle of ~;** в середине июля; **during ~** в течение июля; **in ~** в июле; **in ~ of next year** в июле следующего года; **each** *or* **every ~** каждый июль; **~ was wet this year** в этом году июль был дождливым
jumble [ˈdʒʌmbl] *n* нагромождение; старье ✧ *vt* перемешивать
jumbo [ˈdʒʌmbou] большой неуклюжий человек, крупное животное, громоздкая вещь
jump [dʒʌmp] *vi* прыгать; подпрыгивать; подскакивать ✧ *vt* перепрыгивать; перескакивать ✧ *n* прыжок; **to ~ the queue** идти без очереди
jump about *vi* суетиться
jump at *vt fus* ухватываться
jumped up [ˈdʒʌmptʌp] *adj:* **~ office boy** выскочка
jumper I [ˈdʒʌmpə] прыгун, скакун
jumper II джемпер; матросская рубаха; рабочая блуза
jump-start [ˈdʒʌmpstɑ:t] *vt:* **to ~ a car** подталкивать машину, чтобы завести ее
jump suit *n* комбинезон
jumpy [ˈdʒʌmpɪ] *adj* нервный
junction [ˈdʒʌŋkʃən] *n* пересечение; узел
juncture [ˈdʒʌŋktʃə] *n:* **at this ~** в данный момент
June [dʒu:n] *n* июнь *m; see also* **July**
jungle [ˈdʒʌŋgl] *npl* джунгли
junior [ˈdʒu:nɪə] *adj* младший ✧ *n* младший(-ая) *adj;* **he's ~ to me (by 2 years), he's my ~ (by 2 yeras)** они младше меня на два года; **he's ~ to me** он мой подчиненный
junior sizes *npl* детские размеры *mpl*
juniper [ˈdʒu:nɪpə] *n:* **~ berry** можжевельник
junk [dʒʌŋk] *n* барахло; хлам; джонка ✧ *vt* выкидывать
junkie [ˈdʒʌŋkɪ] *n* наркоман
junk room *n* чулан
junk shop *n* лавка старьевщика
junta [ˈdʒʌntə] *n* хунта
Jupiter [ˈdʒu:pɪtə] *n* Юпитер
jurisdiction [ˌdʒuərɪsˈdɪkʃ(ə)n] правосудие; юрисдикция
jurisprudence [ˈdʒuərɪsˌpru:d(ə)ns] юриспруденция, правоведение
juror [ˈdʒuərə] *n* присяжный заседатель *m*
just [dʒʌst] *adj* справедливый ✧ *adv* как раз; именно; только; едва; **he's ~ left/done it** он только что ушел/это сделал; **~ as I expected** как я и ожидал; **it's ~ right** это как раз то, что надо; **~ two o'clock** ровно два часа; **we were ~ going** *or* **about to go** мы как раз собирались уходить; **I was ~ about to phone** я уже собрался позвонить; **she's ~ as clever as you** она столь же умна, как и ты; **it's ~ as well (that) ...** даже и хорошо,(что)...; **~ as he was leaving** как раз, когда он собрался уходить; **~ before Christmas** перед самым Рождеством; **there was ~ enough petrol** едва хватило бензина; **~ here** вот здесь; **he (only) ~ missed** он чуть не попал; **it's ~ me** это (только) я; **it's ~ a mistake** это просто ошибка; **~ listen!** ты только послушай!; **~ ask someone the way** просто спроси у кого-нибудь дорогу; **not ~ now** только не сейчас; **~ a minute!, ~ one moment!** подождите!,(одну) минуту!
justice [ˈdʒʌstɪs] *n* правосудие; справедливость *f;* судья *m;* **Lord Chief J~** *второй по значению судья в британской системе правосудия;* **to do ~ to** отдавать должное
justifiable [dʒʌstɪˈfaɪəbl] *adj* оправданный, обоснованный
justifiably [dʒʌstɪˈfaɪəblɪ] *adv* оправданно, обоснованно
justification [dʒʌstɪfɪˈkeɪʃən] *n* оправ-

J

дание, основание; *типогр.* выравнивание строки

justify [ˈdʒʌstɪfaɪ] *vt* оправдывать; выравнивать; **to ~ o.s.** оправдываться; **to be justified in doing** иметь все основания

justly [ˈdʒʌstlɪ] *adv* справедливо

jut [dʒʌt] *vi (aslo:* **~ out)** выступать

jute [dʒuːt] *n* джут

juvenile [ˈdʒuːvənaɪl] **1.** *n* юноша, подросток **2.** *a* юный, юношеский

juvenile delinquency *n* преступность *f* среди несовершеннолетних

juvenile delinquent *n* несовершеннолетний правонарушитель

juxtapose [ˈdʒʌkstəpəuz] *vt* сопоставлять

juxtaposition [ˈdʒʌkstəpəˈzɪʃən] *n* сопоставление

K

K,k [keɪ] *n 11-я буква английского алфавита*

K *abbr = one thousand; компьют. (=* **kilobyte***)* K *= килобайт*

Kabul [ˈkaːbul] *n* Кабул

kaftan [ˈkæftæn] *n* кафтан

kale [keɪl] *n* капуста кормовая

kaleidoscope [kəˈlaɪdəskəup] *n* калейдоскоп

kamikaze [kæmɪˈkaːzɪ] *n* камикадзе *m*, летчик-смертник

kangaroo [kæŋgəˈruː] *n* кенгуру *m*

kebab [kəˈbæb] *n* шашлык

keel [kiːl] *n* киль *m;* **on an even ~** в состоянии стабильности

keel over *vi* опрокидываться

keen [kiːn] *adj* острый; страстный, увлеченный; **to be ~ to do** *or* **on doing** очень хотеть; **to be ~ on sth** увлекаться чем-н.; **he is ~ on her** он увлечен ею; **I'm not ~ on going** мне не очень хочется идти; **~ competition** напряженная конкурентная борьба

keenly [ˈkiːnlɪ] *adv* увлеченно; пристально; **to feel sth ~** глубоко переживать что-н.

keenness [ˈkiːnnɪs] *n* увлеченность *f;* **~ to do** стремление

keep [kiːp] *vt* оставлять себе; хранить; сохранять; содержать; держать; вести; сдерживать ✧ *vi* оставаться; сохраняться; **to ~ doing** продолжать ✧ *n* центральная башня; **he has enough for his ~** ему достаточно на прожитие; **he kept the job** он сохранил эту работу; **where do you ~ the salt?** где у Вас соль; **he ties to ~ her happy** он делает все для того, чтобы она была довольна; **to ~ the house tidy** содержать дом в порядке; **to ~ sb waiting** заставлять кого-н. ждать; **to ~ sb from doing** не давать кому-н.; **to ~ a appointment** прийти в назначенное время; **to ~ a record** вести учет; **to ~ sth o.s.** держать что-н. при себе; **to ~ sth (back) from sb** скрывать что-н. от кого-н.; **to ~ sth from happening** не давать чему-н. случиться; **to ~ time** идти точно

keep away *vt:* **to ~ sth/sb away from sb/sth** держать что-н./кого-н. подальше от кого-н./чего-н. ✧ *vi:* **to ~ away (from)** держать подальше (от)

keep back *vt* сдерживать; удерживать ✧ *vi* держаться на расстоянии

keep down *vt* сдерживать; **she can't ~ her food down** что бы она не съела, ее все время рвет; ✧ *vi:* **~ down!** ложись!

keeper [ˈkiːpə] *n* смотритель(ница) *m*

keeper fit *n* аэробика

keep in *vt* держать дома ✧ *vi:* **to ~ in with sb** поддерживать хорошие отношения с кем-н.

keeping [ˈkiːpɪŋ] *n* присмотр; **I'll leave this in your ~** оставляю это под Вашим присмотром; **in ~ with** в соответствии с; **out of ~ with** несовместимый с

keep off *vt* не подпускать; избегать ✧ *vi* держаться в стороне; **"keep off the grass"** "по газонам не ходить"; **~ your hands off** руками не трогать

keep on *vi:* **to ~ on doing** продолжать

keep out *vt* не впускать
keeps [ki:ps] *n:* **for ~** на совсем
keepsake [ˈki:pseɪk] *n* памятный подарок
keep up *vt* поддерживать ✧ *vi:* **to ~ up (with)** поспевать (за); идти в ногу (с)
keg [keg] *n* бочонок; **~ beer** бочковое пиво
kennel [ˈkenl] *n* конура
kennels [ˈkenlz] *npl* гостиница платный приют для собак
kerb [kə:b] *n* бордюр
kernel [ˈkə:nl] *n* ядро; суть *f*
kerosene [ˈkerəsi:n] *n* керосин
kestrel [ˈkestrəl] *n* пустельга
ketchup [ˈketʃəp] *n* кетчуп
kettle [ˈketl] *n* чайник
kettledrum [ˈketldrʌm] *n* литавра
key [ki:] *n* ключ; (*муз.*) тональность; клавиш(а) ✧ *cpd* ключевой ✧ *vt (also:* **~ in)** набирать на клавиатуре
keyboard [ˈki:bɔ:d] *n* клавиатура
keyboarder [ˈki:bɔ:də] *n* машинист(-ка); оператор клавиатуры
keyed up [ki:d] *adj:* **he was all ~~** он был очень взвинчен
keyhole [ˈki:həul] *n* замочная скважина
keynote [ˈki:nəut] *n (муз.)* тоника; лейтмотив
keyring [ˈki:rɪŋ] *n* брелок
keystone [ˈki:stoun] *архит.* замковый камень; *перен.* краеугольный камень, основной принцип
keystroke [ˈki:strəuk] *n (комп.)* нажатие клавиши
kick [kɪk] *vt* ударять ногой; ударять по; побороть ✧ *vi* лягаться ✧ *n* удар; отдача; **he does it for ~s** он делает это, чтобы пощекотать себе нервы
kick around *vi* валяться
kick off *vi:* **the match ~s off at 3 pm** матч начинается в 3 часа *(в футболе)*
kickoff [ˈkɪkɔf] *n* начало (футбольного) матча
kick-start [ˈkɪkstɑ:t] *n (also:* **~er)** ножной стартер
kid [kɪd] *n* ребенок; козленок; лайка ✧ *vt* водить за нос, дурачить; **~ brother** младший братишка *m;* **~ sister** младшая сестренка; **you're ~ding!** ты шутишь!
kid gloves *n:* **to handle sb with ~~** бережно обращаться
kidnap [ˈkɪdnæp] *vt* похищать
kidnapper [ˈkɪdnæpə] *n* похититель
kidnapping [ˈkɪdnæpɪŋ] *n* похищение
kidney [ˈkɪdnɪ] *n (мед.)* почка; *(кулин.)* почки *fpl*
kidney bean *n* красная фасоль *f no pl*
kidney machine *n* искусственная почка
kilibyte [ˈki:ləubaɪt] *n* килобайт
kill [kɪl] *vt* убивать; губить; пресекать ✧ *n* добыча; **to ~ time** убивать время; **to ~ o.s.** покончить с собой; **to be ~ed** погибать; **to ~ o.s. to do** надрываться, чтобы; **to ~ o.s. (laughing)** помирать (со смеху)
killer [ˈkɪlə] *n* убийца *m/f*
killer instinct *n* смертельная *or* мертвая хватка
killing [ˈkɪlɪŋ] *n* убийство; **to make a ~** срывать куш
killjoy [ˈkɪldʒɔɪ] *n:* **don't be such a ~!** не отравляй другим удовольствие!
kill off *vt* уничтожать
kiln [kɪln] *n* печь *f (для обжига)*
kilo [ˈki:ləu] *n* кило *nt ind*
kilohertz [ˈkɪləuhə:ts] *n* килогерц
kilometre [ˈkɪləmi:tə] *n* километр
kilowatt [ˈkɪləuwɔt] *n* киловатт
kilter [ˈkɪltə] *n:* **out of ~** в беспорядке
kind [kaɪnd] *adj* добрый ✧ *n* род; **would you be ~ enough** *or* **so ~ as to ...?** не будете ли Вы так добры *or* любезны...?; **it's very ~ of you to help me** очень любезно с Вашей стороны, что Вы мне помогли; **he seemed ~ of unhappy** он был вроде бы не доволен; **in ~** *(комм.)* товарами и услугами; **a~ of** род; **two of a ~** две вещи одного типа; **what ~ of person it he?** что он за человек?; **she has a strange ~ of smile** у нее странная улыбка
kindergarten [ˈkɪndəgɑ:tn] *n* детский сад

K

kind-hearted [kɪnd'hɑ:tɪd] *adj* добрый, добросердечный
kindling ['kɪndlɪŋ] *n* щепки *fpl,* растопка
kindly ['kaɪndlɪ] *adj* добрый; доброжелательный ✧ *adv* любезно, доброжелательно; **will you ~ ...**будьте добры ...; **he didn't take it ~** он был далеко не рад этому
kindness ['kaɪndnɪs] *n* доброта; любезность *f*
kindred ['kɪndrɪd] *adj:* **~ spirit** родственная душа
kinetic [kɪ'netɪk] *adj* кинетический
king [kɪŋ] *n* король *m*
kingdom ['kɪŋdəm] *n* королевство; **the animal/plant ~** животное/растительное царство
kingfisher ['kɪŋfɪʃə] *n* зимородок
kingpin ['kɪŋpɪn] *n (тех.)* шкворень *m;* важная шишка
king-size(d) ['kɪŋsaɪzd] *adj* самого большого размера
kink [kɪŋk] *n* узел; завиток; причуда, странность *f*
kinky ['kɪŋkɪ] *adj* порочный
kinship ['kɪnʃɪp] *n* родство
kinsman ['kɪnzmən] *irreg n* родич
kinswoman ['kɪnzwumən] *irreg n* кровная родственница
kiosk ['ki:ɔsk] *n* киоск; *(телеф.)* телефонная будка; (*also:* **newspaper ~**) газетный киоск
kipper ['kɪpə] *n* копченная селедка
kiss [kɪs] *n* поцелуй ✧ *vt* целовать ✧ *vi* целоваться; **to ~ sb goodbye** целовать кого-н. на прощание
kiss of life *n:* **the ~~~** искусственное дыхание
kit [kɪt] *n (also:* **sports ~**) костюм; снаряжение; набор; комплект
kitbag ['kɪtbæg] *n* вещмешок = вещевой мешок
kitchen ['kɪtʃɪn] *n* кухня
kitchen garden *n* огород
kitchen sink *n* (кухонная) мойка *or* раковина
kitchen unit *n* кухонный шкаф
kitchenware ['kɪtʃɪŋweə] *n* кухонные принадлежности *fpl,* (кухонная) утварь *f*
kite [kaɪt] *n* воздушный змей; *(зоол.)* коршун
kith [kɪθ] *n:* **~ and kin** родные *pl adj* и близкие *pl adj*
kit out *vt* снаряжать
kitten ['kɪtn] *n* котенок
kitty ['kɪtɪ] *n* общая касса
knack [næk] умение, ловкость, сноровка; привычка
knackered ['nækəd] *adj* вымотанный
knapsack ['næpsæk] *n* (небольшой) рюкзак
knead [ni:d] *vt* месить
knee [ni:] *n* колено
kneecap ['ni:kæp] *n* коленная чашечка
knee-deep ['ni:'di:p] *adj, adv* по колено
knee-jerk ['ni:dʒə:k] *n* коленный рефлекс ✧ *adv:* **~ reaction** рефлекс
kneel [ni:l] *vi (also:* **~ down)** вставать на колени; стоять на коленях
kneepad ['ni:pæd] *n* наколенник
knell [nel] *n* погребальный звон; конец
knickers ['nɪkəz] *npl* (женские) трусики *mpl*
knick-knacks ['nɪknæks] *npl* безделушки *fpl*
knife [naɪf] *n* нож ✧ *vt* ранить ножом
knight [naɪt] *n* рыцарь *m;* конь *m*
knighthood ['naɪthud] *n* рыцарство *(полученное от монарха за заслуги перед страной)*
knit [nɪt] *vt* вязать ✧ *vi* вязать; срастаться; **to ~ one's brows** хмурить брови
knitted ['nɪtɪd] *adj* вязаный
knitting ['nɪtɪŋ] *n* вязание
knitting machine *n* вязальная машина
knitting needle *n* вязальная спица
knitting pattern *n* вязка
knitwear ['nɪtweə] *n* трикотаж
knob [nɔb] *n* ручка; кнопка; набалдашник; **a ~ of butter** кусочек (сливочного) масла
knobbly ['nɔblɪ] *adj* бугристый; узловатый; шишковатый
knock [nɔk] *vt* ударять; сталкиваться с; критиковать ✧ *vi* стучать ✧ *n* удар, толчок; стук; **to ~ a nail into sth** вбивать гвоздь во

K

что-н.; **to ~ some sense into sb** учить кого-н. уму-разуму; **he ~ed at** *or* **on the door** он постучал в дверь
knock about *vt* колотить ✧ *vi* шататься по свету; **~ about (with)** водиться (с)
knock around *vti* = **knock about**
knock back *vt* пропускать
knock down *vt* сбивать; сносить
knockdown [ˈnɔkdaun] *adj:* **~ price** сниженная цена
knocker [ˈnɔkə] *n* дверной молоток
knocking [ˈnɔkɪŋ] *n* стук
knock off *vi* закругляться ✧ *vt* сбавлять; стянуть
knock out *vt* оглушать; нокаутировать; выбивать
knockout [ˈnɔkaut] *n* нокаут ✧ *cpd* отборочный
knock over *vt* сбивать
knock-up [ˈnɔkʌp] *n:* **to have a ~** разминаться
knot [nɔt] **1.** *n* узел; **tie a ~** завязывать узел; бант; союз, узы; **wedding ~** брачные узы; затруднение; загвоздка; сучок; нарост; группа, кучка *(людей); мор.* узел *(единица скорости хода)* ✧ **tie oneself in ~s** запутаться в трудностях **2.** *v* завязывать узел
knotty [ˈnɔtɪ] *adj* запутанный
know [nəu] *vt* знать; **to ~ how to do** уметь; **to ~ about** *or* **of sth/sb** знать о чем-н./ком-н.; **to get to ~ sth** узнавать что -н.; **to get to ~ sb** узнавать кого-н. поближе; знакомиться с кем-н.; **to get to ~ about** узнать о; **as far as I ~** насколько мне известно; **yes, I ~** да, знаю; **I don't ~** не знаю
know-all [ˈnəuɔ:l] *n* всезнайка *m/f*
know-how [ˈnəuhau] *n* ноу-хау
knowing [ˈnəuɪŋ] *adj* понимающий
knowingly [ˈnəuɪŋlɪ] *adv* сознательно; понимающе
knowledge [ˈnɔlɪdʒ] познания, знания; знание; наука; **branches of ~** отрасли науки; знакомство
knowledgeable [ˈnɔlɪdʒəbl] *adj* знающий; **he is very ~ about art** он большой знаток искусства
known [nəun] *pp of* **know** ✧ *adj* известный
knuckle [ˈnʌkl] *n* костяшка
knuckle down *vi* браться за дело
knuckleduster [ˈnʌkldʌstə] *n* кастет
knuckle under *vi* подчиняться
kook [ku:k] *n* помешанный(-ая)
kosher [ˈkəuʃə] *adj* кошерный
kowtow [ˈkauˈtau] **1.** *n* низкий поклон; *перен.* раболепие **2.** *v* раболепствовать, пресмыкаться *(to)*
Kremlin [ˈkremlɪn] *n:* **the ~** Кремль *m*
kudos [ˈkju:dɔs] *n* престижность *f*

L

L,l [el] *12-ая буква английского алфавита*
label [ˈleɪbl] *n* этикетка, ярлык; бирка; (*also:* **record ~**) знак фирмы грамзаписи ✧ *vt* прикреплять бирку к; прикреплять ярлык на; наклеивать ярлык на
Labor Day *n* День Труда
laborious [ləˈbɔ:rɪəs] *adj* трудоемкий
labour camp *n* исправительно-трудовой *m* лагерь
labour cost *n* стоимость *f* рабочей силы
labour dispute *n* трудовой конфликт
laboured [ˈleɪbəd] *adj* затрудненный; вымученный
labourer [ˈleɪbərə] *n* (неквалифицированный) рабочий *m adj;* **farm ~** сельско-хозяйственный рабочий
labour force *n* рабочая сила
labour-intensive [leɪbərɪnˈtensɪv] *adj* трудоемкий
labour market *n* рынок труда
labour pains *npl* родовые схватки *fpl*
labour relations *npl* трудовые отношения *ntpl*
labour-saving [ˈleɪbəˌseɪvɪŋ] дающий экономию в труде, рационализаторский
labour unrest *n* рабочие волнения
laburnum [ləˈbə:nəm] *n* золотой дождь *m*
labyrinth [ˈlæbɪrɪnθ] *n* лабиринт
lace [leɪs] *n* кружево; шнурок ✧ *vt*

(*also:* ~ **up**) шнуровать; **I ~d his coffee with arsenic** я подмешал в его кофе мышьяк
lacemaking [ˈleɪsmeɪkɪŋ] *n* плетение кружев
lacerate [ˈlæsəreɪt] *vt* раздирать
laceration [læsəˈreɪʃən] *n* рваная рана
lace-up [ˈleɪsʌp] *adj* шнурованный
lachrym||atory [ˈlækrɪmət(ə)rɪ] слезоточивый; **~ose** [-ous] слезливый, плаксивый
lack [læk] *n* отсутствие; недостаток, нехватка ✧ *vt:* **she ~d self-confidence** ей не хватало *or* не доставало уверенности в себе; **he is ~ing in experience** ему не хватает *or* не достает опыта; **through** *jr* **for ~ of** из-за недостатка
lackadaisical [ˌlækəˈdeɪzɪk(ə)l] томный
lacklustre [ˈlæklʌstə] *adj* тусклый
laconic [ləˈkɔnɪk] *adj* лаконичный
lacquer [ˈlækə] *n* лак
lacrosse [ləˈkrɔs] *n* лакросс
lactic [ˈlæktɪk] молочный
lacy [ˈleɪsɪ] *adj* кружевной
lad [læd] мальчик, юноша; парень
ladder [ˈlædə] приставная лестница; *перен.* средство для достижения успеха; спущенная петля на чулке
laden [ˈleɪdn] *adj:* **to be ~ (with)** ломиться; **~ (with)** нагруженный; **fully ~** полностью загруженный; **the trees were ~ with fruit** деревья ломились от плодов
ladle [ˈleɪdl] **1.** *n* ковш, черпак **2.** *v* черпать; **~ out** вычерпывать ✧ ~ out honours раздавать награды
ladle out *vt* раздавать направо и налево
lady [ˈleɪdɪ] *n* дама *f;* **ladies and gentlemen ...** дамы и господа ...; **young ~** молодая женщина; **old ~** пожилая женщина; **the ladies' (room)** женский туалет
ladybird [ˈleɪdɪbɜːd] *n* божья коровка
lady-in-waiting [ˈleɪdɪɪnˈweɪtɪŋ] *n* фрейлина
lady-killer [ˈleɪdɪkɪlə] *n* сердцеед
ladylike [ˈleɪdɪlaɪk] *adj* элегантный
ladyship [ˈleɪdɪʃɪp] *n:* **your ~** Ваша милость *f*
lag I [læg] **1.** *n:* **time ~** запаздывание **2.** *v* отставать, запаздывать
lag II (*часто* **old ~**) *разг.* каторжник
lager [ˈlɑːgə] *n* светлое пиво
lager lout *n* пьяная шпана *f no pl*
laggard [ˈlægəd] увалень; неповоротливый человек
lagging [ˈlægɪŋ] *n* теплоизоляция
lagoon [ləˈguːn] *n* лагуна
laid back [leɪdˈbæk] *adj* спокойный
laid up *adj:* **~~ (with)** прикованный к постели
lair [leə] *n* логово, логовище
laissez faire [leseɪˈfeə] *n (экон.)* экономическое невмешательство
laity [ˈleɪətɪ] *n or npl (рел.)* миряне *mpl;* непрофессионалы *mpl*
lake [leɪk] *n* озеро
Lake District *n:* **the ~~** Озерный край
lamb [læm] *n (зоол.)* ягненок; *(кулин.)* (молодая) баранина
lambada [læmˈbɑːdə] *n* ламбада
lambent [ˈlæmbənt] сверкающий, лучистый *(о звёздах, глазах);* играющий *(о пламени, свете);* искрящийся *(об уме, юморе)*
lamb shop *n* баранья котлета
lame [leɪm] *adj* хромой; слабый
lame duck *n* неудачник(ица)
lamely [ˈleɪmlɪ] *adv* неубедительно
lament [ləˈment] *n* плач ✧ *vt* оплакивать
lamentable [ˈlæməntəbl] *adj* плачевный
laminated [ˈlæmɪneɪtɪd] *adj* слоистый; с пластиковым покрытием
lamp [læmp] *n* лампа; фонарь *m*
lamplight [ˈlæmplaɪt] *n:* **by ~** при свете лампы
lampoon [læmˈpuːn] *n* пасквиль *m* ✧ *vt* писать пасквиль
lamppost [ˈlæmppəust] *n* фонарный столб
lampshade [ˈlæmpʃeɪd] *n* абажур
lance [lɑːns] *n* пика ✧ *vt (мед.)* вскрывать
lance corporal *n* младший капрал
land [lænd] *n* земля; суша; страна ✧ *vi* высаживаться; *(авиа.)* приземляться; очутиться ✧ *vt* по-

L

садить; высаживать; выгружать; **to own ~** владеть землей; **to go by ~** ехать/ездить по суше; **he always ~s on his feet** в конце концов ему везет; **she ~ed (herself) a good job** она добилась хорошей работы; **to ~ sb with sth** наваливать что-н. на кого-н.

landed gentry [ˈlændɪd-] *n* землевладельческая аристократия

landfill site [ˈlændfɪl-] *n* место захоронения отходов

landing [ˈlændɪŋ] *n* лестничная площадка; посадка, приземление

landing craft *n* десантное судно

landing gear *n (авиа.)* шасси

landing stage *n* пристань *f*

landing strip *n* взлетно-посадочная полоса

landlady [ˈlændleɪdɪ] *n* домовладелица, хозяйка

landlocked [ˈlændlɔkt] *adj* без выхода к морю

landlord [ˈlændlɔːd] *n* домовладелец, хозяин

landlubber [ˈlændlʌbə] *n:* **to be a ~** не любить путешествовать морем

landmark [ˈlændmɑːk] *n* ориентир

landowner [ˈlændəunə] *n* землевладелец

landscape [ˈlænskeɪp] *n* пейзаж; ландшафт ✧ *vt:* **to ~ an area** (искусственно) создавать ландшафт

landscape painting *n* пейзаж; пейзажная живопись *f*

landslide [ˈlændslaɪd] *n (гео.)* оползень *m; (also:* **~ victory)** решительная победа

land up *vi:* **to ~ up (in/at)** очутиться на

lane [leɪn] *n* тропинка; переулок; полоса; *(спорт.)* дорожка; **shipping ~** морская трасса

language [ˈlæŋgwɪdʒ] *n* язык; **bad ~** сквернословие

language laboratory *n* лингафонный кабинет

languid [ˈlæŋgwɪd] *adj* томный

languish [ˈlæŋgwɪʃ] *vi* томиться; тянуться

lank [læŋk] *adj* длинный и сальный

lanky [ˈlæŋkɪ] *adj* долговязый

lantern [ˈlæntən] *n* фонарь *m*

lap [læp] *n* колени; *(спорт.)* круг; ✧ *vt (also:* **~ up)** лакать ✧ *vi* плескаться; **in his/my ~** у него/меня на коленях

lapdog [ˈlæpdɔg] *n* болонка

lapel [ləpel] *n* лацкан

Lapp [læp] *adj* лапландский ✧ *n* лапландец, саам; *(линг.)* саамский язык

lapse [læps] *n* промах; промежуток; потеря ✧ *vi* терять силу; **memory ~** провал памяти; **to ~ into bad habits** усваивать дурные привычки

lap-top [ˈlæptɔp] *n:* **~ computer** портативный компьютер

lap up *vt* упиваться

larceny [ˈlɑːsənɪ] *n* воровство

larch [ˈlɑːtʃ] *n* лиственница

lard [lɑːd] *n* свиной жир

larder [ˈlɑːdə] *n* кладовая *f adj*

large [lɑːdʒ] *adj* большой; крупный; **to make ~r** увеличивать; **this coat is too ~ for me** это пальто мне велико; **a ~ number of people** большое число людей; **on a ~ scale** в крупном масштабе; **at ~** в целом; на воле; **by and ~** вообще

largely [ˈlɑːdʒlɪ] *adv* по большей части; **~ because ...** в основном, потому что ...

large-scale [ˈlɑːdʒˈskeɪl] *adj* крупномасштабный

largesse [lɑːʒes] *n* щедрость *f*

lark [lɑːk] *n* жаворонок; проказа

lark about *vi* проказничать

larva [ˈlɑːvə] *n* личинка

laryngitis [lærɪnˈdʒaɪtɪs] *n* ларингит

larynx [ˈlærɪŋks] *n* гортань *f*

lasagne [ləˈzænjə] *n* лазанья *(итальянское блюдо)*

lascivious [ləˈsɪvɪəs] *adj* похотливый

laser [ˈleɪzə] *n* лазер

laser beam *n* лазерный луч

laser printer *n* лазерный принтер

lash [læʃ] *n* ресница; удар *(хлыста)* ✧ *vt* хлестать, стегать; (also: **~ against)** хлестать о; **to ~ to** привязывать к; **to ~ together** связывать

lash down *vt* привязывать ✧ *vi* хле-

L

стать

lash out *vi:* **to ~ out at** накидываться на; **to ~ out (on sth)** разоряться (на что-н.)

lass [læs] *n* девочка; девушка

lasso [læˈsu] *n* лассо, аркан ✧ *vt* арканить

last [lɑːst] *adj* прошлый; последний ✧ *adv* в последний раз; в конце ✧ *vi* длиться; продолжаться; сохраняться; держаться; **we had enough money to ~ us** нам хватило денег; **~ year** в прошлом году; **~ week** на прошлой неделе; **~ night** вчера вечером; прошлой ночью; **at ~** наконец; **~ but one** предпоследний; **the ~ time** в последний раз; **the film ~s (for) 2 hours** фильм длится 2 часа

last-ditch [ˈlɑːstˈdɪtʃ] *adj* отчаянный

lasting [ˈlɑːstɪŋ] *adj* продолжительный, длительный; долговременный

lastly [ˈlɑːstlɪ] *adv* наконец

last-minute [lɑːstmɪnɪt] *adj* сделанный в последнюю минуту; последний

latch [lætʃ] *n* задвижка; замок *m;* **to leave the door on the ~** оставлять замок на предохранитель

latchkey [ˈlætʃkiː] *n* ключ от замка *(к входной двери)*

latch on to *vt fus* прилипать к; привязывать к

late [leɪt] *adj* поздний; бывший; покойный ✧ *adv* поздно; с опозданием; **to be ~ опаздывать; I was 10 minutes ~** я опоздал на 10 минут; **in the ~ 1970s** к концу семидесятых годов; **he is in his ~ thirties** ему далеко за тридцать; **in ~ May** в конце мая; **to work ~** работать до поздна; **~in life** в пожилом возрасте; **of ~** в последнее время

latecomer [ˈleɪtkʌmə] *n* опоздавший(-ая) *m(f) adj*

lately [ˈleɪtlɪ] *adv* в последнее время

lateness [ˈleɪtnɪs] *n* опоздание; **owing to the ~ of the hour из-за позднего часа**

latent [ˈleɪtnt] *adj* скрытый; **~ defect** скрытый дефект

later [ˈleɪtə] *adj* более поздний; последующий ✧ *adv* позже; позднее; **~ on** в последствии; потом; **he arrived ~ that me** он пришел позже меня

lateral [ˈlætərl] *adj* боковой; **~ thinking** нестандартное мышление

latest [ˈleɪtɪst] *adj* самый поздний; (самый) новый *or* последний; последний; **at the ~** самое позднее

lath [lɑːθ] планка, рейка; дранка

lathe [leɪð] *n* токарный станок

lather [ˈlɑːðə] *n* (мыльная) пена ✧ *vt* мылить

Latin [ˈlætɪn] **1.** *a* латинский **2.** *n* латинский язык

latitude [ˈlætɪtjuːd] *n (гео.)* широта

latrine [ləˈtriːn] *n* отхожее место

latter [ˈlætə] *adj* последний ✧ *n:* **the ~** последний; **the ~ part of the week** вторая половина недели

latter-day [ˈlætədeɪ] *adj* современный

latterly [ˈlætəlɪ] *adv* недавно, в последнее время

lattice [ˈlætɪs] *n* решетка

lattice window *n* решетчатое окно

laud [ˈlɔːd] **1.** *n* хвала **2.** *v* хвалить; **~able** [ˈəbl] похвальный

laudable [ˈlɔːdəbl] *adj* похвальный

laudatory [ˈlɔːdətrɪ] *adj* хвалебный

laugh [laːf] *n* смех ✧ *vi* смеяться; **(to do sth) for a ~** (делать что-н.) для смеха

laugh at *vt fus* смеяться над

laughing gas [ˈlaːfiŋ-] *n* веселящий газ

laughing matter *n:* **this is no ~~** это дело нешуточное

laughing stock *n* посмешище; **to be the ~~ of** служить посмешищем для

laugh off *vt:* **to ~ sth off** отделываться от чего-н. шуткой

laughter [ˈlaːftə] *n* смех

launch I [lɔːntʃ] спускать *(на воду);* начинать, предпринимать; бросать, метать; запускать; выпускать; бросаться

launch II баркас; (самоходный) катер

launch(ing) pad *n* стартовая площадка

launching [ˈlɔːntʃɪŋ] *n* спуск (на воду);

L

запуск; начало
launch into *vt nt fus* пускаться в
launch out *vi:* **to ~ out into** браться за
launder [ˈlɔːndə] *vt* стирать; отмывать
laundrette [lɔːnˈdret] *n* прачечная *f adj* самообслуживания
laundry [ˈlɔːndrɪ] *n* стирка; прачечная *f adj;* **to do the ~** стирать
laund||ress [ˈlɔːndrɪs] прачка; **~rette** [-ret] прачечная самообслуживания; **~ry** [-rɪ] прачечная; бельё *(для стирки)*
laurel [ˈlɔrl] *n* лавр; лавровое дерево; **to rest on one's ~s** почивать на лаврах
lavatory [ˈlævətərɪ] *n* туалет
lavatory paper *n* туалетная бумага
lavender [ˈlævəndə] *n* лаванда
lavish [ˈlævɪʃ] *adj* щедрый; обильный; пышный; **~ with** щедрый на ✧ *vt:* **to ~ sth on sb** осыпать кого-н. чем-н.
lavishly [ˈlævɪʃlɪ] *adv* щедро; пышно
law [lɔː] *n* закон; **(the) ~** юриспруденция; *(просвещ.)* право; **it's against the ~** это противозаконно; **to study ~** изучать право; **to go to ~** обращаться в суд; **to break the ~** нарушать закон
law-abiding [ˈlɔːəbaɪdɪŋ] *adj* законопослушный
law and order *n* правопорядок
lawbreaker [ˈlɔːbreɪkə] *n* правонарушитель *m (f)*
law court *n* суд
lawful [ˈlɔːful] *adj* законный
lawfully [ˈlɔːfəlɪ] законно
lawless [ˈlɔːlɪs] *adj* беззаконный
Law Lord *n судья, назначаемый в апелляционный суд палаты Лордов*
lawmaker [ˈlɔːmeɪkə] *n* законодатель(ница) *m (f)*
lawn I [lɔːn] лужайка, газон
lawn II батист
lawnmower [ˈlɔːnməuə] *n* газонокосилка
lawn tennis *n* теннис *(на травяном корте)*
law school *n* юридический институт
law student *n* студент юридического факультета
lawsuit [ˈlɔːsuːt] *n* судебный иск
lawyer [ˈlɔːjə] *n* адвокат; юрист
lax [læks] слабый; неопределённый; небрежный; неряшливый
laxative [ˈlæksətɪv] *n* слабительное
laxity [ˈlæksɪtɪ] *n* небрежность *f;* распущенность *f*
lay [leɪ] *pt of* **lie** ✧ *adj (рел.)* мирской; непрофессиональный ✧ *vt* класть; накрывать (на); стлать; прокладывать; составлять; ставить; подстраивать; откладывать; **to ~ facts/proposals before sb** излагать факты/предложения перед кем-н.; **to ~ one's hands on sth** доставать что-н.; **to get laid** трахаться
layabout [ˈleɪəbaut] *n* бездельник
lay aside *vt* откладывать
lay by *vt* = **lay aside**
lay-by [ˈleɪbaɪ] *n* площадка для временной стоянки
lay days *npl (мор.)* сталийное время *ntsg*
lay down *vt* класть; устанавливать; складывать; **to ~ down the law** приказывать; **to ~ down one's life** положить жизнь
layer [ˈleɪə] слой, пласт; *бот.* отводок
layette [leɪˈet] *n* приданое *(для новорожденного)*
lay in *vt* запасать
lay into *vt fus* набрасываться на
layman [ˈleɪmən] мирянин
lay off *vt* увольнять
lay-off [ˈleɪɔf] *n* увольнение
lay on *vt* устраивать; прокладывать; наносить
lay out *vt* раскладывать; **to ~ out money on sth** выкладывать деньги на что-н.
layout [ˈleɪaut] *n* планировка; компоновка
lay up *vt* ставить на прикол; **to be laid up with** валяться с; **the car was laid up all year** машина простояла весь год
laze [leɪz] *vi (also :* **~ about)** бездельничать; **to ~ about on bed/the sun** нежиться в постели/на солнце
laziness [ˈleɪzɪnɪs] *n* лень *f*

L

lazy [ˈleɪzɪ] *adj* ленивый
lead I [li:d] *n* первенство; лидерство; нить *f* главная роль; поводок; *(елек.)* провод; *f* ✧ *vt* лидировать в; опережать; вести; руководить; возглавлять ✧ *vi* вести; *(спорт.)* лидировать; **to take the ~** *(спорт.)* выходить вперед; брать на себя ведущую роль; **to ~ the way** указывать путь; **to ~ sb astray** вводить кого-н. в заблуждение; **to ~ sb to do** приводить кого-н. к чему-н.; **to ~ sb to believe that ...** давать кому-н. понять, что ...; **to ~ an interesting life** вести интересную жизнь; **to ~ an orchestra** исполнять первую скрипку
lead II [led] *n* свинец; графит
lead away *vt* уводить
lead back *vt* приводить обратно
leaded [ˈledɪd] *adj* со свинцовыми креплениями
leaden [ˈledn] *adj* свинцовый; скованный
leader [ˈli:də] *n (спорт.)* лидер; передавая статья; **the L~ of the House (of Commons/Lords)** *представитель правящей партии в Палате Общин Лордов, наделенный особыми полномочиями*
leadership [ˈli:dəʃɪp] *n* руководство; лидерские качества
lead-free [ˈledfri:] *adj* не содержащий свинец
leading [ˈli:dɪŋ] *adj* ведущий; передний; лидирующий; **~ role** главная роль
leading lady *n* исполнительница главной роли
leading light *n* светило
leading man *irreg n (театр.)* исполнитель главной роли *m*
leading question *n* наводящий вопрос
leading-strings [ˈli:dɪŋstrɪŋz] помочи, вожжи *(для детей)* ✧ **be in ~** быть на поводу *(у кого-л.)*
lead into *vt fus* вводить в
lead off *vi* начинать; отходить ✧ *vt fus* отходить от
lead on *vt* водить за нос
lead out of *vt fus* выводить из
lead pencil [led-] *n* грифельный карандаш
lead poisoning [led-] *n* отравление свинцом
lead singer [li:d-] *n* солист(ка)
lead time [li:d-] *n (комм.)* время *ntsg* реализации заказа
lead to *vt fus* вести к
lead-up [ˈli:dʌp] *n:* **in the ~ to** незадолго до
lead up to *vt fus* приводить к; подводить к
leaf [li:f] *n (бот.)* лист; откидная доска; ✧ *vi:* **to ~ through** листать; **to turn over a new ~** начать новую жизнь; **to take a ~ out of sb's book** следовать примеру кого-н.
leaflet [ˈli:flɪt] *n* листовка
leafy [ˈli:fɪ] *adj* покрытый листвой; зеленый
league [li:g] *n* лига; **to be in ~ with sb** быть в сговоре с кем-н.
league table *n (спорт.)* таблица результатов спортклубов одной из лиг; сравнительная таблица
leak [li:k] *n* течь; утечка *f;* **(information) ~** утечка информации ✧ *vi* протекать; давать течь; просачиваться ✧ *vt* разглашать
leakage [ˈli:kɪdʒ] *n* утечка
leak out *vi* вытекать; просачиваться
leaky [ˈli:kɪ] *adj* дырявый, прохудившийся
lean [li:n] *adj* поджарый; постный; скудный ✧ *vt:* **to ~ sth on** *or* **against sth** прислонять что-н. к чему-н. ✧ *vi* **to ~ (forward/back)** наклоняться (вперед/назад); **to ~ against** прислоняться к; опираться на; **to ~ on** опираться; опираться на; нажимать на; **to ~ towards** склоняться к
lean out *vi:* **to ~ out (of)** высовываться
lean over *vi* наклоняться
lean-to [ˈli:ntu:] *n* пристройка
leap [li:p] *n* прыжок, скачок ✧ *vi* прыгать; подскакивать; **to ~ at** ухватиться за; **to ~ to one's feet** вскакивать на ноги
leapfrog [ˈli:pfrɔg] *n* чехарда
leap up *vi* подпрыгивать

L

leap year *n* високосный год
learn [lə:n] *vt* учиться; учить ✧ *vi* учиться; **to ~ about** *or* **of/that ...** узнавать о, что...; **to ~ about sth** изучать что-н.; **to ~ (how) to do** учиться
learned [ˈlə:nɪd] *adj* ученый
learner [ˈlə:nə] *n* ученик
learning [ˈlə:nɪŋ] *n* ученость *f;* **person of ~** ученый человек
learnt [lə:nt] *pt, pp of* **learn**
lease [li:s] *n* арендный договор ✧ *vt:* **to ~ sth (to sb)** сдавать что-н. в аренду (кому-н.) ; **to ~ sth from sb** арендовать; брать в аренду у кого-н.; **on ~ (to sb)** сданный в аренду (кому-н.)
lease back *vt* сдавать в аренду прежнему владельцу *(для мобилизации денежных средств)*
leaseback [ˈli:sbæk] *n сдача собственности в аренду ее прежнему владельцу*
leasehold [ˈli:shəuld] *n (also:* **~ property)** арендованная собственность *f* ✧ *adj* арендованный
leash [li:ʃ] свора, привязь *(для борзых);* смычок *(для гончих)*
least [li:st] *adj:* **the ~** наименьший ✧ *adv* меньше всего; **the ~** наименее; **the ~ possible effort** наименьшее усилие; **I don't have the ~ idea about it** я не имею ни малейшего представления об этом; **at ~** по крайней мере; **you could at ~ have written** Вы могли бы по крайней мере написать; **not in the ~** совсем нет; совсем *or* вовсе нет
leather [ˈleðə] *n* кожа
leather goods *npl* кожаные изделия *ntpl*
leave [li:v] *vt* оставлять; уходить из; уезжать из; выходить из ✧ *vi* уходить; уезжать ✧ *n* отпуск; **to ~ sth to sb** оставлять что -н. кому-н.; оставлять что-н. под чью-н. ответственность; **to be left (over)** оставаться; **to take one's ~ of sb** прощаться с кем-н.; **on ~** в отпуске
leave behind *vt* оставлять
leave of absence *n* отпуск без содержания
leave off *vt* не включать ✧ *vi* отставать; **he left the lid off** он не положил крышку
leave on *vt* не снимать; оставлять
leave out *vt* пропускать; **he was left out** его пропустили
leavings [ˈli:vɪŋz] остатки, объедки
lecherous [ˈletʃərəs] *adj* развратный
lectern [ˈlektə:n] *n* кафедра
lecture [ˈlektʃə] *n* лекция ✧ *vi* читать ✧ *vt:* **to ~ sb on** *or* **about sth** читать кому-н. лекции по поводу чего-н.; **to give a ~ on читать лекции о**
lecture hall *n* аудитория, лекционный зал
lecturer [ˈlektʃərə] *n* преподаватель(ница) *m(f);* лектор
ledge [ledʒ] *n* выступ; подоконник; полка
ledger [ˈledʒə] *n* расходно-приходная книга
lee [li:] *n* покров
leech [li:tʃ] *n* пиявка
leek [li:k] *n* лук-порей *no pl*
leer [lɪə] *vi:* **to ~ at sb** похотливо смотреть на кого-н.
lees [li:z] осадок; подонки
leeward [ˈli:wəd] *adj (мор.)* подветренный ✧ *adv* с подветренной стороны ✧ *n* подветренная сторона; **to ~** на подветренную сторону
leeway [li:weɪ] *n:* **to allow o.s. some ~** давать себе свободу; **we have a lot of ~ to make up** нам нужно многое наверстать
left [left] *pt, pp of* **leave** ✧ *adj* оставшийся; левый ✧ *n* левая сторона ✧ *adv:* **(to the) ~** налево; **(on the) ~** слева; **the L~** левые *pl adj*
left-hand drive [ˈlefthænd-] *adj (авт.)* с рулем на левой стороне
left-handed [leftˈhændɪd] *adj:* **he/she is ~** он/она левша
left-hand side *n:* **the ~~** левая сторона
leftie [ˈleftɪ] *n* левый(ая) *m/f adj*
leftist [ˈleftɪst] *n* левый *m(f) adj* ✧ *adj* левый
left-luggage (office) [leʃtˈlʌgɪdʒ-] *n* ка-

L

мера хранения

leftovers [ˈleʃtəuvəz] *npl* остатки*mpl*

left-wing [ˈleʃtˈwɪŋ] *adj (полит.)* левый

left-winger [ˈleʃtˈwɪŋgə] *n (полит.)* левый *m(f) adj*, представитель *m* левого крыла

leg [leg] *n (анат., кулин.)* нога;ножка; *(also:* **trouser ~**) штанина; этап; **to stretch one's ~s** разминать ноги

legacy [ˈlegəsɪ] *n* наследство; наследие

legal [ˈliːgl] *adj* юридический; судебный; законный; **to take ~ action** *or* **proceedings against sb** возбуждать судебное дело против кого-н.

legal adviser *n* юрисконсульт

legal holiday *n* неприсутственный день *m*

legality [lɪˈgælɪtɪ] *n* законность *f*

legalize [ˈliːgəlaɪz] *vt* узаконивать; легализовать

legally [ˈliːgəlɪ] *adv* юридически; законно; по закону; **~ binding** юридически обязательный

legal tender *n* законное средство платежей *(обычно о бумажных и металлических деньгах)*

legatee [legəˈtiː] *n* наследник

legation [lɪˈgeɪʃən] *n* миссия, представительство

legend [ˈledʒənd] *n* легенда; легендарная личность *f*

legendary [ˈledʒəndərɪ] *adj* легендарный

leggings [ˈlegɪŋz] гамаши; краги

leggy [ˈlegɪ] *adj* длинноногий

legibility [ledʒɪˈbɪlɪtɪ] *n* разборчивость

legible [ˈledʒəbl] *adj* разборчивый

legibly [ˈledʒəblɪ] *adv* разборчиво

legion [ˈliːdʒən] *n* легион ✧ *adj:* **their problems are ~** у них легион проблем

legionaire [ˈliːdʒə] *n* легионер

legionaire's disease *n* болезнь *f* легионеров

legislate [ˈledʒɪsleɪt] *vi* издавать закон(ы)

legislation [ledʒɪsˈleɪʃən] *n* законодательство

legislative [ˈledʒɪslətɪv] *adj (полит.)* законодательный

legislator [ˈledʒɪsleɪtə] *n (полит.)* законодатель *m*

legislature [ˈledʒɪslətʃə] *n* законодательные органы *mpl*

legitimacy [lɪˈdʒɪtɪməsɪ] *n* законность

legitimate [lɪˈdʒɪtɪmət] *adj* законный

legitimize [lɪˈdʒɪtɪmaɪz] *vt* узаконить

legless [ˈleglɪs] *adj* безногий; пьяный в стельку

leg-pull [ˈlegpul] *разг.* обман, мистификация

legroom [ˈlegruːm] *n* пространство для ног

leisure [ˈleʒə] *n (also:* **~ time**) досуг, свободное время *nt;* **to do sth at (one's) ~** делать что-н. не спеша

leisure centre *n* спортивно, оздоровительный комплекс

leisurely [ˈleʒəlɪ] *adj* неторопливый

leisure suit *n* спортивный костюм

lemon [ˈlemən] *n* лимон ✧ *adj* лимонный

lemonade [leməˈneɪd] *n* лимонад

lemon juice *n* лимонный сок

lemon squeezer *n* (ручная) соковыжималка

lemon tea *n* чай с лимоном

lend [lend] *vt:* **to ~ sth to sb, ~ sb sth** одалживать что-н. кому-н.; **it ~s itself to ...** это поддается ...; **to ~ sb a hand** выручать кого-н.

lender [ˈlendə] *n* кредитор

length [leŋθ] *n* длина; протяженность *f;* кусок; продолжительность *f;* объем; **2 metres in ~** длиной в 2 метра; **he walked the (whole) ~ of the island** он прошел через весь остров; **I swam three ~s** я проплыл три длины плавательного бассейна; **at ~** наконец; долго; **to lie full ~** растягиваться во весь рост; **to go to any ~(s) to do** прикладывать все усилия чтобы

lengthen [ˈleŋθn] *vt* удлинять ✧ *vi* удлиняться

lengthways [ˈleŋθweɪz] *adv* вдоль

lengthy [ˈleŋθɪ] *adj* длинный; продолжительный

leniency [ˈliːnɪənsɪ] *n* мягкость *f*

lenient [ˈliːnɪənt] *adj* мягкий

leniently [ˈliːnɪəntlɪ] *adv* мягко

Leningrad [ˈlentɪngræd] *n* Ленинград
lens [lenz] *n* линза; объектив
Lent [lent] *n* Великий пост
lentil [ˈlentl] *n* чечевица no pl
Leo [ˈliːəu] *n* Лев; **he is ~** он - Лев
leotard [ˈliːətɑːd] *n* трико *nt ind*
leper [ˈlepə] *n* прокаженный(-ая) *m(f) adj*
leper colony *n* лепрозорий
leprosy [ˈleprəsɪ] *n* проказа
lesbian [ˈlezbɪən] *adj* лесбийский ✧ *n* лесбиянка
lesion [ˈliːʒən] *n* повреждение
less [les] *adj* меньше; менее ✧ *adv* меньше ✧ *prep:* **~ tax/10% discount** минус налог/скидка на 10%; **~ that half** меньше половины; **~ that ever** меньше, чем когда-либо; **~ and ~** все меньше и меньше; **the ~ .. the more ...** ... чем меньше ..., тем больше ...; **the Prime Minister, no ~** никто иной как премьер-министр
lessee [leˈsiː] *n* съемщик; арендатор
lessen [ˈlesn] *vt* уменьшать ✧ *vi* уменьшаться
lesser [ˈlesə] *adj* меньший; **to a ~ extent** в меньшей степени
lesson [ˈlesn] *n* урок; **to teach sb a ~** проучить кого-н.
lessor [ˈlesə] *n* лицо, сдающее собственность в аренду
lest [lest] чтобы не; как бы не
let [let] *vt* сдавать (внаем); **to ~ sb do** разрешать *or* позволять кому-н.; **~ me try** дайте я попробую; **~him some** пусть он придет; **to ~ sb know about ...** давать кому-н. знать о ...; **~'s go** пошли, пойдемте; **"to ~"** "сдается внаем"; **to ~ go of** отпускать; **~ go!** (от) пусти!; **to ~ sth grop** ронять что -н.; **to ~ o.s. go** расслабляться
let down *vt* спускать; подводить; распускать; отпускать
letdown [ˈletdaun] *n* разочарование
lethal [ˈliːθ(ə)l] смертельный, смертоносный
lethargy [ˈleθədʒɪ] вялость
let in *vt* пропускать; впускать
let off *vt* отпускать; взрывать; выстреливать из; испускать; **to ~ off steam** выпускать пар
let on *vi* проговариваться
let out *vt* выпускать; высаживать; издавать; сдавать
letter [ˈletə] *n* письмо; буква; **small/capital ~** строчная/прописная буква
letter bomb *n* бомба, присланная по почте
letter box *n* почтовый ящик
letterhead [ˈletəhed] *n* шапка *(в письме)*
lettering [ˈletərɪŋ] *n* шрифт
letter of credit *n* аккредитив
letter opener *n* нож для разрезания бумаги
letterpress [ˈletəpres] *n* высокая печать
letter quality *n* качество печати
letters patent *npl* патент
Lettish [ˈletɪʃ] **1.** *a* латышский **2.** *n* латышский язык
lettuce [ˈletɪs] *n* салат латук
let up *vi* переставать; ослабевать
let-up [ˈletʌp] *n* ослабевание
leukaemia [luːˈkiːmɪə] *n* белокровие, лейкемия
levee [ˈlevɪ] *амер.* дамба, насыпь
level [ˈlevl] *adj* ровный ✧ *n* уровень *m; (also:* **spirit ~**) ватерпас ✧ *vt* ровнять; сровнять с землей ✧ *vi:* **to ~ with sb** объясняться с кем-н. на чистоту ✧ *adv:* **to draw ~ with** поровняться с ; **to be ~ with** быть на одном уровне с; **"A" ~s** выпускные экзамены *(в средней школе); квалификация, получаемая при успешной сдаче выпускного экзамена;* **on the ~** честный; **to ~ a gun at sb** наводить ружье на кого-н.; **to ~ an accusation/a criticism at** *or* **against sb** направлять обвинение/критику против кого-н.
level crossing *n* железнодорожный переезд
level-headed [levlˈhedɪd] *adj* уравновешенный
levelling [ˈlevlɪŋ] *n* выравнивание
level off *vi* выравниваться
level out *vi* = **level off**
level playing field *n* равные позиции *fpl*

L

lever [ˈliːvə] *n* рычаг; лом ✧ *vt:* **to ~ up/out** поднимать/тащить с усилием

leverage [ˈliːvərɪdʒ] *n* рычажная сила; влияние

levity [ˈlevɪtɪ] *n* легкомыслие

levy [ˈlevɪ] *n* налог ✧ *vt* взимать

lewd [luːd] *adj* похотливый; непристойный

lexicographer [leksiˈkɔgrəfə] *n* лексикограф

lexicography [leksiˈkɔgrəfi] *n* лексикография

lexicon [ˈleksɪkən] словарь

liabilities *npl (комм.)* обязательства *ntpl*

liability [laɪəˈbɪlətɪ] *n (юрид.)* ответственность *f;* обуза *m/f*

liable [ˈlaɪəbl] *(юрид.) adj:* **~ for** ответственный за; подсудный за; **~ to** подлежащий; **to be ~ for** нести ответственность за; **to be ~ to** подлежать; **he's ~ to take offence** возможно, что он обидится

liaise [liːˈeɪz] *vi:* **to ~ (with)** кооперироваться

liaison [liːˈeɪzɔn] *n* кооперация; связь *f*

liar [ˈlaɪə] *n* лжец, лгун(ья)

libel [ˈlaɪbl] *n* клевета ✧ *vt* клеветать

libellous [ˈlaɪbləs] *adj* клеветнический

liberal [ˈlɪbərəl] *adj (полит.)* либеральный; щедрый; **~ with** щедрый на ✧ *n* либерал; **L~** *(полит.)* либерал

Liberal Democrat *n* либерал-демократ; **the ~~s** партия Либерал-демократов

liberalize [ˈlɪbərəlaɪz] *vt* либерализовать

liberally [ˈlɪbərəlɪ] *adv* либерально; щедро

liberal-minded [ˈlɪbərlˈmaɪndɪd] *adj* либерально-настроенный

liberate [ˈlɪbəreɪt] *vt* освобождать

liberation [ˈlɪbəˈreɪʃən] *n* освобождение

liberty [ˈlɪbətɪ] *n* свобода; **to be at ~** быть на свободе; **I'm not at ~ to comment** я не волен комментировать; **to take the ~ of doing** позволять себе

libido [lɪˈbiːdəu] *n* либидо

Libra [ˈliːbrə] *n* Весы *pl;* **he is ~** он — Весы

librarian [laɪˈbreərɪən] *n* библиотекарь

library [ˈlaɪbrərɪ] *n* библиотека

library book *n* библиотечная книга

libretto [lɪˈbretəu] *n* либретто *nt ind*

licence [ˈlaɪsns] *n* лицензия; *(авт. also:* **driving ~)** (водительские) права *ntpl;* вольность *f;* **under ~** *(комм.)* по лицензии

license [ˈlaɪsns] *n* = **licence** ✧ *vt* выдавать лицензию на

licensed [ˈlaɪsnst] *adj* зарегистрированный; с лицензией на продажу спиртных напитков

licensed trade *n организации, торгующие алкогольными напитками*

licensee [laɪsənˈsiː] *n* держатель *m* лицензии

license plate *n* номерной знак *(на автомобиле)*

licensing hours [ˈlaɪsnsɪŋ] *npl часы, в которые разрешена торговля спиртными напитками*

licentious [laɪˈsenʃəs] *adj* распущенный

lichen [ˈlaɪkən] *n* лишайник

lick [lɪk] *vt* лизать, облизывать; положить на лопатки ✧ *n:* **to give sth a ~** лизнуть что-н.; **to give sth a ~ of paint** подкрашивать что-н.; **to ~ one's lips** облизываться

licorice [ˈlɪkərɪs] *n* = **liquorice**

lid [lɪd] *n* крышка; *(also:* **eyelid)** веко; **to take the ~ off sth** вытаскивать что-н. на свет божий

lido [ˈlaɪdəu] *n* бассейн на открытом воздухе

lie [laɪ] *vi* лежать; находиться; заключаться; лгать, врать ✧ *n* ложь *f no pl;* **to ~** *or* **be lying in first/last place** быть на первом/последнем месте; **to ~ low** пережидать; **to tell ~s** говорить неправду

lie about *vi* валяться

lie back *vi* откидываться; успокаиваться

lie detector *n* детектор лжи

lie down *vi* ложиться; **to be lying**

L

down лежать
lie-down [ˈlaidaun] *n:* **to have a ~** полежать
lie-in [ˈlaiın] *n:* **to have a ~** вставать попозже
lieu [lu:] : **in ~ of** *prep* вместо
lie up *vi* скрываться
lieutenant [lefˈtenənt] *n* лейтенант
lieutenant colonel *n* подполковник
life [laıf] *n* жизнь *f no pl;* **true to ~** правдоподобный; **to paint from ~** писать с натуры; **to be sent to prison for ~** получать пожизненное заключение; **to come to ~** оживать; оживляться
life annuity *n* пожизненный аннуитет
life belt *n* спасательный круг
lifeblood [ˈlaıfblʌd] *n* жизненная основа
lifeboat [ˈlaıfbəut] *n* спасательное судно; спасательная шлюпка
life expectancy *n* продолжительность *f* жизни
lifeguard [ˈlaıfgɑ:d] *n* спасатель(ница) *m(f)*
life imprisonment *n* пожизненное заключение
life insurance *n* страхование жизни
life jacket *n* спасательный жилет
lifeless [ˈlaıflıs] *adj* безжизненный
lifelike [ˈlaıflaık] *adj* как живой; реалистичный
lifeline [ˈlaıflaın] *n* средство выживания; *(rope)* спасательный канат
lifelong [ˈlaıflɔŋ] *adj* неизменный; **it was a ~ ambition of his** это было мечтой всей его жизни
lifer [ˈlaıfə] *n* бессрочник(-ица)
life raft *n* спасательный плот
life-saver [ˈlaıfseıvə] *n* спасение
life science *n* естественные науки *fpl*
life sentence *n* приговор к пожизненному заключению
life-size(d) [ˈlaıfsaızd] *adj* в натуральную величину
life span *n* продолжительность *f* жизни; срок службы
lifestyle [ˈlaıfstaıl] *n* образ жизни
life-support system [ˈlaıfsəpɔ:t-] *n* система жизнеобеспечения
lifetime [ˈlaıftaım] *n f* жизнь; время существования; **the chance of a ~** уникальный шанс
lift [lıft] *vt* поднимать; снимать; тащить ✧ *vi* рассеиваться ✧ *n* лифт; **to give sb a~** *(авт.)* подвозить кого-н.
lift in *vt* ввозить самолетом
lift off *vi* отрываться от земли, стартовать
liftoff [ˈlıftɔf] *n* старт
lift out *vt* вывозить самолетом
lift up *vt* поднимать
ligament [ˈlıgəmənt] *n (анат.)* связка
light [laıt] *n* свет; *(авт.)* фара ✧ *vt* зажигать; освещать ✧ *adj* светлый; легкий ✧ *adv* налегке; **~s** *npl (also:* **traffic ~s)** светофор; **to turn the ~ on/off** включать/выключать свет; **have you got a ~?** можно у Вас прикурить?; **to come to ~** выясняться; **to cast** *or* **shed** *or* **throw ~ on** проливать свет на ; **in the ~ of** в свете; **to make ~ of** не заострять внимание на; **the house is lit by electricity** дом освещен электричеством
light bulb *n* лампочка
lighten [ˈlaıtn] *vi* светлеть ✧ *vt* облегчать
lighter [ˈlaıtə] *n (also:* **cigarette ~)** зажигалка; лихтер
light-fingered [laıtˈfıŋgəd] *adj* нечистый на руку
light-hearted [laıtˈhɑ:tıd] *adj* беспечный; несерьезный
lighthouse [ˈlaıthaus] *n* маяк
lighting [ˈlaıtıŋ] *n* освещение
lightly [ˈlaıtlı] *adv* слегка; легко; неглубоко; **to get off ~** легко отделываться
light meter *n* экспонометр
lightness [ˈlaıtnıs] *n* легкость *f*
lightning [ˈlaıtnıŋ] *n* молния ✧ *adj* молниеносный
lightning conductor *n* громоотвод
lightship [ˈlaıtʃıp] *n* плавучий маяк
light up *vi* светлеть ✧ *vt* освещать
lightweight [ˈlaıtweıt] *adj* легкий ✧ *n* боксер легкого веса
light year *n* световой год
like [laık] *prep* как; похожий на ✧ *adj* подобный ✧ *vt* любить; **I ~**

L

him он мне нравится ✧ *n:* **and the ~** тому подобное; **to be** *or* **look ~** походить на; **he looks ~ his father** он похож на своего отца; **what does she look ~?** как она выглядит?; **what's he ~?** что он за человек?; **what's the weather ~?** какая сегодня погода?; **something ~ that** что-то в этом роде; **I feel ~ a drink** я хочу что-нибудь выпить; **there's nothing ~...** ничто не может сравниться с ...; **do it ~ this** делайте это так; **that's just ~ him** это на него похоже; **it is nothing ~ ...** это совсем не то, что ...; **I would ~, I'd ~** мне хотелось бы, я бы хотел; **would you ,~ a coffee?** хотите кофе?; **I ~d him** он мне понравился; **I don't ~ him behaviour** мне не нравится его поведение; **if you ~** если хотите; **his ~s and dislikes** его вкусы

likeable [ˈlaɪkəbl] *adj* симпатичный

likelihood [ˈlaɪklɪhud] *n* вероятность *f;* **in all ~** по всей вероятности; **there is every ~ that ...** очень вероятно, что...

likely [ˈlaɪklɪ] *adj* вероятный; **she is ~ to agree** она вероятно согласится; **not ~!** ни за что!

like-minded [ˈlaɪkˈmaɪndɪd] *adj:* **a ~ person** единомышленник; **~ friends/colleagues** друзья/коллеги единомышленники

liken [ˈlaɪkən] *vt:* **to ~ sth/sb to** уподоблять что-н./кого-н.

likeness [ˈlaɪknɪs] *n* сходство; **the portrait is a good ~ of her** портрет обнаруживает большое сходство с ней

likewise [ˈlaɪkwaɪz] *adv* также; **to do ~** таким же образом

liking [ˈlaɪkɪŋ] *n:* **~ (for)** симпатия (к); **to be to sb's ~** быть *or* приходиться кому-н.по вкусу; **I took an instant ~ to him** он мне сразу понравился

lilac [ˈlaɪlək] *n* сирень *f no pl* ✧ *adj* сиреневый

lilt [lɪlt] *n* переливы *mpl*

lilting [ˈlɪltɪŋ] *adj* мелодичный

lily [ˈlɪlɪ] *n* лилия

lily of the valley *n* ландыш

Lima [ˈliːmə] *n* Лима

limb [lɪm] *n (анат.)* конечность *f;* ветвь *f;* **to be out on a ~** быть *or* в критическом положении

limber up [ˈlɪmbəˈ-] *vi* разминаться

limbo [ˈlɪmbəu] *n:* **to be in ~** находиться в состоянии неопределенности

lime [ˈlaɪm] *n* лайм; *(also:* **~ juice)** **сок лайма; известь** *f;* известняк

limelight [ˈlaɪmlaɪt] *n:* **to be in the ~** быть в центре внимания

limerick [ˈlɪmərɪk] *n* лимерик *(юмористическое пятистрочное стихотворение)*

limestone [ˈlaɪmstəun] *n* известняк

limit [ˈlɪmɪt] *n* предел; лимит, ограничение ✧ *vt* лимитировать, ограничивать; **speed ~** предельная скорость *f;* **within ~s** в пределах допустимого; **that's the ~ !** это переходит все границы!

limitation [lɪmɪˈteɪʃən] *n* ограничение; **~s** *npl* недостатки *mpl*

limited [ˈlɪmɪtɪd] *adj* ограниченный; **to be ~ to** ограничиваться

limited (liability) company *n* компания с ограниченной ответственностью

limited edition *n* малотиражное издание

limitless [ˈlɪmɪtlɪs] *adj* беспредельный

limousine [ˈlɪməziːn] *n* лимузин

limp [lɪmp] *vi* хромать ✧ *adj* бессильный; мягкий ✧ *n:* **to have a ~** хромать

limpet [ˈlɪmpɪt] *n* блюдечко

limpid [ˈlɪmpɪd] *adj* прозрачный

limply [ˈlɪmplɪ] *adv* бессильно; мягко

linchpin [ˈlɪntʃpɪn] *n* опора

line [laɪn] *n (телеф.)* линия; ряд; очередь *f;* строка, строчка; веревка; леска; провод; маршрут; линия; ход; область *f;* модель *f,* тип ✧ *vt* выстраиваться вдоль; подбивать; выкладывать изнутри; **hold the ~ please!** *(телеф.)* пожалуйста, не кладите трубку!; **to cut in ~** идти без очереди; **to stand in ~** *or* стоять в шеренге *or* ряд; **in ~ with** в соответствии с; **to bring sth into ~ with sth** приводить что-н. в соответствие с ; **on the right ~s** на верном пути; **to draw the ~ at sth** ограничиваться чем-н.; **he is in ~ for a pay rise** он скоро должен получить повышение зарплаты; **the streets are ~d with trees** улицы обсажены деревьями; **the walls were ~d with pictures** стены были завешены картинами

linear [ˈlɪnɪə] *adj* линейный

lined [laɪnd] *adj* линованный; морщинистый

line editing *n (комп.)* построчное редактирование

line feed *n (комп.)* перевод *or* прогон строки

lineman [ˈlaɪnmən] *n* инженер телефонной связи; *(спорт.)* боковой судья

linen [ˈlɪnɪn] *n* лен; белье

line printer *n (комп.)* построчно-печатающее устройство, устройство построчной печати

liner [ˈlaɪnə] *n* лайнер *(also:* **bin ~**) *целлофановый мешок для мусорного ведра*

linesman [ˈlaɪnzmən] *irreg n* судья *m* на линии

line up *vi* выстраиваться ✧ *vt* выстраивать; подготавливать; **she has a new job ~d up** она устроилась на новую работу

line-up [ˈlaɪnʌp] *n (also:* **team ~**) состав команды; состав участников; очередь *f;* опознание *(преступника)*

linger [ˈlɪŋgə] *vi* удерживаться; задерживаться

lingerie [ˈlænʒəri:] *n* женское нижнее белье

lingering [ˈlɪŋgərɪŋ] *adj* устойчивый

lingo [ˈlɪngəu] тарабарщина; жаргон

linguist [ˈlɪŋgwɪst] *n* лингвист; **he is a good ~** он способен к языкам

linguistic [lɪŋˈgwɪstɪk] *adj* лингвистический

linguistics [lɪŋˈgwɪstɪks] *n* языкознание, лингвистика

liniment [ˈlɪnɪmənt] *n* жидкая мазь *f*

lining [ˈlaɪnɪŋ] *n* подкладка; *(тех.)* прокладка; выстилка

link [lɪŋk] *n* связь; звено ✧ *vt:* **to ~ with** *or* **to** связывать с; **~s** *npl* поле для игры в гольф; **rail ~** железнодорожная связь

link up *vt* соединять ✧ *vi* соединяться

linkup [ˈlɪŋkʌp] *n* соединение; стыковка; *(радио, тел.)* связка, связная часть *f,* радиомост; *(тел.)* телемост

linoleum [lɪˈnəulɪəm] *n* линолеум

linseed oil [ˈlɪnsi:d-] *n* льняное масло

lint [lɪnt] *n* марля

lintel [ˈlɪntl] *n* притолока

lion [ˈlaɪən] *n* лев

lion cub *n* львенок

lioness [ˈlaɪənɪs] *n* львица

lip [lɪp] *n (анат.)* губа; край; грубости *fpl*

lip-read [ˈlɪpri:d] *vi* читать с губ

lip selve *n* мазь для смягчения губ

lip service *n:* **to pay ~~ to sth** признавать что-н. только на словах

lipstick [ˈlɪpstɪk] *n* губная помада

liquefy [ˈlɪkwɪfaɪ] *vt* превращать в жидкость ✧ *vi* переходить в жидкое состояние

liqueur [lɪˈkjuə] *n* ликер

liquid [ˈlɪkwɪd] *n* жидкость *f* ✧ *adj* жидкий

liquid assets *npl* ликвидные активы

liquidate [ˈlɪkwɪdeɪt] *vt* ликвидировать

liquidation [lɪkwɪˈdeɪʃən] *n* ликвидация; **to go into ~** ликвидироваться

liquidator [ˈlɪkwɪdeɪtə] *n* ликвидатор

liquidity [lɪˈkwɪdɪtɪ] *n* ликвидность *f*

liquidize [ˈlɪkwɪdaɪz] *vt* пропускать через миксер

liquidizer [ˈlɪkwɪdaɪzə] *n* миксер, смеситель *m*

liquor [ˈlɪkə] *n* спиртное *nt adj,* спиртной напиток

liquor store *n* магазин спиртных напитков

lisp [lɪsp] *n* шепелявость *f* ✧ *vi* шепелявить

lissom(e) [ˈlɪsəm] *adj* изящный

list [lɪst] *n (комп.)* список ✧ *vt* перечислять; составлять список; включать в список ✧ *vi* крениться

listed building *n* здание, охраняе-

мое государством
listed company *n* официально зарегистрированная компания
listen [ˈlɪsn] *vi:* **to ~ (to sb/sth)** слушать (кого-н./что-н.); **to ~ to sb** *or* **sb's advice** слушать кого-н.; **I'm ~ing out for him** я прислушиваюсь, не идет ли он; **~!** послушайте!
listener [ˈlɪsnə] *n* слушатель; *(радио)* радиослушатель
listing [lɪstɪŋ] *n (комп.)* распечатка, листинг
listless [ˈlɪstlɪs] *adj* вялый
listlessly [ˈlɪstlɪslɪ] *adv* вяло
list price *n* прейскурантная цена
literacy [ˈlɪtərəsɪ] *n* грамотность *f*
literacy campaign *n* борьба с неграмотностью
literal [ˈlɪtərl] *adj* буквальный
literally [ˈlɪtrəlɪ] *adv* буквально
literary [ˈlɪtərərɪ] *adj* литературный
literate [ˈlɪtərət] *adj* грамотный; образованный
literature [ˈlɪtrɪtʃə] *n* литература
lithe [laɪð] *adj* гибкий
lithograph [ˈlɪθəgrɑːf] *n* литография
lithography [lɪˈθɔgrəfɪ] *n* литография
litigation [lɪtɪˈgeɪʃən] *n* тяжба
litmus paper [ˈlɪtməs-] *n* лакмусовая бумага
litre [ˈliːtə] *n* литр
litter [ˈlɪtə] *n* мусор; помет
litter bin *n* урна *(для мусора)*
littered [ˈlɪtəd] *adj:* **~ with** заваленный
little [ˈlɪtl] *adj* маленький; младший; короткий ✧ *adv* мало; **a ~ (bit)** немного; **I have ~ time/money** у меня мало времени/денег; **to make ~ of** не заострять внимание на; **~ by ~** мало-помалу, понемногу
little finger *n* мизинец
little-known [ˈlɪtlˈnəun] *adj* малоизвестный
liturgy [ˈlɪtədʒɪ] *n* литургия
live [lɪv] *vi* жить ✧ *adj* живой; прямой; перед публикой; **to ~ with sb** жить с кем-н.; **he ~d to (be) a hundred** он прожил до ста лет
live down *vt* заглаживать
live for *vt* жить для
live in *vi:* **most students ~ in** большинство студентов живет в общежитии
live-in [ˈlɪvɪn] *adj :* **~ lover** сожитель(ница) *m(f)*; **they have a ~ nanny** с ними живет няня
livelihood [ˈlaɪvlɪhud] *n* средство *ntpl* к существованию
liveliness [ˈlaɪvlɪnɪs] *n* живость *f*
livelong [ˈlɪvlɔŋ] целый, весь; **the ~ day** день-деньской
lively [ˈlaɪvlɪ] живой, оживлённый, весёлый; яркий, сильный *(о впечатлении и т.п.)*
liven [ˈlaɪvn]: **~ up** развеселить; развеселиться
liven up [ˈlaɪvn-] *vt* ободрять; оживлять ✧ *vi* оживляться
live off *vt fus:* **we ~d off fish** мы жили на одной рыбе; жить за счет
live on *vt fus* жить на одном(-ой); жить на
live out *vi:* **postgraduates usually ~ out** аспиранты обычно не живут в общежитии ✧ *vt:* **to ~ out one's days** *or* **life** проживать остаток своей жизни
liver [ˈlɪvə] *n (анат.)* печень *f; (кулин.)* печенка
livery [ˈlɪvərɪ] *n* ливрея
livestock [ˈlaɪvstɔk] *n* скот
live together *vi* жить вместе
live up *vt:* **to ~ it up** жить широко
live up to *vt fus* оправдывать
livid [ˈlɪvɪd] *adj* серовато-синий; **she was ~** она была в ярости
living [ˈlɪvɪŋ] *adj* живой ✧ *n:* **to earn** *or* **make a ~** зарабатывать на жизнь; **within ~ memory** на памяти живущих; **the cost of ~** стоимость *f* жизни
living coinditions *npl* условия *ntpl* жизни
living expenses *npl* расходы *mpl* на жизнь
living room *n* гостиная *f adj*
living standards *npl* жизненный уровень *msg*
living wage *n* прожиточный минимум
lizard [ˈlɪzəd] *n* ящерица
llama [ˈlɑːmə] *n* лама *(зоол.)*
load [ləud] *n* ноша;груз; *(элек., тех.)*

нагрузка ✧ *vt* (also: ~ **up**) грузить; *(комп.)* загружать; заряжать; ставить кассету в ; **to** ~ **(with)** нагружать; **~s of, a ~ of** куча; **a ~ of rubbish** сплошная чепуха
loaded [ˈləudɪd] *adj* заряженный; утяжеленный; ~ **(with)** нагруженный; **he's** ~ у него куча денег; ~ **question** вопрос с подвохом
loading bay [ˈləudɪŋ-] *n* погрузочная площадка
loaf I [louf] бездельничать, слоняться *(часто* ~ **about,** ~ **around)**
loaf II *(pl* loaves) булка; каравай
loafer [ˈloufə] бездельник
loaf-sugar [ˈlouf,ʃugə] кусковой сахар
loam [ləum] *n* суглинок
loan [ləün] *n* заем; ссуда ✧ *vt* давать взаймы ; **to take sth on ~** брать что-н. на время
loan account *n* ссудный счет
loan capital *n* заемный *or* ссудный капитал
loan shark *n* ростовщик *(ссуждающий деньги под очень высокие проценты)*
loath [ləuθ] *мк. predis:* **be ~ to +** *inf* не быть склонным, не хотеть что-л. делать
loathe [ləuð] *vt* ненавидеть
loathing [ˈləuðɪŋ] *n* отвращение, омерзение
loathsome [ˈləuðsəm] *adj* отвратительный, омерзительный
loaves [ləuvz] *npl of* **loaf**
lob [lɔb] *vt* перебрасывать
lobby [ˈlɔbɪ] *n* вестибюль *m;* лобби *nt ind* ✧ *vt* склонять на свою сторону
lobbyist [ˈlɔbɪɪst] *n* лоббист
lobe [ləub] *n* мочка
lobster [ˈlɔbstə] *n* омар
local [ˈləukl] *adj* местный ✧ *n:* **this is my ~** это мой любимый местный паб; **the ~s** местные жители
local anaesthetic *n* местный наркоз
local authority *n* местные власти *fpl*
local call *n (телеф.)* местный (телефонный) разговор
locale [ləu:kaːl] *n* место
locality [ləuˈkælɪtɪ] *n* местность *f*
localize [ˈləukəlaɪz] *vt* локализовать
locally [ˈləukəlɪ] *adv* поблизости; на местах
locate [ləuˈkeɪt] *vt* определять местонахождение; **to be ~d in** находиться в
location [ləuˈkeɪʃən] *n:* ~ **(of)** локация; **on** ~ *(кино)* по натуре
loch [lɔx] *n* озеро
lock [lɔk] локон; *поэт* волосы
lock away *vt* прятать под замок; заключать под стражу
locker [ˈlɔkə] *n* шкафчик
locker room *n* раздевалка
locket [ˈlɔkɪt] *n* медальон
lock in *vt:* **to ~ sb in** запирать к.-н.
lockjaw [ˈlɔkdʒɔː] *n* тризм; столбняк
lock out *vt* запирать дверь и не впускать; объявлять локаут
lockout [ˈlɔkaut] *n* локаут
locksmith [ˈlɔksmɪθ] *n* слесарь *m*
lock up *vt* упрятывать; запирать ✧ *vi* запираться
locust [ˈləukəst] *n* саранча *f no pl*
lode [ləud] (рудная) жила
lodestar [ˈləudstaː] Полярная звезда; *перен.* путеводная звезда
lodestone [ˈloudstoun] магнетит, магнитный железняк
lodge [lɔdʒ] *n* привратницкая *f adj (also:* **hunting ~)** охотничий дом; *(also:* **masonic ~)** масонская ложа ✧ *vt* подавать ✧ *vi* застревать; **to ~ (with)** (временно) жить на квартире (у)
lodger [ˈlɔdʒə] *n* квартирант(ка)
lodging [ˈlɔdʒɪŋ] *n* (временное) жилье
lodging house *n* меблированные комнаты *fpl*
lodgings [ˈlɔdʒɪŋz] *npl* квартира *fsg*
loft [lɔft] *n* чердак
lofty [ˈlɔftɪ] *adj* высокий; возвышенный; высокомерный
log [lɔg] *n* бревно; полено; журнал ✧ *vt* регистрировать
logarithm [ˈlɔgərɪðm] *n* логарифм
logbook [ˈlɔgbuk] *n (мор.)* вахтенный журнал; *(авиа.)* бортовой журнал; формуляр; журнал
log fire *n* дровяной камин
logger [ˈlɔgə] *n* лесоруб
loggerheads [ˈlɔgəhedz] *npl:* **to be at ~**

L

(with) конфликтовать
logic [ˈlɔdʒɪk] *n* логика
logical [ˈlɔdʒɪkl] *adj* логический; логичный
logically [ˈlɔdʒɪkəlɪ] *adv* логический; логично
log in *vi (комп.)* входить в систему
log into *vt fus (комп.)* входить в
logistics [ˈlɔdʒɪstɪks] *npl* организация *fsg*
logjam [ˈlɔdʒæm] *n* затор
logo [ˈləugəu] *n* эмблема
log off *vi (комп.)* выходить из системы
log on *vi* = **log in**
log out *vi* = **log off**
loin [lɔɪn] *n* филейная часть *f;* **~s** *npl (анат.)* чресла *pl*
loincloth [ˈlɔɪnklɔθ] *n* набедренная повязка
loiter [ˈlɔɪtə] *vi* слоняться
loll [lɔl] *vi (also:* **~ about)** разваливаться; свешиваться
lollipop [ˈlɔlɪpɔp] *n* леденец на палочке ◊ *cpd:* **~ man/lady** *регулировщик/регулировщица движения, который обеспечивает безопасный переход улицы школьниками*
lollop [ˈlɔləp] *vi* бегать/бежать вперевалку
lolly [ˈlɔlɪ] *n* леденец на палочке *(also:* **ice ~***)* мороженое на палочке; деньжата *pl*
lone [ləun] *adj* одинокий; единственный
loneliness [ˈləunlɪnɪs] *n* одиночество
lonely [ˈləunlɪ] *adj* одинокий; уединенный
lonely hearts *n* одинокие сердца *nt pl*
lone parent *n* отец-одиночка; мать-одиночка
loner [ˈləunə] *n* одиночка *m/f*
long [lɔŋ] *adj* долгий; длинный; длинен ◊ *adv* долго; длинно ◊ *vi:* **to ~ for sth/ to do** жаждать чего-н.; **in the ~ run** в конечном итоге; **so** *or* **as ~ as you don't mind** если только Вы не возражаете; **don't be ~!** не задерживайтесь!; **how ~ is the street?** какова длина этой улицы?; **how ~ is the lesson?** сколько длится урок?; **6 metres ~** длиной в 6 метров; **6 months ~** продолжительностью в 6 месяцев; **all night (long)** всю ночь (напролет); **he now ~er comes** он больше не приходит; **~ ago** давно; **~ before** задолго до ; **~ after** долгое время после; **before ~** вскоре; **at ~ last** наконец; **the ~ and the short of it is that ...** короче говоря...
long-distance [lɔŋˈdɪstəns] *adj* дальний; **~ race** забег на длинную дистанцию; **~ runner** бегун на длинные дистанции
long-distance call *n* междугородный (телефонный) разговор; международный (телефонный) разговор
longevity [lɔnˈdʒevɪtɪ] *n* долголетие; долговечность *f*
long-haired [lɔŋˈheəd] *adj* длинноволосый; длинношерстный
longhand [ˈlɔŋhænd] *n:* **in ~** под руки
longing [ˈlɔŋɪŋ] *n:* **~ (for)** тоска (по)
longingly [ˈlɔŋɪŋlɪ] *adv* с тоской
longitude [ˈlɔŋgɪtjuːd] *n* долгота
long johns [-dʒɔnz] *npl* кальсоны *pl*
long jump *n* прыжок в длину
long-life [ˈlɔŋlaɪf] *adj* консервированный; продленного действия
long-lost [ˈlɔŋlɔst] *adj* давно утраченный; потерянный
long-playing record [ˈlɔŋpleɪŋ-] *n* долгоиграющая пластинка
long-range [ˈlɔŋˈreɪndʒ] *adj* долгосрочный; дальнобойный
longshoreman [ˈlɔŋʃɔːmən] *n* портовый грузчик
long-sighted [ˈlɔŋˈsaɪtɪd] *adj* дальнозоркий
long-standing [ˈlɔŋˈstændɪŋ] *adj* долголетний
long-suffering [lɔŋˈsʌfərɪŋ] *adj* многострадальный
long-term [ˈlɔŋtəːm] *adj* долгосрочный
long wave *n (радио)* длинные волны *fpl*
long-winded [lɔŋˈwɪndɪd] *adj* многословный
lonster pot *n* верша для омаров
loo [luː] *n* туалет

loofah [ˈlu:fə] *n* люфа *(губка)*
look [luk] *vi* смотреть; взглянуть; выглядеть ✧ *n* взгляд; вид; выражение; **~s** *n pl:* **good ~s** красивая внешность *fsg;* **to ~ south/(out) onto the sea** выходить на юг/на море; **~ (here!)** послушайте!; **~!** смотрите!; **to ~ like sb/sth** походить на кого-н./что-н.; **the wall ~s about 4 metres long** похоже, что длина этой стены 4 метра; **everything ~s all right to me** мне кажется, что все в порядке; **it ~s as if he's not coming** похоже, что он не придет; **to ~ ahead** смотреть вперед; **to have a ~** посмотреть, взглянуть; **to ~ a round** осматриваться; **to have a ~ at sth** взглянуть на что-н.; рассматривать что-н.; **to have a ~ for sth** искать что-н.; **you can't tell by ~s alone** нельзя судить только по внешности
look (a)round *vt fus* осматривать
look after *vt fus* ухаживать за; заботиться о
lookalike [ˈlukəlaɪk] *n* двойник
look at *vt fus* смотреть на; рассматривать; просматривать
look back *vi:* **to ~ back (at sth/sb)** оглядываться (на что-н./кого-н.); **to ~ back (at** *or* **on the past)** оглядываться (на прошлое)
look down on *vt fus* смотреть свысока на
look for *vt fus* искать
look forward to *vt fus:* **to ~ forward to sth** ждать чего-н. с нетерпением; **we ~ forward to hearing to you** (с нетерпением) ждем Вашего ответа
look in *vi:* **to ~ ~ on sb** заглядывать к кому-н.
look-in [ˈlukɪn] *n:* **to get a ~** получить свой кусок пирога; **I couldn't get a ~** я не мог вставить слово
look into *vt fus* расследовать
look on *vi* наблюдать
look out *vi:* **to ~ out (for)** остерегаться; **to ~ out (of)** выглядывать (в)
lookout [ˈlukaut] *n* наблюдатель *m (f);* наблюдательный пункт; **to be on the ~** быть начеку *or* настороже; **to be on the ~ for sth** присматривать что-н.
look out for *vt fus* стараться найти
look over *vt* просматривать; осматривать; проверять
look round *vi* осматриваться
look through *vt fus* просматривать; смотреть в
look to *vt fus* ждать от
look up *vi* поднимать глаза; идти к лучшему ✧ *vt* посмотреть
look up to *vt fus* почитать
loom [lu:m] *vi (also:* **~ up)** неясно вырисовываться; надвигаться ✧ *n* ткацкий станок
loon [lu:n] гагара
loony [ˈlu:nɪ] *adj* чокнутый ✧ *n* чокнутый(-ая) *m (f) adj*
loop [lu:p] *n (комп.)* петля; спираль ✧ *vt:* **to ~ sth round sth** завязывать что-н. петлей вокруг чего-н.
loophole [ˈlu:pheul] *n* лазейка
loose [lu:s] *adj* свободный; слабый; распущенный; приблизительный; неплотный; распущенный; *(элек.):* **~ connection** слабый контакт ✧ *n:* **to be on the ~** быть в бегах; **the handle is ~** ручка расшаталась; **to set ~** освобождать; высвобождать; **to come ~** расшатываться
loose change *n* мелочь *f*
loose chippings *npl* щебенка *fsg*
loose end *n:* **to be at a ~~** *or* **at ~~s** шататься без дела; **to tie up (the) ~~s** завершать все мелочи
loose-fitting [ˈlu:sfitɪŋ] *adj* просторный
loose-leaf [ˈlu:sli:f] *adj* отрывной
loose-limbed [lu:sˈlɪmd] *adj* гибкий
loosely [ˈlu:slɪ] *adv* свободно; приблизительно
loosely-knit [ˈlu:slɪˈnɪt] *adj* редко связанный
loosen [ˈlu:sn] *vt* ослаблять; расшатывать
loosen up *vi* разогреваться; расслабляться
loot [lu:t] *n* награбленное *nt adj* ✧ *vt* разграблять
looter [ˈlu:tə] *n* грабитель(ница) *m*

L

(f); мародер
looting [ˈlu:tɪŋ] *n* разграбление; мародерство
lop I [lɔp] обкорнать; подрезать
lop II свисать
lop off [lɔp-] *vt* отрезать
lopsided [ˈlɔpˈsaɪdɪd] *adj* кривобокий; кривой
lord [lɔ:d] *n* лорд; *(рел.)* **the L~** Господь *m;* **my L~** милорд; **good L~!** Боже мой!; **the (House of) L~s** палата лордов
lordly [ˈlɔ:dlɪ] *adj* барственный
lore [lɔ:] *n* предания *ntpl*
lorry [ˈlɔrɪ] *n* грузовик
lorry driver *n* водитель грузовика
lose [lu:z] *vt* терять; проигрывать; избавляться от ✧ *vi* проигрывать; **to ~ (time)** отставать; **to ~ sight ot sth** терять из виду что-н.; упускать из виду что-н.
loser [ˈlu:zə] *n* проигравший *m (f) adj;* неудачник; **to be a good/bad ~** уметь/не уметь достойно проигрывать
loss [lɔs] *n* утрата; *(комм.):* **to make a ~** терпеть убыток; **to sell sth at a ~** продавать что-н. в убыток; **heavy ~es** тяжелые потери *fpl;* **to cut one's ~es** сокращать потери; **to be at a ~** теряться; **to be at a ~ for words** не найтись, что сказать
loss adjuster *n* специалист по оценке убытков
loss leader *n товар, продаваемый в убыток для привлечения покупателей*
lost [lɔst] *pt, pp of* **lose** ✧ *adj* пропавший; потерянный; **to get ~** заблудиться; **get ~!** проваливай!; **he was ~ in thought** он был погружен в свои мысли
lost and found *n* стол *or* бюро *nt ind* находок
lost cause *n* проигранное дело
lost property *n* потерянные вещи *fpl (also:* **~~ office)** стол *or* бюро *nt ind* находок
lot [lɔt] **1.** *n* жребий; участь; судьба; *амер.* участок земли; партия *(товаров и т.п.)* ✧ **a bad ~** плохой, дурной человек; **a ~ off ~s** много, масса; **give me a ~ of gravy with my meat** дайте мне побольше соуса к мясу **2.** *adv* гораздо, намного; **a ~ better** гораздо лучше
lotion [ˈlouʃ(ə)n] *n* примочка; лосьон
loud [laud] **1.** *a* громкий; шумливый; развязный; кричащий *(о красках);* **2.** *adv* громко
loud-hailer [laudˈheɪlə] *n* рупор
loudly [ˈlaudlɪ] *adj* громко; шумно
loudmouthed [ˈlaudmauθt] *adj* горластый
loudspeaker [laudˈspi:kə] *n* громкоговоритель *m*
lounge about *vi* болтаться (без дела)
lounge suit *n* пиджачный костюм
louse [laus] *n* вошь *f*
louse up *vt* напортить
lousy [ˈlauzi] *adj* паршивый; **to feel ~** чувствовать себя паршиво
lout [laut] деревенщина; увалень
louvre [ˈlu:və] *n* жалюзи *nt ind*
lovable [ˈlʌvəbl] *adj* милый
love [lʌv] *vt* любить ✧ *n:* **~ (for)** любовь *f (к);* **to ~ to do** любить; **I ~ chocolate** я люблю шоколад; **I'd ~ to come**; я с удовольствием пришел бы; **"love (from) Anne"** "любящая Вас Анна"; **to fall in ~ with** влюбляться в; **he is in ~ with her** он в нее влюблен; **to make ~** заниматься любовью; **~ at first sight** любовь с первого взгляда; **to send one's ~ to sb** передавать привет кому-н.; **"fifteen ~"** "пятнадцать-ноль"
love affair *n* роман
love child *n* дитя *nt* любви
loved ones [ˈlʌvdwʌnz] *npl* любимые *adj*
love-hate relationshi p [ˈlʌvheɪt-] *n* любовь *f*-ненависть *f*
love letter *n* любовное письмо
love life *n* интимная жизнь *f*
lovely [ˈlʌvlɪ] *adj* красивый; чудесный
lovesick [ˈlʌvsɪk] *adj* томимый любовью; **to be ~** томиться от любви
love song *n* любовная песня
loving [ˈlʌvɪŋ] *adj* любящий; нежный
low [ləu] *adj* низкий; тихий; подав-

L

ленный; нездоровый ✧ *adv* низким голосом; тихо; низко ✧ *n* низкое давление; **we are (running) ~ on milk** у нас остается мало молока; **to reach a new** *or* **an all-time ~** опускаться на небывало низкий уровень

low-alcohol [ˈləuˈælkəhəl] *adj:* **~ wine/beer** вино/пиво с низким содержанием алкоголя

lowbrow [ˈləubrau] *adj* низкопробный

low-calorie [ˈləuˈkælərɪ] *adj* низкокалорийный

low-cut [ˈləukʌt] *adj* с глубоким вырезом

lowdown [ˈləudaun] *n:* **to give sb the ~ on sth** раскрывать кому-н. всю подноготную чего-н.

lower [ˈləuə] *adj* нижний; низший ✧ *vt* спускать; снижать; понижать; опускать

low-fat [ˈləuˈfæt] *adj* обезжиренный

low-key [ˈləuˈki:] *adj* сдержанный

lowlands [ˈləuləndz] *npl* низменность

low-level language [ˈləulevl-] *n.(комп.)* язык программирования низкого уровня

low-loader [ˈləuləudə] *n* автомобиль *m* с погрузочным приспособлением

lowly [ˈləulɪ] *adj* низкий

low-lying [ləuˈlaɪŋ] *adj* низменный

low-paid [ləuˈpeɪd] *adj* низкооплачиваемый

low-rise [ˈləuraɪz] *adj* низкий

low-tech [ˈləutek] *adj:* **their office is very ~** у них в офисе технология на очень низком уровне

loyal [ˈlɔɪəl] *adj* верный; *(полит.)* лояльный

loyalist [ˈlɔɪəlɪst] *n* лоялист

loyalty [ˈlɔɪəltɪ] *n* верность *f; (полит.)* лояльность *f*

lozenge [ˈlɔzɪndʒ] *n* ромб; **throat ~** таблетка от кашля

lubricant [ˈlu:brɪkənt]l *n* смазка, лубрикатор

lubricate [ˈlu:brɪkəɪt] *vt* смазывать

luch [lʌʃ] *adj* пышный; роскошный

lucid [ˈlu:sɪd] *adj* ясный; **I'm not feeling very ~ today** я сегодня плохо соображаю

lucidity [lu:ˈsɪdɪtɪ] *n* ясность *f*

luck [lʌk] *n (also:* **good ~)** удача; **bad ~** неудача; **good ~!** удачи (Вам)!; **bad** *or* **hard** *or* **tough ~!** не повезло!; **we are in ~/out of ~** нам везет/ не везет; **to push one's ~** искушать судьбу

luckily [ˈlʌkɪlɪ] *adv* к счастью

luckless [ˈlʌklɪs] *adj* невезучий

lucky [ˈlʌkɪ] *adj* счастливый; удачливый; **he is ~ at cards/in love** ему везет в картах/любви; **how did you manage it? -I was ~** как Вам это удалось? - мне повезло

lucrative [ˈlu:krətɪv] *adj* прибыльный, доходный; высокооплачиваемый

ludicrous [ˈlu:dɪkrəs] *adj* смехотворный

lug [lʌg] *vt* волочь

luggage [ˈlʌgɪdʒ] *n* багаж

luggage car *n* = **luggage van**

luggage rack *n* багажная полка

luggage van *n* багажный вагон

lugubrious [luˈgu:brɪəs] *adj* скорбный

lukewarm [ˈlu:kwɔ:m] *adj* слегка теплый; прохладный

lull [lʌl] *n* затишье ✧ *vt:* **to ~ sb to sleep** убаюкивать кого-н.; **to ~ sb into a false sense of security** усыплять

lullaby [ˈlʌləbaɪ] *n* колыбельная *f adj*

lumber [ˈlʌmbə] *n* лесоматериалы *mpl;* рухлядь *f* ✧ *vi:* **to ~ about/along** тащиться

lumberjack [ˈlʌmbədʒæk] *n* лесоруб

lumber room *n* чулан

lumber with *vt:* **to ~ sb with sth** навязывать кому-н. что-н.; **he was ~ed with all the work** ему навязали всю работу

lumberyard [ˈlʌmbəja:d] *n* склад лесоматериалов

luminous [ˈlu:mɪnəs] *adj* блестящий; светящийся

lump [lʌmp] *n* кусок; шишка; опухоль ✧ *vt:* **to ~ together** мешать в (одну) кучу; **a ~ sum** одновременно выплачиваемая сумма

lumpy [ˈlʌmpɪ] *adj* комковатый; бугристый

lunacy [ˈlu:nəsɪ] *n* безумие; помешательство

lunar [ˈlu:nə] *adj* лунный

lunatic [ˈluːnətɪk] *adj* безумный ✧ *n* сумасшедший
lunatic asylum *n* сумасшедший дом
lunch [lʌntʃ] *n* обед ✧ *vi* обедать
lunch break *n* перерыв на обед, обеденный перерыв
luncheon [ˈlʌntʃən] *n* завтрак
luncheon meat *n* свиная тушенка
lunch time *n* обеденное время *nt*
lung [lʌŋ] *n* легкое *nt adj;* **~cancer** рак легких
lunge [lʌndʒ] **1.** *n* удар *(шпагой)* **2.** *v* нападать; делать выпад
lurch [lɜːtʃ] *vi* покачнуться; рвануть; **to ~ sideways** крениться; ✧ *n* крен; бросок; **the car ~ed forward** машину бросило вперед; **to leave sb in the ~** бросать кого-н. в беде
lure [luə] *n* приманка ✧ *vt* заманить; **to ~ sb away from** отвлекать кого-н. от
lurid [ˈluərɪd] *adj* аляповатый
lurk [lɜːk] *vi* таиться
luscious [ˈlʌʃəs] *adj* притягательный; сочный
lust [lʌst] *n* похоть; **~ (for)** жажда (к)
lust after *vt fus* испытывать вожделение к; жаждать
lustful [ˈlʌstful] *adj* похотливый
lustre [ˈlʌstə] *n* блеск
lusty [ˈlʌstɪ] *adj* полный жизни и здоровья
luvvie [ˈlʌvɪ] *n* дорогуша *m/f*
luxuriant [lʌgˈzjuərɪənt] *adj* буйный; пышный
luxuriate [lʌgˈzjuərɪeɪt] *vi:* **to ~ in** наслаждаться
luxurious [lʌgˈzjuərɪəs] *adj* роскошный
luxury [ˈlʌkʃərɪ] *n* роскошь; роскошество ✧ *cpd* роскошный
luxury tax *n* налог на предметы роскоши
lye [laɪ] щёлок
lying [ˈlaɪŋ] *n* ложь *f* ✧ *adj* лживый
lynch [lɪntʃ] *vt* линчевать
lynx [lɪŋks] *n* рысь *f*
lyric [ˈlɪrɪk] *adj:* **~ poetry** лирика, лирическая поэзия
lyrical [ˈlɪrɪkl] *adj* лирический; восторженный
lyricism [ˈlɪrɪsɪzəm] *n* лиризм
lyrics [ˈlɪrɪks] *npl* слова *nt pl or* текст *(песни)*

M

M, m [em] *n 13-ая буква английского алфавита*
ma [mɑː] (*сокр. от* mama) мама
maˈam [mæm] (*сокр. от* madam) сударыня
mac [mæk] *сокр. от* mackintosh
macabre [məˈkɑːbrə] *adj* жуткий
macaroni [mækəˈrəunɪ] *n* макароны
macaroon [mækəˈruːn] *n* миндальное безе
mace [meɪs] *n* булава; жезл; мускат
machinations [mækɪˈneɪʃənz] *n* козни; *pl* махинация
machine [məˈʃiːn] *n* машина ✧ *vt (тех.)* подвергать машинной обработке; шить на машине
machine gun *n* пулемет
machine language *n (комп.)* машинный язык
machine readable *adj (комп.)* машиночитаемый
machinery [məˈʃiːnərɪ] *n* оборудование; механизм
machine shop *n* механический цех
machine tool *n* станок
machine washable *adj* пригодный к машинной стирке
machinist [məˈʃiːnɪst] *n* станочник
macho [ˈmætʃəu] *adj* мужицкий
mackerel [ˈmækrl] *n* скумбрия inv
mad [mæd] *adj* сумасшедший; помешанный; бешеный; **he is ~ about** он помешан на; **to go ~** сходить с ума; беситься
madam [ˈmædəm] *n* мадам *f ind* госпожа; **yes, ~** да, мадам; **Dear M~** уважаемая госпожа; **M~ Chairman** госпожа председатель
madcap [ˈmædkæp] *adj* сумасбродный
madden [ˈmædn] *vt* бесить
maddening [ˈmædnɪŋ] *adj* невыносимый
made [meɪd] *pt, pp of* **make**
made-to-measure [ˈmeɪdtəˈmeʒə] *adj* индивидуального пошива
madly [ˈmædlɪ] *adv* безумно; **she is ~ in love with him** она безумно влюблена в него; **to fall ~ in love with sb** безумно влюбиться в кого-н.

M

madman [ˈmædmən] *irreg n* сумасшедший
madness [ˈmædnɪs] *n* безумие; сумасшествие
madwoman [ˈmædwumən] *irreg n* сумасшедшая *f adj*
magazine [ˌmægəˈzi:n] журнал; *воен.* склад боеприпасов; магазинная коробка *(винтовки)*
maggot [ˈmægət] личинка
magical [ˈmædʒɪkl] *adj* магический; волшебный
magician [məˈdʒɪʃən] *n* маг; фокусник
magie [ˈmædʒɪk] **1.** *n* магия, волшебство; *перен.* очарование **2.** *a* волшебный
magistrate [ˈmædʒɪstreɪt] *n (юрид.)* мировой судья *m*
magistrates' court *n* магистратура
magnanimous [mægˈnænɪməs] *adj* великодушный
magnesium [mægˈni:zɪəm] *n* магний
magnet [ˈmægnɪt] *n* магнит
magnetic [mægˈnetɪk] *adj* магнитный; притягательный
magnetic disk *n (комп.)* магнитный диск
magnetic tape *n* магнитная пленка
magnetism [ˈmægnɪtɪzəm] *n* магнетизм
magnetize [ˈmægnɪtaɪz] *vt* намагничивать
magnification [mægnɪfɪˈkeɪʃən] *n* увеличение
magnificence [mægˈnɪfɪsns] *n* великолепие
magnificent [mægˈnɪfɪsnt] *adj* великолепный
magnify [ˈmægnɪfaɪ] *vt* увеличивать; усиливать; преувеличивать
magnifying glass [ˈmægnɪfaɪŋ-] *n* увеличительное стекло; лупа
magnitude [ˈmægnɪtju:d] *n* величина; масштаб
magpie [ˈmægpaɪ] *n* сорока
mahogany [məˈhɔgənɪ] *n* красное дерево ✧ *cpd* красного дерева
maid [meɪd] девица, девушка; ~ **of honour** фрейлина; прислуга; горничная (*о гостинице и т.п.)*
maiden [ˈmeɪdn] *n* дева ✧ *adj* незамужняя; первый
maiden name *n* девичья фамилия
mail [meɪl] *n* почта ✧ *vt* отправлять по почте; **by** ~ по почте
mailbox [ˈmeɪlbɔks] *n (комп.)* почтовый ящик
mailing list [ˈmeɪlɪŋ-] *n* список адресатов
mailman [ˈmeɪlmæn] *irreg n* почтальон
mail train *n* почтовый поезд
mail truck *n* почтовый фургон
mail van *n (авт.)* почтовый фургон; почтовый вагон
maim [meɪm] *vt* калечить
main [meɪn] *adj* главный ✧ *n;* **gas/water** ~ газопроводная/водопроводная магистраль *f;* **the ~s** *npl* сеть *fsg;* ~ **meal** обед; **in the** ~ в основном
main course *n* основное *or* второе блюдо
mainframe [ˈmeɪnfreɪm] *n (комп.)* вычислительная машина
mainland [ˈmeɪnlənd] *n:* **the** ~ материк; большая земля
main line *n* железнодорожная магистраль *f*
mainline [ˈmeɪnlaɪn] *adj* магистральный ✧ *vt* вкалывать ✧ *vi* колоться
mainly [ˈmeɪnlɪ] *adv* главным образом
main road *n* шоссе *nt ind;* главная улица
mainstay [ˈmeɪnsteɪ] *n* главная опора
mainstream [ˈmeɪnstri:m] *n* господствующая тенденция ✧ *adj* господствующий
maintain [meɪnˈteɪn] *vt* поддерживать; содержать; обслуживать; утверждать; ~ **(that ...)** утверждать (,что)
maintenance [ˈmeɪntənəns] *n* поддержание; содержание; обслуживание; утверждение *(юрид.)* алименты *pl*
maintenance contract *n* контракт по обслуживанию
maintenance grant *n* стипендия
maisonette [meɪzəˈnet] *n* двухэтажная квартира
maize [meɪz] *n* кукуруза; маис
majestic [məˈdʒestɪk] *adj* величественный

M

majesty [ˈmædʒɪstɪ] *n* королевская власть *f;* величественность *f;* **Your M~** Ваше Величество
major [ˈmeɪdʒə] *n (воен.)* майор ✧ *adj* главный *(муз.)* мажорный ✧ *vi (просвещ.):* **to ~ in** специализироваться в; **a ~ operation** крупная операция
majority [məˈdʒɔrɪtɪ] *n* большинство ✧ *cpd:* **~ verdict** приговор, вынесенный большинством (голосов); **~ (share)holding** контрольный пакет акций
make [meɪk] *vt* делать; шить; изготовлять; готовить; зарабатывать ✧ *n* марка; **to ~ sb do** заставлять кого-н.; **two and two ~ four** два плюс два - четыре; **to ~ sb unhappy** расстраивать кого-н.; **to ~ a noise** шуметь; **to ~ the bed** стелить постель; **to ~ a fool of sb** делать из кого-н. дурака; **to ~ a profit** получать прибыль; **to ~ a loss** нести убыток; **to ~ it** преуспевать; успевать; **what time do you ~ it?;** сколько на ваших (часах)? **let's ~ it Monday** давайте договоримся на понедельник; **to ~ good** ✧ *vi* преуспевать ✧ *vt* возмещать; исправлять; **to ~ do with/without** обходиться без
make-believe [ˈmeɪkbɪliːv] *n* фантазии *fpl;* **a world of ~** мир фантазий; **it's just ~** это просто фантазия
make for *vt fus* направляться к
make off скрываться *vi*
make out *vt* разбирать; различать; выписывать; утверждать; разбираться в; делать вид; **to ~ out a case for sth** обосновывать что-н.
make over *vt:* **to ~ over (to)** передавать
maker [ˈmeɪkə] *n* создатель(ница) *m (f);* изготовитель *m*
makeshift [ˈmeɪkʃɪft] *adj* временный
make up *vt fus* составлять ✧ *vt* выдумывать; готовить; делать макияж ✧ *vi* мириться; **to ~ (o.s.) up** делать макияж; **to be made up of** состоять из
make-up [ˈmeɪkʌp] *n* косметика, макияж; *(театр.)* грим
make-up bag *n* косметичка
make up for *vt fus* заглаживать; восполнять; **to ~ up for lost time** наверстывать упущенное время
make-up remover *n* средство для снятия макияжа
making [ˈmeɪkɪŋ] *n* создание; изготовление; **in the ~** в процессе создания; **to have the ~s of** иметь задатки; **the problem is of your own ~** проблема Вами же и создана
maladjusted [mæləˈdʒʌstɪd] *adj* трудновоспитуемый
maladroit [mæləˈdrɔɪt] *adj* неумелый; бестактный
Malay [məˈleɪ] **1.** *a* малайский **2.** *n* малаец; малайка; малайский язык
male [meɪl] *n* мужчина; самец *m* ✧ *adj* мужской; мужского пола; **~ and female students** студенты: юноши и девушки
male chauvinist *n:* **he's a ~~** он очень пренебрежительно относится к женщинам
male nurse *n* медбрат
malevolence [məˈlevələns] *n* злодеяние; злоба
malevolent [məˈlevələnt] *adj* злобный
malformed [mælˈfɔːmd] *adj* неправильно сформировавшийся
malfunction [mælˈfʌŋkʃən] *n* неисправность *f*
malice [ˈmælɪs] *n* злоба
malicious [məˈlɪʃəs] *adj* злобный, злой; злонамеренный
malign [məˈlaɪn] *vt* клевать ✧ *adj* пагубный
malignant [məˈlɪgnənt] *adj (мед.)* злокачественный; злостный
malingerer [məˈlɪŋgərə] *n* симулянт(ка)
mall [mɔːl] *n (also:* **shopping ~)** торговая улица
malleable [ˈmælɪəbl] *adj* податливый; покорный
mallet [ˈmælɪt] *n* деревянный молоток
malnutrition [ˈmælnjuːtrɪʃ(ə)n] плохое питание, недоедание
malpractice [mælˈpræktɪs] *n* злоупотребление служебным положением
malt [mɔːlt] *n* солод; *(also:* **~whisky)** солодовое виски

M

maltreat [mæl'tri:t] *vt* плохо обращаться с
mammal ['mæml] *n* млекопитающее
man [mæn] *n* мужчина; человек; фигура ✧ *vt* обслуживать; занимать; **to ~ a ship** набирать команду корабля; **an old ~** старик; **~ and wife** муж и жена
manage ['mænɪdʒ] *vi* обходиться ✧ *vt* руководить, управлять; заведовать; командовать; справляться с; **to ~ without sb/sth** обходиться без кого-н./чего-н.; **I ~d to convince him** мне удалось убедить его; **I ~d to finish in time** я успел закончить вовремя
manageable ['mænɪdʒəbl] *adj* выполнимый; удобный
management ['mænɪdʒmənt] *n* руководство; **~ (of)** управление; **"under new ~"** "под новым руководством"
management accounting *n* управленческий учет
management consultant *n* консультант по вопросам менеджмента
manager ['mænɪdʒə] *n* управляющий *m adj* менеджер; заведующий; *adj (спорт.)* главный тренер; **sales ~** начальник по сбыту
manageress [mænɪdʒə'res] *n* заведующая *f adj*
managerial [mænɪ'dʒɪərɪəl] *adj* управленческий; **~ staff** управленческий аппарат; **~ decisions** решения, принятые руководством
managing director ['mænɪdʒɪŋ-] *n* директор-распорядитель *m*
mandarin [mændərɪn] *n (also: ~ orange)* мандарин; чиновник; *(лингв.)* **M~ (Chinese)** мандаринское наречие китайского языка
mandate [mændeɪt] *n (пол.)* полномочие; мандат; поручение
mandatory [mændətərɪ] *adj* обязательный
mandolin(e) ['mændəlɪn] *n* мандолина
mane [meɪn] грива; *перен.* космы
manfully ['mænfəlɪ] *adv* мужественно
manganese [mæŋgə'ni:z] *n* марганец
mange [meɪndʒ] чесотка
manger ['meɪndʒə] ясли, кормушка
mangetout ['mɔnʒ'tu:] *n* стручковой горох *(со съедобными стручками)*
mangle ['mæŋgl] *vt* корежить ✧ *n* пресс для отжимания белья
mangy ['meɪndʒɪ] *adj* паршивый; облезлый
manhandle ['mænhændl] *vt* грубо обращаться с; приводить в действие в ручную
manhole ['mænhəul] *n* люк
manhood ['mænhud] *n* возмужалость; зрелость
man-hour ['mænauə] *n* человеко-час
manhunt ['mænhʌnt] *n* розыск
mania ['meɪnɪə] *n (психол.)* мания
maniac ['meɪnɪæk] *n* маньяк; **he's a football ~** он страстный любитель футбола
manic ['mænɪk] *adj* безумный
manic-depressive ['mænɪkdɪ'presɪv] *adj* маниакально-депрессивный *n человек, страдающий маниакально-депрессивным психозом*
manicure ['mænɪkjuə] *n* маникюр ✧ *vt* делать маникюр
manicure set *n* маникюрный набор
manifest ['mænɪfest] *vt* проявлять ✧ *adj* очевидный, явный ✧ *n (мор.)* декларация судового груза; *(авиа.)* манифест
manifestation [mænɪfes'teɪʃən] *n:* **a ~ of** проявление
manifesto [mænɪ'festəu] *n* манифест
manifold ['mænɪfəuld] *adj* многообразный ✧ *n (авт.):* **exhaust ~** выхлопной коллектор
manila [mə'nɪlə] *adj:* **~ paper** плотная коричневая бумага
manipulate [mə'nɪpjuleɪt] *vt* манипулировать
manipulation [mənɪpju'leɪʃən] *n* манипуляция
mankind [mæn'kaɪnd] *n* человечество
manliness ['mælnlɪnɪs] *n* мужественность *f*
manly ['mænlɪ] *adj* мужественный
man-made ['mæn'meɪd] *adj* искусственный
mannequin ['mænɪkɪn] *n* манекен; манекенщица

M

manner [ˈmænə] *n* образ; манера; **~s** *npl* манеры *fpl;* **bad ~ s** плохие манеры; **all ~ of things/people** все возможные вещи/люди; **in a ~ of speaking** в некотором роде
mannerism [ˈmænərɪzəm] *n* особенность *f* манера
mannerly [ˈmænəlɪ] *adj* учтивый
manning [ˈmænɪŋ] *n* набор рабочей силы
manoeuvrable [məˈnu:vrəbl] *adj* маневренный
manoeuvre [məˈnu:və] *vt* умело передвигаться; маневрировать ✧ *n* маневр; **~s** *npl (воен.)* маневры *mpl;* **to ~ sb into doing** подводить кого-н. к тому, чтобы сделал что-н.
manor [ˈmænə] *n (also:* **~ house)** усадебный дом
manpower [ˈmænpauə] *n* рабочая сила
manservant [ˈmænsə:vənt] *n* слуга *m*
mansion [ˈmænʃən] *n* особняк
manslaughter [ˈmænslɔ:tə] *n* непредумышленное убийство
mantelpiece [ˈmæntlpi:s] камин
man-to-man [ˈmæntəˈmæn] *adj* мужской ✧ *adv* по-мужски, как мужчина с мужчиной
manual [ˈmænjuəl] *adj* ручной ✧ *n* пособие; **~ worker** чернорабочий(-ая) *m (f) adj*
manufacture [mænjuˈfæktʃə] *vt* изготовлять, производить ✧ *n* изготовление, производство
manufactured goods *npl* промышленные товары *mpl*
manufacturer [mænjuˈfæktʃərə] *n* изготовитель, производитель
manufacturing [mænjuˈfæktʃərɪŋ] *n* изготовление, производство
manure [məˈnjuə] *n* навоз
manuscript [ˈmænjuskrɪpt] *n* рукопись; манускрипт
many [ˈmenɪ] *adj* много ✧ *pron* многие; **a great ~** очень много, множество; **how ~?** сколько?; **how ~ people/times?** сколько людей/раз?; **too ~ diffuculties** слишком много трудностей; **twice as ~** вдвое больше, в два раза больше; **~ a time** много раз; **in ~ cases** во многих случаях; **~ of us** многие из нас
map [mæp] *n* карта; план ✧ *vt* составлять карту
maple [ˈmeɪpl] *n* клен ✧ *cpd* кленовый
map out *vt* составлять; планировать
mar [mɑ:] *vt* портить
marathon [ˈmærəθən] *n* марафон ✧ *adj* марафонский
marauder [məˈrɔ:də] *n* мародер
marble [ˈmɑ:bl] мрамор; **~d** [-d] под мрамор
March [mɑ:tʃ] *n* март; *see also* **July**
march [mɑ:tʃ] *vi* маршировать; проходить маршем ✧ *n* марш ✧ *vt:* **to ~ sb out of** выдворять кого-н. из; **to ~ out of** демонстративно выходить из; **to ~ into** решительно входить в
marcher [ˈmɑ:tʃə] *n* участник(ица) марша
marching orders [ˈmɑ:tʃɪŋ-] *npl:* **to give sb his ~~** увольнять кого-н.
march past *n* строевой смотр
mare [ˈmeə] *n* кобыла
margarine [mɑ:dʒəˈri:n] *n* маргарин
margin [ˈmɑ:dʒɪn] *n* поля; периферия; край; преимущество *(also:* **profit ~)** чистая прибыль *f no pl;* **safety ~** запас прочности; **~ of error** предел допустимой погрешности; **they won by a ~ of five votes** они победили с большинством в пять голосов
marginal [ˈmɑ:dʒɪnl] *adj* незначительный ✧ *n (also:* **~ seat** *or* **constituency)** *(полит.) избирательный участок, где правящая партия имеет незначительное большинство голосов*
marginally [ˈmɑ:dʒɪnəlɪ] *adv* незначительно
marguee [mɑ:ˈki:] *n* маркиза, палаточный городок, шатер
marigold [ˈmærɪgəuld] *n (бот.)* ноготки *m pl*
marijuana [mærɪˈwɑ:nə] *n* марихуана
marina [məˈri:nə] *n* марина *or* пристань *f* для яхт
marinade [mærɪˈneɪd] *n* маринад ✧ *vt* = **marinate**
marinate [ˈmærɪneɪt] *vt* мариновать
marine [məˈri:n] *adj* морской; судо-

M

вой ✧ *n* служащий *m adj* военно-морского флота; морской пехотинец
marine insurance *n* морское страхование
marital [ˈmærɪtl] *adj* супружеский; ~ **status** семейное положение
maritime [ˈmærɪtaɪm] *adj* морской; ~ **law** морское право
mark [mɑːk] *n* значок; пометка; пятно; след; знак, отметка, оценка; марка ✧ *vt* помечать; оставлять след на; повреждать; ставить пятно на; указывать отмечать; проверять; **punctuation** ~ знак препинания; **up to the** ~ на высоте; **to be quick off the** ~ **to do** не замедлить; **to** ~ **the price on sth** ставить цену на чем-н.; **to** ~ **time** *(воен.)* маршировать
mark down *vt* снижать; уценивать
marked [mɑːkt] *adj* заметный
markedly [ˈmɑːkɪdlɪ] *adv* заметно
marker [ˈmɑːkə] *n* знак; закладка; фломастер
market [ˈmɑːkɪt] *n (комп.)* рынок ✧ *vt* выпускать в продажу; **to be on the** ~ быть в продаже; **on the open** ~ в свободной продаже; **to play the** ~ играть на бирже
marketable [ˈmɑːkɪtəbl] *adj* пользующийся спросом; **to be** ~ пользоваться спросом
market analisys *n* анализ рынка
market day *n* базарный день *m*
market demand *n* рыночный спрос
market economy *n* рыночная экономика
market forces *npl* рыночные силы *fpl*
market garden *n* огород *(для выращивания овощей на продажу)*
marketing [ˈmɑːkɪtɪŋ] *n* маркетинг
marketing manager *n* менеджер по маркетингу
marketplace [ˈmɑːkɪtpleɪs] *n* рыночная *or* базарная площадь *f, (комм.)* рынок
market price *n* рыночная цена
market research *n* исследование рынка
market value *n* рыночная стоимость
marking [ˈmɑːkɪŋ] *n* расцветка; разметка
mark off *vt* отмечать
mark out *vt* размечать; выделять
marksman [ˈmɑːksmən] *irreg n* меткий стрелок
marksmanship [ˈmɑːksmənʃɪp] *n* меткая стрельба
mark up *vt* повышать
mark-up [ˈmɑːkʌp] *n* разница *(между себестоимостью и продажной ценой);* наценка
maroon [məˈruːn] *adj* бордовый ✧ vt: **we were ~ed** мы были отрезаны от внешнего мира; мы были в изоляции
marriage bureau *n* бюро *nt ind* знакомств
marriage certificate *n* свидетельство о браке
marriage of convenience *n* фиктивный брак
married [ˈmærɪd] *adj* женатый; замужняя; женатые; супружеский; **he is** ~ **to** он женат на; **she is** ~ **to** она замужем за; **they are** ~ они женаты
marrow [ˈmærəu] *n* кабачок; *(also:* **bone** ~*)* костный мозг
marry [ˈmærɪ] *vt* жениться на; выходить замуж за; *(also:* ~ **off***)* женить; выдавать замуж; венчать ✧ *vi* жениться; выходить замуж
marry-go-round [ˈmerɪgəuraund] *n* карусель *f* **marsalling yard** [ˈmɑːʃlɪŋ-] *n* сортировочная станция
marshal [ˈmɑːʃl] *n (воен.)* маршал; распорядитель(ница) ✧ *vt* упорядочить; выстраивать; **police/fire** ~ начальник полицейского участка/пожарной части
marsupial [mɑːˈsuːpɪəl] *n* сумчатое *adj*
marten [ˈmɑːtɪn] *n* куница
martial [ˈmɑːʃl] *adj* военный
martial art *n* восточное единоборство
martial law *n* военное положение
Martian [ˈmɑːʃən] *n* марсианин
martinet [ˌmɑːtɪˈnet] сторонник строгой дисциплины
martyr [ˈmɑːtə] *n* мученик ✧ *vt* мучить
martyrdom [ˈmɑːtədəm] *n* мученичество

M

marvel [ˈmɑːvl] *n* чудо ◊ *vi:* **to ~ (at)** восхищаться
marvellous [ˈmɑːvləs] *adj* восхитительный; изумительный
marzipan [ˈmɑːzɪpæn] *n* марципан
mascara [mæsˈkɑːrə] *n* тушь *f* для ресниц
masculine [ˈmæskjulɪn] *adj* мужской; мужеподобный; **~ noun/pronoun** существительное /местоимение мужского рода
masculinity [mæskjuˈlɪnɪtɪ] *n* мужественность *f*
mashed potatoes [mæʃt-] *npl* картофельное пюре *nt ind*
mask [mɑːsk] *n* маска ◊ *vt* закрывать; маскировать
masking tape [ˈmɑːskɪŋ-] *n* клейкая лента
mason [ˈmeɪsn] *n (also:* **stone ~)** каменщик; *(also:* **freemason)** масон
masonic [məˈsɔnɪk] *adj* масонский
masonry [ˈmeɪsnrɪ] *n* (каменная) кладка
masquerade [mæskəˈreɪd] *n* маскарад ◊ *vi:* **to ~ as** выдавать себя за
mass [mæs] *n (физ.)* масса; *(рел.)* обедня; месса ◊ *cpd* массовый ◊ *vi* сосредоточиваться; **the ~es** *npl* (народные) массы *fpl;* **to go to M~** идти к обедне/мессе; **~es of** масса, уйма
massacre [ˈmæsəkə] **1.** *n* резня; избиение **2.** *v* устраивать резню
massage [mæˈsɑːʒ] *n* массаж ◊ *vt* массировать
masseur [mæˈsəː] *n* массажист
masseuse [mæːˈsəːz] *n* массажистка
massive [ˈmæsɪv] *adj* массивный; огромный
mass market *n* массовый спрос
mass media *n inv* средства *nt pl* массовой информации
mass meeting *n* массовый митинг
mass-produce [ˈmæsprəˈdjuːs] *vt* массово производить
mass production *n* массовое производство
mast [mɑːst] *n* мачта
master [ˈmɑːstə] *n* хозяин; учитель; мастер ◊ *cpd* умелый ◊ *vt* владеть; овладеть; **M~ Smith** господин *or* мастер Смит; **M~'s degree** степень *f* магистра; **M~ of Arts/Science** магистр гуманитарных/естественных наук; **M~ of Ceremonies** церемониймейстер
master disk *n (комп.)* оригинал диска
masterful [ˈmɑːstəful] *adj* властный
master key *n* универсальный ключ *(подходящий ко всем дверям здания)*
masterly [ˈmɑːstəlɪ] *adj* мастерский
mastermind [ˈmɑːstəmaɪnd] *n* создатель ◊ *vt* разрабатывать
masterpiece [ˈmɑːstepiːs] *n* шедевр
master plan *n* гениальный план
masterstroke [ˈmɑːstəstrəuk] *n* гениальный ход
mastery [ˈmɑːstərɪ] *n* мастерство; **~ of** владение
masturbate [ˈmæstəbeɪt] *vi* мастурбировать
masturbation [ˈmæstəbeɪʃən] *n* мастурбация
mat [mæt] *n* коврик; *(also:* **doormat)** дверной коврик; *(also:* **table ~)** подставка ◊ *adj* = **matt**
match [mætʃ] *n* спичка; *(спорт.)* матч; ровня ◊ *vt* сочетаться с; сравняться с; соответствовать ◊ *vi* сочетаться; **to be a good ~** сочетаться; **they make** *or* **are a good ~** они хорошая пара; **I'm no ~ for him** я ему не ровня; **to ~ sth (up) with sth** подбирать что-н. к чему-н.
matchbox [ˈmætʃbɔks] *n* спичечная коробка
matchless [ˈmætʃlɪs] *adj* несравненный
match up *vi* совпадать
mat cow disease *n* энцефалопатия крупного рогатого скота
mate [meɪt] *n* друг; самец(-мка); подручный; *(мор.)* помощник *(капитана)* ◊ *vi* спариваться
material [məˈtɪərɪəl] *n* материал, ткань ◊ *adj* материальный; вещественный; **~ s** *npl* принадлежности *fpl;* **building ~s** строительные материалы; **reading ~** материал для чтения
materialistic [mətɪərɪəˈlɪstɪk] *adj* материалистический

M

materialize [məˈtɪərɪəlaɪz] *vi* материализоваться; осуществляться
maternal [məˈtəːnl] *adj* материнский
maternity [məˈtəːnɪtɪ] *n* материнство ✧ *cpd* родильный; ~ **care** уход за роженицами
maternity benefit *n* декретные *pl adj*
maternity dress *n* платье для беременной (женщины)
maternity hospital *n* родильный дом, роддом
maternity leave *n* декретный отпуск
matey [ˈmeɪtɪ] *adj* дружелюбный
math [mæθ] *n addr* = **mathematics**
mathematical [mæθəˈmætɪkl] *adj* математический
mathematician [mæθəməˈtɪʃən] *n* математик
mathematics [mæθəˈmætɪks] *n* математика
mathouse [ˈmædhaus] *n* сумасшедший дом, психушка
matind call *n* брачный призыв
matinee [ˈmætɪneɪ] *n (кино)* дневной сеанс; *(театр.)* дневной спектакль
mating [ˈmeɪtɪŋ] *n* спаривание; случка
mating season *n* брачный сезон
matriculation [mətrɪkjuˈleɪʃən] *n* зачисление в университет
matrimony [ˈmætrɪmənɪ] *n* супружество
matrix [ˈmeɪtrɪks] *n* матрица
matron [ˈmeɪtrən] *n* старшая медсестра
matronly [ˈmeɪtrənlɪ] *adj* пышный
matt [mæt] *adj* матовый
matted [ˈmætɪd] *adj* спутанный
matter [ˈmætə] *n* дело, вопрос; *(физ.)* материя; вещество; *(мед.)* гной ✧ *vi* иметь значение; **~s** *npl* дела *nt pl;* **printed** ~ печатный материал; **reading** ~ материал для чтения; **what's the ~?** в чем дело?; **no ~ what** несмотря ни на что, что бы то ни было; **what's another** ~ это другое дело; **as a ~ of course** как само собой разумеющееся; **as a ~ of fact** собственно говоря; **it's a ~ of habit** это дело привычное; **it doesn't ~** это не важно
matter-of-fact [ˈmætərəvˈfækt] *adj* безразличный
matting [ˈmætɪŋ] *n* циновка; **rush ~** камышовая циновка
mattress [ˈmætrɪs] *n* матрас, матрац
mature [məˈtjuə] *adj* зрелый; выдержанный ✧ *vi* развиваться; взрослеть; зреть *or* созревать; выстаиваться; *(комм.):* **this policy is due to ~ next year** в следующем году начинаются выплаты по этому полису
maturity [məˈtjuərɪtɪ] *n* зрелость *f*
maudlin [ˈmɔːdlɪn] *adj* плаксивый; слезливый
maul [mɔːl] *vt* терзать
maunder [ˈmɔːndə] говорить несвязно; бормотать
mauve [məuv] *adj* сиреневый
maverick [ˈmævrɪk] *n* индивидуалист
mawkish [ˈmɔːkɪʃ] *adj* слащавый
maximize [ˈmæksɪmaɪz] *vt* максимально
maybe [ˈmeɪbiː] *adv* может быть; ~ **he'll...**может быть, он; ~ **not** может быть, нет
mayday [ˈmeɪdeɪ] *n* сигнал бедствия
mayhem [ˈmeɪhem] *n* погром
mayor [meə] *n* мэр
mayoress [ˈmeəres] *n* жена мэра
maze [meɪz] *n* лабиринт; головоломка; путаница
me [miː] *pron* **1.** меня; **he loves me** он любит меня; **it's me** это я **2.** мне; **give me them** *or* **them to me** дайте их мне **3.** меня; мне; мной; **it's for me** это мне *or* для меня; **this kind of work is not for me** эта работа не для меня **4.** себя; себе; собой; себе; **I took him with me** я взял его с собой
meadow [ˈmedəu] *n* луг
meagre [ˈmiːgə] *adj* скудный
meal [miːl] *n* еда *n pl* обед; ужин; мука грубого помола; **during ~s** во время еды; **to go out for a ~** ужинать в ресторане; **to eat 3 ~s a day** есть 3 раза в день; **to make a ~ of sth** безосновательно усложнять что-н.
meal time *n* время *nt* еды; **during ~~s** во время еды, за едой
mealy-mouthed [ˈmiːlɪmauðd] *adj* чрез-

M

мерно деликатный в выборе слов

mean [mi:n] *adj* скупой; подлый; злобный; убогий; средний ✧ *vt* значить, означать; иметь в виду ✧ *n* середина; **~s** *npl* способ *msg*, средство *ntsg;* средства *ntpl;* **by ~s of** посредством, с помощью; **by all ~s!** пожалуйста; **do you ~ it?** Вы говорите об этом всерьез?, Вы это серьезно?; **what do you ~?** что Вы имеете в виду?; **to ~ to do** намереваться; **to be ~t for sb/sth** предназначаться кому-н./чему-н.

meander [mɪ'ændə] *vi* извиваться; бродить

meaning ['mi:nɪŋ] *n* смысл; значение; **this word has two ~s** это слово имеет два значения; **his words have no ~** его слова не имеют смысла

meaningful ['mi:nɪŋful] *adj* значительный; вразумительный; многозначительный; серьезный

meaningless ['mi:nɪŋlɪs] *adj* бессмысленный

meanness ['mi:nnɪs] *n* скупость *f;* подлость *f;* убогость *f*

means test [mi:nz-] *n (админ.)* проверка доходов *(при получении социального пособия)*

meantime ['mi:ntaim] *adv (also:* **in the ~)** тем временем, между тем

measles ['mi:zlz] *(употр. с гл. в ед. ч.)* корь

measly ['mi:zlɪ] *adj* жалкий

measurable ['meʒərəbl] *adj* измеримый

measure ['meʒə] *vt* измерять ✧ *n* мера; порция; *(also: tace ~)* рулетка; сантиметр; мерило; критерий ✧ *vi:* **the room ~s 10 feet by 20** площадь этой комнаты 10 футов на 20; **in some/great ~** в какой-то/значительной мере; **a litre ~** литровый сосуд; **to take ~s (to do)** принимать меры

measured ['meʒəd] *adj* сдержанный; размеренный; взвешенный

measurement ['meʒəmənt] *n* размер; измерение; **chest/hip ~** объем груди/бедер

measurements ['meʒəmənts] *npl* размеры *mpl;* **to take sb's ~** снимать с кого-н. мерки

measure up *vi:* **to ~ up to** отвечать; оправдывать

meat [mi:t] *n* мясо; **cold ~s** холодные мясные закуски *fpl;* **crab ~** мясо краба

meatball ['mi:tbɔ:l] *n* фрикаделька

meat pie *n* пирог с мясом

meaty ['mi:tɪ] *adj* мясистый; мясной; содержательный

mechanic [mɪ'kænɪk] *n* механик

mechanical [mɪ'kænɪkl] *adj* механический

mechanical engineering *n* машиностроение

mechanics [mɪ'kænɪks] *n (физ.)* механика ✧ *npl* механика *fsg*

mechanism ['mekənɪzəm] *n* механизм

mechanization ['mekənaɪ'zeɪʃən] *n* механизация

mechanize ['mekənaɪz] *vt* механизировать ✧ *vi* проводить механизацию

meddle [medl] *vi:* **to ~ in** вмешиваться в; **to ~ with sth** вторгаться в что-н.

meddlesome ['medlsəm] *adj* назойливый

media ['mi:dɪə] *n or npl:* **the ~** средства *ntpl* массовой информации ✧ *npl see* **medium**

mediaeval [medɪ'i:vl] *adj* = **medieval**

median ['mi:dɪən] *n* медиана

media research *n* исследование *or* опрос средствами массовой информации

mediate ['mi:dɪeɪt] *vi* посредничать

mediation [mi:dɪ'eɪʃən] *n* посредничество

mediator ['mi:dɪeɪtə] *n* посредник(-ица)

medical ['medɪkl] *adj* медицинский ✧ *n* медосмотр = *медицинский осмотр*

medical certificate *n* медицинская справка

medical examiner *n* судебно-медицинский эксперт

medicated ['medɪkeɪtɪd] *adj* содержащий лекарственное вещество

medication [medɪ'teɪʃən] *n* лекарства,

M

лекарственный препарат; **to be on ~** проходить лекарственную терапию
medicinal [me'dɪsɪnl] *adj* лекарственный; лечебный
medicine ['medsɪn] *n* медицина; лекарство
medicine ball *n (спорт.)*= гиря
medicine chest *n* аптечка
medicine man *n* знахарь *m*
medieval [medɪ'i:vl] *adj* средневековый
mediocre [mi:dɪ'əukə] *adj* заурядный, посредственный
mediocrity [mi:dɪ'ɔkrɪtɪ] *n* заурядность *f*, посредственность *f*
meditate ['medɪteɪt] *vi* размышлять; *(рел.)* заниматься медитацией
meditation [medɪ'teɪʃən] *n* размышление; медитация
medium ['mi:dɪəm] *adj* средний ✧ *n* средство; материал; среда; **a happy ~** золотая середина
medium-dry ['mi:dɪəm'draɪ] *adj* полусухой
medium-sized ['mi:dɪəm'saɪzd] *adj* средней величины
medium wave *n (радио)* средние волны *fpl*
medley ['medlɪ] *n* смесь *f; (муз.)* попурри *ind*
meek [mi:k] *adj* кроткий
meet [mi:t] *vt* встречать; выполнять; сталкиваться с; удовлетворять; оплачивать ✧ *vi* встречаться; пересекаться ✧ *n* сбор; *(спорт.)* встреча; **pleased to ~ you!** рад (с Вами) познакомиться!, очень приятно!
meeting ['mi:tɪŋ] *n* встреча; собрание; *(полит. also:* **mass ~)** митинг; **she's at a ~** она на заседании; **to call a ~** созывать собрание
meeting place *n* место встречи
meet up *vi* : **to ~ up with sb** сходиться с кем-н.
meet with *vt fus* сталкиваться с; пользоваться; находить
megadrive ['megədraɪv] *n* мегадрайв *(игровая система)*
megalomania [megələ'meɪnɪə] *n* мания величия
mellow ['meləu] *adj* бархатистый; мягкий; *приобретший с годами гладкую поверхность и мягкий цвет* ✧ *vi* смягчаться
melodious [mɪ'ləudɪəs] *adj* мелодичный
melodrama ['meləudrɑ:mə] *n* мелодрама
melody ['melədɪ] *n* мелодия
melon ['melən] *n* дыня
melt [melt] *vi* плавиться; таять ✧ *vt* плавить; топить
melt down *vt* расплавлять
meltdown ['meltdaun] *n* расплавление стержня *(в атомном реакторе)*
melting point ['meltɪŋ-] *n* точка плавления
melting pot *n* смешение; **to be in the ~~** вариться в одном котле
member ['membə] *n (анат.)* член ✧ *cpd:* **~ country** *or* **state** государство-член; **M~ of Parliament** член парламента
membership ['membəʃɪp] *n* члены; членство; число членов
membership card *n* членский билет
memento [mə'mentəu] *n* сувенир
memo ['meməu] *n (админ.)* докладная записка; отношение; записка
memoir ['memwɑ:] *n* биографический очерк
memoirs ['memwɑ:z] *npl* мемуары *pl*
memo pad *n* записная книжка
memorable ['memərəbl] *adj* памятный
memorandum [,memə'rændəm] заметка; памятная записка, меморандум
memorial [mɪ'mɔ:rɪəl] памятник; историческая хроника
memorize ['meməraɪz] *vt* заучивать (наизусть)
memory ['memərɪ] *n* память *f no pl; (комп.)* память *f*, запоминающее устройство; воспоминание; **in ~ of** в память; **I have a good/ bad ~** у меня хорошая/плохая память; **loss of ~** потеря памяти
men's room *n:* **the ~~** мужская раздевалка
menace ['menɪs] *n* угроза; наказание ✧ *vt* угрожать, грозить; **a public ~** угроза обществу
menacing ['menɪsɪŋ] *adj* угрожающий

menagerie [mɪ'nædʒərɪ] *n* зверинец
mend [mend] исправлять, чинить; штопать *(чулки и т.п.);* ремонтировать *(дорогу и т.п.);* улучшаться
mendacious [men'deɪʃəs] лживый; ложный
mendacity [men'dæsɪtɪ] лживость
mending ['mendɪŋ] *n* ремонт; починка
menial ['mi:nɪəl] *adj* черный
meningitis [menɪn'dʒaɪtɪs] *n* менингит
menopause ['menəupɔ:z] *n:* **the ~** климактерический период; климакс
menstrual ['menstruəl] *adj* менструальный
menstruate ['menstrueɪt] *vi* менструировать
menstruation [menstru'eɪʃən] *n* менструация
menswear ['menzweə] *n* мужская одежда
mental ['mentl] *adj* умственный; мысленный; душевный, психический; в уме; **~ healthcare** забота о душевнобольных
mental hospital *n* психиатрическая больница
mentality [men'tælɪtɪ] *n* менталитет, умонастроение; склад ума
mentally ['mentlɪ] *adv* умственно; мысленно; **~ ill** душевнобольной
mentally handicapped *adj* умственно отсталый
menthol ['menθɔl] *n* ментол
mention ['menʃən] *n* упоминание ✧ *vt* упоминать; **don't ~ it!** ничего!, не за что!; **I need hardly ~ that...** вряд ли стоит упоминать, что ...; **not to ~ .., without ~ing ...** не говоря уже о ...
mentor ['mentɔ:] *n* наставник
menu ['menju:] *n (комп.)* меню *nt ind*
menu-driven ['menju:drɪvn] *adj (комп.)* управляемый меню
mercantile ['mə:kəntaɪl] *adj* торговый
mercenary ['mə:sɪnərɪ] *adj* корыстный ✧ *n* наемник
merchandise ['mə:tʃəndaɪz] *n* товары *npl*
merchandiser ['mə:tʃəndaɪzə] *n* торговец
merchant ['mə:tʃənt] *n* торговец, купец; **timber/wine ~** торговец лесом/вином
merchant bank *n* торговый банк
merchantman ['mə:tʃəntmən] *irreg n* торговое судно
Merchant Navy *n* торговый флот
merciful ['mə:sɪful] *adj* милосердный; благой
mercifully ['mə:sɪflɪ] *adv* милосердно; к счастью
merciless ['mə:sɪlɪs] *adj* беспощадный
mercurial [mə:'kjuərɪəl] *adj* изменчивый
mercury ['mə:kjurɪ] ртуть
mercy ['mə:si] *n* милосердие; **to have ~ on sb** проявлять милосердие к кому -н.; **to be at sb's ~** быть во власти кого-н.
mercy killing *n* убийство из милосердия
mere [mɪə] *adj:* **she's a ~ child** она всего лишь ребенок; **his ~ presence irritates her** само его присутствие раздражает ее; **by a ~ chance** по чистой случайности
meredian [mə'rɪdɪən] *n* меридиан
merely ['mɪəlɪ] *adv* просто; только
merge [mə:dʒ] *vt (комп.)* сливать, объединять ✧ *vi (комм.)* сливаться; сходиться
merger ['mə:dʒə] *n (комм.)* слияние
meringue [mə'ræŋ] *n* безе *nt ind*
merit ['merɪt] *n* достоинство ✧ *vt* заслуживать; **to judge sth on its ~s** оценивать что-н. по достоинству
mermaid ['mə:meɪd] *n* русалка
merrily ['merɪlɪ] *adv* весело
merriment ['merɪmənt] *n* веселье
merry ['merɪ] *adj* веселый; **M~ Christmas!** С Рождеством!
mesh [meʃ] *n* сеть *f;* **wire ~** проволочная сетка
mesmerize ['mezməraɪz] *vt* гипнотизировать
mess [mes] *n* беспорядок; неразбериха; грязь *f; (воен.)* столовая *f adj;* **to be in a ~** быть в беспорядке; **to get o.s. into a ~** влипать; **my life is in a real ~** у меня

в жизни все идет вверх дном
mess about *vi* дурачиться, валять дурака
mess about with *vt fus* возиться с
message ['mesɪdʒ] *n* сообщение; записка; идея; **to leave sb a ~** оставлять кому-н. записку; **can I give him a ~ ?** ему что-нибудь передать?; **he got the ~** до него дошло
message switching [-'swɪtʃɪŋ] *n (комп.)* коммутация сообщений
mess around *vi* = **mess about**
mess around with *vt fus* = **mess about with**
messenger ['mesɪndʒə] *n* курьер, посыльный *m adj*
mess up *vt* портить; пачкать
messy ['mesɪ] *adj* неубранный; грязный
metabolism [me'tæbəlɪzəm] *n* метаболизм, обмен веществ
metal fatigue *n* усталость *f* металла
metalled ['metld] *adj:* **~ road** дорога, с щебеночным покрытием
metallic [mɪ'tælɪk] *adj* металлический
metallurgy [me'tælədʒɪ] *n* металлургия
metalwork ['metlwə:k] *n* работа по металлу
metamorphosis [metə'mɔ:fəsɪs] *n* метаморфоза
metaphisics [metə'fizɪks] *n* метафизика
metaphor ['metəfɔ] *n* метафора
metaphorical [metə'fɔrɪkl] *adj* метафорический
meteorite ['mi:tɪəraɪt] *n* метеорит
meteorology [mi:tɪə'rɔlədʒɪ] *n* метеорология
mete out [mi:t-] *vt* отмерять
meter ['mi:tə] *n* счетчик; = **metre**
methane ['mi:θeɪn] *n* метан
method ['meθəd] *n* метод, способ; **~ of payment** способ оплаты
methodical [mɪ'θɔdɪkl] *adj* методичный
Methodist ['meθədɪst] *n (рел.)* методист
methodology [meθə'dɔlədʒɪ] *n* методология
methylated spirit ['meθɪleɪtid-] *n* денатурат
meticulous [mɪ'tɪkjúləs] *adj* тщательный
metre I ['mi:tə] метр *(мера)*
metre II размер, ритм
metric ['metrɪk] *adj* метрический; **to go ~** переходить на метрическую систему мер
metrical ['metrɪkl] *adj* метрический
metrication [metrɪ'keɪʃən] *n* введение метрической системы мер
metric system *n* метрическая система мер
metronomo ['metrənəum] *n* метроном
metropolitan [metrɔ'pɔlɪtn] *adj* столичный
metrpolis [mɪ'trɔpəlɪs] *n* столица
mettle ['metl] *n:* **to show one's ~** проявлять (свой) характер
mew [mju:] *n* мяукать
mezzanino ['metsəni:n] *n (also:* **~ floor)** мезонин, полуэтаж
mica ['maɪkə] слюда
microlight ['maɪkrəulaɪt] *n* сверхлегкий самолет
microwave ['maɪkrəuweɪv] *n (also:* **~ oven)** микроволновая печь *f*
mid [mɪd] *adj:* **in ~ May/afternoon** в середине мая/дня; **in ~ air** в воздухе; **he's in his ~ thirties** ему за тридцать
midday [mɪd'deɪ] *n* полдень *m*
middle ['mɪdl] *n* середина; пояс ✧ *adj* средний; **in the ~ of the night** посреди ночи; **I'm in the ~ of reading it** я как раз сейчас это читаю
middle age *n* средний возраст
middle-aged [mɪdl'eɪdʒd] *adj* средних лет
Middle Ages *npl:* **the ~~** средние века
middle class *n:* **the ~~** средний класс
middle-class [mɪdl'kla:s] *adj* принадлежащий к среднему классу
middleman ['mɪdlmæn] *n* посредник
middle management *n* среднее руководящее звено
middle name *n* второе имя
middleweight ['mɪdlweɪt] *n* боксер среднего веса
middling ['mɪdlɪŋ] *adj* средний
midge [mɪdʒ] *n* мошка
midget ['mɪdʒɪt] *n* карлик
midnight ['mɪdnaɪt] *n* полночь ✧ *cpd*

M

полночный; **at ~** в полночь
midriff [ˈmɪdrɪf] *n* живот
midst [mɪdst] *n:* **in the ~ of** посреди
midsummer [mɪdˈsʌmə] *n* середина лета; **M~'s Day** день летнего солнцестояния
midway [mɪdˈweɪ] *adv:* **~ (between)** на полпути (между); **~ through** в середине; **to turn back ~** вернуться с полпути
midweek [mɪdˈwiːk] *adj, adv* в середине недели
midwife [ˈmɪdwaɪf] *n* акушерка
midwifery [ˈmɪdwɪfərɪ] *n* акушерство
midwinter [mɪdˈwɪntə] *n* середина зимы
miffed [mɪft] *adj* обиженный
might [maɪt] *vb see* **may** ✧ *n* мощь
mighty [ˈmaɪtɪ] *adj* мощный
migraine [miːgreɪn] *n* мигрень
migrant [ˈmaɪgrənt] *adj* перелетный ✧ *n* перелетная птица; переселенец(-нка) **~ worker** рабочий-мигрант
migrate [maɪˈgreɪt] *vi* мигрировать
migration [maɪˈgreɪʃən] *n* миграция
mild [maɪld] *adj* мягкий; легкий; незначительный
mildew [ˈmɪldjuː] *n* плесень
mildly [ˈmaɪldlɪ] *adv* мягко; легко; слегка; **to put it ~** мягко говоря
mildness [ˈmaɪldnɪs] *n* мягкость; легкость; незначительность
mile [maɪl] *n* миля; **this car does 30 ~s to the gallon** этот автомобиль затрачивает галлон бензина каждые 30 миль; **~s better** намного лучше
mileage [ˈmaɪlɪdʒ] *n* пробег в милях; расстояние в милях
mileage allowance *n* покрытие дорожных расходов *(в расчете на каждую милю)*
milestone [ˈmaɪlstəun] *n* километровый столб; веха
milieu [ˈmiːljəː] *n* среда
militant [ˈmɪlɪtnt] *adj* воинствующий ✧ *n* радикал
military [ˈmɪlɪtərɪ] *adj* военный ✧ *n:* **the ~** военные
military police *n* военная полиция
military service *n* военная служба
militate [ˈmɪlɪteɪt] *vi:* **to ~ against** препятствовать
militia [mɪˈlɪʃə] *n (воен.)* (народное) ополчение
milk [mɪlk] *n* молоко ✧ *vt* доить; эксплуатировать
milk chocolote *n* молочный шоколад
milk float *n* молочный фургон
milking [ˈmɪlkɪŋ] *n* доение
milkman [ˈmɪlkmən] *n* разносчик молока
milk shake *n* молочный коктейль
milk tooth *n* молочный зуб
milky *adj* молочный
Milky Way *n:* **the ~~** Млечный путь
mill [mɪl] *n* мельница; фабрика; завод *(also:* **coffee ~)** кофемолка ✧ *vt* молоть ✧ *vi (also:* **~ about)** толочься
millennium [mɪˈlenɪəm] *n* тысячелетие
miller [ˈmɪlə] *n* мельник
millet [ˈmɪlɪt] *n* пшено
millinery [ˈmɪlɪnərɪ] *n* дамские шляпы
millionaire [mɪljəˈneə] *n* миллионер
millipede [ˈmɪlɪpiːd] *n* тысяченожка
millstone [ˈmɪlstəun] *n:* **a ~ around one's neck** камень на шее
millwheel [ˈmɪlwiːl] *n* мельничное колесо
mime [maɪm] *n* пантомима; *(also:* **~ artist)** мим ✧ *vt* изображать жестами
mimic [ˈmɪmɪk] **1.** *a* подражательный **2.** *n* имитатор; *перен.* обезьяна **3.** *v* имитировать
mimicry [ˈmɪmɪkrɪ] *n* имитация
minaret [mɪnəˈret] *n* минарет
mince [mɪns] *vt* пропускать через мясорубку ✧ *vi* семенить ✧ *n* (мясной) фарш; **he doesn't ~ (his) words** он не выбирает выражений
mincemeat [ˈmɪnsmiːt] *n* начинка из сухофруктов *(для пирожков);* (мясной) фарш; **to make ~ of sb** разбивать кого-н. в пух и прах
mincer [ˈmɪnsə] *n* мясорубка
mincing [ˈmɪnsɪŋ] *adj* семенящий; жеманный
mind [maɪnd] *n* ум; голова ✧ *vt* смотреть за; **I don't ~ the noise** меня

M

не беспокоит шум; **to be out of one's** быть не своем уме; **it's constantly on my ~** это не выходит из головы; **to keep** *or* **bear sth in ~** помнить что-н., иметь что-н.в виду; **to make up one's ~** решаться; **to change one's ~** передумывать; **to my ~ ...** по моему мнению ...; **to be in two ~s about sth** сомневаться в чем-н.; **to have in ~ to do** намереваться; **I have somebody in ~** у меня есть кое-кто на примете; **it went right out of my ~** это совсем вылетело у меня из головы; **to bring** *or* **~ call to** напоминать о; **he doesn't ~ the cold** она не боится холода; **do you ~ if...?** Вы не возражаете, если ...?; **I don't ~** мне все равно; **~ you, ..** имейте в виду ...; **never ~!** ничего!; **"mind the step"** "осторожно, не споткнитесь"

mind-boggling ['maɪndbɔglɪŋ] *adj* уму не постижимый

minder ['maɪndə] *n* няня; телохранитель

mindful ['maɪndful] *adj:* **to be ~ of** иметь в виду

mindless ['maɪndlɪs] *adj* бездумный; механический

mine I [maɪn] *pron* **1.** мой; **that book is mine** эта книга моя, это моя книга; **this is mine** это мое; **an uncle of mine** мой дядя **2.** свой; **may I borrow your pen? I have forgetten mine** можно взять Вашу ручку? я забыл свою

mine II [maɪn] *n* шахта; прииск; рудник; мина ✧ *vt* добывать; минировать

mine detector *n* миноискатель

minefield ['maɪnfi:ld] *n* минное поле

miner ['maɪnə] *n* шахтер

mineral ['mɪnərəl] *n* минерал; полезное ископаемое ✧ *adj* минеральный; **~s** *npl* прохладительные напитки

mineralogy [mɪnə'rælədʒɪ] *n* минералогия

mineral water *n* минеральная вода

minesweeper ['maɪnswi:pə] *n* минный тральщик

mingle ['mɪŋgl] *vi:* **to ~ with** смешиваться с

mingy ['mɪŋdʒɪ] *adj* прижимистый; мизерный

miniature ['mɪnətʃə] *adj* миниатюрный ✧ *n* миниатюра

minibus ['mɪnɪbʌs] *n* микроавтобус

minicab ['mɪnɪkæb] *n* такси

minim ['mɪnɪm] *n* половинная нота

minimal ['mɪnɪml] *adj* минимальный

minimalist ['mɪnɪməlɪst] *adj* минималист

minimize ['minɪmaɪz] *vt* сводить к минимуму; преуменьшать

minimum lending rate *n* минимальная ссудная ставка

mining ['maɪnɪŋ] *n* добыча; горное дело; угольная промышленность ✧ *cpd* горнодобывающий; шахтерский

minion ['mɪnjən] *n* подчиненный

mini-series ['mɪnɪsɪəri:z] *n* минисериал

miniskirt ['mɪnɪskə:t] *n* миниюбка

minister ['mɪnɪstə] *n (полит.)* министр; *(рел.)* священник ✧ *vi:* **to ~ to** служить

ministerial [mɪnɪs'tɪərɪəl] *adj (полит.)* министерский; **~ post** пост министра

ministry ['mɪnɪstrɪ] *n (полит.)* министерство; *(рел.):* **to go into the ~** принимать духовный сан

Ministry of Defence *n* Министерство обороны

mink [mɪŋk] *n* норка

mink coat *n* норковая шуба

minnow ['mɪnəu] *n* пескарь

minor ['maɪnə] *adj* незначительный; мелкий; *(муз.)* минорный ✧ *n (юрид.)* несовершеннолетний

minority [maɪ'nɔrɪtɪ] *n* меньшинство; **to be in a ~** быть в меньшинстве; **~ interest** *(комм.)* неконтрольный пакет акций

minster ['mɪnstə] *n* собор

minstrel ['mɪnstrəl] *n* менестрель

mint I [mɪnt] *бот.* мята

mint II 1. *n* монетный двор ✧ **~ of money** куча денег; **~ of trouble** куча неприятностей **2.** *v* чеканить *(монету);* создавать *(новое слово, выражение)*

mint sauce *n* соус из мяты

M

minuet [mɪnjuˈet] *n* менуэт
minuscule [ˈmɪnəskjuːl] *adj* крохотный, крошечный
minute I [maɪˈnjuːt] *adj* тщательный; **In ~ detail** до малейших подробностей
minute II [mɪnɪt] *n* минута; запись; **~s** *npl* протокол; **it's five ~s past three** сейчас пять минут четвертого; **wait a ~!, just a ~!** подождите минуточку!; **up to the ~** самый последний; новейший; **at the last ~** в последнюю минуту
minute book *n* книга протоколов
minute hand *n* минутная стрелка
minutely [maɪˈnjuːtlɪ] *adv* едва заметно; подробно, подробнейшим образом
minutiae [mɪˈnjuːʃiː] *npl* мельчайшие детали
miracle [ˈmɪrəkl] *n* чудо
miraculous [mɪˈrækjuləs] *adj* чудесный
mirage [ˈmɪrɑːʒ] *n* мираж
miro [ˈmaɪə] *n* трясина
mirror [ˈmɪrə] *n* зеркало; *(also:* **hand ~)** зеркальце ✧ *vt* отражать
mirror image *n* зеркальное отражение
mirth [məːθ] *n* веселье
misadventure [ˈmɪsədˈventʃə] несчастье
misapply [mɪsəˈplaɪ] *vt* неправильно применять
misapprehension [ˈmɪsæprɪˈhenʃən] *n* ложное представление
misappropriate [mɪsəˈprəuprɪeɪt] *vt* незаконно присваивать
misbehave [mɪsbɪˈheɪv] *vi* плохо себя вести
misbehaviour [mɪsbɪˈheɪvjə] *n* плохое поведение
miscalculate [mɪsˈkælkjuleɪt] *vt* неверно оценивать ✧ *vi* просчитываться
miscalculation [ˈmɪskælkjuˈleɪʃən] *n* просчет
miscarriage [ˈmɪskærɪdʒ] *n (мед.)* выкидыш; *(юрид.):* **~ of justice** судебная ошибка
miscarry [mɪsˈkærɪ] *vi* не удаваться
miscellaneous [mɪsɪˈleɪnɪəs] *adj* разнородный; разнообразный; **~ expenses** мелкие расходы; **~ files** разное
mischance [mɪsˈtʃɑːns] *n* невезение; **by (some) ~** по несчастной случайности
mischief [ˈmɪstʃɪf] *n* озорство; зло; **to get into ~** проказничать; **to do sb a ~** причинять кому-н. зло
mischievous [ˈmɪstʃɪvəs] *adj* озорной; злобный
misconstrue [mɪskənˈstruː] *vt* неверно истолковывать
miscount [mɪsˈkaunt] *vt* неверно считать ✧ *vi* ошибаться в подсчетах
misdeed [ˈmɪsˈdiːd] злодеяние
misdemeanour [ˌmɪsdɪˈmiːnə] проступок
misdirect [mɪsdɪˈrekt] *vt* ошибочно направлять; неправильно адресовать
miser [ˈmaɪzə] скряга, скупец
miserable [ˈmɪzərəbl] *adj* несчастный; скверный; жалкий; позорный; **to feel ~** чувствовать себя очень плохо; **she looked ~** у нее был несчастный вид
miserably [ˈmɪzərəblɪ] *adv* скудно; жалко; ничтожно; позорно
miserly [ˈmaɪzəlɪ] *adj* скупой; мизерный
misery [ˈmɪzərɪ] страдание, несчастье; *перен.* горе, нищета
misfire [ˈmɪsˈfaɪə] **1.** *n* осечка **2.** *v* давать осечку
misfit [ˈmɪsfɪt] плохо сидящее платье; *разг.* неудачник
misfortune [mɪsˈfɔːtʃən] несчастье; неудача
misgiving [mɪsˈgɪvɪŋ] дурное предчувствие; опасение
mishap [ˈmɪshæp] *n* неприятность
mishear [mɪsˈhɪə] *vt* не расслышать ✧ *vi* ослышаться
mishmash [ˈmɪʃmæʃ] *n* неразбериха
misinform [mɪsɪnˈfɔːm] *vt* неверно информировать; дезинформировать
misinterpret [mɪsɪnˈtəːprɪt] *vt* неверно интерпретировать *или* истолковывать
misinterpretation [ˈmɪsɪntəːprɪˈteɪʃən] *n* неверная интерпретация
mislay [mɪsˈleɪ] *vt* девать

M

mislead [mɪs'li:d] *vt* вводить в заблуждение
misleading [mɪs'li:dɪŋ] *adj* обманчивый
mismanage [mɪs'mænɪdʒ] *vt* неумело руководить; неумело справляться с
mismanagement [mɪs'mænɪdʒmənt] *n* неумелое руководство; неумелое решение
misnomer [mɪs'nəumə] *n* неправильное название
misogynist [mɪ'sɔdʒɪnɪst] *n* женоненависник
misplace [mɪs'pleɪs] *vt* девать
misplaced [mɪs'pleɪst] *adj* неуместный
misprint ['mɪsprɪnt] *n* опечатка
mispronounce [mɪsprə'nauns] *vt* неправильно произносить
misquote ['mɪs'kwəut] *vt* неверно цитировать
misread [mɪs'ri:d] *vt* неправильно читать
misrepresent [mɪsreprɪ'zent] *vt* преподносить в ложном свете
misrepresentation [mɪsreprɪzen'teɪʃən] *n* искажение; *(юрид.)* умышленный обман
misrule ['mɪs'ru:l] плохое управление
miss [mɪs] *vt* пропускать; не попадать в; обнаруживать пропажу; скучать по; упускать ✧ *vi* промахиваться; не достигать цели ✧ *n* промах; **you can't ~ my house** мой дом невозможно не заметить; **the bus just ~ed the wall** автобус чуть не врезался в стену; **I ~ him** я скучаю по нему; **nobody will ~ us** никто не заметит, что нас нет; **you're ~ing the point** Вы не понимаете сути дела
missal ['mɪsl] *n* молитвенник
misshapen [mɪs'ʃeɪpən] *adj* деформированный
missile ['mɪsaɪl] *n (воен.)* ракета; **demonstrators threw ~s at the police** демонстранты забрасывали полицию различными предметами
missile base *n* ракетная база
missile launcher [-'lɔ:ntʃə] *n* ракетная пусковая установка
missing ['mɪsɪŋ] *adj* пропавший; недостающий; **who is ~ today?** кто сегодня отсутствует?; **to be ~, go ~** пропадать без вести; **~person** пропавший без вести
mission ['mɪʃən] *n (полит., рел.)* миссия; *(воен.)* задание; **on a ~ to sb** с миссией к кому-н.
missionary ['mɪʃənrɪ] *n* миссионер
missive ['mɪsɪv] *n* послание
miss out *vt* пропускать
miss out on *vt fus* пропускать; упускать
misspell ['mɪs'spel] *vt* писать с ошибками
misspent ['mɪs'spent] *adj:* **a ~ youth** растраченная юность
mist [mɪst] *n* туман; дымка ✧ *vi (also:* **~ over)** затуманиваться; запотевать
mistake [mɪs'teɪk] *n* ошибка ✧ *vt* ошибаться в; неправильно понимать; **by ~** по ошибке; **to make a ~** ошибаться, делать ошибку; **to make a ~ about sb/sth** ошибаться в ком-н./чем-н.; **to ~ A for B** принимать А за Б
mistaken [mɪs'teɪkən] *pp of* **mistake** ✧ *adj* ошибочный; **to be ~** ошибаться
mistaken identity *n:* **a case of ~~** случай ошибочного опознания
mistakenly [mɪs'teɪkənlɪ] *adv* ошибочно
mister ['mɪstə] *(в письменном обращении всегда Mr.)* мистер, господин
mistletoe ['mɪsltəu] *n (бот.)* омела
mistranslation [mɪstræns'leɪʃən] *n* неправильный перевод
mistreat [mɪs'tri:t] *vt* плохо обращаться с
mistress ['mɪstrɪs] *n* любовница; хозяйка; *(просвещ.)* учительница
mistrust [mɪs'trʌst] *vt* не доверять, испытывать недоверие к ✧ *n:* **~ (of)** недоверие (к)
mistrustful [mɪs'trʌstful] *adj* недоверчивый; **to be ~ of** не доверять
misty ['mɪstɪ] *adj* туманный; затуманенный; запотевший
misty-eyed ['mɪstɪ'aɪd] *adj* с глазами полными слез; с затуманенным взглядом

misunderstand [mɪsʌndəˈstænd] *vt* неправильно понимать ✧ *vi* не понимать

misunderstanding [mɪsʌndəˈstændɪŋ] *n* недоразумение

misuse [mɪsˈju:s] *n* злоупотребление; неправильное употребление ✧ *vt* злоупотреблять; неправильно употреблять

mite [maɪt] скромная лепта; крошка *(о ребенке)*

mitigate [ˈmɪtɪgeɪt] *vt* смягчать; **mitigating circumstances** смягчающие обстоятельства

mitigation [mɪtɪˈgeɪʃən] *n* смягчение; **in ~** *(юрид.)* в оправдание

mitre [ˈmaɪtə] *n* митра; *(also:* **~ joint)** соединение в ус

mitten [ˈmɪtn] *n* варежка, рукавица

mix [mɪks] *vt* замешивать ✧ *n* смесь ✧ *vi:* **to ~ (with)** обращаться (с); **to ~ sth (with sth)** смешивать что-н. (с чем-н.) ; **to ~ business with pleasure** сочетать приятное с полезным; **cake ~** готовая смесь для торта

mixed [mɪkst] *adj* смешанный

mixed-ability [ˈmɪkstəˈbɪlɪtɪ] *adj* с разными способностями

mixed bag *n* разношерстная группа; всего понемножку

mixed doubles *npl* игра смешанных пар

mixed economy *n* смешанная экономика

mixed grill *n ассорти из жаренного мяса и овощей*

mixed marrige *n* смешанный брак

mixed-up [mɪkstˈʌp] *adj* сбитый с толку

mixer [ˈmɪksə] *n* миксер; смеситель; **she is a good ~** она очень общительна

mixer tap *n* кран со смесителем

mix in *vt* вмешивать

mixture [ˈmɪkstʃə] *n* смесь; *(мед.)* микстура

mix up *vt* перемешивать; путать; **to get ~ed up in sth** впутываться во что-н.; **he's ~ed up in this business too** он тоже замешан в этом деле

mix-up [ˈmɪksʌp] *n* путаница

moan [məun] *n* стон ✧ *vi:* **to ~ (about)** ныть (о)

moaner [ˈməunə] *n* нытик

mob [mɔb] *n* толпа; компания ✧ *vt* осаждать

mobile [ˈməubaɪl] *adj* подвижный; мобильный ✧ *n* подвесное декоративное украшение; **applicants must be ~** кандидаты должны быть готовы к смене местожительства

mobile home *n* дом на колесах

mobile phone *n* портативный телефон

mobile shop *n* автолавка

mobility [məuˈbɪlɪtɪ] *n* подвижность; мобильность; готовность менять местожительство

mobilize [ˈməubɪlaɪz] *vt* мобилизовать ✧ *vi* мобилизоваться

mock [mɔk] *vt* издеваться над; насмехаться над ✧ *adj* ложный; притворный; **~ (exam)** пробный экзамен *(для подготовки к основному);* **~ battle** инсценировка боя

mockery [ˈmɔkərɪ] *n* издевательство; **to make a ~ of sb/sth** выставлять кого-н./что-н. на посмешище

mocking [ˈmɔkɪŋ] *adj* издевательский

mockingbird [ˈmɔkɪŋbə:d] *n* пересмешник

mock-up [ˈmɔkʌp] *n* макет

mode [moud] образ действия; мода, обычай

model [ˈmɔdl] *n* модель, макет; *(also:* **fashion ~)** манекенщик(-ица); *(also:* **artist's ~)** натурщик(-ица) ✧ *adj* модельный; образцовый ✧ *vt* демонстрировать; лепить ✧ *vi* позировать; **to ~ o.s. on** копировать

modeller [ˈmɔdlə] *n* моделист(ка)

model railway *n* макет железной дороги

moderate [ˈmɔdərət] *adj* умеренный; незначительный ✧ *n* человек умеренных взглядов ✧ *vt* умерять ✧ *vi* утихать

moderately [ˈmɔdərətlɪ] *adv* умеренно; **~ expensive/pleased** довольно дорого/рад; **~ priced** по умеренной цене

moderation [mɔdəˈreɪʃən] *n* умеренность; **in ~** у умеренных количествах

moderator [ˈmɔdəreɪtə] *n* посредник; председатель

modern [ˈmɔdən] *adj* современный; **~ languages** современные языки

modernization [mɔdənaɪˈzeɪʃən] *n* модернизация

modernize [ˈmɔdənaɪz] *vt* модернизировать

modest [ˈmɔdɪst] *adj* скромный

modestly [ˈmɔdɪstlɪ] *adv* скромно

modesty [ˈmɔdɪstɪ] *n* скромность

modicum [ˈmɔdɪkəm] *n:* **a ~ of** толика

modification [mɔdɪfɪˈkeɪʃən] *n* модификация; видоизменение; **to make ~s to** вносить видоизменения в

modify [ˈmɔdɪfaɪ] *vt* модифицировать; видоизменять

modish [ˈməudɪʃ] *adj* модный

modular [ˈmɔdjulə] *adj* модульный

modulate [ˈmɔdjuleɪt] *vt* модулировать

modulation [mɔdjuˈleɪʃən] *n (муз., радио)* модуляция

module [ˈmɔdju:l] *n* модуль; отсек; *(просвещ.)* курс

modus operandi [ˈməudəsɔpəˈrændi:] *n* принцип работы

mogul [ˈməugl] *n* магнат

moist [mɔɪst] *adj* влажный

moisten [ˈmɔɪsn] *vt* увлажнять; облизывать; мочить

moisture [ˈmɔɪstʃə] *n* влага

moisturizer [ˈmɔɪstʃəraɪzə] *n* увлажняющий крем

molar [ˈməulə] *n* коренной зуб

molasses [məuˈlæsɪz] *n* патока

mole I [moul] родинка

mole II *зоол.* крот

mole III мол; дамба

molecular [məuˈlekjulə] *adj* молекулярный

molecule [ˈmɔlɪkju:l] *n* молекула

molehill [ˈməulhɪl] *n* кротовая нора

molest [məˈlest] *vt* надругаться над; травить

mollusc [ˈmɔləsk] *n* моллюск

molten [ˈməultən] *adj* расплавленный

momentarily [ˈməuməntrɪlɪ] *adv* на мгновение; в любой момент

momentary [ˈməuməntərɪ] *adj* мгновенный

momentous [məuˈmentəs] *adj* важнейший

momentum [məuˈmentəm] *n (физ.)* импульс; движущая сила; **to gather** *or* **gain ~** набирать силу

monarch [ˈmɔnək] *n* монарх

monarchist [ˈmɔnəkɪst] *n* монархист

monarchy [ˈmɔnəkɪ] *n* монархия

monastery [ˈmɔnəstərɪ] *n* монастырь

monastic [məˈnæstɪk] *adj* монашеский; монастырский

monbid [ˈmɔ:bɪd] болезненный

Monday [ˈmʌndɪ] *n* понедельник

monetary [ˈmʌnɪtərɪ] монетный, денежный

money [ˈmʌnɪ] *n* деньги; **to make ~** зарабатывать; приносить доход; **danger ~** надбавка за вредность; **I've got no ~ left** у меня совсем не осталось денег

moneyed [ˈmʌnɪd] *adj* денежный

moneylender [ˈmʌnɪlendə] *n* ростовщик

money-maker [ˈmʌnɪmeɪkə] *n* крупный делец; прибыльное дело

moneymaking [ˈmʌnɪmeɪkɪŋ] *adj* прибыльный

money market *n* денежный рынок

money order *n* денежный перевод

money-spinner [ˈmʌnɪspɪnə] *n:* **this business/idea will be a real ~** этот бизнес/эта идея будет делать большие деньги

money supply *n* денежная масса

mongoose [ˈmɔŋgu:s] *n* мангуст

mongrel [ˈmʌŋgrəl] **1.** *n* дворняжка, помесь; ублюдок **2.** *a* нечистокровный

monitor [ˈmɔnɪtə] *n* монитор ◊ *vt* контролировать; наблюдать за; следить за; прослушивать

monk [mʌŋk] *n* монах

monkey [ˈmʌŋkɪ] *n* обезьяна

monkey business *n* проделки

monkey nut *n* арахис

monkey wrench *n* разводной гаечный ключ

monochrome [ˈmʌnəkrəum] *adj* черно-белый; *(комп.)* монохромный

monogamous [mɔˈnɔgəməs] *adj* моногамный

monogamy [mɔˈnɔgəmɪ] *n* моногамия,

единобрачие

monopolize [mɔ'nɔpəlaɪz] *vt (экон.)* монополизировать; завладевать; захватывать

monopoly [mɔ'nɔpəlɪ] *n (экон.)* монополия; **Monopolies and Mergers Commission** Комиссия по монополиям и слияниям

monorail ['mɔnəureɪl] *n* монорельсовая дорога

monosyllabic [mɔnəsɪ'læbɪk] *adj* односложный; немногословный

monosyllable ['mɔnəsɪləbl] *n* односложное слово

monotone ['mɔnətəun] *n:* **to speak in a ~** говорить монотонно

monotonous [mə'nɔtənəs] *adj* однообразный; монотонный

monsoon [mɔn'su:n] мусон; дождливый сезон

monstrosity [mɔn'strɔsɪtɪ] *n* чудище, монстр

Montenegrin [mɔntə'ni:grɪn] *n* черногорец(-орка) ✧ *adj* черногорский

month ['mʌnθ] месяц; **~ly 1.** *a* ежемесячный **2.** *adv* ежемесячно

monthly ['mʌnθlɪ] *adj* ежемесячный; месячный ✧ *adv* ежемесячно; **twice ~** дважды в месяц

moo [mu:] *vi* мычать

mood [mu:d] *n* настроение; настрой; **to be in a good/bad ~** быть в хорошем/плохом настроении; **I'm in the ~ for a drink/to watch TV** у меня есть настроение выпить/смотреть телевизор

moodily ['mu:dɪlɪ] *adv* мрачно, угрюмо

moody ['mu:dɪ] *adj* угрюмый; **she is a very ~ person** у нее очень переменчивое настроение

moon [mu:n] *n* луна

moonlight ['mu:nlaɪt] *n* лунный свет ✧ *vi* работать на стороне

moonlighting ['mu:nlaɪtɪŋ] *n* работа по совместительству

moonlit ['mu:nlɪt] *adj:* **a ~ night** лунная ночь

moonshot ['mu:nʃɔt] *n* полет на Луну

moor [muə] *n* вересковая пустошь ✧ *vt* пришвартовывать ✧ *vi* пришвартовываться

mooring ['muərɪŋ] *n* причал; **~s** *npl* швартовые цепи

moose [mu:s] *n* лось

moot [mu:t] *vi:* **it was ~ed that ..** было предложено, что ... ✧ *adj:* **~ point** спорный вопрос

mop [mɔp] *n* швабра; щетка; копна ✧ *vt* мыть; вытирать

mope about *vi* слоняться

mope around *vi* = **mope about**

moped ['məuped] *n* мопед

mop up *vt* вытирать

moquette [mɔ'ket] *n* плюш

moral ['mɔrl] *adj* нравственный, моральный ✧ *n* мораль; **~s** *npl* нравы; **~ support/dilemma/victory** моральная поддержка/дилемма/победа; **~ courage** душевное мужество

morale [mɔ'rɑ:l] *n* моральный дух

morality [mə'rælɪtɪ] *n* нравственность

moralize ['mɔrəlaɪz] *vi:* **to ~ (about)** морализировать (о)

morally ['mɔrəlɪ] *adv* морально; нравственно

moral victory *n* моральная победа

morass [mɔ'ræs] *n* трясина

mordant ['mɔ:dənt] едкий *(о хим. веществе);* колкий; саркастический

more [mɔ:] *adj* **1.** больше; **I have more friends that enemies** у меня больше друзей, чем врагов **2.** еще; **do you want (some) more tea?** хотите еще чаю?; **is there any more wine?** еще есть вино?; **I have no** *or* **I Don't have any more money** у меня больше нет денег; **it'll take a few more weeks** это займет еще несколько недель ✧ *pron* **1.: more that ten** больше десяти; **we've sold more that a hundred tickets** мы продали более ста билетов; **it cost more that we expected** это стоит больше, чем мы ожидали **2.: is there any more?** еще есть?; **there's no more** больше ничего нет; **a littie more** еще немного *or* чуть-чуть; **many/much more** намного/гораздо больше ✧ *adv* **1.** больше; **I like this one more** мне это больше нравится **2.: more dangerous/**

M

difficult *etc* **(than)** более опасный/трудный (чем) **3.: more economically (than)** более экономично (чем); **more easily/quickly (than)** легче/ быстрее (чем); **he became more and more excited/ friendly** он становился все более и более возбужденным/дружелюбным; **he grow to like her more and more** она нравилась ему все больше и больше; **more or less** более или менее; **it should cost $500,more or less** это должно стоить приблизительно $500; **she is more beautiful than over** она прекраснее, чем когда-либо; **he loved her more than over** он любил ее больше: чем когда-либо; **the more..., the better** чем больше ..., тем лучше; **once more** еще раз; **I'd like to see more of you** хотелось бы почаще Вас видеть

moreover [mɔ:rəuvə] *adv* более того

morgue [mɔ:g] *n* морг

moribund ['mɔrıbʌnd] *adj* отживший свое

morning ['mɔ:nıŋ] *n* утро; ночь ✧ *cpd* утренний; **in the ~** утром; **3 o'clock in the ~** 3 часа ночи; **7 o'clock in the ~** 7 часов утра; **this ~** сегодня утром

morning-after pill *n противозачаточная таблетка с высоким содержанием гормональных препаратов (обычно принимается в экстренных случаях после полового акта)*

morning sickness *n* утренняя тошнота *(у беременных)*

moron ['mɔ:rɔn] *n* кретин(ка)

moronic [mə'rɔnık] *adj* кретинский

morose [mə'rəus] *adj* угрюмый

morphine ['mɔ:fi:n] *n* морфий

morrow ['mɔrou] *поэт.* завтрашний день; *уст.* утро

morsel ['mɔ:sl] *n* кусочек

mortal ['mɔ:tl] *adj* смертный; смертельный ✧ *n:* **mere ~** простой(-ая) смертный(-ая) ; **~ remains** бренные останки

mortality [mɔ:'tælıtı] *n* смертность

mortality rate *n* смертность

mortar ['mɔ:tə] *n* миномет; цементный раствор; ступка

mortgage ['mɔ:gıdʒ] *n* ипотечная ссуда ✧ *vt* закладывать; **to take out a ~** брать ссуду *(для покупки дома)*

mortgage company *n* ипотечная компания

mortgagee [mɔ:gə'dʒi:] *n* кредитор *(при ипотечном кредите)*

mortgagor ['mɔ:gədʒə] *n* заемщик *(при ипотечном кредите)*

mortician [mɔ:'tıʃən] *n* работник похоронного бюро

mortification [,mɔ:tıfı'keıʃən] унижение; чувство стыда, обиды, разочарования; : of the flesh умерщвление плоти

mortified ['mɔ:tıfaıd] *adj:* **to be ~** быть в смертельном ужасе

mortify ['mɔ:tıfaı] *vt* приводить в полный ужас

mortise lock ['mɔ:tıs-] *n* врезной замок

mosque [mɔsk] *n* мечеть

mosquito [mɔs'ki:təu] *n* комар

mosquito net *n* москитная сетка

mossy ['mɔsı] *adj* поросший мхом

most [məust] *adj* **1.** по большей части; **most people/cars** большинство людей/машин; **most milk** молоко, по большей части; **in most cases** в большинстве случаев **2.: who has the most money?** у кого больше всего денег?; **this book has attracted the most interest among the critics** эта книга вызвала наибольший интерес у критиков ✧ *pron* большинство; большая часть; **most of the houses/ her friends** большинство из домов/ее друзей; **most of the cake** большая часть торта; **do the most you can** делайте все, что можете; **I ate the most** я съел больше всех; **to make the most of sth** максимально использовать что-н.; **at the (very) most** самое большее ✧ *adv* больше всего;исключительно; **the most interesting/expensive** наиболее *or* самый интересный/ дорогой; **I liked him the most** он понравился мне больше всех;

what do you walue most, wealth or health? что Вы больше цените, богатство или здоровье?
mostly [ˈməustlɪ] *adv* в основном, главным образом
moth [mɔθ] *n* мотылек; *(also:* **clothes ~)** моль
mothballs [ˈmɔθbɔːlz] *npl* нафталиновые шарики
moth-eaten [ˈmɔθiːtn] *adj* изъеденный
mother [ˈmʌðə] *n* мать ✧ *vt* выращивать; нянчиться ✧ *adj:* **~ country** родина; **~ company** материнская компания
Mother's Day *n праздник, посвященный матерям*
mother's help *n* няня
motherboard [ˈmʌðəbɔːd] *n (комп.)* объединительная плата
motherhood [ˈmʌðəhud] *n* материнство
mother-in-law [ˈmʌðərɪnlɔː] *n* теща; свекровь
motherly [ˈmʌðəlɪ] *adj* материнский
mother-of-pearl [ˈmʌðərəvˈpəːl] *n* перламутр ✧ *adj* перламутровый
mother-to-be [ˈmʌðətəˈbiː] *n* будущая мать
mother-tongue *n* родной язык
mothproof [ˈmɔθpruːf] *adj* молестойкий
motion [ˈməuʃən] *n* движение; предложение; стул ✧ *vti:* **he ~ed (to) her to sit down** он жестом предложил ей сесть; **to be in ~** быть в движении; **to set in ~** приводить в действие; **to go through the ~s** исполнять формальности
motionless [ˈməuʃənlɪs] *adj* неподвижный
motion picture *n* кинокартина
motivate [ˈməutɪveɪt] *vt* мотивировать; заинтересовывать; **he is ~d by ambition** им движет честолюбие
motivated [ˈməutɪveɪtɪd] *adj* заинтересованный; **~ by envy/greed** движимый чувством зависти/жадности
motivation [məutɪˈveɪʃən] *n* целеустремленность
motivational research *n* исследование мотиваций
motive [ˈməutɪv] *n* мотив, побуждение ✧ *adj:* **~ power** *or* **force** движущая сила; **from the best (of) ~s** из лучших побуждений
motley [ˈmɔtlɪ] разноцветный, пестрый
motor [ˈməutə] *n* мотор ✧ *cpd* автомобильный
motorbike [ˈməutəbaɪk] *n* мотоцикл
motorboat [ˈməutəbəut] *n* моторная лодка
motorcade [ˈməutəkeɪd] *n* кортеж автомобилей
motorcar [ˈməutəkɑː] *n* автомобиль
motorcoach [ˈməutəkəutʃ] *n* автобус
motorcycle [ˈməutəsaɪkl] *n* мотоцикл
motorcycle racing *n* мотогонки
motoring [ˈməutərɪŋ] *n* езда на автомобиле ✧ *cpd:* **~ accident** автомобильная авария; **~ offence** нарушение правил дорожного движения; **we went on a ~ holiday in France** мы провели отпуск, путешествуя по Франции на машине
motorist [ˈməutərɪst] *n* автомобилист
motorized [ˈməutəraɪzd] *adj:* **~ transport** автотранспорт; **~ vehicle** автомашина; **~ regiment** моторизованный полк
motor oil *n* моторное масло
motor racing *n* автогонки
motor scooter *n* мотороллер
motor vehicle *n* автомашина
motorway [ˈməutəweɪ] *n* автомагистраль, автострада
mottled [ˈmɔtld] *adj* пятнистый
motto [ˈmɔtəu] *n* девиз
mould I [ˈməuld] плесень
mould II 1. *n* форма *(линейная); тех.* лекало; шаблон; *перен.* характер; **a man of heroic ~** человек героического склада **2.** *v* формовать; делать по шаблону
moulder [ˈməuldə] *vi* разлагаться
moulding [ˈməuldɪŋ] *n (архит.)* лепное украшение
mouldy [ˈməuldɪ] *adj* заплесневелый; затхлый
moult [məult] *vi* линять
mound [maund] *n* холм, пригорок, куча
mount [maunt] *n* лошадь ✧ *vt* са-

диться на; устраивать; оправлять; обрамлять; всходить по; предпринимать ✧ *vi* расти; садиться на лошадь; **M~ Ararat/Kilimanjaro** гора Арарат/Килиманджаро

mountain ['mauntɪn] *n* гора ✧ *cpd* горный; **to make a ~ out of a molehill** делать их мухи слона

mountain bike *n* велосипед, приспособленный для использования на пересеченной местности

mountaineer [mauntɪ'nɪə] *n* альпинист

mountainneering [mauntɪ'nɪərɪŋ] *n* альпинизм; **to go ~** ходить в горы

mountainous ['mauntɪnəs] *adj* гористый

mountain range *n* горная цепь

mountain rescue team *n* горноспасательный отряд

mountainside ['mauntɪnsaid] *n* склон горы

mounted ['mauntɪd] *adj* конный

mount up *vi* накапливаться

mourn [mɔ:n] *vt* оплакивать ✧ *vi:* **to ~ for** скорбеть по

mourner ['mɔ:nə] *n* присутствующий(-ая) на похоронах

mournful ['mɔ:nful] *adj* скорбный

mourning ['mɔ:nɪŋ] *n* траур; **in ~** в трауре

mourse [maus] *n (комп.)* мышь

mousetrap ['maustræp] *n* мышеловка

moussake [mu'sɑ:kə] *n* муссака *(греческое блюдо)*

moustache [məs'tɑ:ʃ] *n* усы

mousy ['mausɪ] *adj* мышиного цвета

mouth [mauθ] *n* рот; вход; устье; горлышко

mouthful ['mauθful] *n* кусочек; глоток

mouth organ *n* губная гармошка

mouthpiece ['mauθpi:s] *n* мундштук; микрофон; глашатай

mouth-to-mouth ['mauθtə'mauθ] *adj:* **~ resuscitation** искусственное дыхание

mouthwash ['mauθwɔʃ] *n* жидкость для полоскания рта

mouthwatering ['mauθwɔ:tərɪŋ] *adj* очень аппетитный

movable ['mu:vəbl] переносный; разборный, съёмный

move [mu:v] *n* движение; ход; переезд; переход *(на другую работу)* ✧ *vt* передвигать; ходить; двигать; трогать, растрогать; предлагать ✧ *vi* двигаться; делать ход; *(also:* **~ house)** переезжать; **get a ~ on!** поторапливайтесь!; **to ~ to a new job** переходить на новую работу; **to ~ sb to sth** подвигнуть кого-н. на что-н.; **to ~ towards** двигаться

move about *vi* передвигаться; переезжать с места на место; переходить с работы на работу

move along *vi* проходить

move around *vi* = **move about**

move away *vi:* **to ~ away (from)** уезжать из; отходить от

move back *vi* переезжать обратно

move forward *vi* продвигаться

move in *vi* входить; **to ~ in (to)** въезжать в

movement ['mu:vmənt] *n (полит., рел.)* движение; передвижение; перевозка; сдвиг; *(муз.)* часть

move off *vi* отъезжать

move on *vi* направляться дальше ✧ *vt* продвигать

move out *vi* выезжать

move over *vi* подвигаться

mover ['mu:və] *n* инициатор

move up *vi* продвигаться

movie ['mu:vɪ] *n* фильм, кинофильм; **to go to the ~s** ходить/идти в кино

movie camera *n* кинокамера

moviegoer ['mu:vɪgəuə] *n* кинолюбитель

moving ['mu:vɪŋ] *adj* трогательный; подвижный; движущий ✧ *n* переезд

mow [məu] **1.** *n* стог; скирда; сеновал **2.** *v* косить

mow down *vt* косить

mower ['məuə] *n* косилка

much [mʌtʃ] *adj* много; **we haven't got much time/money** у нас не так много времени/денег; **how much money/time do you need?** сколько денег/времени Вам нужно?; **he's spent so much miney today** он сегодня потратил столько денег; **I have as much money as you**

M

(do) у меня столько же денег, сколько у Вас; **I don't have as much time as you do** у меня нет столько времени, сколько у Вас ✧ *pron:* **there isn't much to do here** здесь нечего делать; **much is still unclear** многое еще не ясно; **much has been gained from our discussions** наша дискуссия дала большие результаты *or* многое; **how much does it cost?- too much** сколько это стоит? - слишком дорого; **how much is it?** почем это? ✧ *adv* **1.: thank you very much** большое спасибо; we are very much looking forward to your visit мы очень ждем Вашего приезда; **he is very much a gentleman/politician** он настоящий джентльмен/политик; **however much he tries** сколько бы он ни старался; **I try to help as much as possible** *or* **as much as I can** я стараюсь помогать как можно больше *or* сколько могу; **I read as much as ever** я читаю столько же, сколько прежде; **he is as much a member of the family as you** он такой же член семьи, как и Вы **2.** намного, гораздо; **I'm much better now** мне намного *or* гораздо лучше; **it's much the biggest publishing company in Europe** это самое крупное издательство в Европе **3.** почти; **the view from my window today is much as it was 10 years ago** вид из моего окна сегодня сейчас почти такой же, как и десять лет назад; **how are you feeling?- much the same** как Вы себя чувствуете? - все так же

muck [mʌk] *n* грязь; навоз

muck about *vi* валять дурака; **to ~ about with** возиться с

muck around *vi* = **muck about**

muck in *vi* впрягаться

muck out *vt* выгребать навоз из

muckraking [ˈmʌkreɪkɪŋ] *n* копание в грязном белье

muck up *vt* заваливать

mucky [ˈmʌkɪ] *adj* грязный

mucus [ˈmju:kəs] *n* слизь

mud [mʌd] *n* грязь

muddle [ˈmʌdl] *n* беспорядок; неразбериха, путаница ✧ *vt (also:* **~ up)** запутывать; перемешивать; путать; **to get in (to) a ~** запутываться; **I'm in a real ~** я совершенно запутался

muddle along *vi* справляться коекак

muddleheaded [mʌdlˈhedɪd] *adj* бестолковый

muddle through *vi* выкарабкиваться

muddy [ˈmʌdɪ] грязный, мутный

mudguard [ˈmʌdgɑ:d] *n* крыло

mudpack [ˈmʌdpæk] *n* грязевая маска

mudslinging [ˈmʌdslɪŋɪŋ] *n* поливание грязью

muffin [ˈmʌfɪn] *n* (сдобная) булочка; кекс

muffle [ˈmʌfl] *vt* приглушать

muffled [ˈmʌfld] *adj* приглушенный *(also:* **~ up)** закутанный

muffler [ˈmʌflə] *n (авт.)* глушитель; шарф

mufti [ˈmʌftɪ] *n:* **in ~** в штатском

mug [mʌg] *n* кружка; морда; дурак ✧ *vt* грабить *(на улице);* **it's a ~'s game** это никчемное дело

mugger [ˈmʌgə] *n* уличный грабитель

mugging [ˈmʌgɪŋ] *n* грабеж *(на улице)*

muggins [ˈmʌgɪnz] *n* простак

muggy [ˈmʌgɪ] тёплый, влажный; удушливый

mug shot *n* фотография подозреваемого в преступлении

mug up *vt (also:* **up on)** зубрить

mulatto [mju:ˈlætəu] *n* мула

mulberry [ˈmʌlbrɪ] *n* тутовая ягода; тутовое дерево, шелковица

mule [mju:l] мул; *перен.* упрямец; *тех.* мюль-машина

mulled wine [mʌld-] *n* глинтвейн

mullioned [mʌlɪənd] *adj (архит.):* **~ window** окно с посредником

mull over [mʌl-] *vt* размышлять над

multi... [ˈmʌltɪ] *prefix* много ..., мульти

multiaccess [ˈmʌltɪˈækses] *adj (комп.)* многопользовательский

multicoloured [ˈmʌltɪkʌləd] *adj* многоцветный

M

multifarious [mʌltɪ'feərɪəs] *adj* многообразный
multilateral [mʌltɪ'lætərl] *adj* многосторонний
multinational [mʌltɪ'næʃənl] *adj* международный ✧ *n* международная корпорация
multiple ['mʌltɪpl] *adj* многочисленный; многообразный ✧ *n (мат.)* кратное число; (also: ~ **collision)** столкновение нескольких автомобилей
multiple sclerosis *n* рассеянный склероз
multiplication [mʌltɪplɪ'keɪʃən] *n* умножение
multiplication table *n* таблица умножение
multiplicity [mʌltɪ'plɪsɪtɪ] *n:* **a ~ of** множество
multiply ['mʌltɪplaɪ] *vt* умножать ✧ *vi* размножаться
multiracial [mʌltɪ'reɪʃl] *adj* многонациональный
multistorey ['mʌltɪ'stɔ:rɪ] *adj* многоэтажный
multitude ['mʌltɪtju:d] *n* массы; **a ~ of** множество
mum [mʌm] *n* мама ✧ *adj:* **to keep ~ about sth** помалкивать о чем-н.; **"mum's the word!"** "молчу!"
mumble ['mʌmbl] *vt* бормотать
mumbo jumbo ['mʌmbəu-] *n* тарабарщина
mummify ['mʌmɪfɪ] *vt* мумифицировать
mummy ['mʌmɪ] *n* мама; мумия
mumps [mʌmps] *n* свинка
munch [mʌntʃ] жевать, чавкать
mundane [['mʌndeɪn] светский; мирской
municipal [mju:'nɪsɪpl] *adj* муниципальный
municipality [mju:nɪsɪ'pælɪtɪ] *n* город; муниципалитет
munitions [mju:'nɪʃənz] *npl* боеприпасы
mural ['mjuərl] *n* настенная роспись, фреска
murder ['mə:də] *n* убийство *(умышленное)* ✧ *vt* убивать *(умышленно);* **to commit ~** совершать убийство
murderer ['mə:dərə] *n* убийца
murderess ['mə:dərɪs] *n* убийца
murderous ['mə:dərəs] *adj* кровавый; убийственный; смертоносный; **~ tendencies** склонность к убийству
murk [mə:k] *n* мгла
murky ['mə:kɪ] *adj* мрачный; мутный
murmur ['mə:mə] **1.** *n* журчание; жужжание; приглушённый шум голосов; шёпот; ворчание, бормотание **2.** *v* журчать, шептать, ворчать, роптать
muscle ['mʌsl] *n (анат.)* мышца, мускул; сила
muscle in *vi* пролезать
muscular ['mʌskjulə] *adj* мышечный; мускулистый
muscular distrophy *adj* мускульная дистрофия
Muscuvite ['mʌskəvaɪt] *n* москвич(-ка)
muse [mju:z] *vi* размышлять ✧ *n* муза
museum [mju:'zɪəm] *n* музей
mush [mʌʃ] *n* месиво; масса
mushroom ['mʌʃrum] *n* гриб ✧ *vi* быстро разрастаться
mushroom cloud *n* атомный гриб
mushy ['mʌʃɪ] *adj* разварившийся, как каша; слащавый; **~ peas** горошек
music ['mju:zɪk] *n* музыка; **sheet ~** ноты
music(al) box *n* музыкальная шкатулка
musical ['mju:zɪkl] *adj* музыкальный; мелодичный ✧ *n* мюзикл
musical instrument *n* музыкальный инструмент
music hall *n* мюзик-холл
musician [mju:'zɪʃən] *n* музыкант
music stand *n* пюпитр
musk [mʌsk] *n* мускус
musket ['mʌskɪt] *n* мушкет
muskrat ['mʌskræt] *n* ондатра
Muslim ['mʌzlɪm] *n* мусульманин ✧ *adj* мусульманский
muslin ['mʌzlɪn] *n* марля
mussel ['mʌsl] *n* мидия
must [mʌst] *n* необходимость ✧ *aux vb:* **I ~ do it** я должен это сделать; **he ~ be there by now** он

М

должен уже там быть; **its (simply) a ~** это просто необходимость; **you ~ come and see me** soon Вы обязательно должны скоро ко мне зайти; **why ~ he behave so badly?** отчего он так плохо себя ведет?; **I ~ have made a mistake** я, должно быть, ошибся

mustard [ˈmʌstəd] *n* горчица

muster [ˈmʌstə] *vt* собирать; набирать

mustiness [ˈmʌstɪnɪs] *n* затхлость

musty [ˈmʌstɪ] *adj* затхлый

mutate [mjuːˈteɪt] *vi (био.)* мутировать

mutation [mjuːˈteɪʃən] *n (био.)* мутация; преобразование

mute [mjuːt] *adj* безмолвный ✧ *n (муз.)* сурдинка

muted [ˈmjuːtɪd] *adj* сдержанный; приглушенный; **~ strings** струны под сурдинкой

mutilate [ˈmjuːtɪleɪt] *vt* увечить; уродовать

mutilation [mjuːtɪˈleɪʃən] *n* увечье; нанесение увечья

mutinous [mjuːtɪnəs] *adj* мятежный

mutiny [mjuːtɪnɪ] *n* мятеж; бунт ✧ *vi* бунтовать

mutter [ˈmʌtə] **1.** *v* бормотать; невнятно говорить **2.** *n* бормотание

mutton [ˈmʌtn] *n* баранина

mutual [ˈmjuːtʃuəl] взаимный; обоюдный; общий, совместный

muzzle [ˈmʌzl] **1.** *n* морда; намордник; дуло **2.** *v* надевать намордник; заставить молчать

my [maɪ] *adj* **1.**мой; **this is my house/car** это мой дом/моя машина; **is this my pen or yours?** это моя ручка или ваша? **2.: I've washed my hair/cut my finger** я помыл голову/порезал палец **3.** свой; **I've lost my key** я потерял свой ключ

myopic [maɪˈɔpɪk] *adj* близорукий

myriad [ˈmɪrɪəd] *n* мириады

myrmidon [ˈməːmɪdən] *презр.* наёмник, прислужник

myself [maɪˈself] *pron* **1.: I've hurt myself** я ушибся; **I consider myself clever** я считаю себя умным **2.: she's the same age as myself** она одного возраста со мной **3.** себя; себе; собой; **I wanted to keep the book for myself** я хотел оставить книгу для себя; **I sometimes talk to myself** иногда я сам с собой разговариваю; **(all) by myself** сам; **I made it all by myself** я все это сделал **4.** сам; **I myself chose the flowers** я сам выбирал цветы

mysterious [mɪsˈtɪərɪəs] *adj* таинственный

mysteriously [mɪsˈtɪərɪəslɪ] *adv* таинственно; загадочно

mystery [ˈmɪstərɪ] *n* тайна; загадка ✧ *cpd* загадочный

mystery story *n* детектив

mystic [ˈmɪstɪk] *n* мистик ✧ *adj* мистический

mystify [ˈmɪstɪfaɪ] *vt* озадачивать

mystique [mɪsˈtiːk] *n* мистика

myth [mɪθ] *n* миф

mythical [ˈmɪθɪkl] *adj* мифический

mythological [mɪθəˈlɔdʒɪkl] *adj* мифологический

mythology [mɪˈθɔlədʒɪ] *n* мифология

N

N,n [en] *n 14-ая буква английского алфавита*

nadir [ˈneɪdɪə] *астр.* надир; *перен.* упадок, самый низкий уровень

nag I [næg] придираться

nag II (небольшая) лошадь

nagging [ˈnægɪŋ] *adj* ноющий; неотвязный

nail [neɪl] *n* ноготь; гвоздь ✧ *vt* застукивать; **to ~ sth to sth** прибивать что-н. к чему-н.; **to ~ sb down to doing** прижимать кого-н. к стенке и заставить

nailbrush [ˈneɪlbrʌʃ] *n* щеточка для ногтей

nailfile [ˈneɪlfaɪl] *n* пилка *(для ногтей)*

nail polish *n* лак для ногтей

nail polish remover *n* жидкость для снятия лака

nail scissors *npl* маникюрные ножницы

naive [naɪˈiːv] *adj* наивный

N

naivety [na'i:vtı] *n* наивность
naked ['neıkıd] *adj* голый; не скрываемый; **with the ~ eye** невооруженным глазом
nakedness ['neıkıdnıs] *n* нагота
name [neım] *n* имя; название; кличка ✧ *vt* называть; **what's your ~?** как Вас зовут?; **my ~ is Peter** меня зовут Питер; **what's the ~ of this place?** как называется это место; **by ~** по имени; **in the ~ of** во имя; **to give one's ~ and address** давать свое имя и адрес; **to make a ~ for o.s.** создавать свое имя; **to get (o.s.) a bad ~** зарабатывать себе дурную репутацию; **to call sb ~s** обзывать кого-н.
name-dropping ['neımdrɔpıŋ] *n* упоминание известных имен
nameless ['neımlıs] безымянный; анонимный; отвратительный
namely ['neımlı] *adv* именно
nameplate ['neımpleıt] *n* табличка *(с именем)*
nanny ['nænı] *n* няня
nanny goat *n* коза
nap [næp] *n* короткий сон; ворс ✧ *vi:* **ha was caught ~ ping** его застали врасплох; **to have** *or* **take a ~** вздремнуть
napalm ['neıpa:m] *n* напалм
nape [neıp] затылок
nark [na:k] *разг.* **1.** *n* "легавый", стукач **2.** *v* раздражать
napkin ['næpkın] *n (also:* **table ~**) салфетка
Napoleonic [nəpəulı'ɔnık] *adj* наполеоновский
nappy ['næpı] *n* подгузник
narcissistic [na:sı'sıstık] *adj* самовлюбленный
narcissus [na:'sısəs] *n (бот.)* нарцисс
narcotic [na:'kɔtık] *adj* наркотический ✧ *n (мед.)* снотворное; **~s** *npl* наркотики
nark [na:k] *vt* раздражать
narrate [nə'reıt] *vt* рассказывать; **to ~ a film/programme** читать текст фильма/передачи
narration [nə'reıʃən] *n* повествование
narrative ['nærətıv]] *n* история
narrator [nə'reıtə] *n* рассказчик; диктор
narrow ['nærəu] *adj* узкий; незначительный ✧ *vi* сужаться; уменьшаться ✧ *vt:* **to ~ sth down to** сводить что-н. к; **to have a ~ escape** едва спастись
narrow-gauge ['nærəugeuıdʒ] *adj* узкоколейный
narrowly ['nærəulı] *adv* чуть не; узко; **he only ~ avoided injury/defeat** он чуть не покалечился/проиграл; **he only ~ missed the target** он почти попал в цель
narrow-minded [nærəu'maındıd] *adj* ограниченный
narrowness ['nærəunıs] *n* узость
nasal ['neızl] *adj (анат.)* носовой; гнусавый
nastily ['na:stılı] *adv* злобно
nasturtium [nəs'tə:ʃəm] *n* настурция
nasty ['na:stı] *adj* противный; злобный; скверный; **to say ~ things about sb** говорить гадости о ком-н.; **to turn ~** принимать скверный оборот; делаться скверным; озлобляться; **it's a ~ business** это мерзкое дело
nation ['neıʃən] *n (полит.)* нация; страна, государство
national ['næʃənl] *adj* национальный ✧ *n* гражданин(-данка)
national anthem *n* национальный гимн
national curriculum *n* всеобщая программа (обучения) *(в школах)*
national debt *n* государственный долг
national dress *n* национальная одежда
National Guard *n* Национальная гвардия
National Health Service *n* Государственная служба здравоохранения
National Insurance *n* государственное страхование
nationalism ['næʃnəlızəm] *n* национализм
nationalist ['næʃnəlıst] *adj* националистический ✧ *n* националист
nationality [næʃə'nælıtı] *n* гражданство; народность
nationalization [næʃnəlaı'zeıʃən] *n* национализация

N

nationalize [ˌnæʃnəˈlaɪz] *vt* национализировать
nationalized industry [ˌnæʃnəˈlaɪzd-] *n* национализированная промышленность **National Security Council** *n* Совет национальной безопасности
national service *n* воинская повинность
nationwide [ˈneɪʃənwaɪd] *adj* общенародный ✧ *adv* по всей стране
native [ˈneɪtɪv] *n* местный(-ая) житель(ница) ✧ *adj* коренной, исконный; родной; врожденный; **a ~ of Russia** уроженец(-нка) России; **a ~ speaker of Russian** носитель(ница) русского языка
native language *n* родной язык
Nativity [nəˈtɪvɪtɪ] *n:* **the ~** Рождество Христово
nativity play *n Рождественская мистерия (обычно разыгрываемая детьми)*
natter [ˈnætə] *vi* трепаться ✧ *n:* **to have a ~** трепаться
natural [ˈnætʃrəl] *adj* естественный; природный; натуральный; стихийный; **to die of ~ causes** умирать естественной смертью
natural childbirth *n* естественные роды
natural gas *n* природный газ
natural history *n* естествознание
naturalist [ˈnætʃrəlɪst] *n* натуралист
naturalize [ˈnætʃrəlaɪz] *vt:* **to become ~d** получать гражданство; акклиматизироваться
naturalness [ˈnætʃrəlnɪs] *n* естественность
natural resources *npl* природные ресурсы
natural selection *n (био.)* естественный отбор
natural wastage *n* естественная убыль *(рабочей силы)*
nature [ˈnəɪtʃə] *n (also:* **N~**) природа; натура; характер; **by ~** по натуре; по природе; **documents of a confidential ~** документы конфиденциального характера
nature reserve *n* заповедник
naturist [ˈneɪtʃərɪst] *n* нудист(ка)
naughtiness [ˈnɔːtɪnɪs] *n* непослушание, озорство; пикантность
naughty [ˈnɔːtɪ] *adj* непослушный; озорной; пикантный
nausea [ˈnɔːsɪə] *n* тошнота
nauseate [ˈnɔːsɪeɪt] *vt* вызывать тошноту в *or* у
nautical [ˈnɔːtɪkl] *adj* морской
naval [ˈneɪvl] *adj* военно-морской; морской
navel [ˈneɪvl] *n* пупок
navigate [ˈnævɪgeɪt] *vt (мор.,авиа.)* управлять ✧ *vi* определять маршрут; **to ~ a ship through/around** вести корабль через/вокруг
navigation [nævɪˈgeɪʃən] *n* навигация; **~ (of)** управление
navigator [ˈnævɪgeɪtə] *n* штурман
navvy [ˈnævɪ] *n* чернорабочий
navy [ˈneɪvɪ] военно-морской флот, военно-морские силы
navy(-blue) [ˈnævɪˈbluː-] *adj* темно-синий
near [nɪə] *adj* близкий ✧ *adv* близко ✧ *prep (also:* **~ to**) возле, около; к, около ✧ *vt* приближаться к; **~ here/there** недалеко отсюда/оттуда; **F25000 or ~est offer** цена F25000 или по договоренности; **in the ~ future** в ближайшем будущем; **~er (to) the time** около положенной даты; **to come (to)** приближаться (к); **he was ~ to despair/victory** он был близок к отчаянию/победе; **the building is ~ing completion** строительство приближается к завершению
nearby [nɪəˈbaɪ] *adj* близлежащий ✧ *adv* поблизости
Near East *n:* **the ~~** Ближний Восток
nearer [ˈnɪərə] *adj, adv* ближе
nearly [ˈnɪəlɪ] *adv* почти; **I ~ fell** я чуть (было) не упал; **she was ~ crying** она почти плакала; **it's not ~ as easy as it looks** это отнюдь не так просто, как кажется; **the house is not ~ big enough** дом совсем мал
near miss *n:* **that was a ~~!** промахнулся!; **we had a ~~ in the car today** мы сегодня чуть не попа-

ли в аварию

nearness [ˈnɪənɪs] *n* близость

nearside [ˈnɪəsaɪd] *n (авт.)* левая сторона; правая сторона

near-sighted [nɪəˈsaɪtɪd] *adj* близорукий

neat [ni:t] *adj* опрятный; аккуратный; четкий; классный; неразбавленный

neatly [ˈni:tlɪ] *adv* опрятно; аккуратно; четко

neatness [ˈni:tnɪs] *n* опрятность; аккуратность; четкость

nebulous [ˈnebjuləs] *adj* туманный

necessarily [ˈnesɪsrɪlɪ] *adv* небрежно; **not ~** обязательно

necessary [ˈnesɪsrɪ] *adj* необходимый; обязательный, неизбежный; **if ~** если необходимо; **it's not ~** это не обязательно; **it is ~ to/that...** необходимо/чтобы ...

necessitate [nɪˈsesɪteɪt] *vt* обусловливать

necessity [nɪˈsesɪtɪ] *n* необходимость

neck [nek] *n (анат.)* шея; ворот; горлышко ✧ *vi* миловаться; **~ and ~** вровень; **to stick one's ~ out** лезть на рожон; **to risk one's ~** рисковать головой

necklace [ˈneklɪs] *n* ожерелье

neckline [ˈneklaɪn] *n* вырез

necktie [ˈnektaɪ] *n* галстук

nectar [ˈnektə] *n* нектар

need [ni:d] *n* потребность; нужда; **~ (for)** нужда (в) ✧ *vt:* **I ~ time/money** мне нужно время/нужны деньги; **there's no ~ to worry** незачем волноваться; **to be in ~ of,have ~ of** нуждаться; **in case of ~** в случае необходимости; **the ~s of industry** потребности промышленности; **$10 will meet my immediate ~s** $10 удовлетворят мои нужды на данный момент; **I ~ to see him** мне надо с ним увидеться; **you don't ~ to leave yet** Вам еще не пора идти; **a signature is ~ed** требуется подпись

needle [ˈni:dl] *n* игла; иголка; спица ✧ *vt* подкалывать

needlecord [ˈni:dlkɔ:d] *n* тонкий вельвет

needless [ˈni:dlɪs] *adj* излишний; **~ to say** само собой разумеется

needlessly [ˈni:dlɪslɪ] *adv* напрасно

needlework [ˈni:dlwɔ:k] *n* рукоделие

needy [ˈni:dɪ] *adj* нуждающийся; **the ~** *npl* нуждающиеся

negation [nɪˈgeɪʃən] *n* отрицание

negative [ˈnegətɪv] *adj (элек.)* отрицательный ✧ *n (лингв.)* отрицание; *(фото)* негатив; **to answer in the ~** давать отрицательный ответ

negative cash flow *n* отрицательный поток наличности

negative equity *n (комм.)* отрицательная *or* негативная маржа

neglect [nɪˈglekt] *vt* забрасывать; запускать; пренебрегать ✧ *n:* **~ (of)** невнимание (к); пренебрежение; **in a state of ~** в запустении

neglected [nɪˈglektɪd] *adj* заброшенный

neglectful [nɪˈglektful] *adj* небрежный; **to be ~ of sb** относиться к кому-н. без внимания; **to be ~ sth** пренебрегать чем-н.

negligee [ˈneglɪʒeɪ] *n* пеньюар

negligence [ˈneglɪʒəns] *n* халатность

negligent [ˈneglɪʒənt] *adj* халатный; **to be ~ in** халатно относиться к

negligently [ˈneglɪʒəntlɪ] *adv* халатно; небрежно

negligible [ˈneglɪʒɪbl] *adj* ничтожный

negotiable [nɪˈgəuʃɪəbl] *adj:* **the price/contract is ~** цену/контракт можно обсудить; проходимый; **~/not negotiable** с правом/ без права передачи

negotiate [nɪˈgəuʃɪeɪt] *vt* заключать; преодолевать; огибать ✧ *vi:* **to ~ (with sb for sth)** вести переговоры (с кем-н. о чем-н.)

negotiater [nɪˈgəuʃɪeɪtə] *n* участник переговоров

negotiating table [nɪˈgəuʃɪeɪtɪŋ-] *n* стол переговоров

negotiation [nɪgəuʃɪˈeɪʃən] *n* заключение; преодоление; переговоры; **to enter into ~s with sb** вступать в переговоры с кем-н.

neigh [neɪ] *vi* ржать

neighbour [ˈneɪbə] *n* сосед

N

neighbouring [ˈneɪbərɪŋ] *adj* соседний
neighbourly [ˈneɪbəlɪ] *adj* добрососедский
neigher [ˈnaɪðə] *adj* ни тот, ни другой ✧ *conj:* **I didn't move and ~ did John** ни я, ни Джон не двинулись с места ✧ *pron:* **of them came** ни один из них не пришел, ни тот, ни другой, не пришли; **~ version is true** ни та, ни другая версия не верна; **~ .. nor ...** ни ..., ни...; **~ good nor bad** ни хорошо, ни плохо
neo... [ˈni:əu] *prefix* нео...
neon sign *n* неоновая вывеска
nephew [ˈnevju:] *n* племянник
nerd [nə:d] *n* придурок
nerve [nə:v] *n (анат.)* нерв; выдержка; наглость; **to have a fit of ~s** перенервничать; **he gets on my ~s** он действует мне на нервы; **she lost her ~** у нее сдали нервы
nerve centre *n (анат.)* нервный центр; мозговой центр
nerve gas *n* нервный газ
nerve-racking [ˈnə:vrækɪŋ] *adj* нервный; нервозный
nervous [ˈnə:vəs] *adj* нервный; *(анат.)* нервный; **to be** *or* **feel ~** нервничать
nervous breakdown *n* нервный срыв
nervously [ˈnə:vəslɪ] *adv* нервно
nervousness [ˈnə:vəsnɪs] *n* нервность
nervous wreck *n* комок нервов
nervy [ˈnə:vɪ] *n* нервный
nest [nest] *n* гнездо ✧ *vi* гнездиться; **~ of tables** комплект столиков *(вставляющихся один в другой)*
nest egg *n* заначка
nestle [ˈnesl] уютно устроиться; прильнуть, прижаться, ютиться
nestling [ˈnestlɪŋ] *n* птенец
net [net] *n* тюль; сетка; сеть ✧ *adj (комм.)* чистый ✧ *vt* ловить в сеть; приносить; проворачивать; **~ of tax** после вычета налогов; **~ assets** нетто-активы; **he earns ten thousand ~ per year** он зарабатывает чистыми десять тысяч в год
net curtains *npl* тюлевые занавески
nett [net] *adj* = **net**
netting [ˈnetɪŋ] *n* сетка
network [ˈnetwə:k] *n* сеть ✧ *vt (радио, тел.)* транслировать по различным каналам; *(комп.)* подключать
neuralgia [njuəˈrældʒə] *n* невралгия
neurological [njuəˈlɔdʒɪkl] *n* неврологический
neurosis [njuəˈrəusɪs] *n* невроз
neurotic [njuəˈrɔtɪk] *adj* неврастенический ✧ *n* неврастеник
neuseous [ˈnɔ:sɪəs] *adj* тошнотворный; **he's feeling ~** его тошнит
neuter [ˈnju:tə] *грам.* **1.** *a* среднего рода **2.** *n* средний род
neutral [ˈnju:trəl] *adj* нейтральный ✧ *n (авт.)* холостой ход
neutrality [nju:ˈtrælɪtɪ] *n* нейтралитет
neutralize [ˈnju:trəlaɪz] *vt* нейтрализовать
neutron [ˈnju:trɔn] *n* нейтрон
neutron bomb *n* нейтронная бомба
never [ˈnevə] *adv* никогда; **~ in my life** никогда в жизни; **~ again** больше никогда; **I ~ went** я не ходил
never-ending [nevərˈendɪŋ] *adj* нескончаемый
new [nju:] *adj* новый; недавний; **I'm ~ to this business** я в этом деле новичок; **as good as ~** совсем как новый
newborn [ˈnju:bɔ:n] *adj* новорожденный
newcomer [ˈnju:kʌmə] *n* новичок
newfangled [ˈnju:fæŋgld] *adj* новомодный
new-found [ˈnju:faund] *adj* недавно обретенный
newly [ˈnju:lɪ] *adv* недавно
newlyweds [ˈnju:lɪwedz] *npl* новобрачные
new moon *n* молодой месяц; новолуние
newness [ˈnju:nɪs] *n* новизна
news [nju:z] *n* новость, известие; **a piece of ~** новость; **the ~** *(радио, тел.)* новости; **what's the ~?** какие новости?; **financial ~** финансовые новости
news agency *n* информационное агентство

newsagent [ˈnjuːzeɪdʒənt] *n (also: ~'s)* газетный киоск; владелец(-лица) газетного киоска
news bulletin *n* сводка новостей
newscaster [ˈnjuːzkɑːstə] *n* диктор *(программы новостей)*
newsflash [ˈnjuːzflæʃ] *n* экстренное сообщение
newsletter [ˈnjuːzletə] *n* информационный бюллетень
newspaper [ˈnjuːzpeɪpə] *n* газета; **daily/weekly ~** ежедневная/еженедельная газета
newsprint [ˈnjuːzprɪnt] *n* газетная бумага
newsreel [ˈnjuːzriːl] *n* информационный киножурнал
newsroom [ˈnjuːzruːm] *n (пресса)* отдел новостей; *(радио, тел.)* студия новостей
newsworthy [ˈnjuːzwɜːðɪ] *adj* достойный интереса
newt [njuːt] *n* тритон
new town *n* новый город
New Year *n* Новый год; **Happy ~~!** С Новым годом!; **to wish sb a Happy ~~** поздравлять кого-н. с вым годом; желать кому-н. счастливого нового года
New Year's Day *n* первое января
New Year's Eve *n* канун Нового года
next [nekst] *adj* следующий; соседний ✧ *adv* потом, затем ✧ *prep:* **~ to** рядом с, возле; **~ time** в следующий раз; **the ~ day** на следующий день; **the ~ week** на следующей неделе; **the week after ~** через неделю; **~ year** в следующем году; **in the ~ 15 minutes** в ближайшие 15 минут; **~ to nothing** почти нечего; **~ please!** следующий, пожалуйста!; **who's ~?** кто следующий?; **"turn to the ~ page"** "переверните страницу"; **when do we meet ~?** когда мы снова встретимся?
next door *adv* по соседству, рядом ✧ *adj* соседний; **~~ neighbour** ближайший сосед
next of kin *n* ближайший родственник
nib [nɪb] кончик, остриё пера
nibble [ˈnɪbl] покусывать, откусывать маленькими кусочками; надкусывать; клевать *(о рыбе)*
nice [naɪs] *adj* приятный, хороший; симпатичный; **to look ~** хорошо выглядеть; **that's very ~ of you** очень мило с вашей стороны
nicely [ˈnaɪslɪ] *adv* приятно, хорошо; **that will do ~** это вполне подойдет
niceties [ˈnaɪsɪtɪz] *npl* тонкости
niche [niːʃ] *n* ниша
nick [nɪk] *n* порез; зарубка ✧ *vt* переть; цапать; **to ~ o.s.** порезаться; **in the ~ of time** как раз вовремя; **in good ~** в хорошем состоянии
nickel [ˈnɪkl] **1.** *n хим.* никель; *амер. разг.* монета в 5 центов **2.** *v* никелировать
nickname [ˈnɪkneɪm] **1. прозвище 2.** *v* давать прозвище
niece [niːs] *n* племянница
nifty [ˈnɪftɪ] *adj* стильный; ловко придуманный
niggardly [ˈnɪgədlɪ] *adj* скаредный; скудный
nigger [nɪgə] *n* черномазый(-ая)
niggle [ˈnɪgl] *vt* задевать ✧ *vi* придираться
niggling [ˈnɪglɪŋ] *adj* придирчивый; навязчивый
night [naɪt] *n* ночь; вечер; **at ~, by ~** ночью; **all ~ long** всю ночь напролет; **in** *or* **during the ~** ночью; **last ~** вчера ночью; вчера вечером; **the ~ before last** позавчера вечером
nightcap [ˈnaɪtkæp] *n* стаканчик на ночь
nightclub [ˈnaɪtklʌb] *n* ночной клуб
nightdress [ˈnaɪtdres] *n* ночная рубашка
nightfall [ˈnaɪtfɔːl] *n* сумерки
nightingale [ˈnaɪtɪŋgeɪl] *n* соловей
nightlife [ˈnaɪtlaɪf] *n* ночная жизнь
nightly [ˈnaɪtlɪ] *adj* еженощный; ночной ✧ *adv* еженощно
nightmare [ˈnaɪtmeə] *n* кошмар
nightmarish [ˈnaɪtmeərɪʃ] *adj* кошмарный
night porter *n* ночной портье
night school *n* вечерняя школа

nightshade [ˈnaɪtʃeɪd] *n:* **deadly ~** белладонна, красавка
night shift *n* ночная смена
night-time [ˈnaɪttaɪm] *n* ночное время
night watchman *n* ночной сторож
nil [nɪl] *n* нуль; *(спорт.)* ноль ✧ *cpd* нулевой
nimble [ˈnɪmbl] *adj* проворный; сообразительный
nine [naɪn] *n* девять; *see also* **five**
nineteen [ˈnaɪnˈtiːn] *n* девятнадцать; *see also* **five**
nineteenth [ˈnaɪnˈtiːnθ] *adj* девятнадцатый; *see also* **fifth**
ninetieth [ˈnaɪntɪθ] *adj* девяностый; *see also* **fifth**
ninety [ˈnaɪntɪ] *n* девяносто; *see also* **fifty**
ninth [naɪnθ] *adj* девятый; *see also* **fifth**
nip [nɪp] *vt* щипать; кусать ✧ *n* щипок; укус; рюмочка ✧ *vi:* **to ~ out** выскакивать; **to ~ into a shop** заскакивать в магазин
nipple [ˈnɪpl] *n (анат.)* сосок; *(тех.)* ниппель
nippy [ˈnɪpɪ] *adj* проворный; холодноватый
nit [nɪt] *n* гнида; олух
nitice board *n* доска объявлений
nit-pick [ˈnɪtpɪk] *vi* придираться
nitrogen [ˈnaɪtrədʒən] *n* азот
nitroglycerin(e) [ˈnaɪtrəuˈglɪsəriːn] *n* нитроглицерин
nitty-gritty [ˈnɪtɪˈgrɪtɪ] *n:* **to get down to the ~** переходить к сути дела
nitwit [ˈnɪtwɪt] *n* олух
no [nəu] *adv* нет; **are you coming? - no (I'm not)** Вы придете?; - нет (,не приду); **no thank you** нет, спасибо ✧ *adj:* **I have no money/time/books** у меня нет денег/времени/книг; **there is no bread left** хлеб кончился; **there is no one here** здесь никого нет; **it is of no importance at all** это не имеет никакого значения; **no system is totally fair** ни одна система не бывает полностью справедлива; **"no entry"** "вход воспрещен"; **"no smoking"** "не курить" ✧ *n:* **there were twenty noes** двадцать (человек) были "против"
nob [nɔb] *разг.* высокопоставленное лицо, шишка
nobble [nɔbl] *vt* покупать; подлавливать; портить
Nobel Prize [nəuˈbel-] *n* Нобелевская премия
nobility [nəuˈbɪlɪtɪ] *n* знать, дворянство; благородство
noble [ˈnəubl] *adj* дворянский; благородный; величавый
nobleman [ˈnəublmən] *n* дворянин
noblewoman [ˈnəublwumən] *n* дворянка
nobly [ˈnəublɪ] *adv* благородно
nobody [ˈnəubədɪ] *pron* никто
no-claim(s) bonus [ˈnəukleɪmz-] *n* скидка со следующей страховой премии *(предоставляется страхователю в случае страховых претензий в предыдущем году)*
nocturnal [nɔkˈtəːnl] ночной
nod [nɔd] *vi* кивать; клевать ✧ *n* кивок ✧ *vt:* **to ~ one's head** кивать головой; **they ~ded their agreement** они кивнули в знак согласия
nod off *vi* задремать
no-fly zone [nəuˈflaɪ-] *n* запретная воздушная зона
noise [nɔɪz] *n* шум
noiseless [ˈnɔɪzlɪs] *adj* бесшумный
noisily [ˈnɔɪzɪlɪ] *adv* шумно
noisy [ˈnɔɪzɪ] *adj* шумный
nomad [ˈnəumæd] *n* кочевник
nomadic [nəuˈmædɪk] *adj* кочевой
no-man's-land [ˈnəumænzlænd] *n (воен.)* ничейная полоса; туманность
nominal [ˈnɔmɪnl] *adj* номинальный
nominate [ˈnɔmɪneɪt] *vt:* **to ~ sb (for)** выставлять кандидатуру кого-н. (на); **to ~ sb (to/as)** назначать кого-н. (на)
nomination [nɔmɪˈneɪʃən] *n* выставление; назначение
nominee [nɔmɪˈniː] *n* кандидат
non... [nɔn] *prefix* не ...
nonaligned *adj* неприсоединившийся
nonbreakable [nɔnˈbreɪkəbl] *adj* небьющийся
nonchalant [ˈnɔnʃələnt] *adj* беспечный

N

noncommissioned officer [nɔnkə'mɪʃənd] *n* унтер-офицер
noncommittal [nɔnkə'mɪtl] *adj* уклончивый
nonconformist [nɔnkən'fɔ:mɪst] *n* нонконформист(ка); *(рел.):* **N~** нонконформист(ка) ✧ *adj* нонконформистский
noncooperation ['nɔnkəuɔpə'reɪʃən] *n* отказ в сотрудничестве
nondescript ['nɔndɪskrɪpt] *adj* невзрачный; неброский
none [nʌn] *pron* никто, ни один; ничто, ни один; **~ of you** никто из Вас; **I've ~ left** у меня ничего не осталось; **~ at all** совсем ничего; **he's ~ the worse for it** ему от этого отнюдь не хуже
nonessential [nɔnɪ'senʃl] *adj* несущественный ✧ *n:* **~s** несущественные вещи
nonetheless ['nʌnðə'les] *adv* тем не менее, все же
nonetity [nɔ'nentɪtɪ] *n* ничтожество
non-event [nɔnɪ'vent] *n* бессмысленное мероприятие
nonexecutive [nɔnɪg'zekjutɪv] *adj:* **~ director** директор без распорядительных полномочий
nonexistent [nɔnɪg'zɪstənt] *adj* несуществующий
nonfiction [nɔn'fɪkʃən] *n* документальная литература
nonflammable [nɔn'flæməbl] *adj* невоспламеняющийся
nonintervention ['nɔnɪntə'venʃən] *n* невмешательство
no-no ['nəunəu] *n* запретная тема
non obst *abbr* несмотря на
no-nonsense [nəu'nɔnsəns] *adj* деловой
nonpayment [nɔn'peɪmənt] *n* неуплата
nonplussed [nɔn'plʌst] *adj* ошеломленный
non-profit-making [nɔn'prɔfɪtmeɪkɪŋ] *adj:* **~ organization** некоммерческая организация
nonsense ['nɔnsəns] *n* ерунда, чепуха; **it is ~ to say that ...** говорить, что ... - просто глупость
nonsensical [nɔn'sensɪkl] *adj* бессмысленный
nonshrink [nɔn'ʃrɪŋk] *adj:* **nylon is (a) ~ (fabric)** нейлон не садится
nonskid [nɔn'skɪd] *adj* нескользящий
nonsmoker ['nɔn'sməukə] *n* некурящий(-ая)
nonstarter [nɔn'sta:tə] *n* мертвый номер
nonstick ['nɔn'stɪk] *adj* непригорающий
nonstop ['nɔn'stɔp] *adj* беспрерывный; беспосадочный; идущий без остановок ✧ *adv* беспрерывно; без посадок; без остановок
nontaxable [nɔn'tæksəbl] *adj* необлагаемый налогом
non-U *adj abbr* не принадлежащий к высшему обществу
nonvolatile [nɔn'vɔlətaɪl] *adj:* **~ memory** *(комп.)* энергонезависимая память
nonvoting [nɔn'vəutɪŋ] *adj:* **~ shares/member** акции/член без права голосования
nonwhite ['nɔn'waɪt] *adj* цветной ✧ *n:* **non-White** цветной(-ая)
noodles ['nu:dlz] *npl* вермишель
nook [nuk] *n:* **in every ~ and cranny** во всех углах
noon [nu:n] *n* полдень
noose [nu:s] *n* петля
normality [nɔ:'mælɪtɪ] *n* нормальность
normally ['nɔ:məlɪ] *adv* нормально; обычно
north [nɔ:θ] *n* север ✧ *adj* северный ✧ *adv* на север; к северу
northbound ['nɔ:θbaund] *adj* на север; северного направления
northeast [nɔ:θ'i:st] *n* северо-восток
northerly ['nɔ:ðəlɪ] *adj* северный
northerner ['nɔ:ðənə] *n* северянин(-янка)
northward(s) ['nɔ:θwɔdz] *adv* к северу
nose [nəus] *n* нос; нюх, чутье ✧ *vi:* **to ~ forward** осторожно пробираться вперед; **he has a ~ for danger/scandal** у него нюх на опасность/скандал; **to pay through the ~ (for sth)** платить втридорога (за что-н.)
nose about *vi* вынюхивать
nose around *vi* = **nose about**

nosebleed [ˈnəuzbli:d] *n* носовое кровотечение
nose dive *n* (крутое) пикирование
nose drops *npl* капли для носа
nostalgic [nɔsˈtældʒɪk] *adj* ностальгический; **to be ~ (for)** испытывать ностальгию (по)
nostril [ˈnɔstrɪl] *n* ноздря
nosy [ˈnəuzɪ] *adj:* **to be ~** совать нос в чужие дела
not [nɔt] *adv* нет; не; **he is not** *or* **isn't at home** его нет дома; **he asked me not to do it** он попросил меня не делать этого; **you must not** *or* **you mustn't do that** этого нельзя делать; Вы не должны этого делать; **it's too late, isn't it?** уже слишком поздно, да?; **not that ...** не то, чтобы ...; **not yet** нет еще, еще нет; **not now** не сейчас
notable [ˈnəutəbl] *adj* примечательный
notably [ˈnəutəblɪ] *adv* особенно; заметно
notary [ˈnəuterɪ] *n (also:* **~ public)** нотариус
notation [nəuˈteɪʃən] *n (муз.)* нотация
notch [nɔtʃ] *n* зазубрина; выемка
notch up *vt* добиваться; набирать
note [nəut] *n* запись; записка; примечание; банкнота; *(муз.)* нота; тон ✧ *vt* замечать; *(also:* **~ down)** записывать; **of ~** примечательный
notebook [ˈnəutbuk] *n* записная книжка; тетрадь
notecase [ˈnəutkeɪs] *n* бумажник
noted [ˈnəutɪd] *adj* известный
notepad [ˈnəutpæd] *n* блокнот
notepaper [ˈnəutpeɪpə] *n* писчая бумага
noteworthy [ˈnəutwəːðɪ] *adj* достойный внимания; **it is ~ that...** достойно внимания что ...
nothing [ˈnʌθɪŋ] *n* ничто; ноль; **he does ~** он ничего не делает; **there is ~ to do/be said** делать/сказать нечего; **~ new/much/of the sort** ничего нового/особенного/подобного; **for ~** даром; **think ~ of it!, it was ~!** не за что!; **~ like as... as ...** совсем не так ..., как ...; **to say ~ of ...** не говоря уже о ...; **it has ~ to do with you** это Вас не касается
notice [ˈnəutɪs] *n* объявление; уведомление, извещение; предупреждение; отзыв ✧ *vt* замечать; **to take ~ of** обращать внимание на; **to bring sth to sb's ~** обращать внимание кого-н. на что-н.; **to escape** *or* **avoid ~** оставаться незамеченным; **it has come to my ~ that...** мне стало известно, что ...; **to hand in one's ~** подавать заявление об уходе с работы; **he was given 2 weeks ~** его предупредили, что он будет уволен через 2 недели; **advance ~** заблаговременное предупреждение; **without ~** без предупреждения; **at short ~** без предупреждения; **until further ~** впредь до дальнейшего уведомления
noticeable [ˈnəutɪsəbl] *adj* заметный
notification [nəutɪfɪˈkeɪʃən] *n* уведомление
notify [ˈnəutɪfaɪ] *vt:* **to ~ sb (of sth)** уведомлять кого-н. (о чем-н.)
notion [ˈnəuʃən] *n* понятие; представление; **~s** *npl* галантерея
notoriety [nəutəˈraɪətɪ] *n* дурная слава
notorious [nəuˈtɔːrɪəs] *adj* известный; печально известный
notoriously [nəuˈtɔːrɪəslɪ] *adv:* **she is ~ unreliable** у нее дурная слава ненадежного человека; **this word is ~ difficult to translate** это слово известно тем, что его трудно перевести
notwithstanding [nɔtwɪθˈstændɪŋ] *adv* тем не менее ✧ *prep* несмотря на
nougat [ˈnuːgɑː] *n* нуга
nought [nɔːt] ничто; **bring to ~** разорять; сводить на нет; **come to ~** сойти на нет; *мат.* нуль ✧ **~s and crosses** крестики и нолики *(игра)*
nourish [ˈnʌrɪʃ] *vt* питать; взращивать
nourishing [ˈnʌrɪʃɪŋ] *adj* питательный
nourishment [ˈnʌrɪʃmənt] *n* питание
novel I [ˈnɔvəl] *n* роман
novel II *a* новый, неизведанный

N

novelist [ˈnɔvəlɪst] *n* романист(ка)
novelty [ˈnɔvəltɪ] *n* новизна; новинка
novice [ˈnɔvɪs] *n* новичок; *(рел.)* послушник(-ица)
now [nau] *adv* теперь, сейчас ✧ *conj:* **~ (that) ...** теперь, когда ...; **right ~** прямо сейчас; **by ~** к настоящему времени; **~ and then** *or* **again** время от времени; **from ~ on** впредь; **until ~** до сих пор; **that's the fashion just ~** это сейчас в моде; **I saw her just ~** я только что ее видел; **in 3 days from ~** через 3 дня; **between ~ and Monday** между сегодняшним днем и понедельником; **that's all for ~** пока все
nowadays [ˈnauədeɪz] *adv* в наши дни
nowhere [ˈnəuweə] *adv* нигде; никуда; **~ else** больше нигде; больше никуда; **I have ~ else to go** мне больше некуда идти
now-win situation [nəuˈwɪn-] *n* безвыигрышное положение
noxious [ˈnɔkʃəs] *adj* вредоносный; противный
nozzle [ˈnɔzl] *n (тех.)* сопло; насадка; брандспойт
nubile [ˈnju:baɪl] *adj* зрелый; прельстительный
nuclear [ˈnju:klɪə] *adj* ядерный
nuclear disarmament *n* ядерное разоружение
nuclear-free zone [ˈnju:klɪəˈfri:-] *n* внеядерная зона
nuclear reactor *n* ядерный реактор
nucleus [ˈnjú:klɪəs] *n* ядро
nude [nju:d] *adj* обнаженный, нагой ✧ *n* обнаженная фигура; **in the ~** в обнаженном виде
nudge [nʌdʒ] *vt* подталкивать
nudist [ˈnju:dɪst] *n* нудист(ка)
nudity [ˈnju:dɪtɪ] *n* нагота
nugatory [ˈnju:gətərɪ] пустячный
nugget [ˈnʌgɪt] *n* самородок; **~ of information** ценная информация
nuisance [ˈnju:sns] *n* досада; докучливый человек; **what a ~!** какая досада!; **that noise is a real ~** этот шум сильно раздражает; **he is a real ~** он очень надоедливый
nuke [nju:k] *n* ядерное оружие
null [nʌl] *adj:* **to be ~ and void** потерять законную силу
nullify [ˈnʌlɪfaɪ] *vt* сводить к нулю; *(юрид.)* аннулировать
numb [nʌm] *adj:* **~ (with)** онемевший (от) ✧ *vt:* **the cold ~ed his fingers** его пальцы онемели от холода; **to go ~** онеметь
number [ˈnʌmbə] *n* номер; *(мат.)* число; цифра; количество ✧ *vt* нумеровать; насчитывать; **a ~ of** несколько; **in a ~ of cases** в ряде случаев; **they were ten in ~** их было десять; **you've got the wrong ~** *(телеф.)* Вы не туда попали; **he is ~ed among ...** его причисляют к ...; **~ed (bank) account** номерной счет в банке
numberplate [ˈnʌmbəpleɪt] *n (авт.)* номерной знак
numbness [ˈnʌmnɪs] *n* онемение; оцепенение
numbskull [ˈnʌmskʌl] *n* тупица
numeral [ˈnju:mərəl] *n* цифра
numerate [ˈnju:mərɪt] *adj:* **to be ~** знать арифметику
numerical [nju:ˈmerɪkl] *adj* числовой; численный; цифровой; **in ~ order** по номерам
numerous [ˈnju:mərəs] *adj* многочисленный; **on ~ occasions** многократно
nun [nʌn] *n* монахиня
nunnery [ˈnʌnərɪ] *n* женский монастырь
nuptial [ˈnʌpʃəl] *adj* брачный
nurse [nə:s] *n* медсестра; *(also:* **male ~)** медбрат; *(also:* **~ maid)** няня ✧ *vt* ухаживать за; лелеять; таить; кормить грудью; **to ~ a cold** сидеть дома с простудой
nursery [ˈnə:sərɪ] *n* ясли; детская; питомник
nursery rhyme *n* песенка для детей
nursery school *n* детский сад
nursery slope *n* спуск для начинающих лыжников
nursing [ˈnə:sɪŋ] *n* профессия медсестры; уход
nursing home *n* частный дом *(для престарелых)*
nursing mother *n* кормящая мать
nurtute [ˈnə:tʃə] *vt* выращивать

N

nut [nʌt] *n (бот.)* орех; *(тех.)* гайка
nutcase [ˊnʌtkeɪs] *n* псих
nutcrackers [ˊnʌtkrækəz] *npl* щипцы для орехов
nutmeg [ˊnʌtmeg] *n* мускатный орех
nutrient [ˊnju:trɪənt] *n* питательное вещество
nutrition [nju:ˊtrɪʃən] *n* питание; питательность
nutritionist [nju:ˊtrɪʃənɪst] *n* диетолог
nutritious [nju:ˊtrɪʃəs] *adj* питательный
nuts [nʌts] *adj:* **he's ~** он чокнутый; **to be ~ about sb** с ума сходить по кому-н.
nutshell [ˊnʌtʃel] *n* ореховая скорлупа; **in a ~** в двух словах
nutty [ˊnʌtɪ] *adj* похожий (по вкусу) на орехи; чокнутый; бредовый
nuzzle [ˊnʌzl] нюхать *(о собаках);* прижаться
nymph [nɪmf] *n (мифолог.)* нимфа; *(зоол.)* личинка
nymphomaniac [ˊnɪmfəuˊmeɪnɪæk] *n* нимфоманка

O

O,o [ɔu] *n 15-ая буква английского алфавита*
o'clock [əˊklɔk] *adv:* **it is five ~** сейчас пять часов
oaf [əuf] *n* чурбан, дубина
oak [əuk] *n* дуб ✧ *adj* дубовый
oar [ɔ:] *n* весло; **to put** *or* **sheve one's ~ in** встревать
oarsman [ˊɔ:zmən] *n* гребец
oath [əuθ] *n* клятва; *(юрид.)* присяга; проклятие; **on or under ~** под присягой; **to take the ~** принимать присягу
oatmeal [ˊoutmi:l] овсянка *(мука, крупа)*
oats [əuts] *npl* овес
obedience [əˊbi:dɪəns] *n* повиновение, послушание; **in ~ to** повинуясь
obedient [əˊbi:dɪənt] *adj* послушный; **to be ~ to sb/sth** слушаться кого-н./чего-н.
obeisance [ouˊbeɪsəns] почтительный поклон, реверанс; почтение, уважение
obelisk [ˊɔbɪlɪsk] *n* обелиск
obese [əuˊbi:s] *adj* тучный
obesity [əuˊbi:sɪtɪ] *n* ожирение; тучность
obey [əˊbeɪ] *vt* подчиняться, повиноваться ✧ *vi* подчиняться, повиноваться
obituary [əˊbɪtjuərɪ] **1.** *n* некролог **2.** *a* некрологический
object [ˊɔbdʒɪkt] *n* предмет; цель; объект; *(лингв.)* дополнение ✧ *vi:* **to ~ (to)** возражать против; **expense is now ~** деньги - не проблема; **that's the ~ of doing that?** для чего делать это?; **he ~ed that ...** он возразил, что...; **I ~!** я возражаю!; **do you ~ to my smoking?** Вы не возражаете, если я буду курить?
objection [əbˊdʒekʃən] *n* возражение; **I have no ~ to ...** я не имею никаких возражений против ...; **if you have no ~** если Вы не возражаете; **no make** *or* **raise an ~** выдвигать возражение
objectionable [əbˊdʒekʃənəbl] *adj* возмутительный; неприятный
objective [əbˊdʒektɪv] *adj* объективный ✧ *n* цель
objectively [əbˊdʒektɪvlɪ] *adv* объективно
objectivity [ɔbdʒɪkˊtɪvɪtɪ] *n* объективность
object lesson *n:* **an ~~ in** наглядный пример
objector [əbˊdʒektə] *n* протестующий
oblation [ouˊbleɪʃən] жертвоприношение
obligatory [ɔˊblɪgətərɪ] *adj* обязательный
oblige [ɔˊblaɪdʒ] *vt* обязывать; **to ~ sb to do** обязывать кого-н.; **I'm much ~d to you for your help** я очень обязан Вам за вашу помощь; **anything to ~!** (я весь) к вашим услугам!
obliging [ɔˊblaɪdʒɪŋ] *adj* любезный
oblique [ɔˊbli:k] *adj* наклонный; косвенный ✧ *n (типог.):* **~ (stroke)** наклонная черта
obliterate [ɔˊblɪtəreɪt] *vt* уничтожать; стирать

oblivion [ɔ'blɪvɪən] *n* забвение; **these events have sunk into ~** эти события преданы забвению
oblivious [ɔ'blɪvɪəs] *adj:* **to be ~ of** *or* **to** не сознавать
oblong ['ɔblɔŋ] *adj* продолговатый ✧ *n* продолговатый предмет
obnoxious [əb'nɔkʃəs] *adj* отвратительный
oboe ['əubəu] *n* гобой
obscene [əb'si:n] *adj* непристойный
obscenity [əb'senɪtɪ] *n* непристойность
obscure [əb'skjuə] *adj* малоизвестный; неясный, смутный ✧ *vt* загораживать; затемнять
obscurity [əb'skjuərɪtɪ] *n* безответственность; неясность
obsequies ['ɔbsɪkwɪz] похороны
obsequious [əb'si:kwɪəs] *adj* подобострастный
observable [əb'zə:vəbl] *adj* наблюдаемый; заметный
observance [əb'zə:vns] *n* соблюдение; **religious ~s** религиозные обряды
observant [əb'zə:vnt] *adj* наблюдательный
observation [ɔbzə'veɪʃən] *n* замечание; *(мед.)* наблюдение
observation post *n* наблюдательный пост
observatory [əb'szə:vətrɪ] *n* обсерватория
observe [əb'zə:v] *vt* наблюдать за; замечать; соблюдать
observer [əb'zə:və] *n* наблюдатель
obsess [əb'ses] *vt* овладевать; **you are ~ed by the idea** Вы одержимы этой идеей; **he is totally ~ed with this woman** он совершенно помешан на этой женщине
obsession [əb'seʃən] *n* навязчивая идея; **she has an ~ for cats** она помешана на кошках
obsessive [əb'sesɪv] *adj* одержимый
obsolescent [,ɔbsə'lesnt] устаревающий
obsolete ['ɔbsəli:t] *adj* устаревший; устарелый
obstacle ['ɔbstəkl] *n* препятствие
obstacle race *n* бег с препятствиями
obstetrician [ɔbstə'trɪʃən] *n* врач-акушер
obstetrics [əb'stetrɪks] *n* акушерство
obstinacy ['ɔbstinəsɪ] *n* упрямство
obstinate ['ɔbstɪnɪt] *adj* упрямый; упорный
obstruct [əb'strʌkt] *vt* загораживать; препятствовать
obstruction [əb'strʌkʃən] *n* препятствование; обструкция; препятствие
obstructive [əb'strʌktɪv] *adj* обструкционный; **he is ~** он чинит препятствие
obtain [əb'teɪn] добывать, приобретать; достигать, добиваться; применяться, существовать
obtainable [əb'teɪnəbl] *adj* достижимый
obtrude [əb'tru:d] навязывать *(мнение и т.п.);* **~ oneself** навязываться
obtrusive [əb'tru:sɪv] *adj* навязчивый
obtuse [əb'tju:s] *adj* бестолковый; *(мат.)* тупой
obverse ['ɔbvə:s] *n:* **the ~** обратное
obviate ['ɔbvɪeɪt] *vt* устранять
obvious ['ɔbvɪəs] *adj* очевидный
obviously ['ɔbvɪəslɪ] *adv* очевидно; разумеется; **he was ~ not drunk** было очевидно, что он не пьян; **he was not ~ drunk** он не был очевидным образом пьян; **~ not** разумеется, нет
occasion [ə'keɪʒən] *n* раз; случай; событие; возможность ✧ *vt* вызывать; **on this ~** на этот раз; **on that ~** в этот раз; **to rise to the ~** оказываться на высоте
occasional [ə'keɪʒənl] *adj* редкий, нечастый
occasionally [ə'keɪʒənəlɪ] *adv* время от времени, изредка; **very ~** очень редко
occasion table *n* запасной столик
Occident ['ɔksɪdənt] Запад, страны Запада
occidental ['ɔksɪdentl] западный
occult ['ɔkʌlt] тайный, сокровенный
occupancy ['ɔkjupənsɪ] *n* пребывание
occupant ['ɔkjupənt] *n* обитатель; **the ~s of the car/room** находящиеся в машине/комнате

O

occupation [ɔkju'peɪʃən] *n* занятие; пребывание; *(воен.)* оккупация; **unfit for ~** непригодный для жилья
occupational accident [ɔkju'peɪʃənl-] *n* производственный несчастный случай
occupational guidance *n* консультация по поиску места работы
occupational hazard *n* производственный риск
occupational pensions cheme *n пенсионный план, по которому пенсионный фонд формируется за счет взносов работника и его работодателя*
occupational therapy *n* трудотерапия
occupier ['ɔkjupaɪə] *n* проживающий(-ая); **"to the ~"** "проживающему" *(обращение в письме)*
occupy ['ɔkjupaɪ] *vt* занимать; захватывать; **to ~ o.s. (with sth)** заниматься (чем-н.); **all of the rooms are occupied** все комнаты заняты; **he was occupied with his work** он был занят работой
occur [ə'kɜː] *vi* происходить, случаться; встречаться; **to ~ to sb** приходить кому-н. в голову
occurrence [ə'kʌrəns] *n* происшествие; случай
ocean ['əuʃən] *n* океан; **~s of** море
ocean bed *n* дно океана
ocean-going ['əuʃəngəuɪŋ] *adj* океанский
ocean liner *n* океанский лайнер
ochre ['əukə] *adj* охровый
octagonal [ɔk'tægənl] *adj* восьмиугольный
octane ['ɔkteɪn] *n* октан; **high ~ petrol** *or* **gas** бензин с высоким октановым числом
octave ['ɔktɪv] *n* октава
October [ɔk'təubə] *n* октябрь; *see also* **July**
octogenarian ['ɔktəudʒɪ'neərɪən] *n:* **he is an ~** ему за восемьдесят
octopus ['ɔktəpəs] *n* осьминог
ocular ['ɔkjulə] глазной
odd [ɔd] *adj* странный, необычный; нечетный; непарный; редкий; **60 ~** шестьдесят с лишним; **at ~ times** время от времени; **I was the ~ one out** я был лишний
oddball ['ɔdbɔːl] *n* чудак
oddity ['ɔdɪtɪ] *n* диковинка; редкость; странность
odd-job man ['ɔddʒəb-] *n* разнорабочий
odd jobs *npl* случайные работы
oddly ['ɔdlɪ] *adv* странно; *see also* **enough**
oddments ['ɔdmənts] *npl* остатки
odds [ɔdz] *npl* ставки; **the ~ are against him** обстоятельства против него; **to succeed againt all the ~** добиваться успеха наперекор всему; **it makes no ~** все равно; **to be at ~ (with)** быть не в ладах
odds and ends *npl* мелочи
odds-on [ɔdz'ɔn] *adj* абсолютный; **he is ~ to win the election** он наверняка победит на выборах
ode [əud] *n* одна
odious ['əudɪəs] *adj* одиозный
odour ['əudə] *n* запах
oesophagus [iː'sɔfəgəs] *n* пищевод
oestrogen ['iːstrəudʒən] *n* эстроген
of [ɔv] *prep:* **1.: the history of Russia** история России; **a friend of ours** наш друг; **a boy of 10** мальчик десяти лет; **that was kind of you** это было очень любезно с вашей стороны; **a man of great ability** человек больших способностей; **the city of New York** город Нью-Йорк; **south of London** к югу от Лондона **2.: a kilo of flour** килограмм муки; **how much of this material do you need?** сколько такой ткани Вам нужно?; **there were three of them** их было трое; их было три; **3 of us stayed** трое из нас остались; **the 5th of July** 5-ое июля; **on the 5th of July** 5-ого июля **3.** из; **the house is made of wood** дом сделан из дерева
off [ɔf] *adv* **1.: it's a long way off** это далеко отсюда; **the city is five miles off** до города пять миль; **the game is 3 days off** до игры осталось 3 дня **2.: to go off to Paris/Italy** уезжать в Париж/Италию; **I must be off** мне пора идти **3.: to take off one's hat/coat/**

clothes снимать шляпу/пальто/одежду; **the button came off** пуговица оторвалась; **10% off** *(комм.)* скидка 10% **4.: to be off** быть в отпуске; **I'm off on Fridays** у меня выходной по пятницам; **he was off on Friday** в пятницу его не было на работе; **I have a day off** у меня отгул; **to be off sick** не работать по болезни ✧ *adj* **1.** выключенный; закрытый; отключенный **2.** отмененный; расторгнутый **3.: to go off** прокисать; портиться; **the milk has gone off** молоко прокисло **4.: on the off chance** на всякий случай; **to have an off day** вставать с левой ноги ✧ *prep* **1.** с; **to fall off a cliff** упасть со скалы **2.** от; **it's just off the M1** это недалеко от автострады M1; **it's five km off the main road** это в пяти км от шоссе; **to be off meat** не есть мясо; разлюбить мясо

offal [ˈɔfl] *n* потроха

offbeat [ˈɔfbiːt] *adj* нетривиальный

off-centre [ɔfˈsentə] *adj* смещенный ✧ *adv* не по центру

off colour *adj:* **I feel ~~** мне нездоровится

offending [əˈfendɪŋ] *adj* соответствующий

offence [əˈfens] *n* правонарушение; оскорбление; **to commit an ~** совершать правонарушение; **to take ~ at** обижаться на; **to give ~ to** обижать, оскорблять; **"no ~, but ..."** "не в обиду будет сказано, но ... "

offend [əˈfend] *vt* обижать; оскорблять ✧ *vi:* **to ~ against** нарушать

offender [əˈfendə] *n* правонарушитель(ница)

offensive [əˈfensɪv] **1.** *a* оскорбительный, обидный; неприятный; противный; *воен.* наступательный **2.** *n* наступление; **take the ~** перейти в наступление

offer [ˈɔfə] *n* предложение ✧ *vt* предлагать; **to make an ~ of sth** предлагать цену за что-н.; **to ~ sth to sb** предлагать комун. что-н.; **to ~ to do** предлагать; **"on ~"** *(комм.)* "продается со скидкой"

offering [ˈɔfərɪŋ] *n (рел.)* подношение

offer price *n* цена продавца

offhand [ɔfˈhænd] *adj* пренебрежительный; непринужденный ✧ *adv* сразу, не думая; **I can't tell you ~** я не могу Вам сказать сразу

office [ˈɔfɪs] *n* офис; кабинет; пост, должность; **doctor's ~** кабинет врача; **to take ~** вступать в должность; приходить к власти; **through his good ~s** благодаря его услугам; **the O~ of Fair Trading** Управление добросовестной конкуренцией

office bearer *n* должностное лицо

office block *n* административное здание

office boy *n* посыльный

office hours *npl* часы работы; *(мед.)* приемные часы

office manager *n* начальник конторы

officer [ˈɔfɪsə] *n (воен.)* офицер; *(also:* **police ~)** полицейский; милиционер; заведующий

office work *n* канцелярская работа

office worker *n* канцелярский *or* конторский служащий

official [əˈfɪʃl] *adj* официальный ✧ *n* должностное лицо; **government ~** официальное лицо

officialdom [əˈfɪʃldəm] *n* бюрократия

officially [əˈfɪʃəlɪ] *adv* официально

official strike *n* официальная забастовка

officiate [əˈfɪʃɪeɪt] *vi* распоряжаться; *(рел.)* совершать богослужение; **to ~ as Mayor** исполнять обязанности мэра; **to ~ at a marriage** совершать бракосочетание

officious [əˈfɪʃəs] *adj* придирчивый

offing [ˈɔfɪŋ] морская даль; **be in the ~** виднеться вдали; *перен.* готовиться, назревать *(о ссоре и т.п.)*

off-key [ɔfˈkiː] *adj* фальшивый

off-licence [ˈɔflaɪsns] *n* винный магазин

off-limits [ɔfˈlɪmɪts] *adj* закрытый

off-line [ɔfˈlaɪn] *adj (комп.)* автономный, независимый ✧ *adv (комп.)* автономно; независимо;

O

отключенно
off-load [ˈɔfləud] *vt* сваливать
off-peak [ˈɔfˈpi:k] *adj* непиковый; со скидкой
off-putting [ˈɔfputɪŋ] *adj* нерасполагающий
off-season [ˈɔfˈsi:zn] *adj* несезонный ✧ *adv* не в сезон
offset [ˈɔ:fset] **1** *n* побег; ответвление *(трубы); полигр.* офсет **2.** *v* возмещать, компенсировать
offshoot [ˈɔ:fʃu:t] отросток, ответвление; отпрыск
offshore [ɔfˈʃɔ:] *adj* морской; **there was a gentle ~ breeze** на море легкий бриз
offside [ˈɔfˈsaid] *n* правая сторона ✧ *adj (спорт.):* **to be ~** быть в офсайде
offspring [ˈɔfsprɪŋ] *n* отпрыск
offstage [ɔfˈsteɪdʒ] *adv* за сценой
off-the-cuff [ɔfðəˈkʌf] *adj* импровизированный
off-the-job [ˈɔfðəˈdʒəb] *adj:* **~ training** обучение с отрывом от производства
off-the-peg [ˈɔfðəˈpeg] *adj:* **~ clothing** готовая одежда
off-the-rack [ˈɔfðəˈræk] *adj* = **off-the-peg**
off-the-record [ˈɔfðəˈrekɔ:d] *adj* неофициальный ✧ *adv* неофициально
off-white [ˈɔfwaɪt] *adj* беловатый
often [ˈɔfn] *adv* часто; **how ~...?** как часто ...?; **more ~ that not** чаще всего; **as ~ as not** довольно часто; **every so ~** время от времени
ogle [ˈəugl] *vt* глазеть на
ogre [ˈəugə] *n* великан-людоед
oil [ɔɪl] *n (кулин.)* масло; нефть; печное масло ✧ *vt* смазывать; **~s** *npl* масляные краски
oilcan [ˈɔɪlkæn] *n* масленка
oil change *n (авт.)* смена масла *(в моторе)*
oilcloth [ˈɔɪlklɔθ] *n* клеенка
oilfield [ˈɔɪlfi:ld] *n* месторождение нефти
oil filter *n (авт.)* масляный фильтр
oilfired [ˈɔɪlfaɪəd] *adj* масляный
oil gauge *n (авт.)* индикатор уровня масла
oil industry *n* нефтяная промышленность
oil painting *n* картина, написанная маслом
oil refinery *n* нефтеперерабатывающий завод
oil rig *n* нефтяная платформа
oilseed rape [ˈɔɪlsi:d-] *n* рапс, сурепка
oilskins [ˈɔɪlskɪnz] *npl* водонепроницаемая одежда
oil slick *n* нефтяное пятно
oil tenker *n* танкер; нефтевоз
oil well *n* нефтяная скважина
oily [ˈɔɪlɪ] *adj* промасляный; маслянистый; жирный
ointment [ˈɔɪntmənt] *n* мазь
old [əuld] *adj* старый; **how ~ are you?** сколько Вам лет?; **he's 10 years ~** ему 10 лет; **~man** старик; **~woman** старуха; **~er brother** старший брат; **any ~ rag will do** сойдет любая тряпка
old age *n* старость
old age pension *n* пенсия по старости
old age pensioner *n* пенсионер(ка)
old-fashioned [ˈəuldˈfæʃnd] *adj* старомодный
old hand *n* опытный человек
old hat *adj:* **this is very ~ ~** это ужасно неново
old maid *n* старая дева
old people's home *n* дом для престарелых
old-style [ˈəuldstaɪl] *adj* в старинном стиле
old-time [ˈəuldˈtaɪm] *adj* старомодный
old-timer [əuldˈtaɪmə] *n* старожил
old wives' tale *n* бабушкины сказки
olive [ˈɔlɪv] *n* маслина, оливка ✧ *adj (also:* **~-green)** оливковый; **~ tree** оливковое дерево; **to offer an ~ branch** предлагать перемирие
olive oil *n* оливковое масло
omelet(te) [ˈɔmlɪt] *n* омлет; **ham/cheese ~** омлет с ветчиной, сыром
omen [ˈəumən] *n* предзнаменование
ominous [ˈɔmɪnəs] *adj* зловещий
omission [əuˈmɪʃən] *n* пропуск

O

omit [əu'mɪt] *vt* пропускать ✧ *vi:* **he ~ted to inform me of this** он не проинформировал меня об этом

omnipotent [ɔm'nɪpətnt] *adj* всемогущий

omnivorous [ɔm'nɪvrəs] *adj* всеядный

on [ɔn] *prep* **1.** на; **the book is on the table** книга на столе; **to put the book on the table** класть книгу на стол; **on the left** слева; **the house in on the main road** дом стоит у шоссе **2.: on foot** пешком; **on the train/plane** на поезде/самолете; **on the telephone/radio/television** по телефону/радио/телевизору; **she's on the telephone** она разговаривает по телефону; **to be on drugs** принимать лекарства; **to be on holiday/business** быть в отпуске/командировке **3.: on Friday** в пятницу; **on Fridays** по пятницам; **on June 20th** 20-ого июня; **a week on Friday** через неделю, считая с пятницы; **on arrival** по приезде; **on seeing this** увидев это **4.** о, по; **information on train services** информация о расписании поездов; **a book on physics** книга по физике ✧ *adv* **1.** в; **to have one's coat on** быть в пальто; **what's she got on?** во что она была одета?; **she put her boots/gloves/hat** она надела сапоги/перчатки/шляпу **2.** дальше, далее; **to walk on** идти дальше ✧ *adj* **1.** включенный;открытый; **is the meeting still on?** собрание еще идет?; собрание еще не отменили?; **there's a good film on at the cinema** в кинотеатре идет хороший фильм**2.: that's not on!** так не пойдет *or* не годится!

once [wʌns] *adv* (один) раз; когда-то, однажды ✧ *conj* как только; **~ he had left** как только он ушел; **at ~** сразу же; вместе; **come here at ~!** сейчас же подойди сюда!; **(all) at ~** все вместе; **~ a week** (один) раз в неделю; **~ more** еще раз; **~ and for all** раз и навсегда; **I knew him ~** я когда-то был знаком с ним; **~ upon a time there lived...** жил-был...

oncoming ['ɔnkʌmɪŋ] *adj* встречный

one [wʌn] *n* один (одна, одно, одни); **one hundred and fifty** сто пятьдесят; **one day there was a sudden knock at the door** однажды неожиданно раздался стук в дверь; **one by one** по одному, один за другим ✧ *adj* **1.** единственный; **the one book which** единственная книга, которая **2.** один; **they all belong to the one family** они все из одной семьи ✧ *pron:* **1.: I'm the one who did it** это я сделал; **this one** этот (эта, это); **that one** тот (та, то); **I've already got one** у меня уже есть **2.: one another** друг друга; **do you two over see one another?** Вы когда-нибудь видетесь; **the boys didn't dare look at one another** мальчики не смели взглянуть друг на друга **3.: one never knows** никогда не знаешь; **to cut one's finger** порезать (себе) палец; **one needs to eat** надо *or* нужно есть

one's [wʌnz] *adj:* **to dry ~ hands** вытирать руки

one-day excursion ['wʌndeɪ-] *n* обратный билет *действительный в течение одного дня*

One-hundred share index ['wʌnhʌndrəd-] *n* индекс ста акций *публикуемый ежедневно и показывающий состояние фондовой биржи*

one-man ['wʌn'mæn] *adj* индивидуальный; одноместный

one-man band *n* человек-оркестр

one-off [wʌn'ɔf] *n* единичный случай

one-parent family ['wʌnpeərənt-] *n* неполная семья

one-piece ['wʌnpi:s] *adj:* **~ bathing suit** целый купальник

onerous ['ɔnərəs] *adj* тягостный, обременительный

oneself [wʌn'self] *pron* себя; сам; самого себя; самому себе; самим собой; в самом себе; **to hurt ~** ушибаться; **to keep sth for ~** дер-

жать что-н. при себе; **to talk to ~** разговаривать с самим собой
one-sided [wʌn'saɪdɪd] *adj* односторонний; неравный
one-time ['wʌntaɪm] *adj* бывший
one-to-one ['wʌntəwʌn] *adj* индивидуальный ✧ *adv* один на один
one-upmanship [wʌn'ʌpmənʃɪp] *n:* **the art of ~** умение выделиться и показать свое превосходство
one-way ['wʌnweɪ] *adj* односторонний; **~ street** улица с односторонним движением
ongoing ['ɔngəuɪŋ] *adj* продолжающийся
onion ['ʌnjən] *n* лук
onlooker ['ɔnlukə] *n* зритель(ница)
only ['əunlɪ] *adv* только ✧ *adj* единственный ✧ *conj* только; **an ~ child** единственный ребенок; **I ~ bought one bottle** я купил только одну бутылку; **I saw her ~ yesterday** я только вчера видел ее; **I'd be ~ too pleased to help** я был бы очень рад помочь; **I would come, ~ I'm too busy** я бы пришел, только я слишком занят; **not ~ ... but also...** не только ..., но и ...
onrush ['ɔnrʌʃ] атака, натиск; наплыв; поток
onset ['ɔnset] атака, нападение; начало; **at the first ~** сразу же
onshore ['ɔnʃɔ:] *adj:* **~wind** ветер с моря; наземный
onslaught ['ɔnslɔ:t] яростная атака; штурм
on-the-job ['ɔnðə'dʒɔb] *adj:* **~ training** обучение без отрыва от производства
onus ['əunəs] *n:* **the ~ is on him to prove it** его долг - доказать это
onward ['ɔnwəd] **1.** *adv* вперёд; далее **2.** *a* направленный вперёд
onyx ['ɔnɪks] *n* оникс
oops [ups] *excl* ой!
ooze [u:z] **1.** *n* ил, тина **2.** *v* вытекать, сочиться; **his courage ~d away** мужество покинуло его
opacity [əu'pæsɪtɪ] *n* непрозрачность
opal ['əupl] *n* опал
opaque [ou'peɪk] непрозрачный, светонепроницаемый; тёмный

open ['əupn] *adj* открытый; откровенный; свободный ✧ *vt* открывать ✧ *vi* открываться; раскрываться; начинаться; **in the ~ (air)** на открытом воздухе; **the ~ sea** открытое море; **~ ground** поляна; пустырь; **to have an ~ mind on sth** подходить к чему-н. без предубеждения
open-air [əupn'eə] *adj* на открытом воздухе; открытый
open-and-shut ['əupnən'ʃʌt] *adj:* **~ case** элементарное дело
open day *n* день открытых дверей
open-ended [əupn'endɪd] *adj* открытый; незавершенный
opener ['əupnə] *n (also:* **tin** *or* **can ~)** открывалка
open-heart [əupn'hɑ:t] *adj:* **~ surgery** открытая операция на сердце
opening ['əupnɪŋ] *adj* вступительный ✧ *n* отверстие; начало; возможность; вакансия
opening night *n (театр.)* премьера
open learning *n* самообучение *по подготовительным пособиям*
openly ['əupnlɪ] *adv* открыто
open-minded [əupn'maɪndɪd] *adj* открытый; непредвзятый
open-necked ['əupnnekt] *adj* расстегнутый
openness ['əupnnɪs] *n* открытость
open on to *vt fus* выходить в/на
open out *vt* раскрывать ✧ *vi* раскрываться
open-plan ['əupn'plæn] *adj:* **~ office** офис с открытой планировкой
open prison *n* тюрьма свободного режима
open sandwich *n* бутерброд
Open University *n:* **the ~ ~** Открытый университет
open up *vt* открывать ✧ *vi* открываться
open verdict *n (юрид.):* **an ~ ~ was passed** объявили, что причина смерти неустановлена
opera glasses *npl* театральный бинокль
opera house *n* оперный театр
opera singer *n* оперный певец
operate ['ɔpəreɪt] *vt* управлять ✧ *vi*

O

действовать; *(мед.):* **to ~ (on sb)** оперировать (кого-н.)
operatic [ɔpə'rætɪk] *adj* оперный
operating costs *n* эксплуатационные затраты
operating profit *n* прибыль от производственной деятельности
operating room ['ɔpəreɪtɪŋ-] *n* операционная
operating statement *n* отчет о прибыли и убытках; текущий баланс
operating system *n (комп.)* операционная система
operating table *n* операционный стол
operating theatre *n* операционная
operation [ɔpə'reɪʃən] *n* работа; управление; *(мед., воен., комм.)* операция; **to be in ~** действовать; **he had an ~** *(мед.)* ему сделали операцию; **to perform an ~** *(мед.)* делать операцию
operational [ɔpə'reɪʃənl] *adj* функционирующий; **the machine was ~** машина функционировала
operative ['ɔpərətɪv] *adj* действующий; оперативный ✧ *n* оператор; **the ~ word** ключевое слово
operator ['ɔpərəɪtə] *n (телеф.)* телефонист(ка); оператор
operetta [ɔpə'retə] *n* оперетта
ophthalmic [ɔf'θælmɪk] *adj* офтальмологический
ophthalmic optician *n* окулист
ophthalmologist [ɔfθæl'mɔlədʒɪst] *n* офтальмолог
opinion [ɔ'pɪnjən] *n* это мнение; **in my ~** по-моему, по моему мнению; **to seek a second ~** запрашивать дополнительное мнение
opinionated [ɔ'pɪnjəneɪtɪd] *adj* самоуверенный
opinion poll *n* опрос общественного мнения
opponent [ɔ'pəunənt] *n* оппонент, противник(-ница); *(воен., спорт.)* противник
opportune ['ɔpətju:n] *adj* подходящий
opportunism [ɔpə'tju:nɪsəm] *n* оппортунизм
opportunist [ɔpə'tju:nɪst] *n* оппортунист
opportunity [,ɔpəitju:nɪtɪ] удобный случай; take the ~ *(of)* воспользоваться случаем
oppose [ɔ'pəuz] *vt* противиться; **to be ~d to sth** противиться чему-н.; **as ~d to** в противоположность
opposing [ɔ'pəuzɪŋ] *adj* противоположный; **the ~ team** команда противника
opposite ['ɔpəzɪt] *adj* противоположный ✧ *adv* напротив ✧ *prep* напротив ✧ *n:* **the ~** противоположное; **"see ~ page"** "см. на противоположной странице"
opposition [ɔpə'zɪʃən] *n* оппозиция; **the O~** *(полит.)* оппозиционная партия
oppress [ə'pres] *vt* угнетать
oppression [ə'preʃən] *n* угнетение
oppressive [ə'presɪv] *adj* угнетательский; гнетущий
opprobrium [ə'prəubrɪəm] *n* осуждение
opt [ɔpt] *vi:* **to ~ for** избирать; **to ~ to do** решать
optic ['ɔptɪk] глазной; зрительный; **~al** [-əl] зрительный; оптический; ~al illusion оптический обман
optical ['ɔptɪkl] *adj* оптический
optical character reader *n* устройство оптического считывания символов
optical fibre *n* оптическое волокно
optical illusion *n* оптический обман
optician [əp'tɪʃən] *n* окулист
optics ['ɔptɪks] *n (физ.)* оптика
optimism ['ɔptɪmɪzəm] *n* оптимизм
optimist ['ɔptɪmɪst] *n* оптимист
optimistic [,ɔptɪ'mɪstɪk] *adj* оптимистический
optimum ['ɔptɪməm] *adj* оптимальный
optinal ['ɔpʃənl] *adj* необязательный; **~ extras** дополнительные, но необязательные товары или услуги
option ['ɔpʃən] *n* вариант; *(просвещ.)* предмет по выбору; *(комм.)* опцион; **to keep one's ~s open** оставлять за собой право выбора; **I have no ~** у меня нет выбора
opt out *vi* выходить из-под госу-

O

дарственного контроля; **to ~ out of sth** выходить из чего-н.
opulence [ˈɔpjuləns] *n* богатство
opulent [ˈɔpjulənt] *adj* богатый
or [ɔː] *conj* или; **~ (else)** а то, иначе; **he hasn't seen ~ heard** он ничего не видел и не слышал
oracle [ˈɔrəkl] *n* оракул; прорицание
oral [ˈɔːrəl] *adj* устный; оральный ✧ *n* устный экзамен
orange [ˈɔrɪndʒ] **1.** *n* апельсин; апельсиновое дерево; оранжевый цвет **2.** *a* оранжевый
orangeade [ˌɔrɪdʒˈeɪd] *n* апельсиновый напиток
oration [ɔːˈreɪʃən] *n* торжественная речь
oratorio [ɔrəˈtɔːrɪəu] *n* оратория
orb [ɔːb] *n* шар
orbit [ˈɔːbɪt] *n* орбита ✧ *vt* обращаться вокруг
orchard [ˈɔːtʃəd] *n* сад *(фруктовый);* **apple ~** яблоневый сад
orchestra [ˈɔːkɪstrə] *n* оркестр; партер
orchestral [ɔːˈkestrəl] *adj* оркестровый; **~ musician** оркестрант
orchestrate [ˈɔːkɪstreɪt] *vt* организовывать; *(муз.)* оркестрировать
orchid [ˈɔːkɪd] *n* орхидея
ordain [ɔːˈdeɪn] *vt (рел.)* посвящать в сан; предписывать
ordeal [ɔːˈdiːl] *n* испытание
order [ˈɔːdə] *n* приказ; заказ; порядок ✧ *vt* приказывать; заказывать; **put in ~** располагать по порядку; **in (working) ~** исправный; **in ~ to do** для того чтобы; **in ~ of size** по размеру; **it is already on ~** *(комм.)* это уже заказано; **out of ~** не по порядку; **to place an ~ for sth with sb** заказывать что-н. кому-н.; **made to ~** сделан на заказ; **she is under ~s to remain silent** ей приказано молчать; **a point of ~** вопрос о нарушении; **to the ~ of** оплачиваемый по векселю на имя ; **to ~ sb to do** приказывать кому-н.
order book *n* книга заказов
order form *n* бланк заказов
orderly [ˈɔːdəlɪ] *n (воен.)* ординарец; санитар ✧ *adj* опрятный; организованный; упорядоченный
order number *n* номер заказа
ordinance [ˈɔːdɪnəns] указ, декрет; закон; постановление местных властей
ordinarily [ˈɔːdnrɪlɪ] *adv* обычно
ordinary [ˈɔːdnrɪ] *adj* обыкновенный, обычный; заурядный; **out of the ~** необыкновенный
ordinary seaman *n* младший матрос
ordinary shares *npl* обыкновенные акции
ordination [ɔːdɪˈneɪʃən] *n (рел.)* посвящение в духовный стан
ordnance [ˈɔːdnəns] *n (воен.)* орудие ✧ *adj* оружейный
ore [ɔː] *n* руда
organ [ˈɔːgən] *n (анат.)* орган; *(муз.)* орган
organic [ɔːˈgænɪk] *adj* органический; выращенный без применения химикатов
organism [ˈɔːgənɪzəm] *n* организм
organist [ˈɔːgənɪst] *n* органист(ка)
organization [ɔːgənaɪˈzeɪʃən] *n* организация
organization chart *n* организационная структура
organize [ˈɔːgənaɪz] *vt* организовывать, устраивать; **to get ~d** организовываться
organized crime *n* организованная преступность
organized labour *n* члены профсоюзов
organizer [ˈɔːgənaɪzə] *n* организатор, устроитель(ница)
orgasm [ˈɔːgæzəm] *n* оргазм
orgy [ˈɔːdʒɪ] *n* оргия, разгул
orient [ˈɔːrɪənt] *vt* ориентировать
oriental [ɔːrɪˈentl] *adj* восточный
orientate [ˈɔːrɪənteɪt] *vt:* **to ~ o.s.** ориентироваться
orifice [ˈɔrɪfɪs] *n* отверстие
origin [ˈɔːrɪdʒɪn] *n* происхождение; **country of ~** место рождения
original [əˈrɪdʒɪnl] *adj* оригинальный; подлинный; самобытный ✧ *n* подлинник, оригинал
originality [ˈərɪdʒɪˈnælɪtɪ] *n* самобытность, оригинальность
originally [əˈrɪdʒɪnəlɪ] *adv* первоначально

originate [ɔ'rɪdʒɪneɪt] *vi:* **to ~ from** происходить от/из; **to ~ in** зарождаться в
originator [ɔ'rɪdʒɪneɪtə] *n* создатель
ornament ['ɔ:nəmənt] *n* украшение; орнамент
ornamental [ɔ:nə'mentl] *adj* декоративный
ornamentation [,ɔ:nəmen'teɪʃən] *n* украшение
ornate [ɔ:'neɪt] *adj* декоративный
ornithologist [ɔ:nɪ'θɔlədʒɪst] *n* орнитолог
ornithology [ɔ:nɪ'θɔlədʒɪ] *n* орнитология
orphan ['ɔ:fən] **1.** *n* сирота **2.** *a* сиротский **3.** *v* сделать сиротой; **he was ~ed by war** война сделала его сиротой; **~age** [-ɪdʒ] приют для сирот
orphanage ['ɔ:fənɪdʒ] *n* детский дом
orthodoxy ['ɔ:θədɔksɪ] *n* ортодоксальные воззрения
orthopaedic [ɔ:θə'pi:dɪk] *adj* ортопедический
oscillate ['ɔsɪleɪt] *vi (елек., физ.)* колебаться, осциллировать
osier ['ouʒə] ива; лоза, побег ивы
ossify ['ɔsɪfaɪ] костенеть
ostensible [ɔs'tensəbl] мнимый, показной; служащий предлогом
ostentatious [ɔsten'teɪʃəs] *adj* броский; показной; **he is very ~** он выставляет себя на показ
ostracize ['ɔstrəsaɪz] *vt* подвергать остракизму
ostrich ['ɔstrɪtʃ] *n* страус
other ['ʌðə] *adj* другой ◊ *pron:* **the ~ (one)** другой(-ая), тот (та) ◊ *adv:* **~ than** кроме; **the ~s** остальные; **the ~ day** на днях; **some ~ people have still to arrive** приедет еще несколько человек; **some actor or ~** какой-то из актеров; **somebody or ~** кто-нибудь, кто-то; **it was none ~ that the prime minister** это был ни кто иной как премьер-министр
otherwise ['ʌðəwaɪz] *adv* иначе, по-другому; в остальном ◊ *conj* то, иначе; **it is an ~ good piece of work** в остальном это очень хорошая работа
otter ['ɔtə] *n* выдра
ouch [autʃ] *excl* ай, ой
ought [ɔ:t] *aux vb:* **I ~ to do it** мне следовало бы это сделать; **this ~ to have been corrected** это следовало исправить; **he ~ to win** он должен выигрывать; **you ~ to go and see this film** Вы обязательно должны посмотреть этот фильм
ounce [auns] *n* унция
our ['auə] *adj* наш
ours [auəz] *pron* наш; свой
ourselves [auə'selvz] *pl pron* себя; себе; сами; **(all) by ~** сами; **let's keep it between ~** давайте оставим это между нами
oust [aust] *vt* изгонять
out [aut] *adv* **1.: they're out in the garden** они в саду; **out in the rain/snow** под дождем/снегом; **out here** здесь; **out there** там; **to go out** выходить; **out loud** громко **2.: he is out at the moment** его сейчас нет (дома); **let's have a night out on Friday!** давайте пойдем куда-нибудь вечером в пятницу вечером!; **the boat was 10 km out (from the shore)** корабль находился в 10 км от берега; **three days out from Plymouth** в трех днях плавания от Плимута **4.** *(спорт.):* **the ball is out** мяч за пределами поля; **out!** аут! ◊ *adj:* **1.: to be out** быть без сознания; быть удаленным(-ой) с поля; распускаться; становиться известным(-ой); тухнуть, гаснуть; **to go out** выходить из моды **2.: before the week was out** до окончания недели **3.: to be out to do** намереваться; **to be out in one's calculations** ошибаться в расчетах ◊ *prep* **1.** из; **to go out of the house** выходить из дома; **to be out of danger** вне опасности **2.: out of curiosity** из любопытства; **out of fear** от страха; **out of boredom** от *or* со скуки; **out of grief/joy** с горя/радости; **out of necessity** по необходимости **3.** из **4.: we are out of sugar/petrol** у нас кончился сахар/бензин

O

outage [ˈautɪdʒ] *n* отключение электричества
out-and-out [ˈautəndˈaut] отъявленный; до мозга костей
outback [ˈautbæk] *n:* **the ~** необжитые районы
outbalance [autˈbæləns] перевешивать; превосходить *(по значению)*
outbid [autˈbɪd] *vt:* **to ~ sb** перебивать чью-н. цену
outbidden [autˈbɪdn] *p. p. от* outbid
outboard [ˈautbɔːd] **~ motor** подвесной (лодочный) двигатель
outbreak [ˈautbreɪk] взрыв, вспышка *(гнева, эпидемии);* (внезапное) начало *(войны и т.п.)*
outbuilding [ˈautbɪldɪŋ] *n* надводная постройка
outburst [ˈautbəːst] *n* вспышка, взрыв
outcast [ˈautkɑːst] *n* изгой
outclass [autˈklɑːs] *vt* превосходить
outcome [ˈautkʌm] *n* исход, результат
outcrop [ˈautkrɔp] *n* обнаружение
outcry [ˈautkraɪ] *n* негодование, протест
outdated [autˈdeɪtɪd] *adj* отживший; старомодный; устарелый
outdistance [autˈdɪstəns] обогнать; перегнать
outdo [autˈduː] *vt* превосходить
outdoor [ˈautdɔː] находящийся *или* совершающийся вне дома; на открытом воздухе; **~ games** игры на (открытом) воздухе
outdoors [ˈautˈdɔːz] на (открытом) воздухе; на улице
outfit [ˈautfit] *n* комплект (одежды); компания
outfitter's [ˈautfitəz] *n* торговец мужской одеждой
outgoing [ˈautgəuɪŋ] *adj* общительный; уходящий; исходящий
outgoings [ˈautgəuɪŋz] *npl* расходы
outgrew [autˈgruː] *past от* outgrow
outgrow [autˈgrəu] *vt* вырастать из; перерастать
outhouse [ˈauthaus] *n* надворная постройка
outing [ˈautɪŋ] экскурсия, прогулка
outlandish [autˈlændɪʃ] чужестранный; диковинный; странный
outlast [autˈlɑːst] продолжаться дольше *(чего-л.);* пережить *(кого-л.; что-л)*
outlaw [ˈautlɔː] **1.** *n* человек, объявленный вне закона **2.** *v* объявлять вне закона
outlay [ˈautleɪ] издержки, расходы
outlet [ˈautlet] выпускное отверстие; *перен.* выход, отдушина
outline [ˈautlaɪn] **1.** *n* очертание, контур; набросок; конспект; очерк **2.** *v* нарисовать контур; обвести; *перен.* обрисовать в общих чертах, сделать резюме
outlive [autˈlɪv] *vt* переживать
outlook [ˈautluk] *n* взгляды, воззрения; перспективы; прогноз
outlying [ˈautlaɪŋ] *adj* отдаленный
outmanoeuvre [autməˈnuːvə] *vt* перехитрить
outmoded [autˈməudɪd] *adj* устаревший
outnumber [autˈnʌmbə] *vt* превосходить численно; **they were ~ed by 5 to 1** их было в пять раз меньше
out of bounds *adj:* **this area is ~ ~ ~** это место является запретным
out-of-court [autəvˈkɔːt] *adv:* **to settle ~** приходить к соглашению без обращения в суд
out-of-date [autəvˈdeɪt] *adj* немодный; устаревший; просроченный
out-of-doors [autəvˈdɔːz] *adv* на улице, на открытом воздухе
out-of-the-way [ˈautəvðəˈweɪ] *adj* глубинный; глухой
out of touch *adj:* **to be ~ ~ ~** отставать от времени
out-of-work [ˈautəvwəːk] *adj* безработный
outpatient [ˈautpeɪʃənt] *n* амбулаторный больной
outpost [ˈautpəust] *n* аванпост
outpouring [ˈautpɔːrɪŋ] *n* излияние
output [ˈautput] продукция, выпуск; *тех.* производительность, мощность; пропускная способность; *горн.* добыча
outrage [ˈautreɪdʒ] *n* возмутительный поступок; акт насилия; возмущение ✧ *vt* возмущать; **his behaviour is an ~** его поведение просто возмутительно

О

outran [aut'ræn] *past от* **outrun**
outrank [aut'ræŋk] иметь более высокий чин
outre ['u:treɪ] эксцентричный
outregeous [aut'reɪdʒəs] *adj* возмутительный
outrider ['autraɪdə] *n* эскорт
outright [aut'raɪt] *adv* абсолютно; наотрез; прямо; наповал ✧ *adj* абсолютный; открытый; **to be killed** ~ погибать сразу
outrun [aut'rʌn] *vt* обогнать, опережать
outset ['autset] *n* начало; **from the** ~ с самого начала; **at the** ~ вначале
outshine [aut'ʃaɪn] *vt* затмевать
outside [aut'saɪd] *n* наружная сторона ✧ *adj* наружный, внешний ✧ *adv* снаружи; наружу ✧ *prep* вне, за пределами; у; под; **at the** ~ самое позднее; самое большее; **an ~ chance** ничтожный шанс; **it's cold** ~ на улице холодно
outside broadcast *n (радио, тел.)* репортаж *or* трансляция с места событий
outside lane *n (авт.)* правый ряд; левый ряд
outside left *n (футбол)* левый крайний нападающий
outside line *n (телеф.)* городской телефон; **dial "9" for an ~~** город - через девятку
outsider [aut'saɪdə] *n* посторонний; аутсайдер
outside right *n (футбол)* правый крайний нападающий
outsize ['autsaɪz] размер больше стандартного
outskirts ['autskə:ts] окраина, предместье *(города)*; опушка *(леса)*
outsmart [aut'sma:t] *vt* перехитрить
outspoken [aut'spoukən] искренний, откровенный, прямой
outspread [aut'spred] *adj* распростертый
outstanding [aut'stændɪŋ] *adj* выдающийся; незаконченный; неоплаченный; **your account is still** ~ Вы до сих пор не уплатили по счету
outstay [aut'steɪ] *vt:* **to ~ one's welcome** засиживаться в гостях
outstretched [aut'stretʃt] *adj* протянутый; вытянувшийся
outstrip [aut'strɪp] *vt* превосходить
out tray *n* корзина для исходящих документов
outvote [aut'vəut] *vt:* **to ~ sb by 3 votes** победить кого-н. с перевесом в 3 голоса
outward ['autwəd] *adj* внешний, наружный; **the ~ journey was much quicker** поездка туда намного быстрее, чем поездка обратно
outwardly ['autwədlɪ] *adv* внешне
outweigh [aut'veɪ] *vt* перевешивать
outwit [aut'wɪt] *vt* перехитрить
outwork ['autwə:k] работа вне предприятия; *воен.* передовые предприятия, передовые оборонительные сооружения
outworn ['autwɔ:n] изношенный; изнурённый, измученный; устарелый *(о понятиях)*
ova ['əuvə] *npl of* **ovum**
oval ['əuvl] *adj* овальный ✧ *n* овал
ovarian [əu'veərɪən] *adj:* **~ cyst** киста яичника; **~ cancer** рак яичника
ovary ['ouvərɪ] *анат.* яичник; *бот.* завязь
ovation [əu'veɪʃən] *n* овация
oven ['ʌvn] *n* духовка; печь
ovenproof ['ʌvnpru:f] *adj* жаростойкий, жаропрочный
ovenware ['ʌvnweə] *n* жаростойкая *or* жаропрочная посуда
over ['əuvə] *adv* **1.: to cross over (to the other side of the road)** переходить (на другую сторону дороги); **over here** здесь; **over there** там; **to ask sb over** приглашать кого-н. в гости *or* к себе **2.: to knock/turn sth over** сбивать/переворачивать что-н.; **to fall over** падать; **to bend over** нагибаться **3.: the game is over** игра окончена; **his life is over** его жизнь кончена **4.** слишком, чересчур **5.: there are 3 over** 3 осталось **6.: all over** везде, повсюду; **over and over (again)** снова и снова ✧ *prep* **1.** на; над **2.** через; **the pub over the road** паб через дорогу; **the**

O

jumped over the wall он перепрыгнул через стену **3.** свыше; **over and above** больше (чем); **this is over and above what we have already ordered** это больше, чем мы уже заказали **4.** в течение, за; **over the winter** за зиму, в течение зимы; **let's discuss it over dinner** давайте обсудим это за обедом; **the work is spread over two weeks** работа рассчитана на две недели

over... [ˈəuvə] *prefix* пере ...

overact [əuvərˈækt] *vi* переигрывать

overall [ˈəuvərɔ:l] *adj* общий ✧ *adv* в целом *or* общем; целиком ✧ *n* халат; **~s** *npl* комбинезон

overall majority *n* большинство

overanxious [əuvərˈæŋkʃəs] *adj* весьма встревоженный

overawe [əuvərˈɔ:] *vt* вызывать благоговение

overbear [ˌouvəˈbeə] пересиливать; подавлять; **~ing** [-rɪŋ] властный, повелительный

overbearing [əuvəˈbeərɪŋ] *adj* властный

overboard [ˈəuvəbɔ:d] *adv:* **to fall ~** падать за борт; **man ~!** человек за бортом!; **to go ~** перебарщивать

overbook [əuvəˈbuk] *vt* продавать больше билетов, чем имеется мест; **the hotel is ~ed** гостиница переполнена

overcame [əuvəˈkeɪm] *pt of* **overcome**

overcapitalize [əuvəˈkæpɪtəlaɪz] *vt:* **to ~ a project** вкладывать в проект необправданно большой капитал

overcast [ˈəuvəkɑ:st] *adj* пасмурный, хмурый

overcharge [əuvəˈtʃɑ:dʒ] *vt* обсчитывать

overcloud [ˌouvəˈklaud] застилать облаками; *перен.* омрачать

overcoat [ˈəuvəkəut] *n* пальто

overcome [əuvəˈkʌm] *vt* одолевать; преодолевать ✧ *adj:* **~ by** одолеваемый; **~ with** охваченный; **he was ~ with grief** он был убит горем

overconfident [əuvəˈkɔnfidənt] *adj* самонадеянный

overcrowded [əuvəˈkraudɪd] *adj* переполненный

overcrowding [əuvəˈkraudɪŋ] *n* перенаселенность; теснота

overdid [ˌouvəˈdɪd] *past от* **overdo**

overdo [əuvəˈdu:] *vt* перестараться в; утрировать; переваривать; пережаривать; **don't ~ it!** не переусердствуйте! не перестарайтесь!

overdose [ˈəuvədəus] *n* передозировка

overdress [ˈouvəˈdres] одеваться слишком нарядно

overdrive [ˈəuvədraɪv] *n (авт.)* ускоряющая передача

overdue [əuvəˈdju:] *adj* запоздалый; просроченный ; **he/the bus is an hour ~** он /автобус опаздывает на час; **these changes were long ~** этих перемен давно ждали

overemphasis [əuvəˈremfəsɪs] *n:* **~ on** излишнее ударение

overestimate [əuvərˈestɪmeɪt] *vt* переоценивать

overexcited [əuvərɪkˈsaɪtɪd] *adj* чрезмерно возбужденный

overexertion [əuvərɪgˈzə:ʃən] *n* перенапряжение

overexpose [əuvərɪkˈspəus] *vt (фото)* передерживать

overflow [əuvəˈfləu] *vi* разливаться; переполняться ✧ *n (also:* **~ pipe)** сливная труба

overfly [əuvəˈflaɪ] *vt* пролететь

overgenerous [əuvəˈdʒenərəs] *adj* слишком щедрый

overgrown [əuvəˈgrəun] *adj* заросший; **he's just an ~ schoolboy** он просто переросток

overhang [ˈəuvəˈhæŋ] *vt* нависать над ✧ *vi* нависать ✧ *n* навес

overhaul [əuvəˈhɔ:l] *vt* производить полную проверку и ремонт ✧ *n* полная проверка и ремонт

overhead [əuvəˈhed] *adv* наверху, над головой; в небе ✧ *adj* верхний; надземный ✧ *n* = **overheads; ~s** *npl* накладные расходы

overhear [əuvəˈhɪə] *vt* (случайно) подслушать

overheat [ouvəˈhi:t] **1.** *v* перегревать; перегреваться **2.** *n* перегрев

overjoyed [ˌouvəˈdʒɔɪd] вне себя от радости, счастливый, очень довольный

overkill [ˈəuvəkɪl] *n:* **it would be ~** явный перебор
overland [ˈəuvəlænd] *adj* сухопутный ✧ *adv* по суше
overlap [əuvəˈlæp] *vi* находить один на другой; частично совпадать
overleaf [əuvəˈli:f] *adv* на обороте
overload [əuvəˈləud] *vt (элек.)* перегружать; **to ~ with work/problems** перегружать работой/проблемами
overlook [ˌouvəˈluk] обозревать; смотреть сверху *(на что-л.);* выходить на *(об окнах);* не заметить; пропустить; смотреть сквозь пальцы; надзирать; смотреть *(за чем-л.)*
overlord [ˈəuvəlɔ:d] *n* повелитель
overmanning [əuvəˈmænɪŋ] *n* избыток рабочей силы
overmaster [ˌouvəˈmɑ:stə] подчинять себе; овладевать всецело
overmuch [ˈouvəˈmʌtʃ] чрезмерно, слишком много
overnight [ˈouvəˈnaɪt] накануне вечером, всю ночь; **stay ~** (пере)ночевать
overpass [ˈəuvəpɑ:s] *n* путепровод
overpay [əuvəˈpeɪ] *vt:* **to ~ sb $50** переплачивать кому-н. $50
overplay [əuvəˈpleɪ] *vt* преувеличивать значение
overpower [əuvəˈpauə] *vt* пересиливать
overpowering [əuvəˈpauərɪŋ] *adj* невыносимый
overproduction [ˈəuvəprəˈdʌkʃən] *n* перепроизводство
overrate [əuvəˈreɪt] *vt* переоценивать
overreach [əuvəˈri:tʃ] *vt:* **to ~ o.s.** перенапрягаться
overreact [əuvəri:ˈækt] *vi* горячиться
override [əuvəˈraɪd] *vt* отвергать
overriding [əuvəˈraɪdɪŋ] *adj* первостепенный; решающий
overrule [əuvəˈru:l] *vt:* **the judge ~d the defence** отменять; отвергать
overrun [ˌouvəˈrʌn] **(overran; overrun)** переливаться через край; наводнять; кишеть *(о паразитах);* глушить *(о сорняках);* разорять, опустошать; переходить границы

oversea [ˈouvəˈsi:] заморский
oversee [əuvəˈsi:] *vt* следить за
overseer [ˈouvəsɪə] надзирать, надсмотрщик
overshadow [əuvəˈʃædəu] *vt* возвышаться над; затмевать
overshoot [əuvəˈʃu:t] *vt* проезжать
oversight [ˈəuvəsaɪt] *n* недосмотр; **due to an ~** по недосмотру
oversimplify [əuvəˈsɪmplɪfaɪ] *vt* слишком упрощать
oversleep [əuvəˈsli:p] *vi* просыпать
overspend [əuvəˈspend] *vi* перерасходовать; **we have overspent by 5000 dollars** наш перерасход составил 5000 долларов
overspill [ˈəuvəspɪl] *n* избыточное население
overstaffed [əuvəˈstɑ:ft] *adj:* **this office is ~** в этом отделе слишком много работников
overstate [əuvəˈsteɪt] *vt* преувеличивать
overstatement [əuvəˈsteɪtmənt] *n* преувеличение
overstay [əuvəˈsteɪ] *vt:* **to ~ one's welcome** загоститься
overstep [ˈouvəˈstep] переступить, перешагнуть
overstock [əuvəˈstɔk] *vt* затоваривать
overstrain 1. *v* [ˈouvəˈstreɪn] переутомлять, перенапрягать **2.** *n* [ˈouvəstreɪn] чрезмерное напряжение
overstretched [əuvəˈstretʃt] *adj* перегруженный; переизрасходованный
overstrike [əuvəˈstraɪk] *n* набор лишних символов ✧ *vt* набирать *(на клавиатуре)*
overstrung [ˈouvəˈstrʌŋ]: **he is ~** он слишком взвинчен
overt [əuˈvə:t] *adj* откровенный
overtake [ˌouvəˈteɪk] (overtook; overtaken) догнать, наверстать; застигнуть (врасплох) *(о непогоде и т.п.); овладевать, охватывать (о чувстве)*
overtaking [əuvəˈteɪkɪŋ] *n (авт.)* обгон
overtax [əuvəˈtæks] *vt (экон.)* облагать слишком высоким налогом; истощать **to ~ o.s.** перенапрягаться

O

overthrow [əuvə'θrəu] *vt* свергать
overtime ['ouvətaım] **1.** *n* сверхурочное время **2.** *a* сверхурочный **3.** *adv* сверхурочно
overtime ban *n* запрет на сверхурочную работу
overtone ['əuvətəun] *n (also:* **~s): ~ of** намек на
overture ['əuvətʃuə] *n (муз.)* увертюра; подготовка
overturn [əuvə'tə:n] *vt* переворачивать; отвергать; свергать ✧ *vi* переворачиваться
overvalue ['ouvə'vælju:] переоценивать
overwhelm [əuvə'welm] *vt* одерживать верх над; переполнять
overwhelming [əuvə'welmıŋ] *adj* полный; подавляющий; всепобеждающий; невыносимый; **~ impression** общее впечатление
overwhelmingly [əuvə'welmıŋlı] *adv* полностью; безгранично; в основном
overwork [əuvə'wə:k] *n* перегрузка ✧ *vt* перегружать; затаскивать ✧ *vi* переутомляться
overwrite [əuvə'raıt] *vt (комп.)* переписывать
overwrought [əuvə'rɔ:t] *adj* переутомленный
ovulate ['ɔvjuleıt] *vi* овулировать
ovulation [ɔvju'leıʃən] *n* овуляция
ovum ['əuvəm] *n* яйцо (анат.)
owe [ɔu] *vt:* **she ~s me $50** она мне должна $50; **we ~ him our gratitude** мы должны быть благодарны ему; **he ~s his talent/life to that man** он обязан своим талантом/своей жизнью этому человеку
owing to ['əuıŋ-] *prep* вследствие
owl [aul] *n* сова
own [əun] *vt* владеть ✧ *vi:* **to ~ to sth** признаваться в чем-н. ✧ *adj* собственный; **a room of one's ~** своя собственная комната; **he lives on his ~** он живет один; **to come into one's ~** быть в своей стихии; **to get one's ~ back** отыгрываться
own brand *n (комм.) товар с маркой продающей его торговой компании*
owner ['əunə] *n* владелец
owner-occupier ['əunər'ɔkjupaıə] *n* домовладелец
ownership ['əunəʃıp] *n:* **~ (of)** владение; **under new ~** в новом владении
own goal *n (спорт.):* **to score an ~~** забивать гол в свои ворота
own up *vi:* **to ~ up to sth** признаваться
ox [ɔks] бык, вол
oxide ['ɔksaıd] *n* окись, оксид
oxtail ['ɔksteıl] *n:* **~ soup** суп из бычьего хвоста
oxyacetylene ['ɔksıə'setıli:n] *adj* ацетиленовый
oxygen ['ɔksıdʒən] *n* кислород
oxygen tent *n* кислородная палатка
oyster ['ɔıstə] *n* устрица
ozone layer *n* озоновый слой

P

P,p [pi:] *n 16-ая буква английского алфавита*
pa [pɑ:] *n* папа
pace [peıs] *n* шаг ✧ *vi:* **to ~ up and down** ходить взад вперед; **to keep ~ with** идти в ногу с; **to set the ~**; определять; **I put him through his ~s** я посмотрел, на что он способен
pacemaker ['peısmeıkə] *n (мед.)* ритмизатор сердца; *(спорт.)* лидер
Pacific [pə'sıfik] *n:* **the ~ (Ocean)** Тихий океан
pacific [pə'sıfik] *adj* миролюбивый
pacifier ['pæsıfaıə] *n* соска (-пустышка)
pacifist ['pæsıfist] *n* пацифист
pacify ['pæsıfaı] *vt* умиротворять
pack [pæk] *n* пачка; свора; стая; компания ✧ *vt* паковать; уплотнять; *(комп.)* упаковывать; **to ~ into** набивать в ✧ *vi,* **to ~ (one's bags)** паковать *or* упаковывать чемодан; **to ~ sb off** отравлять кого-н.; **to send sb ~ing** посылать кого-н. подальше
package ['pækıdʒ] *n* пакет; *(also: ~*

P

deal) (туристическая) путевка ✧ *vt* паковать *or* упаковывать

package holiday *n* организованный отдых по путевке

package tour *n* туристическая поездка по путевке

packaging [ˈpækɪdʒɪŋ] *n* упаковка

packed [pækt] *adj* набитый

packed lunch *n* завтрак в пакете

packer [ˈpækə] *n* упаковщик(-ица)

packet [ˈpækɪt] *n* пачка; пакет

packet switching *n (комп.)* коммутация пакетов, пакетная коммутация

pack-horse [ˈpækhɔːs] вьючная лошадь

pack ice [ˈpækaɪs] *n* пак, паковый лед

pack in *vi* разваливаться ✧ *vt* завязывать с; **~ it in!** прекрати!

packing [ˈpækɪŋ] *n* упаковка; прокладочный материал

packing case *n* упаковочный ящик

pack off *vt* отправлять

pack up *vi* разваливаться; закругляться ✧ *vt* паковать *or* упаковывать

pad [ˈpæd] *n* блокнот; прокладка; подушечка ✧ *vt* набивать; подбивать ✧ *vi:* **to ~ about** ступать

padded cell [ˈpædɪd-] *n* палатка, обитая войлоком *(в психиатрической больнице)*

padding [ˈpædɪŋ] *n* набивочный материал, набивка; вода

padding pool [ˈpædlɪŋ-] *n* лягушатник

paddle [ˈpædl] *n* байдарочное весло; ракетка ✧ *vt* грести ✧ *vi* шлепать

paddle steamer *n* колесный пароход

paddock [ˈpædək] *n* выгон; загон

paddy field [ˈpædɪ-] *n* рисовое поле

padlock [ˈpædlɔk] *n* (висячий) замок ✧ *vt* запирать на висячий замок

padre [ˌpɑːdrɪ] полковой *или* судовой священник

paediatrician [piːdɪəˈtrɪʃən] *n* педиатр, детский врач

paediatrics [ˈpiːdɪˈætrɪks] *n* педиатрия

paerish council *n* приходский совет

pagan [ˈpeɪgən] *adj* языческий ✧ *n* язычник(-ица)

page I [peɪdʒ] **1.** *n* страница **2.** *v* нумеровать (страницы)

page II [peɪdʒ] паж

pageant [ˈpædʒ(ə)nt] карнавальное шествие; пышное зрелище; **~ ry** [-rɪ] пышность; блеск; *перен.* одна видимость

pageantry [ˈpædʒəntrɪ] *n* пышное зрелище

paginate [ˈpædʒneɪt] *vt* нумеровать

pagination [pædʒɪˈneɪʃən] *n* нумерация страниц

paid [peɪd] *pt, pp of* **pay** ✧ *adj* оплачиваемый; **to put ~ to** класть конец

paid-up [ˈpeɪdʌp] *adj (комм.)* оплаченный; **he is a ~ member** он уплатил членский взнос; **~ capital** *(комм.)* оплаченная часть объявленного акционерного капитала

pail [peɪl] *n* ведро

pain [peɪn] *n* боль; **to be in ~** страдать от боли; **to have a ~ in** чувствовать боль в; **to take ~s to do** стараться изо всех сил, чтобы; **on ~ of death** под страхом смерти

pained [peɪnd] *adj* обиженный

painful [ˈpeɪnful] *adj* мучительный; **my back is ~** спина причиняет мне боль

painfully [ˈpeɪnfəlɪ] *adv* глубоко; до боли; мучительно

painkiller [ˈpeɪnkɪlə] *n* болеутоляющее (средство)

painless [ˈpeɪnlɪs] *adj* безболезненный

painstaking [ˈpeɪnzteɪkɪŋ] *adj* кропотливый

pain stripper *n* средство для снятия краски

paint [peɪnt] *n* краска ✧ *vt* красить; рисовать; писать; изображать; **a tin of ~** банка краски; **to ~ the door blue** красить дверь в голубой цвет; **to ~ in oils** писать маслом

paintbox [ˈpeɪntbɔks] *n* набор красок

paintbrush [ˈpeɪntbrʌʃ] *n* кисть

painter [ˈpeɪntə] *n* художник; маляр

painting [ˈpeɪntɪŋ] *n* живопись; малярное дело; картина

P

paint work [ˈpeɪntwɔːk] *n* краска
pair [peə] *n* пара; **a ~ of scissors** ножницы; **~ of trousers** пара брюк
pair off *vi:* **to ~ off with sb** объединяться в паре с кем-н.
pajamas [pəˈdʒɑːməz] *npl* пижама
pal [pæl] *n* кореш
palace [ˈpæləs] *n* дворец
palaeontology [pælɪɔnˈtɔlədʒɪ] *n* палеонтология
palatable [ˈpælɪtəbl] *adj* вкусный; приемлемый
palate [ˈpælɪt] *n (анат.)* небо; вкус
palatial [pəˈleɪʃəl] *adj* роскошный
palaver [pəˈlɑːvə] **1.** *n* болтовня **2.***v* болтать
pale [peɪl] *adj* бледный ✧ *vi* бледнеть ✧ *n:* **his behaviours is beyond the ~** его поведение переходит все границы; **to grow** *or* **turn ~** бледнеть; **~ blue** бледно-голубой; **to ~ into insignificance beside** бледнеть перед
paleness [ˈpeɪlnɪs] *n* бледность
palette [ˈpælɪt] *n* палитра
palings [ˈpeɪlɪŋz] *npl* частокол
palisade [pælɪˈseɪd] *n* крепостная ограда
pall [pɔːl] *n* покров ✧ *vi* приедаться
palliative [ˈpælɪətɪv] *n (мед.)* паллиативное средство; полумера
pallid [ˈpælɪd] *adj* бледный
pallor [ˈpælə] *n* бледность
pallot [ˈpælɪt] *n* поддон
pally [ˈpælɪ] *adj* свойский
palm [pɑːm] *n (also:* **~ tree)** пальма; ладонь; ✧ *vt:* **to ~ sth off on sb** подсовывать что-н. кому-н.
palmist [ˈpɑːmɪst] *n* хиромант
Palm Sunday *n* Вербное воскресенье
palpable [ˈpælpəbl] осязаемый, ощутимый; *перен.* очѐвидный, явный
palpitations [pælpɪˈteɪʃənz] *npl* (учащенное) сердцебиение
paltry [ˈpɔːltrɪ] *adj* ничтожный
pamper [ˈpæmpə] *vt* баловать
pamphlet [ˈpæmflət] *n* брошюра; памфлет
pan [pæn] *n (also:* **saucepan)** кастрюля; *(also:* **trying ~)** сковорода ✧ *vi (кино, тел.)* панорамировать ✧ *vt* разносить; **to ~ for gold** намывать золото
panache [pəˈnæʃ] *n* щегольство
pancake [ˈpænkeɪk] *n* блин; оладья
pancake roll *n* блинчик с начинкой *(свернутый в трубочку)*
pancreas [ˈpæŋkrɪəs] *n* поджелудочная железа
panda [ˈpændə] *n* бамбуковый медведь
panda car *n* полицейская машина
pandemonium [pændɪˈməunɪəm] *n* столпотворение
pander [ˈpændə] *vi:* **to ~ to** потворствовать
pane [peɪn] *n:* **~ (of glass)** оконное стекло
panel [ˈpænl] *n* панель; комиссия
panel game *n (тел., радио)* викторина
panelling [ˈpænəlɪŋ] *n* деревянная обшивка
panellist [ˈpænəlɪst] *n (тел., радио)* участник(-ица) программы
pang [pæŋ] *(pl)* острая боль; *(часто pl)* угрызения совести
panhandler [ˈpænhændlə] *n* нищий
panic [ˈpænɪk] *n* паника ✧ *vi* паниковать
panic buying [-baɪŋ] *n* скупка дефицитных товаров
panicky [ˈpænɪkɪ] *adj* панический; **he is very ~** он паникует
panic-stricken [ˈpænɪkstrɪkən] *adj* охваченный паникой
pannier [ˈpænɪə] *n* корзинка-багажник; корзина
pansy [ˈpænzɪ] *n* анютины глазки; флунтяй
pant [pænt] **1.** *v* тяжело дышать, задыхаться; страстно желать, тосковать **2.** *n* тяжелое дыхание; биение *(сердца)*
panties [ˈpæntɪz] *npl* трусики
pantihose [ˈpæntɪhəuz] *npl* колготки
panto [ˈpæntəu] *n* = **pantomime**
pantry [ˈpæntrɪ] *n* кладовая, кладовка; буфетная
pants [pænts] *npl* трусы; брюки
pantsuit [ˈpæntsuːt] *n* брючный костюм
papacy [ˈpeɪpəsɪ] *n* папство

P

papal [ˈpeɪpəl] *adj* папский

paper [ˈpeɪpə] *n* бумага; *(also:* **newspaper)** газета; письменный экзамен; доклад; статья; *(also:* **wallpaper)** обои ✧ *adj* бумажный ✧ *vt* оклеивать обоями; **a piece of ~** клочок бумаги, бумажка; лист бумаги; **to put** *or* **get sth down on ~** записывать что-н. на бумаге

paper advance *n* продвижение бумаги

paperback [ˈpeɪpəbæk] *n* книга в мягкой обложке ✧ *adj:* **~ edition** издание в мягкой обложке

paper bag *n* бумажный пакет

paperboy [ˈpeɪpəbɔɪ] *n* мальчик - разносчик газет

paperclip [ˈpeɪpəklɪp] *n* (канцелярская) скрепка

papergirl [ˈpeɪpəgə:l] *n* девочка - разносчица газет

paper hankie *n* бумажный носовой платок

paper-mache [ˈpæpɪeɪˈmæʃeɪ] *n* папье-маше

paper mill *n* бумажная фабрика

paper profit *n* бумажная *or* нереализованная прибыль

paper shop *n* газетный киоск

paperweight [ˈpeɪpəweɪt] *n* пресс-папье

paperwork [ˈpeɪpəwə:k] *n* канцелярская работа

paprika [ˈpæprɪkə] *n* красный молотый перец

parable [ˈpærəbl] *n* притча

parabola [pəˈræbələ] *n* парабола

parachute [ˈpærəʃu:t] *n* парашют

parachute jump *n* прыжок с парашютом

parachutist [ˈpærəʃu:tɪst] *n* парашютист(ка)

parade [pəˈreɪd] *n* шествие; *(воен.)* парад ✧ *vt* выстраивать; выставлять на показ ✧ *vi (воен.)* идти строем; **fashion ~** показ мод

paradise [ˈpærədaɪs] *n* рай

paradox [ˈpærədɔks] *n* парадокс

paradoxical [ˈpærəˈdɔksɪkl] *adj* парадоксальный

paradoxically [pærəˈdɔksɪklɪ] *adv* как это ни парадоксально

paraffin [ˈpærəfɪn] *n (also:* **~ oil)** керосин; **liquid ~** вазелиновое масло

paragon [ˈpærəgən] *n* образец

paragraph [ˈpærəgrɑ:f] параграф; абзац; газетная заметка

parallel [ˈpærəlel] *adj* параллельный; аналогичный; ✧ *n (гео.)* параллель; **to draw ~s between/with** проводить параллель между; **~ (with** *or* **to)** параллельно; **in ~** *(элек.)* параллельно

paralyse [ˈpærəlaɪz] *vt* парализовать; **he is ~d** он парализован

paralysis [pəˈrælɪsɪs] *n (мед.)* паралич

paramilitary [pærəˈmɪlɪtərɪ] *adj* военизированный

paramount [ˈpærəmaunt] *adj* первостепенный

paranormal [pærəˈnɔ:ml] *adj* не поддающийся объяснению ✧ *n:* **the ~** явление, не поддающееся объяснению

parapet [ˈpærəpɪt] *n* парапет

paraphernalia [ˌpærəfəneɪljə] вещичка, мелочи; инструмент, "хозяйство"

paraphrase [ˈpærəfreɪz] *vt* перефразировать

parapsychology [pærəsaɪˈkɔlədʒɪ] *n* парапсихология

parasite [ˈpærəsaɪt] *n* паразит

parasol [ˈpærəsɔl] *n* зонтик *(защищающий от солнца)*

paratrooper [ˈpærətru:pə] *n* десантник

parcel [ˈpɑ:sl] *n* сверток; посылка ✧ *vt (also:* **~ up)** завертывать

parcel out *vt* раздавать

parcel post *n* почтово-посылочная служба

parch [pɑ:tʃ] *vt* выжигать

parched [pɑ:tʃt] *adj:* **I'm ~** у меня пересохло в горле

parchment [ˈpɑ:tʃmənt] *n* пергамент

pardon [ˈpɑ:dn] *n (юрид.)* помилование ✧ *vt* прощать; **~ me!, I beg your ~!** прошу прощения; **(I beg your) ~?, ~ me?** простите, не расслышал

pare [peə] *vt* стричь; чистить; урезывать

parent [ˈpeərənt] *n* родитель(ница); **~s** *npl* родители

parentage [ˈpeərəntɪdʒ] *n* происхождение; **she is of unknown ~** ее происхождение неизвестно
parental [pəˈrentl] *adj* родительский
parent company *n (комм.)* материнская компания
parenthesis [pəˈrenθɪsɪs] *n* вводное слово; вводное предложение; **in ~** в скобках
parenthood [ˈpeərənthud] *n* материнство; отцовство
parenting [ˈpeərəntɪŋ] *n* воспитание
parish [ˈpærɪʃ] *n (рел.)* приход; округ
parishioner [pəˈrɪʃənə] *n (рел.)* прихожанин(-анка)
parity [ˈpærɪtɪ] *n* паритет
park [ˈpa:k] **1.** *n* парк; **national ~** заповедник **2.** *v* ставить на стоянку (*автомобиль и т.п.);* оставлять *(вещи и т.п.)* **~ing** стоянка; **no ~ing** стоянка машин запрещена
parking [ˈpa:kɪn] *n* паркование; стоянка; **"no ~"** "стоянка запрещена"
parking lights *npl* подфарники
parking lot *n* (авто)стоянка
parking meter *n* счетчик на автостоянке
parking offence *n* нарушение правил стоянки
parking place *n* место на автостоянке
parliamentary [pa:ləˈmentərɪ] *adj* парламентский
parlour [ˈpa:lə] *n* гостиная
parlous [ˈpa:ləs] *adj* бедственный
parochial [pəˈrəukɪəl] *adj* ограниченный
parole [pəˈrəul] *n:* **he is/was released on ~** *(юрид.)* он освобожден/был освобожден под честное слово
parquet [ˈpa:keɪ] *n:* **~ floor(ing)** паркетный пол
parrot [ˈpærət] *n* отражать; парировать
parry [ˈpærɪ] *vt* отражать; парировать
parse [pa:z] делать грамматический разбор
parsimonious [pa:sɪˈməunɪəs] *adj* скупой
parsley [ˈpa:slɪ] *n* петрушка
parsnip [ˈpa:snɪp] *n* пастернак (посевной)
parson [ˈpa:sn] *n* приходский священник
part [pa:t] *n* часть; деталь; роль; серия; *(муз.)* партия; пробор ✧ *adv* = **partly** ✧ *vt* разделять; расчесывать на пробор ✧ *vi* расставаться; расступаться; расходиться; **to take ~ in** принимать участие в; **to take sth in good ~** не обижаться; **to take sb's ~** становиться на чью-н.сторону; **on his/for my ~** с его/моей стороны; **for the most ~** большей частью; **for the better ~ of the day** большую часть дня; **to be ~ an parcel of** являться неотъемлемой частью; **~ of speech** *(лингв.)* часть речи
partially [ˈpa:ʃəlɪ] *adv* частично
participant [pa:ˈtɪsɪpənt] *n* участник
participate [pa:ˈtɪsɪpeɪt] *vi:* **to ~ in** участвовать в
participation [pa:tɪsɪˈpeɪʃən] *n* участие
participle [ˈpa:tɪsɪpl] *n* причастие
particle [ˈpa:tɪkl] *n (физ.)* частица
particular [pəˈtɪkjulə] *adj* особый; привередливый; **~s** *npl* частности; данные; **he is very ~ about what he eats** он очень привередлив в еде; **in ~** в частности
particularly [pəˈtɪkjuləlɪ] *adv* особенно
parting [ˈpa:tɪŋ] *n* разделение; прощание ✧ *adj* прощальный; **~ shot** прощальное замечание
partisan [pa:tɪˈzæn] *adj* пристрастный ✧ *n* приверженец
partition [pa:ˈtɪʃ(ə)n] **1.** *n* расчленение; отделение (*в шкафу и т.п.);* перегородка; простенок **2.** *v* расчленять; **~ off** отделять, отгораживать
partly [ˈpa:tlɪ] частично, отчасти
partner [ˈpa:tnə] участник; компаньон; партнер; **~ ship** товарищество; участие
partnership [ˈpa:tnəʃɪp] *n (комм.)* товарищество; партнерство; *(полит.)* союз; **to go into** *or* **form a ~ (with)** устанавливать партнерство

part payment *n* частичная оплата
partridge [ˈpɑːtrɪdʒ] *n* (серая) куропатка
part-time [ˈpɑːtˈtaɪm] *adj* почасовой; занятый неполный рабочий день ✧ *adv:* **to work ~** быть на почасовой ставке; **to study ~** обучаться по неполной программе
part-timer [ˈpɑːtːtaɪmə] *n (also:* **part-time worker)** работник(-ица) на почасовой ставке, почасовик
part with *vt fus* расставаться
party [ˈpɑːtɪ] *n (полит.)* партия; вечер; вечеринка; отряд; группа; *(юрид.)* сторона ✧ *cpd (полит.)* партийный; **to give** *or* **throw a ~** устраивать вечер; **we're having a ~ next Saturday** в следующую субботу у нас вечеринка; **birthday ~** празднование дня рождения; **he was (a) ~ to the crime** он являлся соучастником преступления
party dress *n* вечернее платье
party line *n (телеф.)* общая телефонная линия; *(полит.)* партийная линия
party piece *n* коронный номер
party-political [ˈpɑːtɪpəˈlɪtɪkl] *adj* партийный политический
pass [pɑːs] *vt* проводить; передавать; проходить; проезжать; обгонять; превосходить; сдавать; принимать ✧ *vi* проходить; проезжать; сдавать ✧ *n* пропуск; членский билет; *(гео.)* перевал; *(спорт.)* пас, передача; **to get a ~** получать зачет; **to ~ sth through sth** просовывать что-н. через что-н.; **could you ~ the vegetables round?** передайте, пожалуйста, овощи всем; **she could ~ for 25** она могла бы сойти за 25-летнюю; **things have come to a pretty ~** дела плохи; **to make a ~ at sb** приставать к кому-н.
passable [ˈpɑːsəbl] *adj* проходимый; сносный
passage [ˈpæsɪdʒ] *n (анат.)* проход; отрывок; прохождение; путешествие
pass away *vi* скончаться
pass by *vi* проходить; проезжать ✧ *vt* не обращать внимание на
pass down *vt* передавать
passenger [ˈpæsɪndʒə] *n* пассажир
passer-by [pɑːsəˈbaɪ] *n* прохожий
passing [ˈpɑːsɪŋ] *adj* мимолетный ✧ *n:* **in ~** мимоходом; **to mention sth in ~** замечать что-н. мимоходом
passing place *n (авт.)* расширение на дороге
passion [ˈpæʃən] *n* страсть; **she has a ~ for history** у нее страсть к истории
passionate [ˈpæʃənɪt] *adj* страстный
passion friut *n* плод страстоцвета
passive [ˈpæsɪv] *adj* пассивный; *(лингв.)* пассивный; страдательный ✧ *n (лингв.):* **the ~** страдательный залог
passkey [ˈpɑːskiː] *n* отмычка
pass on *vt* передавать; перекладывать ✧ *vi* скончаться
pass out *vi* терять сознание; *(воен.)* успешно проходить подготовку
pass over *vt* оставлять без внимания ✧ *vi* скончаться
Passover [ˈpɑːsəuvə] *n* еврейская Пасха
pass up *vt* упускать
password [ˈpɑːswəːd] *n* пароль
past [pɑːst] *prep* мимо; за; после ✧ *adj* бывший; прошлый; ✧ *n* прошлое; *(лингв.):* **the ~ (tense)** прошедшее время ✧ *adv:* **to run ~** пробегать мимо; **he's ~ forty** ему за сорок; **it's ~ midnight** уже за полночь; **ten/quarter ~ eight** десять минут/четверть девятого; **he ran ~ me** он пробежал мимо меня; **I'm ~ caring** мне уже все равно; **he's ~ it** он выдохнулся; **for the ~ few /3 days** за последние несколько дней/3 дня; **in the ~** в прошлом; *(лингв.)* в прошедшем времени
pasta [ˈpæstə] *n* макаронные изделия
paste [peɪst] *n* паста; клейстер; страз; паштет ✧ *vt* наносить клей на; **tomato ~** томатная паста; **to ~ sth onto sth** наносить что-н. на что-н.

P

pastel [ˈpæstl] *adj* пастельный
pasteurized [ˈpæstʃəraɪzd] *adj* пастеризованный
pastille [ˈpæstl] *n* пастила
pastime [ˈpɑːstaɪm] *n* время-препровождение
past master *n* непревзойденный мастер
pastoral [ˈpɑːstərl] *adj (рел.)* пасторский
pastry [ˈpeɪstrɪ] кондитерские изделия (*пирожные, торты, печенья и т.п.); ~* **-cook** [-kuk] кондитер
pasture [ˈpæstʃə] **1.** *n* подножный корм, пастбище, выгон; **2.** *v* пасти
pasty 1. *n* [ˈpæstɪ] пирог с мясом, с яблоками *или* с вареньем ; **2.** *a* [ˈpeɪstɪ] тестообразный
pat [pæt] *adj* стандартный ✧ *vt* ласкать ✧ *n:* **to give sb/o.s. a ~ on the back** хвалить кого-н./себя ✧ *adv:* **to know sth off ~ , have sth down ~** что-н. назубок; **to ~ sb's back** похлопывать кого-н. по спине
patch [pætʃ] *n* заплата; *(also:* **eye ~**) повязка; пятно; участок; ✧ *vt* латать; **to go through a bad ~** попадать в полосу невезения; **bald ~** лысина
patch up *vt* заделывать; улаживать
patchwork [ˈpætʃwəːk] *n* лоскутная работа
patchy [ˈpætʃɪ] *adj* пятнистый; отрывочный
pate [peɪt] *n:* **a bald ~** лысина на макушке
patent I [ˈpeɪt(ə)nt] **1.** *a* очевидный, явный; патентованный; оригинальный; собственного изобретения **2.** *n* патент
patent II: ~ leather лакированная кожа, лак
patent leather *n* лакированная кожа
patently [ˈpeɪtntlɪ] *adv* очевидно
patent medicine *n* патентованное лекарство
patent rights *npl* патентное право
paternal [pəˈtəːnl] *adj* отцовский; по отцу
paternalistic [pətəːnəˈlɪstɪk] *adj* патерналистический
paternity [pəˈtəːnɪtɪ] *n* отцовство
paternity suit *n (юрид.)* установление отцовства
path [pɑːθ] *n* тропа; тропинка; дорожка; путь движения
pathetic [pəˈθetɪk] трогательный, жалостный, жалкий
pathfinder [ˈpɑːθˌfaɪndə] исследователь (*страны);* следопыт
pathless [ˈpɑːθlɪs] бездорожный, непроторенный
pathway [ˈpɑːθweɪ] *n* тропа; путь
patience [ˈpeɪʃns] *n* терпение; пасьянс; **to lose one's ~** терять терпение
patient [ˈpeɪʃnt] *n (мед.)* пациентка ✧ *adj* терпеливый; **he is ~ with me** он терпелив со мной
patiently [ˈpeɪʃntlɪ] *adv* терпеливо
patio [ˈpætɪəu] *n* патио, внутренний дворик
patriotism [ˈpætrɪətɪzəm] *n* патриотизм
patrol [pəˈtrəul] *n (воен.)* патруль ✧ *vt (воен.)* патрулировать; **to be on ~** быть в дозоре; быть на дежурстве
patrol boat *n (мор.; воен.)* сторожевой катер
patrol car *n* полицейская патрульная машина
patrolman [pəˈtrəulmən] *n* дежурный полицейский
patron [ˈpeɪtrən] *n* (постоянный) клиент; спонсор; шеф; **~ of the arts** покровитель искусств
patronage [ˈpætrənɪdʒ] *n* покровительство; спонсорство, шефство
patronize [ˈpætrənaɪz] *vt* относиться свысока; покровительствовать; постоянно посещать
patronizing [ˈpætrənaɪzɪŋ] *adj* снисходительный
patron saint *n (рел.)* заступник
patter [ˈpætə] *n* топотание; стук; речитатив ✧ *vi* топотать; барабанить
pattern [ˈpætən] *n* узор; выкройка; образец; **behaviour ~s** манеры поведения
patterned [ˈpætənd] *adj* узорчатый; **~ with flowers** с узором из цветов
patty [ˈpætɪ] пирожок
paucity [ˈpɔːsɪtɪ] *n* недостаток

paunch [pɔ:ntʃ] *n* брюшко
pauper [ˈpɔ:pə] *n* нищий(-ая); **~'s grave** бедняцкая могила
pause [pɔ:z] *n* перерыв; *(муз.)* пауза ✧ *vi* делать перерыв; делать паузу; **to ~ for breath** переводить дыхание; передохнуть
pave [peɪv] *vt* мостить; **to ~ the way for** прокладывать путь к
pavement [ˈpeɪvmənt] *n* тротуар; дорожное покрытие
paving [ˈpeɪvɪŋ] *n* дорожное покрытие
paving stone *n* брусчатка
paw [pɔ:] *n* лапа ✧ *vt* трогать лапой *or* лапами; бить копытом *or* копытами; лапать
pawl [pɔ:l] *тех.* защелка; предохранитель
pawn [pɔ:ŋ] *n* пешка ✧ *vt* закладывать
pawnbroker [ˈpɔ:nbrəukə] *n* ростовщик, служащий
pawnshop [ˈpɔ:nʃɔp] *n* ломбард
pay [peɪ] *n* заплата ✧ *vt* платить; окупать ✧ *vi* окупаться; **how much did you ~ for it?** сколько Вы за него/нее/это заплатили; **I paid $5 for that record** я заплатил $5 за ту пластинку; **to ~ one's way** обеспечивать себя; **to ~ dividends** вознаграждаться; **it won't ~ you to do that** это дело не принесет Вам успеха; **to ~ attention (to)** обращать внимание (на); **to ~ sb a visit** наносить кому-н.визит; **to ~ one's respects to sb** свидетельствовать кому-н. (свое) почтение
payable [ˈpeɪəbl] *adj* подлежащий уплате; **~ to** подлежащий уплате на имя
pay award *n* повышение зарплаты
pay back *vt* возвращать; отплатить
payday [ˈpeɪdeɪ] *n* день зарплаты
payee [peɪˈi:] *n* получатель
pay for *vt fus* оплачивать; поплатиться
pay in *vt* вносить
paying guest [ˈpeɪŋ-] *n* постоялец
payload [ˈpeɪləud] *n (комм.)* полезная нагрузка
payment [ˈpeɪmənt] *n* платеж, уплата; оплата; выплата; **advance ~** внесение аванса; платеж авансом; **deferred ~** отсроченный платеж; **~ by instaiments** платеж в рассрочку; **monthly ~** месячный платеж; **in ~ for, in ~ of** в оплату за; **on ~ of five pounds** по уплате пяти фунтов
pay off *vt* расплачиваться с; рассчитывать ✧ *vi* окупаться; **to ~ sth off in instalments** расплачиваться за что-н. в рассрочку
pay out *vt* выплачивать; травить
pay packet *n* пакет с зарплатой
payphone [ˈpeɪfəun] *n (телеф.)* телефон-автомат
payroll [ˈpeɪrəul] *n* платежная ведомость; **to be on a firm's ~** быть в списочном составе фирмы
pay slip *n* извещение о зарплате
pay up *vt* выплачивать ✧ *vi* рассчитывать
pea [pi:] *n (кулин.)* горох
peace [pi:s] *n* мир, покой, спокойствие; **to be at ~ with sb** быть в мире с кем-н.; **to be at ~ with sth** смиряться с чем-н.; **to keep the ~** поддерживать спокойствие, соблюдать спокойствие
peaceable [ˈpi:səbl] *adj* миролюбивый
peaceful [ˈpi:sful] *adj* мирный
peacekeeper [ˈpi:skɪ:pə] *n* член мирных войск
peacekeeping force [ˈpi:skɪ:pɪŋ] *n* миротворческие силы
peace offering *n* задабривание
peach I [pi:tʃ] персик
peach II *разг.* доносить (*на - on)*
peacock [pi:kɔk] *n* павлин
peak [pi:k] *n* вершина, пик, козырек
peak hours *npl* часы пик
peak period *n* пиковый период
peaky [ˈpi:kɪ] *adj* дохлый
peal [pi:l] *n* перезвон; **~ of laughter** раскат смеха
peanut [ˈpi:nʌt] *n* арахис
peanut butter *n* арахисовая паста
pear [peə] *n* груша
pearl [pə:l] *n* жемчужина; **~s** жемчуг
peasant [peznt] *n* крестьянин
peat [pi:t] *n* торф

pebble [pebl] *n* галька
peck [pek] *vt* клевать; клюнуть; *(also:* **~ at)** поклевать ✧ *n* клевок; чмоканье
pecking order [ˈpekɪŋ-] *n* старшинство
peckish [ˈpekɪʃ] *adj:* **I'm feeling ~** мне хочется пожевать
peculiar [pɪˈkju:lɪə] *adj* своеобразный; **~ to** свойственный
peculiarity [pɪkju:lɪˈærɪtɪ] *n* странность; особенность
peculiarly [pɪˈkju:lɪəlɪ] *adv* странно; особенно
pecuniary [pɪˈkju:nɪərɪ] *adj* денежный
pedal [ˈpedl] *n* педаль ✧ *vt* крутить педали
pedantic [pɪˈdæntɪk] *adj* педантичный
peddle [ˈpedl] торговать вразнос
peddler [ˈpedlə] *n* **(drug) ~** торговец наркотиками
pedectrian [pɪˈdestrɪən] *n* пешеход ✧ *adj* пешеходный, скучный
pedectrian crossing *n* пешеходный переход
pedectrian precinct *n* пешеходная зона
pedigree [ˈpedigrɪ:] родословная; *attr.:* **~ cattle** племенной скот
pedlar [ˈpedlə] коробейник, разносчик
peel [pɪ:l] *n* кожура ✧ *vt* чистить, очищать ✧ vi лупиться; отставать, шелушиться
peel back *vt* оттягивать
peelings [ˈpɪ:lɪŋz] *npl* очистки
peep [pɪ:p] *n* взгляд украдкой, писк ✧ *vt* взглядывать; **to have** *or* **take a ~ (at)** взглядывать (на)
peephole [ˈpi:phəul] *n* глазок
peep out *vt* показываться, выглядывать
peer [pɪə] всматриваться; вглядываться (*в - at, into);* показываться, выглядывать
peerage [ˈpɪərɪdʒ] *n* пэрство; **the ~** пэры
peerless [ˈpɪəlɪs] *adj* несравненный
peeved [pi:vd] *adj* злой
peevish [ˈpi:vɪʃ] брюзгливый; сварливый; капризный, неуживчивый
peg [peg] *n* крючок; *(also:* **clothes ~)** прищепка; *(also:* **tent ~)** колышек *(для натягивания палатки)* ✧ *vt* прикреплять прищепками; замораживать; **off the ~ clothing** готовая одежда
pejorative [pɪˈdʒɔrətɪv] *adj* уничижительный
pellet [ˈpelɪt] *n* шарик, катышек, дробина
pell-mell [ˈpelˈmel] *adv* очертя голову
pelt [ˈpelt] *n* шкура ✧ *vi (also:* **~ down)** лить как из ведра; проноситься ✧ *vt:* **to ~ sb with sth** забрасывать кого-н. чем -н.
pelvis [ˈpelvɪs] *n* таз
pen I [pen] **1.** *n* перо; **2.** *v* писать
pen II 1. *n* загон; **2.** *v* загонять *(скот)*
penal [ˈpi:nl] *adj* исправительный; карательный; **~ code** уголовный кодекс
penalize [ˈpi:nəlaɪz] *vt* наказывать; *(спорт.)* штрафовать
penal servitude [-ˈsə:vɪtju:d] *n* каторжные работы
penalty [ˈpenltɪ] *n* наказание; штраф; штрафной (удар), пенальти
penalty area *n (спорт.)* штрафная (площадка)
penalty kick *n* штрафной (удар); пенальти
penance [ˈpenəns] *n* кара
penchant [ˈpɑ:ʃɑ:ŋ] *n* склонность; **to have a ~ for** иметь склонность к
pencil [ˈpensl] *n* карандаш ✧ *vt:* **to ~ sth in** вписывать что-н. карандашом; помечать что-н.
pencil case *n* пенал
pencil sharpener *n* точилка
pendant [ˈpendnt] *n* кулон
pending [ˈpendɪŋ] *prep* впредь до, в ожидании ✧ *adj* предстоящий
pendulum [ˈpendjuləm] *m* маятник
penetrate [ˈpenɪtreɪt] *vt* проникать в/на
penetrating [ˈpenɪtreɪtɪŋt] *adj* пронзительный; проницательный; глубокий
penetration [penɪˈtreɪʃən] *n* проникновение
peninsula [pəˈnɪnsjulə] *n* полуостров
penis [ˈpi:nɪs] *n* пенис, мужской половой член
penitentiary [penɪˈtenʃərɪ] *n* тюрьма

penitence [ˈpenɪtns] *n* раскаяние
penitent [ˈpenɪtnt] *adj* кающийся
penknife [ˈpennaɪf] *n* перочинный нож
pen name *n* (литературный) псевдоним
pennant [ˈpenənt] *n (мор.)* сигнальный флажок
pensionable [ˈpenʃnəbl] *adj* пенсионный; дающий право на пенсию
pensioner [ˈpenʃənə] *n (also:* **old age ~)** пенсионер
pension fund *n* пенсионный фонд
pension off *vt* отправлять на пенсию
pensive [ˈpensɪv] *adj* задумчивый
pent [pent] заключенный, запертый; *перен.см. pent-up*
pentagon [ˈpentəgən] *n* пятиугольник; **the P~** Пентагон
Pentecost [ˈpenɪtɪkɔst] *n* пятидесятница; троицин день
penthose [ˈpenthaus] *n* "пентхаус" *(фешенебельная квартира, расположенная на крыше)*
pent-up [ˈpentʌp] *adj* сдерживаемый
penultimate [peˈnʌltɪmət] *adj* предпоследний
penury [ˈpenjurɪ] *n* нужда, бедность
people [ˈpi:pl] *npl* люди; народ; **old ~** старики; **young ~** молодежь; **the ~** *(полит.)* народ; **~ at large** люди в массе своей; **a man of the ~** человек из народа; **several ~ came** пришло несколько человек; **the room was full of ~** в комнате было полно народу; **~ say that...** говорят, что ...
pep [pep] *n* бодрость
pepper [ˈpepə] *n* перец ✧ *vt:* **to ~ with** забрасывать
peppercorn [ˈpepəkɔ:n] *n* перчинка
pepper mill *n* мельница для перца
peppermint [ˈpepəmɪnt] *n* мятная конфета; мята перечная
pepper pot *n* перечница
pep talk *n* накачка
pep up *vt* оживить; делать острее
per [pə:] *prep* на; за; с; **~ annum/day/hour** в год/день/час; **~ person** на человека; **~ kilo** за килограмм; **as ~ your instructions** согласно вашим инструкциям; **as ~ usual** по обыкновению
per capita *adj* на душу населения
perceive [pəˈsi:v] *vt* воспринимать; понимать
per cent [pəˈsent] процент
percentage [pəˈsentɪdʒ] процент, процентное соотношение
perceptible [pəˈseptɪbl] *adj* ощутимый
perception [pəˈsepʃən] *n* восприятие; понимание; ощущение
perceptive [pəˈseptɪv] *adj* проницательный
percevere [pə:sɪˈvɪə] *vi* упорно добиваться
perch [pə:tʃ] *n* насест ✧ *n inv* окунь ✧ *vi:* **to ~** садиться (на); присаживаться (на)
percolate [ˈpə:kəleɪt] *vt* варить в кофеварке ✧ *vi* варится в кофеварке; **to ~ through/into** просачиваться сквозь/в
percolator [ˈpə:kəleɪtə] *n (also:* **coffee ~)** кофеварка
percussion [pəˈkʌʃən] *n* ударные инструменты
pereeive [pəˈsi:v] постигать, понимать, различать, ощущать
peremptory [pəˈremptərɪ] *adj* властный, категоричный; категорический
perennial [pəˈrenɪəl] *adj* многолетний; вечный ✧ *n (бот.)* многолетнее (растение)
perfect [ˈpə:fɪkt] *adj* безупречный; прекрасный; совершенный ✧ *n (also:* **~ tense)** перфект ✧ *vt* совершенствовать; **he's a ~ stranger to me** он мне совершенно незнаком
perfection [pəˈfekʃən] *n* совершенство
perfectionist [pəˈfekʃənɪst] *n* взыскательный человек
perfective [pəˈfəktɪv] *n (also:* **~ aspect)** совершенный вид
perfectly [ˈpə:fɪktlɪ] *adv* вполне; совершенно; безупречно; прекрасно; **I'm ~ happy with the situation** я вполне доволен положением дел; **you know ~ well** Вы прекрасно знаете
perforate [ˈpə:fəreɪt] *vt* перфорировать
perforation [pə:fəˈreɪʃən] *n* перфорация

P

perform [pəˈfɔːm] *vt* выполнять; проводить; исполнять; играть; работать ✧ *vi* справиться

performance [pəˈfɔːməns] *n* выступление; исполнение; представление; работа; эффективность; **the team put up a good ~** команда хорошо выступила

performer [pəˈfɔːmə] *n* исполнитель(ница)

performing [pəˈfɔːmɪŋ] *adj* дрессированный

perfume [ˈpəːfjuːm] *n* духи; аромат ✧ *vt* ароматизировать

perfunctory [pəˈfʌŋktərɪ] *adj* небрежный

perhaps [pəˈhæps] *adv* может быть, возможно; **~ he'll come** может быть, *or* возможно он придет; **~ so** может быть; **~ not** может быть и нет

peril [ˈperɪl] *n* опасность

perilous [ˈperɪləs] *adj* опасный

perilously [ˈperɪləslɪ] *adv*: **they came ~ close to being caught** они находились на грани разоблачения

periodical [pɪərɪˈɔdɪkl] *n* периодическое издание ✧ *adj* периодический

peripatetic [perɪpəˈtetɪk] *adj* бродячий; приходящий

periphery [pəˈrɪfərɪ] *n* периферия

perish [ˈperɪʃ] *vi* погибать; приходить в негодность

perishable [ˈperɪʃəbl] *adj* скоропортящийся

perishables [ˈperɪʃəblz] *npl* скоропортящиеся продукты

perishing [ˈperɪʃɪŋ] *adj*: **it's ~ (cold)** ужасно холодно

peritonitis [perɪtəˈnaɪtɪs] *n* перитонит

perjure [ˈpəːdʒə] *vt*: **to ~ o.s.** давать ложные показания

perjury [ˈpəːdʒərɪ] *n (юрид.)* лжесвидетельство

perk [pəːk] *n* льгота

perk up *vi* оживлять

perky [ˈpəːkɪ] *adj* веселый, бойкий

perm [pəːm] *n* перманент, химическая завивка ✧ *vt*: **to have one's hair ~ed** делать себе химическую завивку *or* химию

permanent [ˈpəːmənənt] *adj* постоянный; стойкий; **~ address** постоянное местожительство; **I'm not ~ here** я нахожусь здесь временно

permanently [ˈpəːmənəntlɪ] *adv* постоянно

permeable [ˈpəːmɪəbl] *adj* водонепроницаемый

permeate [ˈpəːmɪeɪt] *vt* пропитывать; пронизывать ✧ *vi*: **to ~ into/through** проникать в/сквозь

permissible [ˈpəːmɪsɪbl] *adj* допустимый, позволительный

permission [ˈpəːmɪʃən] *n* позволение, разрешение; **to give sb ~ to do** разрешать кому-н.

permissive [ˈpəːmɪsɪv] *adj* терпимый; вольный; **the ~ society** общество вседозволенности

permit [pəˈmɪt] *vt* позволять, разрешать; давать возможность ✧ *n* разрешение; пропуск; **to ~ sb to do** разрешать кому-н.; **weather ~ting** если погода позволяет; **fishing ~** разрешение на рыбную ловлю

permutation [pəːmjuˈteɪʃən] *n (мат.)* перестановка; перемещение

pernicious [pəːˈnɪʃəs] пагубный, вредный

peroration [ˌperəˈreɪʃ(ə)n] заключительная часть, резюме *(речи)*

perpetrate [ˈpəːpɪtreɪt] *vt* совершать

perpetual [pəˈpetjuəl] *adj* вечный; постоянный

perpetuate [pəˈpetjueɪt] *vt* увековечивать

perpetuity [pəːpɪˈtjuːɪtɪ] *n*: **in ~** навсегда, навечно

perplex [pəˈpleks] *vt* озадачивать

perplexing [pəːˈpleksɪŋ] *adj* запутанный; сложный

perquisites [ˈpəːkwɪzɪts] *npl* льготы

per se [-seɪ] *adv* как таковой; само по себе

persecute [ˈpəːsɪkjuːt] *vt* преследовать, подвергать гонениям

persecution [pəːsɪˈkjuːʃən] *n* преследование

perseverance [pəːsɪˈvɪərns] *n* настойчивость

Persian cat *n* Персидский кот (кошка)

persist [pə'sɪst] *vi:* **to ~ (in) doing** настаивать (на том, чтобы)
persistence [pə'sɪstəns] *n* упорство
persistent [pə'sɪstənt] *adj* непрекращающийся; стойкий; непроходящий; упорный; постоянный; непрерывный; **~ offender** рецидивист(ка)
person ['pə:sn] *n* человек; **in ~** лично; **to have sth on** *or* **about one's ~** носить что-н. при себе; **~ to ~ call** *(телеф.) междугородный телефонный разговор с вызовом абонента*
personable ['pə:snəbl] *adj* представительный
personal ['pə:snl] *adj* личный; персональный
personal allowance *n (комм.)* личные скидки с подоходного налога
personal assistant *n* личный секретарь
personal column *n* колонка для частных объявлений
personal details *npl* биографические данные
personal effects *npl* личные вещи *or* принадлежности
personal hygiene *n* личная гигиена
personal identification n *n* личный идентификационный номер *(владельца пластиковой карточки); (комп.)* персональный *or* личный идентификационный номер
personality [pə:sə'nælɪtɪ] *n* характер; знаменитость
personal loan *n (комм.)* личная ссуда
personally ['pə:snəlɪ] *adv* лично; **to take sth ~** принимать что-н. на свой счет
personal organizer *n* ежедневник
personal preperty *n* личное имущество
personal stereo *n* персональное стерео
personify [pə:'sɔnɪfaɪ] *vy* олицетворять; воплощать
personnel [pə:sə'nel] *n* персонал, штат; *(воен.)* личный состав
personnel department *n* отдел кадров
personnel management *n* руководство кадрами
personnel manager *n* начальник отдела кадров
perspective [pə'spektɪv] *n (архит., искусст.)* перспектива; видение; **to get sth into ~** смотреть на что-н. в истинном свете
Perspex ['pə:speks] *n* плексиглас
perspicacity [pə:spɪ'kæsɪtɪ] *n* проницательность
perspiration [pə:spɪ'reɪʃən] *n* пот
perspire [pə'spaɪə] *vi* потеть
persuade [pə'sweɪd] *vt:* **to ~ sb to do** убеждать *or* уговаривать кого-н.; **to ~ sb of/that** убеждать кого-н. в/что
persuasion [pə'sweɪʒən] *n* убеждение; вероисповедание
persuasive [pə'sweɪsɪv] *adj* убедительный; настойчивый
pert [pə:t] дерзкий; развязный
pertain [pə:'teɪn] принадлежать, быть свойственным; относиться, иметь отношение (*к чему-либо)*
pertinent ['pə:tɪnənt] подходящий, уместный, по существу
perturb [pə'tə:b] *vt* тревожить
perusal [pə'ru:zl] *n* прочтение
peruse [pə'ru:z] *vt* просматривать
pervade [pə'veɪd] *vt* наполнять
pervasive [pə'veɪzɪv] *adj* всепроникающий; проницающий
perverse [pə'və:s] *adj* вредный
perversion [pə'və:ʃən] *n* извращение
perversity [pə'və:sɪtɪ] *n* вредность
pervert [pə'və:t] *vt* развращать, растлевать; извращать ✧ *n (also:* **sexual ~***)* извращенец
pest [pest] чума; *перен.* язва, бич
pest control *n* борьба с вредителями
pester ['pestə] *vt* приставать к
pestilence ['pestɪləns] *n* мор
pestle ['pesl] *n* пестик
pet [pet] *n* домашнее животное ✧ *cpd* излюбленный ✧ *vt* ласкать ✧ *vi* обниматься, целоваться; **~ lion** ручной лев; **teacher's ~** любимчик
petal ['petl] *n* лепесток
petite [pə'ti:t] *adj* миниатюрный

petition [pə'tɪʃən] *n* петиция; *(юрид.)* ходатайство ✧ *vt* обращаться с петицией к ✧ *vi:* **to ~ for divorce** подавать заявление о разводе
pet name *n* ласкательное имя
petrified ['petrɪfaɪd] *adj* оцепеневший
petrify ['petrɪfaɪ] *vt* приводить в оцепенение
petrochemical [petrə'kemɪkl] *adj* нефтехимический
petrodollars ['petrəudələz] *npl (комм.)* нефтедоллары
petrol ['petrəl] *n* бензин; **two/four-star ~** низкооктановый/высокооктановый бензин; **unleaded ~** бензин, не содержащий свинца
petrol can *n* канистра для бензина
petrol engine *n* бензиновый двигатель
petroleum [pə'trəulɪəm] *n* нефть
petroleum jelly *n* вазелин
petrol pump *n* бензоколонка; бензонасос
petrol station *n* бензозаправочная станция
petrol tank *n* бензобак
petticoat ['petɪkəut] *n* комбинация; нижняя юбка
pettifogging ['petɪfəgɪŋ] adj мелочный
pettish ['petɪʃ] раздражительный
petty ['petɪ] *adj* мелкий; ограниченный **petty cash** *n* деньги на мелкие расходы
petty officer *n* старшина *(во флоте)*
petulant ['petjulənt] *adj* обидчивый
pew [pju:] *n* скамья *(в церкви)*
pewter ['pju:tə] *n* сплав олова со свинцом
phantasy ['fæntəsɪ] фантазия
phantom ['fæntəm] фантом, призрак; иллюзия; *attr.* иллюзорный, призрачный
pharmaceutical [fɑ:mə'sju:tɪkl] *adj* фармацевтический ✧ *n:* **~s** медикаменты
pharmacy [fɑ:məsɪ] *n* фармацевтика; аптека
phase [feɪz] фаза
phenomenon [fə'nɔmɪnən] *n* явление, феномен
philanderer [fɪ'lændərə] *n* волокита
philanthropic [fɪlən'θrɔpɪk] *adj* филантропический
philatelist [fɪ'lætəlɪst] *n* филателист
philosopher [fɪ'lɔsəfə] *n* философ
phlegm [flem] *n (мед.)* мокрота
phobia ['fəubjə] *n (мед.)* фобия, страх
phone [fəun] *n* телефон ✧ *vt* звонить (по телефону); **to be on the ~** иметь телефон; говорить по телефону
phone back *vt* перезванивать ✧ *vi* перезванивать
phone booth *n* телефон-автомат
phone box *n* телефонная будка, телефон-автомат
phone call *n* телефонный звонок
phone-card ['fəunkɑ:d] *n* телефонная карточка *(используется в автоматах для безналичной оплаты переговоров)*
phone tapping [-tæpɪŋ] *n* прослушивание телефонных разговоров
phone up *vt* звонить ✧ *vi* звонить
phoney ['fəunɪ] *adj* фальшивый
phonograph ['fəunəgrɑ:f] *n* проигрыватель
physical ['fɪzɪkl] *adj* физический; материальный; **~ examination** медосмотр = *медицинский осмотр;* **~ exercises** физические упражнения
physical education *n* физическое воспитание, физкультура
physically ['fɪzɪklɪ] *adv* физически
physician [fɪ'zɪʃən] *n* врач
physiology [fɪzɪ'ɔlədʒɪ] *n* физиология
physiotherapist [fɪzɪəu'θerəpɪst] *n* физиотерапевт
physique [fɪ'zi:k] *n* телосложение; физические данные
piano [pɪ'ænəu] *n* пианино, фортепьяно; **grand ~** рояль
piano accordion *n* аккордеон
pick [pɪk] *n (also: ~ axe)* кирка ✧ *vt* выбирать; собирать; рвать; взламывать; сковыривать; **take your ~** выбирайте; **the ~ of the bunch** самое лучшее; **to ~ one's nose/teeth** ковырять в носу/зубах; **to ~ sb's brains** обращаться к кому-н. за советом; **to ~ pockets** лазать по карманам; **to~ a quarrel (with sb)** искать повод для ссоры (с кем-н.)
pick at *vt fus* ковырять

P

picketing [ˈpɪkɪtɪŋ] *n* пикетирование
picket line *n* линия пикетов
picking [ˈpɪkɪŋ] сбор *(плодов и т.п.); pl* остатки, объедки
pickle [ˈpɪkl] *n* маринад; соленья; переделка ✧ *vt* мариновать; солить; **to be in a ~** попадать в переделку
pick-me-up [ˈpɪkmɪːʌp] *n* тонизирующий напиток
pick off *vt* методично сбивать; методично стрелять
pick on *vt fus* придираться к; цепляться к
pick out *vt* разглядеть; выбирать
pickpocket [ˈpɪkpɔkɪt] *n* вор-карманник
pick up *vi* улучшаться ✧ *vt* поднимать; забирать; заходить; заезжать; **to ~ up speed** набирать скорость; **to ~ o.s. up** подниматься; **we ~ed up where we left off** мы начали с того места, где остановились
pick-up [ˈpɪkʌp] *n (also: ~* **truck** *or* **van)** пикап; звукосниматель
pictorial [pɪkˈtɔːrɪəl] *adj* иллюстрированный
picture [ˈpɪktʃə] *n* картина, фотография; изображение ✧ *vt* рисовать картину; **the ~s** *npl* кино; **to take a ~ of sb/sth** фотографировать кого-н./что-н.; **the overall ~** общая картина; **to put sb in the ~** вводить кого-н. в курс дела
picture book *n* книга с картинками
picturesque [pɪktʃəˈresk] *adj* живописный
piddling [ˈpɪdlɪŋ] *adj* пустячный
pidgin [ˈpɪdʒɪn] *adj:* **~ English** пиджак-инглиш
piebald [ˈpaɪbɔːld] **1.** *a* пегий; пестрый **2.** *n* пегая лошадь
piece [pɪːs] *n* кусок; деталь; фигура; шашка ✧ *vt:* **to ~ together** связывать; соединять; **a ~ of clothing** вещь; **a ~ of advice** совет; **in ~s** вдребезги; **to take to ~s** разбирать; **in one ~** в целости и сохранности; **to get back all in one ~** возвращаться целым и невредимым; **a 10p ~** монета в 10 пенсов; **~ by ~** по частям; **a six-~ band** ансамбль из шести музыкальных инструментов; **to say one's ~** высказывать свое мнение
piecemeal [ˈpiːsmɪːl] *adv* понемногу
piece rate *n* ставка за единицу выполненных работ
piecework [ˈpiːswəːk] *n* сдельная работа
pie chart *n* секторная диаграмма
pier [pɪə] мол, волнолом; *мор.* пирс, простенок, столб, свая
pierece [ˈpɪəs] пронзать; прокалывать; проходить; проникать **~ing** острый; пронзительный; пронизывающий
pier-glass [ˈpɪəglɑːs] трюмо
piety [ˈpaɪətɪ] благочестие, набожность
piffle [ˈpɪfl] *разг.* вздор
piffling [ˈpɪflɪŋ] *adj* никчемный
pig [pɪg] **1.** *n* свинья, поросенок; *тех.* болванка, чушка **2.** *v* пороситься
piggy bank [ˈpɪgɪ-] *n* копилка
pig-headed [ˈpɪgˈhedɪd] *adj* упрямый
piglet [ˈpɪglɪt] *n* поросенок
pigskin [ˈpɪgskɪn] *n* свиная кожа
pigsty [ˈpɪgstaɪ] *n* свинарник
pigtail [ˈpɪgteɪl] *n* косичка
pike [paik] *n inv* щука ✧ *n* пика
pilchard [ˈpɪltʃəd] *n* сардина
pile [paɪl] *n* куча, груда, стопка, свая ✧ *vi:* **to ~ into** набиваться в; **in a ~** в куче; **to ~ out of** вываливаться из
pile on *vt:* **to ~ it on** перебарщивать
piles [paɪlz] *npl (мед.)* геморрой
pile up *vt* сваливать в кучу ✧ *vi* громоздиться; накапливаться
pile-up [ˈpaɪlʌp] *n (авт.)* столкновение нескольких машин
pilfer [ˈpɪlfə] *vti* воровать
pilfering [ˈpɪlfərɪŋ] *n* мелкое воровство
pilgrim [ˈpɪlgrɪm] *n* паломник, пилигрим
pilgrimage [ˈpɪlgrɪmɪdʒ] *n* паломничество
pill [pɪl] *n* таблетка; **the ~** противозачаточные (таблетки); **to be on the ~** принимать противозачаточные таблетки

P

pillage [ˈpɪlɪdʒ] *n* грабеж
pillar [ˈpɪlə] *n (архит.)* столб, колонка; **a ~ of society** столп общества
pillar box *n* почтовый ящик
pillory [ˈpɪlərɪ] *vt* выставлять на осмеяние ✧ *n* позорный столб
pillow [ˈpɪləu] *n* подушка
pillowcase [ˈpɪləukeɪs] *n* наволочка
pilot [ˈpaɪlət] *n (авиа.)* пилот, летчик; *(мор.)* лоцман ✧ *cpd* экспериментальный ✧ *vt* управлять; апробировать
pilot boat *n* лоцманский катер
pilot light *n* запальник
pimento [pɪˈmentəu] *n* душистый перец
pimp [pɪmp] *n* сутенер
pimple [ˈpɪmpl] *n* прыщ, прыщик
pimply [ˈpɪmplɪ] *adj* прыщавый
pin [pɪn] *n* булавка; *(тех.)* штифт; *(also:* **drawing ~)** кнопка; чека; штырь ✧ *vt* прикалывать; **~s and needles** колотье; **to ~ sb against** *or* **to** прижимать кого-н. к; **to ~ sth on sb** возлагать на кого-н. вину за что-н.
pinafore [ˈpɪnəfɔː] *n (also:* **~ dress)** сарафан
pincers [ˈpɪnsəz] *pl* щипцы, клещи, пинцет
pinch [pɪntʃ] *n* щепотка ✧ *vt* щипать; стащить ✧ *vi* жать; **at a ~** в крайнем случае; **to feel the ~** оказываться в стесненных обстоятельствах
pinched [pɪntʃt] *adj* осунувшийся; **~ with cold** съежившийся от холода; **I am ~ for money** у меня туго с деньгами; **we're ~ for space here** у нас здесь мало места
pincushion [ˈpɪnkuʃən] *n* игольник
pin down *vt:* **to ~ sb down** припирать кого-н. к стенке; **there's something strange here but I can't quite ~ it down** что-то здесь не так, но не пойму, что
pine [paɪn] *n* сосна ✧ *vi:* **to ~ for** тосковать по
pineapple [ˈpaɪnæpl] *n* ананас
pine away *vi* чахнуть
pine cone *n* сосновая шишка
pine needles *npl* сосновые иголки
ping [pɪŋ] *n* звон
pink [pɪŋk] *adj* розовый ✧ *n* розовый цвет; *(бот.)* гвоздика
pinking shears *npl* зубчатые ножницы
pin money *n* деньги на булавке
pinnancle [ˈpɪnəkl] *n* шпиц; вершина
pinpoint [ˈpɪnpɔɪnt] *vt* точно определять; точно объяснять; точно указывать
pinstripe [ˈpɪnstraɪp] *n* полоска; **~ suit** костюм в полоску
pint [paɪnt] *n* пинта
piogen toed [ˈpɪdʒəntəud] *adj* косолапый
pioneer [paɪəˈnɪə] *n* первооткрыватель, новатор; первопроходец, пионер ✧ *vt* прокладывать путь к
pionist [ˈpiːənɪst] *n* пианист(ка)
pious [ˈpaɪəs] *adj* набожный
pip [pɪp] *n* косточка; зернышко; **the ~s** *npl* сигнал (точного времени)
pipe [paɪp] *n* труба; трубка *(муз.)* дудка ✧ *vt* подавать; **~s** *npl*
pipe down *vi* затыкаться
pipe dream *n* пустые мечты
pipeline [ˈpaɪplaɪn] *n* трубопровод; **oil ~** нефтепровод; **gas ~** газопровод; **a new project is in the ~** дан ход новому проекту
pipe tobacco *n* трубочный табак
piquant [ˈpiːkənt] *adj* пикантный
pique [ˈpiːk] *n* задетое самолюбие
piracy [ˈpaɪərəsɪ] морской разбой, пиратство, нарушение авторского права
pirate [ˈpaɪərət] пират, нарушитель авторского права
pissed [pɪst] *adj* пьяный в стельку
pistol [ˈpɪstl] *n* пистолет
piston [ˈpɪstən] *n* поршень
pit [pɪt] *n* яма; ямка; *(also:* **coal ~)** шахта;(also: **orchestra ~)** оркестровая яма; ✧ *vt:* **to ~ one's with against sb** состязаться в эрудиции с кем-н.; **~s** *npl* пункт ремонта и заправки; **to ~ sb against sb** направлять кого-н. на кого-н.
pitapat [ˈpɪtəˈpət] *adv* тук-тук; кап-кап

P

pitch [pɪtʃ] *n* поле; *(муз.)* высота; уровень; *(also:* **sales ~)** рулада; *(мор.)* килевая качка ✧ *vt* подавать; гнать; устанавливать; подстраивать ✧ *vi* падать; *(мор.)* испытывать килевую качку; **at this ~** на таком уровне; **to ~ a tent** ставить палатку; **he was ~ed forward** его бросило вперед

pitch-black [ˈpɪtʃˈblæk] *adj* очень темный

pitched battle [pɪtʃt-] *n* ожесточенная схватка

pitfall [ˈpɪtfɔːl] *n* ловушка; подводные камни

pith [pɪθ] *бот.* сердцевина, суть, сущность, сила, энергия

pithead [ˈpɪthed] n копер *(над шахтой)*

pithy [ˈpɪθɪ] *adj* содержательный

pitiable [ˈpɪtɪəbl] *adj* жалкий

pitiful [ˈpɪtɪful] *adj* жалкий

pitifully [ˈpɪtɪfəlɪ] *adj* жалобно; **it's ~ obvious** к несчастью, это очевидно

pitiless [ˈpɪtɪlɪs] *adj* безжалостный

pitious [ˈpɪtɪəs] *adj* жалобный; несчастный

pittance [ˈpɪtns] *n* гроши

pitted [ˈpɪtɪd] *adj:* **~ with** изрытый; изъеденный

pity [ˈpɪtɪ] *n* жалость ✧ *vt* жалеть; **what a ~!** какая жалость!; **it is a ~ that you can't come** жалко, что вы не сможете прийти; **to have** *or* **take ~ on sb** сжалиться над кем-н.

pitying [ˈpɪtɪɪŋ] *adj* жалостливый

pivot [ˈpɪvət] *n (тех.)* точка вращения; центр ✧ *vi:* **to ~ on** держаться на; вращаться вокруг; зависеть от

pixel [ˈpɪksl] *n (комп.)* пиксель, элемент изображения

pixie [ˈpɪksɪ] *n* эльф

pizza [ˈpiːtsə] *n* пицца

placard [ˈplækaːd] *n* плакат

placate [ˈpləkeɪt] *vt* умиротворять; усмирять

placatory [pləˈkeɪtərɪ] *adj* примирительный

place [pleɪs] *vt* помещать; вспоминать ✧ *n* место; **at his ~** у него; **Laurel P~** Лорел Плейс; **to ~ an order with sb for sth** *(комм.)* заказывать -что-н. у кого-н.; **to be ~d** быть на каком-н. месте; **how are you ~d next week?** как у Вас со следующей неделей?; **to take ~** происходить; **from ~ to ~** с места на место; **all over the ~** повсюду; **out of ~** неуместный; **I feel out of ~ here** я чувствую себя не в своей тарелке/не на месте здесь; **in the first ~** во-первых; **to put sb in his ~** ставить кого-н. на место; **he's going ~s** он далеко пойдет; **it's not my ~** это не мое дело; **to change ~s with sb** меняться местами с кем-н.

placebo [pləsiːbəu] *n (мед.)* плацебо; успокоительное средство

place mat *n* подставка *(для столовых приборов);* салфетка

placement [ˈpleɪsmənt] *n* размещение; место

place name *n* географическое название, топоним

place of birth *n* место рождения

place setting *n* столовый прибор

placid [ˈplæsɪd] *adj* спокойный, тихий

plagiarism [ˈpleɪdʒjərɪzəm] *n* плагиат

plagiarize [ˈpleɪdʒjəraɪz] *vt* красть, списывать

plague [pleɪg] *n (мед.)* чума; нашествие ✧ *vt* осаждать; **to ~ sb with questions** донимать кого-н. вопросами

plaice [pleɪs] *n* камбала

plaid [plæd] *n* шотландка *(ткань)*

plain [pleɪn] *adj* простой; гладкий; ясный; понятный; прямой ✧ *adv* явно ✧ *n (гео.)* равнина; **to make sth ~ to sb** разъяснять что-н. кому-н.

plain chocolate *n* горький шоколад

plain-clothes [ˈpleɪnkləuðz] *adj:* **~ policeman** полицейский в штатском

plain flour *n* мука без дрожжевых добавок

plainly [ˈpleɪnlɪ] *adv* ясно

plainness [ˈpleɪnnɪs] *n* простота; ясность

plaintiff [ˈpleɪntɪf] *n* истец

plaintive [ˈpleɪntɪv] заунывный
plait [plæt] **1.** *n* коса; **2.** *v* заплетать
plan [plæn] **1.** *n* план; проект; чертеж; схема; замысел **2.** *v* планировать, составлять чертеж, проект; замышлять, намереваться, затевать
plane [pleɪn] *n (авиа.)* самолет; *(мат.)* плоскость; план; *(бот.)* платан ◇ *vt* строгать ◇ *vi (мор., авт.):* **to ~ across** скользить по
planet [plænɪt] *n* планета
plank [plæŋk] *n* доска
plankton [plæŋktən] *n* планктон
planned economy [ˈplænd-] *n* плановая экономика
planner [ˈplænə] *n* планировщик; составитель
planning [ˈplænɪŋ] *n* планирование; составление; *(also:* **town ~***)* планировка
planning permission *n* разрешение на строительство
plant [plɑːnt] **1.** *n* растение **2.** *v* сажать
plantation [ˈplænˈteɪʃən] *n* плантация; лесонасаждение
plant pot *n* цветочный горшок
plaque [ˈplæk] *n* мемориальная доска; налет
plasma [ˈplæzmə] *n* плазма
plaster [ˈplɑːstə] **1.** *n* штукатурка; пластырь; гипс **2.** *v* штукатурить, замазывать, прикладывать пластырь; **~er** [rə] штукатур
plasterboard [ˈplɑːstəbɔːd] *n* гипсовые щиты *(для обшивки стен и потолка)*
plaster cast *n (мед.)* гипс; гипсовый слепок
plasterer [ˈplɑːstərə] *n* штукатур
plastic [ˈplæstɪk] *n* пластмасса ◇ *adj* пластмассовый; пластичный; пластический
plastic bag *n* полиэтиленовый мешок
plastic bullet *n* пластмассовая пуля
Plasticine [ˈplæstɪsiːn] *n* пластилин
plastic surgery *n* пластическая хирургия; пластическая операция
plate [pleɪt] *n* тарелка; платина; печатная форма; *(фото)* фотопластинка; *(авт.)* номер; вкладная иллюстрация; **gold ~** позолота; **silver ~** серебрение
plateau [ˈplætəu] *n* плато
plateform [ˈplætfɔːm] *n* трибуна; помост; площадка; *(полит.)* платформа; **the train leaves from ~ seven** поезд отправляется с седьмого пути
plateform ticket *n* перронный билет
plate glass *n* зеркальное стекло
platen [ˈplætən] *n (типог.)* валик
plate rack *n* сушилка *(для посуды)*
platitude [ˈplætɪtjuːd] *n* плоскость; банальность
platonic [pləˈtɔnɪk] *adj* платонический
platoon [pləˈtuːn] *n* взвод
platter [ˈplætə] *n* блюдо
plaudit [ˈplɔːdɪt] аплодисменты
plaudits [ˈplɔːdɪts] *npl* похвала
plausible [ˈplɔːzɪbl] *adj* правдоподобный; убедительный
play [pleɪ] *n* пьеса ◇ *vt* играть в; играть с; играть на ◇ *vi* играть; **a ~ on words** игра слов; **to bring** *or* **call into ~** вводить в действие; **to ~ a trick on sb** сыграть шутку над кем-н.; **they're ~ing at soldiers** они играют в солдатики; **to ~ for time** тянуть время; **to ~ safe** действовать осторожно; **to ~ into sb's hands** играть кому-н. на руку
play about *vi:* **to ~ about with** играть; возиться с
play-act [ˈpleɪækt] *vi* делать вид
play along *vi:* **to ~ along with** подыгрывать ◇ *vt:* **to ~ sb along** использовать кого-н. в своих целях
play around *vi* = **play about**
play back *vt* проигрывать
playboy [ˈpleɪbɔɪ] *n* хлыщ
play down *vt* не заострять внимание на
player [ˈpleɪə] *n (спорт.)* игрок; *(муз., театр.)* исполнитель(ница)
playful [ˈpleɪful] *adj* игривый
playgoer [ˈpleɪgəuə] *n* театрал
playground [ˈpleɪgraund] *n* (детская) площадка; (игровая) площадка

P

playgroup [ˈpleɪgruːp] *n* детская группа

playing card [ˈpleɪŋ-] *n* игральная карта

playing field *n* игровое поле

playmate [ˈplemeɪt] *n* приятель

play-off [ˈpleɪɔf] *n (спорт.)* игра за призовое место

play on *vt fus* играть на; **to ~ on sb's nerves** действовать кому-н. на нервы

playpen [ˈpleɪpen] *n* (детский) манеж

playroom [ˈpleɪruːm] *n* детская

plaything [ˈpleɪθɪŋ] *n* игрушка

playtime [ˈpleɪtaɪm] *n (просвещ.)* перемена

play up *vi* барахлить; шалить; прикидываться

playwright [ˈpleɪraɪt] *n* драматург

plea [pliː] *n* мольба; призыв; *(юрид.)* заявление; предлог

plead [pliːd] *vt* ссылаться на ✧ *vi (юрид.)* признавать себя; **to ~ with sb** умолять кого-н., молить кого-н.; **to ~ sb's case** защищать кого-н. *(в суде);* **to ~ for sth** призывать к чему-н.; **to ~ guilty/not guilty** признавать себя виновным(ой)/невиновным(ой)

pleasant [ˈpleznt] приятный; милый

pleasantly [ˈplezntlɪ] *adv* приятно

pleasantries [ˈplezntrɪz] *npl* любезности

please [pliːz] хотеть, соблаговолить; **if you ~!** будьте так добры!, пожалуйста; доставлять удовольствие, угождать; **she is a hard person to ~** ей трудно угодить; нравиться

pleased [pliːzd] *adj:* **~ (with)** довольный; **~ to mest you** очень приятно; **we are ~ to inform you that...** мы рады сообщить Вам, что ...

pleasing [ˈpliːzɪŋ] *adj* приятный

pleasurable [ˈpleʒərəbl] *adj* радостный

pleasure [ˈpleʒə] *n* удовольствие; **it's a ~** не стоит; **with ~** с удовольствием; **to take ~ in** получать удовольствие от; **is this trip for business or ~?** эта поездка деловая или развлекательная?

pleasure boat *n* прогулочный катер

pleasure cruise *n* круиз

pleat [pliːt] *n* складка

plebiscite [ˈplebɪsɪt] *n* плебисцит

plebs [ˈplebz] *npl* плебеи

pledge [ˈpledʒ] *n* обязательство ✧ *vt* обязаться; **to ~ sb to secrecy** брать с кого-н. слово молчать

plenary [ˈpliːnərɪ] *adj:* **in ~ session** на пленарном заседании

plentiful [ˈplentɪful] *adj* обильный

plenty [ˈplentɪ] *n* достаточное количество; **~ of** много; множество; **we've got ~ of time to get there** у нас довольно времени, чтобы туда добраться

plethora [ˈpleθərə] *n:* **a ~ of** великое множество

pleurisy [ˈpluərɪsɪ] *n* плеврит

pliable [ˈplaɪəbl] *adj* гибкий; уступчивый; податливый

pliers [ˈplaɪəz] *npl* плоскогубцы

plight [plaɪt] *n* мучительное положение

plimber [ˈplʌmə] *n* водопроводчик

plinsolls [ˈplɪmsəlz] *npl* парусиновые туфли, кеды

plinth [plɪnθ] *n* постамент

plod [plɔd] *vi* тащиться

plodder [ˈplɔdə] *n* волокитчик; **he is a real ~** он такой медлительный

plonk [plɔŋk] *n* дешевое вино ✧ *vt:* **to ~ sth down** бухать

plot [plɔt] *n* заговор; сюжет; участок ✧ *vt* замышлять; *(мор.)* прокладывать; *(мат.)* наносить ✧ *vi* составлять заговор; **a vegetable ~** садовый участок; огород

plotter [ˈplɔtə] *n* графопостроитель; *(авиа., мор.)* курсопрокладчик; *(комп.)* плоттер, графопостроитель

plough [plau] *n* плуг ✧ *vt* пахать; **to ~ money ~ into** вкладывать деньги в

plough back *vt (комм.)* реинвестировать

ploughman [ˈplaumən] *n* пахарь

ploughman's lunch [ˈplaumənz-] *n* крестьянский обед

plough through *vt fus* продираться сквозь; пробираться через

plow *etc* = **plough**

ploy [plɔɪ] дело, работа, занятие

pluck [plʌk] *n* мужество ✧ *vt* срывать; ощипывать; выщипывать; **to ~ (the strings of) sth** перебирать струны чего-н.; **to ~ up courage** набираться храбрости *or* мужества
plucky [ˈplʌkɪ] *adj* мужественный
plug [plʌg] *n (элек.)* вилка; пробка; *(авт.)* **spark(ing) ~** свеча ✧ *vt* затыкать; рекламировать; **to give sb/sth a ~** рекламировать кого-н./что-н.
plug in *vt (элек.)* включать в розетку ✧ *vi* включаться
plum [plʌm] *n* слива ✧ *cpd:* **~ job** мировая работа
plumage [ˈplu:mɪdʒ] *n* оперение
plumb [plʌm] *vt:* **to ~ the depths of** достигать глубин
plumb in *vt* подключать; подсоединять
plumbing [ˈplʌmɪŋ] *n* водопровод и канализация; слесарное дело
plumb line *n* отвес
plummet [ˈplʌmɪt] *vi:* **to ~ (down)** рухнуть; резко падать
plump [plʌmp] *adj* полный; пухлый ✧ *vi:* **to ~ for** выбирать
plump up *vt* избивать
plunder [ˈplʌndə] *n* грабеж; награбленное ✧ *vt* грабить
plunge [plʌndʒ] *n* бросок; резкое падение ✧ *vt* метать; выбрасывать ✧ *vi* рухнуть; бросаться; резко падать; **to take the ~** отважиться; **the room was ~d into darkness** комната погрузилась во тьму
plunger [ˈplʌndʒə] *n* плунжер
plunging [ˈplʌndʒɪŋ] *adj:* **~ neckline** декольте
plural [ˈpluərl] *adj* множественный ✧ *n* множественное число
plus [plʌs] *n, adj* плюс ✧ *prep:* **ten ~ ten is twenty** десять плюс десять - двадцать; **ten/twenty ~** десять/двадцать с лишним; **we discussed the ~es of the plan** мы обсуждали плюсы проекта
plus fours *npl* бриджи
plush [plʌʃ] *adj* шикарный, роскошный ✧ *n* плюш
ply I [plaɪ] сгиб, складка, одинарная толщина
ply II усердно работать **~ the needle** быть портнихой; шить; усиленно угощать; курсировать; *мор.* лавировать
plywood [ˈplaɪwud] *n* фанера
pneumatic [nju:ˈmætɪk] *adj* пневматический
pneumonia [nju:ˈməunɪə] *n* воспаление легких, пневмония
poach [pəutʃ] *vt* охотиться без лицензии на; варить ✧ *vi* охотиться без лицензии ; **to ~ an egg** варить яйцо-пашот
poacher [ˈpəutʃə] *n* браконьер
pocket [ˈpɔkɪt] *n* карман; уголок ✧ *vt* класть себе в карман; **to be out of ~** в убытке на чем-н.
pocketbook [ˈpɔkɪtbuk] *n* бумажник; сумочка; записная книжка
pocket calculator *n* карманный калькулятор
pocketknife [ˈpɔkɪtnaɪf] *n* перочинный нож
pocketmarked [ˈpɔkmɑ:kt] *adj* рябой
pocket money *n* карманные деньги
pocket-sized [ˈpɔkɪtsaɪzd] *adj* карманный; крохотный
pod [pɔd] *n (бот.)* стручок
podgy [ˈpɔdʒɪ] *adj* толстый
podiatrist [pɔˈdi:ətrɪst] *n* ортопед
podium [ˈpəudɪəm] *m* подиум
poetic justice *n* воздаяние
poetic licence *n* поэтическая вольность
poet laureate *n* придворный поэт
poignant [ˈpɔɪnjənt] *adj* жалостный
point [pɔɪnt] *n* острие; кончик; цель; смысл; предмет; аспект; точка, место; момент; стадия; очко; *(элек.: also:* **power ~)** розетка ✧ *vt* указывать; **to ~ sth at sb** нацеливать что-н. на кого-н.✧ *vi:* **to ~ at** указывать на; **~s** *npl (авт.)* контакт; стрелка; **good ~s** достоинства **2 ~ 3 (2.3)** 2 и 3 десятых; **to be on the ~ of doing** собираться; **I made a ~ of visiting him** я счел необходимым посетить его; **to get/miss the** понимать/не понимать; **to come to the ~** доходить до сути; **when it comes to the ~** когда доходит до дела; **that's the whole ~!** в этом

P

то и дело; **that's beside the ~** не в этом дело; **there's no ~ in doing** нет смысла; **you've got at ~ there!** в этом Вы правы; **in ~ of fact** на деле; **~ of departure** отправной пункт; **~ of sale** *(комм.)* торговая точка

point-blank [ˈpɔɪntˈblæŋk] *adv* наотрез; напрямик ✧ *adj:* **at ~ range** у упор

point duty *n:* **to be on ~ ~** находиться на посту регулировщика

pointed [ˈpɔɪntɪd] *adj* острый; язвительный

pointedly [ˈpɔɪntɪdlɪ] *adv* язвительно

pointer [ˈpɔɪntə] *n* стрелка; указка; намек; пойнтер

pointless [ˈpɔɪntlɪs] *adj* бессмысленный

point of order *n* вопрос по порядку ведения

point-of-sale advertising *n* реклама в местах совершения покупок

point of view *n* точка зрения

point out *vt* указывать на

point to *vt fus* указывать на

poise [pɔɪz] *n* равновесие; осанка ✧ *vt:* **to be ~d for** нацеливаться на

poison [ˈpɔɪzn] *n* яд, отрава ✧ *vt* отравлять

poisoning [ˈpɔɪznɪŋ] *n* отравление

poisonous [ˈpɔɪznəs] *adj* ядовитый; гнусный

poison-pen letter [ˈpɔɪznˈpen] *n* анонимка

poke [pəuk] *vt* тыкать; ворошить, мешать ✧ *n* толчок; помешивание; **to ~ sth in (to)** втыкать в что-н.в; **to ~ one's head out of the window** высовываться из окна; **to ~ fun at sb** подкалывать кого-н.

poke about *vi* шарить

poke out *vi* высовывать

poker [ˈpəukə] *n* кочерга; *(карт.)* покер

poker-faced [ˈpəukəˈfeɪst] *adj* невозмутимый

polar [ˈpəulə] *adj* полярный

polar bear *n* белый медведь

polarize [ˈpəuləraɪz] *vt* раскалывать; поляризировать

pole [pəul] *n* шест; древко; столб; *(гео., элек.)* полюс

poleaxe [ˈpəulæks] *n* топор; секира ✧ *vt* треснуть; ошеломлять

pole bean *n* стручковая фасоль

polecat [ˈpoulkæt] *зоол.* хорек

polemic [pɔˈlæmɪk] *n* полемика

pole vault [ˈpəulvɔːlt] *n* прыжок с шестом

police [pəˈliːs] *npl* полиция; милиция ✧ *vt* следить за порядком; **a lagre number of ~ were hurt** было ранено много полицейских

police car *n* полицейская машина

police constable *n* полицейский

police department *n* полицейский участок

police force *n* полиция

police record *n:* **to have a ~ ~** состоять на учете в полиции

police state *n (полит.)* полицейское государство

police station *n* полицейский участок; отделение милиции

policewoman [pəˈliːswumən] *n* полицейский

policy I [ˈpɔlɪsɪ] политика; образ действий, тактика

policy II полис *(страховой)*

policyholder [ˈpɔlɪsɪˈhəuldə] *n* держатель страхового полиса

policymaking [ˈpolɪsɪmeɪkɪŋ] *n* разработка стратегии

polio [ˈpəulɪəu] *n* полиомиелит

Polish [ˈpəulɪʃ] *adj* польский ✧ *n (лингв.)* польский язык

polish [ˈpɔlɪʃ] *n* гуталин; лак; мастика; лоск ✧ *vt* вычищать; натирать; полировать; шлифовать

polished [ˈpɔlɪʃt] *adj* изысканный; отточенный

polish off *vt fus* покончить

polite [pəˈlaɪt] *adj* вежливый; светский; **it's not ~ to do that** так делать не принято

politely [pəˈlaɪtlɪ] *adv* вежливо

politeness [pəˈlaɪtnɪs] *n* вежливость

politic [ˈpɔlɪtɪk] *adj:* **it would be ~ to ...** было бы благоразумно ...

political [pəˈlɪtɪkl] *adj* политический; политически активный, политизированный

political asylum *n* политическое убежище

P

politically [pəˈlɪtɪklɪ] *adv* политически; **~ correct** политически правильный
politician [pɔlɪˈtɪʃən] *n* политик, политический деятель
politics [ˈpɔlɪtɪks] *n* политика; политология ✧ *npl* политические убеждения
polka [ˈpɔlkə] *n* полька
poll [pəul] *n (also:* **opinion ~)** опрос, выборы ✧ *vt* упрашивать; набирать; **to go to the ~s** голосовать *(на выборах);* объявлять выборы
pollen [ˈpɔlən] *n* пыльца
pollen count *n* содержание пыльцы в воздухе
pollinate [ˈpɔlɪneɪt] *vt (бот.)* опылять
polling booth *n* кабина для голосования
polling day *n* день выборов
polling station *n* избирательный участок
poll tax *n* подушный налог
pollutant [pəˈlu:tənt] *n* загрязняющий агент
pollute [pəˈlu:t] *vt* загрязнять
pollution [pəˈlu:ʃən] *n* загрязнение; загрязнитель
polo [ˈpəuləu] *n* поло
poltergeist [ˈpɔltəgaɪst] привидение, домовой
poly bag *n* полиэтиленовый мешок *or* пакет
polygamy [pəˈlɪgəmɪ] *n* многобрачие, полигамия
polygraph [ˈpɔlɪgrɑ:f] *n* детектор лжи
polyp [ˈpɔlɪp] *n (мед.)* полип
polytechnic [pɔlɪˈteknik] *n* политехнический институт
polythene bag *n* полиэтиленовый мешок *or* пакет
polyurethane [pɔlɪˈjuərɪθeɪn] *n* полиуретан
pomegranate [ˈpɔmɪgrænɪt] *n (бот.)* гранат
pommel [ˈpɔml] *n* лука; головка ✧ *vt* = **pummel**
pomp [pɔmp] *n* пышность
pompom [ˈpɔmpɔm] *n* помпон
pompous [ˈpɔmpəs] *adj* насыщенный
pond [pɔnd] *n* пруд; заводь
ponder [ˈpɔndə] *vt* обдумывать ✧ *vi* размышлять
ponderous [ˈpɔndərəs] *adj* тяжеловесный;неповоротливый
pong [pɔŋ] *n* вонь ✧ *vi* вонять
pontiff [ˈpɔntɪf] *n (рел.)* Папа римский
pontoon [pɔnˈtu:n] *n* понтон; *(карт.)* двадцать одно
ponytail [ˈpəunteɪl] *n* хвост; хвостик; **to have one's hair in a ~** носить хвостик
pony trekking *n* конный поход
poodle [ˈpu:dl] *n* пудель
pooh-pooh [pu:ˈpu:] *vt* зашикивать
pool [pu:l] *n* лужа; пруд; *(also:* **swimming ~)** бассейн; пятно; *(спорт., комм.)* пул; банк ✧ *vt* объединять; **~s** *npl (also:* **football ~s)** тотализатор; **typing ~, secretary ~** машинописное бюро; **to do the (football) ~s** играть в тотализатор
poor [puə] *adj* бедный; плохой; **the ~** *npl* беднота; **~ in** бедный
poorly [ˈpuəlɪ] *adv* плохо ✧ *adj:* **she is feeling ~** она плохо себя чувствует
pop [pɔp] *n (also:* **~ music)** поп-музыка; лимонад; папа, отец; хлопок ✧ *vi* лопаться; выстреливать; таращиться ✧ *vt:* **to ~ sth into/onto** забрасывать в/на; **she ~ped her head out of the window** она высунула голову из окна
popcorn [ˈpɔpkɔ:n] *n* воздушная кукуруза, попкорн
pop in *vi* заглядывать, заскакивать
poplar [ˈpɔplə] *n* топать
poplin [ˈpɔplɪn] *n* поплин
pop out *vi* выскакивать
popper [ˈpɔpə] *n* кнопка
poppy [ˈpɔppɪ] *n* мак
poppycock [ˈpɔpɪkɔk] *n* вздор
Popsicle [ˈpɔpsɪkl] *n* фруктовое мороженое
pop star *n* поп-звезда
populace [ˈpɔpjuləs] *n:* **the ~** народ
popular [ˈpɔpjulə] *adj* популярный; *(полит.)* народный; **to be ~ (with)** пользоваться популярностью (среди); пользоваться поддержкой; **a ~ song** популярная песня

P

popularity [pɔpju'lærɪtɪ] *n* популярность
popularize ['pɔpjuləraɪz] *vt* делать популярным; популяризировать
popularly ['pɔpjuləlɪ] *adv* обычно; **it is ~ believed that...** многие полагают, что ...
population [pɔpju'leɪʃən] *n* население; популяция; **the civilian ~s** гражданское население; **Britain has a prison ~ of 44 trousand** общее количество заключенных в тюрьмах Великобритании составляет 44 тысячи
population explosion *n* демографический взрыв
populous ['pɔpjuləs] *adj* густонаселенный
pop up *vi* вылезать
porcelain ['pɔːslɪn] *n* фарфор
porch [pɔːtʃ] *n* крыльцо; веранда
porcupine ['pɔːkjupaɪn] *n* дикообраз
pore I [pɔː] пора; *гео.* пора, скважина
pore II сосредоточиться
pork [pɔːk] свинина
pork chop *n* свиная отбивная
porn [pɔːn] *n* порнография
pornographic [pɔːnə'græfik] *adj* порнографический
porous ['pɔːrəs] *adj* пористый
porridge ['pɔrɪdʒ] *n* овсяная каша
port I [pɔːt] порт, гавань
port II *мор.* левый борт *attr.* левый
port III портвейн
portable ['pɔːtəbl] портативный, переносный; съемный, складной, разборный
portage ['pɔːtɪdʒ] перевозка; стоимость перевозки; переправа, волок
portal ['pɔːtl] портал; главный вход
portend [pɔː'tend] *vt* предвещать
portent ['pɔːtent] *n* предзнаменование, предвестник
porter I ['pɔːtə] швейцар; носильщик
porter II портер (*пиво)*
portfolio [pɔːt'fouljou] портфель; папка, "дело"
porthole ['pɔːthoul] *мор.* (бортовой) иллюминатор
portico ['pɔːtɪkou] *архит.* портик; крытая галерея
portion ['pɔːʃ(ə)n] **1.** *n* часть, доля; удел, участь **2.** *v* делить на части
portly ['pɔːtlɪ] полный, дородный
portrait ['pɔːtreɪt] *n* портрет
portray [pɔ'treɪ] *vt* изображать
pose [pəuz] *n* поза ✧ *vt* ставить; создавать ✧ *vi:* **to ~ as** выдавать себя за; **to strike a ~** принимать позу; **to ~ for** позировать для
poser ['pəuzə] *n* головоломка
poseur [pəuzə] *n* позер(ка)
posh [pɔʃ] *adj* фешенебельный, великосветский; **to talk ~** манерничать
positive ['pɔzɪtɪv] **1.** *n грам.* положительная степень; *фото* позитив **2.** *а* точный, определенный; уверенный; положительный **~ plate** *эл.* анод; **~ sign** знак плюс; несомненный, безусловный
posse ['pɔsɪ] группа граждан, созываемая шерифом; полицейский отряд
possess [pə'zes] *vt* владеть; обладать; овладевать; **like one ~ed** как одержимый; **whatever can have ~ed you?** и какой черт тебя попутал?
possession [pə'zeʃən] *n* владение; **~s** *npl* принадлежности; **to take ~ of** вступать во владение
possessive [pə'zesɪv] *adj* собственнический *(лингв.)* притяжательный
possessiveness [pə'zesɪvnɪs] *n* собственничество; **~ towards sb/sth** ревнивое отношение к кому-н./чему-н.
possessor [pə'zesə] *n* владелец(елица), обладатель(ница)
possibility [pɔsɪ'bɪlɪtɪ] *n* возможность; **he's a ~ (for the part)** он возможный кандидат (на роль)
possible ['pɔsɪbl] *adj* возможный; **it's ~** это не исключено; **it is ~ to do it** возможно; **if ~** если (это) возможно, **as big as ~** самый большой
possibly ['pɔsɪblɪ] *adv* возможно; **if you ~ can** если только Вы можете; **I cannot ~ come** я никак не могу
post I [poust] **1.** *n* столб; стойка; подпорка; мачта **2.** *v:* **~ up a notice** вывешивать объявление

P

post II 1. *n* почта **2.** *v* отправлять по почте; опускать в почтовый ящик
post III пост; должность
post IV *воен.* ставить караул
post- [poust-] *pref со знач.* после-
postage [ˈpoustɪdʒ] стоимость почтового отправления; *attr.:* **~ stamp** почтовая марка
postal [ˈpəustl] *adj* почтовый
postal order *n* (денежный) почтовый перевод
postbag [ˈpəustbæg] *n* почта, корреспонденция, сумка *(почтальона)*
postbox [ˈpəustbɔks] *n* почтовый ящик
postcard [ˈpəustkaːd] *n* (почтовая) открытка
postcode [ˈpəustkəud] *n* почтовый индекс
postdate [ˈpəustˈdeɪt] *vt* датировать более поздним числом
poster [ˈpəustə] *n* афиша, плакат, постер
poste restante [pəustˈrestaːnt] *adv* до востребования
posterior [pɔsˈtɪərɪə] позднейший, последующий; задний
posterity [pɔsˈterɪtɪ] потомство; потомки
post exchange *n (воен.)* военторг, гарнизонный магазин
post-free [pəustˈfriː] *adj* с предварительно оплаченными почтовыми расходами
postgraduate [ˈpəustˈgrædjuət] *n* аспирант(ка) ✧ *adj:* **~ study** аспирантура
posthumous [ˈpɔstjuməs] *adj* посмертный
posthumously [ˈpɔstjuməslɪ] *adv* посмертно
posting [ˈpəustɪŋ] *n* командировка
postman [ˈpəustmən] *n* почтальон
postmark [ˈpəustmaːk] *n* почтовый штемпель
postmaster [ˈpəustmaːstə] *n* начальник почты *or* почтового отделения
postmaster general *n* министр связи
postmistress [ˈpəustmɪstrɪs] *n* начальник почты *or* почтового отделения *(женщина)*
post-mortem [ˈpoustˈmɔːtem] **1.** *a* посмертный **2.** *n* вскрытие трупа
postnatal [ˈpəustˈneɪtl] *adj* послеродовой
post office *n* почтовое отделение; отделение связи; **the P~ O~** Министерство связи
Post Office Box *n* абонентский ящик
postpone [pəusˈpəun] *vt* откладывать
postponement [pəustˈpəunmənt] *n* отсрочка
posture [ˈpɔstʃə] *n* осанка; положение ✧ *vi* позировать
postwar [pəustˈwɔː] *adj* послевоенный
posy [ˈpəuzɪ] *n* букетик
pot [pɔt] **1.** *n* горшок; котелок; *разг.* приз, марихуана *(наркотик)* ✧ **do smth. in order to keep the ~ boiling** зарабатывать на жизнь **2.** *v* класть в котелок; сажать *(растение)* в горшок; консервировать
potash [ˈpɔtæʃ] *n* поташ
potassium [pəˈtæsɪəm] *n* калий
potato [pəˈteɪtəu] *n* картофель; картошка; картофелина
potato crisps *npl* чипсы
potato flour *n* картофельная мука
potato peeler *n* картофелечистка
potbellied [ˈpɔtbelɪd] *adj* пузатый; со вздутым животом
potency [ˈpəutnsɪ] *n* сила; крепость
potent [ˈpəutnt] *adj* мощный; убедительный; крепкий; обладающий сексуальной потенцией
potentate [ˈpəutnteɪt] *n* властелин; повелитель
potential [pəˈtenʃl] *adj* потенциальный ✧ *n* потенциал; **to have ~** обладать (достаточный) потенциалом
potentially [pəˈtenfəlɪ] *adv* потенциально; **it's ~ dangerous** это в принципе опасно
pothole [ˈpɔthəul] *n* выбоина; провал
potion [ˈpəuʃən] *n* настойка; зелье
potluck [pɔtˈlʌk] *n:* **to take ~** обедать чем Бог послал
pot roast *n* тушеное мясо
potted [ˈpɔtɪd] *adj* консервированный; комнатный; краткий

potter I [ˈpɔtə] работать спустя рукава; зря проводить время
potter II [ˈpɔtə] гончар; **~y** [-rɪ] глиняная посуда; фаянс; гончарное производство, керамика; гончарная мастерская
potty [ˈpɔtɪ] *разг.* мелкий, незначительный; ненормальный
pouch [pautʃ] **1.** *n* мешочек, сумка **2.** *v* прикарманивать; делать напуск *(на платье)*
poultice [ˈpəultɪs] *n* припарка
poultry [ˈpəultrɪ] *n* домашняя птица; птица
poultry farm *n* птицеферма
poultry farmer *n* птицевод
pounce [pauns] *vi:* **to ~ on** набрасываться на
pound I [paund] колотить, обстреливать, бомбардировать, толочь
pound II [paund] фунт *(единица веса);* фунт *(стерлингов)*
pount sterling *n* фунт стерлингов
pour [pɔː] *vt* наливать; насыпать ✧ *vi* делиться; **to ~ sb some tea** наливать кому-н. чай; **it's ~ing with rain** льет дождь
pour away *vt* выливать
pour in *vi* валить; сыпаться
pouring [ˈpɔːrɪŋ] *adj:* **~ rain** проливной дождь
pour into *vt fus* устремляться в
pour off *vt* сливать
pour out *vi* валить ✧ *vt* наливать; изливать
pout [paut] *vi* надувать губы
poverty [ˈpɔvətɪ] *n* бедность, нищета
poverty line *n* черта бедности
poverty-stricken [ˈpɔvətɪstrɪkn] *adj* впавший в нищету
poverty trap *n* тиски бедности
powder [ˈpaudə] *n* порошок; *(also:* **face ~)** пудра ✧ *vt:* **to ~ one's face** пудрить лицо; **to ~ one's nose** помыть руки
powder compact *n* пудреница
powdered milk [ˈpaudəd-] *n* сухое молоко
powder keg *n* пороховая бочка
powder puff *n* пуховка
powder room *n* дамская комната
power [ˈpauə] *n* власть; возможность; полномочие; мощь; мощность; электроэнергия; *(мат.)* степень; **to do all in one's ~ to help** делать все, что в моих силах, чтобы помогать; **to world ~s** мировые державы; **to be in ~** находиться у власти
powerboat [ˈpauəbəut] *n* моторный катер
power cut *n* отключение электроэнергии
power failure *n* остановка подачи электроэнергии
powerful [ˈpauəful] *adj* могучий; могущественный; мощный; сильный; веский
powerhouse [ˈpauəhaus] *n:* **a ~ of ideas** генератор идей
powerless [ˈpauəlɪs] *adj* бессильный
power line *n* линия электропередачи
power of attorney *n (юрид.)* доверенность
power point *n* (штепсельная) розетка
power station *n* электростанция
power steering *n (авт.)* рулевой привод с усилителем
powwow [ˈpauwau] *n* совет
practicability [præktɪkəˈbɪlɪtɪ] *n* осуществимость
practicable [ˈpræktɪkəbl] *adj* осуществимый
practical [ˈpræktɪkl] *adj* практический; практичный; умелый
practicality [præktɪˈkælɪtɪ] *n* практичность; практическая сторона
practical joke *n* розыгрыш
practically [ˈpræktɪklɪ] *adv* практически
practice [ˈpræktɪs] *n* привычка; практика; *(рел.)* обычай; практика; тренировка ✧ *vti* = **practise; in ~** на практике; **I am out of ~** я давно этого не делал; **it's common ~** это распространено; **to put sth into ~** осуществлять что-н. на практике; **target ~** учебная стрельба
practice match *n* тренировочный матч
practise [ˈpræktɪs] *vt* упражняться на;

P

отрабатывать; выполнять; заниматься; исповедовать ✧ *vi* упражняться; *(спорт.)* тренироваться; практиковать; **to ~ for a match** тренироваться перед матчем; **to ~ law/medicine** заниматься адвокатской/врачебной практикой

practised [ˈpræktɪst] *adj* опытный; искусный; закоренелый; **with a ~ eye** наметанным глазом

practising [ˈpræktɪsɪŋ] *adj* верующий; практикующий; ведущий активную половую жизнь

practitioner [prækˈtɪʃənə] *n (мед.)* терапевт

pragmatism [ˈprægmətɪzəm] *n* прагматизм

praise [preɪz] *n* похвала; восхваление ✧ *vt* хвалить восхвалять

praiseworthy [ˈpreɪzwəːðɪ] *adj* достойный похвалы

pram [præm] *n* детская комната

prance [prɑːns] *vi* гарцевать; **to ~ about** красоваться

prank [præŋk] *n* розыгрыш; проделка

prat [præt] *n* идиот

prattle [ˈprætl] *vi:* **to ~ on (about)** трепаться

prawn [ˈprɔːn] *n* креветка

pray [preɪ] молиться, умолять; просить; **~!** пожалуйста; **~er** [preə] молитва; мольба

prayer book *n* молитвенник

preach [priːtʃ] *vi* проповедовать ✧ *vt:* **to ~ a sermon** произносить проповедь; **to ~ at sb** читать проповедь кому-н.

preacher [ˈpriːtʃə] *n* проповедник(-ица)

prearranged [priːəˈreɪndʒd] *adj* (заранее) подготовленный

precarious [priˈkeərɪəs] *adj* рискованный

precaution [priˈkɔːʃən] *n* предосторожность; **to take ~s** принимать меры предосторожности

precautionary [priˈkɔːʃənrɪ] *adj* предупредительный

precede [priˈsiːd] *vt* предшествовать; быть впереди

preceding [priˈsiːdɪŋ] *adj* предыдущий; предшествующий

precept [ˈpriːsept] *n* правило

precinct [ˈpriːsɪŋkt] *n* район, префектура; двор; **~s** *npl* территория; **pedestrian ~** пешеходная зона; **shopping ~** торговый центр

precious [ˈprəʃəs] *adj* ценный; драгоценный; манерный ✧ *adv:* **~ little** *or* **few** очень мало; **your ~ dog** Ваша драгоценная собака

precious stone *n* драгоценный камень

precipice [ˈpresɪpɪs] *n* обрыв

precipitate [priˈsɪpɪteɪt] *vt* ускорять ✧ *adj* скоропалительный

precipitation [prisɪpɪˈteɪʃən] *n* осадки

precipitous [priˈsɪpɪtəs] *adj* крутой; обрывистый; поспешный

precis [ˈpreɪsiː] *n* конспект

precise [priˈsaɪs] *adj* точный

precision [priˈsɪʒən] *n* точность

preclude [priˈkluːd] *vt* предотвращать; **to ~ sb from doing** мешать кому-н.

precocious [priˈkəuʃəs] *adj* рано развившийся; **a ~ child** не по годам развитой ребенок

preconceived [priːkənˈsiːvd] *adj* предвзятый

preconception [ˈpriːkənˈsepʃən] *n* предвзятое мнение

precondition [ˈpriːkənˈdɪʃən] *n* непременное условие, предпосылка

predate [ˈpriːˈdeɪt] *vt* предшествовать

predator [ˈpredətə] *n* хищник

predatory [ˈpredətərɪ] *adj* хищный

predestination [priːdestɪˈneɪʃən] *n* предопределение

predetermine [priːdɪˈtəːmɪn] *vt* предопределять

predicament [priˈdɪkəmənt] *n* затруднение; **to be in a ~** быть в затруднении

predicate [ˈpredɪkɪt] *n (лингв.)* сказуемое

predict [priˈdɪkt] *vt* предсказывать

predictable [priˈdɪktəbl] *adj* предсказуемый

predictably [priˈdɪktəblɪ] *adv* как и ожидалось; **~ she didn't arrive** как и ожидалось, она не пришла

prediction [priˈdɪkʃən] *n* предсказание

P

predispose [ˈpriːdɪsˈpəuz] *vt* предрасполагать
predominance [priˈdɔmɪnəns] *n* преобладание; господство
predominant [priˈdɔmɪnənt] *adj* доминирующий, преобладающий; **to become ~** становиться преобладающим(-ей)
predominate [priˈdɔmɪneɪt] *vi* преобладать
predominatly [priˈdɔmɪnətlɪ] *adv* преимущественно
pre-eminent [priːˈemɪnənt] *adj* выдающийся
pre-empt [priːˈemt] *vt* предупреждать; **to ~ the issue** предупреждать события
pre-emptive [priːˈemtɪv] *adj:* **~ strike** упреждающий удар
preen [priːn] *vt:* **to ~ itself** чистить перышки; **to ~ o.s.** прихорашиваться
prefab [ˈpriːfæb] *n* сборный дом
prefabricated [priːˈfæbrɪkeɪtɪd] *adj* сборный
preface [ˈprefəs] *n* предисловие ✧ *vt:* **to ~ sth with** предпосылать чему-н.
prefect [ˈpriːfekt] *n (просвещ.)* староста
prefer [priˈfɜː] *vt* предпочитать; *(юр.):* **to ~ charges against** выдвигать обвинение против; **to ~ doing** *or to do* предпочитать; **I ~ coffee to tea** я предпочитаю кофе чаю
preferable [ˈprefrəbl] *adj* предпочтительный
preferably [ˈprefrəblɪ] *adv* предпочтительно
preference [ˈprefrəns] *n:* **to have a ~ for** предпочитать; **to give ~ to** отдавать предпочтение; **in ~ to sth** вместо чего-н.
preference shares *npl* привилегированный
preferential [prefərəˈrenʃəl] *adj:* **~ tretment** особое отношение
prefix [ˈpriːfiks] *n* приставка, префикс
pregnancy [ˈpregnənsɪ] *n* беременность
pregnancy test *n* анализ на беременность
pregnant [ˈpregnənt] *adj* беременная; **she is 3 months ~** она на четвертом месяце (беременности)
prehistory [priːˈhɪstərɪ] *n* первобытная история
prejudge [priːˈdʒʌdʒ] *vt* предрешать
prejudice [ˈpredʒudɪs] *n* предрассудок; предвзятость, предубеждение ✧ *vt* вредить; **without ~ to** без ущерба для; **to ~ sb in favour of** располагать кого-н. в пользу; **to ~ sb against** настраивать кого-н. против
prejudiced [ˈpredʒudɪst] *adj* предубежденный; расположенный; предвзятый
preliminaries [prɪˈlɪmɪnərɪz] *npl* предварительные мероприятия; предварительный отбор
preliminary [prɪˈlɪmɪnərɪ] *adj* предварительный
premarital [ˈpriːˈmærɪtl] *adj* добрачный
premature [ˈpremətʃuə] *adj* преждевременный; недоношенный; **you are being a little ~** Вы несколько поторопились
premeditated [priːˈmedɪteɪtɪd] *adj* преднамеренный
premeditation [priːmedɪˈteɪʃən] *n* раздумье
premenstrual tension [priːˈmenstruəl-] *n* предменструальный синдром
premier [ˈpremɪə] *adj* лучший ✧ *n (полит.)* премьер-министр
premiere [ˈpremɪeə] *n* премьера
premise [ˈpremɪs] *n* предпосылка; **~s** *npl* помещение; **on the ~s** в помещении
premium [ˈpriːmɪəm] *n (комм.)* премия; **to be at a ~** стоить выше номинала; пользоваться большим спросом; **to sell at a ~** продавать по цене выше номинала
premium bond *n* премиальная (сберегательная) облигация
premium deal *n* премиальная сделка
premium gasoline *n* высокооктановый бензин
premonition [preməˈnɪʃən] *n* предчувствие
prep [prep] *adj:* **~ school** частная на-

чальная школа; средняя школа
prepaid [pri:ˈpeɪd] *adj* заранее оплаченный; с заранее оплаченными почтовыми расходами
preparation [prepəˈreɪʃən] *n* подготовка; приготовление; препарат; **~s** *npl* приготовления; **in ~ for sth** готовясь к чему-н.
preparatory [prɪˈpærətərɪ] *adj* подготовительный; **~ to doing** прежде чем
preparatory school *n* частная начальная школа; средняя школа
prepare [prɪˈpeə] *vt* подготавливать; *(кулин.)* готовить, приготавливать ✧ *vi:* **to ~ for** готовиться *or* подготавливаться к
prepared [prɪˈpeəd] *adj* готовый; **I am ~ to help you** я готов помочь Вам; **~ for** готовый к
preponderance [prɪˈpɔndərɪs] *n* преобладание
preposition [prepəˈzɪʃən] *n (линг.)* предлог
prepossessing [pri:pəˈzesɪŋ] *adj* привлекательный
preposterous [prɪˈpɔstərəs] *adj* дикий
prerecorded [ˈpri:rɪˈkɔ:dɪd] *adj* предварительно записанный
prerequisite [pri:ˈrekwɪzɪt] *n* предпосылка, непременное условие
prerogative [prɪˈrɔgətɪv] *n* прерогатива
preschool [ˈpri:ˈsku:l] *adj* дошкольный; **~ child** ребенок дошкольного возраста
prescribe [prɪˈskraɪb] *vt (мед.)* прописывать; предписывать; **~d books** рекомендованные учебники
prescription [prɪˈskrɪpʃən] *n (мед.)* рецепт; лекарство *(назначенное врачом);* **to make up** *or* **fill a ~** приготовлять лекарство по рецепту; **"only available on ~** "продажа лекарства только по рецептам"
prescriptive [prɪˈskrptɪv] *adj* нормативный
presence [ˈprezns] *n* присутствие; наружность; **in sb's ~** в кого-н. присутствии
presense of mind *n* присутствие духа
presentable [prɪˈzentəbl] *adj* представительный, презентабельный
presentation [preznˈteɪʃən] *n* изложение; внешний вид; *(also:* **~ ceremony)** представление, презентация; выступление; **on ~ of** на предъявлении
present-day [ˈprezntdeɪ] *adj* современный, нынешний
presenter [prɪˈzentə] *n (радио, тел.)* диктор; ведущий(-ая)
present I [ˈpreznt] **1.** *a* присутствующий; **be ~** присутствовать; настоящий, нынешний, данный **2.** *n* настоящее время; **at ~** в данное время, сейчас; **for the ~** пока, на этот раз; **that will be enough for the ~** пока довольно; *грам.* настоящее время
present II 1. *n* [ˈpreznt] подарок **2.** *v* [prɪˈzent] преподносить, дарить; представлять
presently [ˈprezntlɪ] *adv* вскоре; в данный момент; в настоящее время
present participle *n* причастие настоящего времени
preservation [prezəˈveɪʃən] *n* сохранение; хранение; сохранность
preservative [prɪˈzə:vətɪv] *n* консервант; пропиточный состав; защитное средство
preserve [prɪˈzə:v] *vt* сохранять; консервировать; оберегать; охранять ✧ *n* варенье; заповедник; **a working class ~** стихия рабочего класса; **a male ~** чисто мужское занятие
presidency [ˈprezɪd(ə)nsɪ] президентство, председательство
press I [pres] жать; давить; нажимать; прессовать; **~ the button** нажмите кнопку; настаивать; понуждать; **be ~ed for time** иметь мало времени, торопиться; гладить, утюжить
press II давка, спешка, толпа, надавливание; **give it a light ~** слегка нажмите; *мех.* пресс; печатный станок; **the ~** пресс; печать, представитель печати *мн.; attr.:* **~ cuting** газетная вырезка
press III *ист.* вербовать насильно
press ahead *vi* приступать

P

press clipping *n* газетная вырезка
press-gang [ˈpresgæŋ] *vt:* **to ~ sb into doing** насильно заставлять кого-н.
pressing [ˈpresɪŋ] *adj* срочный; неотложный
press officer *n* сотрудник отдела информации
press on *vi* продолжать
press release *n* сообщение для печати
press-up [ˈpresʌp] *n (спорт.)* отжимание, отжим
pressure [ˈpreʃə] *n* давление; напряжение ✧ *vt:* **to ~ sb (to do)** принуждать кого-н.; **to put ~ on sb** оказывать давление *or* нажим на кого-н.; **high/low ~** высокое/низкое давление
pressure cooker *n* скороварка
pressure gauge *n* манометр
pressure group *n* инициативная группа
pressurize [ˈpreʃəraɪz] *vt:* **to ~ sb (to do** *or* **into doing)** оказывать давление на кого-н.
prestigious [presˈtɪdʒəs] *adj* престижный
presumably [prɪˈzjuːməblɪ] *adv* наверно; **~ he did it** наверно, это сделал он
presume [prɪˈzjuːm] *vt:* **to ~ (that)** предполагать (,что); **to ~ to do** решаться
presumption [prɪˈzʌmpʃən] *n* предположение
presumptuous [prɪˈzʌmpʃəs] *adj* самонадеянный
presuppose [priːsəˈpəuz] *vt* предполагать
presupposition [priːsʌpəˈzɪʃən] *n* предположение
pretence [prɪˈtens] *n* притворство; предлог; **under false ~s** под ложным предлогом; **she is devoid of all ~** она совершенно лишена притворства; **he is making a ~ of helping** он делает вид, что помогает
pretend [prɪˈtend] *vi:* **to ~ that** притворяться, что; **he ~ed to help** он притворился, что помогает; **to ~ to sth** претендовать на что-н.
pretentious [prɪˈtenʃəs] *adj* претенциозный
pretext [ˈpriːtekst] *n* предлог; **on** *or* **under the of being busy/tired** под предлогом занятости/усталости
pretty [ˈprɪtɪ] *adj* хорошенький; красивый ✧ *adv* довольно
prevail [prɪˈveɪl] *vi* преобладать; превалировать; одерживать верх; **to ~ (up) on sb to do** убеждать кого-н.
prevailing [prɪˈveɪlɪŋ] *adj* преобладающий; превалирующий
prevalent [ˈprevələnt] *adj* преобладающий; превалирующий; распространенный
prevaricate [prɪˈværɪkeɪt] *vi* изворачиваться
prevarication [prɪværɪˈkeɪʃən] *n* виляние
prevent [prɪˈvent] *vt* предотвращать; **to ~ sb from doing** мешать кому-н.; **this policy ~s inflation from rising** эта политика препятствует росту инфляции
preventable [prɪˈventəbl] *adj* предотвратимый
prevention [prɪˈvenʃən] *n* предотвращение
preventive [prɪˈventɪv] *adj* предупредительный; *(полит.)* превентивный; *(мед.)* профилактический
preview [ˈprɪˈvju] *n* просмотр, предварительная картина
previous [ˈprɪˈvɪəs] *adj* предыдущий; **I have a ~ engagement** это время у меня уже занято
previously [ˈprɪˈvɪəslɪ] *adv* ранее, прежде; **I retired two years ~** я ушел на пенсию двумя годами ранее
prewar [priːwɔː] *adj* довоенный; предвоенный
prey [preɪ] *n* добыча ✧ *vt:* **to ~ on** охотиться на; **it was ~ing on his mind** это терзало его
price [ˈpraɪs] *n* цена ✧ *vt* оценивать; **what is the ~ of...?** сколько стоит...?; **to go up** *or* **rise in ~** дорожать *or* подорожать; **to put a ~ on sth** назначать цену чему-н.; **Britain has been out of the market** Великобритания была вытесне-

на из рынка из-за завышения цен; **what ~ his promises now?** что стоят все его обещания сейчас?; **he regained his freedom, but at a ~** он получил свободу, но дорогой ценой

price control *n* контроль за ценами

price cutting *n* снижение цен

priceless [ˈpraɪslɪs] *adj* бесценный, бесподобный

price list *n* прейскурант

price range *n* диапазон цен; **it's within my ~ ~** это мне по карману

price tag *n* ценник, цена

price war *n* война цен

pricey [praɪsɪ] *adj* дорогой

prick [prɪk] *n* укол ✧ *vt* прокалывать; уколоть; **to ~ up one's ears** навострить уши

prickle [ˈprɪkl] *n* шип, колючка

prickly [ˈprɪklɪ] *adj* колючий

pride [praɪd] *n* гордость; гордыня ✧ *vt:* **to ~ o.s. on** гордиться; **to take (an) ~ in** гордиться; **I take (a) ~ in working well** я горжусь тем, что работаю хорошо; **to have ~ of place** занимать почетное место

priest [priːst] *n* священник, жрец

priesthood [ˈpriːsthud] *n* священство

prim [prɪm] *adj* чопорный

primacy [ˈpraɪməsɪ] *n* первенство

primal [ˈpraɪn(ə)l] первобытный; главный, основной

primarily [praɪmərɪlɪ] *adv* в первую очередь

primary [ˈpraɪmərɪ] *adj* первостепенный, первоочередной ✧ *n (полит.)* предварительные выборы; **~ education** начальное образование; **~ teacher** учитель(ница) начальных классов

primary colour *n* основной цвет

primary school *n* начальная школа

primate [ˈpraɪmɪt] *n (зоол.)* примат; *(рел.)* примас

prime [praɪm] *adj* главный, основной, первосортный ✧ *n* расцвет ✧ *vt* грунтовать; подготавливать; заряжать; заливать; **in the ~ of life** в расцвете сил, во цвете лет; **~ examle** яркий пример

primer [ˈpraɪmə] *n* грунтовка, учебник-введение

primeval [praɪˈmɪˈvl] *adj* первобытный

primitive [ˈprɪmɪtɪv] *adj* первобытный, примитивный

primordial [praɪˈmɔːdjəl] изначальный, исконный

Primus [ˈpraɪməs] *n:* **p~ stove** примус

prince [prɪns] *n* принц, князь

princi pally [ˈprɪnsɪplɪ] *adv* преимущественно, главным образом

princi pelity [prɪnsɪˈpælɪtɪ] *n* княжество

princi ple [ˈprɪnsɪpl] *n* принцип; закон; **in ~** в принципе; **on ~** из принципа

print [prɪnt] *n (типог.)* шрифт; *(искусст.)* эстамп; гравюра, отпечаток; след, ситец ✧ *vt* печатать; набивать; писать печатными буквами; **this book is out of ~** эта книга распродана

printer [ˈprɪntə] *n* печатник; принтер; *(also:* **~'s)** типография

printhead [ˈprɪnthed] *n (комп.)* печатающая головка

printing [ˈprɪntɪŋ] *n* печатание; печатное дело

printing press *n* печатный станок

print out *vt (комп.)* распечатывать; выводить на печать

print-out [ˈprɪntaut] *n (комп.)* распечатка

prior [ˈpraɪə] *adj* прежний; первоочередной ✧ *n* настоятель, приор; **without ~ notice** без предварительного предупреждения; **to have ~ knowledge of sth** знать о чем-н. заранее; **to have a ~ claim to sth** иметь первоочередное *or* преимущественное право на что-н. ; **~ to** до

priority [praɪˈɔrɪtɪ] *n* первоочередная задача; приоритет; **to have ~ (over)** иметь преимущество

priory [ˈpraɪərɪ] *n* монастырь

prirose [ˈprɪmrəuz] *n* первоцвет

prise [praɪz] *vt:* **to ~ open** взламывать

prism [ˈprɪzəm] *n* призма

prison [ˈprɪzn] *n* тюрьма ✧ *cpd* тюремный

prison camp *n* исправительно-трудовой лагерь

P

prisoner [ˈprɪznə] *n* заключенный; пленный; **the ~ at the bar** подсудимый; **to take sb ~** брать кого-н. в плен
prisoner of war *n* военнопленный
prissy [ˈprɪsɪ] *adj* чопорный
pristess [ˈpri:stɪs] *n* жрица
pristine [ˈprɪsti:n] *adj* безупречный
privacy [ˈprɪvəsɪ] *n* уединение; **invasion of sb's ~** вторжение в чью-н. частную жизнь
private [ˈpraɪvɪt] *adj* частный; закрытый; личный; скрытый; уединенный; замкнутый; конфиденциальный ✧ *n (воен.)* рядовой; **"private"** "лично"; ...посторонним вход воспрещен; **in ~** конфиденциально; **in (his) ~ life** в (его) личной жизни; **he is a very ~ person** он очень замкнутый человек; **to be in ~ practice** иметь частную практику; **~ hearing (юрид.)** закрытое слушание
private enterprise *n* частное предпринимательство
private eye *n* частный сыщик
private limited company *n* частная акционерная компания
privately [ˈpraɪvɪtlɪ] *adv* конфиденциально; в частном порядке; в душе
private parots *npl (анат.)* (наружные) половые органы
private property *n* частная собственность
privation [praɪˈveɪʃən] *n* лишения
privatize [ˈpraɪvɪtaɪz] *vt* приватизировать
privilege [ˈprɪvɪlɪdʒ] *n* привилегия
privileged [ˈprɪvɪlɪdʒd] *adj* привилегированный; **to be ~ to do** иметь честь
privy [ˈprɪvɪ] *adj:* **~ to** посвященный в
prize [praɪz] *n* приз; премия ✧ *adj* первоклассный; классический ✧ *vt* ценить
prizefighter [ˈpraɪzfaɪtə] *n* профессиональный боксер
prize money *n* призовые деньги
prizewinner [ˈpraɪzwɪnə] *n* призер, лауреат
prizewinning [ˈpraɪzwɪnɪŋ] *adj* удостоенный награды; призовой; удостоенный премии
pro [prəu] *n (спорт.)* профессионал ✧ *prep* за; **the ~s and cons** "за" и "против"
proactive [prəuˈæktɪv] *adj* действенный
probability [prɔbəˈbɪlɪtɪ] *n:* **~ of/that** вероятность что; **in all ~** по всей вероятности
probable [ˈprɔbəbl] *adj* вероятный; **it seems ~ that...** представляется вероятным, что ...
probably [ˈprɔbəblɪ] *adv* вероятно
probation [prəˈbeɪʃən] *n:* **he is on ~** *(юрид.)* он осужден условно; он проходит испытательный срок; *(рел.)* он отбывает послух
probationary [prəˈbeɪʃənrɪ] *adj* испытательный
probe [prəub] *n (мед.)* зонд; расследование ✧ *vt* расследовать; прощупывать
probity [ˈprəubɪtɪ] *n* честность
problem [ˈprɔbləm] *n* проблема; **we are having ~s with the car** у нас неполадки с машиной; **what's the ~?** в чем дело?; **I had no ~ in finding her** я нашел ее без труда; **no ~!** нет проблем!
problematic(al) [prɔbləˈmætɪkl] *adj* проблематичный
procedural [prəˈsi:djurəl] *adj* процедурный
procedure [prəˈsi:dʒə] *n* процедура
proceed [prəˈsi:d] *vi* продолжаться; двигаться; **to ~ (with)** продолжать; **to ~ to do** продолжать; **to ~ against sb** *(юрид.)* возбуждать дело против кого-н.
proceedings [prəˈsi:dɪŋz] *npl* события; *(юрид.)* судебное разбирательство; протокол
proceeds [ˈprəusi:dz] *npl* поступления
process [ˈprəuses] *n* процесс ✧ *vt* обрабатывать ✧ *vi* участвовать в процессии; **in ~** в процессе; **we are in the ~ of moving** сейчас мы переезжаем
processed cheese [ˈprəusest-] *n* плавленный сыр
processing [ˈprəusesɪŋ] *n (фото)* обработка

procession [prəˈuseʃən] *n* процессия
proclaim [prəˈkleɪm] *vt* провозглашать
proclamation [prɔkləˈmeɪʃən] *n* провозглашение
proclivity [prəˈklɪvɪtɪ] *n* наклонность
procrastinate [prəuˈkræstɪneit] *vi* оттягивать
procurator fiscal [ˈprɔkjureɪtə-] *n* *(юрид.)* прокурор
procure [prəˈkjuə] доставать, добывать; обеспечивать
procurement [prəˈkjuəmənt] *n* приобретение
prod [prɔd] *vt* тыкать; подстегивать ✧ *n* тычок; напоминание
prodigal [ˈprɔdɪgl] *adj* блудный
prodigious [prəˈdɪdʒəs] *adj* огромный
prodigy [ˈprɔdɪdʒɪ] *n* талант; успехи; **child ~** вундеркинд
produce [prəˈdjuːs] *vt* производить; *(био., хим.)* вырабатывать; представлять; предъявлять; ставить ✧ *n* продукция
producer [prəˈdjuːsə] *n* режиссер-постановщик, продюсер; производитель
product [ˈprɔdʌkt] *n* изделие, продукт
production [prəˈdʌkʃən] *n* производство; продукция; выработка; *(театр.)* постановка **to put into ~** запускать в производство
production agreement *n* соглашение о долевом распределении продукции
production manager *n* руководитель производством
productive [prəˈdʌktɪv] *adj* производительный; продуктивный
productivity [prɔdʌkˈtɪvɪtɪ] *n* производительность; продуктивность
productivity agreement *n* договор о производительности труда
productivity bonus *n* премия за высокую производительность труда
profane [prəˈfeɪn] *adj* светский; богохульный
profess [prəˈfes] *vt* претендовать на; заявлять о; *(рел.)* исповедовать; **I do not ~ to be an expert** я не претендую на роль специалиста
professed [prəˈfest] *adj* откровенный
professional [prəˈfeʃənl] *adj* профессиональный ✧ *n* специалист; профессионал; **he's a ~ man** он человек с образованием; **to take ~ advice** получать профессиональный совет
professionalism [prəˈfeʃnəlɪzəm] *n* профессионализм
professionally [prəˈfeʃnəlɪ] *adv (спорт., муз.)* профессиональный; **I only know him ~** я знаю его только по работе
proffer [ˈprɔfə] *vt* высказывать; приносить; протягивать
proficiency [prəˈfɪʃənsɪ] *n* квалификация, умение
proficient [prəˈfɪʃənt] *adj* умелый; **to be ~ at sth** быть знатоком чего-н.; **he is ~ at swimming** он мастерски плавает
profile [ˈprəufaɪl] *n* профиль; очерк; **to keep a high ~** находиться в центре внимания; **to keep a low ~** стараться не выделяться
profit [ˈprɔfɪt] *n* прибыль, доход ✧ *vi:* **to ~ by** *or* **from** извлекать выгоду из; **~ and loss account** счет прибылей и убытков; **to make a ~** получать прибыль; **to sell (sth) at a ~** продавать (что-н.) с выгодой
profitability [prɔfɪtəˈbɪlɪtɪ] *n* прибыльность
profitable [ˈprɔfɪtəbl] *adj* прибыльный; выгодный
profit centre *n (комм.)* "центр получения прибыли"
profiteering [prɔfɪˈtɪərɪŋ] *n* спекуляция
profitmaking [ˈprɔfɪtmeɪkɪŋ] *adj* прибыльный
profit margin *n* маржа прибыльности
profit-sharing [ˈprɔfɪtʃeərɪŋ] *n* участие в прибылях
profits tax *n* налог с прибыли
profligate [ˈprɔflɪgɪt] *adj:* **~ (with)** расточительный
pro forma [ˈprəuˈfɔːmə] *adj:* **~ ~ invoice** предварительный счет-фактура
profound [prəˈfaund] *adj* глубокий
profusion [prəˈfjuːʒən] *n* обильность

P

progeny [ˈprɔdʒɪnɪ] *n* потомство

program [ˈprəugræm] *n (комп.)* программа ✧ *vt (комп.)* программировать

programme [ˈprəugræm] *n* программа ✧ *vt* программировать

programmer [ˈprəugræmə] *n* программист(ка)

programming [ˈprəugræmɪŋ] *n (комп.)* программирование

programming language *n (комп.)* язык программирования

progress [ˈprəugres] *n* прогресс; развитие ✧ *vi* прогрессировать; продвигаться (по службе); продолжаться; **the meeting/match is in ~** сейчас идет собрание/матч; **to make ~** делать успехи; **as the match ~ed** по ходу матча

progression [prəˈgreʃən] *n* продвижение; череда; *(мат.)* прогрессия

progressive [prəˈgresɪv] *adj* прогрессивный; постепенный

prohibit [prəˈhɪbɪt] *vt* запрещать; **to ~ sb from doing** запрещать кому-н.; **"smoking ~ed"** "курить воспрещается"

prohibition [prəuɪˈbɪʃən] *n* запрещение, запрет; **P~** сухой закон

prohibitive [prəˈhɪbɪtɪv] *adj* недоступный

project [ˈprɔdʒekt] *n* проект; *(просвещ.)* работа ✧ *vt* проектировать; демонстрировать; проецировать ✧ *vi* выступать

projectile [prəˈdʒektaɪl] *n* снаряд

projection [prəˈdʒekʃən] *n* перспективная оценка; выступ; *(кино)* проекция

projectionist [prəˈdʒekʃənɪst] *n (кино)* киномеханик

proletarian [prəulɪˈteərɪən] *adj* пролетарский

proliferate [prəˈlɪfəreɪt] *vi* распространяться

proliferation [prəlɪfəˈreɪʃən] *n* распространение

prolific [prəˈlɪfɪk] *adj* плодовитый

prologue [ˈprəulɔg] *n* пролог

prolong [prəˈlɔŋ] *vt* продлевать

promenade [prɔməˈnɑd] *n* променад, место для прогулок

promenade deck *n* верхняя палуба

prominence [ˈprɔmɪnəns] *n* видное положение; видное место

prominent [ˈprɔmɪnənt] *adj* выдающийся; **he is ~ in the field of ...** он известен в области

prominently [ˈprɔmɪnəntlɪ] *adv* заметно; **he figured ~ in the case** он играл заметную роль в этом деле

promiscuity [prɔmɪsˈkju:ɪtɪ] *n* распущенность

promiscuous [prəˈmɪskjuəs] *adj* распущенный

promise [ˈprɔmɪs] *n* обещание; потенциал; надежда ✧ *vi* давать обещание ✧ *vt:* **to ~ sb sth, ~ sth to sb** обещать что-н. кому-н.; **a young man of ~** многообещающий молодой человек; **she shows ~** она подает надежды; **to ~ (sb) to do/that** обещать (кому-н.) что; **to ~ well** подавать большие надежды

promising [ˈprɔmɪsɪŋ] *adj* многообещающий

promissory note [ˈprɔmɪsərɪ-] *n* (простой) вексель

promontory [ˈprɔməntrɪ] *n* мыс

promote [prəˈməut] *vt* повышать (в должности); рекламировать; поддерживать; содействовать; **the team was ~d to the second division** команда была переведена во вторую лигу

promoter [prəˈməutə] *n* пропагандист(ка)

promotion [prəˈməuʃən] *n* повышение (в должности); рекламирование; реклама

prompt [prɔmpt] *adj* незамедлительный ✧ *n (комп.)* приглашение ✧ *vt* побуждать; подсказывать; *(театр)* суфлировать ✧ *adv:* **at 8 o'clock ~** ровно в 8 часов; **they're very ~** они очень пунктуальны; **the was ~ to accept** он немедленно согласился; **to ~ sb to do** побуждать кого-н.

prompter [ˈprɔmptə] *n (театр.)* суфлер

promptly [ˈprɔmptlɪ] *adv* незамедлительно; точно

promptness [ˈprɔmptnɪs] *n* незамедлительность

promulgate [ˈprɔməlgeɪt] *vt* обнародовать

prone [prəun] *adj:* **to lie ~** лежать ничком; **~ to** склонный к; **I am ~ to illness** у меня слабое здоровье; **he is ~ to colds** он подвержен простудам; **she is ~ to burst into tears if you shout at her** если на нее кричать, она может легко разрыдаться

prong [prɔŋ] *n* зубец

pronoun [ˈprəunaun] *n* местоимение

pronounce [prəˈnauns] *vt* произносить; объявлять; высказывать ✧ *vi:* **to ~ (up)on** высказываться относительно; **they ~d him unfit to drive** его объявили непригодным к вождению автомобиля

pronounced [prəˈnaunst] *adj* отчетливый

pronouncement [prəˈnaunsmənt] *n* объявление

pronto [ˈprɔntəu] *adv* живо

pronunciation [prənʌnsɪˈeɪʃən] *n* произношение; выговор

proof [pru:f] *n* доказательство; *(типогр.)* корректура; *(фото)* пробный отпечаток ✧ *vt* делать водонепроницаемым ✧ *adj:* **this material is ~ against water** этот материал не пропускает воду; **this vodka is 70% ~** это - семидесятипроцентная водка

proofreader [ˈpru:fri:də] *n* корректор

prop [prɔp] *n* подпорка; опора ✧ *vt* *(also:* **~ up)** подпирать; **to ~ sth against** прислонять что-н. к; **~s** *npl (театр.)* реквизит

propaganda [ˌprɔpəˈgændə] *n* пропаганда

propagate [ˈprɔpəgeɪt] *vt* распространять; разводить

propel [prəˈpel] *vt* приводить в движение; толкать

propelling pencil [prəˈpelɪŋ-] *n* автоматический карандаш

proper [ˈprɔpə] *adj* настоящий; подходящий; надлежащий; приличный; **he looked a ~ fool** он выглядел настоящим дураком; **the village ~** собственная деревня; **to go through the ~ channels** проходить через надлежащие каналы

properly [ˈprɔpəlɪ] *adv* как следует; прилично; должным образом

proper noun *n* собственное

property [ˈprɔpətɪ] *n* собственность; недвижимость; свойство ✧ *cpd:* **~ developer** застройщик; **it's their ~** это их собственность; **~ market** рынок недвижимости; **~ tax** налог на собственность

prophecy [ˈprɔfɪsɪ] *n* пророчество

prophesy [ˈprɔfɪsaɪ] *vti* пророчить

prophet [ˈprɔfɪt] *n* пророк

prophetic [prəˈfetɪk] *adj* пророческий

proportion [prəˈpɔ:ʃən] *n* часть, доля; пропорция, соотношение; **his head is in perfect ~ to his body** голова его абсолютно пропорциональна его телу; **to be out of all ~ to** никак не соответствовать; **to get sth in (to) ~** соизмерять что-н.; **to get sth out of ~** не соизмерять что-н.; **a sense of ~** чувство меры

proportionate [prəˈpɔ:ʃənɪt] *adj:* **~ (to)** пропорциональный

proposal [prəˈpəuzl] *n* предложение

propose [prəˈpəuz] *vt* предлагать; выдвигать ✧ *vi:* **to ~ (to sb)** делать предложение (кому-н.); **to ~ sth/to do** *or* **doing** предлагать что-н.

proposer [prəˈpəuzə] *n:* **the ~ of the motion** вносящий(-ая) предложение

proposition [prɔpəˈzɪʃən] *n* утверждение; предложение

propound [prəˈpaund] ставить на обсуждение; выдвигать *(теорию)*

proprietary [prəˈraɪətərɪ] *adj* патентованный; фирменный; собственнический

proprietor [prəˈpraɪtərɪ] *n* владелец

propriety [prəˈpraɪətɪ] *n* пристойность

propulsion [prəˈpʌlʃən] *n* движущая сила

prosaic [prəuˈzeɪk] *adj* прозаичный; прозаический

proscribe [prəˈskraɪb] *vt* воспрещать

prose [prouz] **1.** *n* проза; *attr.* прозаичный **2.** *v* скучно говорить

prosecute [ˈprɔsɪkju:t] *vt* вести; **to ~ sb** подавать на кого-н. в суд

P

prosecuting attorney [ˈprɔsɪkju:tɪŋ-] *n* обвинитель
prosecution [prɔsɪˈkju:ʃən] *n (юрид.)* судебное преследование; обвинение
prosecutor [ˈprɔsɪkju:tə] *n* обвинитель; *(also:* **public ~)** прокурор
prospect [ˈprɔspekt] *n* перспектива ✧ *vi:* **to ~ for** разведывать на; **~s** *npl* перспективы; **we are faced with the ~ of leaving** нас ожидает перспектива отъезда; **there's every ~ of an early victory** есть перспектива скорой победы
prospecting [ˈprɔspektɪŋ] *n* разведка; изыскание
prospective [prəˈspektɪv] *adj* будущий; возможный
prospectus [prəˈspektəs] *n* проспект
prosper [ˈprɔspə] *vi* преуспевать
prosperity [prɔˈsperɪtɪ] *n* преуспевание
prosperous [ˈprɔspərəs] *adj* преуспевающий
prostate [ˈprɔsteɪt] *n (also:* **~ gland)** предстательная железа
prostitute [ˈprɔstɪtju:t] *n* проститутка
protagenist [prəˈtægənɪst] *n* сторонник(-ица); деятель; *(театр.)* (главный) герой
protect [prəˈtekt] *vt* защищать
protection [prəˈtekʃən] *n* защита; **to be under sb's ~** находиться под защитой
protectionism [prəˈtekʃənɪzəm] *n* протекционизм
protection racket *n* рекет
protective [prəˈtektɪv] *adj* защитный; покровительственный; **~ custody** *(юрид.)* опека
protector [prəˈtektə] *n* защитник(-ница); защитное устройство
protege [ˈprəuteʒeɪ] *n* протеже
protegee [ˈprəuteʒeɪ] *n* протеже
protein [ˈprəuti:n] *n* белок; протеин
Protestant [ˈprɔtɪstənt] *n* протестант(ка) ✧ *adj* протестантский
protester [prəˈtestə] *n* протестующий(-ая)
protest march *n* марш протеста
protocol [ˈprəutəkɔl] *n* протокол
protracted [prəˈtræktɪd] *adj* затянувшийся
protractor [prəˈtræktə] *n (геом.)* транспортир
protrude [prəˈtru:d] *vi* выдаваться
protuberance [prəˈtju:bərəns] *n* выпуклость
proud [praud] *adj:* **~ (of)** гордый; **I am ~ to know him** я горжусь знакомством с ним *or* тем, что я знаком с ним; **to do sb ~** принимать кого-н. на славу; **to do o.s. ~** иметь основания гордиться
proudly [ˈpraudlɪ] *adv* гордо; с гордостью
prove [pru:v] доказывать, удостоверить, испытывать; пробовать; **~ (to be)** оказываться; **~ a will** *юр.* утверждать завещание; **~ oneself** проявлять, показывать себя
proverb [ˈprɔvə:b] *n* пословица
proverbial [prəˈvə:bɪəl] *adj* знаменитый
provide [prəˈvaɪd] *vt* обеспечивать; **to ~ sb with sth** обеспечивать кого-н. чем-н.; **to be ~d with** быть обеспеченным(-ой); быть снабженным(-ой)
provided (that) [prəˈvaɪdɪd] *conj* при условии, что
provide for *vt fus* обеспечивать; предусматривать; заботиться о
Providence [ˈprɔvɪdəns] *n* проведение
province [ˈprɔvɪns] *n* область; **the ~s** *npl:* **in the ~s** в провинции
provincial [prəˈvɪnʃəl] *adj* провинциальный
provision [prəˈvɪʒən] *n* обеспечение; снабжение; условие; положение; **~s** *npl* провизия; **to make ~s for** заботиться о; **there's now ~ for this in the contract** в контракте это не предусмотрено
provisional [prəˈvɪʒənl] *adj* временный ✧ *n:* **P~** *(полит.) член Ирландской Республиканской Армии*
provisional licence *n (авт.)* предварительные водительские права
provisionally [prəˈvɪʒnəlɪ] *adv* временно
proviso [prəˈvaɪzəu] *n* условие; **with the ~ that...** с условием, что...
provocation [prɔvəˈkeɪʃən] *n* провокация; **under ~** будучи спровоцирован

P

provocative [prəˈvɔkətɪv] *adj* провокационный; вызывающий; возбуждающий
provoke [prəˈvəuk] *vt* задирать; провоцировать; **to ~ sb to sth/to do** *or* **into doing** провоцировать кого-н. на что-н.
provost [ˈprɔvəst] *n* ректор; *(полит.)* мэр
prow [prau] *n (мор.)* нос
prowess [ˈprauɪs] *n* мастерство; **his ~ as a footballer** его мастерство футболиста
prowl [praul] красться, бродить
prowler [ˈpraulə] *n* подозрительный тип
proximity [prɔkˈsɪmɪtɪ] *n* близость
proxy [ˈprɔksɪ] *n:* **by ~** по доверенности
prude [pru:d] *n* ханжа
prudence [ˈpru:dns] *n* благоразумие
prudent [ˈpru:dnt] *adj* благоразумный
prudish [ˈpru:dɪʃ] *adj* ханжеский
prune I [pru:n] чернослив
prune II подрезать ветви; *перен.;* сокращать *(расходы);* упрощать, отделывать *(стиль)*
prussic [ˈprʌsɪk] **~ acid** синильная кислота
pry [praɪ] совать нос в чужие дела *(into);* подсматривать *(часто ~ about, ~ into)*
pseudo- [ˈpsju:do(u)-] *pref* ложно-, псевдо-
pseudonym [ˈpsju:dənɪm] псевдоним; **~ous** [psju:ˈdɔnɪməs] под псевдонимом
psyche [ˈsaɪki:] душа, дух
psychedelic [saɪkəˈdelɪk] *adj* психоделический
psychiatric [saɪkɪˈætrɪk] *adj* психоатрический
psychiatrist [saɪˈkaɪətrɪst] *n* психиатр
psychiatry [saɪˈkaɪətrɪ] *n* психиатрия
psychic [ˈsaɪkɪk] *adj (also:* **~al)** ясновидящий; психический
psycho [ˈsaɪkəu] *n* псих
psychoanalyse [saɪkəuˈænəlaɪz] *vt* подвергать психоанализу
psychoanalysis [saɪkəuəˈnælɪsɪs] *n* психоанализ
psychoanalyst [saɪkəuˈænəlɪst] *n* психоаналитик
psychological [saɪkəˈlɔdʒɪkl] *adj* психологический
psychologist [saɪˈkɔlədʒɪst] *n* психолог
psychopath [ˈsaɪkəupæθ] *n* психопат(ка)
psychosis [saɪˈkəusɪs] *n* психоз
psychosomatic [ˈsaɪkəusəˈmætɪk] *adj* психосоматический
psychotherapy [saɪkəuˈθerəpɪ] *n* психотерапия
psychotic [saɪˈkɔtɪk] *adj* психически больной
pub [pʌb] *разг.* трактир, кабак, пивная
puberty [ˈpju:bətɪ] *n* половая зрелость
pubic [ˈpju:bɪk] *adj* лобковый
public [ˈpʌblɪk] *adj* общественный; публичный ◇ *n:* **the ~** народ; публика; **the general ~** общественность; **this is ~ knowledge** это широко известно; **to make ~** предавать гласности; **to go ~** *(комм.)* выпускать акции на продажу через биржу; **in ~** публично
publican [ˈpʌblɪkən] *n* содержатель пивного бара *or* паба
publication [pʌblɪˈkeɪʃən] *n* публикация, издание
public company *n (комм.)* публичная компания, компания открытого типа
public convenience *n* общественный туалет
public holiday *n* общенародный праздник
public house *n* паб, пивная, пивной бар
publicity [pʌbˈlɪsɪtɪ] *n* реклама, паблисити, шумиха
publicize [ˈpʌblɪsaɪʒ] *vt* придавать гласности
publicly [ˈpʌblɪklɪ] *adv* публично; *(комм.):* **~ owned** государственный
public opinion *n* общественное мнение
Public Prosecutor *n* генеральный прокурор
public relations *npl* внешние связи
public school *n* частная школа; государственная школа
public sector *n:* **the ~~** государственный сектор

public-service vehicle [pʌblɪk'sɜːvɪs-] *n* общественное транспортное средство
public transport *n* общественный транспорт
public works *npl* общественные сооружения
publish ['pʌblɪʃ] *vt* издавать; публиковать
publisher ['pʌblɪʃə] *n* издатель; издательство
publishing ['pʌblɪʃɪŋ] *n* издательское дело; издание; публикация
publishing company *n* издательство
puce [pjuːs] *adj* красновато-коричневый
puck [pʌk] *n* шайба
pucker ['pʌkə] *vt* морщить
puckish ['pʌkɪʃ] озорной, проказливый
pudding ['pudɪŋ] *n* пудинг; сладкое; **rice ~** рисовый пудинг; **black ~, blood ~** кровяная колбаса
puddle ['pʌdl] *n* лужа
pudgy ['pʌdʒɪ] низенький и толстый
puff [pʌf] *n* затяжка; пыхтение; дуновение; клуб ✧ *vi* пыхтеть ✧ *vt:* **to ~ one's pipe** затягиваться
puffed [pʌft] *adj* запыхавшийся
puffin ['pʌfɪn] *n (зоол.)* тупик
puff out *vt* раздувать; выпускать
puff pastry *n* слоеное тесто
puffy ['pʌfɪ] *adj* опухший
pugnacious [pʌg'neɪʃəs] *adj* задиристый
pull [pul] *n* притяжение; тяга ✧ *vt* тянуть; нажимать на; задергивать; привлекать; накачивать ✧ *vi* тянуть; **to give sth a ~** тянуть; **to ~ a face** строить гримасу; **to ~ to pieces** разрывать на части; **to ~ one's punches** драться вполсилы; **he doesn't ~ his punches** он дерется всерьез; **to ~ one's weight** выполнять свою часть работы; **to ~ o.s. together** взять себя в руки; **to ~ sb's leg** разыгрывать кого-н.; **to ~ strings (for sb)** пускать в ход все связи (для кого-н.)
pull about *vt* трепать
pull apart *vt* разрывать на куски
pull back *vi* отступать
pullback ['pulbæk] *n* отступление
pulley ['pulɪ] *n* шкив
pull in *vt* загребать; привлекать; сцапать
pull into *vt (авт.)* подъезжать к
pull off *vt* стягивать; **he managed to ~ it off** ему удалось скинуть это с себя
pull out *vt* вытаскивать ✧ *vi:* **to ~ out (from)** *(авт.)* отъезжать (от); отходить (от); **to ~ out (of)** выходить (из)
pull-out ['pulaut] *n* отход ✧ *cpd* вкладной; **~ magazine** журнал с вкладками
pull over *vi (авт.)* подъезжать к краю дороги
pullover ['puləuvə] *n* пуловер
pull round *vi* приходить в себя; поправляться **pull through** *vi (мед.)* выкарабкиваться
pull up *vi* останавливаться ✧ *vt* подтягивать; вырывать (с корнем); пододвигать
pulp [pʌlp] **1.** *n* мякоть *(плода);* пульпа; мягкая бесформенная масса **2.** *v* превращать в мякоть; превращаться в мякоть; очищать от шелухи
pulpit ['pulpɪt] *n* кафедра
pulpy ['pʌlpɪ] мягкий, мясистый
pulsate [pʌl'seɪt] *vi* пульсировать; вибрировать
pulse [pʌls] *n (анат.)* пульс; пульсирование; биение; такт ✧ *vi* пульсировать; **~s** *npl (бот.) семена бобовых, употребляемые в пищу; (кулин.)* бобовые; **to take** *or* **feel sb's ~** нащупывать чей-н. пульс
pulverize ['pʌlvəraɪz] *vt* размельчать
pumice ['pʌmɪs] *n (also:* **~ stone)** пемза
pummel ['pʌml] *vt* колотить
pump [pʌmp] *n* насос; *(also:* **petrol ~)** бензоколонка; парусиновая туфля ✧ *vt* качать; выкачивать; **to ~ sb for information** выкачивать из кого-н. информацию
pumpkin ['pʌmpkɪn] *n* тыква
pump up *vt* накачивать
pun [pʌn] *n* каламбур
punch I [pʌntʃ] **1.** *v* ударять кула-

ком; пробивать *(отверстия);* штамповать **2.** *n* удар кулаком; *тех.* кернер, пробойник
punch II пунш
Punch [pʌntʃ] Петрушка
punch(ed) card *n (комп.)* перфокарта
punch in *vi* отмечаться *(приходя на работу)*
punch line *n* изюминка
punch out *vi* отмечаться *(уходя с работы)*
punch-up [ˈpʌntʃʌp] *n* потасовка
punckture [ˈpʌŋktʃə] *n (авт.)* прокол ✧ *vt* прокалывать; **I have a ~** у меня проколота шина
punctual [ˈpʌŋktjuəl] *adj* пунктуальный
punctuality [pʌŋktjuˈælıtı] *n* пунктуальность
punctually [ˈpʌŋktjuəlı] *adv* пунктуально; **the film will start ~ at 6** фильм начнется ровно в 6 часов
punctuation [pʌŋktjuˈeıʃən] *n* пунктуация
punctuation mark *n* знак препинания
pungent [ˈpʌndʒənt] *adj* едкий
punish [ˈpʌnıʃ] *vt* наказывать; **to ~ sb for sth** наказывать кого-н. за чтон.; **this crime must be ~ed** это преступление должно быть наказано
punishable [pʌnıʃəbl] *adj* наказуемый
punishing [ˈpʌnıʃıŋ] *adj* изматывающий
punishment [ˈpʌnıʃmənt] *n* наказание; **he took a lot of ~** ему сильно досталось
punitive [ˈpju:nıtıv] *adj* карательный
punk [pʌŋk] *n (also:* **~rocker)** панк; *(aslo:* **~ rock)** панк-рок
punnet [pʌnıt] *n* корзиночка
punt [pʌnt] *n* плоскодонка ✧ *vt* плавать/плыть на плоскодонке
punter [ˈpʌntə] *n* (профессиональный) игрок; клиент(ка); **the ~s** клиентура
puny [ˈpju:nı] *adj* хилый
pup [pʌp] *n* щенок
pupil [ˈpju:pl] *n (просвещ.)* ученик; зрачок
puppet [ˈpʌpıt] *n* марионетка
puppet government *n* марионеточное правительство
puppy [ˈpʌpı] *n* щенок
purchase [ˈpə:tʃıs] *n* покупка; захват ✧ *vt* покупать; **to get a ~ on** ухватываться за
purchase order *n* заказы на товары
purchase price *n* закупочная цена
purchaser [ˈpə:tʃısə] *n* покупатель
purchase tax *n* налог на покупку
purchasing power *n* покупательная способность
pure [pjuə] *adj* чистый; **a ~ wool jumper** свитер из чистой шерсти; **~ and simple** просто-напросто; **it's laziness ~ an a simple** это просто-напросто лень
purebred [ˈpjuəbred] *adj* чистопородный, чистокровный
puree [ˈpjuərəı] *n* пюре
purely [ˈpjuəlı] *adv* чисто
purgatory [ˈpə:gətərı] *n (рел.)* чистилище; мучение
purge [pə:dʒ] *n (полит.)* чистка; *(мед.)* слабительное ✧ *vt* очищать; **to ~ from** вычищать от; **to ~ (of)** чистить (от)
purification [pjuərıfiˈkeıʃen] *n* очистка
purify [ˈpjuərıfaı] *vt* очищать
puritan [ˈpjuərıtən] *n* пуританин
purity [ˈpjuərıtı] *n* чистота
purloin [pə:ˈlɔın] *vt* присваивать
purple [ˈpə:pl] *adj* фиолетовый
purport [pə:ˈpət] *vi:* **he ~s to be an objective party** он притязает на роль объективных наблюдателей; **he ~s to care about this** он притязает на то, что он обеспокоен этой
purpose [ˈpə:pəs] *n* цель; **on ~** намеренно; **for illustrative ~s** в качестве иллюстрации; **for the ~ s of this meeting** преследую цели данного собрания; **to no ~** напрасно
purpose-built [ˈpə:pəsˈbılt] *adj:* **~ school** школа целевого назначения
purposeful [ˈpə:pəsful] *adj* целеустремленный
purposely [ˈpə:pəslı] *adv* преднамеренно
purr [pə:] *vi* мурлыкать

P

purse [pə:s] *n* кошелек; сумка ✧ *vt:* **to ~ one's lips** поджимать губы
purser ['pə:sə] *n (мор.)* (судовой) казначей
pursue [pə'sju:] *vt* преследовать; осуществлять; заниматься; следовать
pursuer [pə'sju:ə] *n* преследователь
pursuit [pə'sju:t] преследование; погоня; занятие; **daily ~s** повседневные дела, занятия
purveyor [pə'veıə] *n* поставщик
purview ['pə:vju:] кругозор; *перен.* компетенция
pus [pʌs] *n* гной
push [puʃ] *n* нажатие; толчок; требование ✧ *vt* нажимать; толкать; проталкивать ✧ *vi* нажимать; толкаться; **to ~ for** требовать; **at a ~** при желании; **to ~ a door open** распахивать дверь; **to ~ a door shut** захлопывать дверь; **"push"** "от себя"; "нажмите"; **to be ~ed for time/money** иметь мало времени/денег; **she is ~ing fifty** ей под пятьдесят
push aside *vt* отталкивать; отметать
push-bike ['puʃbaık] *n* велосипед
push-button ['puʃbʌtn] *adj* кнопка
pushchair ['puʃtʃeə] *n* (складная) коляска
pusher ['puʃə] *n* торговец наркотиками
push in *vi* влезать
push off *vi* убираться
push on *vi* двигаться дальше *or* вперед
push over *vt* опрокидывать
push through *vi* проталкиваться ✧ *vt* проталкивать
push up *vt* повышать
push-up ['puʃʌp] *n* отжимание
pushy ['puʃı] *adj* настырный
puss [pus] кошечка
pussycat ['pusıkæt] *n* киска; котик
put [put] *vt* класть; ставить; помещать; сажать; говорить; излагать; ставить; относить; **to ~ sb in a good mood** приводить кого-н. в хорошее настроение; **to ~ sb in a bad mood** портить кому-н. настроение; **to ~ sb to bed** укладывать кого-н. спать *or* в кровать; **to ~ sb to a lot of trouble** доставлять кому-н. много хлопот; **how shall I ~ it?** как бы это сказать?; **to ~ a lot of time into sth** уделять много времени чему-н.; **to ~ money on a horse** ставить на лошадь; **the cost is now ~ at 2 billion pounds** сейчас стоимость оценивается в 2 миллиарда фунта; **I ~ it to you that ...** я говорю Вам, что...; **to stay ~** оставаться
put about *vi (мор.)* разворачиваться ✧ *vt* пускать
put acide *vt* откладывать; отгонять
put across *vt* объяснять
putative ['pju:tətıv] *adj* предполагаемый
put away *vt* убирать; уминать; откладывать; упрятать
put back *vt* класть на место; откладывать; задерживать; **this will ~ us back 10 years** это отбросит нас на 10 лет назад
put by *vt* откладывать
put down *vt* класть; ставить; записывать; подавлять; умерщвлять; **to ~ sth down to** объяснять что-н.
put forth *vt* объявлять
put forward *vt* выдвигать; переносить; переводить вперед
put in *vt* подавать; вкладывать; проводить ✧ *vi (мор.)* заходить в порт; **the ship ~ in at Plimouth** корабль зашел в Плимут
put in for *vt* подавать заявление на
put off *vt* откладывать; отталкивать; выключать
put on *vt* надевать; накладывать; включать; ставить; жать на; пускать; напускать на себя; принимать; разыгрывать; **to ~ sb on to sb** связать кого-н. с кем-н.; **to ~ sb on to sth** выводить кого-н. на что-н.; **to ~ on weight** поправлять; **to ~ on airs** важничать;
put out *vt* тушить; гасить; выключать; выносить; выпускать; вытягивать; выдумывать; пускать; вывихивать; **he was rather ~ out** он был выбит из колеи ✧ *vi (мор.):* **to ~ out to sea** выходить в

море; **to ~ out from Plimouth** выходить из Плимута

put through *vt* соединять; выполнять; **~ me through to Miss Blair** соедините меня с мисс Блэр

put together *vt* соединять; собирать; готовить; организовать

putty [ˈpʌtɪ] *n* замазка

put up *vt* ставить; раскрывать; надевать; вывешивать; поднимать; размещать; подавлять; **to ~ sb up to sth** толкать кого-н. на что-н.; **to ~ sth up for sale** выставлять что-н. на продажу

put-up [ˈputʌp] *n:* **~ job** подстроенное дело

put upon *vt fus:* **to be ~ upon: we are not prepared to be ~ upon** мы привыкли, чтобы на нас ездили

put up with *vt* терпеть; мириться с

puzzle [ˈpʌzl] *n* загадка; головоломка ✧ *vt* озадачивать ✧ *vi:* **to ~ over sth** ломать голову над чем-н.; **to be ~d about sth** пребывать в недоумении по поводу чего-н.

pyjamas [pɪˈdʒɑːməz] *npl:* **(a pair of) ~** пижама

pylon [ˈpaɪlən] *n* пилон, опора

pyramid [ˈpɪrəmɪd] *n (архит., геом.)* пирамида; груда

pyre [ˈpaɪə] погребальный костер

Q

Q,q [kjuː] *n 17-ая буква английского алфавита*

qty *abbr* количество

quack [kwæk] *n* кряканье; шарлатан ✧ *vi* крякать

quadrangle [ˈkwɔdræŋgl] *n* двор; *(мат.)* четырехугольник

quadrilateral [ˌkwɔdrɪˈlæt(ə)r(ə)l] четырехсторонний

quadruped [ˈkwɔdruped] *n* четвероногое

quadruple [kwɔˈdruːpl] *vt* увеличивать в четыре раза ✧ *vi* увеличиваться в четыре раза

quadruplets [kwɔˈdruːplɪts] *npl* четыре близнеца

quaff [kwɑːf] пить большими глотками

quagmire [ˈkwægmaɪə] *n* трясина

quail I [kweɪl] перепел, перепелка

quail II дрогнуть, струсить

quaint [kweɪnt] *adj* причудливый; своеобразный

quake [kweɪk] *vi* трепетать

Quaker [ˈkweɪkə] *n* квакер

qualification [kwɔlɪfɪˈkeɪʃən] *n* квалификация; качество; оговорка; **what are your ~s?** какая у Вас квалификация

qualified [ˈkwɔlɪfaɪd] *adj* квалифицированный; небезусловный; **I'm not ~ to discuss /judge that** я не компетентен обсуждать/судить об этом; **the show was a ~ success** спектакль не пользовался особым успехом; **he's not ~ for the job** у него нет необходимой квалификации для этой работы

qualify [ˈkwɔlɪfaɪ] *vt* уточнять; оговаривать; **to ~ sb to do** позволять кому-н. ✧ *vi:* **to ~ as an engineer** получать квалификацию инженера; **to ~ (for)** иметь право (на); **to ~ (for)** выходить (в)

qualifying [ˈkwɔlɪfaɪŋ] *adj:* **~ exam** квалификационный экзамен; **~ round** отборочное соревнование

qualitative [ˈkwɔlɪtətɪv] *adj* качественный

quality [ˈkwɔlɪtɪ] *n* качество; свойство ✧ *cpd* качественный; **of good/poor ~** хорошего/плохого качества

quality of life *n* уровень жизни

quality papers *npl:* **the ~~** серьезные газеты

qualm [kwaːm] тошнота; опасение; сомнения *мн.;* приступ малодушия ✧ **~s of conscience** угрызения совести

quandary [ˈkwɔndrɪ] *n:* **to be in a ~** быть в затруднении

quantifiable [ˈkwɔntɪfaɪəbl] *adj* измеримый

quantitative [ˈkwɔntɪtətɪv] *adj* количественный

quantity [ˈkwɔntɪtɪ] *n* количество; **in ~** в большом количестве; **an unknown ~** загадка

quantity surveyor *n* инженер-плановик *(на строительных работах)*
quantum leap [ˈkwɔntəm-] *n* скачок
quarantine [ˈkwɔr(ə)ntiːn] **1.** *n* карантин **2.** *v* подвергать карантину
quarrel [ˈkwɔrl] *n* ссора ✧ *vi:* **to ~ (with)** ссориться с; **to have a ~ with sb** поссориться с кем-н.; **I've no ~ with him** у меня нет претензий к нему; **I can't ~ with that** я не могу не согласиться с этим
quarrelsome [ˈkwɔrəlsəm] *adj* вздорный
quarry I [ˈkwɔrɪ] добыча (*на охоте);* преследуемый зверь
quarry II 1. *n* каменоломня, карьер; источник сведений **2.** *v* добывать (*из карьера)*
quart [kwɔːt] кварта *(=1,14 л)*
quarter [ˈkwɔːtə] *n* четверть; квартал ✧ *vt* делить на четыре части; *(воен.)* квартировать; **~s** *npl* помещение; *(воен.)* казармы; **a ~ of an hour** четверть часа; **it's a ~ to three,** *or* **of three** сейчас без четверти три; **it's a ~ past three,** *or* **after three** сейчас четверть четвертого; **from all ~s** отовсюду; **at close ~s** вблизи
quarterback [ˈkwɔːtəbæk] *n (спорт.)* главный нападающий *(в американском футболе)*
quarterfinal [ˈkwɔːtəˈfaɪnl] *n* четвертьфинал
quarterly [ˈkwɔːtəlɪ] *adj* (еже)квартальный; (по)квартальный ✧ *adv* ежеквартально; поквартально ✧ *n* квартальный журнал
quartermaster [ˈkwɔːtəmɑːstə] *n (воен.)* квартирмейстер
quartz [kwɔːts] *n* кварц ✧ *cpd* кварцевый
quash [kwɔʃ] *vt* отменять
quaver [ˈkweɪvə] **1.** *n* дрожание; трель; *муз.* восьмая нота **2.** *v* дрожать, вибрировать
quay [kiː] набережная
quayside [ˈkiːsaɪd] *n* пристань
queasiness [ˈkwiːzɪnɪs] *n* тошнота
queasy [ˈkwiːzɪ] *adj:* **I feel a bit ~** меня немного мутит
queen [kwiːn] *n* королева; *(also:* **~ bee)** пчелиная матка; *(карт.)* дама; ферзь, королева
queen mother *n* королева-мать
queer [kwɪə] *adj* странный; **I feel ~** мне дурно ✧ *n* гомик
quell [kwel] *vt* подавлять
quench [kwentʃ] *vt:* **to ~ one's thirst** утолять жажду
querulous [ˈkwerʊləs] ворчливый; постоянно жалующийся
query [ˈkwɪərɪ] **1.** *n* вопрос **2.** *v* спрашивать; подвергать сомнению
quest [kwest] **1.** *n* поиски; искомый предмет **2.** *v* искать
question [ˈkwestʃən] *n* вопрос; сомнение ✧ *vt* допрашивать; сомневаться в; **to ask sb a ~, put a ~ to sb** задавать кому-н. вопрос; **to bring** *or* **call sth into ~** ставить что-н. под вопрос *or* сомнение; **the ~ is...** вопрос в том, ...; **it's (just) a ~ of finding out** дело (только) за тем, чтобы узнать; **there's some ~ as to whether** существуют некоторые сомнения в том, что; **beyond ~** бесспорно; **that's out of the ~** об этом не может быть и речи
questionable [ˈkwestʃənəbl] *adj* сомнительный
questioner [ˈkwestʃənə] *n* задавший вопрос
questioning [ˈkwestʃənɪŋ] *adj* вопросительный; пытливый ✧ *n* допрос
question mark *n* вопросительный знак
questionnaire [kwestʃəˈneə] *n* анкета
queue [kjuː] *n* очередь ✧ *vi (also:* **~ up)** стоять в очереди; **to jump the ~** проходить без очереди
quibble [ˈkwɪbl] *vi:* **to ~ about** *or* **over** спорить о
quick [kwɪk] *adj* быстрый; сообразительный; живой; короткий ✧ *adv* быстро ✧ *n:* **to cut to the ~** задевать за живое; **be ~!** быстро!, побыстрее!; **to be ~ to act** быстро реагировать; **she was ~ to see that...** она сразу заметила, что; **to have a ~ look** взглянуть; **she has a ~ temper** она вспыльчива

quicken [ˈkwɪkən] *vt* ускорять ✧ *vi* ускоряться
quick-fire [ˈkwɪkfaɪə] *adj:* ~ **questions** град вопросов
quicklime [ˈkwɪklaɪm] *n* негашеная известь
quickly [ˈkwɪklɪ] *adv* быстро
quickness [ˈkwɪknɪs] *n* быстрота; живость
quicksand [ˈkwɪksænd] *n* зыбучий песок
quicksilver [ˈkwɪk,sɪlvə] ртуть
quick-tempered [kwɪkˈtempəd] *adj* вспыльчивый
quick-witted [kwɪkˈwɪtɪd] *adj* сообразительный
quid I [kwɪd] *разг.* фунт стерлингов
quid II жевательный табак
quieness [ˈkwaɪətnɪs] *n* тишина; покой
quiescent [kwaɪˈesnt] неподвижный; бездействующий; в состоянии покоя
quiet [ˈkwaɪət] *adj* тихий; бесшумный; спокойный; скромный ✧ *n* тишина; покой ✧ *vti* = **quieten; be ~!** тихо!; **I'll have a ~ word with him** я поговорю с ним наедине; **business is ~ at this time of year** в это время года в делах затишье; **on the ~** тайком
quieten [ˈkwaɪətn] *vi (also:* ~ **down)** затихать ✧ *vt (also:* ~ **down)** успокаивать
quietly [ˈkwaɪətlɪ] *adv* тихо; спокойно
quill [kwɪl] *n* перо; игла
quilt [kwɪlt] *n* стеганое покрывало; *(also:* **continental ~)** стеганое одеяло
quilting [ˈkwɪltɪŋ] *n* стежка; стеганая ткань
quince [kwɪns] *n* айва
quinine [kwɪˈni:n] *n* хинин
quinsy [ˈkwɪnzɪ] ангина
quintessential [kwɪntɪˈsenʃəl] *adj* показательный
quintet(te) [kwɪnˈtet] *n* квинтет
quintuplets [kwɪnˈtju:plɪts] *npl* пятеро близнецов
quip [kwɪp] **1.** *n* эпиграмма; колкость **2.** *v* делать колкие замечания; насмехаться
quirk [kwə:k] *n* причуда; прихоть; **by some ~ of fate** по прихоти судьбы
quit [kwɪt] *vt* бросать; съезжать ✧ *vi* сдаваться; увольняться; **to ~ smoking** бросать курить; **~ stalling!** перестаньте ходить вокруг да около; **they were given 3 months notice to ~** их предупредили, что они должны освободить помещение в четырехмесячный срок
quite [kwaɪt] *adv* довольно; совершенно; **the flat's not ~ bif enough** квартира недостаточно большая; **he's ~ right** он совершенно прав; **she's ~ pretty** она довольно симпатичная; **I ~ understand** я вполне понимаю; **I'm not ~ sure** я не совсем уверен; **not ~ as many at the last time** не так много, как в прошлый раз; **that lunch was ~ something!** вот это был обед!; **~ a few** довольно много; **~ (so)!** верно!
quits [kwɪts] *adj:* **to be ~ (with)** быть в расчете (с); **let's call it ~** будем квиты
quiver I [ˈkwɪvə] **1.** *n* дрожь; трепет **2.** *v* дрожать; трепетать
quiver II колчан
quixotic [kwɪkˈsɔtɪk] донкихотский
quiz I [kwɪz] **1.** *n* (теле-)викторина **2.** *v уст.* насмехаться; выспрашивать *(кого-л. о чем-л.)*
quiz II *амер.* **1.** *n* предварительный экзамен; проверочные вопросы **2.** *v* производить проверочные испытания
quizzical [ˈkwɪzɪk(ə)l] насмешливый; чудаковатый
quod [kwɔd] *разг.* тюрьма
quoit [kwɔɪt] метательное кольцо; **~s** [-s] *pl* метание колец в цель *(игра)*
quondam [ˈkwɔndæm] бывший
quota [ˈkwəutə] квота; доля; норма выработки
quotation [kwəuˈteɪʃən] *n* цитата; цена; котировка
quotation marks *npl* кавычки
quote [kwəut] *n* цитата; цена ✧ *vt* цитировать; приводить; назна-

Q

чать; **~s** *npl* кавычки; **to ~ for a job** устанавливать стоимость работы; **in ~s** в кавычках; **~... unquote...** в кавычках
quotient [ˈkwəuʃənt] *n* фактор

R

R,r [ɑ:] *n 18-ая буква английского алфавита*
rabbi [ˈræbaɪ] *n* раввин
rabbit [ˈræbɪt] *n* кролик; крольчиха ✧ *vi:* **to ~ (on)** трещать
rabbit hole *n* кроличья нора
rabbit hutch *n* кроличья клетка
rabble [ˈræbl] *n* чернь
rabid [ˈræbid] неистовый
rabies [ˈreɪbɪz] *n* бешенство, водобоязнь
raccoon [rəˈku:n] *n* енот
race [reɪs] *n* раса; *(мор., авт.)* гонки; забег; заплыв; скачки; борьба ✧ *vt* гнать; вести; бежать на перегонки с ✧ *vi* принимать участие в гонках/забеге/заплыве/скачках; мчаться; учащаться; увеличивать обороты; **the human ~** человечество, человеческий род; **the arms ~** гонка вооружений; **he'd across the road** он быстро перебежал через дорогу; **to ~ in (to)** влетать (в); **to ~ out (of)** выскакивать (из)
racecourse [ˈreɪskɔ:s] *n* ипподром
racehorse [ˈreɪshɔ:s] *n* скаковая лошадь
race meeting *n* день скачек
race relations *npl* расовые отношения
racetrack [ˈreɪstræk] *n* беговая дорожка; трек
racial [ˈreɪʃl] *adj* расовый; **~ equality** расовое равенство
racialism [ˈreɪʃlɪzəm] *n* расизм
racialist [reɪʃlɪst] *adj* расистский ✧ *n* расист
racing [ˈreɪsɪŋ]] *n* скачки; гонки
racing car *n* гоночный автомобиль
racing driver *n* гонщик
racism [ˈreɪsɪzəm] *n* расизм
rack [ræk] *n* полка; *(also:* **luggage ~)** багажная полка; *(also:* **roof ~)** багажник *(на крыше автомобиля); (also:* **dish ~)** сушилка для посуды ✧ *vt:* **she was ~ed by pain** ее терзала боль; **to ~ one's brains** ломать голову; **magazine ~** журнальная полка; **toast ~** подставка для тостов; **shoe ~** полка для обуви; **to go to ~ and ruin** ветшать; разоряться
racket [ˈrækɪt] *n (спорт.)* ракетка; шум; жульничество; рэкет
racketeer [rækɪˈtɪə] *n* рэкетир
racquet [ˈrækɪt] *n (спорт.)* ракетка
racuously [ˈrɔ:kəslɪ] *adv* оглушительно
racy [ˈreɪsɪ] *adj* пикантный; экстравагантный
radar [ˈreɪdɑ:] *n* радар, радиолокатор ✧ *cpd* радарный; радиолокационный
radial [ˈreɪdɪəl] *adj (also: ~-ply)* радиальный
radiance [ˈreɪdɪəns] *n* сияние
radiant [ˈreɪdɪənt] *adj* сияющий; *(физ.)* лучистый
radiate [ˈreɪdɪeɪt] *vt* излучать ✧ *vi* радиально расходиться
radiation [reɪdɪˈeɪʃən] *n* радиация; радиоактивное излучение
radiation sickness *n* лучевая болезнь
radiator cap *n* крышка радиатора
radical I [ˈrædik(ə)l]**1.** *n полит.* радикал **2.** *a* коренной, радикальный
radical II *мат.* корень
radioactivity [ˈreɪdɪəuækˈtɪvɪtɪ] *n* радиоактивность
radio announcer *n* диктор радио
radiographer [reɪdɪˈɔgrəfə] *n* рентгенолог
radiography [reɪdɪˈɔgrəfi] *n* рентгенография, радиография
radiologist [reɪdɪˈɔ:ləd3ɪst] *n* рентгенолог, радиолог
radiology [reɪdɪˈɔləd3ɪ] *n* рентгенология; радиология
radio station *n* радиостанция
radiotelephone [ˈreɪdɪəuˈtelɪfəun] *n* радиотелефон
radio telescope *n* радиотелескоп
radiotherapist [ˈreɪdɪəuˈθerəpɪst] *n* радиотерапевт

R

radiotherapy [ˈreɪdɪəuˈθerəpɪ] *n* радиотерапия, рентгенотерапия
radish [ˈrædɪʃ] *n* редиска; **~es** редис; редиска
radium [ˈreɪdɪəm] *n* радий
radius [ˈreɪdɪəs] *n* радиус, *(анат.)* лучевая кость; **within a ~ of 50 miles** в радиусе 50-ти миль
raffish [ˈræfɪʃ] *adj* разгульный
raffle [ˈræfl] *n* (вещевая) лотерея ✧ *vt* разыгрывать в лотерее
raft [rɑːft] *n* плот
rag I [ræg] тряпка; *pl* тряпье; *pl* отрепья; *презр.* листок *(о газете);* обрывок, клочек ✧ **not a ~ of evidence** никаких улик
rag II *разг.* дразнить; скандалить, шуметь
ragbad [ˈrægbæg] *n* всякая всячина
rag doll *n* тряпичная кукла
rage [reɪdʒ] **1.** *n* гнев *разг.* увлечение, мода **2.** *v* беситься; бушевать *(об эпидемии и т.п.)*
ragged [ˈrægɪd] *adj* зазубренный; потрепанный; оборванный
raging [ˈreɪdʒɪŋ] *adj* бушующий; свирепый; **~ toothache** свирепая зубная боль; **in a ~ temper** в ярости
ragtime [ˈrægtaɪm] джазовый ритм
raid [reɪd] **1.** *n* набег, налет, рейд **2.** *v* делать налет, облаву
rail I [reɪl] ругать, поносить
rail II 1. *n* перила; ограда; поручни; рельс **by ~** по железной дороге, поездом; **off the ~s** *перен.* выбитый из колеи **2.** *v* **~ round** *(или* **off***)* обносить перилами; отгораживать
railing I [ˈreɪlɪŋ] нагоняй
railing II перила; ограда
raillery [ˈreɪlərɪ] добродушная шутка
railroad [ˈreɪlroud] *амер.* **1.** *n* железная дорога **2.** *v:* **~ smth. through** *разг.* протолкнуть, провести в спешном порядке *(дело, законопроект)*
railway [ˈreɪlweɪ] *n* железная дорога ✧ *cpd* железнодорожный
railway engine *n* локомотив
railwayman [ˈreɪlweɪmən] *irreg n* железнодорожник
railway station *n* железнодорожный вокзал, железнодорожная станция
raiment [ˈreɪmənt] *поэт.* одеяние
rain [reɪn] *n* дождь ✧ *vi:* **it's ~ing** идет дождь ✧ *vt:* **it's ~ing cats and dogs** льет как из ведра; **in the ~** под дождем, в дождь, **it ~ed a lot last night** вчера ночью шел сильный дождь
rainbow [ˈreinbəu] *n* радуга
rain check *n:* **I'll take a ~ ~** я еще немного подумаю
raincoat [ˈreɪnkəut] *n* плащ
raindrop [ˈreɪndrɔp] *n* дождевая капля
rainfall [ˈreɪnfɔːl] *n* осадки; количество осадков
rainforest [ˈreɪnfɔrɪst] *n* тропический лес
rainproof [ˈreɪnpruːf] *adj* непромокаемый
rainstorm [ˈreɪnstɔːm] *n* ливень
rainwater [ˈreɪnwɔːtə] *n* дождевая вода
rainy [ˈreɪnɪ] *adj* дождливый; **Manchester is a ~ place** в Манчестере часто идут дожди; **to save sth for a ~ day** откладывать что-н. на черный день
raise [reɪz] *n* повышение ✧ *vt* поднимать; снимать; повышать; высказывать; разводить; воспитывать; выращивать; собирать; доставать; **to ~ a glass to sb/sth** поднимать бокал за кого-н./что-н.; **to ~ one's voice** повышать голос; **to ~ one's hopes** обнадеживать; **to ~ a laugh/smile** вызывать смех /улыбку
raisin [ˈreɪzn] *n* изюминка; **~s** изюм
rajah [ˈrɑːdʒə] *n* раджа
rake [reɪk] *n* грабли; повеса ✧ *vt* разравнивать; сгребать; обстреливать ✧ *vi:* **to ~trough** рыться в
rake-off [reɪkɔf] *n* доля прибыли
rally [ˈrælɪ] *n (полит.)* митинг; *(авт.)* авторалли ✧ *vt* сплачивать ✧ *vi* оправляться; оживляться
rallying point [ˈrælɪŋ-] *n* объединяющая идея
rally round *vt fus* сплачиваться вокруг ✧ *vi* браться за дело вместе
ram [ræm] *n* баран ✧ *vt* таранить; задвигать; двинуть

R

ramble ['ræmbl] *n* прогулка ✧ *vi* бродить
rambler ['ræmblə] *n* турист(ка) *(участник пешеходной прогулки или похода); (бот.)* вьющееся растение
rambling ['ræmblıŋ] *adj* несвязный; беспорядочно выстроенный; *(бот.)* вьющийся
ramification [,ræmıfı'keıʃ(ə)n] разветвление; ответвление; отросток
ramp I [ræmp] скат, уклон (*стены, вала)*
ramp II *разг.* жульничество
ramp III *шутл.* бушевать
rampage [rəm'peıdʒ] буйствовать
rampant ['ræmpənt] неистовый; буйно разбушевавшийся (*о растительности);* сильно распространенный (*о пороках, болезнях);* стоящий на задних лапах (*о геральдических животных)*
rampart ['ræmpa:t] вал *перен.* оплот
ramrod ['ræmrɔd] шомпол ✧ **straight as a ~** словно аршин проглотил
ramshackle ['ræm,ʃækl] ветхий
ran [ræn] *past om* **run I**
ranch [ra:ntʃ] (скотоводческая) ферма, ранчо
rancid ['rænsıd] *adj* прогорклый
rancour ['ræŋkə] злоба; затаенная злоба
random ['rændəm] *adj* случайный; *(комп., мат.)* случайный, произвольный ✧ *n:* **at ~** наугад
random access *n (комп.)* прямой *or* произвольный доступ
random access memory *n (комп.)* запоминающее устройство с произвольной выборкой
randy ['rændı] *adj* похотливый
range [reındʒ] I **1.** *n* ряд; линия; цепь *(гор); воен.* дальность; дальнобойность; досягаемость; пределы; размах **2.** *v* помещать, ставить в ряд, в строй; колебаться *(в определенных пределах - о ценах и т. п.); воен.* определять расстояние до цели
ranger ['reındʒə] *амер.* лесничий; конный полицейский
rank I [ræŋk] **1.** *n* ряд, шеренга; звание, положение; категория, разряд ✧ **~ and file** (*тж.* **the ~s**) рядовые **2.** *v* строить в шеренгу; классифицировать; занимать какое-л. место
rank II буйный (*о растительности); плодородный (о почве)*
rank III вонючий (*о табаке);* прогорклый (*о масле и т.п.);* отъявленный; **~ ingratitude** черная неблагодарность
rankle ['ræŋkl] *vi:* **to ~ with sb** терзать кого-н.
rank outsider *n* совершенно безнадежный кандидат, кандидат без шансов на успех
ransack ['rænsæk] *vt* перерыть; грабить
ransom ['rænsəm] **1.** *n* выкуп **2.** *v* выкупать
rant [rænt] говорить напыщенно
ranting ['ræntıŋ] *n* разглагольствование
rap I [ræp] **1.** *n* легкий удар, стук; *разг.* наказание; **take a ~** получить выговор **2.** *v* слегка ударять **~ out** выкрикнуть; **~ out a reply** резко ответить
rap II : I don't care a ~ мне на это наплевать
rape [reıp] *n* изнасилование; *(бот.)* рапс ✧ *vt* насиловать
rapid ['ræpıd] *adj* стремительный
rapidity [rə'pıdıtı] *n* стремительность
rapidly ['ræpıdlı] *adv* стремительно
rapids ['ræpıdz] *npl (гео.)* стремнина
rapine ['ræpaın] грабеж
rapist ['reıpıst] *n* насильник
rapport [ræ'pɔ:] *n* взаимопонимание
rapprochament [ræ'prəʃma:ŋ] *n* сближение
rapt [ræpt] *adj* сосредоточенный; **he was ~ in contemplation** он был погружен в раздумье
rapture ['ræptʃə] *n* восторг; **to go into ~s over** приходить в восторг от
rapturous ['ræptʃərəs] *adj* восторженный
rare [reə] *adj* редкий; кровавый; **it is ~ to find...** редко удается найти ...
rarefied ['reərıfaıd] *adj* разреженный
rarely ['reəlı] *adv* редко; нечасто

R

raring [ˈreərɪŋ] *adj:* **he is ~ to go** ему не терпится приступить к делу
rarity [ˈreərɪtɪ] *n* редкость
rascal [ˈrɑːsk(ə)l] негодяй; мошенник
rash I [ræʃ] сыпь
rash II стремительный; опрометчивый, безрассудный
rasher [ˈræʃə] *n* ломтик
rashly [ˈræʃlɪ] *adv* опрометчиво
rashness [ˈræʃnɪs] стремительность, опрометчивость
rasp [rɑːsp] **1.** *n* напильник, скрежет **2.** *v* соскабливать; тереть; раздражать; резать ухо
raspberry [ˈrɑːzbərɪ] *n* малина
rasping [ˈrɑːspɪŋ] *adj:* **to ~ noise** скрежещущий звук; **a ~ voice** скрипучий голос
rat [ræt] **1.** *n* крыса; предатель, перебежчик ✧ **~ race** мышиная возня **2.** *v разг.* истреблять крыс; изменять своей партии
ratchet [ˈrætʃɪt] *n* храповик; **~ wheel** храповое колесо
rate [reɪt] *n* скорость; темп; ставка; уровень; расценка ✧ *vt* оценивать; расценивать; **~s** налог на недвижимость; расценки; **at a ~ of 60 kilometres an hour** со скоростью 60 километров в час; **~ of flow** скорость потока; **~ of growth** темпы роста; **~ of return** ставка дохода *(от вложение капитала);* **pulse ~** частота пульса; **to ~ sb as** считать кого-н.; **to ~ sth as** расценивать что-н. как; **to ~ sb/sth among** относить кого-н./что-н. к; **to ~ sb/sth highly** высоко ценить кого-н./что-н.
rateable value [ˈreɪtəbl-] *n стоимость дома, на основе которой рассчитывается налог на недвижимость*
ratepayer [ˈreɪtpeɪə] *n лицо, выплачивающее налог на недвижимость*
rather [ˈrɑːðə] *adv* довольно; несколько; **or ~** вернее сказать; **it's ~ expensive** это довольно дорого; это слишком дорого; **there's ~ a lot** слишком много; **I would ~ go** я, пожалуй, пойду; **I'd ~ not leave** я бы не хотел уходить; **I ~ think he won't come** я думаю, что, пожалуй, он не придет
ratification [rætɪfiˈkeɪʃən] *n* ратификация
ratify [ˈrætɪfaɪ] *vt* ратифицировать
rating I [ˈreɪtɪn] выговор, нагоняй
rating II оценка *(имущества);* класс; разряд; классификация; *мор.* рядовой (матрос)
ratio [ˈreɪʃɪou] отношение, пропорция
ration [ˈræʃ(ə)n] **1.** *n* паек, рацион, продовольствие **2.** *v* нормировать, ограничивать *(выдачу чего-л.);* **~ out** выдать *(паек)*
rational [ˈræʃənl] *adj* рациональный; разумный
rationale [ræʃəˈnɑːl] *n* рациональное *or* разумное обоснование
rationalization [ræʃnəlaɪˈzeɪʃən] *n* рационализация
rationalize [ˈræʃnəlaɪz] *vt* давать рациональное объяснение
rationing [ˈræʃnɪŋ] *n* нормирование
rat poison *n* крысиный яд
rattan [ræˈtæn] *n* ротанг
rattlesnake [ˈrætlsneɪk] *n* гремучая змея
ratty [ˋrætɪ] *adj* издерганный
raucous [ˈrɔːkəs] *adj* оглушительный
raunchy [ˈrɔːntʃɪ] *adj* распутный
ravage [ˈrævɪdʒ] *vt* разорять
ravages [ˈrævɪdʒɪz] *npl* разрушительные последствия
rave [reɪv] *vi* бесноваться; бушевать; *(мед.)* бредить; **to ~ about** восторгаться ✧ *cpd* восторженный
raven [ˈreɪvən] *n* ворон
ravenous [ˈrævɪnəs] прожорливый **~ appetite** волчий аппетит
ravine [rəˈviːn] глубокое ущелье; узкий овраг, лощина; ложбина
raving [ˈreɪvɪŋ] *adj:* **~ lunatic** буйно помешанный(-ая)
ravings [ˈreɪvɪŋz] *npl* бред
ravish [ˈrævɪʃ] восхищать
ravishing [ˈrævɪʃɪŋ] *adj* восхитительный
raw [rɔː] *adj* сырой; необработанный; нерафинированный; свежий
raw deal *n* неудачная сделка; **he got a ~~** с ним плохо обошлись

R

raw material *n* сырье
ray I [reɪ] луч
ray II скат *(рыба)*
rayon [ˈreɪɔn] искусственный шелк, вискоза
raze [reɪz] разрушать до основания; **~ to the ground** сровнять с землей
razor [ˈreɪzə] *n* бритва; **safety ~** безопасная бритва; **electric ~** электробритва
razor blade *n* лезвие (бритвы)
razzle(-dazzle) [ˈræzlˈdæzl] *n:* **to go on the ~** идти кутить
razzmatazz [ˈræzməˈtæz] *n* буффонада
re [riː] *prep* относительно
reach [riːtʃ] *n* размах ✧ *vt* достигать; приходить к; доставать; связываться с ✧ *vi:* **to ~ into** совать в; **within ~** в пределах досягаемости; **out of ~** вне досягаемости; **within ~ of the shops**/station недалеко от магазинов/вокзала; **within easy ~ of** недалеко от; **"keep out of the ~ of children"** "беречь от детей"; **upper ~es** верховья; **lower ~es** низовья; **can I ~ you at your hotel?** можно ли связаться с Вами в гостинице?; **to ~ for** протягивать руку к; **to ~ up** протягивать руку вверх
reach out *vt* протягивать ✧ *vi* вытягиваться; **to ~ out for sth** протягивать руку за чем-н.
react [riːˈækt] *vi:* **to ~ (with)** вступать в реакцию (с); *(мед.):* **to ~ (to)** реагировать (на); **to ~ (against)** восставать (против)
reaction [riːˈækʃən] *n (хим.)* реакция; *(мед., полит.):* **~ (to/against)** реакция (на/против); **~s** реакция
reactionary [riːˈækʃənrɪ] *adj* реакционный
reactor [riːˈæktə] *n (also:* **nuclear ~)** реактор
read [riːd] *vt* читать; определять; снимать показания; изучать ✧ *vi* читать; **the notice ~s...** в объявлении говорится ...; **it can be taken as ~ that ...**само собой разумеется, что ...; **do you ~ me?** *(телеф.)* Вы слышите меня?
readable [ˈriːdəbl] *adj* разборчивый; хорошо читающийся; **this book is very ~** эта книга хорошо читается
reader [ˈriːdə] *n* читатель; книга для чтения; хрестоматия
readership [ˈriːdəʃɪp] *n* круг читателей
readily [ˈredɪlɪ] охотно, легко
readiness [ˈredɪnɪs] *n* готовность; **in ~** наготове; в состоянии готовности
reading [ˈriːdɪŋ] *n* чтение; толкование
reading lamp *n* настольная лампа
reading matter *n* материал для чтения
reading room *n* читальный зал
readjust [ˈrɪːəˈdʒʌst] переделывать; исправлять (заново); (заново) приспосабливать
read out *vt* зачитывать
read over *vt* перечитывать
read through *vt* пролистывать; прочитывать
read up *vt* много читать
read upon *vt fus* много читать по
ready [ˈredɪ] *adj* готовый ✧ *n:* **at the ~** *(воен.)* в положении для стрельбы; наготове; **~ for use** готовый к употреблению; **I am ~ to help** я готов помочь; **to get ~** приготавливаться; **to get sb/sth ~** подготавливать кого-н./что-н.
ready cash *n* наличные деньги
ready-cooked [ˈredɪkukt] *adj* готовый
ready-mix [ˈredɪmɪks] *n* полуфабрикат; товарный бетон
ready money *n* наличные деньги
ready reckoner [-ˈrekənə] *n* арифметические таблицы готовых расчетов
ready-to-wear [ˈredɪtəˈweə] *adj* готовый
reaffirm [riːəˈfəːm] *vt* вновь подтверждать
reagent [riːˈeɪdʒənt] *n:* **chemical ~** химический реактив
real [rɪəl] *adj* настоящий; реальный; натуральный ✧ *adv* очень; **in ~ life** в действительности; **in ~ terms** реально; **a ~ idiot** настоящий идиот

R

real estate *n* недвижимость ✧ *cpd:* **~~ agency** агентство по продаже недвижимости
realign [riːəˈlaɪn] *vt* перестраивать
reality [riːˈælɪtɪ] *n* реальность, действительность; **in ~** на самом деле, в действительности
realization [rɪəlaɪˈzeɪʃən] *n* осознание; осуществление; реализация
realize [ˈrɪəlaɪz] *vt* осознавать; осуществлять; *(комм.)* реализовать; **I ~ that ...** я осознаю, что ...
reallocate [rɪˈæləkeɪt] *vt* перераспределять
realm [relm] *n* королевство; область; сфера
real-time [ˈriːltaɪm] *adj (комп.)* в реальном времени
realtor [ˈrɪəltəː] *n* агент по продаже недвижимости
ream [riːm] *n* стопа; **~s of** куча, масса; **she's written ~s!** у нее масса *or* куча написанного!
reap [riːp] *vt* жать; пожинать
reaper [ˈriːpə] *n* жатка
reappear [riːəˈpɪə] *vi* снова появляться
reappearance [riːəˈpɪərəns] *n* новое появление
reapply [riːəˈplaɪ] *vi:* **to ~ for** повторно обращаться за
reappoint [riːəˈpɔɪnt] *vt* повторно назначать
reappraisal [riːəˈpreɪzl] *n* переоценка
rear [rɪə] *adj* задний ✧ *n* задняя часть; *(воен.)* тыл ✧ *vt* выращивать ✧ *vi (also:* **~ up)** становиться на дыбы
rear admiral *n* контр-адмирал
rear-engined [ˈrɪərˈendʒɪnd] *adj (авт.)* с мотором в задней части
rearguard [ˈrɪəgɑːd] *n (воен.)* арьергард
rearm [riːˈɑːm] *vi* перевооружаться ✧ *vt* перевооружать
rearmament [riːˈɑːmənənt] *n* перевооружение
rearrange [riːəˈreɪndʒ] *vt* переставлять; изменять
rear-view mirror [ˈrɪəvjuː-] *n (авт.)* зеркало заднего вида *or* обзора
reason [ˈriːzn] *n* причина; разум; рассудок; смысл ✧ *vi:* **to ~ with sb** убеждать кого-н.; **the ~ for/why** причина для/по которой; **to have ~ to think that...** иметь основание думать; **it stands to ~ that...** разумеется, что ... ; **she claims with good ~ that...** она не без причины считает, что ...; **all the more ~ why...** тем более ...
reasonable [ˈriːznəbl] *adj* разумный; неплохой; приемлемый; умеренный; сносный; **be ~!** будьте благоразумны!
reasonably [ˈriːznəblɪ] *adv* разумно; довольно; **one can ~ assume that...** можно справедливо предположить, что ...
reasoned [ˈriːznd] *adj* обоснованный
reasoning [ˈriːznɪŋ] *n* рассуждение
reasssurance [riːəˈʃuərəns] *n* подтверждение; поддержка
reassure [riːəˈʃuə] *vt* утешать; **to ~ sb of** заверять кого-н. в
reassuring [riːəˈʃuərɪŋ] *adj* ободряющий
reawakening [riːəˈweɪknɪŋ] *n* пробуждение
rebate [ˈriːbeɪt] *n* обратная выплата
rebel [ˈrebl] *n* бунтарь ✧ *vi* восставать
rebellion [rɪˈbeljən] *n* восстание
rebellious [rɪˈbeljəs] *adj* строптивый; мятежный; бунтующий
rebirth [riːˈbəːθ] *n* возрождение
rebound [rɪˈbaund] *vi:* **to ~ (off)** отскакивать (от) ✧ *n:* **on the ~** на откосе; **he married her on the ~** он женился на ней после разочарования в любви к другой
rebuff [rɪˈbʌf] **1.** *n* отпор; резкий отказ **2.** *v* давать отпор
rebuild [riːˈbɪld] *irreg vt* перестраивать; восстанавливать
rebuke [rɪˈbjuːk] *vt* упрекать; делать выговор ✧ *n* упрек; выговор
rebut [rɪˈbʌt] *vt* опровергать
rebuttal [rɪˈbʌtl] *n* опровержение
recalcitrant [rɪˈkælsɪtrənt] *adj* непокорный
recall [rɪˈkɔːl] *vt* вспоминать; отзывать; *(комп.)* перевызывать, вызывать повторно ✧ *n* память; отзыв; **the event is beyond ~** событие безвозвратно исчезло из памяти

R

recant [rɪ'kænt] *vi* отрекаться
recap ['ri:kæp] *vt* резюмировать ✧ *vi* делать резюме ✧ *n* резюме
recapture [ri:'kæptʃə] *vt* снова захватывать; воссоздавать
recede [rɪ'si:d] *vi* спадать; угасать; слабеть; редеть
receding [rɪ'si:dɪŋ] *adj* редеющий; срезанный
receipt [rɪ'si:t] *n* квитанция; получение; **~s** *npl (комм.)* денежные поступления; платежи; **to acknowledge ~ of** подтверждать получение; **on ~** по получении; **we are in ~ of...** *(комм.)* мы получили ...
receivable [rɪ'si:vəbl] *adj (комм.)* подлежащий получению; надлежащий уплате
receive [rɪ'si:v] *vt* получать; встречать; принимать; **"received with thanks"** "получено с благодарностью"
receiver [rɪ'si:və] получатель; радиоприемник; телефонная трубка; укрыватель краденного
recent ['ri:snt] недавний, новый; современный **~ly** недавно
recently ['ri:sntlɪ] *adv* недавно; **until ~** до недавнего времени; **as ~ as last year** еще в прошлом году
receptacle [rɪ'septɪkl] *n* сосуд
reception [rɪ'sepʃən] *n* регистрация; приемная; регистратура; **we got a warm ~** нам был оказан теплый прием
reception centre *n приемный пункт для размещения беженцев, бездомных и т. п.*
reception desk *n* стол регистрации; регистратура; отдел приема посетителей
receptionist [rɪ'sepʃənɪst] *n* регистратор; секретарь по приему посетителей
receptive [rɪ'septɪv] *adj* восприимчивый
recess [rɪ'ses] *n* ниша; тайник; *(полит.)* каникулы; перерыв; *(просвещ.)* большая перемена
recession [rɪ'seʃən] *n* спад
recharge [ri:'tʃa:dʒ] *vt* перезаряжать
rechargeable [ri:'tʃa:dʒəbl] *adj* перезаряжающийся
recipe ['resɪpɪ] *n* рецепт
recipient [rɪ'sɪpɪənt] *n* получатель
reciprocal [rɪ'sɪprəkl] *adj* взаимный; обоюдный
reciprocate [rɪ'sɪprəkeɪt] *vt* отвечать на ✧ *vi* оплачивать; отвечать взаимностью
recital [rɪ'saɪtl] *n* сольный концерт
recitation [resɪ'teɪʃən] *n* декламация; чтение
recite [rɪ'saɪt] *vt* декламировать; читать (вслух); произносить
reckless ['rækləs] *adj* безрассудный
recklessly ['rækləslɪ] *adv* безрассудно
reckon ['rekən] *vt* считать; **I ~ that** я считаю, что ... ✧ *vi:* **he is somebody to be ~ed with** с таким человеком, как он, нужно считаться; **to ~ without sb** не считаться с кем-н.; **to ~ without sth** не учитывать чего-н.
reckoning ['ræknɪŋ] *n* подсчет, расчет; **the day of ~** час расплаты
reckon on *vt fus* рассчитывать на
reclaim [rɪ'kleɪm] *vt* требовать обратно; отвоевывать; осваивать; перерабатывать
reclamation [reklə'meɪʃən] *n* освоение
recline [rɪ'klaɪn] *vi* откидываться
reclining [rɪ'klaɪnɪŋ] *adj* откидывающийся
recluse [rɪ'klu:s] затворник, затворница
recognition [rekəg'nɪʃən] *n* признание; узнавание; **in ~ of** в знак признания; **to gain ~** получать признание; **he has changed beyond ~** он изменился до неузнаваемости
recognizable ['rekəgnaɪzəbl] *adj:* **~ (by)** узнаваемый
recoil [rɪ'kɔɪl] *n* отдача ✧ *vi:* **to ~ from doing** в ужасе отказаться
recollect [,rekə'lekt] вспоминать; **~ion** [-kʃ(ə)n]воспоминание; **within my ~ion** на моей памати
recollection [rekə'lekʃən] *n* воспоминание, память; **to the best of my ~** на сколько мне помнится
recommend [rekə'mend] *vt* рекомендовать; **she has a lot to ~ her** многое говорит в ее пользу

R

recommendation [rekəmen'deɪʃən] *n* рекомендация; **on the ~ of** по рекомендации
recommended retail price *n* рекомендуемая розничная цена
recompense ['rekəmpens] **1.** *n* компенсация **2.** *v* компенсировать; отплачивать
reconcile ['rekənsaɪl] *vt* мирить; примирить; **to ~ o.s. to sth** смиряться
reconciliation [rekənsɪlɪ'eɪʃən] *n* примирение
recondite [rɪ'kɔndaɪt] *adj* заумный
recondition [ri:kən'dɪʃən] *vt* ремонтировать
reconditioned [ri:kən'dɪʃənd] *adj* ремонтированный
reconnaissance [rɪ'kɔnɪsns] *n (воен.)* разведка; рекогносцировка
reconnoitre [,rekə'nɔɪtə] производить разведку, разведывать; производить рекогносцировку
reconsider [ri:kən'sɪdə] *vt* пересматривать ✧ *vi* передумать
reconstitute [ri:'kɔnstɪtju:t] *vt* реорганизовать; восстанавливать
reconstruction [ri:kən'strʌkʃən] *n* реконструкция; перестройка; воспроизведение
reconstuct [ri:kən'strʌkt] *vt* перестраивать; воспроизводить, реконструировать
reconvene [ri:kən'vi:n] *vi* возобновлять работу
record [rɪ'kɔ:d] *vt* записывать; регистрировать ✧ *n (комп.)* запись, протокол; учет; дело; *(муз.)* пластинка; репутация; *(also:* **criminal ~***)* судимость; *(спорт.)* рекорд ✧ *adj:* **in ~ time** в рекордное время; **public ~s** архивные записи; **to keep a ~ of** вести учет; **to put the ~ straight** показывать истинное положение вещей; **he is on ~ as saying that ...** известно, что он сказал, что ...; **off the ~** неофициальный
recorded delivery [rɪ'kɔ:dɪd-] *n* доставка с уведомлением (о вручении)
recorder [rɪ'kɔ:də] *n (муз.)* английская флейта; *(юрид.)* рекордер
record holder *n (спорт.)* рекордсмен(ка)
recording [rɪ'kɔ:dɪŋ] *n* запись
record library *n* фонотека
record player *n* проигрыватель
recount [rɪ'kaunt] *vt* передавать; поведать о
re-count ['ri:kaunt] *n* пересчет ✧ *vt* пересчитывать
recoup [rɪ'ku:p] *vt:* **to ~ one's losses** возвращать потерянное
recourse [rɪ'kɔ:s]: **have ~ to** обращаться за помощью
recover [rɪ'kʌvə] *vt* получать обратное; возмещать ✧ *vi* вставать на ноги; улучшаться ; **to ~ (from)** оправляться (от)
re-cover [ri:'kʌvə] *vt* перебивать
recovery [rɪ'kʌvərɪ] *n* выздоровление; возвращение; обнаружение
re-create [ri:krɪ'eɪt] *vt* воссоздавать
recreation [,recrɪ'eɪʃ(ə)n] отдых, восстановление сил; развлечение
recreational [rekrɪ'eɪʃənl] *adj:* **~ facilities** условия для отдыха и развлечения
recrimination [rɪkrɪmɪ'neɪʃən] *n* взаимные обвинения
recruit [rɪ'kru:t] *n* новобранец; призывник; новый сотрудник; новый член ✧ *vt* вербовать; нанимать
recruiting office [rɪ'kru:tɪŋ-] *n (воен.)* вербовочный пункт
recruitment [rɪ'krutmənt] *n (воен.)* вербовка; набор *(на работу)*
rectangle ['rektæŋgl] *n* прямоугольник
rectangular [rek'tæŋgjulə] *adj* прямоугольный
rectify ['rektɪfaɪ] *vt* исправлять
rector ['rektə] ректор; приходской священник; **~y** [-rɪ] дом приходского священника
rectory ['rektərɪ] *n* дом приходского священника
rectum ['rektəm] *n* прямая кишка
recuperate [rɪ'kju:pəreɪt] *vi* оправляться
recur [rɪ'kə:] *vi* повторяться
recurrence [rɪ'kə:ɪns] *n* повторение
recurrent [rɪ'kə:ɪnt] *adj* повторяющийся
recurring [rɪ'kə:rɪŋ] *adj* постоянно возникающий; повторяющийся

R

recycle [ri:ˈsaɪkl] *adv* перерабатывать
red [red] *n* красный цвет; *(полит.)* красный(ая) ✧ *adj* красный; рыжий; **she was dressed in ~** она в красном; **to be in the ~** иметь задолженность
red alert *n* состояние боевой готовности
red-blooded [ˈredˈblʌdɪd] *adj:* **~ male** самец
red-carpet treatment [redˈkɑ:pɪt-] *n* торжественный прием
redcurrant [ˈredkʌrənt] *n* красная смородина
redden [ˈredn] *vi* краснеть ✧ *vt* окрашивать в красный цвет
reddish [ˈredɪʃ] *adj* красноватый; рыжеватый
redeciration [ri:dekəˈreɪʃen] *n* ремонт
redecorate [ri:ˈdekəreɪt] *vt* ремонтировать ✧ *vi* делать ремонт
redeem [rɪˈdi:m] *vt* спасать; выкупать; выплачивать; *(рел.)* искупать; **to ~ o.s.** искупать свою вину
redeemable [rɪˈdi:məbl] *adj* подлежащий выкупу
redeeming [rɪˈdi:mɪŋ] *adj:* **~ feature** подкупающее качество
redefine [ri:dɪˈfaɪn] *vt* пересматривать; давать новое определение
redemption [rɪˈdemʃən] *n (рел.)* искупление грехов; **past** *or* **beyond ~** безнадежный, без надежды на спасение
redency [ˈri:dʒənsɪ] *n* регентство ✧ *adj:* **R~** эпохи регентства
redeploy [ri:dɪˈplɔɪ] *vt* перераспределять; *(воен.)* передислоцировать
redeployment [ri:dɪˈplɔɪmənt] *n* перераспределение, передислокация
redevelop [ri:dɪˈveləp] *vt* перестраивать
redevelopment [ri:dɪˈveləpmənt] *n* перестройка
red-handed [redˈhændɪd] *vt:* **he was caught ~** его поймали с поличным
redhead [ˈredhed] *n* рыжий(-ая)
red hering *n* отвлекающий маневр
red-hot [redˈhɔt] *adj* раскаленный до красна
redirect [ri:daɪˈrekt] *vt* переадресовывать
rediscover [ri:dɪsˈkʌvə] *vt* заново открывать
redistribute [ri:dɪsˈtrɪbju:t] *vt* перераспределять
red-letter day [ˈredletə-] *n* праздничный день
red meat *n* темное мясо *(особенно говядина и баранина)*
redness [ˈrednɪs] *n* краснота; рыжина
redo [ri:ˈdu] *irreg vt* переделывать
redolent [ˈredələnt] *adj* напоминающий; **~ of** отдающий
redouble [rɪˈdʌbl] удваивать, увеличивать; удваиваться, увеличиваться
redoubtable [rɪˈdautəbl] *книжн.* грозный
redraft [rɪ:ˈdrɑ:ft] *vt* переписывать
redraw [ri:ˈdrɔ:] *vt* изменять
redress [rɪˈdres] *n* возмещение ✧ *vt* исправлять; **to ~ the balance** восстанавливать равновесие сил
red tape *n* волокита
reduce [rɪˈdju:s] *vt* сокращать; **to ~ sth by/to** сокращать что-н. на/до; **to ~ sb to silence** заставлять кого-то замолчать; **he was ~d to stealing** он дошел до того, что стал воровать; **"reduce speed now"** *(авт.)* "сбавьте скорость"
reduced [rɪˈdju:st] *adj* по сниженным ценам; со скидкой; **at a ~ price** по сниженной цене; со скидкой
reduction [rɪˈdʌkʃən] *n* скидка; сокращение
redundancy [rɪˈdʌndənsɪ] *n* увольнение *(при сокращении штатов);* сокращение штатов; **compulsory ~** вынужденное увольнение; **voluntary ~** увольнение по собственному желанию
redundancy payment *n* выходное пособие *(при сокращении штатов)*
redundant [rɪˈdʌndnt] *adj* уволенный; излишний; **he was made ~** его сократили
reedy [ˈri:dɪ] *adj* пронзительный
reef [ri:f] *n* риф
reek [ri:k] **1.** *v* дымиться; пахнуть;- отдавать *(чем-л.)* **2.** *n* скверный запах, вонь

reel [ri:l] *n* катушка; бобина; рил *(народный хороводный танец)* ✧ *vi* качаться; шататься; **my head is ~ing** у меня кружится голова
re-election [ri:ɪ'lekʃən] *n* перевыборы; переизбрание
reel in *vt* сматывать; вытаскивать *(при помощи спиннинга)*
reel off *vt* выпалить
re-entry [ri:'entrɪ] *n* повторный вход
re-examine [ri:ɪg'zæmɪn] *vt* пересматривать
re-export ['rɪ:ɪkspɔ:t] *vt* реэкспортировать ✧ *n* реэкспорт
refectory [rɪ'fektərɪ] *n* столовая
refer [rɪ'fə:] *vt:* **to ~ sb to** отсылать кого-н. к; направлять кого-н. к; **to ~ sth to** передавать что-н. к; **he ~red me to the manager** он направил меня к управляющему
referee [refə'rɪ:] *n (спорт.)* рефери, судья ✧ *vt* судить
reference ['refrəns] *n* упоминание; ссылка; рекомендация, лицо, дающее рекомендацию; **with ~ to** ссылаясь на; **"please quote this ~"** *(комм.)* "сошлитесь на этот справочный номер"
reference book *n* справочник
reference library *n* справочная библиотека
reference number *n* справочный номер
referendum [refə'rendəm] *n* референдум
referral [rɪ'fə:rəl] *n* направление
refer to *vt fus* упоминать о; относиться к; обращаться к; **~ring to your letter** ссылаясь на Ваше письмо
refill [ri:'fɪl] *vt* снова наполнять; заправлять ✧ *n* запасной стержень
refine [rɪ'faɪn] *vt* рафинировать; очищать; совершенствовать
refined [rɪ'faɪnd] *adj* утонченный; рафинированный; очищенный
refinement [rɪ'faɪnmənt] *n* утонченность; усовершенствование
refinery [rɪ'faɪnərɪ] *n* нефтеперерабатывающий завод
refit ['ri:'fɪt] **1.** *v* снаряжать заново; ремонтировать **2.** *n* ремонт; переборка *(механизма)*
reflect [rɪ'flekt] *vt* отражать
reflection [rɪ'flekʃən] *n* отражение; размышление; **~ on** осуждение; **on ~** по размышлении
reflect on *vt* бросать тень на
reflex ['ri:fleks] *adj* рефлекторный ✧ *n* рефлекс
reflexive [rɪ'fleksɪv] *adj* возвратный
reformatory [rɪ'fɔ:mətərɪ] *n* исправительное заведение
reformed [rɪ'fɔ:md] *adj* исправившийся
refract [rɪ'frækt] *физ.* преломлять
refractory [rɪ'frækt(e)rɪ] непокорный, упорный; тугоплавкий; огнеупорный
refrain I [rɪ'freɪn] воздерживаться (*от - from)*
refrain II припев
refresh [rɪ'freʃ] *vt* освежать
refresher course [rɪ'freʃə] *n* курс повышения квалификации
refreshing [rɪ'freʃɪŋ] *adj* освежающий, свежий
refreshment [rɪ'freʃmənt] *n* закуска, напиток; **I am in need of (some) ~** мне надо закусить
refreshments [rɪ'freʃmənts] *npl* закуски и напитки
refrigeration [rɪfrɪdʒə'reɪʃən] *n* охлаждение, замораживание
refrigerator [rɪ'frɪdʒəreɪtə] *n* холодильник
refuel [rɪ'fjuəl] *vi* заправляться ✧ *vt* заправлять
refuelling [rɪ'fjuəlɪŋ] *n* заправка
refuge [re'fju:dʒ] *n* убежище; **to make ~ in** укрываться в
refugee [refju:dʒɪ] *n* беженец; **a political ~** политический беженец
refugee camp *n* лагерь беженцев
refund [ri:'fʌnd] **1.** *n* оплата (*расходов)* **2.** *v* оплачивать (*расходы)*
refurbish [rɪ:fə:bɪʃ] *vt* заново отделывать
refurbishment [rɪ:fə:bɪʃmənt] *n* ремонт
refurnish [rɪ:fə:nɪʃ] *vt* заново обставлять
refusal [rɪ'fju:zəl] *n* отказ; **first ~** право первого выбора
refuse ['refju:s] *n* мусор
refuse collection *n* уборка мусора
refuse disposal *n* вывоз мусора

R

refusenik [rɪˈfju:znɪk] *n* отказник
refute [rɪˈfju:t] *vt* опровергать
regain [rɪˈgeɪn] *vt* вновь обретать
regal [ˈri:gl] *adj* королевский
regale [rɪˈgeɪl] угощать, потчивать
regard [rɪˈgɑ:d] *n* уважение ✧ *vt* считать; **to ~ with** относиться *or* рассматриваться; **to give one's ~s to** передавать привет; **"with kindest ~s"** "с наилучшими пожеланиями"; "с уважением"; **as ~s, with ~ to** что касается, относительно
regarding [rɪˈgɑ:dɪŋ] *prep* относительно
regenerate 1. *v* [rɪˈdʒenəreɪt] перерождаться; регенерировать, восстанавливать **2.** *a* [rɪˈdʒenərɪt] возрожденный
regime [reɪˈʒi:m] *n* режим
regiment [ˈredʒɪmənt] *n* полк ✧ *vt* подчинять жесткому контролю
region [ˈri:dʒən] *n* район; регион; *(админ., анат.)* область; **in the ~ of** в районе
regional [ˈri:dʒənl] *adj* областной, региональный; местный
regional development *n* региональное развитие
register [ˈredʒɪstə] *n* запись; *(просвещ.)* журнал; *(also:* **electoral ~**) список избирателей; *(муз.)* регистр ✧ *vt* регистрировать; показывать ✧ *vi* регистрироваться; записываться; запечатлеваться в памяти; **to ~ for a course** записываться на курс; **to ~ a protest** выражать протест
registered [ˈredʒɪstəd] *adj* заказной; зарегистрированный
registered company *n* зарегистрированная компания
registered office *n* зарегистрированный офис
Registered Trademark *n* зарегистрированный товарный знак
registrar [ˈredʒɪstrɑ:] *n* регистратор; главный врач
registry [ˈredʒɪstrɪ] *n* регистратура
regression [rɪˈgreʃ(ə)n] регресс; упадок
regret [rɪˈgret] *n* сожаление ✧ *vt* сожалеть о; оплакивать; **to ~ that...** сожалеть, что ...; **we ~ to imform you that ...** мы с сожалением сообщаем Вам, что ...
regretfully [rɪˈgretfəlɪ] *adv* к сожалению
regrettable [rɪˈgretəbl] *adj* прискорбный; достойный сожаления
regrettably [rɪˈgretəblɪ] *adv* огорчительным образом; **~, he ...** к сожалению он ...
regular [ˈregjulə] *adj* регулярный; ровный; правильный; определенный ✧ *n* завсегдатай; клиент; **~ soldier** солдат регулярной армии
regulate [ˈregjuleɪt] *vt* регулировать
regulation [regjuˈleɪʃən] *n* регулирование; правило
rehabilitate [ri:əˈbɪlɪteɪt] *vt* интегрировать; реабилитировать
rehabilitation [ˈri:əbɪlɪˈteɪʃən] *n* интеграция; реабилитация
rehash [ri:hæʃ] *vt* преподносить в новом свете
rehearsal [rɪˈhə:səl] *n* репетиция; **dress ~** генеральная репетиция
rehearse [rɪˈhə:s] *vt* репетировать
rehouse [ri:ˈhaus] *vt* переселять
reign [reɪn] *n* царствование; господство ✧ *vi* царствовать; царить
reigning [ˈreɪnɪŋ] *adj* царствующий; нынешний
reimburse [ri:ɪmˈbə:s] *vt* возмещать
rein [reɪn] *n* вожжи ; **to give sb free ~** давать кому-н. свободу действий
reincarnation [ri:ɪnkɑ:ˈneɪʃən] *n* переселение душ
reindeer [ˈreɪndɪə] *n inv* северный олень
reinforce [ri:ɪnˈfɔ:s] *vt* укреплять; подкреплять
reinforced concrete *n* железобетон
reinforcement [ri:ɪnˈfɔ:smənt] *n* укрепление; усиление; **~s** *npl (воен.)* подкрепление
reinstate [ri:ɪnˈsteɪt] *vt* восстанавливать в прежнем положении
reinstatement [ri:ɪnˈsteɪtmənt] *n* восстановление в прежнем положении
reissue [ri:ˈɪʃju:] *vt* переиздавать; снова выпускать

R

reiterate [ri:ˈɪtəreɪt] *vt* повторять
reject [ˈri:dʒekt] *vt* отклонять, отвергать; не принимать; браковать ✧ *n (комм.)* бракованное изделие; **~s** брак
rejection [rɪˈdʒekʃən] *n* отклонение
rejoice [rɪˈdʒɔɪs] *vi:* **to ~ at** *or* **over** ликовать по поводу
rejoinder [rɪˈdʒɔɪndə] *n* возражение, ответ
rejuvenate [rɪˈdʒu:vəneɪt] *vt* омолаживать; обновлять
rekindle [ri:ˈkɪndl] *vt* разжигать
relapse [rɪˈlæps] *n (мед.)* рецидив ✧ *vi:* **to ~ into** (снова) впадать в
relate [rɪˈleɪt] *vt* пересказывать; **to ~ sth to** относить что-н. к ✧ *vi:* **to ~ to** сходиться с; относиться к
related [rɪˈleɪtɪd] *adj:* **~ (to)** связанный родством; родственный (с); **they are ~** они состоят в родстве
relating to [rɪˈleɪtɪŋ-] *prep* относительно
relation [rɪˈleɪʃən] *n* родственник(-ица); отношение; **~s** *npl* сношения; родня; **diplomatic/international ~s** дипломатические/международные отношения; **in ~ to** относительно; **to bear no ~ to** не иметь никакого отношения к
relative [ˈrelətɪv] *n* родственник ✧ *adj* относительный; **~ to** относящийся к
relatively [ˈrelətɪvlɪ] *adv* относительно
relative pronoun *n (линг.)* относительное местоимение
relax [rɪˈlæks] *vi* расслабляться; успокаиваться ✧ *vt* ослаблять; расслаблять
relaxation [ri:lækˈseɪʃən] *n* отдых; расслабление; ослабление; развлечение
relaxed [rɪˈlækst] *adj* спокойный
relaxing [rɪˈlæksɪŋ] *adj* расслабляющий
relay [rɪˈleɪ] *n* эстафета ✧ *vt* передавать; транслировать
release [rɪˈlɪ:s] *n* освобождение; выпуск; спусковое устройство, спуск ✧ *vt* освобождать; выпускать; высвобождать; отпускать; передавать
relegate [ˈreləgeɪt] *vt* понижать; **to be ~d** переводить в низшую лигу
relent [rɪˈlent] *vi* уступать
relentless [rɪˈlentlɪs] *adj* неослабный; продолжительный; неустанный
relevance [ˈreləvəns] *n* уместность, релевантность; **~ of sth to sth** уместность чего-н. по отношению к чему-н.
relevant [ˈrelɪvənt] уместный, относящийся к делу
reliability [rɪlaɪəˈbɪlɪtɪ] *n* надежность; достоверность
reliable [rɪˈlaɪəbl] *adj* надежный; достоверный
reliably [rɪˈlaɪəblɪ] *adv:* **to be ~ informed that...** иметь достоверную информацию о том, что ...
reliance [rɪˈlaɪəns] *n:* **~ (on)** зависимость (от)
reliant [rɪˈlaɪənt] *adj:* **to be ~ on sth/sb** полагаться на кого-н./что-н.
relic [ˈrelɪk] *n (рел.)* мощи; реликвия
relief [rɪˈli:f] *n* облегчение; помощь; *(искусст.,гео.)* рельеф; **by way of light ~** для разрядки напряженности
relief map *n* рельефная карта
relief road *n* объезд *(дорога, отводящая транспорт)*
relieve [rɪˈli:v] *vt* облегчать; уменьшать; освобождать; оказывать помощь; сменять; **to ~ sb of sth** освобождать кого-н. от чего-н.; **to ~ o.s.** облегчаться
relieved [rɪˈli:vd] *adj:* **to feel ~** почувствовать облегчение; **he is ~ that...** он рад, что ...; **I'm ~ to hear it** я рад это слышать
religion [rɪˈlɪdʒən] *n* религия
religious [rɪˈlɪdʒəs] *adj* религиозный
religious education *n* религиозное воспитание
religiously [rɪˈlɪdʒəslɪ] *adv* неукоснительно
relinquish [rɪˈlɪŋkwɪʃ] бросать, покидать
relish [ˈrelɪʃ] **1.** *n* (приятный) вкус; приправа; удовольствие **2.** *v* получать удовольствие *(от чего-л.)*

relive [ri:ˈlɪv] *vt* вновь переживать
reload [ri:ˈləud] *vt* перезаряжать
relocate [ri:ləuˈkeɪt] *vt* перемещать ✧ *vi:* **to ~ (in)** перемещаться (в)
reluctance [rɪˈlʌktəns] *n* неохота; нежелание
reluctant [rɪˈlʌktənt] *adj* неохотный; **he is ~ to go there** он идет туда неохотно
reluctantly [rɪˈlʌktəntlɪ] *adv* неохотно
rely on [rɪˈlaɪ-] *vt fus* полагаться на
remain [rɪˈmeɪn] *vi* оставаться; сохраняться; **to ~ silent** хранить молчание; **I ~, yours faithfully** остаюсь, искренно Ваш
remainder [rɪˈmeɪndə] *n* остаток
remaining [rɪˈmeɪnɪŋ] *adj* сохранившийся; оставшийся
remains [rɪˈmeɪnz] *npl* остатки; развалины; останки
remand [rɪˈmɑ:nd] *n:* **on ~** взятый под стражу ✧ *vt:* **he was ~ed in custody** он был взят под стражу
remark [rɪˈmɑ:k] *n* замечание ✧ *vt* замечать ✧ *vi:* **to ~ on sth** делать замечание относительно; **to ~ that** замечать, что
remarkable [rɪˈmɑ:kəbl] *adj* замечательный
remarry [ri:ˈmærɪ] *vi* вступать в повторный брак
remedial [rɪˈmi:dɪəl] *adj* исправительный; коррективный; лечебный
remedy [ˈremədɪ] *n* средство ✧ *vt* направлять
remember [rɪˈmembə] *vt* вспоминать; помнить; **~ me to him** передайте ему от меня привет; **I ~ seeing her, I ~ having seen her** я помню, что ее видел; **she ~ed to call me** она не забыла позвонить мне
remembrance [rɪˈmembrəns] *n* память
remind [rɪˈmaɪnd] *vt:* **to ~ sb to do** напоминать кому-н.; **to ~ sb of sth/sb** напоминать кому-н. о чем-н./ком-н.; **that ~s me!** кстати!; **she ~ s me of her mother** она напоминает мне свою мать
reminder [rɪˈmaɪndə] *n* напоминание
reminisce [remɪˈnɪs] *vi* вспоминать
reminiscencess [remɪˈnɪsnsɪz] *npl* воспоминания
reminiscent [remɪˈnɪsnt] *adj:* **to be ~ of sth** напоминать что-н.
remiss [rɪˈmɪs] *adj* небрежный; **it was ~ of him** с его стороны это было небрежностью
remission [rɪˈmɪʃən] *n* освобождение; сокращение; *(мед.)* ремиссия; *(рел.)* отпущение
remit [rɪˈmɪt] *vt* пересылать
remittance [rɪˈmɪtns] *n* денежный перевод *(для оплаты чего-н.)*
remnant [ˈremnənt] *n* остаток; **~s** *npl (комм.)* остатки
remonstrate [ˈremənstreɪt] *vi:* **to ~ (with sb about sth)** выражать протест (кому-н. по поводу чего-н.)
remorse [rɪˈmɔ:s] *n* раскаяние
remorseful [rɪˈmɔ:sful] *adj* полный раскаяния
remorseless [rɪˈmɔ:slɪs] *adj* нещадный; невыносимый
remote [rɪˈməut] *adj* отдаленный; замкнутый; незначительный; **there is a ~ possibility that ...** существует маловероятная возможность, что ...
remote control *n* дистанционное управление
remote-controlled [rɪˈməutkənˈtrəuld] *adj* с дистанционным управлением
remotely [rɪˈməutlɪ] *adv* отдаленно; **I'm not ~ interested** я нисколько не заинтересован
remoteness [rɪˈməutnɪs] *n* отдаленность; замкнутость
removable [rɪˈmu:vəbl] *adj* съемный
removal [rɪˈmu:vəl] *n (мед.)* удаление; перевозка; отстранение
removal van *n* автофургон для перевозки мебели
remove [rɪˈmu:v] *vt* убирать; снимать; *(мед.)* удалять; устранять; **first cousin once ~d** двоюродный(-ая) племянник(-ица)
remover [rɪˈmu:və] *n* средство для снятия; **stain ~** пятновыводитель; **paint/make-up ~** средство для снятия краски/макияжа
remunerate [rɪˈmju:nəreɪt] *vt* вознаграждать
remuniration [rɪmju:nəˈreɪʃən] *n* вознаграждение

R

renal [ri:nl] *adj* почечный
renal failure *n* почечная недостаточность
rename [ri:'neɪm] *vt* переименовывать
rend [rend] разрывать, раздирать; разрываться, раздираться
render ['rendə] *vt* оказывать; делать; предъявлять; **the blow ~ed him unconscious** удар привел его в бессознательное состояние
rendering ['rendərɪŋ] *n (муз.)* исполнение; штукатурка
rendezvous ['rɔndɪvu:] *n* свидание; рандеву; место свидания ✧ *vi* встречаться; **to ~ with sb** встречаться с кем-н.
rendition [ren'dɪʃən] *n (муз.)* исполнение
renew [rɪ'nju:] *vt* возобновлять
renewal [rɪ'nju'əl] *n* возобновление
renounce [rɪ'nauns] *vt* отказываться от; отрекаться от; отвергать
renovate ['renəveɪt] *vt* ремонтировать; реставрировать
renovation [renə'veɪʃən] *n* ремонт; реставрация
renown [rɪ'naun] *n* слава
renowned [rɪ'naund] *adj* прославленный
rent [rent] *pt, pp of* **rend** ✧ *n* квартирная плата ✧ *vt* снимать; брать напрокат; *(also:* **~ out)** сдавать (внаем); давать напрокат
rental ['rentl] *n* плата за прокат
renunciation [rɪnʌnsɪ'eɪʃən] *n* отказ; отречение
reopen [ri:'əupən] *vt* снова открывать; возобновлять
reopening [ri:'əupnɪŋ] *n* открытие; возобновление
reorder [ri:'ɔ:də] *vt* возобновлять заказ на; перестраивать
repair [rɪ'peə] *n* ремонт ✧ *vt* чинить; ремонтировать; **in good/bad ~** в хорошем/плохом состоянии; **under ~** в ремонте
repair kit *n* ремонтный комплект
repairman [rɪ'peəmæn] *irreg n* мастер по ремонту
repair shop *n* ремонтная мастерская
repartee [repɑ:'ti:] *n* остроумная беседа; острота
repast [rɪ'pɑ:st] *n* трапеза
repatriate [ri:'pætrɪeɪt] *vt* репатриировать
repay [ri:'peɪ] *irreg vt* выплачивать; уплачивать; вознаграждать; возмещать; **to ~ sb (for sth)** оплачивать кому-н. (за что-н.)
repayment [ri:'peɪmənt] *n* выплата
repeal [rɪ'pi:l] *n* отмена ✧ *vt* отменять
repeat [rɪ'pi:t] *vt* повторять ✧ *vi* повторяться ✧ *n (радио, тел.)* повторение ✧ *cpd* повторный; **to ~ a class** *(просвещ.)* оставаться на второй год
repeatedly [rɪ'pi:tɪdlɪ] *adv* неоднократно
repel [rɪ'pel] *vt* отбивать; отталкивать
repellent [rɪ'pelənt] *adj* отталкивающий; отвратительный ✧ *n:* **insect ~** репеллент
repent [rɪ'pent] *vi:* **to ~ of** каяться (в)
repentence [rɪ'pentəns] *n* покаяние
repercussion [,ri:pə:'kʌʃ(ə)n] отдача (*после удара);* отражение, влияние, последствия (*событий)*
repertoire ['repətwɑ:] *n* репертуар
repertory ['repətərɪ] *n (also:* **~ theatre)** репертуарный театр
repetition [repɪ'tɪʃən] *n* повторение; повтор
repetitious [repɪ'tɪʃəs] *adj* изолирующий повторами
repetitive [rɪ'petɪtɪv] *adj* повторяющийся
replace [rɪ'pleɪs] *vt* класть обратно; ставить обратно; заменять; **to ~ sth with sth** заменять что-н. чем-н.; **"replace the receiver"** *(телеф.)* "положите трубку"
replacement [rɪ'pleɪsmənt] *n* замена
replacement cost *n* издержки возмещения
replacement part *n* запасная часть
replacement value *n* стоимость страхового возмещения
replay ['ri:pleɪ] *n* переигровка; повторное проигрывание; повторный показ ✧ *vt* переигрывать; повторно проигрывать
replenish [rɪ'plenɪʃ] *vt* снова наполнять; пополнять

R

replete [rɪ'pli:t] *adj* насытившийся; **~ with** загруженный; **I'm quite ~** я вполне насытился
replica ['replɪkə] *n* копия
reply [rɪ'plaɪ] *n* ответ ✧ *vi* отвечать; **in ~ to** в ответ на; **there's no ~** *(телеф.)* не отвечает
reply-paid postcard *n* открытка с оплаченным ответом
report [rɪ'pɔ:t] *n* доклад; *(тел.)* репортаж; сообщение; *(also:* **school ~)** отчет об успеваемости ✧ *vt* сообщать о, докладывать о; доносить на ✧ *vi* докладывать; **to ~ (to sb)** являться (к кому-н.); **to ~ to sb** быть под началом кого-н.; **to ~ that** сообщать; **to ~ on** представлять доклад о; **it is ~ed that...** сообщается, что ...
report card *n* табель успеваемости
reportedly [rɪ'pɔ:tɪdlɪ] *adv:* **she is ~ living in Spain** по сообщениям, она живет в Испании; **she ~ ordered them to...** сообщают, что он приказал им ...
reported speech *n (линг.)* косвенная речь
reporter [rɪ'pɔ:tə] *n* репортер
repose [rɪ'pəuz] *n:* **in ~** в покое
repository [rɪ'pɔzɪtərɪ] *n* хранилище; хранитель
repossess ['ri:pə'zes] *vt* изымать *(за неплатеж)*
reprehensible [reprɪ'hensɪbl] *adj* предосудительный
represent [reprɪ'zent] *vt* представлять; излагать; символизировать; **to ~ sth as** изображать что-н. как; **to ~ to sb that** объяснять кому-н. что
representation [reprɪzen'teɪʃən] *n* представительство; изображение; заявление; **~s** *npl* представления
representative [reprɪ'zentətɪv] *n* представитель(ница); *(комм., полит.)* представитель ✧ *adj* представительный; **~ of** характерный для
repress [rɪ'pres] *vt* подавлять
repression [rɪ'preʃən] *n* подавление
repressive [rɪ'presɪv] *adj* репрессивный
reprieve [rɪ'pri:v] *n (юрид.)* отсрочка *(в исполнении приговора);* передышка ✧ *vt (юрид.):* **he was ~d** он получил отсрочку
reprimand ['reprɪma:nd] *n* выговор ✧ *vt* делать выговор
reprint [ri:'prɪnt] *n* перепечатка ✧ *vt* перепечатывать
reprisal [rɪ'praɪzl] *n* действие; **~s** *npl* ответные действия; **to take ~s** мстить
reproach [rɪ'prəutʃ] *n* упрек ✧ *vt:* **to ~ sb for sth/with sth** упрекать кого-н. за что-н./в чем-н.; **his behaviour was beyond ~** его поведение было безупречным
reproachful [rɪ'prəutʃful] *adj* укоризненный
reproduce [ri:prə'dju:s] *vt* воспроизводить ✧ *vi* размножаться
reproduction [ri:prə'dʌkʃən] *n* воспроизведение; *(искусст.)* репродукция
reproductive [ri:prə'dʌktɪv] *adj* репродуктивный; половой
reproof [rɪ'pru:f] *n* порицание; **with ~** с укором
reprove [rɪ'pru:v] *vt:* **to ~ sb for sth** осуждать кого-н. за что-н.
reproving [rɪ'pru:vɪŋ] *adj* осуждающий
reptile ['reptaɪl] *n* пресмыкающееся (животное)
republic [rɪ'pʌblɪk] *n* республика
repudiate [rɪ'pju:dɪeɪt] *vt* отвергать
repudiation [rɪpju:dɪ'eɪʃən] *n* отрицание, отречение; *(комм.)* отказ от долга *or* выполнение контракта
repugnance [rɪ'pʌgnəns] *n* отвращение
repugnant [rɪ'pʌgnənt] *adj* отвратительный
repulse [rɪ'pʌls] *vt* отражать; отбрасывать; отталкивать
repulsion [rɪ'pʌlʃən] *n* отвращение
repulsive [rɪ'pʌlsɪv] *adj* отвратительный
reputable ['repjutəbl] *adj* уважаемый; **~ company etc** компания с хорошей репутацией
reputation [repju'teɪʃən] *n* репутация; **to have a ~ for** иметь репутацию; **he has a ~ for being tactless** он известен своей бестактностью
repute [rɪ'pju:t] *n* добрая слава

reputed [rɪ'pju:tɪd] *adj* предполагаемый; **he is ~ to be intelligent/rich** считается, что он умен/богат
reputedly [rɪ'pjutɪdlɪ] *adv* по общему мнению
request [rɪ'kwest] *n* просьба; заявка ✧ *vt:* **to ~ sth of** *or* **from sb** просить что-н.у кого-н.; **at the ~ of** по просьбе; по заявке; **"you are ~ed not to smoke"** "просим не курить"
request stop *n* остановка по требованию
requiem ['rekwɪəm] *n (рел.)* панихида; *(муз.)* реквием
require [rɪ'kwaɪə] *vt* нуждаться в; требовать; **to ~ sth of sb** требовать что-н. от кого-н.; **we ~ you to complete the task** мы требуем, чтобы Вы завершили работу; **if ~d** если требуется; **what documents are ~d?** какие документы требуются?; **~d by law** требуется по закону
required [rɪ'kwaɪəd] *adj* необходимый
requirement [rɪ'kwaɪəmənt] *n* потребность; требование; **to meet sb's ~s** удовлетворять чьим-н. требованиям
requisite ['rekwɪzɪt] *n* требование ✧ *adj* необходимый
requisition [rekwɪ'zɪʃən] *vt (воен.)* реквизировать ✧ *n:* **~ (for)** заявка (на)
reroute [rɪ'ru:t] *vt* изменять маршрут
resale [rɪ'seɪl] *n* перепродажа; **"not for ~"** "перепродажа запрещена"
reschedule [rɪ'ʃedju:l] *vt:* **~ (for)** переносить
rescind [rɪ'sɪd] *vt* отменять; аннулировать
rescue ['reskju:] *n* спасение ✧ *vt:* **to ~ (from)** спасать (от); **to come to sb's ~** приходить к кому-н. на помощь
rescue party *n* спасательный отряд, спасательная партия
rescuer ['reskjuə] *n* спасатель(ница)
research [rɪ'sə:tʃ] *n* исследование ✧ *vt* исследовать ✧ *vi* проводить исследование *or* исследования; **a piece of ~** (научное) исследование; **~ and development** научно-исследовательские и опытно-конструкторские работы
researcher [rɪ'sə:tʃə] *n* исследователь(ница)
research work *n* научно-исследовательская работа
research worker *n* научный работник
resell [rɪ'sel] *irreg vt* перепродавать
resemblance [rɪ'zembləns] *n* сходство; **he bears a stroung ~ to his father** он сильно походит на отца; **this bears no ~ to...** это не имеет никакого сходства с ...
resemble [rɪ'zembl] *vt* походить на; **he very much ~s his father** он очень походит на отца
resent [rɪ'zent] *vt* негодовать против, негодовать на
resentful [rɪ'zentful] *adj* негодующий
resentment [rɪ'zentmənt] *n* негодование
reservation [ˌrezə'veɪʃ(ə)n] оговорка; резервация; место, заказанное заранее *(в гостинице и т.п.)*
reserve [rɪ'zə:v] *n* резерв; запас; *(also:* **nature ~)** заповедник; *(спорт.)* запасной игрок; сдержанность ✧ *vt* прибегать; беречь; бронировать; **~s** *npl (воен.)* запас; *(комм.)* резервы; **in ~** в резерве
reserve currency *n* резервная валюта
reserved [rɪ'zə:vd] *adj* сдержанный; забронированный
reserve price *n* отправная *or* резервированная цена
reserve team *n (спорт.)* запасная команда
reservoir ['rezəvwa:] резервуар, бассейн
reset [rɪ'set] *irreg vt* вновь устанавливать; переводить; *(комп.)* сбрасывать; возвращать в исходное положение
reshape [rɪ'ʃeɪp] *vt* изменять
reside [rɪ'zaɪd] *vi* проживать
residence ['rezɪdəns] *n* резиденция; пребывание; **to take up ~** поселяться; **to be in ~** пребывать; проживать по месту службы

residence permit *n* вид на жительство
resident [ˈrezɪdənt] *n* (постоянный) житель; проживающий ✧ *adj:* **~ populatuion** постоянное население; **~ doctor** врач, живущий при больнице
residential [rezɪˈdenʃəl] *adj* жилой; с проживанием
residue [ˈrezɪdju] *n* остаток; *(хим., физ.)* осадок
resign [rɪˈzaɪn] *vi* оставлять ✧ *vt* уходить в отставку с; **to ~ o.s. to** смиряться с
resignation [rezɪgˈneɪʃən] *n* отставка; покорность; **to tender one's ~** подавать в отставку
resigned [rɪˈzaɪnd] *adj* смирившийся
resilience [rɪˈzɪlɪəns] *n* упругость; стойкость
resilient [rɪˈzɪlɪənt] *adj* упругий; стойкий
resin [ˈrezɪn] *n* смола
resist [rɪˈzɪst] *vt* сопротивляться; не поддаваться
resistance [rɪˈzɪstəns] *n* сопротивление; сопротивляемость
resistant [rɪˈzɪstənt] *adj:* **to be ~ to** сопротивляться; обладать устойчивостью к
resolute [ˈrezəluːt] *adj* твердый
resolution [rezəˈluːʃən] *n* решение; резолюция; решимость; разрешение; **to make a ~** принимать решение
resolve [rɪˈzɔlv] *n* решительность ✧ *vt* разрешать ✧ *vi:* **to ~ to do** решать
resolved [rɪˈzɔlvd] *adj* решительный
resonant [ˈrezənənt] *adj* звучный; резонирующий
resort [rɪˈzɔːt] *n* курорт; прибегание ✧ *vi:* **to ~ to** прибегать к; **seaside /winter sports ~** морской/зимний спортивный курорт; **the last /only ~** последняя/единственная надежда; **in the last ~** в крайнем случае
resound [rɪˈzaund] звучать; повторять *(звук);* оглашаться, отдаваться эхом; прославлять
resource [rɪˈsɔːs] *n* ресурс; **~s** *npl* ресурсы; **natural ~s** природные ресурсы; **he was left to his own ~s** он мог положиться только на самого себя
resourceful [rɪˈsɔːsful] *adj* изобретательный
resourcefulness [rɪˈsɔːsfəlnɪs] *n* изобретательность
respect [rɪsˈpekt] *n* уважение ✧ *vt* уважать; **~s** *npl* почтение; **to have** *or* **show ~ for sb/sth** относиться к кому-н./чему-н. с уважением; **out of ~ for** из уважения к; **with ~ to,in ~ of** в отношении; **in this ~** в этом отношении; **in some ~s** в некоторых отношениях; **with (all) due ~...** при всем уважении...
respectability [rɪspektəˈbɪlɪtɪ] *n* респектабельность
respectable [rɪsˈpektəbl] *adj* приличный; респектабельный
respected [rɪsˈpektɪd] *adj* признанный
respectful [rɪsˈpektful] *adj* почтительный
respectfully [rɪsˈpektfəlɪ] *adv* почтительно
respectively [rɪsˈpektɪvlɪ] *adv* соответственно; **France and Britain were 3rd and 4th ~** Франция и Великобритания были на 3-ем и 4-ом месте соответственно
respiration [respɪˈreɪʃən] *n* дыхание
respite [ˈrespaɪt] *n* передышка
resplendent [rɪsˈplendənt] *adj* блистательный
respond [rɪsˈpɔnd] *vi* отвечать; **to ~ (to)** реагировать (на); поддаваться
respondent [rɪsˈpɔndənt] *n (юрид.)* ответчик
response [rɪsˈpɔns] *n* ответ; реакция; **in ~ to (your letter)** в ответ на (Ваше письмо)
responsibility [rɪspɔnsɪˈbɪlɪtɪ] *n* ответственность; обязанность; **to take ~ for sth/sb** принимать (на себя) ответственность за что-н./кого-н.
responsible [rɪsˈpɔnsɪbl] *adj* ответственный; **~ for** ответственный за; **to be ~ to sb (for sth)** отвечать перед кем-н. (за что-н.)
responsibly [rɪsˈpɔnsɪblɪ] *adv* ответственно

R

responsive [rɪs'pɔnsɪv] *adj* отзывчивый; ответный; ~ **to demand/treatment** восприимчивый к требованиям/лечению
rest [rest] *n* отдых; *(муз.)* пауза; подставка ✧ *vi* отдыхать ✧ *vt* давать отдых; **to ~ sth against** прислонять что-н. к; **the ~** остальное; **the ~ of them** остальные из них; **to set sb's mind at ~** утешать кого-н.; **to ~ one's arms** облокачиваться на; **to ~ sth on** опускать на; **to ~ on** опираться на; лежать на; надеяться на; **~ assured that...**будьте уверены, что ...; **it ~s with him to ...** на нем лежит ....; **to ~ one's eyes** *or* **gaze on** останавливать взгляд на
restart [ri:'stɑ:t] *vt* вновь запускать; возобновлять
restaurant car *n* вагон-ресторан
rest-cure ['restkjuə] *n* лечение покоем
restful ['restful] *adj* успокаивающий
rest-home ['resthəum] *n* дом для престарелых
restitution [restɪ'tju:ʃən] *n:* **to make ~ to sb for sth** возмещать кому-н. что-н.
restive ['restɪv] *adj* неспокойный; норовистый
restless ['restlɪs] *adj* беспокойный; **to get ~** проявлять нетерпение
restlessly ['restlɪslɪ] *adv* беспокойно
restock [ri:'stɔk] *vt* пополнять запасы в; **to ~ a lake/river (with fish)** пополнять озеро/реку рыбой
restoration [restə'reɪʃən] *n* реставрация; восстановление; возвращение
restorative [rɪ'stɔrətɪv] *adj* укрепляющий ✧ *n* укрепляющее средство
restore [rɪ'stɔ:] *vt* реставрировать ; восстанавливать; возвращать
restorer [rɪ'stɔ:rə] *n (искусст.)* реставратор; **hair ~** восстановитель для волос
restrain [rɪs'treɪn] *vt* сдерживать; **to ~ sb from doing** не давать кому-н.
restrained [rɪs'treɪnd] *adj* сдержанный
restraint [rɪs'treɪnt] *n* сдержанность; ограничение; **wage ~** сдерживание роста заработной платы
restrict [rɪs'trɪkt] *vt* ограничивать
restricted area *n (авт.)* район ограниченной скорости движения
restrictive [rɪs'trɪktɪv] *adj* ограничительный; стесняющий
rest room *n* туалет
restructure [ri:'strʌktʃə] *vt* перестраивать
result [rɪ'zʌlt] *n* результат ✧ *vi:* **to ~ in** заканчиваться; **as a ~ of** в результате; **as a ~ it is too expensive** в результате это слишком дорого; **the fire ~ed from bombing** пожар возник вследствие бомбежки
resultant [rɪ'zʌltənt] *adj:* **~ saving/problem** вытекающая из этого экономия/проблема
resume [rɪ'zju:m] *vt* возобновлять ✧ *vi* продолжать; **to ~ one's seat** возвращаться на (свое) место
resumption [rɪ'zʌmpʃən] *n* возобновление
resurgence [rɪ'sə:dʒəns] *n* всплеск
resurrection [rezə'rekʃən] *n* возрождение; *(рел.):* **the R~** Воскресение
resuscitate [rɪ'sʌsɪteɪt] *vt (мед.)* приводить в сознание; возвращать к жизни
resuscitation [rɪsʌsɪ'teɪʃən] *n (мед.)* приведение в сознание; возвращение к жизни
retail ['ri:teɪl] *adj* розничный ✧ *adv* в розницу ✧ *vt* продавать в розницу ✧ *vi:* **to ~ at $5** продаваться по розничной цене $5; **~ shop** магазин розничной торговли
retailer ['ri:teɪlə] *n* розничный торговец
retail outlet *n* розничная торговая точка
retail price *n* розничная цена
retail price Index *n* индекс розничных цен
retain [rɪ'teɪn] *vt* сохранять; удерживать
retainer [rɪ'teɪnə] *n* предварительный гонорар
retaliate [rɪ'tælɪeɪt] *vi:* **to ~ (against)** наносить ответный удар; отплачивать; **to ~ (on sb)** предъявлять

встречный иск (кому-н.)
retaliation [rıtælı'eıʃən] *n* ответный удар; возмездие; **in ~ for** в ответ на
retaliatory [rı'tælıətərı] *adj* ответный
retarded [rı'tɑ:dıd] *adj* замедленный; *(also:* **mentally ~***)* умственно отсталый
retch [retʃ] *vi:* **the thought made him ~** от этой мысли его затошнило
retention [rı'tenʃən] *n* удержание; сохранение
retentive [rı'tentıv] *adj:* **a ~ memory** цепкая память
rethink ['ri:'θıŋk] пересматривать заново
reticent ['retısnt] *adj* сдержанный
retina ['retınə] *n* сетчатка
retinue ['retınju:] *n* свита
retire [rı'taıə] *vi* уходить на пенсию; удаляться на покой
retirement [rı'taıəmənt] *n* выход *or* уход на пенсию; **we hope to enjoy a long and happy ~** мы надеемся жить долго и счастливо, выйдя на пенсию
retirement age *n* пенсионный возраст
retort [rı'tɔ:t] *vi* резко отвечать ✧ *n* резкий ответ
retract [rı'trækt] *vt* забирать назад; втягивать; убирать
retractable [rı'træktəbl] *adj* убирающийся
retrain [ri:'treın] *vt* переподготавливать; переквалифицировать ✧ *vi* пройти переподготовку; переквалифицироваться
retraining [ri:'treınıŋ] *n* переподготовка; переквалификация
retreat [rı'tri:t] *n* убежище; уход; *(воен.)* отступление ✧ *vi* отступать; **to go into ~** уйти от мира; **to beat a hasty ~** поспешно отступать
retrial [ri:'traıəl] *n (юрид.)* повторное слушание дела
retribution [retrı'bju:ʃən] *n* возмездие
retrieval [rı'tri:vəl] *n* восстановление; исправление; *(комп.)* поиск
retrieve [rı'tri:v] *vt* брать обратно; восстанавливать; исправлять; *(комп.)* отыскивать; приносить *(убитую дичь)*
retriever [rı'tri:və] *n* охотничья собака
retroactive [retrəu'æktıv] *adj* имеющий обратное действие
retrograde ['retrəgreıd] *adj* реакционный
retrospect ['retrəspekt] *n:* **in ~** ретроспекции
retrospective [retrə'spektıv] *adj* ретроспективный; имеющий обратную силу ✧ *n (искусст.)* ретроспективная выставка
return [rı'tə:n] *n* возвращение; возврат; доход; отчет ✧ *cpd* обратный; ответный ✧ *vi* возвращаться ✧ *vt* возвращать; *(юрид.)* выносить; *(полит.)* избирать; **~s** *npl (комм.)* доходы; **in ~ (for)** в ответ (на); **by ~ of post** обратной почтой; **many happy ~s (of the day)!** с днем рождения!; **to ~ to** приходить в; возвращаться к
returnable [rı'tə:nəbl] *adj* подлежащий возврату
returning officer [rı'tə:nıŋ-] *n* председатель окружной комиссии
return key *n (комп.)* клавиша "возврат каретки"
reunion [ri:'ju:nıən] *n* воссоединение; встреча
reunite [ri:ju:'naıt] *vt* воссоединять
revaluation [ri:vælju'eıʃən] *n* переоценка; ревальвация
revamp [ri:'væmp] *vt* обновлять
rev counter *n (авт.)* счетчик оборотов
reveal [rı'vi:l] *vt* обнаруживать; открывать
revealing [rı'vi:lıŋ] *adj* показательный; открытый
reveille [rı'vælı] *n (воен.)* побудка
revelation [revə'leıʃən] *n* открытие; откровение
reveller ['revlə] *n* гуляка
revelry ['revlrı] *n* кутеж
revenge [rı'vendʒ] *n* месть ✧ *vt (also:* **get one's ~ for***)* мстить за; **to take ~ on, ~ o.s. on** мстить
revengeful [rı'vendʒful] *adj* мстительный

R

revenue [ˈrevənjuː] *n* доходы; **~ account** счет поступлений
reverberate [rɪˈvəːbəreɪt] *vi* отдаваться эхом
reverberation [rɪvəːbəːˈreɪʃən] *n* раскат; резонанс
revere [rɪˈvɪə] *vt* почитать; чтить
reverence [ˈrevərəns] *n* почтение
reverent [ˈrevərənt] *adj* почтительный
reverie [ˈrevərɪ] *n* мечтание
reversal [rɪˈvəːsl] *n* радикальное изменение; перемена
reverse [rɪˈvəːs] *n* противоположность; обратная сторона; оборотная сторона; оборот; *(авт.: also:* **~ gear)** обратный ход; неудача ✧ *adj* обратный ✧ *vt* полностью изменять; круто изменять; *(юрид.)* отменять ✧ *vi (авт.)* давать задний ход; **their fortunes went into ~** удача отвернулась от них; **in ~ order** в обратном порядке; **to ~ direction** изменять направление на обратное; **to ~ a car** давать задний ход; **to ~ roles** меняться местами
reverse video *n* негативное изображение на экране дисплея
reversible [rɪˈvəːsəbl] *adj* двусторонний; обратимый
reversing lights [rɪˈvəːsɪŋ-] *npl (авт.)* фонарь заднего
reversion [rɪˈvəːʃən] *n (зоол.)* проявление атавизма; **~ to** возвращение к
revert [rɪˈvəːt] *vi:* **to ~ to** возвращаться к; *(юрид.)* переходить к
review [rɪˈvjuː] *n* пересмотр; *(воен.)* смотр; рецензия; обозрение ✧ *vt* пересматривать; *(воен.)* проводить смотр; рецензировать; **to come under ~** рассматриваться
reviewer [rɪˈvjuːə] *n* рецензент
revile [rɪˈvaɪl] *vt* поносить
revise [rɪˈvaɪz] *vt* перерабатывать; пересматривать; изменять; повторять; **~d edition** пересмотренное издание
revision [rɪˈvɪʒən] *n* изменение; повторение
revitalize [riːˈvaɪtəlaɪz] *vt* оживлять
revival [rɪˈvaɪvəl] *n* оживление; возрождение; *(театр.)* возобновление
revive [rɪˈvaɪv] *vt* возвращаться к жизни; оживлять; возрождать; восстанавливать ✧ *vi* приходить в сознание; оживляться; возрождаться
revoke [rɪˈvəuk] *vt* отменять; брать назад
revolt [rɪˈvəult] *n* восстание ✧ *vi* восставать ✧ *vt* вызывать отвращение у; **to ~ against sb/sth** восставать против кого-н./чего-н.
revolting [rɪˈvəultɪŋ] *adj* отвратительный
revolution [revəˈluːʃən] *n* революция; оборот
revolve [rɪˈvɔlv] *vi* вращаться; **to ~ (a)round** вращаться вокруг
revolver [rɪˈvɔlvə] *n* револьвер
revolving [rɪˈvɔlvɪŋ] *adj* вращающийся
revolving door *n* вращающая дверь
revue [rɪˈvjuː] *n* ревю
revulsion [rɪˈvʌlʃən] *n* отвращение
reward [rɪˈwɔːd] *n* премия; вознаграждение ✧ *vt:* **to ~ (for)** вознаграждать за
rewind [riːˈwaɪnd] *irreg vt* перематывать *(назад)*
rewire [riːˈwaɪə] *vt:* **to ~ a house** заменять проводку в доме
reword [riːˈwəːd] *vt* перефразировать
rework [riːˈwəːk] *vt* переделывать
rewrite [riːˈraɪt] *irreg vt* переписывать
rhapsody [ˈræpsədɪ] *n (муз.)* рапсодия
rhesus negative *adj (мед.)* с отрицательным резусом
rhesus positive *adj (мед.)* с положительным резусом
rheumatic [ruːˈmætɪk] *adj* ревматический
rheumatism [ˈruːmətɪzəm] *n* ревматизм
rheumatoid arthritis [ˈruːmətɔɪd-] *n* ревматоидный артрит
rhinestone [ˈraɪnstəun] *n* фальшивый бриллиант
rhinocerous [raɪˈnɔsərəs] *n* носорог
rhubarb [ˈruːbaːb] *n* ревень
rhyme [raɪm] *n* рифма; стихотворение; размер ✧ *vi:* **to ~ (with)** рифмоваться; **without ~ or reason** ни с того ни с сего
rhythm [ˈrɪðm] *n* ритм

R

rib [rɪb] *n (анат.)* ребро ✧ *vt* подшучивать над
ribald [ˈrɪbəld] *adj* непристойный; скабрезный; грубый
ribbed [rɪbd] *adj* ребристый; **~ knitting** вязание резинкой
ribbon [ˈrɪbən] *n* лента; **in ~s** в клочья
rice [raɪs] *n* рис
rice field *n* рисовое поле
rich [rɪtʃ] *adj* богатый; роскошный; насыщенный; густой; **~ in** богатый; **the ~** *npl* богатые
riches [ˈrɪtʃɪz] *npl* богатство
richly [ˈrɪtʃlɪ] *adv* роскошно; богато; щедро; вполне
richness [ˈrɪtʃnɪs] *n* богатство
rickets [ˈrɪkɪts] *n (мед.)* рахит
rickety [ˈrɪkɪtɪ] *adj* штатский
ricochet [ˈrɪkəʃeɪ] *vi* рикошетировать ✧ *n* рикошет
rid [rɪd] *vt:* **to ~ sb of sth** избавлять кого-н.от чего-н.; **to get ~ of** избавляться *or* отделываться от
riddance [ˈrɪdns] *n:* **good ~!** скатертью дорога!
riddle [ˈrɪdl] *n* загадка; тайна ✧ *vt:* **~d with** изрешеченный; полный; пронизанный
ride [raɪd] *n* поездка; лесная дорога, тропа ✧ *vi* ездить верхом ✧ *vt* ехать/ездить верхом на; проезжать; **a 5 mile ~** поездка в 5 миль; **horse/car ~** поездка верхом/на машине ; **to go for a ~** пойти покататься; **to take sb for a ~** прокатить кого-н.; **we rode all day/all the way** мы ехали весь день/всю дорогу; **to ~ at anchor** *(мор.)* стоять на якоре; **can you ~ a bike** Вы умеете ездить на велосипеде?
ride out *vt:* **to ~ out the storm** выдерживать трудности
rider [ˈraɪdə] *n* наездник
ridge [rɪdʒ] *n* гребень; конек; выступ
ridged [rɪdʒd] остроконечный
ridicule [ˈrɪdɪkjuːl] *n* насмешка ✧ *vt* высмеивать; **an object of ~** предмет насмешки
ridiculous [rɪˈdɪkjuləs] *adj* смехотворный; **it's ~** это смешно
riding [ˈraɪdɪŋ] *n* верховая езда
rife [raɪf] *adj:* **to be ~** процветать; **to be ~ with** изобиловать
riff-raff [ˈrɪfræf] подоконники *мн.*
rifle [ˈraɪfl] *n (воен.)* винтовка; ружье ✧ *vt* очистить
rifle range *n* стрельбище; тир
rifle through *vt fus* быстро перебирать
rift [rɪft] *n* трещина; просвет
rig [rɪg] *n (also:* **oil ~***)* буровая установка; буровая вышка ✧ *vt* подтасовывать результаты
rigging [ˈrɪgɪŋ] *n (мор.)* такелаж
right [raɪt] *adj* правильный; нужный; подходящий; справедливый ✧ *n* справедливость; право; правая сторона ✧ *adv* правильно; справедливо; справа; направо ✧ *vt* выравнивать; ставить на колеса; исправлять; устранять ✧ *excl* так, хорошо; **the ~ time** точное время; нужный *or* подходящий момент; **she's ~** она права; **that's ~!** правильно!; **is that clock ~?** это точные часы?; **to get sth ~** делать что-н. как следует; **let's get it ~ this time!** давайте сделаем это как следует на этот раз!; **you did the ~ thing** Вы поступили правильно; **to put a mistake ~** исправлять ошибку; **on the ~** справа; **you are in the ~** правда за Вами; **by ~s** по справедливости; **~ and wrong** правильное и неправильное; **he doesn't know the difference between ~ and wrong** он не знает разницы между правильным и неправильным; **film ~s** право на экранизацию; **~ now** сейчас же; **~ away** сразу же ; **~ before/after** как раз перед/после; **~ against the wall** прямо у стены; **~ ahead** прямо вперед; **~ in the middle** прямо посередине; **~ to the end of sth** до самого конца чего-н.
right angle *n* прямой угол
righteous [ˈraɪtʃəs] *adj* праведный
righteousness [ˈraɪtʃəsnɪs] *n* праведность
rightful [ˈraɪtful] *adj* законный
rightfully [ˈraɪtfəlɪ] *adv* законно
right-hand drive [ˈraɪthænd-] *n* право-

R

стороннее управление ✧ *adj* с правосторонним управлением
right-hand man *n* правая рука *(перен.)*
right-hand side *n* правая сторона
rightly [ˈraɪtlɪ] *adv* справедливо; **if I remember ~** если я правильно помню
right-minded [raɪtˈmaɪndɪd] *adj* благоразумный
right of way *n* право прохода; *(авт.)* право проезда
right wing *n (полит.)* правое крыло; *(воен., спорт.)* правый фланг
right-wing [raɪtˈwɪŋ] *adj (полит.)* правый
right-winger [ˈraɪtwɪŋə] *n (полит.)* человек правых взглядов; правый(-ая); *(спорт.)* правый нападающий
rigid [ˈrɪdʒɪd] *adj* жесткий; косный; строгий
rigidity [rɪˈdʒɪdɪtɪ] *n* жесткость; косность
rigidly [ˈrɪdʒɪdlɪ] *adv* прочно; жестко; скованно
rigmarole [ˈrɪgmərəul] *n* канитель
rigor mortis [ˈrɪgəˈmɔːtɪs] *n* трупное окоченение
rigorous [ˈrɪgərəs] *adj* строгий; серьезный
rigorously [ˈrɪgərəslɪ] *adv* строго
rigour [ˈrɪgə] *n* строгость; **~s of life/winter** трудности жизни/зимы
rig out *vt:* **to ~ out as/in** наряжать как/в
rigout [ˈrɪgaut] *n* одеяние
rig up *vt* наскоро соорудить
rile [raɪl] *vt* раздражать
rim [rɪm] *n* край; ободок; обод
rime [raɪm] иней
rimless [ˈrɪmlɪs] *adj* без ободка
rimmed [rɪmd] *adj:* **~ with** окаймленный
rind [raɪnd] *n* корка; кожура
ring [rɪŋ] *n* кольцо; круг; сеть; ринг; арена; звонок ✧ *vi* звонить; *(also:* **~ out)** раздаваться ✧ *vt* звонить; **to give sb a ~** *(телеф.)* звонить кому-н.; **that has a ~ of truth about it** это звучит правдоподобно; **my ears are ~ing** в меня звенит в ушах; **to ~ the bell** звонить в звонок; звонить в дверь; **the name doesn't ~ a bell (with me)** это имя мне ни о чем не говорит
ring back *vt* перезванивать ✧ *vi* звонить
ring binder *n* скоросшиватель
ring finger *n* безымянный палец
ringing [ˈrɪŋɪŋ] *n* звонок; звон
ringing tone *n (телеф.)* длинные гудки
ringleader [ˈrɪŋliːdə] *n* главарь
ringlets [ˈrɪŋlɪts] *npl* локоны
ring off *vi* вешать трубку
ring road *n* кольцевая дорога
ring up *vt* звонить
rink [rɪŋk] *n (also:* **ice ~, roller skating ~)** каток
rinse [rɪns] *n* полоскание; краска для волос ✧ *vt* полоскать; **to give sth a ~** ополаскивать что-н.
riot [ˈraɪət] *n* беспорядки; бесчинства; буйство ✧ *vi* бесчинствовать; **to run ~** буйствовать
rioter [ˈraɪətə] *n* нарушитель порядка
riot gear *n* защитное снаряжение полиции
riotous [ˈraɪətəs] *adj* бесчинствующий; разгульный; бурный
riotously [ˈraɪətəslɪ] *adv:* **~ funny** неимоверно смешной
rip [rɪp] *n* разрыв ✧ *vt* разрывать ✧ *vi* разрываться
ripcord [ˈrɪpkɔːd] *n* вытяжной трос
ripe [raɪp] *adj* спелый; зрелый; выдержанный
ripen [ˈraɪpn] *vi* спеть; зреть ✧ *vt:* **the sun will ~ them soon** они скоро созреют на солнце
rip-off [ˈrɪpɔf] *n:* **it's a ~!** это обдираловка
riposte [rɪˈpɔst] *n* находчивый ответ
ripple [ˈrɪpl] *n* рябь; зыбь; волна; гул ✧ *vt* поднимать зябь на ✧ *vi* покрываться рябью
rip up *vt* разрывать
rise [raɪz] *n* подъем; повышение; возвышение ✧ *vi* подниматься; повышаться; всходить; нарастать; *(also:* **~ up)** возвышаться; восставать; продвигаться; **~ to power** приходить к власти; **to**

R

give ~ to вызывать; **to ~ to the occasion** оказываться на высоте положения
rising [ˈraɪzɪŋ] *adj* растущий; нарастающий; восходящий
rising damp *n* засоление *(поднимающаяся вверх сырость)*
rising star *n* восходящая звезда
risk [rɪst] *n* риск ✧ *vt* рисковать; **to take a ~** рисковать; идти на риск; **to run the ~ of doing** рисковать; **at ~** в опасной ситуации; **to put sb/sth at ~** подвергать кого-н./что-н. риску ; **at one's own ~** на свой (страх и) риск; **at the ~ of sounding rude...** рискуя показаться грубым(-ой); **it's a fire ~** с противопожарной точки зрения это опасно ...; **it's a health ~** это опасно для здоровья; **I'll ~ it** я рискну
risk capital *n* рисковый *or* венчурный
risky [ˈrɪskɪ] *adj* рискованный
risque [ˈriːskeːɪ] *adj* сомнительный
rissole [ˈrɪsəul] *n* биток
rite [raɪt] *n* обряд; **last ~s** последнее причастие
ritual [ˈrɪtjuəl] *adj* ритуальный ✧ *n* обряд; ритуал
rival [ˈraɪvl] *n* соперник(-ица); конкурент ✧ *adj* конкурирующий; соперничающий ✧ *vt* соперничать с; **to ~ sb/sth in** соперничать с кем-н./с чем-н. в; **~ team** команда соперника
rivalry [ˈraɪvlrɪ] *n* соперничество; конкуренция
river [ˈrɪvə] *n* река ✧ *cpd* речной; **up/down ~** вверх/вниз по реке
riverbank [ˈrɪvəbæŋk] *n* берег реки
riverbed [ˈrɪvəbed] *n* русло реки
riverside [ˈrɪvəsaɪd] *n* берег реки
rivet [ˈrɪvɪt] *n* заклепка ✧ *vt* приковывать
riveting [ˈrɪvɪtɪŋ] *adj* захватывающий
roach [routʃ] плотва, вобла *(рыба)*
road [rəud] *n* путь; дорога; шоссе; **~ accident** дорожная авария; **main ~** главная дорога; **major/minor ~** главная/второстепенная дорога; **it takes 4 hours by ~** это 4 часа по дороге; **let's hit the ~** давайте выедем на дорогу; **to be on the ~** бродяжничать; быть в разъездах; быть на гастролях; гастролировать; **on the ~ to success** на пути к успеху; **~ sense** чувство дороги; **~ junction** пересечение дорог, перекресток
roadblock [ˈrəudblɔk] *n* дорожное заграждение
road haulage *n* дорожная перевозка
road hog *n* лихач
road safety *n* дорожная безопасность
roadside [ˈrəudsaɪd] *n* обочина ✧ *cpd* придорожный; **~ verge** обочина; **by the ~** у обочины
road sign *n* дорожный знак
roadster [ˈroudstə] двухместный открытый автомобиль
road sweeper *n* дворник; подметальная машина
road user *n* водитель
roadway [ˈrəudweɪ] *n* проезжая часть (дороги)
road works *npl* дорожно-ремонтные работы
roadworthy [ˈrəudwəːðɪ] *adj* пригодный к эксплуатации
roam [rəum] *vi* бродить, скитаться ✧ *vt* бродить по
roar [rɔː] *n* рев; взрыв ✧ *vi* реветь; **to ~ with laughter** хохотать
roaring [ˈrɔːrɪŋ] *adj:* **a ~ fire** ярко пылающий камин; **a ~ success** громкий успех; **to do a ~ trade** вести бойкую торговлю
roast [rəust] *n* жаркое ✧ *vt* жарить
roast beef *n* ростбиф, жареная говядина
roasting [ˈrəustɪŋ] *n:* **to give sb a ~** устраивать кому-н. разнос
rob [rɔb] *vt* обкрадывать; **to ~ sb of sth** красть что-н. у кого-н.; лишать кого-н. чего-н.
robber [ˈrɔbə] *n* грабитель
robbery [ˈrɔbərɪ] *n* ограбление; грабеж
robe [roub] мантия; халат
robin [ˈrɔbɪn] малиновка
robotics [rəˈbɔtɪks] *n (элек., комп.)* робототехника
robust [rəuˈbʌst] *adj* крепкий

rock [rɔk] *n* (горная) порода; валун; скала; камешек; *(муз.: also:* **~ music***)* рок ✧ *vt* качать; шатать ✧ *vi* качаться; шататься; **on the ~s** со льдом; на грани распада; **the ship was smashed on the ~s** корабль разбился о скалы; **to ~ the boat** нарушить покой
rock-bottom [ˈrɔkˈbɔtəm] *adj* предельно низкий
rock climber *n* скалолаз
rocket launcher *n (воен.)* пусковая ракетная установка
rock fall *n* камнепад
rocking chair *n* (кресло-)качалка
rocky [ˈrɔkɪ] *adj* скалистый; каменистый; шаткий
rod [rɔd] прут; палка; удочка; мера длины (*около 5 м)*
rodent [ˈrəudnt] *n* грызун
rodeo [ˈrəudɪəu] *n* родео
roe [rəu] *n (also:* **~ deer)** косуля; **hard ~** икра; **soft ~** молоки
rogue [rəug] *n* мошенник, жулик
roguish [ˈrəugɪʃ] *adj* плутоватый
role model *n* пример
role play *n* ролевые игры
roll [rəul] *n* рулон; свиток; *(also:* **bread ~***)* булочка; список; бой; раскат ✧ *vt* катать; *(also;* **~ up***)* скручивать; закатывать; свертывать; **~ out** раскатывать; укатывать ✧ *vi* катиться; греметь; **~along** катиться; качаться; **cheese/ham ~** булочка с сыром/с ветчиной
roll about *vi* перекатываться
roll around *vi* = **roll about**
roll by *vi* протекать
roll call *n* перекличка
roller [ˈrəulə] *n* валик; ролик; каток; бигуди
roller skates *npl* ролики, роликовые коньки
rollicking [ˈrɔlɪkɪŋ] *adj* потрясающий; **to have a ~ time** веселиться
roll in *vi* сыпаться; течь
rolling [ˈrəulɪŋ] *adj* холмистый
rolling mill *n* прокатный стан
rolling pin *n* свалка
rolling stock *n* подвижной состав
roll over *vi* переворачиваться
roll up *vi* подкатывать ✧ *vt* сворачивать; складывать; **to ~ o.s. up into a ball** сворачиваться калачиком
roly-poly [ˈrəulɪˈpəulɪ] *n (кулин.)* рулет с вареньем
romance [rəˈmæns] *n* роман; романтика; *(муз.)* романс
romantic [rəˈmæntɪk] *adj* романтичный
romaticism [rəˈmæntɪsɪzəm] *n* романтизм
romp [rɔmp] *n* возня ✧ *vi (also:* **~ about***)* возиться; **to ~ home** выигрывать скачки
rompers [ˈrɔmpəz] *npl* ползунки
roof [ru:f] *n* крышка ✧ *vt* настилать крышу на; **the ~ of the mouth** небо
roofing [ˈru:fiŋ] *n* кровельный материал; **~ felt** рулонный кровельный материал
rook [ruk] **1.** *n* грач; мошенник, шулер **2.** *v* выманивать деньги
rookie [ˈruki:] *n* новичок
room [ru:m] *n* комната; класс; номер; место ; **~s** *npl* квартира; **"rooms to let", "rooms for rent"** "сдаются комнаты"; **single/double ~** одноместный/двухместный номер; **is there ~ for this?** это здесь поместится?; **to make ~ for sb** давать место кому-н.; **there is ~ of improvement** кое-что можно улучшить; **there is still ~ for doubt** еще есть основания сомневаться
rooming house [ˈru:mɪŋ-] *n* меблированные комнаты
roommate [ˈru:mmeɪt] *n* сосед по квартире
room service *n* обслуживание в номере
room temperature *n* комнатная температура
roomy [ˈru:mɪ] *adj* просторный; вместительный
rooster [ˈru:stə] *n* петух
root [ru:t] *n* корень ✧ *vi (also:* **take ~***)* укореняться; **~s** *npl* корни; **the ~ of the problem is that...** корень проблемы в том ...
root about *vi* рыться

R

root for *vt fus* болеть за
root out *vt* откопать
rope [rəup] *n* веревка; канат; *(мор.)* трос ✧ *vt (also: ~* **off)** отгораживать веревкой; **to ~ to** привязывать веревкой к; **to ~ together** связывать веревкой; **to know the ~s** знать, что к чему
rope in *vt* втягивать
rope ladder *n* веревочная лестница
ropey [ˈrəupɪ] *adj* дрянной
rosary [ˈrəuzərɪ] *n* четки
rose [rəuz] *pt of* **rise** ✧ *n* роза; насадка ✧ *adj* розовый
rosebed [ˈrəuzbed] *n* клумба с розами
rosebud [ˈrəuzbʌd] *n* бутон розы
rosebush [ˈrəuzbuʃ] *n* розовый куст
rosette [rəuˈzet] *n* розетка
roster [ˈrɔstə] *n:* **duty ~** расписание дежурств
rostrum [ˈrɔstrəm] *n (полит.)* трибуна
rosy [ˈrəuzɪ] *adj* розовый; румяный; радостный; **a ~ future** радужное будущее
rot [rɔt] *n* гниение; гниль; чушь ✧ *vt* гноить; портить ✧ *vi* гнить; **to stop the ~** навести порядок; **dry/wet ~** сухая/мокрая гниль
rota [ˈrəutə] *n* чередование; **on a ~ basis** чередуясь, поочередно
rotary [ˈrəutərɪ] *adj* вращательный, ротационный, вращающийся; **~ engine** роторно-поршневой двигатель
rotate [rəuˈteɪt] *vt* вращать; чередовать ✧ *vi* вращаться
rotating [rəuˈteɪtɪŋ] *adj* вращательный
rotation [rəuˈteɪʃən] *n* вращение; **in ~** поочередно
rote [rəut] *n:* **to learn by ~** учить наизусть
rotor [ˈrəutə] *n (also:* **~ blade)** (несущий) винт *(вертолета)*
rotten [ˈrɔtn] *adj* гнилой; тухлый; мерзкий; отвратительный; продажный; поганый; **to feel ~** чувствовать себя погано
rotund [rəuˈtʌnd] *adj* полный
rouble [ˈruːbl] *n* рубль
rouge [ruːʒ] *n* румяна
rough [rʌf] *adj* грубый; шероховатый; пересеченный; ухабистый; резкий; ненастный; бурный; опасный; черновой; приблизительный ✧ *n:* **in the ~** на нестриженной части поля ✧ *vt:* **to ~ it** обходиться без удобств ✧ *adv:* **to play ~** вести жесткую игру; **the sea is ~ today** море сегодня штормит/неспокойное; **we had a ~ time (of it)** нам пришлось туго; **~ estimate** грубая оценка *or* смета; **to sleep ~** ночевать, где придется; **to feel ~** чувствовать себя плохо
roughage [ˈrʌfədʒ] *n* грубая пища
rough-and-ready [ˈrʌfənˈredɪ] *adj* дрянной
rough-and-tumble [ˈrʌfənˈtʌmbl] *n* потасовка
roughcast [ˈrʌfkɑːst] *n* галечная штукатурка
rough copy *n* черновик
rough justice *n* жесткий суд
roughly [ˈrʌflɪ] *adv* грубо; приблизительно; **~ speaking** грубо говоря
roughness [ˈrʌfnɪs] *n* шероховатость; грубость
rough out *vt* набрасывать
roulette [ruːˈlet] *n* рулетка
round [raund] *adj* круглый ✧ *n* ломтик; обход; маршрут; партия; тур; раунд ✧ *vt* огибать ✧ *prep:* **~ his neck/the table** вокруг его шеи/стола; **~ about three hundred** (приблизительно) около трехсот ✧ *adv:* **all ~** кругом, вокруг; **in ~ figures** в круглых цифрах; **a ~ of applause** взрыв аплодисментов; **a ~ of drinks** по бокалу для всех; **the daily ~** повседневные дела; **it's just ~ the corner** это как раз за углом; **~ the clock** круглые сутки, круглосуточно; **to go ~ the back** обходить сзади; **to walk ~ the room** ходить по комнате; **to go ~ an obstacle** огибать *or* обходить препятствие; **the long way ~** кружным путем; **all the year ~** круглый год; **to ask sb ~** приглашать кого-н. в гости; **I'll be ~ at 6 o'clock** приду в 6 часов; **to go ~**

R

to sb's (house) идти/ходить к кому-н.; **there's enough to go ~** хватит на всех

roundabout [ˈraundəbaut] *n (авт.)* кольцевая транспортная развязка; карусель ✧ *adj* окольным путем

rounded [ˈraundɪd] *adj* округлый

roundly [ˈraundlɪ] *adv* резко

round off *vt* завершать

round robin *n* коллективное письмо

round-shouldered [ˈraundˈʃəuldəd] *adj* сутулый

round up *vt* сгонять; округлять

roundup [ˈraundʌp] *n* сводка; загон; облава; **a ~ of the latest news** сводка последних новостей

rouse [rauz] *vt* будить; возбуждать

rousing [ˈrauzɪŋ] *adj* бурный

rout [raut] *n (воен.)* разгром

route [ru:t] *n* путь; дорога; маршрут; **the best ~ to London** лучший путь в Лондон; **en ~ for** по пути; **en ~ from ... to ...** по пути из ... в ...

route map *n* маршрутная карта

routine [ru:ˈti:n] *adj* повседневный; обычный ✧ *n* распорядок; рутина; *(театр.)* номер; **daily ~** распорядок дня

rove [rəuv] *vt* бродить по; скитаться по

roving reporter *n* разъездной репортер

row I [rəu] *n* ряд ✧ *vi* грести ✧ *vt* управлять; **in a ~** подряд

row II [rau] *n* шум; скандал; ссора; нагоняй ✧ *vi* скандалить; **to have a ~** ссориться; поскандалить

rowboat [ˈrəubəut] *n* гребная шлюпка

rowdiness [ˈraudɪnɪs] *n* буйство

rowdyism [ˈraudɪzəm] *n* буйство

rowing [ˈrəuɪŋ] *n* гребля

rowing boat *n* гребная шлюпка

rowlock [ˈrɔlək] *n* уключина

royal [ˈrɔɪəl] *adj* королевский

royal-blue [ˈrɔɪəlblu:] *adj* ярко-синий

royalty [ˈrɔɪəltɪ] *n* члены королевской семьи; (авторский) гонорар

rub [rʌb] *vt* тереть; натирать; вытирать; *(also:* **~ together)** потирать ✧ *n:* **to give sth a ~** натирать что-н.; **to ~ one's hands (together)** тереть руки; **to ~ sb up** *or* **~ sb the wrong way** раздражать кого-н.

rubber [ˈrʌbə] *n* резина; каучук; резинка; ластик; презерватив

rubber band *n* резинка

rubber bullet *n* резиновая пуля

rubber ring *n* надувной резиновый круг

rubber stamp *n* штамп; штемпель

rubber-stamp [rʌbəˈstæmp] *vt* штамповать

rubbery [ˈrʌbərɪ] *adj* похожий на резину; жесткий как резина

rubbish [ˈrʌbɪʃ] *n* мусор; отбросы; хлам; ерунда; чушь; дрянь ✧ *vt* критиковать; **what you've just said is ~** то, что Вы только что сказали - ерунда *or* чепуха

rubbish bin *n* мусорное ведро

rubbish dump *n* свалка

rubbishy [ˈrʌbɪʃɪ] *adj* дрянной

rubble [ˈrʌbl] щебень; булыжник

rub down *vt* обтирать

rub in *vt* втирать; **don't ~ it in!** не капай!

rub off *vi* стираться

rub off on *vt fus* передаваться

rub out *vt* стирать

ruby [ˈru:bɪ] *n* рубин

ructions [ˈrʌkʃənz] *npl* возмущение; скандал

rudder [ˈrʌdə] *n* руль

ruddy [ˈrʌdɪ] *adj* румяный; красноватый

rude [ru:d] *adj* грубый непристойный; грубо сделанный; **he was ~ to me** он был груб со мной; **a ~ awakening** глубокое разочарование; неприятное открытие

rudely [ˈru:dlɪ] *adv* грубо

rudeness [ˈru:dnɪs] *n* грубость

rudimentary [ru:dɪˈmentərɪ] *adj* элементарный

rudiments [ˈru:dɪmənts] *npl* основы

rue [ru:] *vt* жалеть о; проклинать

rueful [ˈru:ful] *adj* печальный

ruffian [ˈrʌfiən] *n* бандит

ruffle [ˈrʌfl] *vt* ерошить; гофрировать; раздражать

rug [rʌg] *n* коврик; плед

rugged [ˈrʌgɪd] *adj* скалистый; грубый; прямой; непреклонный
ruination [ruːɪˈneɪʃən] *n* уничтожение
ruinous [ˈruːɪnəs] *adj* губительный; разорительный
rule [ruːl] *n* правило; правление; власть; линейка ✧ *vt* управлять ✧ *vi* править; управлять; *(юрид.):* **to ~ in favour of/against** выносить решение в пользу/против; **under British ~** под британским правлением; **it's against the ~s** это против правил; **by ~ of thumb** наугад; **as a ~** как правило; **to ~ that** постановлять, что ...
ruled [ruːld] *adj* линованый
rule out *vt* исключать; **murder cannot be ~d out** убийство не может быть исключено
ruler [ˈruːlə] *n* правитель(ница); линейка
ruling [ˈruːlɪŋ] *adj* правящий; господствующий ✧ *n (юрид.)* постановление
rum [rʌm] *n* ром ✧ *adj* чудной
rumble [ˈrʌmbl] *n* гул ✧ *vi* бубнить; *(also:* **~ along)** с гулом проезжать; бурчать; грохотать
rumbustious [rʌmˈbʌstʃəs] *adj* бойкий
ruminate [ˈruːmɪneɪt] *vi* жевать жвачку; размышлять
rummage [ˈrʌmɪdʒ] **1.** *n* поиски *мн.;* обыск **2.** *v* рыться; осматривать, обыскивать; **~ out** вытаскивать
rummy [ˈrʌmɪ] *см.* **rum II**
rumour [ˈruːmə] *n* слух ✧ *vt:* **it is ~ed that...** ходят слухи, что ...
rump [rʌmp] *n* круп; задняя часть; остатки
rumple [ˈrʌmpl] *vt* мять
rump steak *n* вырезка *(из задней части)*
rumpus [ˈrʌmpəs] *n* шум; **to kick up a ~** поднимать шум
run [rʌn] *n* бег; поездка; пробег; трасса; очко; спустившиеся петли ✧ *vt* пробегать; управлять; устраивать; вести; *(комп.)* выполнять; **to ~ along** *or* **over** проводить по; пускать; наполнять; печатать ✧ *vi* бегать/бежать; сбежать; работать; ходить; идти; длиться; баллотироваться; течь, протекать; наполняться; линять; **to go for a ~** идти побегать; **to break into a ~** пускаться бежать; **a ~ of luck** период удач; **the play had a 6 week ~** пьеса шла 6 недель; **to have the ~ of sb's house** иметь разрешение пользоваться чьим-н. домом; **there was a ~ on tickets** на билеты был большой спрос; **in the long ~** в конечном итоге; **in the short ~** на какое-то время; **to make a ~ for it** убежать со всех ног; **to be on the ~** скрываться; быть в бегах; **I'll ~ you to the station** я подвезу вас до станции; **to ~ a risk** подвергаться риску; **to ~ errands for sb** выполнять мелкие поручения для кого-н.; **my car is very cheap to ~** моя машина экономична; **to be ~ off one's feet** сбиться с ног; **the train ~s between Gatwick and Victoria** поезд ходит между Гатвиком и Викторией; **the bus ~s every 20 minutes** автобус ходит каждые двадцать минут; **to ~ on petrol** *or* **gas/on diesel/off batteries** работать на бензине/на дизеле/на батарейках; **to ~ for president** баллотироваться в президенты; **their losses ran into millions** их потери исчислялись миллионами
run about *vi* бегать
runabout [ˈrʌnəbaut] *n (авт.)* малолитражка
run across *vt fus* натыкаться на
run away *vi* убегать
runaway [ˈrʌnəweɪ] *adj* потерявший управление; бег; неуправляемый
run down *vt* сокращать; *(авт.)* сбивать; поносить; **to be ~ down** выбиваться из сил; кончаться
rundown [ˈrʌndaun] *n* сокращение
run-down [rʌnˈdaun] *adj* изможденный
rung [rʌŋ] *pp of* **ring** ✧ *n* ступенька; ступень
run in *vt* обкатывать
run-in [ˈrʌnɪn] *n* стычка
run into *vt fus* сталкиваться с; на-

R

талкиваться на; врезаться; **to ~ into debt** залезать

runner [ˈrʌnə] *n* бегун(ья); скакун; полоз; дорожка

runner bean *n* стручковая фасоль

runner-up [rʌnərˈʌp] *n* финалист *(занявший второе место)*

running [ˈrʌnɪŋ] *n* бег; руководство; организация; эксплуатация ✧ *adj* текущий; водопроводный; **he is in/out of he ~ for sth** ему сулит/не сулит что-н.; **6 days ~** 6 дней подряд

running commentary *n (тел., радио)* прямой репортаж

running costs *npl* операционные издержки; содержание

running head *n* колонтитул *(заголовок, печатаемый на верху каждой страницы)*

runny [ˈrʌnɪ] *adj* жидкий; сопливый; слезящийся

run off *vt* спускать; делать, отснять ✧ *vi* сбегать, убегать

runoff [ˈrʌnɔf] *n* повторные выборы; повторный забег

run out *vi* выбегать; вытекать; истекать; заканчиваться; **my passport ~s out in Jule** срок действия моего паспорта истекает в июле

run over *vt (авт.)* задавить ✧ *vt fus* пробегать

runt [rʌnt] *n* недомерок; сморчок

run through *vt fus* пробегать; прогонять

run-through [ˈrʌnθruː] *n* прогон

run up *vt:* **to ~ up a debt** влезать в долги; **to ~ up against** сталкиваться с

run-up [ˈrʌnʌp] *n период, предшествующий какому-нибудь событию*

runway [ˈrʌnweɪ] *n* взлетно-посадочная полоса

rupture [ˈrʌptʃə] *n (мед.)* грыжа; разрыв ✧ *vt:* **to ~ o.s.** *(мед.)* получать грыжу

rural [ˈruərl] *adj* сельский, деревенский

ruse [ruːz] *n* уловка; ухищрение

rush [rʌʃ] *n* спешка; *(комм.)* большой спрос; поток; прилив; камыш ✧ *vt* обсчитывать ✧ *vi* бежать; хлынуть; **is there any ~ for this?** это спешно?; **a ~ of orders** наплыв заказов; **I'm in a ~ (to do)** я спешу; **gold ~** золотая лихорадка; **to ~ one's meal/work** второпях есть/делать работу; **don't ~ me!** не подгоняйте *or* торопите меня!; **to ~ sth off** *(do)* спешно делать что-н.; спешно отправлять что-н.; **she ~ed to the door** она бросилась к двери

rush hour *n* час пик

rush job *n* работа, сделанная наспех

rush through *vt fus* делать в спешке; проглатывать; носиться по

rusk [rʌsk] *n* сухарь

rust [rʌst] *n (бот.)* ржавчина ✧ *vi* ржаветь

rustic [ˈrʌstɪk] *adj* деревенский ✧ *n* деревенщина

rustle [ˈrʌsl] *vi* шуршать; шелестеть ✧ *vt* шелестеть; угонять

rustproof [ˈrʌstpruːf] *adj* нержавеющий; сделанный из нержавеющего материала

rustproofing [ˈrʌstpruːfɪŋ] *n* обработка против ржавчины

rusty [ˈrʌstɪ] *adj* ржавый; подзабытый

rut [rʌt] колея *перен.* привычка

rutabaga [ruːtəˈbeɪgə] *n* репа

ruthless [ˈruːθlɪs] *adj* беспощадный; безжалостный

ruthlessness [ˈruːθlɪsnɪs] *n* беспощадность; безжалостность

Ryazan [rɪˈzanj] *n* Рязань

S

S, s [es] *n 19-ая буква английского алфавита; (US)* = удовлетворительно

sabbatical [səˈbætɪkl] *n (also:* **~ year)** творческий отпуск

sable I [ˈseɪbl] соболь; соболий мех

sable II *книжн.* черный, мрачный; траурный

sabotage [ˈsæbɔtaːʒ] **1.** *n* диверсия **2.** *v* организовывать диверсию; *разг.* срывать

saboteur [ˈsæbɔˈtəː] диверсант; вредитель

sabre [ˈseɪbə] сабля
sabre-rattling [ˈseɪbərætlɪŋ] *n* бряцание оружием *(перен.)*
saccharin [ˈsækərɪn] сахарин
saccharine [ˈsækəraɪn] сахарный
sachet [ˈsæʃeɪ] саше, сухие духи
sack [sæk] *n* мешок ✧ *vt* выгонять с работы; опустошать; **to give sb the ~** выгонять кого-н. (с работы); **I got the ~** меня выгнали с работы
sackful [ˈsækful] мешок *(мера)*
sacking [ˈsækɪŋ] *n* увольнение; мешковина
sacrament [ˈsækrəmənt] *рел.* таинство; причастие
sacred [ˈseɪkrɪd] *adj* священный; святой; духовный
sacred cow *n* святыня
sacrifice [ˈsækrɪfaɪs] *n* жертвоприношение; жертва ✧ *vt* приносить в жертву; жертвовать; **to make ~s (for sb)** жертвовать собой (ради кого -н.)
sacrilege [ˈsækrɪlɪdʒ] *n* святотатство
sacrosanct [ˈsækrəusæŋkt] *adj* священный
sad [sæd] печальный; грустный; *разг.* ужасный; плохой; **that's a ~ excuse** это плохое оправдание
sadden [ˈsædn] *vt* печалить
saddle [ˈsædl] *n* седло ✧ *vt* седлать; **to ~ sb with sth** навешивать что-н. на кого-н.
sadism [ˈseɪdɪzəm] *n* садизм
sadly [ˈsædlɪ] *adv* печально, грустно; к сожалению; серьезно; **the school is ~ lacking in equipment** школа испытывает серьезный недостаток в оборудовании
sadness [sædnɪs] *n* печаль; грусть
sadomasochism [seɪdəu mæsəkɪzəm] *n* садо-мазохизм
safari [səˈfɑːrɪ] *n* сафари; **to go on ~** проводить отпуск в сафари
safari park *n* сафари
safe [seɪf] *adj* безопасный; благополучный; надежный ✧ *n* сейф; **to be ~** находиться в безопасности; **~ and sound** цел и невредим; **(just) to be on the ~ side** на всякий случай; **to play ~** действовать осторожно; **it is ~ to say that...** можно с уверенностью сказать, что ...; **~ journey!** счастливого пути!; **~ seat** *(полит.) парламентское место с гарантированной поддержкой избирателей*
safe bet *n* верное дело; **he is a ~~** на него можно положиться
safe-breaker [ˈseɪfbreɪkə] *n* взломщик сейфов
safe-conduct [seɪfˈkɔndʌkt] *n* неприкосновенность
safe-deposit [ˈseɪfdɪpɔzɪt] *n* сейф
safeguard [ˈseɪfgɑːd] *n* гарантия ✧ *vt* охранять; гарантировать
safe haven *n* зона безопасности
safe house *n* конспиративная квартира
safekeeping [ˈseɪfˈkiːpɪŋ] *n* сохранность
safely [ˈseɪflɪ] *adv* с уверенностью; благополучно; **I can ~ say...** я могу с уверенностью сказать ...
safe passage *n* безопасный путь
safe sex *n* безопасный секс; **to practise ~~** использовать презервативы во время секса
safety [ˈseɪftɪ] *n* безопасность; **~ first!** соблюдайте осторожность
safety belt *n* привязной ремень
safety catch *n* замок; защелка
safety net *n* сеть безопасности
safety pin *n* английская булавка
safety valve *n* предохранительный клапан
saffron [ˈsæfrən] *n* шафран
sag [sæg] оседлать; обвисать; падать *(о цене)*
saga [ˈsɑːgə] сага
sagacious [səˈgeɪʃəs] сметливый, сообразительный; проницательный; умный (*о животном)*
sagacity [səˈgæsɪtɪ] смекалка; проницательность
sage [seɪdʒ] *n* шалфей, мудрец
Sagittatius [sædʒɪˈterɪəs] *n* Стрелец; **he is ~** он - Стрелец
sago [ˈseɪgəu] *n* саго
sail [seɪl] *n* парус ✧ *vt* плавать/плыть на ✧ *vi* плавать/плыть; *(спорт.)* заниматься парусным спортом; *(also:* **set ~**) отплывать; **to go for a ~** ехать кататься на лодке; **they ~ed into Copenhagen**

S

они приплыли в Копенгаген
sailing [ˈseɪlɪŋ] *n (спорт.)* парусный спорт; **to go ~** заниматься парусным спортом
sailing boat *n* парусная лодка
sailing ship *n* парусное судно
sailor [ˈseɪlə] *n* моряк, матрос
sail through *vt fus:* **to ~ through an exam/interview** с легкостью сдавать экзамен/проходить собеседование
saint [seɪnt] *n* святой(-ая)
sake [seɪk]: **for the ~** *(of)* ради; **for conscience' ~** для успокоения совести
salable [ˈseɪləbl] ходкий *(о товаре)*
salad [ˈsæləd] *n* салат; **tomato ~** салат из помидоров; **green ~** зеленый салат
salad bowl *n* салатница
salad cream *n* салатный соус
salad dressing *n* приправа к салату
salami [səˈlɑːmi] *n* салями
salaried [ˈsælərid] *adj* получающий зарплату
salary [ˈsælərɪ] *n* зарплата *(заработная плата)*
salary scale *n* шкала заработной платы
sale [seɪl] *n* продажа; распродажа; торги; **~s** *npl* объем продажи ✧ *cpd* рекламный; продажный; **"for ~"** "продается"; **on ~** в продаже; **these goods are on ~ or return** если эти товары не будут проданы, они будут возвращены владельцу; **closing-down** *or* **liquidation ~** ликвидационная распродажа
sale and lease back *n (комм.) продажа собственности с условием получения ее обратно в аренду на оговоренный срок*
saleroom [ˈseɪlruːm] *n* торговый зал
sales assistant [seɪlz-] *n* продавец
sales force *n* торговые агенты
salesman [ˈseɪlzmən]] *irreg n* продавец; *(also:* **travelling ~)** торговый агент
sales manager *n* начальник отдела сбыта; старший(-ая) продавец(-вщица)
salesmanship [ˈseɪlzmənʃɪp] *n* умение продавать
sales tax *n* налог на продажи *(уплачивается потребителем при покупке определенных товаров)*
saleswoman [ˈseɪlzwumən] *irreg n* продавщица; торговый агент
sales||man [ˈseɪlzmən] продавец; **~woman** [-ˌwumən] продавщица
salient [ˈseɪlɪənt] *adj* существенный
saline [ˈseɪlaɪn] *adj* соляной
saliva [səˈlaɪvə] *n* слюна
sallow [ˈsælou] желтоватый, болезненный *(о цвете лица)*
sally [ˈsælɪ] **1.** *n* остроумная реплика; *воен.* вылазка **2.** *v воен.* делать вылазку **(~ out)**; **~ forth** *(или* **out***)* отправляться *(куда-л.)*
salmon [ˈsæmən] **1.** *n (pl без измен.)* лосось; семга **2.** *a* желтовато-розовый
salmon trout *n* таймень
salon [ˈsælɔn] *n* салон; **beauty ~** косметический салон
saloon [səˈluːn] *уст.* зал; *мор.* салон; *амер.* бар; автомобиль с закрытым кузовом
salt [sɔːlt] *n* соль ✧ *vt* засаливать; солить ✧ *cpd* соленый; **the ~ of the earth** соль земли
saltcellar [ˈsɔːltselə] *n* солонка
salt-free [ˈsɔːltˈfriː] *adj* не содержащий соли
salt mine *n* соляная шахта
saltpeter, saltpetre [ˈsɔːltˌpiːtə] селитра
saltwater [ˈsɔːltˈwɔːtə] *adj* живущий в соленых водах
salty [ˈsɔːltɪ] соленый, остроумный *(о замечании и т.п.)*
salubrious [səˈluːbrɪəs] *adj* целебный; благодатный
salutary [ˈsæljut(ə)rɪ] благотворный, целебный
salutation [ˌsæljuːˈteɪʃ(ə)n] приветствие
salute [səˈluːt] **1.** *n* поклон, приветствие; салют; *воен.* отдание чести **2.** *v* приветствовать, здороваться; отдавать честь; салютовать
salvage [ˈsælvɪdʒ] *n* спасение; спасенные вещи ✧ *vt* спасать
salvage vessel *n* спасательное судно

salvation [sælˈveɪʃən] *n* спасение
salver [ˈsælvə] *n* поднос
salvo [ˈsælvəu] *n* залп
same [seɪm] *adj* такой же, одинаковый ✧ *pron:* **the ~** тот же (самый); та же (самая); то же (самое); те же (самые); **the ~ book as** та же (самая) книга, что и; **on the ~ day** в тот же день; **at the ~ time** в это же время; в то же время; **all** *or* **just the ~** все равно; **to do the ~ (as sb)** делать то же (самое) (что и кто-н.); **Happy New Year!- the ~ to you!** С Новым Годом - Вас также!; **you're a fool!- the ~ to you!** ты дурак - сам (ты) дурак!; **I hate him - ~ here!** я ненавижу его - и я тоже; **the company director and Mr Smith are one and the ~** директор компании и Мистер Смит одно лицо; **the books we're talking about are one and the ~** мы говорили об одной и той же книге; **~ again!** повторите!
sample [ˈsɑːmpl] *n* проба; образец ✧ *vt* пробовать; **to take a ~** брать пробу; **to take a blood/urine ~** брать кровь/мочу для анализа ; **free ~** бесплатный образец
sanatorium [sænəˈtɔːrɪəm] *n (мед.)* санаторий
sanctify [ˈsæŋktɪfaɪ] освещать; санкционировать
sanctimonious [ˌsæŋktɪːˈməunɪəs] *adj* благочинный
sanction [ˈsæŋkʃ(ə)n] **1.** *n* санкция; утверждение **2.** *v* санкционировать
sanctity [ˈsæŋktɪtɪ] *n* святость
sanctuary [ˈsæŋktjuərɪ] *n* заповедник; убежище; алтарная часть
sand [sænd] **1.** *n* песок, *pl* песчаный пляж ✧ **~s (of time) are running out** жизнь близится к концу **2.** *v* посыпать песком; чистить песком
sandal [ˈsændl] *n* сандалия
sandalwood [ˈsændlwud] сандаловое дерево
sandbag [ˈsændbæg] *n* мешок с песком
sandblast [ˈsændblɑːst] *vt* подвергать пескоструйной обработке
sandbox [ˈsændbɔks] *n* песочница
sand castle *n* песчаный замок
sand dune *n* (песчаная) дюна
sander [ˈsændə] *n* ручной шлифовальный станок
sandpaper [ˈsændpeɪpə] *n* наждачная бумага, шкурка
sandpit [ˈsændpɪt] *n* песочница
sands [ˈsændz] *npl* пески
sandstone [ˈsændstəun] *n* песчаник
sandstorm [ˈsændstɔːm] *m* песчаная буря
sandwich [ˈsændwɪtʃ] бутерброд
sandwich board *n* рекламный щит
sandy [ˈsændɪ] песчаный; песочного цвета
sane [seɪn] нормальный, в своем уме; здравый; здравомыслящий; разумный
sanguine [ˈsæŋgwɪn] *adj* оптимистичный
sanitary [ˈsænɪtərɪ] *adj* санитарный; гигиеничный
sanitary towel *n* гигиеничный пакет
sanitation [ˈsænɪˈteɪʃən] *n* санитария
sanitation departament *n* санитарное управление
sanity [ˈsænɪtɪ] здравомыслие; нормальное психическое состояние
Santa [ˈsæntə] *разг. см.* Santa Claus
Santa Claus [ˌsæntəˈklɔːz] Санта Клаус, рождественский дед, дед-мороз
sap [sæp] **1.** *n* сок *(растений); перен.* жизненные силы *мн.* **2.** *v* истощать *(силы, энергию и т.п.)*
sapling [ˈsæplɪŋ] *n* молодое деревце, побег
sapper [ˈsæpə] *n* сапер
sapphire [ˈsæfaɪə] *n* сапфир
sappy [ˈsæpɪ] сочный; сильный, молодой, энергичный; *разг.* глупый
sarcasm [ˈsɑːkæzm] *n* сарказм
sarcastic [sɑːˈkæstɪk] *adj* саркастичный
sarcophagus [sɑːˈkɔfəgəs] *n* саркофаг
sardine [sɑːˈdiːn] *n* сардина
sardonic [sɑːˈdɔnɪk] сардонический; язвительный
sartorial [sɑːˈtɔːrɪəl] *adj:* **~ elegance**

S

умение одеваться
sash [sæʃ] *n* кушак; лента; подъемная рама
sash window *n* окно с подъемной рамой
Satan [seɪtn] *n* Сатана
satanic [sə'tænɪk] *adj* сатанинский
satanism [seɪtnɪzəm] *n* сатанизм
satchel ['sætʃ(ə)l] сумка *(для книг);* ранец
sate [seɪt] насыщать; пресыщать
sateen [sæ'ti:n] сатин
satellite ['sætəlaɪt] *астр.* сателлит; спутник; приверженец
satellite dish *n* спутниковая антенна
satellite television *n* спутниковое телевидение
satiate ['seɪʃɪeɪt] *vt* насыщать
satin ['sætɪn] *n* атлас ✧ *adj* атласный; **with a ~ finish** с атласным отливом
satire ['sætaɪə] *n* сатира
satirical [sə'tɪrɪkl] *adj* сатирический
satirist ['sætɪrɪst] *n* сатирик
satirize ['sætɪraɪz] *vt* высмеивать
satisfaction [sætɪs'fækʃən] *n* удовлетворение; возмещение; **has it been done to your ~?** Вы удовлетворены тем, как это сделано?
satisfactorily [sætɪs'fæktərɪlɪ] *adv* удовлетворительно
satisfactory [sætɪs'fæktərɪ] *adj* удовлетворительный
satisfied ['sætɪsfaɪd] *adj* довольный, удовлетворенный; **he is/was ~ (with sth)** он доволен/был доволен *or* удовлетворен/был удовлетворен (чем-н.)
satisfy ['sætɪsfaɪ] удовлетворять; **~ thirst** утолять жажду; **be satisfied** быть довольным; удовлетворяться; ✧ **~ oneself of smth.** убедиться в чем-л.
satisfying ['sætɪsfaɪŋ] *adj* приятный
satsuma [sæt'su:mə] *n* мандарин
saturate ['sætʃəreɪt] *vt:* **to ~ (with)** насыщать
saturated fat *n* насыщенные жиры
saturation [sætʃə'reɪʃən] *n* насыщение; *(хим.)* насыщенность
Saturday ['sætədɪ] *n* суббота
Saturn ['sætən] *n* Сатурн
sauce [sɔ:s] *n* соус
saucer ['sɔ:sə] *n* блюдце
saucy ['sɔ:sɪ] дерзкий, нахальный; *разг.* щегольской
sauerkraut ['sauərkraut] *нем.* кислая капуста
sauna ['sɔ:nə] *n* сауна, финская баня
saunter ['sɔ:ntə] **1.** *n* прогулка **2.** *v* прогуливаться
sausage ['sɔsɪdʒ] колбаса, сосиска
sausepan ['sɔ:spən] *n* кастрюля
saute ['səuteɪ] *adj* жареный ✧ *vt* жарить
savage ['sævɪdʒ] **1.** *n* дикарь; грубый, жестокий человек **2.** *a* дикий; жестокий
savagely ['sævɪdʒlɪ] *adv* яростно; свирепо
savagery ['sævɪdʒrɪ] *n* свирепость
save [seɪv] *vt* спасать; экономить; откладывать; *(комп.)* сохранять; избавлять от; занимать; *(спорт.)* отбивать; отражать ✧ *vi (aslo:* **~ up)** копить деньги; **it will ~ me an hour** я сэкономлю на этом час; **to ~ face** спасти свою репутацию; **God ~ the Queen!** Боже храни королеву!; **that was a brilliant ~ (by the goalkeeper)** вратарь прекрасно отразил удар
saving ['seɪvɪŋ] *n* экономия ✧ *adj:* **the ~ grace of** спасение; **~s** *npl* сбережения; **to make ~s** откладывать
savings account *n* сберегательный счет
savings bank *n* сберегательный банк
saviour ['seɪvjə] спаситель
savoir-faire ['sævwɑ:feə] *n* светскость
savour ['seɪvɪ] *vt* смаковать; наслаждаться ✧ *n* аромат
savoury ['seɪvərɪ] *adj* несладкий
savvy ['sævɪ] *n* понимание
saw [sɔ:] *vt* пилить ✧ *n* пила ✧ *pp of* **see: to ~ sth up** распиливать что-н.
sawdust ['sɔ:dʌst] *n* опилки
sawmill ['sɔ:mɪl] *n* лесопильный завод
sawn-off ['sɔ:nɔf] *adj:* **~ shotgun** обрез
saxony ['sæks(ə)nɪ] тонкая шерсть; тонкая шерстяная материя
saxophone ['sæksəfəun] *n* саксофон

say [seɪ] *vt* говорить ✧ *n:* **to have one's ~** выражать свое мнение; **to ~ yes** соглашаться; **to ~ no** отказываться; **could you ~ that again?** повторите пожалуйста?; **she said (that) I was to give you this** она сказала, что я должен отдать это Вам ; **my watch ~s 3 o'clock** мои часы показывают 3 часа; **shall we ~ Tuesday?** ну, скажем, во вторник?; **that doesn't ~ much for him** это не говорит в его пользу; **when all is said and done** когда все (будет) оговорено; **there is a lot to be said for...** многое можно сказать в пользу ...; **that is to ~** то есть; **that goes without ~ing** это само собой разумеется; **to ~ nothing of** не говоря уже о; **~ (that) you...** ну, скажем, Вы ...; **to have a** *or* **some ~ in sth** иметь право голоса в чем-н.
saying [ˈseɪŋ] *n* поговорка
say-so [ˈseɪsəu] *n:* **to do sth on sb's ~** делать что-н. с чьего-н. согласия
scab [skæb] *n* струп; штрейкбрехер
scabbard [ˈskæbəd] ножны *мн.*
scabby [ˈskæbɪ] *adj* покрытый струпьями
scaffold [ˈskæfəld] *n* эшафот
scaffolding [ˈskæfəldɪŋ] *n* леса
scald [skɔːld] *n* ожог ✧ *vt* ошпаривать
scalding [ˈskɔːldɪŋ] *adj (also:* **~ hot)** очень горячий
scale [skeɪl] *n* шкала; чешуя; *(муз.)* гамма; масштаб ✧ *vt* взбираться на; **~s** *npl* весы; **to draw sth to ~** ;чертить что-н. по масштабу; **as small ~ model** уменьшенная модель; **on a large ~** в широком масштабе; **pay ~** тарифная сетка зарплаты; **~ of charges** шкала расценок
scaled down [skeɪld-] *adj* в уменьшенном масштабе
scale down *vt* сокращать
scale drawing *n* масштабный рисунок *or* чертеж
scallion [ˈskæljən] *n* зеленый лук; лук-порей
scallop [ˈskɔləp] *n (зоол.)* (морской) гребешок; фестон
scalp [skælp] *n* скальп ✧ *vt* скальпировать; **I have an itchy ~** у меня чешется голова
scalpel [ˈskælpl] *n* скальпель
scalper [ˈskælpə] *n* спекулянт
scam [skæm] *n* жульничество
scamp [skæmp] *n* безобразник
scamper [ˈskæmpə] *vi:* **to ~ away** *or* **off** ускакать
scampi [ˈskæmpɪ] *npl* панированные креветки
scan [skæn] *vt* обследовать; просматривать; *(тел.)* разлагать изображение; сканировать ✧ *vi* рифмоваться ✧ *n (мед.)* сканирование; **ultrasound ~** ультразвук
scandal [ˈskændl] *n* скандал; сплетни; позор
scandalize [ˈskændəlaɪz] *vt* скандализировать
scandalmonger [ˈskændl,mʌŋgə] сплетник, клеветник
scandalous [ˈskændələs] *adj* скандальный; возмутительный
scanner [ˈskænə] *n (мед.)* сканер
scant [skænt] скудный, ограниченый
scantily [ˈskæntɪlɪ] *adv:* **she was ~ clad** *or* **dressed** она была едва одета
scanty [ˈskæntɪ] *adj* скудный; **her underwear was ~** белье едва покрывало ее тело
scapegoat [ˈskeɪpgəut] *n* козел отпущения
scar [skɑː] *n* шрам; травма ✧ *vt* травмировать; **his face is ~ red** у него на лице шрам
scarce [skeəs] *adj* редкий; **to make o.s. ~** улизнуть
scarcely [ˈskeəslɪ] *adv* едва; только; **~ anybody** едва ли кто-нибудь ; **I can ~ believe it** я едва могу этому поверить; **that is ~ the point** едва ли в этом дело
scarcity [ˈskeəsɪtɪ] *n* нехватка, недостаток; **~ value** *(комм.) ценность товара, определяемая его дефицитностью*
scare [skeə] *n* испуг; тревога ✧ *vt* пугать; **to ~ sb stiff** пугать кого-н. до смерти; **there was a bomb ~ at the station** опасались, что на

S

станции подложена бомба
scare away *vt* отпугивать
scarecrow [ˈskeəkrəu] *n* (огородное) чучело
scared [ˈskeəd] *adj* испуганный, напуганный; **he was ~** он испугался *or* был испуган
scaremonger [ˈskeəmʌŋgə] *n* паникер
scare off *vt* = **scare away**
scarf [skɑːf] шарф; галстук; шейный платок
scarlet [ˈskɑːlɪt] *adj* алый
scarlet fever *n* скарлатина
scarp [skɑːp] крутой откос; *воен.* эскарп
scarper [ˈskɑːpə] *vi* смываться
scarred [skɑːd] *adj* травмированный; **~ face** лицо с шрамом
scarves [skɑːvz] *npl of* **scarf**
scary [ˈskeərɪ] *adj* страшный
scathing [ˈskeɪðɪŋ] язвительный, злой
scatter [ˈskætə] разбрасывать, расшвыривать, рассыпать
scatter-brain [ˈskætəbreɪn] легкомысленный человек
scatterbrained [ˈskætəbreɪnd] *adj* рассеянный
scattered [ˈskætəd] *adj* разбросанный; **~ showers** прерывистые ливни
scatty [ˈskætɪ] *adj* несобранный
scavenge [ˈskævəndʒ] *vi:* **to ~ for food** рыскать в поисках пищи
scaverger [ˈskævəndʒə] *n* старьевщик; животное, питающееся падалью
scenario [sɪˈnɑːrɪəu] *n* сценарий
scene [siːn] *n* сцена; место; картина; **behind the ~s** за кулисами; **to make a ~** устраивать сцену; **to apper on the ~** появляться на сцене; **the political ~** политическая арена
scenery [ˈsiːnərɪ] декорация; пейзаж, вид; ландшафт
scenic [ˈsiːnɪk] сценический; театральный
scent [ˈsent] *n* запах; след; духи; **to put** *or* **throw sb off the ~** сбивать кого-н. со следа
sceptic [ˈskeptɪk] *n* скептик
sceptical [ˈskeptɪkl] *adj* скептичный; скептический
scepticism [ˈskeptɪsɪzəm] *n* скептицизм
sceptre [ˈseptə] *n* скипетр
schedule [ˈʃedjuːl] *n* расписание, график, перечень ✧ *vt* расписывать; назначать; **on ~** по расписанию *or* графику; **as ~d** как (было) запланировано; **we are working to a very tight ~** мы работаем по плотному графику; **everything went according to ~** все прошло по графику *or* расписанию; **to be ahead of ~** опережать график; **to be behind ~** отставать от графика
scheduled [ˈʃedjuːld] *adj* запланированный; обозначенный в расписании
scheduled flight *n* регулярный рейс
schematic [skɪˈmætɪk] *adh* схематический
scheme [skiːm] *n* замысел; происки; козни; программа; план, схема ✧ *vi* строить козни; **color** *or* **color ~** цветовая гамма
scheming [ˈskiːmɪŋ] *adj* коварный ✧ *n* козни; происки
schism [ˈskɪzəm] *n* раскол
schizophrenia [skɪtsəˈfriːnɪə] *n* шизофрения
schizophrenic [skɪtsəˈfrenɪk] *adj* шизофренический ✧ n шизофреник
scholar [ˈskɔlə] *n* стипендиат; ученый
scholarly [skɔləlɪ] *adj* академический; ученый
scholarship [ˈskɔləʃɪp] *n* ученость; стипендия
school [skuːl] *n* школа; университете; институт; стая ✧ *cpd* школьный
school age *n* школьный возраст
schoolbook [ˈskuːlbuk] *n* (школьный) учебник
schoolboy [ˈskuːlbɔɪ] *n* школьник
schoolchildren [ˈskuːltʃɪldrən] *npl* школьники
school days *npl* школьные дни
schooled [skuːld] *adj:* **~ (in)** обученный
schoolgirl [ˈskuːlgəːl] *n* школьница
schooling [ˈskuːlɪŋ] *n* школьное образование

S

school-leaver [sku:l'li:və] *n* выпускник(-ица) школы
schoolmaster ['sku:lmɑ:stə] *n* учитель
schoolmistress ['sku:lmɪstrɪs] *n* учительница
school report *n* табель успеваемости
schoolroom ['sku:lru:m] *n* класс, классная комната
schoolteacher ['sku:lti:tʃə] *n* (школьный(-ая)) учитель(ница)
schoolyard ['sku:ljɑ:d] *n* школьный двор
schooner ['sku:nə] *n* шхуна; фужер *(для хереса);* кружка *(для пива)*
sciatica [saɪ'ætɪkə] *n* ишиас
scibe [skraɪb] *n* писец
science ['saɪəns] *n* наука; естественные науки; **the ~s** естественные и точные науки
science fiction *n* научная фантастика
scientific [saɪən'tɪfɪk] *adj* научный
scientist ['saɪəntɪst] *n* ученый
scintillating ['sɪntɪləɪtɪŋ] *adj* блестящий; сияющий
scissors ['sɪzəz] *npl:* **(a pair of) ~** ножницы
sclerosis ['sklɪ'rəusɪs] *n* склероз
scoff I [skɔf] **1.** *n* насмешка; посмешище **2.** *v* осмеивать; насмехаться *(над - at)*
scoff II *разг.* жадно есть
scoffer ['skɔfə] насмешник
scold ['skəuld] *vt* бранить, ругать
scolding ['skəuldɪŋ] *n* выговор
scone [skɔn] *n (кулин.)* кекс
scoop [sku:p] *n* совок; черпак; *(пресса)* сенсационное сообщение
scoop out *vt* выскребать
scoop up *vt* зачерпывать
scoot [sku:t] *разг.* срываться с места, удирать
scooter ['sku:tə] *n (also:* **motor ~)** мопед; самокат
scope [skəup] *n* простор; масштаб; компетенция; **within the ~ of** в рамках; **there is plenty of ~ for improvement** есть простор для совершенствования; **it is well within his ~ to...** ... в его компетенции
scorbutic [skɔ:'bju:tɪk] *мед.* цинготный
scorch [skɔ:tʃ] опалять, обжигать; подпаливать; обжигаться; *разг.* гнать машину с бешеной скоростью
scorched-earth policy [skɔ:tʃt'ɜ:θ-] *n* политика *or* тактика выжженной земли
scorcher ['skɔ:tʃə] *n* жарища
scorching ['skɔ:tʃɪŋ] *adj* палящий
score [skɔ:] *n* счет; *(муз.)* партитура; двадцать ✧ *vt* забивать; набирать; получать; царапать; завоевывать ✧ *vi* набирать очки; забивать гол; **to settle an old ~ with sb** сводить с кем-н. старые счеты; **~s of** десятки; **on that ~** на этот счет; **to ~ well** набирать много очков; **to ~ 6 out of 10** набирать 6 баллов из 10; **to ~ (a point) over sb** превосходить кого-н.
scoreboard ['skɔ:bɔ:d] *n (спорт.) карта, на которую заносится счет*
scoreline ['skɔ:laɪn] *n* счет на данный момент
score out *vt* вычеркивать
scorer ['skɔ:rə] *n* игрок, забивший гол; судья
scorn [skɔ:n] *n* презрение ✧ *vt* презирать
scornful ['skɔ:nful] *adj* презрительный
scorpion ['skɔ:pɪən] *n* скорпион
Scotch [skɔtʃ] *n* (шотландское) виски
scot-free ['skɔt'fri:] *adv:* **to get off ~** легко отделываться
scoundrel ['skaundr(ə)l] негодяй, подлец
scour ['skauə] *vt* обыскивать; выскабливать
scourer ['skauərə] *n* жесткая мочалка
scourge [skə:dʒ] *n* бич
scout around *vi* рыскать в поисках
scowl [skaul] *vi* хмуриться; **to ~ at sb** хмуро смотреть на кого-н.
scrabble ['skræbl] царапать; писать неразборчиво
scraggy ['skrægɪ] *adj* тощий
scram [skræm] *vi* смываться; **~!** убирайся
scramble ['skræmbl] **1.** *n* карабканье; схватка, свалка **2.** *v* ползти, карабкаться; бороться за захват *(чего-л.);* делать яичницу-болту-

S

нью ✧ **~d eggs** яичница-болтунья
scrambled eggs [ˈskræmbld-] *n* яичница-болтунья
scrap I [skræp] **1.** *n* клочок, лоскуток; вырезка *(из газеты и т.п.); pl* остатки; отбросы; **~s off food** объедки; металлический лом **2.** *v* сдавать в лом
scrap II [skræp] *разг.n* стычка, драка **2.** *v* ссориться, драться
scrape [skreɪp] *vt* очищать; царапать, обдирать ✧ *vi:* **to ~ through** пролезать на ✧ *n:* **to get into a ~** попадать в переделку
scraper [ˈskreɪpə] *n* скребок
scrape together *vt* наскребать
scrapheap [ˈskræphi:p] *n:* **on the ~** на свалку
scrap merchant *n* утильщик
scrap metal *n* металлолом
scrap paper *n* макулатура
scrappy I [ˈskræpɪ] *adj* дрянной
scrappy II [ˈskræpɪ] лоскутный; бессвязный
scrap yard *n* свалка
scratch [skrætʃ] *n* царапина ✧ *cpd* импровизированный ✧ *vt* царапать; чесать; *(комп.)* стирать ✧ *vi* чесаться; **to start from ~** начинать с нуля; **to be up to ~** быть на высшем уровне
scratch pad *n* блокнот
scratchy [ˈskrætʃɪ] небрежный, неискусный *(о рисунке);* скрипучий, царапающий *(о пере)*
scrawl [skrɔ:l] **1.** *n* каракули **2.** *v* писать каракулями; писать *или* рисовать небрежно, наспех
scrawny [ˈskrɔ:nɪ] *adj* тощий
scream [ˈskri:m] **1.** *n* пронзительный крик; визг ✧ **it's a ~** *разг.* это просто умора **2.** *v* кричать, визжать **~ingly: ~ inglly funny** уморительный
scree [skri:] *n* каменистая осыпь
screech [ˈskri:tʃ] **1.** *n* крик *(ужаса, ярости);* вопль **2.** *v* пронзительно *или* зловеще кричать **~-owl** [-aul] сова-сипуха; *перен.* предсказатель беды
screen [skri:n] *n (кино, тел.,комп.)* экран; ширма; ветровое стекло ✧ *vt* заслонять; выпускать на экран; проверять; **to ~ sb for sth** проверять кого-н. на что-н.
screen editing *n (комп.)* экранное редактирование
screening [ˈskri:nɪŋ] *n (мед.)* профилактический осмотр; выпуск на экран; проверка
screen memory *n (комп.)* экранная память, видеопамять
screenplay [ˈskri:npleɪ] *n* сценарий
screen test *n* кинопроба
screw [skru:] *n* винт ✧ *vt* привинчивать; трахать; **to ~ sth in** завинчивать что-н.; **to ~ sth to the wall** привинчивать что-н. к стене; **he's got his head ~ed on** у него есть голова на плечах
screw-driver [ˈskru:ˌdraɪvə] отвертка
screwed [skru:d] *разг.* навеселе
screwed-up [ˈskru:d:ʌp] *adj* скомканный; закомплексованный
screw up *vt* комкать; портачить; **to ~ up one's eyes** прищуривать глаза
screwy [ˈskru:ɪ] *adj* с завихрением
scribble [ˈskrɪbl] *n* каракули ✧ *vt* черкнуть ✧ *vi* исчеркивать; **to ~ sth down** записывать что-н. наскоро
scribbler [ˈskrɪblə] писака, бумагомаратель
scribe [skraɪb] писец; переписчик; грамотей
scrimmage [ˈskrɪmɪdʒ] **1.** *n* стычка, свалка, потасовка; ссора **2.** *v* участвовать в стычке
scrimp [ˈskrɪmp] урезывать, экономить **~y** [-i] скудный
scrimshank [ˈskrɪmʃænk] *воен. разг.* уклоняться от выполнения обязанностей
script [skrɪpt] *n (кино)* сценарий; шрифт; конспект
scripted [ˈskrɪptɪd] *adj (радио, тел.)* заранее подготовленный
scripture [ˈskrɪptʃə] священное писание, библия
scriptwriter [ˈskrɪptraɪtə] *n* сценарист
scrofula [ˈskrəfjulə] *мед.* золотуха
scroll [skroul] свиток; *архит.* завиток
scrotum [ˈskrəutəm] *n (анат.)* мошонка

scrounge [skraundʒ] *vt:* **to ~ sth off** *or* **drom sb** клянчить что-н. у кого-н. ✧ *vi* попрошайничать ✧ *n:* **to be on the ~** быть на мели
scrounger [ˈskraundʒə] *n* попрошайка
scrub I [skrʌb] кустарник; поросшая кустарником местность; малорослое животное; ничтожный человек
scrub II 1. *n* чистка щеткой, скребницей **2.** *v* тереть, скрести; чистить щеткой
scrubbing-brush [ˈskrʌbɪŋbrʌʃ] скребница
scrubby [ˈskrʌbɪ] низкорослый; жалкий, захудалый
scruff [skrʌf] *n:* **by the ~ of the neck** за шиворот
scruffy [ˈskrʌfi] *adj* потрепанный
scrum(mage) [ˈskrʌm(ɪdʒ)] *n (регби)* разыгрывание мяча
scruple [ˈskru:pl] *n* терзание; **to have now ~s about doing sth** делать что-н. без угрызений совести
scrupulous [ˈskru:pjuləs] *adj* тщательный, скрупулезный; щепетильный
scrupulously [ˈskru:pjuləslɪ] *adv* добросовестно; **he is ~ honest/fair/clean** он предельно честен/справедлив/чистоплотен
scrutinize [ˈskru:tɪnaɪz] *vt* тщательно изучать *or* рассматривать
scrutiny [ˈskru:tɪnɪ] *n* тщательное изучение *or* рассмотрение; **under sb's ~** под чьим-н. наблюдением
scuba [ˈsku:bə] *n* акваланг
scuba diving *n* подводное плавание
scuff [skʌf] *vt* волочить; стаптывать
scuffle [ˈskʌfl] *n* потасовка
scull [skʌl] *n* весло
scullery [ˈskʌlərɪ] *n* подсобное помещение *(при кухне)*
sculptor [ˈskʌlptə] *n* скульптор
sculpture [ˈskʌlptʃə] *n* скульптура
scum [skʌm] *n* пена; подонки; **the ~ of society** отбросы общества
scupper [ˈskʌpə] *vt* срывать
scurf [skə:f] перхоть
scurrilous [ˈskʌrɪləs] *adj* оскорбительный
scurry [ˈskʌrɪ] **1.** *n* беготня, суета **2.** *v* бегать, сновать; суетиться
scurry off *vi* рысью убегать
scurvy I [ˈskə:vɪ] цинга
scurvy II *книжн.* низкий, подлый
scuttle I [ˈskʌtl] ведро *или* ящик для угля
scuttle II *мор.* затопить (свой) корабль
scuttle III 1. *n* поспешное бегство **2.** *v:* **~ off** *(или* **away***)* удирать
scythe [saɪð] **1.** *n* коса **2.** *v* косить
sea [si:] *n* море ✧ *cpd* морской; **by ~** морем; **beside the ~** у моря; **on the ~** в море; на море; **to be all at ~** быть в растерянности; **out to ~,out at ~** в море; **to look out to ~** смотреть на море; **heavy** *or* **rough ~(s)** бурное море; **a ~ of faces** море лиц
sea bed *n* морское дно
seaboard [ˈsi:bɔ:d] *n* побережье
seafarer [ˈsi:feərə] *n* мореплаватель
seafaring [ˈsi:feərɪŋ] *adj* морской; **~ people** мореходы
seafood [ˈsi:fu:d] *n* рыбные блюда
seafront [ˈsi:frʌnt] *n* набережная
seagoing [ˈsi:gəuɪŋ] *adj* морской
seagull [ˈsi:gʌl] *n* чайка
seal [si:l] *n (зоол.)* тюлень; печать ✧ *vt* запечатывать; заделывать; предрешать; заключать; **to give sth one's ~ of approval** официально одобрить что-н.
sea-legs find [ˈsi:legz] *(или* **get***)* **one's ~** привыкнуть к морской качке
sealer [ˈsi:lə] охотник на тюленей; зверобойное судно; **~-fishery** [-ˌfɪʃərɪ] тюлений, котиковый промысел
sea level *n* уровень моря; **2000 feet above/below ~~** 2000 футов над уровнем моря/ниже уровня моря
sealing wax [ˈsi:lɪŋ-] *n* сургуч
sea lion *n* морской лев
seal off *vt* огораживать; опечатывать
sealskin [ˈsi:lskɪn] *n* котик *(мех)*
seam [si:m] *n* шов; слой; **the hall was bursking at the ~s** зал трещал по швам
seaman [ˈsi:mən] *irreg n* матрос, моряк

S

seamanship [ˈsiːmənʃɪp] *n* судовождение
seamew [ˈsiːmjuː] чайка
seamless [ˈsiːmlɪs] *adj* без шва; целостный
seamstress [ˈsemstrɪs] швея
seamy [ˈsiːmɪ] *adj* темный
seance [ˈseɪɑːns] *фр.* заседание; сеанс
seaplane [ˈsiːpleɪn] *n* гидросамолет
seaport [ˈsiːpɔːt] *n* (морской) порт
sear [sɪə] **1.** *v* иссушать; опалять; прижигать; притуплять *(чувство)* **2.** *a* увядший, засохший
search [səːtʃ] *n* розыск; поиски; *(комп.)* поиск; обыск ✧ *vt* обыскивать; рыться в ✧ *vi:* **to ~ for** искать; **in ~ of** в поисках; **"search and replace"** *(комп.)* "поиск и замена"
searcher [ˈsəːtʃə] *n* искатель
searching [ˈsəːtʃɪŋ] *adj* пытливый; наводящий; тщательный
searchlight [ˈsəːtʃlaɪt] *n* прожектор
search party *n* поисковая группа; **to send out a ~~** посылать поисковую группу
search through *vt fus* перерыть
search warrant *n* ордер на обыск
searing [ˈsɪərɪŋ] *adj* жгучий
seashore [ˈsiːʃɔː] *n* берег моря; **on the ~** на берегу моря
seasick [ˈsiːsɪk] *adj:* **to be ~** страдать морской болезнью
seasickness [ˈsiːsɪknɪs] *n* морская болезнь
seaside [ˈsiːsaɪd] *n* взморье, приморье; **to go to the ~** ездить/ехать на взморье; **at the ~** на взморье
seaside resort *n* приморский курорт
season [ˈsiːzn] *n* время года; сезон ✧ *vt* заправлять; **the busy ~** активный сезон; **the open ~** охотничий сезон; **tomatoes are in ~** сейчас сезон помидоров
seasonal [ˈsiːznl] *adj* сезонный
seasoned [ˈsiːznd] *adj* закаленный; выдержанный; **a ~ campaigner** опытный агитатор
seasoning [ˈsiːznɪŋ] *n* приправа
season ticket *n* сезонный (проездной) билет; *(театр., спорт.)* абонемент
seat [siːt] *n* сиденье; место; зад; резиденция; центр ✧ *vt* рассаживать, усаживать; вмещать; **are there any ~s left?** есть еще места?; **to take one's ~** садиться; **please be ~ed** пожалуйста, садитесь; **to be ~ed** сидеть; **this table ~s 10 people** за этим столом умещается 10 человек
seat belt *n* привязной ремень
seating arrangements *npl* распределение мест
seating capacity *n* сидячие места; **the hall has a ~~ of 100** зал рассчитан на 100 сидячих мест
sea urchin *n* морской еж
sea water *n* морская вода
seaweed [ˈsiːwiːd] *n* водоросли
seaworthy [ˈsiːwəːðɪ] *adj* мореходный
secant [ˈsiːk(ə)nt] *мат.* **1.** *n* секанс; секущая **2.** *a* секущий, пересекающий
secateurs [sekəˈtəːz] *npl* садовые ножницы; секатор
secede [sɪˈsiːd] *vi:* **to ~ (from)** отделяться (от)
secession [sɪˈseʃ(e)n] отпадение; раскол
secluded [sɪˈkluːdɪd] *adj* уединенный
seclusion [sɪˈkluːʒən] *n* уединение; **in ~** в уединении
second I [sɪˈkənd] *vt* командировать
second II [ˈsekənd] *adj* второй ✧ *adv* вторым; во-вторых ✧ *n* секунда; *(авт.: also:* **~ gear)** вторая скорость; *(комм.)* дефектное изделие; *(просвещ.)* диплом второго класса ✧ *vt* поддерживать; **Charles the S~** Карл Второй; **~floor** третий этаж; второй этаж; **just a ~!** секундочку!
secondary [ˈsekəndərɪ] *adj* вторичный
secondary education *n* среднее образование
secondary picketing *n* вторичное пикетирование
secondary school *n* средняя школа
second-best [sekəndˈbest] *n* не самое лучшее ✧ *adj* второй по качеству; второй (по успеваемости); **as a ~** за неимением лучшего
second-class [ˈsekəndˈklɑːs] *adj* второразрядный; второго класса ✧

S

adv вторым классом

second cousin *n* троюродный брат; троюродная сестра

seconder [ˈsekəndə] *n:* **he is the ~ of the proposal** он поддержал предложение

second-guess [ˈsekəndˈges] *vt* предсказывать

second hand *n* секундная стрелка

second-hand [ˈsekəndˈhænd] *adj* подержанный ✧ *adv* с рук; **to hear sth ~** узнавать что -н. из вторых рук

second in command *n* второй по званию; *(админ.)* второй по должности

secondly [ˈsekəndlɪ] *adv* во-вторых

secondment [sɪˈkəndmənt] *n* командировка

second-rate [ˈsekəndˈreɪt] *adj* посредственный; второразрядный

second thoughts *npl:* **to have ~~ (about doing)** начинать сомневаться (следует ли); **on ~~** *or* **thought** по зрелом размышлении

Second World War *n:* **the ~~~** Вторая мировая война

secrecy [ˈsiːkrəsɪ] секретность; **in ~** под секретом; умение сохранять тайну; конспирация; скрытность

secret [ˈsiːkrɪt] **1.** *n* секрет, тайна; **keep a ~** сохранять тайну; **open ~** секрет полишинеля **2.** *a* тайный, секретный; скрытный

secret agent *n* секретный *or* тайный агент

secretarial [sekrɪˈteərɪəl] *adj* секретарский; **~ course** курсы секретарей

secretariat [sekrɪˈteərɪət] *n* секретариат

secretary [ˈsekrətərɪ] *n* секретарь; **S~ of State (for)** министр; **S~ of State** Государственный секретарь

secretary-general [ˈsekrətərɪˈdʒenərl] *n* генеральный секретарь

secrete [sɪˈkriːt] *vt (био.)* выделять; прятать

secretion [sɪˈkriːʃən] *n* выделение, секреция

secretive [ˈsiːkrətɪv] *adj* скрытный; **he is ~ about his plans** он держит свои планы в секрете

secretly [ˈsiːkrɪtlɪ] *adv* секретно; тайно

secret police *n* секретная полиция

secret service *n* секретная служба

sect [sekt] *n* секта

sectarian [sekˈteərɪən] *adj* сектантский

section [ˈsekʃən] *n* часть; сектор; секция; сечение, разрез ✧ *vt* рассекать; **the business** *etc* **~** *(пресса)* раздел бизнеса

sectional [ˈsekʃənl] *adj:* **~ drawing** рисунок в разрезе, разрез

sector [ˈsektə] *n (воен.)* сектор

secular [ˈsekjulə] *adj* светский; мирской

secure [sɪˈkjuə] *adj* надежный; безопасный; прочный; уверенный ✧ *vt* (прочно) закреплять; обеспечивать; *(комм.)* обеспечивать; **to make sth ~** прочно *or* надежно закреплять что-н.; **to ~ sth for sb** обеспечивать для кого-н. что-н.

secured creditor [sɪˈkjuəd-] *n* кредитор, получивший обеспечение

securely [sɪˈkjuəlɪ] *adv* прочно; в надежном месте

security [sɪˈkjuərɪtɪ] *n* безопасность; обеспеченность; залог; **securities** *npl (комм.)* ценные бумаги; **to increase** *or* **tighten ~** повышать безопасность; **~ of tenure** гарантированное право

Security Council *n:* **the ~~** Совет Безопасности

security forces *npl* силы безопасности

security guard *n* охранник

security rick *n:* **it's a ~~** это представляет угрозу для безопасности страны

sedate [sɪˈdeɪt] *adj* степенный; размеренный ✧ *vt (мед.)* давать седативное успокоительное средство

sedation [sɪˈdeɪʃən] *n:* **to be under ~** находиться под воздействием седативных успокоительных средств

sedative [ˈsedətɪv] успокаивающий; *мед. тж.* болеутоляющий

S

sedentary [ˈsedntrɪ] *adj* сидячий
sediment [ˈsedɪmənt] *n* осадок
sedimentary [sedɪˈmentərɪ] *adj* осадочный
sedition [sɪˈdɪʃən] *n* антиправительственная пропаганда
seduce [sɪˈdjuːs] *vt* соблазнять
seduction [sɪˈdʌkʃən] *n* соблазн; обольщение
seductive [sɪˈdʌktɪv] *adj* обольстительный; соблазнительный
sedulous [ˈsedjuləs] усердный, прилежный
see [siː] *vt* видеть; понимать ✧ *vi* видеть; выяснять ✧ *n* епархия; **to ~ sb to the door** провожать кого-н. до двери; **to ~ that** следить, чтобы ; **there was nobody to be ~n** никого не было видно; **let me ~** дайте мне посмотреть; дайте мне подумать; **to go and ~ sb** навещать кого-н.; **~ for yourself** убедитесь сами; **I don't know what she saw in him** я не знаю, что она в нем нашла; **as far as I can ~** насколько я понимаю; **~ you!** пока!; **~ you soon!** до скорого!, пока!
see about *vt fus* заниматься
seed [siːd] *n* семя; **~s** семена; **he is the number 2 ~** *(спорт.)* в ранжировке спортсменов он второй; **to go to ~** пойти в семена; сдать
seedless [ˈsiːdlɪs] *adj* без косточек
seedling [ˈsiːdlɪŋ] *n* рассада
seedy [ˈsiːdɪ] наполненый семенами; обтрепанный, обносившийся *(об одежде); разг.* нездоровый
seeing [ˈsiːɪŋ] ввиду того, что; принимал во внимание, поскольку
seek [siːk] искать, разыскивать; **~ after** *(или* **for***)* **smth.** добиваться чего-л.
seek out *vt* разыскивать
seem [sɪːm] *vi* казаться; **there ~s to be...** кажется, что имеется ...; **it ~s (that)** кажется, (что) ; **what ~s to be the trouble?** что у Вас за проблема?
seemingly [ˈsiːmɪŋlɪ] *adv* по-видимому
seemly [ˈsiːmlɪ] *adj* подобающий; надлежащий
see off *vt* провожать
seep [siːp] *vt* просачиваться
seer [ˈsiːə] провидец, пророк
seersucker [ˈsɪəsʌkə] *n* марлевка
seesaw [ˈsɪːsɔː] *n* качели
seethe [siːð] кипеть, бурлить
see through *vt* доводить до конца ✧ *vt fus* видеть насквозь
see to *vt fus* заботиться о
segment [ˈsegmənt] *n* сегмент; сектор; долька
segregate [ˈsegrɪgeɪt] *vt* разделять
segregation [segrɪˈgeɪʃən] *n* сегрегация; *(просвещ.)* раздельное обучение
seine [seɪn] невод, сеть
seismic [ˈsaɪzmɪk] *adj* сейсмический
seize [sɪːz] *vt* хватать, захватывать; пользоваться; *(юрид.)* конфисковать
seize (up)on *vt fus* ухватываться за
seize up *vi (тех.)* глохнуть
seizure [ˈsɪːʒə] *n (мед.)* приступ; захват; конфискация
seldom [ˈseldəm] *adv* редко
select [sɪˈlekt] *adj* элитарный; избранный; отборный ✧ *vt* выбирать; *(спорт.)* отбирать; **a ~ few** немногие избранные
selection [sɪˈlekʃən] *n* отбор; *(комм.)* выбор; подборка
selection committee *n* отборочная комиссия
selective [sɪˈlektɪv] *adj* разборчивый; избирательный
selector [sɪˈlektə] *n* член отборочной комиссии, *(тех.)* селектор
self [self] *(pl selves)* сам; себя
self... [self] *prefix* само ..., себя ...
self-absorbed [ˈselfəbˈsɔːbd] эгоцентричный
self-addressed [ˈselfəˈdrest] *adj:* **~envelope** конверт, адресованный на собственное имя
self-adhesive [selfəˈhɪːzɪv] *adj* самоприклеивающийся
self-appointed [selfəˈpɔɪntɪd] *adj* самозваный
self-assertive [selfəˈsəːtɪv] *adj* умеренный
self-assurance [selfəˈʃuərəns] *n* самоуверенность

S

self-assured [selfə'ʃuəd] *adj* самоуверенный
self-catering [self'keɪtərɪŋ] *adj:* **~ holiday** *путевка, в которую включается проезд и жилье с самообслуживанием*
self-centred [self'sentəd] *adj* эгоцентричный
self-cleaning [self'kli:nɪŋ] *adj* самоочищающийся
self-collected ['selfkə'lektɪd] хладнокровный, невозмутимый
self-command ['selfkəmɑ:nd] самообладание
self-confessed [selfkən'fest] *adj* сознавшийся
self-confidence [self'kɔnʃɪdns] *n* уверенность в себе
self-confident [self'kɔnfɪdənt] *adj* уверенный в себе
self-conscious [self'kɔnʃəs] *adj* застенчивый
self-contained [selfkən'teɪnd] *adj* отдельный, изолированный; независимый
self-control [selfkən'trəul] *n* самообладание
self-defeating [selfdɪ'fi:tɪŋ] *adj* пагубный
self-defence [selfdɪ'fens] *n* самозащита, самооборона; **in ~** защищая себя
self-denial ['selfdɪ'naɪ(ə)l] самоотречение
self-determination ['selfdɪ,tə:mɪ'neɪʃ(ə)n] самоопределение
self-discipline [self'dɪsɪplɪn] *n* самодисциплина
self-educated ['self,edju:keɪtɪd] **a ~ man** самоучка
self-effacing ['selfɪ'feɪsɪŋ] скромный
self-employed [selfɪm'plɔɪd] *adj* работающий на себя
self-esteem [selfɪs'ti:m] *n* чувство собственного достоинства
self-evident [self'evɪdnt] *adj* самоочевидный
self-explanatory [selfɪks'plænətrɪ] *adj:* **this phrase is ~** эта фраза не требует разъяснений
self-financing [selffaɪ'nænsɪŋ] *n* самофинансирование
self-governing [self'gʌvənɪŋ] *adj* работающий по принципу самоуправления
self-help ['self'help] *n* самопомощь
self-importance [selfɪm'pɔ:tns] *n* самомнение
self-indulgent [selfɪn'dʌldʒənt] *adj:* **he is being ~** он потворствует своим слабостям
self-inflicted [selfɪn'flɪktɪd] *adj* нанесенный самому себе, причиненный самому себе
self-interest ['self'ɪntrɪst] эгоизм
selfish ['selfɪʃ] *adj* эгоистический; эгоистичный
selfishly ['selfɪʃlɪ] *adv* эгоистично
selfishness ['selfɪʃnɪs] *n* эгоистичность; эгоизм
selfless ['selflɪs] *adj* самоотверженный
selflessly ['selflɪslɪ] *adv* самоотверженно
selflessness ['selflɪsnɪs] *n* самоотверженность
self-made ['self'meɪd] обязанный всем самому себе
self-perpetuating [selfpə'petʃueɪtɪŋ] *adj* нескончаемый
self-pity [self'pɪtɪ] *n* жалость к (самому) себе
self-portrait [self'pɔ:treɪt] *n* автопортрет
self-possessed [selfpə'zest] *adj* хладнокровный
self-preservation ['selfprezə'veɪʃən] *n* самосохранение
self-raising [self'reɪzɪŋ] *adj:* **~ flour** мука с разрыхлителем
self-reliant [selfrɪ'laɪənt] *adj* самостоятельный
self-respect [selfrɪs'pekt] *n* самоуважение
self-respecting [selfrɪs'pektɪŋ] *adj* уважающий себя
self-righteous [self'raɪtʃəs] *adj* убежденный в своей правоте
self-rising [self'raɪzɪŋ] *adj* = **self-raising**
self-sacrifice [self'sækrɪfaɪs] *n* самопожертвование
selfsame ['selfseɪm] *adj* тот же самый
self-satisfied [self'sætɪsfaɪd] *adj* самодовольный
self-sealing [self'si:lɪŋ] *adj* самозаклеивающийся

S

self-seeking [ˈselfˈsi:kɪŋ] своекорыстный
self-service [ˈselfˈsə:vɪs] самообслуживание
self-starter [ˈselfˈstɑ:tə] автоматический завод *(у мотора);* самопуск
self-styled [ˈselfstaɪld] *adj* самозваный
self-sufficient [selfsəˈfɪʃənt] *adj* самостоятельный; **to be ~ in sth** полностью обеспечивать себя чем-н.
self-supporting [selfsəˈpɔ:tɪŋ] *adj* самоокупающийся
self-taught [selfˈtɔ:t] *adj:* **~ artist/pianist** художник-/пианист-самоучка
self-test [ˈselftest] *n (комп.)* самопроверка
self-willed [ˈselfwɪld] своевольный
sell [sel] *vt* продавать ✧ *vi* продаваться; **to ~ at** *or* **for 10 pounds** продаваться по 10 фунтов; **to ~ sb sth, ~ sth to sb** продавать что-н. кому-н.; **to ~ sb an idea** убеждать кого-н. в идее
sell-by date [ˈselbaɪ-] *n* срок годности
seller [ˈselə] *n* продавец(-вщица); **~'s market** "рынок продавцов" *(на котором условия диктуют продавцы)*
selling price [ˈselɪŋ-] *n* продажная цена
sell off *vt* распродавать
Sellotape [ˈseləuteɪp] *n* клейкая лента
sell out *vi* расходиться; **to ~ out of sth** распродавать что-н.; **the tickets are sold out** все билеты проданы
sellout [ˈselaut] *n* предательство; **the match was a ~** все билеты на матч были распроданы
sell up *vi* продавать все имущество
selvage, selvedge [ˈselvɪdʒ] кромка *(у ткани)*
selves [selvz] *pl om* **self**
semantics [sɪˈmæntɪks] *n* симантика
semaphore [ˈseməfɔ:] *n* семафор
semblance [ˈsemblns] *n* видимость
semen [ˈsi:mən] *n* сперма
semester [sɪˈmestə] *n* семестр
semi- [ˈsemɪ-] полу-, наполовину
semi-basement [ˈsemɪˈbeɪsmənt] полуподвал
semibreve [ˈsemibri:v] *n* целая нота
semicircle [ˈsemɪsə:kl] *n* полукруг
semicircular [ˈsemɪˈsə:kjulə] *adj* полукруглый
semicolon [semɪˈkəulən] *n* точка с запятой
semiconductor [semɪkənˈdʌktə] *n* полупроводник
semiconscious [semɪˈkɔnʃəs] *adj* полузабытый
semidetached [semɪdɪˈtætʃt-] *n (also:* **~ house)** дом, примыкающий к соседнему
semifinal [semɪˈfaɪnl] *n* полуфинал
seminar [ˈsemɪnɑ:] *n* семинар
seminary [ˈsemɪnərɪ] *n* семинария
semi precious [semɪˈpreʃəs] *adj:* **~ stone** полудрагоценный камень, самоцвет
semiquaver [ˈsemɪkweɪvə] *n* шестнадцатая нота
semiskilled [semɪˈskɪld] *adj* полуквалифицированный
semiskimmed [semɪˈskɪmd] *adj* полужирный, полуобезжиренный
semitone [ˈsemɪtəun] *n* полутон
semolina [seməˈli:nə] *n* манная крупа, манка
send [send] *vt* посылать, отправлять; **to ~ by post** *or* **mail** посылать *or* отправлять по почте; **to ~ sb for sth** посылать кого-н. за чем-н.; **to ~ word that ...** передавать, что ...; **she ~s (you) her love** она передает Вам привет; **to ~ sb to Coventry** объявлять кому-н. бойкот; **to ~ sb to sleep** нагонять на кого-н. сон; **to ~ sb into fits of laughter** смешить кого-н.; **to ~ sth flying** рассеивать что-н. в воздухе
send away *vt* отправлять, отсылать; прогонять
send away for *vt fus* заказывать
send back *vt* посылать обратно
sender [ˈsendə] *n* отправитель(ница)
send for *vt fus* заказывать; посылать за
send in *vt* представлять; подавать заявление о
sending-off [ˈsendɪŋɔf] *n* удаление с поля

S

send off *vt* отправлять; удалять
sendoff [ˈsendɔf] *n:* **a good send-off** хорошие проводы
send on *vt* пересылать; переправлять
send out *vt* рассылать; распространять; посылать
send round *vt* рассылать
send up *vt* поднимать; запускать; высмеивать
send-up [ˈsendʌp] *n* пародия
senile [ˈsi:naıl] *adj* маразматический
senility [sıˈnılıtı] *n* старческий маразм
senior [ˈsi:nıə] *adj* старший; главный; **to be ~ to sb** быть выше кого-н. по должности; **the ~s** *npl (просвещ.)* старшеклассники; старшекурсники; **she is 15 years his ~** она старше его на 15 лет; **P.Jones ~** П.Джоунз старший
senior citizen *n* пожилой человек, человек пенсионного возраста
senior high school *n* старшие курсы колледжа
seniority [si:nıˈɔrıtı] *n* старшинство
sensation [senˈseıʃən] *n* чувствительность; ощущение; сенсация; **to cause a ~** вызывать сенсацию
sensational [senˈseıʃənl] *adj* потрясающий; сенсационный
sensationalize [senˈseıʃnəlaız] *vt* делать сенсацию из
sense [sens] *vt* чувствовать, ощущать ✧ *n* чувство, ощущение; смысл; *(also:* **good ~): it makes ~** в этом есть смысл; **~s** *npl* рассудок; **the ~s** пять чувств; **there is no ~ in that/in going that** нет смысла в этом/делать это; **to come to one's ~ s** образумиться; **to take leave of one's ~s** терять рассудок
senseless [ˈsenslıs] *adj* бессмысленный; без чувств
sense of humour *n* чувство юмора
sensibility [sensıˈbılıtı] *n* чувствительность
sensible [ˈsensıbl] *adj* разумный; практичный
sensitive [ˈsensıtıv] *adj* чувствительный; чуткий; щекотливый; **~ to** чувствительный к; **he is very ~ about it** он относится к этому очень болезненно
sensitivity [sensıˈtıvıtı] *n* чувствительность; чуткость; щекотливость
sensual [ˈsensjuəl] *adj* чувственный
sensuous [ˈsensjuəs] *adj* чувственный; нежный
sent [sent] *pt, pp of* **send**
sentence [ˈsentns] *n (лингв.)* предложение; *(юрид.)* приговор ✧ *vt:* **to ~ sb to death/to five years in prison** приговаривать кого-н. к смерти/к пяти годам тюремного заключения; **to pass ~ on sb** выносить кому-н. приговор
sententious [senˈtenʃəs] нравоучительный
sentiment [ˈsentımənt] *n* чувство; мнение, настроение
sentimental [sentıˈmentl] *adj* сентиментальный
sentimentality [ˈsentımenˈtælıtı] *n* сентиментальность
sentinel [ˈsentınl] часовой; *поэт.* страж
sentry [ˈsentrı] *n* часовой, караульный
sentry duty *n:* **to be on ~~** нести караульную службу
separable [ˈseprəbl] *adj:* **~ (from)** отделимый (от)
separate [ˈseprıt] *adj* отдельный; разный ✧ *vt* разлучать; разделять; различать ✧ *vi* расходиться; **~ from** отдельно от; **to ~ into** разделять на
separately [ˈseprıtlı] *adv* отдельно
separation [sepəˈreıʃən] *n* разлука; *(юрид.)* раздельное проживание
September [sepˈtembə] *n* сентябрь; *see also* **July**
septennial [sepˈtenjəl] семилетний
septic [ˈseptık] *adj* зараженный; **to go ~** заражаться
septicaemia [septıˈsi:mıə] *n* сепсис, септицемия
septic tank *n* выгребная яма
sepulchral [ˈsep(ə)lkr(ə)l] могильный; *перен.* замогильный *(о голосе и т.п.)*
sequel [ˈsi:kw(ə)l] следствие, последствие; результат; продолжение
sequence [ˈsi:kwəns] *n* последовательность; комбинация; *(кино)* эпи-

S

зод; **in the correct ~** в правильной последовательности; **~ of tenses** согласование времен
sequential [sɪˊ:kwenʃəl] *adj* последовательный; **~ access** *(комп.)* последовательный доступ
sequester [sɪˊkwestə] *юр.* секвестровать; конфисковать
sequestrate [sɪˊkwestreɪt] *vt* конфисковать
sequin [ˊsi:kwɪn] *n* блестка
serenade [serəˊneɪd] *n* серенада ✧ *vt* петь серенаду
serene [sɪˊri:n] *adj* безмятежный
serenity [səˊrenɪtɪ] *n* безмятежность
sergeant [ˊsɑ:dʒənt] *n* сержант
sergeant major *n* старший сержант
serial [ˊsɪərɪəl] *n (тел., радио)* сериал; *роман, печатающийся в нескольких частях* ✧ *adj (комп.)* последовательный; **~ printer** посимвольно печатающее устройство
serialize [ˊsɪərɪəlaɪz] *vt* тиражировать частями; *(тел., радио)* ставить сериал по
serial killer *n* маньяк *(совершивший многочисленные убийства)*
serial number *n* серийный номер
series [ˊsɪəri:z] серия, ряд; *эл.* последовательное соединение
serious [ˊsɪərɪəs] *adj* серьезный; **are you ~ (about it)?** Вы (это) серьезно?
seriously [ˊsɪərɪəslɪ] *adj* серьезно; **to take sb/sth ~** принимать кого-н./что-н. серьезно
seriousness [ˊsɪərɪəsnɪs] *n* серьезность
sermon [ˊsə:mən] проповедь, поучение
serpent [ˊsə:p(ə)nt] змея; **~ine** [-aɪn] **1.** *a* змеевидный, извивающийся **2.** *n мин.* серпентин **3.** *v* извиваться
serrated [sɪˊreɪtɪd] *adj* зазубренный
serum [ˊsɪərəm] *n* сыворотка
servant [ˊsə:vənt] *n* слуга; служанка
serve [sə:v] *vt* служить; обслуживать; подавать; проходить; отбывать ✧ *vi* прислуживать; подавать; служить ✧ *n* подача; **are you being ~d?** Вас уже обслуживают?; **it ~s my purpose** это мне подходит; **it ~s him right** поделом ему; **to ~ on a committee / jury** состоять в комитете/жюри; **to ~ as/for** служить/вместо
serve out *vt* раскладывать
serve up *vt* = **serve out**
service [ˊsə:vɪs] *n* слуга; обслуживание, сервис; *(рел.)* служба; *(авт.)* техобслуживание; подача; сервиз ✧ *vt* проводить техобслуживание; **the S~s** *npl* Вооруженные силы; **military** *or* **national ~** военная служба; **train ~** железнодорожное сообщение; **postal ~** почтовая связь; **how can I be of ~ (to you)?** чем могу быть полезен?; **to do sb a ~** оказывать комун.услугу; **to put one's car in for ~** машину на техобслуживание
serviceable [ˊsə:vɪsəbl] *adj* прочный
service area *n* сервисная станция
service charge *n* наценка
service industry *n* сфера услуг
serviceman [ˊsə:vɪsmən] *irreg n* военнослужащий
service station *n (авт.)* станция
serviette [sə:vɪet] *n* салфетка
servile [ˊsə:vaɪl] *adj* подобострастный
session [ˊseʃən] *n* сессия; *(просвещ.)* учебный год; **recording ~** запись; **drinking ~** запой; **to be in ~** заседать
set [set] *n* набор; комплект; многотомник; *(also:***radio ~) радиоприемник;** *(also:* **television ~) телевизор; сет; круг, общество;** *(мат.)* множество; *(кино, театр)* сцена; (художественное) оформление; укладка; ✧ *adj* установленный; готовый ✧ *vt* ставить; класть; накрывать; назначать; устанавливать; составлять; *(типог.)* набирать ✧ *vi* садиться, заходить; густеть; застывать; вправлять; **a ~ of false teeth** вставные зубы; **a ~ of dining-room furniture** столовый гарнитур; **a chess ~** шахматы; **to be ~ on doing** настраиваться; **to be all ~ to do** собираться; **to be (dead) ~ against** быть (категорически) против; **he's ~ in his ways** у него

устоявшиеся привычки; **the novel is ~ in Rome** действие романа происходит в Риме; **a ~ phrase** устойчивое словосочетание; **to ~ to music** класть на музыку; **to ~ on fire** поджигать; **to ~ free** освобождать; **to ~ sth going** приводить что-н. в действие; **to ~ sail** отплывать
set about *vt fus* приступать к; **to ~ about doing** приниматься
set aside *vt* откладываться; выделять
set back *vt* задерживать; **to ~ sb back $5** обходиться кому-н. в $5; **to ~ sb back (by)** задерживать кого-н. (на); **the house is ~ back from the road** дом находится в стороне от дороги
setback [ˊsetbæk] *n* неудача; ухудшение
set in *vi* внедряться; устанавливаться; начинаться; **the rain has ~ in for the day** дождь зарядил на весь день
set menu *n* комплексное меню
set off *vi* отправляться ✧ *vt* взрывать; приводить в действие; вызывать; подчеркивать
set out *vt* расставлять; излагать ✧ *vi:* **to ~ out (from)** отправляться (из); **to ~ out to do** намереваться
set square *n* угольник
settee [seˊtiː] *n* диван
setting [ˊsetɪŋ] *n* обстановка; положение; закат, заход; оправа
setting lotion *n* лосьон для укладки волос
settle [ˊsetl] *vt* разрешать; улаживать; рассчитываться с; заселять ✧ *vi (also:* **~ down)** обновляться; остепениться; садиться; оседать; успокаиваться; **to ~ one's stomach** успокаивать желудок; **to ~ down to sth** усаживаться за что-н.; **to ~ for sth** соглашаться на что-н.; **to ~ on sth** останавливаться на чем-н.
settle in *vi* осваиваться
settlement [ˊsetlmənt] *n* уплата; соглашение; поселение; урегулирование; **in ~ of our account** *(комм.)* для оплаты нашего счета
settler [ˊsetlə] *n* поселенец
settle up *vi:* **to ~ up with sb** рассчитываться с кем-н.
set up *vt* учреждать; устанавливать; **to ~ up shop** открывать свое дело
setup [ˊsetʌp] *n* устройство; положение дел
seven [ˊsevn] *n* семь; *see also* **five**
seventeen [sevnˊtiːn] *n* семнадцать; *see also* **five**
seventeenth [sevnˊtiːnθ] *adj* семнадцатый; *see also* **fifth**
seventh [ˊsevnθ] *adj* седьмой; *see also* **fifth**
seventieth [ˊsevntɪɪθ] *adj* семидесятый; *see also* **fifth**
seventy [ˊsevntɪ] *n* семьдесят; *see also* **fifty**
sever [ˊsevə] *vt* перерезать; прерывать; обрывать
several [ˊsevərl] *adj* только ✧ *pron* некоторые; **~ of us** некоторые из нас; **~ times** несколько раз
severance [ˊsevərəns] *n* разрыв
severance pay *n* выходное пособие *(при сокращении штатов)*
severe [sɪˊvɪə] *adj* жестокий; серьезный; жесткий; строгий
severely [sɪˊvɪəlɪ] *adv* жестоко; жестко; серьезно; тяжело
severity [sɪˊverɪtɪ] *n* жестокость; серьезность; тяжесть
sew [səu] *vti* шить
sewage [ˊsuːɪdʒ] *n* сточные воды; **~ system** канализация
sewage works *n* канализационные очистительные сооружения
sewer [ˊsuːə] *n* канализационная труба
sewerage [ˊsjuərɪdʒ] канализация
sewing [ˊsəuɪŋ] *n* шитье
sewing machine *n* швейная машина
sewn [səun] *pp of* **sew**
sew up *vt* зашивать; **it is all ~n up** дело на мази
sex [seks] *n* пол; секс; **both ~es** оба пола; **to have ~ with sb** переспать с кем-н.
sex act *n* сексуальный акт
sex appeal *n* сексопильность; сексуальная привлекательность; **he's got a lot of ~~** он очень сексопильный

S

sex education *n* сексуальное воспитание
sex life *n* половая *or* сексуальная жизнь
sex object *n* сексуальный объект
sextet [sekstet] *n* секстет
sexual assault *n* нападение с сексуальным мотивом
sexual intercourse *n* половой акт
sexually [ˈseksjuəlɪ] *adv* сексуально; в зависимости от пола; по половому признаку; половым путем
sexual orientation *n* сексуальная ориентация
sexy [ˈseksɪ] *adj* сексуальный
Seychelles [seɪˈʃelz] *npl:* **the ~** Сейшельские острова
shabbiness [ˈʃæbɪnɪs] *n* запущенность
shabby [ˈʃæbɪ] *adj* обтрепанный; потрепанный; недостойный; ветхий
shack [ʃæk] *n* лачуга
shackles [ˈʃæklz] *npl* оковы
shack up *vt:* **to ~ up (with sb)** начать сожительствовать (с)
shade [ʃeɪd] *n* тень; абажур, оттенок; *(also:* **window ~**) штора ✧ *vt* затенять; заслонять; **~s** *npl* темные очки; **in the ~** в тени; **a ~ (more/too large)** чуточку (больше/великоват)
shadow [ˈʃædəu] *n* тень ✧ *vt* ходить как тень за; **without** *or* **beyond a ~ of a doubt** без тени сомнения
shadow cabinet *n (полит.)* теневой кабинет
shadowy [ˈʃædəuɪ] *adj* тенистый; смутный
shady [ˈʃeɪdɪ] *adj* тенистый; темный
shaft [ʃɑːft] *n* древко, *(авт., тех.)* вал, шахта, сноп; **ventilation ~** вентиляционная труба
shag [ʃæg] *vt* трахать ✧ *vi* трахаться ✧ *n (also:* **~ tobacco)** махорка; *(зоол.)* длиннохвостый баклан; **to have a ~** трахнуться
shaggy [ˈʃægɪ] *adj* лохматый
shake [ʃeɪk] *vt* трясти; взбалтывать, сотрясать; пошатнуть; потрясать ✧ *vi* дрожать ✧ *n* дрожание; **to ~ one's head** качать головой; **to ~ hands with sb** жать кому-н. руку; **to ~ with** трястись от; **give the bottle a good ~** хорошо взболтайте бутылку
shaken [ˈʃeɪkn] *pp of* **shake**
shake off *vt* стряхивать; избавлять от
shake-out [ˈʃeɪkaut] *n* перетряска
shake up *vt* взбалтывать; встряхивать
shake-up [ˈʃeɪkʌp] *n* встряска
shakily [ˈʃeɪkɪlɪ] *adv* с дрожью в голосе; шатаясь; дрожащей рукой
shaky [ˈʃeɪkɪ] *adj* дрожащий; шаткий; непрочный; неопределенный; неуверенный; **his voice was ~** голос его дрожал
shale [ʃeɪl] *n* сланец
shall [ʃæl] *aux vb:* **I ~ go** я пойду; **~ I open the door?** (мне) открыть дверь?; **I'll get some, ~ I?** я принесу немного, да?
shallot [ʃəˈlɔt] *n* лук-шалот
shallow [ˈʃæləu] *adj* мелкий; неглубокий; поверхностный
sham [ʃæm] *n* притворство; подделка ✧ *vt* притворяться
shambles [ˈʃæmblz] *n* неразбериха; **the economy is (in) a complete ~** в экономике царит полная неразбериха
shambolic [ʃæmˈbɔlɪk] *adj* хаотичный
shame [ʃeɪm] *n* стыд, позор ✧ *vt* позорить; **it is a ~ that/to do** жаль, что; **what a ~!** какая жалость!, как жаль!; **to put sb to ~** заставлять кого-н. устыдиться; **your work puts mine to ~** моя работа бледнеет в сравнении с Вашей
shamefaced [ˈʃeɪmfeɪst] *adj* устыженный
shameful [ˈʃeɪmful] *adj* позорный
shameless [ˈʃeɪmlɪs] *adj* бесстыдный
shammy [ˈʃæmɪ] замша
shampoo [ʃæmˈpuː] *n* шампунь ✧ *vt* мыть шампунем
shampoo and set *n* укладка волос
shamrock [ˈʃæmrɔk] *n* трилистник; кислица
shan't [ʃɑːnt] = **shall not**
shank [ʃæŋk] голень
shanty town [ˈʃæntɪ-] *n* трущобы
shape [ʃeɪp] *n* форма ✧ *vt* формировать; лепить; оформлять; **to**

S

take ~ обретать форму; **in the ~ of a heart** в форме сердечка; **I can't bear gardening in any ~ or form** я не выношу садоводства ни в какой форме; **to get o.s. into ~** приводить себя, входить в форму

-shaped [ʃeipt] *suffix:* **heart ~** сердцевидный

shapeless [ˈʃeɪplɪs] *adj* бесформенный

shapely [ˈʃeɪplɪ] *adj* хорошо сложенный; красивый

shape up *vi* складываться; формироваться

share I [ʃeə] лемех, сошник *(плуга)*

share II [ˈʃeə] **1.** *n* часть, доля; пай; акция **2.** *v* делить, разделять; **they ~d the secret** они были посвящены в эту тайну; делиться; владеть совместно; иметь долю *(с чем-л.);* участвовать

share [ʃeə] *n* доля; *(комм.)* акция ✧ *vt* делить; **to ~ in** делиться; участвовать в

share capital *n* акционерный капитал

share certificate *n* сертификат акции

shareholder [ˈʃeəhəuldə] *n* акционер

share index *n (комм.)* фондовый индекс

share issue *n (комм.)* выпуск акции

share out *vt* делить

shareware [ˈʃeəweə] *n* программное обеспечение общего пользования

shark [ʃa:k] *n* акула

sharp [ʃa:p] *adj* резкий; острый; крутой; *(муз.)* диез; ловкий ✧ *n (муз.)* диез ✧ *adv:* **at 2 o'clock ~** ровно в 2 часа; **he is very ~** у него очень острый ум; **he was rather ~ with her** он был довольно резок с ней; **look ~!** поторопитесь!; **S~** *(муз.)* до-диез

sharpen [ˈʃa:pn] *vt* заострять; точить; усиливать

sharpener [ˈʃa:pnə] *n (also:* **pencil ~***)* точилка; *(also:* **knife ~***)* точило

sharper [ˈʃa:pə] шелер

sharp-eyed [ʃa:pˈaɪd] *adj* зоркий

sharpish [ˈʃa:pɪʃ] *adj* быстренько

sharply [ˈʃa:plɪ] *adv* резко

sharpshooter [ˈʃa:p,ʃu:tə] снайпер

sharp-tempered [ʃa:pˈtempəd] *adj* вспыльчивый

sharp-witted [ʃa:pˈwɪtɪd] *adj* сообразительный

shatter [ˈʃætə] *vt* разбивать; надрывать; потрясать ✧ *vi* биться

shattered [ˈʃætəd] *adj* потрясенный; разбитый

shattering [ˈʃætərɪŋ] *adj* тяжкий; утомленный

shatterproof [ˈʃætəpru:f] *adj* небьющийся

shave [ʃeɪv] *vt* брить ✧ *vi* бриться ✧ *n:* **to have a ~** бриться

shaven [ˈʃeɪvn] *adj* бритый

shaver [ˈʃeɪvə] *n (also:* **electric ~***)* (электрическая) бритва

shaver point *n* розетка для бритвы

shaving [ˈʃeɪvɪŋ] *n* бритье; **~s** *npl* стружки

shaving brush *n* кисточка для бритья, помазок

shaving cream *n* крем для бритья

shaving foam *n* крем для бритья

shavings [ˈʃeɪvɪŋz] *pl* стружки

shaving soap *n* крем для бритья

shawl [ʃɔ:l] *n* шаль

she [ʃi:] *pron* она

she's [ʃi:z] = **she is, she has**

sheaf [ʃi:f] *n* сноп; стопка

shear [ʃɪə] *vt* стричь

shear off *vi* надламываться

shears [ˈʃɪəz] *npl* садовые ножницы

sheath [ʃi:θ] *n* ножны; презерватив

sheathe [ʃi:ð] *vt* вкладывать в ножны

sheath knife *n* финка

sheaves [ʃi:vz] *npl of* **sheaf**

shed I [ʃed] ронять; терять *(волосы, зубы и т.п.);* проливать *(кровь, слезы);* излучать *(свет, тепло)*

shed II навес; сарай

sheen [ʃi:n] сияние; блеск

sheep [ʃi:p] *n* овца; баран

sheepdog [ˈʃi:pdɔg] *n* овчарка

sheep farmer *n* овцевод

sheepish [ˈʃi:pɪʃ] *adj* робкий

sheepskin [ˈʃi:pskɪn] *n* овчина ✧ *cpd* овчинный; **~ coat** дубленый полушубок; дубленая шуба, дубленка *(разг.)*

sheer I [ʃɪə] **1.** *a* явный; тонкий *(о тканях);* отвестный, крутой **2.**

S

adv отвесно **3.** *n pl* тонкие чулки "паутинка"
sheer II отклоняться от курса
sheet [ʃiːt] *n* простыня; лист; полоса
sheet lightning *n* зарница
sheet metal *n* листовой металл
sheet music *n* ноты
sheik(h) [ʃeɪk] *n* шейх
shelf [ʃelf] *n* полка
shelf life *n* срок годности
shell [ʃel] *n* раковина; скорлупа; снаряд; каркас; корпус ✧ *vt* лущить; *(воен.)* обстреливать
shellfish [ˈʃelfiʃ] *n inv* рачки; моллюски
shell out *vt:* **to ~ out (for)** выкладывать (на)
shellsuit [ˈʃelsuːt] *n* спортивный костюм *(капроновый на подкладке)*
shelter [ˈʃeltə] *n* приют; укрытие; *(also:* **air-raid ~)** бомбоубежище ✧ *vt* укрывать; давать приют ✧ *vi* укрываться; **to take ~ (from)** приютиться (от)
sheltered [ˈʃeltəd] *adj* беззаботный; защищенный
shelve I [ʃelv] ставить на полку; *перен.* откладывать, класть в долгий ящик
shelve II отлого спускаться
shelves [ʃelvz] *npl of* **shelf**
shelving [ˈʃelvɪŋ] *n* стеллаж
shepherd ˊ [ʃepəd] *n* пастух ✧ *vt* направлять
shepherd's pie *n* запеканка из мяса и картофеля
shepherdess [ˈʃepədɪs] *n* пастушка
sherbet [ˈʃəːbət] *n* щербет; фруктовое мороженое
sheriff [ˈʃerɪf] *n* шериф
sherry [ˈʃerɪ] *n* херес
shield [ʃiːld] *n (воен.)* щит; трофей ✧ *vt:* **to ~ (from)** заслонять (от)
shift [ʃɪft] *n* перемена; сдвиг; смена ✧ *vt* передвигать; перемещать; выводить ✧ *vi* перемещаться; **a ~ in demand** изменение в спросе; **the wind has ~ed to south** ветер переменился к югу
shiftless [ˈʃɪftlɪs] *adj* бездейственный
shiftwork [ˈʃɪftwəːk] *n* сменная работа; **to do ~** работать посменно
shifty [ˈʃɪftɪ] *adj* увертливый; бегающий
Shiite [ˈʃiːaɪt] *n* шиит ✧ *adj* шиитский
shilling [ˈʃɪlɪŋ] *n* шиллинг
shillyshally [ˈʃɪlɪʃælɪ] *vi* тянуть
shimmer [ˈʃɪmə] *vi* мерцать
shimmering [ˈʃɪmərɪŋ] *adj* мерцающий; переливающийся
shin [ʃɪn] *n* голень ✧ *vi:* **to ~ up a tree** влезать на дерево; **to ~ down a tree** слезать с дерева
shindig [ˈʃɪndɪg] *n* сабантуй
shine [ʃaɪn] *n* блеск ✧ *vi* светить; блестеть; сиять; светиться ✧ *vt* натирать; **to ~ a torch on sth** светить фонарем на что-н.
shingle I [ˈʃɪŋgl] *стр.* дранка
shingle II стричь
shingle III галька
shingles [ˈʃɪŋglz] *n* опоясывающий лишай
shining [ʃaɪnɪŋ] *adj* блестящий
shiny [ˈʃaɪnɪ] *adj* блестящий
ship [ʃɪp] *n* корабль ✧ *vt* перевозить по морю; экспедировать; забирать; **on board ~** на борту корабля
ship's manifest *n* декларация судового груза
shipbuilder [ˈʃɪpbɪldə] *n* кораблестроитель; судостроитель
shipbuilding [ˈʃɪpbɪldɪŋ] *n* кораблестроение, судостроение
ship canal *n* судоходный канал
ship chandler [-ˈʃɑːndlə] *n* поставщик корабельного оборудования
shipment [ˈʃɪpmənt] *n* партия
shipowner [ˈʃɪpənə] *n* судовладелец
shipper [ˈʃɪpə] *n* отправитель
shipping [ˈʃɪpɪŋ] *n* перевозка; судоходство
shipping agent *n* экспедитор
shipping company *n* судоходная компания
shipping lane *n* морская трасса
shipshape [ˈʃɪpʃeɪp] *predic.* в полном порядке
shipwreck [ˈʃɪprek] *n* кораблекрушение; потерпевшее крушение судно ✧ *vt:* **to be ~ed** терпеть кораблекрушение
shipyard [ˈʃɪpjɑːd] *n* (судостроительная) верфь

S

shire [ˈʃaɪə] *n* графство
shirk [ʃə:k] *vt* увиливать от
shirt [ʃə:t] *n* рубашка; блузка; **in (one's) ~ gleeves** в одной рубашке
shirty [ˈʃə:tɪ] *разг.* раздражительный
shit [ʃɪt] *excl* черт
shiver I [ˈʃɪvə] **1.** *n* дрожь, трепет, содрогание; **it gives me the ~s** это вызывает у меня дрожь **2.** *v* дрожать, трястись
shiver II 1. *n (pl)* осколки; обломки **2.** *v* разбивать вдребезги
shivery [ˈʃɪvərɪ] дрожащий, трепещущий
shoal I [ʃoul] **1.** *n* косяк, стая *(рыб.)* ✧ **~s of people** масса людей **2.** *v* собираться стаями *(о рыбах)*
shoal II 1. *n* мель; *pl перен. книжн.* скрытые опасности или трудности **2.** *a:* **~ water** мелководье **3.** *v* мелеть
shock I [ʃɔk] **1.** *n с.-х.* копна **2.** *v* ставить в копны
shock II [ˈʃɔk] **1.** *n* удар; толчок; потрясение; *мед.* шок **2.** *v* потрясать; шокировать; возмущать; **~ing 1.** *a* потрясающий, скандальный, ужасный **2.** *adv разг.* очень
shock absorber *n* амортизатор
shocking [ˈʃɔkɪŋ] *adj* возмутительный; кошмарный
shockproof [ˈʃɔkpru:f] *adj* противоударный
shock therapy *n* шокотерапия
shock wave *n* ударная волна; чувство потрясения
shoddy [ˈʃɔdɪ] *adj* дрянной; кустарный
shoe [ʃu:] *n* туфля; подкова; *(авт.: also:* **brake ~)** колодка ✧ *vt* подковывать ; **~s** обувь
shoebrush [ˈʃu:brʌʃ] *n* обувная щетка
shoehorn [ˈʃu:hɔ:n] *n* рожок *(для обуви)*
shoelace [ˈʃu:leɪs] *n* шнурок
shoemaker [ˈʃu:meɪkə] *n* сапожник
shoe polish *n* гуталин
shoe shop *n* обувной магазин
shoestring [ˈʃu:strɪŋ] *n:* **one a ~** на гроши
shoetree [ˈʃu:tri:] *n* распорка для обуви
shoo [ʃu:] *excl* вон; брысь ✧ *vt (also:* **~ away, ~ off)** отгонять
shoot [ʃu:t] *n (бот.)* росток, побег; *(спорт.)* охота; *(кино)* съемка ✧ *vt* стрелять из; застреливать; стрелять; выстрелить в; расстреливать; снимать ✧ *vi:* **to ~ (at)** стрелять (в); бить (по); **to ~ past** проноситься; **he shot trought the door** он влетел в дверь
shoot down *vt* сбивать
shoot in *vi* стремглав вбегать
shooting [ˈʃu:tɪŋ] *n* стрельба; убийство; *(кино)* съемки; охота
shooting-gallery [ˈʃu:tɪŋˈgælərɪ] крытый тир
shooting-range [ˈʃu:tɪŋreɪndʒ] тир
shooting star *n* падающая звезда
shoot out *vi* стремглав выбегать
shoot up *vi* подскакивать; вытягиваться
shop [ʃɔp] *n* магазин ✧ *vi (also:* **go ~ping)** ходить по магазинам; делать покупки; **repair ~** (ремонтная) мастерская; **to talk ~** говорить *or* разговаривать о работе
shop around *vi* прицениваться
shop assistant *n* продавец
shop floor *n* цех
shopkeeper [ˈʃɔpki:pə] *n* владелец магазина
shoplifter [ˈʃɔplɪftə] *n* вор(овка) *(крадущий в магазинах)*
shoplifting [ˈʃɔplɪftɪŋ] *n* кража товаров *(из магазинов)*
shopper [ˈʃɔpə] *n* покупатель
shopping [ˈʃɔpɪŋ] *n* покупки
shopping bag *n* хозяйственная сумка
shopping centre *n* торговый центр
shopping mall *n* торговый центр
shop window *n* витрина
shore I [ʃɔ:] берег
shore II *past* **shear I**
shore III 1. *n* подпорка **2.** *v:* **~ up** подпирать
shore leave *n (мор.)* увольнение на берег
shoreward [ˈʃɔ:wəd] по направлению к берегу
shorn [ʃɔ:n] *pp of* **shear** ✧ *adj:* **~ of** лишенный

S

short [ʃɔ:t] *adj* короткий; невысокий; резкий; скудный ✧ *n (also:* ~ **film)** короткометражный фильм; **we are ~ of milk** у нас мало молока; **I'm ten pence ~** мне не хватает десяти пенсов; **in ~** короче говоря; **water is in ~ supply** этот район испытывает нехватку воды; **it is ~ for** это сокращение от; **a ~ time ago** недавно; **in the ~ term** в настоящее время; **to cut ~** сокращать; **everything ~ of...** все, кроме ...; **~ of doing** остается только; **to fall ~ of** не выполнять; **we're running ~ of time** у нас заканчивается время; **to stop ~** застывать на месте; **to stop ~ of doing** не осмеливаться; *see also* **shorts**

short(crust) pastry [ˈʃɔ:tk(rʌst)-] *n* песочное тесто

shortage [ˈʃɔ:tɪdʒ] *n:* **a ~ of** нехватка, дефицит

shortbread [ˈʃɔ:tbred] *n* песочное печенье

short-change [ʃɔ:tˈtʃeɪndʒ] *vt:* **to ~ sb** обсчитывать кого-н.

short circuit *n* короткое замыкание

shortcoming [ˈʃɔ:tkʌmɪŋ] *n* недостаток

short cut *n* короткий путь; экономный путь

shorten [ˈʃɔ:tn] *vt* укорачивать; сокращать

shortening [ˈʃɔ:tnɪŋ] *n (кулин.)* жир

shortfall [ˈʃɔ:tfɔ:l] *n* недостаток

shorthand [ˈʃɔ:thænd] *n* стенография; сокращение; **to take sth down in ~** стенографировать что-н.

shorthand notebook *n* стенографическая тетрадь

shorthand typist *n* стенографист(ка)

short-lived [ˈʃɔ:tˈlɪved] *adj* кратковременный, недолгий

shortly [ˈʃɔ:tlɪ] *adv* вскоре

shorts [ʃɔ:ts] *npl:* **(a pair of) ~** шорты

short-sighted [ʃɔ:tˈsaɪtɪd] *adj* близорукий

short-sightedness [ʃɔ:tˈsaɪtɪdnɪs] *n* близорукость

short story *n* рассказ

short-tempered [ʃɔ:tˈtempəd] *adj* вспыльчивый

short-term [ˈʃɔ:ttə:m] *adj* кратковременный; краткосрочный

short wave *n (радио)* короткие волны ✧ *adj (радио):* **~ ~** коротковолновый

shot [ʃɔt] *pt, pp of* **shoot** ✧ *n* выстрел; дробь; удар; укол; *(фото)* снимок ; **to fire a ~ at sb/sth** выстрелить в кого-н./что-н.; **to have a ~ at sth** попытать удачи в чем-н.; **to have a ~ at doing** пробовать; **to get ~ of sb/sth** распроститься с кем-н./чем-н.; **a big ~** большая шишка; **a good/poor ~** меткий/плохой стрелок; **like a ~** мигом

shotgun [ˈʃɔ:tgʌn] *n* дробовик

should [ʃud] *aux vb:* **I ~ go now** я должен идти теперь; **he ~ be there now** сейчас он должен быть там; **I ~ go if I were you** на Вашем месте я бы пошел; **I ~ like to** я бы хотел; **~ he phone...** если он позвонит ...

shoulder [ˈʃeuldə] *n (анат.)* плечо ✧ *vt* принимать на себя; **to look over one's ~** смотреть через плечо; **to rub ~'s with sb** вращаться с кем-н. в одних кругах; **to give sb the cold ~** обходиться с кем-н. прохладно

shoulder bag *n* сумка на длинном ремне

shoulder blade *n* лопатка

shoulder strap *n* бретелька; лямка; ремень

shout [ʃaut] *n* крик ✧ *vt* выкрикивать ✧ *vi (also:* ~ **out)** кричать; **to give sb a ~** крикнуть кому-н.

shout down *vt* заглушать криками

shouting [ˈʃautɪŋ] *n* крик

shouting match *n* крик, скандал

shove [ʃʌv] *vt* толкать; **to ~ sth in** заталкивать что-н., запихивать что-н. ✧ *n:* **to give sb/sth a ~** пихать кого-н./что-н.; **he ~ d me out of the way** он отпихнул меня

shovel [ˈʃʌvl] *n* лопатка; ковш ✧ *vt* грести *(лопатой)*

shove off *vi* отваливать

show [ʃəu] *n* показ; подобие; выставка; *(театр.)* спектакль; *(тел.)* программа; шоу; *(кино)* сеанс ✧ *vt* показывать; проявлять ✧ *vi* проявляться; обнаруживать;

(also: ~ **up)** являться; **to ~ sb to his seat** проводить кого-н. на место; **to ~ sb to the door** указывать кому-н. на дверь; **to ~ a profit/loss** *(комм.)* демонстрировать прибыль/убытки; **it just goes to ~ that...** это просто показывает, что ...; **to ask for a ~ of hands** просить поднять руки *(при голосовании);* **for** ~ на виду; **on** ~ на выставке; **who's running the ~ here?** кто здесь заправляет?

show business *n* шоу бизнес

showcase [ˈʃəukeɪs] *n* витрина; показательный пример

showdown [ˈʃəudaun] *n:* **to have a ~ (with)** раскрывать карты

shower [ˈʃauə] *n (also:* **~ bath)** душ; ливень; град; званый вечер ✧ *vi* принимать душ ✧ *vt:* **to ~ sb with** осыпать кого-н.; забрасывать; **to have** *or* **take a ~** принимать душ

showercap [ˈʃauəkæp] *n* шапочка *(для душа)*

showerproof [ˈʃauəpru:f] *adj* непромокаемый

showery [ˈʃauərɪ] *adj* дождливый

showground [ˈʃəugraund] *n* выставка *(на открытом воздухе)*

show in *vt* проводить

showing [ˈʃəuɪŋ] *n* показ

show jumping *n* контур

showman [ˈʃəumən] *irreg n* ведущий; конферансье; хозяин цирка; позер

showmanship [ˈʃəumənʃɪp] *n* талант

show off *vi* хвастаться ✧ *vt* хвастаться

show-off [ˈʃeuɔf] *n* хвастун(ья)

show out *vt* провожать к выходу

showpiece [ˈʃeupi:s] *n* центральный экспонат; **this is a ~ of...** это является блестящим образцом

showroom [ˈʃeurum] *n* демонстрационный зал

show trial *n* показательный процесс

show up *vi* виднеться; обнаруживаться; являться ✧ *vt* выявлять

showy [ˈʃeuɪ] *adj* броский

shrank [ʃræŋk] *pt of* **shrink**

shrapnel [ˈʃræpnl] *n* шрапнель

shred [ʃred] **1.** *n* лоскуток, тряпка; клочок; **tear (in)to ~s** разорвать в клочки ✧ **not a ~ of evidence** ни малейших улик **2.** *v* **(shred, shredded)** рвать, кромсать

shreeder [ˈʃredə] *n (also:* **vegetable ~)** шинковка; *(also:* **document ~)** машина для дезинтеграции документов

shrew [ʃru:] *n (зоол.)* землеройка; змея

shrewd [ʃru:d] *adj* проницательный

shrewdness [ˈʃru:dnɪs] *n* проницательность

shriek [ʃri:k] *n* визг ✧ *vi* визжать

shrift [ʃrɪft] *n:* **to give sb short ~** быстро отделываться от кого-н.

shrill [ʃrɪl] *adj* визгливый

shrimp [ʃrɪmp] *n* (мелкая) креветка

shrimping [ˈʃrɪmpɪŋ] *n* ловля креветок

shrine [ʃraɪn] *n* рака; святыня

shrink [ʃrɪŋk] *vi* садиться; сокращаться; *(also:* **~ away)** отпрянуть ✧ *vt:* **washing will ~ the dress** от стирки платье садится ✧ *n* психиатр; **to ~ from sth** ускользать от

shrinkage [ˈʃrɪŋkɪdʒ] *n* усадка

shrink-wrap [ˈʃrɪŋkræp] *vt* упаковывать в усадочную пленку

shrivel [ˈʃrɪvl] съеживаться, ссыхаться

shroud [ʃraud] **1.** *n* саван; покров; *тех.* кожух; *pl мор.* ванты **2.** *v* завертывать в саван; скрывать, укрывать

Shrovetide [ˈʃrouvtaɪd] масленица

shrub [ʃrʌb] *n* куст

shrubbery [ˈʃrʌbərɪ] *n* кустарник

shrug [ʃrʌg] *n* пожимание *(плечами)* ✧ *vb:* **to ~ (one's shoulders)** пожимать плечами

shrug off *vt* отмахиваться от

shrunk [ʃrʌŋk] *pp of* **shrink**

shrunken [ˈʃrʌŋkn] *adj* съеженный

shudder [ˈʃʌdə] *n* дрожь ✧ *vi* содрогаться

shuffle [ˈʃʌfl] **1.** *n* шарканье; тасование *(карт);* перемещение; уловка **2.** *v* волочить ноги; подтасовывать факты; вилять, хитрить; перемешивать, перемещать; тасовать *(карты)*

S

shun [ʃʌn] *vt* избегать
shunt [ʃʌnt] *vt* переводить на другой путь ✧ *vi:* **to ~ (to and fro)** маневрировать
shunting yard [ˈʃʌntɪŋ-] *n* сортировочная станция
shush [ʃuʃ] *excl* ш-ш
shut [ʃʌt] *vt* закрывать ✧ *vi* закрываться
shut down *vt* закрывать; отключать ✧ *vi* закрываться; отключаться
shutdown [ˈʃʌtdaun] *n* приостановление; закрытие
shut off *vt* отключать
shut out *vt* не пропускать; заслонять
shutter [ˈʃʌtə] *n* ставень; *(фото)* затвор
shuttle [ˈʃʌtl] *n:* **~ plane** самолет-челнок; *(also:* **space ~)** шатл; *(also:* **~ service)** челночный маршрут; челнок ✧ *vi:* **to ~ between** совершать челночные рейсы между ✧ *vt* возить туда и обратно
shuttlecock [ˈʃʌtlkɔk] *n (спорт.)* волан
shuttle diplomacy *n* челночная дипломатия
shut up *vi* заткнуться ✧ *vt* запирать; затыкать рот; **~ up!** заткнись!
shy [ʃaɪ] *adj* застенчивый; стеснительный; осторожный ✧ *vi:* **to ~ away from doing** чуждаться; **to fight ~ of** избегать; **to be ~ of doing** стесняться
shyly [ˈʃaɪlɪ] *adv* застенчивый
shyness [ˈʃaɪnɪs] *n* застенчивость; стеснительность, осторожность
Siamese [saɪəˈmi:z] *adj:* **~ cat** сиамская кошка; **~ twins** сиамские близнецы
Siberia [saɪˈbɪərɪə] *n* Сибирь
sibilant [ˈsɪbɪlənt] шипящий, свистящий *(звук)*
sibling [ˈsɪblɪŋ] *n* родной брат; родная сестра
Sicily [ˈsɪsɪlɪ] *n* Сицилия
sick [sɪk] *adj* больной; поганый; скверный; **he is/was ~** его рвет/вырвало; **I feel ~** меня тошнит; **to fall ~** заболевать; **to be (off) ~** быть на больничном; **a ~ person** больной человек; **to be ~ of** смертельно устать; **I'm ~ of arguing/school** меня тошнит от споров/школы
sickbag [ˈsɪkbæg] *n* санитарный пакет
sickbay [ˈsɪkbəɪ] *n* изолятор
sickbed [ˈsɪkbed] *n* постель больного
sicken [ˈsɪkn] *vt* вызывать отвращение у ✧ *vi:* **to be ~ing for sth** заболевать чем-н.
sickening [ˈsɪknɪŋ] *adj* противный
sickle [ˈsɪkl] *n* серп
sick leave *n* отпуск по болезни
sick list *n:* **to be on the ~ ~** быть на бюллетене *or* больничном
sickly [ˈsɪklɪ] *adj* хилый; тошнотворный
sickness [ˈsɪknɪs] *n* болезнь; рвота
sickness benefit *n* пособие по болезни
sick note *n* бюллетень, больничный лист
sick pay *n* оплата по бюллетеню *or* больничному листу
sickroom [ˈsɪkru:m] *n* комната больного
side [saɪd] *n* сторона; бок; страница; команда; склон ✧ *adj* боковой ✧ *vi:* **to ~ with sb** вставать на сторону кого-н.; **by the ~ of** у ; **by her ~** возле нее; **~ by ~** рядом; бок о бок; **the right ~** лицо; **the wrong ~** изнанка; **we're on the wrong ~ of the road/river** мы не на той стороне дороги/реки; **they are on our ~** они на нашей стороне; **from ~ to ~** с боку на бок; **from all ~ s** со всех сторон; **to take ~s (with sb)** принимать (чью-н.) сторону; **a ~ of beef** половина говяжьей туши
sideboard [ˈsaɪdbɔ:d] *n* буфет; **~s** *npl* **= sideburns**
sideburns [ˈsaɪdbə:nz] *npl* бакенбарды
sidecar [ˈsaɪdkɑ:] *n* коляска *(мотоцикла)*
side dish *n* гарнир
side drum *n* малый барабан
side effect *n* побочное действие
sidekick [ˈsaɪdkɪk] *n* подручный
sidelight [ˈsaɪdlaɪt] *n (авт.)* боковое освещение

S

sideline [ˈsaɪdlaɪn] *n (спорт.)* боковая линия; побочная работа; **to stand on the ~s** стоять в стороне
sidelong [ˈsaɪdlɔŋ] *adj* косой; **to give sb a ~ glance** смотреть на кого-н. искоса
side plate *n* десертная тарелка
side road *n* проселочная дорога
side-saddle [ˈsaɪdsædl] *adv:* **to ride ~** ехать в дамском седле
sideshow [ˈsaɪdʃəu] *n* аттракцион
side-slip [ˈsaɪdslɪp] скользить вбок; *ав.* скользить на крыло
sidestep [ˈsaɪdstep] *vt* обходить ✧ *vi* отступать
side street *n* переулок
side-track [ˈsaɪdtræk] **1.** *n ж.-д.* запасный путь **2.** *v ж.-д.* переводить на запасный путь; *перен.* перевести разговор на другую тему
side-view [ˈsaɪdvjuː] профиль; вид сбоку
sidewalk [ˈsaɪdwɔːk] *n* тротуар
sideways [ˈsaɪdweɪz] *adv* боком; искоса
siding [ˈsaɪdɪŋ] *n* запасной путь
sidle [ˈsaɪdl] *vi:* **to ~ up (to)** подходить бочком
siege [siːdʒ] *n* осада; **to be under ~** быть в осаде; **to lay ~ to** осаждать
siege economy *n* застойная экономика
Sierra Leone [sɪˈerəlɪˈəun] *n* Сьерра-Лионе
siesta [sɪˈestɔ] *n* сиеста
sieve [sɪv] *n (кулин.)* сито; решето ✧ *vt* просеивать
sift [sɪft] *vt* просеивать; *(also:* **~ through)** просеивать
sigh [saɪ] *n* вздох ✧ *vi* вздыхать
sight [saɪt] *n* зрение; вид; прицел ✧ *vt* замечать; **in ~** в поле зрения; **out of ~** из вида; **at ~** *(комм.)* по предъявлению; **at first ~** с первого взгляда; **I know her by ~** я знаю ее в лицо; **to catch ~ of** замечать; **to lose ~ of sb/sth** терять кого-н. что-н. из виду; **to set one's ~s on sth** положить глаз на что-н.; **to shoot sb on ~** стрелять в кого-н. на месте
sighted [ˈsaɪtɪd] *adj* зрячий; **partially ~** слабовидящий
sightseeing [ˈsaɪtsiːɪŋ] *n* осмотр достопримечательностей; **to go ~** осматривать достопримечательности
sightseer [ˈsaɪtsiːə] *n* турист
sign [saɪn] *n* вывеска; знак; признак; *(also:* **road ~)** дорожный знак ✧ *vt* подписывать; нанимать; **as a ~ of** в знак; **it's a good/ bad ~** это хороший/плохой знак; **plus/ minus ~** знак “плюс”/”минус”; **there's now ~ of her changing her mind** нет никаких признаков того, что она передумала; **he is showing ~s of improvement** у него видны признаки улучшения; **to ~ one's name** расписываться; **to ~ sth over to sb** передавать что-н. в дар кому-н.
signal [ˈsɪgnl] *n* сигнал ✧ *vi* сигнализировать ✧ *vt* подавать знак; передавать; **to ~ a right/left turn** *(авт.)* давать сигнал правого/ левого поворота; **to ~ to sb (to do)** подавать знак кому-н.
signal box *n* сигнальная будка
signalman [ˈsɪgnlmən] *irreg n* стрелочник
signatory [ˈsɪgnətərɪ] *n* подписавшая сторона
signature [ˈsɪgnətʃə] *n* подпись
signature tune *n* музыкальная шапка
sign away *vt* передавать
signet ring [ˈsɪgnət-] *n* кольцо с печаткой
significance [sɪgˈnɪfikəns] *n* значение; **that is of no ~** это не имеет значения
significant [sɪgˈnɪfikənt] *adj* значительный; многозначительный; **it is ~ that ...** важно, что ...
significantly [sɪgˈnɪfikəntlɪ] *adv* значительно; многозначительно
signify [ˈsɪgnɪfaɪ] *vt* означать; выражать
sign in *vi* регистрироваться
sign off *vi* заканчивать
sign on *vi (воен.)* наниматься; отмечаться как безработный; ре-

гистрироваться ✧ *vt (воен.)* набирать; нанимать
sign out *vi* выписываться
sign up *vi (воен.)* наниматься; регистрироваться ✧ *vt* нанимать
silage [ˈsaɪlɪdʒ] *n* силос; силосование
silence [ˈsaɪləns] *n* тишина ✧ *vt* заставлять замолчать
silencer [ˈsaɪlənsə] *n* глушитель
silent [ˈsaɪlənt] *adj* безмолвный; бесшумный; молчаливый; немой; **to remain** ~ молчать
silently [ˈsaɪləntlɪ] *adv* молча
silhouette [sɪluːˈet] *n* силуэт ✧ *vt:* **to be ~d against** вырисовываться на фоне
silicon [ˈsɪlɪkən] *n* кремний
silicon chip *n* кремниевый кристалл
silk [sɪlk] *n* шелк ✧ *adj* шелковый
silk-mill [ˈsɪlkmɪl] шелкопрядильная фабрика
silkworm [ˈsɪlkwəːm] шелковичный червь
silky [ˈsɪlkɪ] *adj* шелковистый
sill [sɪl] *n (also:* **window ~***)* подоконник; порог; *(авт.)* карниз
silly [ˈsɪlɪ] *adj* глупый; **to do something** ~ делать глупость
silo [ˈsaɪləu] *n* силосная башня; стартовая шахта
silt [sɪlt] *n* ил; осадок
silt up *vi* заливать ✧ *vt* засорять
silver [ˈsɪlvə] *n* серебро ✧ *adj* серебряный
silver paper *n* фольга
silver-plated [sɪlvəˈpleɪtɪd] *adj* серебреный
silversmith [ˈsɪlvəsmɪθ] *n* серебряных дел мастер
silverware [ˈsɪlvəweə] *n* серебро
silver wedding (anniversary) *n* серебряная свадьба
silvery [ˈsɪlvrɪ] *adj* серебристый; серебряный
similar [ˈsɪmɪlə] *adj:* ~ **(to)** сходный; подобный
similarity [sɪmɪˈlærɪtɪ] *n* сходство
similarly [ˈsɪmɪləlɪ] *adv* подобным образом; таким же образом
simile [ˈsɪmɪlɪ] *n* сравнение
simmer [ˈsɪmə] *vi (кулин.)* кипеть на медленном огне
simmer down *vi* остывать
simper [ˈsɪmpə] **1.** *n* глупая *или* самодовольная улыбка; ухмылка **2.** *v* глупо *или* самодовольно улыбаться; ухмыляться
simpering [ˈsɪmprɪŋ] *adj* жеманный
simple [ˈsɪmpl] *adj* простой; недалекий; **the ~ truth** очевидная истина
simple-minded [sɪmplˈmaɪndɪd] *adj* простодушный
simpleton [ˈsɪmpltən] *n* простак
simplicity [sɪmˈplɪsɪtɪ] *n* простота; недалекость
simplification [sɪmplɪfɪˈkeɪʃən] *n* упрощение
simplify [ˈsɪmplɪfaɪ] *vt* упрощать
simply [ˈsɪmplɪ] *adv* просто
simulate [ˈsɪmjuleɪt] *vt* симулировать; изображать
simulated [ˈsɪmjuleɪtɪd] *adj* поддельный; имитированный
simulation [ˈsɪmjuˈleɪʃən] *n* притворство
simultaneous [sɪməlˈteɪnɪəs] *adj* одновременный
simultaneously [sɪməlˈteɪnɪəslɪ] *adv* одновременно
sin [sɪn] *n* грех ✧ *vi* грешить
Sinai [ˈsaɪneɪaɪ] *n* Синайский полуостров
since [sɪns] *adv* с тех пор ✧ *conj* с тех пор, как; так как ✧ *prep:* ~ **July** с июля; ~ **then, ever** ~ с тех пор; **it's two weeks ~ I wrote** уже две недели с тех пор, как я написал; **~ out last meeting** со времени нашей последней встречи
sincere [sɪnˈsɪə] *adj* искренний
sincerely [sɪnˈsɪəlɪ] *adv* искренне; **Yours** ~ искренне Ваш
sincerity [sɪnˈserɪtɪ] *n* искренность
sine [saɪn] *n (мат.)* синус
sine qua non [sɪnɪkwaːˈnɔn] *n* необходимое условие
sinew [sɪnju] *n* сухожилие
sinful [ˈsɪnful] *adj* грешный
sing [sɪŋ] *vti* петь
singe [sɪndʒ] *vt* палить; подпаливать
singer [ˈsɪŋə] *n* певец(-вица)
singing [ˈsɪŋɪŋ] *n* пение; звон
single [ˈsɪŋgl] *adj* одинокий; холостой; незамужняя; одинарный ✧

S

n (also: **~ ticket)** билет в один конец; сорокопятка; **not a ~ one was left** ни одного не осталось; **every ~ day** каждый божий день; **~ spacing** одинарное расстояние
single bed *n* односпальная кровать
single-breasted [ˈsɪŋglbrestɪd] *adj* однобортный
single file *n:* **in ~ ~** в колонку
single-handed [sɪŋglˈhændɪd] *adv* без посторонней помощи
single-minded [sɪŋglˈmaɪndɪd] *adj* целеустремленный
single out *vt* отбирать; выделять
single parent *n* мать-одиночка; отец-одиночка
single room *n* комната на одного
singles [ˈsɪŋglz] *n* один на один ✧ *npl* несемейные
singles bar *n* бар для несемейных
single-sex [sɪŋglˈseks] *adj* раздельный
singlet [ˈsɪŋglɪt] фуфайка
singly [ˈsɪŋglɪ] *adv* врозь, в отдельности
sing post *n* указатель
singsong [ˈsɪŋsɔŋ] *adj* монотонно идущий то вверх, то вниз ✧ *n:* **to have a ~** попеть хором
singular [ˈsɪŋgjulə] *adj* необычайный; *(лингв.)* единственный ✧ *n (лингв.)* единственное число; **in the feminine ~** женского рода единственного числа
singularly [ˈsɪŋgjuləlɪ] *adv* необычайно
sinister [ˈsɪnɪstə] *adj* зловещий
sink [sɪŋk] *n* раковина ✧ *vt* топить; рыть; врывать ✧ *vi* тонуть; падать; оседать; *(also:* **~ back, ~ down)** откидываться; **to ~ sth into** вонзать что-н. в; **he sank into a chair/the mud** он опустился на стул/провалился в грязь
sink in *vi:* **it took a long time for her words to ~ in** потребовалось долгое время, чтобы до меня дошли ее слова
sinking [ˈsɪŋkɪŋ] *adj* опускающийся; тонущий; **I had a ~ feeling** у меня все опустилось
sinking-fund [ˈsɪŋkɪŋˈfʌnd] *эк.* амортизационный фонд
sink unit *n* комбинированная *or* встроенная раковина
sinner [ˈsɪnə] *n* грешник
sinuous [ˈsɪnjuəs] извилистый
sinus [ˈsaɪnəs] *n* пáзуха
sip [sɪp] *n* маленький глоток ✧ *vt* пить маленькими глотками
siphon [ˈsaɪfən] *n* сифон
siphon off *vt* выкачивать
sir [sɪ] *n* сэр, господин; **S~ John Smith** Сэр Джон Смит; **yes ~** да, сэр; **Dear S~** Уважаемый господин
siren [ˈsaɪərn] *n* сирена
sirloin [ˈsəːlɔɪn] *n (also:* **~ steak)** говяжье филе
siskin [ˈsɪskɪn] чиж
sister [ˈsɪstə] *n* сестра; *(мед.)* (медицинская *or* мед-) сестра ✧ *cpd:* **~ organization** параллельная организация
sister-in-law [ˈsɪstərɪnlɔː] *n* невестка; золовка; свояченица
sit [sɪt] *vi* садиться; сидеть; заседать; позировать ✧ *vt* сдавать экзамен; **to ~ on a committee** входить в комитет; **to ~ tight** не принимать никаких действий
sit about *vi* сидеть
sit back *vi* сидеть
sit down *vi* садиться; **to be ~ting down** сидеть
sit-down [ˈsɪtdaun] *adj:* **a ~ strike** сидячая забастовка; **a ~ meal** прием пищи, сидя
site [saɪt] *n* место; *(also:* **building ~)** строительная площадка ✧ *vt* помещать
sit-in [ˈsɪtɪn] *n* демонстративное занятие помещения
siting [ˈsaɪtɪŋ] *n* расположение
sit in on *vt fus* присутствовать в/на
sitter [ˈsɪtə] *n* натурщик(ица); *(also:* **baby ~)** приходящая няня
sitting [ˈsɪtɪŋ] *n* заседание; смена
sitting member *n (полит.)* действующий депутат парламента
sitting room *n* гостиная
sitting tenant *n* квартиросъемщик
situate [ˈsɪtjueɪt] *vt* располагать
situated [ˈsɪtjueɪtɪd] *adj* расположенный; **to be ~** находиться
situation [sɪtjuˈeɪʃən] *n* ситуация, положение; место; **"situatations**

S

vacant" "вакантные места"
situation comedy *n* комедия положений
sit up *vi* приподниматься; выпрямляться; засиживаться
six [sɪks] *n* шесть; *see also* **five**
sixteen [sɪks'ti:n] *n* шестнадцать; *see also* **five**
sixteenth [sɪks'ti:nθ] *adj* шестнадцатый; *see also* **fifth**
sixth ['sɪksθ] *adj* шестой ✧ *n* одна шестая; шестая часть; **the upper ~** *(просвещ.)* первая ступень выпускного класса; *see also* **fifth**
sixtieth ['sɪkstɪɪθ] *adj* шестидесятый; *see also* **fifth**
sixty ['sɪkstɪ] *n* шестьдесят; *see also* **fifty**
sizable ['saɪzəbl] значительных размеров
size [saɪz] *n* размер; величина; масштаб; клей; **I take ~ 14** я ношу четырнадцатый размер; **the small/large ~** маленького/большого размера; **it's the ~ of ...** это размером с ...; **cut to ~** обрезанный согласно размерам
sizeable ['saɪzəbl] *adj* порядочный
size up *vt* оценивать
sizzle ['sɪzl] *vi* шипеть
skate [skeɪt] *n (also:* **ice ~**) конек; *(also:* **roller ~**) роликовый конек, ролик; скат ✧ *vi* кататься на коньках
skate around *vt fus* обходить
skateboard ['skeɪtbɔ:d] *n* роликовая доска
skate over *vt fus* игнорировать
skater ['skeɪtə] *n* конькобежец
skating ['skeɪtɪŋ] *n* катание на коньках
skating rink *n* каток
skein [skeɪn] моток
skeleton ['skelɪtn] *n (анат.)* скелет; *(тех.)* каркас; набросок
skeleton key *n* отмычка
skeleton staff *n* минимальный персонал
sketch [sketʃ] *n* эскиз, набросок; *(театр., тел.)* скетч ✧ *vt* набросать; *(also:* **~ out**) обрисовывать в общих чертах
sketchbook ['sketʃbuk] *n* альбом для зарисовок
sketchpad ['sketʃpæd] *n* блокнот для зарисовок
sketchy ['sketʃɪ] *adj* поверхностный
skew [skju:] *n:* **on the ~** косо, криво
skewbald ['skju:bɔ:ld] пегий
skewed [skju:d] *adj* искаженный
skewer ['skju:ə] *n* вертел
skew-eyed ['skju:'aɪd] косоглазый
ski [ski:] *n* лыжа ✧ *vi* кататься на лыжах
ski boot *n* лыжный ботинок
skid [skɪd] *n (авт.)* занос, юз ✧ *vi* скользить; *(авт.)* идти юзом; **the car went into a ~** машину занесло
skid mark *n* тормозной след
skier ['ski:ə] *n* лыжник
skiing ['ski:ɪŋ] *n* катание на лыжах; *(спорт.)* лыжный спорт; **to go ~** идти кататься на лыжах
ski instructor *n* инструктор по лыжному спорту
ski jump *n* лыжный трамплин; прыжки на лыжах с трамплина
skilful ['skɪlful] *adj* искусный, умелый
ski lift *n* подъемник
skill [skɪl] *n* мастерство; навык
skilled [skɪld] *adj* искусный, умелый; квалифицированный
skillet ['skɪlɪt] *n (кулин.)* неглубокая сковорода
skim [skɪm] *vt* снимать сливки с; снимать накипь с; скользить над ✧ *vi:* **to ~ through** пробежать
skimmed milk [skɪmd-] *n* обезжиренное молоко
skimp [skɪmp] *vt (also:* **~ on**) манкировать; экономить на
skimpy ['skɪmpɪ] *adj* скудный; тесный
skin [skɪn] *n* кожа; шкура; кожура; кожица ✧ *vt* снимать кожуру с; чистить, снимать шкуру с, свежевать; **she is soaked to the ~** она промокла до нитки
skin cancer *n* рак кожи
skin-deep ['skɪndi:p] *adj* поверхностный
skin-diver ['skɪndaɪvə] *n* аквалангист
skin diving *n* подводное плаванье
skinflint ['skɪnflɪnt] скупец, скряга

skin graft *n* кожный трансплантант
skinhead [skɪnhed] *n* бритоголовый
skinny [ˈskɪnɪ] худой, тощий
skin test *n* анализ кожи
skintight [ˈskɪntaɪt] *adj* в обтяжку
skip [skɪp] *n* прыжок; скачок ✧ *vt* подпрыгивать; скакать ✧ *vi* пропускать; **to ~ school** прогуливать уроки
ski pants *npl* лыжные брюки
skiper [ˈskɪpə] *n (мор.)* шкипер, капитан ✧ *vt* быть капитаном
ski pole *n* лыжная палка
skipping rope [ˈskɪpɪŋ] *n* скакалка
ski resort *n* лыжная база
skirmish [ˈskəːmɪʃ] **1.** *n* схватка, стычка; перестрелка **2.** *v* сражаться мелкими отрядами
skirt [skəːt] *n* юбка ✧ *vt* обходить
skirting board [ˈskəːtɪŋ-] *n* плинтус
ski run *n* лыжня
ski slope *n* лыжный спуск
ski suit *n* лыжный костюм
skit [skɪt] *n* пародия
ski tow *n* буксирный подъемник
skittle [ˈskɪtl] *n* кегля; **~s** *npl* кегли
skive [skaɪv] *vi* сачковать
skulk [skʌlk] *vi* прятаться; красться
skull [skʌl] *n* череп
skullcap [ˈskʌlkæp] *n* ермолка
skunk [skʌŋk] *зоол.* скунс, вонючка; скунсовый мех; *разг.* подлец, дрянь *(о человеке)*
sky [skaɪ] *n* небо; **to praise sb to the skies** превозносить кого-н. до небес
sky-blue [skaɪˈbluː] *adj* небесно-голубой, лазурный
skydiving [ˈskaɪdaɪvɪŋ] *n* свободное падение *(при прыжках с парашюта)*
sky-high [ˈskaɪˈhaɪ] *adj* сумасшедший; **to blow ~** разносить в чистую
skylark [ˈskaɪlɑːk] *n* жаворонок
skylight [ˈskaɪlaɪt] *n* окно в крыше
skyline [ˈskaɪlaɪn] *n* горизонт; силуэт
skyscraper [ˈskaɪskreɪpə] *n* небоскреб
skyward(s) [ˈskaɪwəd(z)] (направленный) к небу
slab [slæb] *n* плита; пластина, кусок
slack [slæk] *adj* провисший; висящий; слабый; плохой; вялый; небольшой ✧ *n* слабина; **~s** *npl* брюки; **business is ~** в делах застой
slacken [ˈslækn] *vi (also: ~ off)* падать; переставать ✧ *vt* ослаблять; снижать
slacker [ˈslækə] *n* лодырь
slag heap [slæg-] *n* шлаковая гора
slag off *vt:* **to slag sb off** перемывать кому-н. косточки
slake [sleɪk] *vi:* **to ~ one's thirst** утолять жажду
slalom [ˈslɑːləm] *n* слалом
slam [slæm] *vt* хлопать; швырять; раскритиковать ✧ *vt* захлопываться; **to ~ on the brakes** резко тормозить
slammer [ˈslæmə] *n* кутузка
slander [ˈslɑːndə] *n* клевета ✧ *vt* клеветать на
slanderous [ˈslɑːndrəs] *adj* клеветнический
slang [ˈslæŋ] *n* сленг; жаргон
slanging match [ˈslæŋɪŋ-] *n* перебранка
slant [slɑːnt] *n* наклон, уклон
slanted [ˈslɑːntɪd] *adj* наклонный, покатый
slap [slæp] *n* шлепок ✧ *vt* шлепать ✧ *adv* прямо; **to ~ sb in the face** дать кому-н. пощечину; **it fell ~ in the middle** оно упало прямо посередине
slapdash [ˈslæpdæʃ] *adj* небрежный
slapstick [ˈslæpstɪk] *n* фарс
slap-up [ˈslæpʌp] *adj:* **a ~ meal** роскошный обед
slash [slæʃ] *vt* резать; резко снижать
slat [slæt] *n* планка
slate [sleɪt] *n* сланец; шиферная плитка ✧ *vt* разносить в пух и прах
slaughter [ˈslɔːtə] *n* убой; резня ✧ *vt* завивать; резать
slaughterhouse [ˈslɔːtəhaus] *n* скотобойня
Slav [slɑːv] *adj* славянский ✧ *n* славянин(-янка)
slave [sleɪv] *n* раб(ыня) ✧ *vi (also: ~ away)* работать как раб; **to ~ (away) at sth** работать над чем-н. как проклятый
slave-driver [ˈsleɪvdraɪvə] *n* деспот
slave labour *n* рабский труд

S

slaver [ˈslævə] *vi* пускать слюну
slavery [ˈsleɪvərɪ] *n* рабство
Slavic [ˈslævɪk] *adj* славянский
slavish [ˈsleɪvɪʃ] *adj* рабский; слепой
slavishly [ˈsleɪvɪʃlɪ] *adv* по-рабский
Slavonic [sləˈvɔnɪk] *adj* славянский
slay [sleɪ] *vt* поражать
sleazy [ˈsli:zɪ] *adj* запущенный
sledge I [sledʒ] **1.** *n* сани, салазки *мн.* **2.** *v* кататься на санях
sledge II [ˈsledʒ] кузнечный молот
sledgehammer [ˈsledʒhæmə] *n* кувалда
sleek [sli:k] *adj* лоснящийся; блестящий и гладкий; аэродинамичный
sleep [sli:p] *n* сон ✧ *vi* спать; ночевать ✧ *vt:* **the house can ~ four** в доме можно разместить четверых; **to go to ~** засыпать; **to have a good night's ~** (хорошо) выспаться; **to put to ~** усыплять; **to ~ lightly** спать чутко; **to ~ with sb** спать с кем-н.
sleep around *vi* спать с кем попало
sleeper [ˈsli:pə] *n* поезд со спальными вагонами; спальный вагон; спальное место; шпала; спящий(-ая)
sleepily [ˈsli:pɪlɪ] *adv* сонно
sleep in *vi* просыпать; отсыпаться
sleeping [ˈsli:pɪŋ] *adj* спящий
sleeping bag *n* спальный мешок
sleeping car *n* спальный вагон
sleeping-draught [ˈsli:pɪŋdra:ft] снотворное (средство)
sleeping partner *n* = **silent partner**
sleeping pill *n* снотворное; снотворная таблетка
sleeping sickness *n* сонная болезнь
sleepless [ˈsli:plɪs] *adj* бессонный
sleeplessness [ˈsli:plɪsnɪs] *n* бессонница
sleepwalk [ˈsli:pwɔ:k] *vi* ходить во сне
sleepwalker [ˈsli:pwɔ:kə] *n* лунатик
sleepy [ˈsli:pɪ] *adj* сонный; **I feel** *or* **am ~** и не хочется спать
sleet [sli:t] *n* со снегом
sleeve [sli:v] *n* рукав; конверт; **to have sth up one's ~** иметь кое-что на уме
sleeveless [ˈsli:vlɪs] *adj* без рукавов
sleigh [sleɪ] *n* сани
sleight [slaɪt] *n:* **~ of hand** ловкость рук
slender [ˈslendə] *adj* стройный; скудный; большой
slept [slept] *pt, pp of* **sleep**
sleuth [slu:θ] *n* сыщик
slew [slu:] *vi (also:* **~ round***)* круто поворачивать ✧ *pt of* **slay**
slice [slaɪs] *n* кусок; ломтик; *(also:* **fish ~***)* рыбный нож; *(also:* **cake ~***)* лопатка для торта ✧ *vt* нарезать; резать; **~d bread** нарезанный хлеб
slick [slɪk] *adj* гладкий; бойкий ✧ *n (also:* **oil ~***)* пленка нефти
slid [slɪd] *pt,pp of* **slide**
slide [slaɪd] *n* скольжение; детская горка; *(фото)* слайд; *(also:* **hair ~***)* заколка; *(also:* **microscope ~***)* предметное стекло; снижение ✧ *vt* задвигать; совать ✧ *vi* скользить; **to let things ~** запускать дела, пустить дела самотеком
slide projector *n* диапроектор
slide rule *n* логарифмическая линейка
sliding door [ˈslaɪdɪŋ-] *n* задвижная дверь
sliding roof *n (авт.)* сдвигающийся верх
sliding scale *n* скользящий тариф
slight I [slaɪt] изящный, стройный, хрупкий; скудный; недостаточный; незначительный, легкий, слабый
slight II 1. *n* пренебрежение; неуважение **2.** *v* пренебрегать; третировать
slightly [ˈslaɪtlɪ] *adv* немного, слегка; **~ built** хрупкого сложения
slim [slɪm] *adj* стройный; небольшой ✧ *vi* худеть
slime [slaɪm] *n* слизь
slimming [slɪmɪŋ] *n* похудение
slimy [ˈslaɪmɪ] *adj* илистый; скользящий и липкий; гнусный
sling [slɪŋ] *n (мед.)* перевязь ✧ *vt* швырять; **his arm is in a ~** у него на перевязи
slingshot [ˈslɪŋʃɔt] *n* рогатка
slink [slɪŋk] *vi:* **~ away** *or* **off** уходить поджавши хвост
slinky [ˈslɪŋkɪ] *adj* в обтяжку

S

slip [slɪp] *n* обвал; промах; подъюбник; полоска ✧ *vt* совать ✧ *vi* скользить; поскользнуться; снижаться; **to ~ into** скользнуть в; **to give sb the ~** ускользать от кого-н.; **a ~ of the tongue** сговорка; **to ~ sth on** надевать что-н.; **to ~ sth off** сбрасывать что-н.; **to ~ out of** выскользнуть из; **to let a chance ~ by** упускать возможность; **the cup ~ped from her hand** чашка выскользнула из ее рук
slip away *vi* улизнуть
slip in *vt* совать ✧ *vi* закрасться
slip-on [ˈslɪpɔn] *adj* без пуговиц и застежек; **~ shoes** туфли без шнурков и застежек
slip out *vi* выскакивать
slipped disc [slɪpt-] *n* смещенный позвонок
slipper [ˈslɪpə] *n* тапочка
slippery [ˈslɪpərɪ] *adj* скользкий
slippy [ˈslɪpɪ] *adj* скользкий
slip road *n* въезд на автостраду; съезд с автострады
slipshod [ˈslɪpʃɔd] *adj* небрежный
slipstream [ˈslɪpstriːm] *n* воздушный поток
slip up *vi* ошибаться
slip-up [ˈslɪpʌp] *n* ошибка
slipway [ˈslɪpweɪ] *n (мор.)* стапель
slit [slɪt] *n* разрез; щель; разрыв ✧ *vt* разрезать; разрывать; **to sb's throat** перерезать кому-н. горло
slither [ˈslɪðə] *vi* скользить; извиваться
sliver [ˈslɪvə] *n* осколок; щепка; кусочек
slob [slɔb] *n* олух
slobber [ˈslɔbə] распустить слюни; ✧ **~ over smb.** *презр.* сюсюкать над кем-л.
sloe [slou] терн
slog [slɔg] *vi* корпеть ✧ *n:* **it was a hard ~** это была тяжелая работа
slogan [ˈsləugən] *n* лозунг
slop [slɔp] *vi (also: ~* **over***)* выплескиваться ✧ *vt* выплескивать
slope [sləup] *n* уклон; склон; спуск; наклон ✧ *vi:* **to ~ down** спускаться; **to ~ up** подниматься под уклоном
sloping [ˈsləupɪŋ] *adj* покатый; наклонный
slop out *vi* выносить парашу
sloppy [ˈslɔpɪ] *adj* небрежный; халтурный; неряшливый; сентиментальный
slops [slɔps] *npl* помпи
slosh [slɔʃ] *vi:* **to ~ around** *or* **about** плескаться
sloshed [slɔʃt] *adj* пьяный в дымину
slot [slɔt] *n* прорезь; паз, окно; *(радио, тел.)* место ✧ *vt:* **to ~ sth into** опускать что-н. в ✧ *vi:* **to ~ into** входить в
sloth [sləuθ] *n* лень; *(зоол.)* ленивец
slot machine *n* торговый автомат; игральный автомат
slot meter *n* счетчик
slouch [slautʃ] *vi* сутулиться; **she was ~ed in a chair** она сидела на стуле, сгорбившись
slough I [slau] болото, трясина
slough II [slʌf] **1.** *n* сброшенная кожа *(змей)* **2.** *v* сбрасывать *(кожу)*
Slovakia [sləuˈvækɪə] *n* Словакия
slovenly [ˈslʌvənlɪ] *adj* неряшливый
slow [sləu] *adj* медленный; тупой ✧ *adv* медленно ✧ *vt (also:* **~ down, ~ up)** притормаживать; приостанавливать ✧ *vi* замедляться; сбавлять ход; **at a ~ speed** на низкой скорости; **to be ~ to act/decide** быть медлительным в делах/в решениях; **my watch is (20 minutes) ~** мои часы отстают (на 20 минут); **business is ~** дела идут неважно; **"slow"** "медленно"; **to go ~** двигаться медленно; снижать темп работы
slow-acting [sləuˈæktɪŋ] *adj* замедленного действия
slowly [ˈsləulɪ] *adv* медленно; **to drive ~** водить/вести машину медленно
slow motion *n:* **in ~~** в замедленном действии
slow-moving *adj* медленно движущийся, медленный
slowness [sləunɪs] *n* медленность
sludge [slʌdʒ] *n* грязь
slug [slʌg] *n (зоол.)* слизняк; пуля
sluggish [ˈslʌgɪʃ] *adj* медленно текущий; плохо работающий; медлительный; вялый

S

sluice [slu:s] *n* шлюз; желоб ✧ *vt:* **to ~ down** *or* **out** промывать; окатывать
slum [slʌm] *n* трущоба
slumber [ˈslʌmbə] *n* сон
slump [slʌmp] *n* спад; резкое падение ✧ *vi* валиться; резко падать; **he was ~ed over the wheel** он сидел, упав на руль
slung [slʌŋ] *pt, pp of* **sling**
slunk [slʌŋk] *pt, pp of* **slink**
slur I [slə:] **1.** *v* произносить неясно; глотать слова; замалчивать, обходить молчанием (*обыкн.* **~ over**) **2.** *n* неотчетливое произношение *(звуков, слов); муз.* лига
slur II [slə:] упрек, обвинение; пятно на репутации; **cast a ~ upon smb.** опорочить кого-л.
slurp [slə:p] *vt* (громко) хлебать
slurred [slə:d] *adj* невнятный
slush [slʌʃ] *n* слякоть
slushy [ˈslʌʃɪ] *adj* мокрый; покрытый слякотью; сентиментальный
slut [slʌt] *n* потаскуха
sly [slaɪ] *adj* хитрый ✧ *n:* **on the ~** тайком
smack I [smæk] **1.** *n* вкус, привкус **2.** *v* отдавать *(чем-л.),* иметь привкус
smack II одномачтовое рыболовное судно
smack III 1. *n* шлепок, звук удара *(ладонью);* чмоканье; звонкий поцелуй **2.** *v* шлепать; **~ one's lips** чмокать **3.** *adv.* прямо; **he ran ~ into a wall** он врезался прямо в стену
smacker [smækə] *n* поцелуй; бумажный фут; бумажный доллар
small [smɔ:l] *adj* маленький; небольшой ✧ *n:* **the ~ of the back** поясница; **to get** *or* **grow ~er** уменьшаться; **a ~ shopkeeper** мелкий лавочник
small ads *npl* маленькие объявления *(в газете о купле-продаже)*
small arms *npl (воен.)* стрелковое оружие
small business *n* малое предприятие
small change *n* мелочь
small fry *npl* мелкая сошка
small hours *npl:* **in the ~ ~** в предрассветные часы
smallish [ˈsmɔ:lɪʃ] *adj* небольшой; довольно маленький
small-minded [smɔ:lˈmaɪndɪd] *adj* ограниченный
smallpox [ˈsmɔ:lpɔks] *n* оспа
small print *n* мелкий шрифт
small-scale [ˈsmɔ:lskeɪl] *adj* маленького масштаба; мелкий
small screen *n:* **the ~~** телевидение, малый экран
small talk *n* светская беседа
small-time [ˈsmɔ:ltaɪm] *adj* мелкий
small-town [ˈsmɔ:ltaun] *adj* провинциальный
smarmy [ˈsmɑ:mɪ] *adj* вкрадчивый
smart I [smɑ:t] **1.** *n* жгучая боль **2.** *v* испытывать *или* причинять острую боль; ✧ **~ for smth.** поплатиться за что-л.
smart II [ˈsmɑ:t] резкий, сильный *(об ударе, боли);* быстрый; умный, остроумный; хорошо одетый, модный; элегантный
smart card *n вид кредитной карточки с микропроцессором, используемой в платежных операциях*
smarten up [ˈsmɑ:tn-] *vi* приодеться, принарядиться ✧ *vt* приводить в порядок; принарядить
smash [smæʃ] *n (also:* **~-up)** авария; грохот; смэш ✧ *vt* разбивать; *(спорт.)* побить ✧ *vi* разбиваться; **to ~ against** *or* **into** врезать в
smash hit *n* шлягер
smashing [ˈsmæʃɪŋ] *adj* потрясающий
smash up *vt* разбивать; громить
smattering [ˈsmætərɪŋ] *n:* **a ~ of** поверхностное знание
smear [smɪə] *n* след; клевета; *(мед.)* мазок ✧ *vt* мазать; пачкать
smear campaign *n* клеветническая кампания
smear test *n (мед.)* мазок для анализа
smell [smel] *n* запах; обоняние ✧ *vt* чувствовать запах ✧ *vi:* **to ~ (of)** пахнуть
smelly [ˈsmelɪ] *adj* вонючий
smelt [smelt] *pt, pp of* **smell** ✧ *vt* плавить
smile [smaɪl] *n* улыбка ✧ *vi* улыбаться

S

smiling ['smaılıŋ] *adj* улыбающийся
smirk [smə:k] *n* ухмылка
smithy ['smıðı] *n* кузница
smitten ['smıtn] *adj:* **he is ~ with her** он от нее без ума
smock [smɔk] *n* блуза; детское платье в сборочку; комбинезон
smog [smɔg] *n* смог
smoke [sməuk] *n* дым ✧ *vi* курить; дымиться ✧ *vt* курить; **to have a ~** курить; **to go up in ~** сгореть; пойти прахом; **do you ~?** Вы курите?
smoked ['sməukt] *adj* копченый; дымчатый
smoker ['sməukə] *n* курильщик; вагон для курящих
smoke screen *n* дымовая завеса
smoke shop *n* коптильня
smoking ['sməukıŋ] *n* курение; **"no ~"** "не курить"
smoking compartment *n* вагон для курящих
smoking room *n* курительная комната
smoky ['sməukı] *adj* задымленный; с привкусом дыма
smoochy ['smu:tʃı] *adj* медленный и романтичный *(о музыке, под которую легко целоваться)*
smooth [smu:ð] *adj* гладкий; без комков; спокойный; мягкий; плавный; ровный; ловкий ✧ *vt (also:* **~ out***)* разглаживать; устранять
smoothly ['smu:ðlı] *adv* без труда; **everythging went ~** все прошло гладко
smoothness ['smu:ðnıs] *n* гладкость; мягкость; плавность
smooth over *vt:* **to ~ things over** улаживать дела
smother ['smʌðə] *vt* тушить; душить; подавлять
smoulder ['sməuldə] *vi* тлеть; зреть
smug [smʌg] *adj* самодовольный
smuggle ['smʌgl] *vt* провозить контрабандой; переправлять тайно; **to ~ in/out** ввозить/вывозить контрабандой
smuggler ['smʌglə] *n* контрабандист
smuggling ['smʌglıŋ] *n* контрабанда
smut [smʌt] *n* сажа; похабщина
smutty ['smʌtı] *adj* похабный

snack [snæk] *n* закуска; **to have a ~** закусывать, перекусывать
snack bar *n* закусочная
snag [snæg] *n* загвоздка, затруднение
snail [sneıl] *n* улитка
snake [sneık] *n* змея
snap [snæp] *n* треск; снимок; снэп ✧ *adj* необдуманный ✧ *vt* разламывать; щелкать ✧ *vi* разламываться; сломаться; кричать; **to ~ at sb** кричать на кого-н.; **to ~ one's fingers at** отмахиваться от; **a cold ~** внезапное резкое похолодание; **a ~ shut** защелкивать
snap at *vt fus* огрызаться на
snap fastener *n* кнопка
snap off *vi* отламывать
snappy ['snæpı] *adj* броский; быстрый; **make it ~!** поторапливайся!
snapshot ['snæpʃɔt] *n* снимок
snap up *vt* распахивать
snare [sneə] *n* ловушка; капкан ✧ *vt* заманивать в ловушку
snarl [snɑ:l] *vi* рычать; ворчать ✧ *vt:* **to get ~ed up** путаться; **the traffic was ~ed up** произошел затор в уличном движении
snarl-up [snɑ:lʌp] *n* путаница
snatch [snætʃ] *n* обрывок ✧ *vt* хватать; вырывать; красть; урывать ✧ *vi:* **don't ~!** не хватай!; **to ~ a sandwich** перехватывать бутерброды; **I managed to ~ some sleep** мне удалось немного поспать
snatch up *vt* схватывать
snazzy [snæzı] *adj* шикарный
sneak [snı:k] *n* ябеда ✧ *vi:* **to ~ into/out of** незаметно проскальзывать в ✧ *vt:* **to ~ a look at sth** взглядывать украдкой на что-н.; **to ~ up on sb** ябедничать на кого-н.
sneakers [snı:kəz] *npl* кроссовки
sneaking ['snı:kıŋ] *adj:* **I have a ~ feeling** *or* **suspicion that...** у меня закралось подозрение, что...
sneaky ['snı:kı] *adj* хитрый; незаметный
sneer [snıə] *vt* посмеиваться; **to ~ at** глумиться над
sneeze [snı:z] *n* чихание ✧ *vt* чихать

S

snide [snaɪd] *adj* ехидный
sniff [snɪf] *n* сопение, обнюхивание ✧ *vi* шмыгать носом; всхлипывать ✧ *vt* нюхать; вдыхать
snigger [ˈsnɪgə] *vi* хихикать
snip [snɪp] *n* надрез; находка ✧ *vt* резать
snipe [snaɪp] **1.** *n* бекас **2.** *v* стрелять из укрытия
sniper [snaɪpə] *n* снайпер
snippet [snɪpɪt] *n* обрывок
snivel [snɪvl] *vt* хныкать
snob [snɔb] *n* сноб
snobbery [snɔbərɪ] *n* снобизм
snog [snɔg] *vi* лизаться ✧ *n:* **to have a ~** лизаться
snooker [ˈsnuːkə] *n* снукер *(игра в бильярд)* ✧ *vt:* **we're completely ~ed** мы совершенно загнаны в угол
snoop [ˈsnuːp] *vi:* **to ~ about** шпионить; **to ~ on sb** подглядывать за кем-н. (в щелочку)
snooper [snuːpə] *n* шпион
snooty [snuːtɪ] *adj* задиристый
snooze [snuːz] *vi* прикорнуть, вздремнуть ✧ *n:* **to have a ~** вздремнуть
snore [snɔː] *n* храп ✧ *vi* храпеть
snoring [snɔːrɪŋ] *n* храп
snorkel [ˈsnɔːkl] *n* трубка
snort [snɔːt] *n* фырканье ✧ *vi* фыркнуть; схрапывать ✧ *vt* нюхать
snotty [ˈsnɔtɪ] *adj* сопливый; наглый
snout [snaut] *n* рыло, морда
snow [sneu] *n* снег ✧ *vi:* **it's ~ing** идет снег ✧ *vt:* **she is ~ed under with work** она завалена работой
snowbound [sneubaund] *adj* засыпанный снегом
snowcapped [sneukæpt] *adj* снежный
snowdrift [ˈsneudrɪft] *n* метель, буран
snowdrop [ˈsneudrɔp] *n (бот.)* подснежник
snowfall [ˈsneufɔːl] *n* снегопад
snowflake [ˈsneufleɪk] *n* снежинка
snow line *n* снеговая линия
snowman [ˈsneumæn] *n irreg* снежная баба, снеговик
snowplough [ˈsneuplau] *n* снегоуборочный комбайн
snowshoes [ˈsneuʃuːz] *npl* снегоступы
snowstorm [ˈsneustɔːm] *n* буран
snowy [ˈsneuɪ] *adj* снежный, заснеженный
snub [snʌb] *vt* пренебрежительно обходиться с ✧ *n* вызов
snub-nosed [ˈsnʌbneuzd] *adj* курносый
snuff [snʌf] *n* нюхательный табак ✧ *vt (also: ~* **out***)* тушить
snug [snʌg] *adj* уютный; плотно облегающий; **I'm very ~ here** мне здесь очень уютно; **the sweater is a ~ fit** свитер хорошо прилегает
snuggle [ˈsnʌgl] *vi:* **to ~ up to sb** прижиматься к кому-н.; **to ~ down in bed** забиваться под одеяло
snugly [ˈsnʌglɪ] *adv* уютно; **to fit ~** удобно помещаться; **the sweater fits ~** свитер хорошо прилегает
so [sou] *(полная форма)*, [sɔ], [sə] *(редуцированные формы)* **1.** *adv* так; и так; настолько **is that so?** вот как?; **you said it was good and so it is** вы сказали, что это хорошо, так оно и есть; это; то; **I told you so** я это говорил, я так и говорил ✧ **two hundred or so** двести или около этого; **so far** пока что; **so far as** поскольку; **so long** *разг.* пока, до свидания; **so many** столько -то; **so so** *разг.* так себе **2.** *cj.* следовательно; поэтому
soak [səuk] *vt* промочить; замачивать ✧ *vi* отмокать; **to be ~ed through** промокнуть насквозь
soak in *vi* впитываться
soaking [ˈsəukɪŋ] *adj (also: ~* **wet***)* мокрый насквозь
soak up *vt* впитывать (в себя)
so-and-so [ˈso(u)ənsou] такой-то *(вместо имени)*
soap [səup] *n* мыло; *(тел. also: ~* **opera***)* мыльная опера
soapbox [ˈsəupbɔks] *n* ящик из-под мыла; импровизированная трибуна
soap flakes *npl* мыльные хлопья
soap opera *n* мыльная опера
soap powder *n* мыльный порошок
soapsuds [ˈsəupsʌds] *npl* мыльная пена
soapy [ˈsəupɪ] *adj* мыльный
soar [sɔː] *vi* взвиваться в воздух; рез-

S

ко подскакивать; возвышаться
soaring [ˊsɔ:rɪŋ] *adj* неуправляемый
sob [sɔb] *n* рыдание ✧ *vi* рыдать, всхлипывать
sober [ˊsəubə] *adj* трезвый; неброский
sober up *vt* протрезвить ✧ *vi* трезветь, протрезвляться
sobriety [səˊbraɪətɪ] *n* трезвость
sob story *n* душещипательная история
so-called [ˊsəuˊkɔ:ld] *adj* так называемый
soccer [ˊsɔkə] *n* футбол
soccer pitch *n* футбольное поле
soccer player *n* футболист
sociable [ˊsəuʃəbl] *adj* общительный; светский
social [ˊsəuʃl] *adj* общественный, социальный; светский; стадный ✧ *n* встреча; вечер; **he has a good ~ life** он много общается с людьми
social class *n* социальный класс
social club *n* клуб общения
social democrat *n (полит.)* социал-демократ
social insurance *n* социальное обеспечение *or* страхование
socialism [ˊsəuʃəlɪzəm] *n* социализм
socialist [ˊsəuʃəlɪst] *n* социалист ✧ *adj* социалистический
socialite [ˊsəuʃəlaɪt] *n* светский человек
socially [ˊsəuʃəlɪ] *adv:* **to visit sb ~** зайти к кому-н. по-дружески; **~ acceptable** социально приемлемый
social science *n (просвещ.)* общественный науки
social welfare *n* социальное обеспечение
society [səˊsaɪtɪ] *n* общество ✧ *cpd* светский
socioeconomic [ˊsəusɪəui:kəˊnɔmɪk] *adj* социально-экономический
sociological [səusɪəˊlɔdʒɪkl] *adj* социологический
sociologist [səusɪˊɔlədʒɪst] *n* социолог
sociology [səusɪˊɔlədʒɪ] *n* социология
sock [sɔk] *n* носок ✧ *vt:* **to ~ sb in the face** давать кому-н. по физиономии; **to pull one's ~s up** подтянуться
socket [ˊsɔkɪt] *n* глазница; *(элек.)* розетка; патрон
sod [sɔd] *n* дерн; дрянь такая
soda [ˊsəudə] *n (хим.)* сода; *(also:* **~ water)** содовая; *(also:* **~ pop)** газировка
sodden [ˊsɔdn] **1.** *a* намоченный; пропитанный; подмокший; сырой *(о хлебе); перен.* отупевший *(от пьянства)* **2.** *v* подмачивать; сыреть; отсыревать
sodium [ˊsəudɪəm] *n* натрий
sodium chloride *n* хлорид натрия
sod off *vi:* **~ off** убирайся отсюда!, проваливай!
sofa [ˊsəufə] *n* диван
Sofia [ˊsəufɪə] *n* София
soft [sɔft] *adj* мягкий; негромкий; **don't be ~!** не будь дураком!
soft-boiled [ˊsɔftbɔɪld] *adj:* **~ egg** яйцо всмятку
soft drink *n* безалкогольный напиток, сок
soft drugs *npl* мягкие наркотики
soften [ˊsɔfn] *vt* смягчать ✧ *vi* смягчаться
soft fruit *n* ягоды
soft furnishings *npl* мягкая обивка
softhearted [sɔftˊhɑ:tɪd] *adj* мягкосердечный
softly [sɔftlɪ] *adv* мягко; тихо
soft option *n* легкий путь
soft target *n* легкая добыча
soft toy *n* мягкая игрушка
software [ˊsɔftweə] *n (комп.)* программное обеспечение
software package *n (комп.)* пакет программ
soft water *n* мягкая вода
soggy [ˊsɔgɪ] *adj* сырой; размокший
soil [sɔɪl] *n* почва; земля ✧ *vt* пачкать; марать
soiled [sɔɪld] *adj* испачканный; *(комм.)* поврежденный
sojourn [ˊsɔdʒə:n] *n* пребывание
solace [ˊsɔlɪs] *n* утешение
solar [ˊsəulə] *adj* солнечный
solaria [səˊleərɪə] *npl of* **solarium**
solarium [səˊleərɪəm] *n* солярий
solar panel *n* солнечная батарея
solar plexus [-ˊpleksəs] *n* солнечное сплетение

S

solar power *n* солнечная энергия
solar system *n* солнечная система
solar wind *n* солнечная буря
sold [səuld] *pt, pp of* **sell**
solder [ˈsəuldə] *vt* паять, спаивать ✧ *n* припой
soldier [ˈsəuldʒə] *n* солдат; военный ✧ *vi:* **to ~ on** не сдаваться; **toy ~** солдатик
sold out *adj* распроданный
sole [səul] *n* подошва; подметка ✧ *n inv* палтус ✧ *adj* единственный; исключительный; **the ~ reason** единственная причина
solely [ˈsəullı] *adv* только; **I will hold you ~ responsible** вся ответственность лежит только на вас
solemn [ˈsɔləm] *adj* торжественный
solicit [səˈlısıt] *vt* обращаться с просьбой за ✧ *vi* предлагать себя
solicitor [səˈlısıtə] *n* адвокат
solid [ˈsɔlıd] *adj* цельный; твердый; непоколебимый; плотный; сплоченный; целый; чистый ✧ *n* твердое тело; **~s** *npl* твердая пища; прикорм; **to be on ~ ground** твердо стоять на ногах; **we waited two ~ hours** мы прождали целых два часа
solidarity [sɔlıˈdærıtı] *n* солидарность
solid fuel *n* твердое топливо
solidify [səˈlıdıfaı] *vi* застывать; затвердевать ✧ *vt* делать твердым
solidity [səˈlıdıtı] *n* твердость
solidly [ˈsɔlıdlı] *adv* крепко, солидно; полностью
solid-state [ˈsɔlıdsteıt] *adj (элек.)* твердый, в твердом состоянии
soliloquy [səˈlıləkwı] *n* монолог
solitaire [sɔlıˈteə] *n* солитер; пасьянс
solitary [ˈsɔlıtərı] *adj* одинокий; уединенный; единичный
solitude [ˈsɔlıtju:d] *n* одиночество; уединение; **to live in ~** жить в уединении
solo [ˈsəuləu] *n* соло ✧ *adv* в одиночку
soloist [ˈsəuləuıst] *n* солист(ка)
solstice [ˈsɔlstıs] *n* солнцестояние
soluble [ˈsɔljubl] *adj* растворимый
solution [səˈlu:ʃən] *n* решение; раствор
solvable [ˈsɔlvəbl] разрешимый
solve [sɔlv] *vt* решать; разрешать; раскрывать
solvency [ˈsɔlvənsı] *n* платежеспособность
solvent [ˈsɔlvənt] *adj (комм.)* платежеспособный ✧ *n (хим.)* растворитель
Somalia [səˈmɑ:lıə] *n* Сомали
sombre [ˈsɔmbə] *adj* мрачный
some [sʌm] **1.** *a* некий; некоторый, какой-нибудь; несколько, некоторое количество ✧ **she's ~ girl!** девушка что надо! ; **~ day** когда-нибудь; **~ place** где-нибудь; **~ ... or other** какой -то; **in ~ book or other** в какой-то книге, в одной из книг **2.** *прон.* кое-кто; некоторые; одни; другие
somebody [ˈsʌmbədı] некто, кто-нибудь
someday [ˈsʌmdeı] *adv* когда-нибудь
somehow [ˈsʌmhau] *adv* как-нибудь; почему-то; каким-то образом
someone [ˈsʌmwan] *pron* кто-то; кто-нибудь; **I saw ~ in the garden** я видел кого-то в саду; **~ will help you** Вам кто-нибудь поможет
somersault [ˈsʌməsɔ:lt] *n* сальто; кувырок ✧ *vi* кувыркаться; перекувырнуться
something [ˈsʌmθıŋ] что-либо, что-нибудь
sometime [ˈsʌmtaım] когда-нибудь
sometimes [ˈsʌmtaımz] иногда
somewhat [ˈsʌmwɔt] отчасти; довольно
somewhere [ˈsʌmweə] где-нибудь, где-либо; **~ else** где-либо в другом месте
somnambulist [ˌsɔmˈnæmbjulıst] лунатик
somniferous [sɔmˈnıfərəs] снотворный, усыпляющий
somnol||ence [ˈsɔmnələns] сонливость; дремота; **~ent** [-ənt] дремлющий; снотворный
son [sʌn] *n* сын
sonar [ˈsəunɑ:] *n (мор.)* гидролокатор, эхолот
sonata [səˈnɑ:tə] *n* соната
song [sɔŋ] *n* песня
song book *n* сборник песен, песенник

S

song-in-law [ˈsʌnɪnlɔ:] *n* зять
songwriter [ˈsɔŋraɪtə] *n* композитор-песенник, поэт-песенник
sonic [ˈsɔnɪk] *adj* звуковой
sonnet [ˈsɔnɪt] *n* сонет
sonny [ˈsʌnɪ] *n* сынок
soon [su:n] *adv* скоро; рано; **~ (afterwards)** вскоре; **quite ~** довольно скоро; **how ~ can you do it/come back?** когда Вы сможете это сделать/вернуться?; **see you ~!** до скорого!; *see also* **as**
sooner [ˈsu:nə] *adv* скорее; **I would ~ do that** я бы скорее сделал это; **the ~ the better** чем скорее, тем лучше; **no ~ said than done** сказано-сделано; **no ~ had we left than...** не успели мы уйти, как...
soot [sut] *n* сажа
sooth [su:ð] *уст.* правда; **~ to say** по правде говоря
soothe [su:ð] *vt* успокаивать
soothing [ˈsu:ðɪŋ] *adj* успокоительный; утешительный
sop [sɔp] **1.** *n* кусочек хлеба; подарок *или* подачка **2.** *v* макать; мочить; впитывать
sophisticated [səˈfɪstɪkeɪtɪd] *adj* изощренный; изысканная
sophistication [səfɪstɪˈkeɪʃən] *n* изощренность
sophomore [ˈsɔfəmɔ:] *n* второкурсник
soporific [sɔpəˈrɪfɪk] *adj* усыпляющий; снотворный ✧ *n* снотворное
sopping [ˈsɔpɪŋ] *adj:* **~ (wet)** промокший насквозь
soppy [ˈsɔpɪ] *adj* душещипательный; сентиментальный
soprano [səˈprɑ:nəu] *n* сопрано
sorbet [ˈsɔ:beɪ] *n (кулин.)* фруктовое мороженое
sorcerer [ˈsɔ:sərə] *n* колдун
sordid [ˈsɔ:dɪd] *adj* загаженный; гнусный
sore [sɔ:] *n* язва, болячка ✧ *adj* обиженный; **my arm is ~, I've get a ~ arm** у меня болит рука; **it's a ~ point** это болезненный предмет
soreness [ˈsɔ:nɪs] *n* боль
sorrel [ˈsɔrəl] *n* щавель
sorrow [ˈsɔrəu] *n* печаль, грусть; **~s** *npl* печали
sorrowful [ˈsɔrəuful] *adj* печальный
sorry [ˈsɔrɪ] *adj* плачевный; **I'm ~** мне жаль!; **~!** извините, пожалуйста; **~?** простите?; **I feel ~ for him** мне его жалко; **I'm ~ to hear that..** мне грустно слышать, что...; **to be ~ about sth** сожалеть о чем-н.
sort [sɔ:t] *n* сорт; тип ✧ *vt (also:* **~ out)** разбирать; разбираться в; *(комп.)* сортировать; **what ~ do you want?** какой сорт Вы хотите?; **what ~ of car?** какая машина?; **I'll do nothing of the ~!** я не собираюсь делать ничего подобного; **it's ~ of awkward** это как-то неудобно
sorting office *n* сортировочное отделение
so-so [ˈsəusəu] *adv* так себе
sot [sɔt] горький пьяница
souffle [ˈsu:fleɪ] *n* суфле
sough [sau] **1.** *n* шелест, легкий шум *(ветра)* **2.** *v* шелестеть *(о ветре)*
sought [sɔ:t] *pt, pp of* **seek**
soul [səul] *n* душа; (музыка) "соул"; **the poor ~ had nowhere to sleep** несчастному негде было спать; **I didn't see a ~** я не видел ни души
soul-destroying [ˈsəuldɪstrɔɪŋ] *adj:* **this work is ~** эта работа выматывает душу
soulless [ˈsəullɪs] *adj* мертвый; **this is a ~ task** это иссушает душу
soul mate *n* родная душа
sound I [saund] **1.** *n звук, шум* **2.** *v* звучать, издавать звуки, выстукивать *(о колесе);* выслушивать *(больного)*
sound II 1. *a* здоровый; крепкий; исправный; неиспорченный *(о фруктах и т.п.);* правильный; здравый; глубокий *(о сне)* **2.** *adv* **~ be asleep** крепко спать
sound barrier *n* звуковой барьер
sound effects *npl* звуковые эффекты
sound engineer *n* звукорежиссер
soundly [ˈsaundlɪ] *adv* крепко; здорово
sound off *vi:* **to ~ off (about)** высказаться (о)
soundproof [ˈsaundpru:f] *adj* звуконеп-

S

роницаемый ✧ *vt* звукоизолировать

soundtrack ['saundtræk] *n* музыка *(из кинофильма)*

sound wave *n* звуковая волна

soup [su:p] *n* суп; **to be in the ~** попадать в передрягу

soup course *n* первое

soup kitchen *n* столовая для бедный, суповая кухня

soup plate *n* глубокая тарелка

soupspoon ['su:pspu:n] *n* столовая ложка

sour ['sauə] *adj* кислый; неприязненный; **to go** *or* **turn ~** скисать; портиться; **it's ~ grapes** это зависть

source [sɔ:s] *n* источник; **I have it from reliable ~ that...** у меня есть сведения из надежного источника, что...

south [sauθ] *n* юг ✧ *adj* южный ✧ *adv* на юг; **(to the) ~ of** к югу от; **to travel ~** ехать/ездить на юг; **the S~ of France** Юг Франции

South Africa *n* Южная Африка

South America *n* Южная Америка

southeast [sauθ'i:st] *n* юго-восток

Southeast Asia *n* Юго-восточная Азия

southerly ['sʌðəlɪ] *adj* обращенный к югу; южный

South Korea *n* Южная Корея

South Pole *n*: **the ~~** Южный полюс

southwest [sauθ'west] *n* юго-запад

souvenir [su:və'nɪə] *n* сувенир

sovereign ['sɔvrɪn] *n* государь

sovereignty ['sɔvrɪntɪ] *n* суверенитет

Soviet ['səuvɪət] *adj* советский ✧ *n* советский гражданин; **the ~ Union** Советский Союз

sow I [sau] *n* свинья; свиноматка

sow II [səu] *vt* сеять

sown [səun] *pp of* **sow II**

soya ['sɔɪə] *n*: **~ bean/sauce** соевый боб/соус

sozzled ['sɔzld] *adj* под мухой

spa [spɑ:] *n* курортный город; *(also:* **health ~)** лечебно-оздоровительный курорт

space [speɪs] *n* пространство; место; космос; промежуток ✧ *cpd* космический ✧ *vt (also:* **~ out)** разбивать; распределять; **to clear a ~ for sth** расчищать место для чего-н.; **in a confined ~** в ограниченном пространстве; **in a short ~ of time** в короткий промежуток времени; **(with)in the ~ of an hour** в течение часа

space-bar ['speɪsbɑ:] *n* интервал

spacecraft ['speɪskrɑ:ft] *n* космический корабль

spaceman ['speɪsmæn] *n* космонавт

spacesuit ['speɪssu:t] *n* скафандр

spacewoman ['speɪswumən] *n* женщина-космонавт

spacing ['speɪsɪŋ] *n* промежутки; интервалы

spacious ['speɪʃəs] *adj* просторный

spade [speɪd] *n* лопата; лопатка; **~s** *(карт.)* пики

spadework ['speɪdwə:k] *n* черновая работа

spaghetti [spə'getɪ] *n* спагетти

Spain [speɪn] *n* Испания

span [spæn] *pt of* **spin** ✧ *n* размах; пролет; промежуток ✧ *vt* перекинуть через; охватывать

spaniel ['spænjəl] *n* спаниель

spank ['spæŋk] *vt* шлепать

spanner ['spænə] *n* гаечный ключ

spar I [spɑ:] брус; перекладина

spar II [spɑ:] драться на кулачках; *перен.* препираться

spare part *n* запчасть

spare room *n* свободная комната

spare time *n* свободное время

spare tyre *n* запасная шина

spare wheel *n* запасное колесо

sparing ['speərɪŋ] *adj*: **he is ~ with his money** он экономен с деньгами; **he was ~ with his praise** он был скуп на похвалу

sparingly ['speərɪŋlɪ] *adv* экономно

spark I [spɑ:k] **1.** *n* искра; вспышка *(тж. перен.)* **2.** *v* искриться; вспыхивать ✧ **~ smth. off** *разг.* привести *(к чему -л.);* стать причиной *(чего-л.)*

spark II весельчак

sparkle ['spɑ:kl] *n* блеск ✧ *vi* сверкать; блестеть; шипеть

S

sparkler [ˈspɑːklə] *n* бенгальский огонь
sparkling [ˈspɑːklɪŋ] *adj* игристый; блестящий
sparrow [ˈspærəu] *n* воробей
sparse [spɑːs] *adj* редкий
spartan [ˈspɑːtən] *adj* спартанский
spar||e [speə] **1.** *v* экономить, беречь; ~ **no expense** не жалеть расходов; уделять *(время и т.п.);* оберегать, щадить; ~ **me the details** избавьте меня от подробностей **2.** *a* запасный, запасной; лишний, свободный ~ parts запасные части; ~ **cash** лишние деньги; ~ **time** свободное время; скудный; худощавый **3.** *n* запасная часть *(машины)*
spasm [ˈspæzəm] *n (мед.)* спазм; приступ
spasmodic [spæzˈmɔdɪk] *adj* спазматический
spastic [ˈspæstɪk] *n (мед.)* паралитик ✧ *adj (мед.)* спастический
spat [spæt] *pt of* **spit** ✧ *n* размолвка
spate [speɪt] внезапное наводнение
spatial [ˈspeɪʃl] *adj* пространственный
spatter [ˈspætə] *vi* брызгаться ✧ *vt* брызгать
spatula [ˈspætjulə] *n (мед.)* шпатель; *(кулин.)* лопатка
spawn [spɔːn] *vi* метать икру ✧ *n* икра
speak [spiːk] *vi* говорить; выступать ✧ *vt* говорить; **to ~ to sb** разговаривать с кем-н.; **to ~ of** *or* **about** говорить о; **he has no money to ~ of** у него очень немного денег; ~ **up!** говорите громче!; **to ~ at a conference/in a debate** выступать на конференции/в дебатах; **to ~ Russian/several languages** говорить по-русски/на нескольких языках; **to ~ one's mind** высказывать свое мнение
speaker [ˈspiːkə] *n* оратор; **the S~** спикер; **are you a Welsh ~?** Вы говорите по-уэльски?
speak for *vt:* **to ~ for sb** говорить за кого-н.; **that picture is already spoken for** эту картину уже сторговали
speaking [ˈspiːkɪŋ] *adj* говорящий; **Italian ~ people** италоговорящие; **we are now longer on ~ terms** мы больше не общаемся
spear [spɪə] *n* копье ✧ *vt* пронзать копьем
spearhead [ˈspɪəhed] *vt* возглавлять
spearmint [ˈspɪəmɪnt] *n* мята
spec [spek] *n:* **on ~** наудачу
special [ˈspeʃl] *adj* особый, особенный; специальный ✧ *n* поезд специального назначения; **take ~ care** проявите особенную заботу; **nothing ~** ничего особенного; **today's ~** сегодняшнее фирменное блюдо
special agent *n* агент по особым поручениям
special correspondent *n* специальный корреспондент
special delivery *n:* **by ~~** срочной доставкой
special effects *npl (кино)* специальные съемочные эффекты
specialist [ˈspeʃəlɪst] *n* специалист; **heart ~** специалист-кардиолог
speciality [speʃɪˈælɪtɪ] *n* фирменное блюдо; специализация
specialize [ˈspeʃəlaɪz] *vi:* **to ~ (in)** специализироваться (в)
specially [ˈspeʃlɪ] *adv* особенно; специально
species [ˈspiːʃiːz] *n* вид
specific [spəˈsɪfɪk] *adj* определенный; **~ to** характерный для
specifically [spəˈsɪfɪklɪ] *adv* определенно; специально
specification [spesɪfɪˈkeɪʃən] *n (тех.)* спецификация; требование; **~s** *(тех.)* технические услуги
specify [ˈspesɪfaɪ] *vt* уточнять; **unless otherwise specified** если нет других указаний
specimen copy *n* образцовый экземпляр
specimen signature *n* образец подписи
speck [ˈspek] *n* пятнышко; крапинка
speckled [spekld] *adj* пестрый
specs [ˈspeks] *npl* очки
spectacle [ˈspektəkl] *n* зрелище
spectacle case *n* футляр для очков
spectacular [spekˈtækjulə] *adj* впечат-

S

ляющий ✧ *n (театр.)* впечатляющее зрелище
spectator [spek'teɪtə] *n* зритель(ница) ✧ *cpd:* **a ~ sport** зрелищный спорт
spectre ['spektə] *n* призрак
spectrum ['spektrəm] *n* спектр
speculate ['spekjuleɪt] *vi (комм.)* играть на бирже; **to ~ about** строить догадки *or* размышлять
speculation [spe'kju'leɪʃən] *n* биржевая игра; догадка; предположение
sped [sped] *pt, pp of* **speed**
speech [spi:tʃ] *n (театр.)* монолог; речь
speech impediment *n* дефект речи
speechless ['spi:tʃlɪs] *adj* безмолвный
speech therapist *n* логопед
speech therapy *n* логопедия
speed [spi:d] *n* скорость; быстрота ✧ *vi* превышать скорость; **to ~ along /by** мчаться по; **at ~** на большой скорости; **at full** *or* **top ~** на полной *or* пределе скорости; **at a ~ of 70 km/h** со скоростью 70 км в час; **shorthand/typing ~** скорость машинописи/стенографирования; **a five ~ gearbox** коробка передач с пятью скоростями
speedboat ['spi:dbəut] *n* быстроходный катер
speedily ['spi:dɪlɪ] *adv* скоро
speeding ['spi:dɪŋ] *n* превышение скорости
speed limit *n* ограничение скорости
speedometer [spɪ'dəmɪtə] *n (авт.)* спидометр
speed up *vi* ускоряться ✧ *vt* ускорять
speedway ['spi:dweɪ] *n* спидвей; гоночный трек
speedy [spi:dɪ] *adj* быстрый; скорый
speleologist [spelɪ'ɔlədʒɪst] *n* спелеолог
spelibound [spelbaund] *adj* зачарованный
spell I [spel] писать *или* произносить слова по буквам; **~ out** читать по складам
spell II заклинание; чары *мн.* обаяние; **under a ~** зачарованный
spell III короткий промежуток времени; **these hot ~s don't last long** такая жара продержится недолго
spelt [spelt] *pt, pp of* **spell**
spending ['spendɪŋ] *n* расходы
spending money *n* карманные деньги
spending power *n* покупательная способность
spendthrift [spendθrɪft] *n* расточитель
spent [spent] *pt, pp of* **spend** ✧ *adj* пустой; израсходованный; **~ matches** использованные *or* израсходованные спички; **my patience is ~** у меня терпение кончилось
sperm [spə'm] *n* сперма
sperm bank *n* хранилище донорской спермы
sperm whale *n* кашалот
spesimen ['spesɪmən] *n* экземпляр; образец; **a ~ of urine** моча для анализа
spew [spju:] *vt* изрыгать ✧ *vi* рвать; **he ~ed** вырвало
sphere [sfɪə] шар; глобус; земной шар; сфера, поле деятельности; **that is not in my ~** это не в моей компетенции
spherical ['sferɪkl] *adj* сферический; шарообразный
sphinx [sfɪŋks] *n* сфинкс
spice [spaɪs] *n* специя, пряность ✧ *vt* приправлять специями
spick-and-span ['spɪkən'spæn] *adj:* **to be ~** сверкать
spicy ['spaɪsɪ] *adj* острый
spider ['spaɪdə] *n* паук; **~'s web** паутина
spidery ['spaɪdərɪ] *adj* тонкий; небрежный
spiel [spi:l] *n* говорильня
spigot ['spɪgət] втулка
spike [spaɪk] *n* острие; *(бот.)* соцветие; колос; *(элек.)* штырь
spike heel *n* шпилька
spill I [spɪl] проливать, разливать; сбрасывать *(седока с седла)* ✧ **there is no use crying over spilt milk** *погов.* слезами горю не поможешь
spill II [spɪl] лучина; скрученный кусок бумаги

S

spillage [ˈspɪlɪdʒ] *n* разлив
spill out *vi* выливаться
spill over *vi* переливаться (через край); выливаться
spilt [spɪlt] *pt, pp of* **spill**
spin [spɪn] *n* катание; поворот; вращение; *(авиа.)* штопор ✧ *vt* прясть; крутить; вращать; выжимать (в стиральной машине) ✧ *vi* кружиться; вращаться; **let's go for a ~ in the car** поедем кататься на машине; **to put ~ on a ball** закручивать мяч; **to ~ a yarn** плести небылицы; **to ~ a coin** подбрасывать монету
spinach [ˈspɪnɪtʃ] *n* шпинат
spinal [ˈspaɪnl] *adj* спинной; **~ injury** повреждение позвоночника
spinal column *n* позвоночный столб
spinal cord *n* спинной мозг
spindly [ˈspɪndlɪ] *adj* длинный и тонкий
spin-dry [ˈspɪnˈdraɪ] *vt* выжимать досуха *(в центрифуге)*
spine [spaɪn] *n (анат.)* позвоночник; колючка; игла
spine-chiling [ˈspaɪntʃɪlɪŋ] *adj* жуткий
spineless [ˈspaɪnlɪs] *adj* бесхребетный
spinner [ˈspɪnə] *n* прядильщик, пряха
spinning [ˈspɪnɪŋ] *n* прядение
spinning top *n* волчок
spinning wheel *n* прялка
spin-off [ˈspɪnɔf] *n* побочный результат
spin out *vt* растягивать
spinster [ˈspɪnstə] *n* незамужняя женщина
spint-dryer [spɪnˈdraɪə] *n* центрифуга-сушилка
spiral [ˈspaɪərl] *n* спираль ✧ *vi* резко возрастать; **the inflationary ~** спираль инфляции
spiral staircase *n* винтовая лестница
spire [ˈspaɪə] *n* шпиль
spirit [ˈspɪrɪt] *n* дух; душа; **~s** *npl* спиртное; **in good/low ~s** в хорошем /подавленном настроении; **community ~, public ~** общественный дух
spirited [ˈspɪrɪtɪd] *adj* энергичный; воодушевленный; горячий
spirit level *n* ватерпас
spiritual [ˈspɪrɪtjuəl] *adj* духовный ✧ *n (also:* **Negro ~)** спиричуал
spiritualism [ˈspɪrɪtjuəlɪzəm] *n* спиритизм
spiteful [ˈspaɪtful] *adj* злобный
spit I [spɪt] **1.** *n* слюна; плевок ✧ **he is the ~ and image of his father** он вылитый отец **2.** *v* плевать; харкать; плеваться; фыркать, шипеть *(о кошке);* трещать *(об огне и т. п.);* моросить *(о дожде);* **~ at, ~ on** "плевать" на; **~ out** выплевывать **~ upon** *см.* **~ on**
spit II отмель, коса
spit III 1. *n* вертел **2.** *v* насаживать на вертел; прокалывать, пронзать
spite [spaɪt] *n* злоба; злость ✧ *vt* досаждать; **in ~ of** несмотря на
spittle [ˈspɪtl] *n* слюна
spiv [spɪv] *n* жулик
splash [splæʃ] *n* всплеск ✧ *excl:* **~!** плюх! ✧ *vt* брызгать ✧ *vi (also:* **~ about)** плескаться; **a ~ of colour** цветовое пятно; **to ~ paint on the floor** забрызгивать пол краской
splashdown [ˈsplæʃdaun] *n* приводнение
spleen [spli:n] *n (анат.)* селезенка
splendid [ˈsplendɪd] *adj* великолепный
splendour [ˈsplendə] *n* великолепие; **~s** *npl* великолепие
splice [splaɪs] *vt* соединять; склеивать
splint [splɪnt] *n* шина
splinter [ˈsplɪntə] *n* щепка; осколок; заноза ✧ *vi* расщепляться
splinter group *n* отколовшаяся фракция
split [splɪt] *n* трещина; раскол ✧ *vt* расщеплять; *(полит.)* раскалывать; разделять ✧ *vi* расщепляться; разделяться; **let's ~ the difference** давайте сойдемся на средней цифре; **to do the ~s** делать шпагат
split-level [ˈsplɪtlevl] *adj:* **~ house** дом, построенный на разных уровнях
split peas *npl* лущеный горох
split personality *n* раздвоение личности

S

split second *n* доля секунды
splitting [ˈsplɪtɪŋ] *adj:* **I've got a ~ headache** у меня голова раскалывается
split up *vi* расходиться; разделяться; заканчиваться
splutter [ˈsplʌtə] *vi* трещать; брызгать слюной
spoil [spɔɪl] *vt* портить; баловать ✧ *vi:* **he's ~ing for a fight** он так и лезет в драку
spoils [spɔɪlz] *npl* трофеи
spoilsport [ˈspɔɪlspɔːt] *n:* **don't be a ~** не отравляй людям настроение
spoilt [spɔɪlt] *pt, pp of* **spoil** ✧ *adj* испорченный; избалованный
spoke [spəuk] *pt of* **speak** ✧ *n* спица
spokeswoman [ˈspəukswumən] *irreg n* представительница
spoken [ˈspəukn] *pp of* **speak**
spokesman [ˈspəuksmən] *irreg n* представитель
spokesperson [ˈspəukspəːsn] *irreg n* представитель(ница) по связям с прессой
spolling [ˈspelɪŋ] *n* правописание
sponge [spʌndʒ] *n* губка; *(also:* **~ cake***)* бисквит ✧ *vt* обтирать губкой ✧ *vi:* **to ~ off** *or* **on sb** сидеть на шее у кого-н.
sponge bag *n* сумочка для туалетных принадлежностей
sponger [ˈspʌndʒə] *n* паразит
spongy [ˈspʌndʒɪ] *adj* губчатый
sponsor [ˈspɔnsə] *n* спонсор; поручитель ✧ *vt* финансировать; поручаться за; вносить на рассмотрение; **I ~ed him at twenty pence a mile** я пожертвовал ему двадцать пенсов за милю
sponsorship [ˈspɔnsəʃɪp] *n* спонсорство
spontaneity [spɔntəˈneɪɪtɪ] *n* спонтанность
spoof [spuːf] *n* пародия; розыгрыш ✧ *vt* передразнивать
spool [spuːl] *n* катушка; бобина
spoon [spuːn] *n* ложка
spoon-feed [ˈspuːnfiːd] *vt* кормить с ложки
spoory [ˈspuːrɪ] *adj* зловещий; жуткий
sporadic [spəˈrædɪk] *adj* спорадический
sport [spɔːt] *n* спорт; *(also:* **good ~***)* молодчина ✧ *vt* щеголять; **indoor/outdoor ~s** виды спорта для открытых помещений/на открытом воздухе
sporting [ˈspɔːtɪŋ] *adj* спортивный; рыцарский; **to give sb a ~ chance** давать кому-н. некоторый шанс
sports car *n* спортивная машина
sports centre *n* спортивный центр
sports ground *n* спортивная площадка
sports jacket *n* спортивная куртка из твида
sportsman [ˈspɔːtsmən] *irreg n* спортсмен
sportsmanship [ˈspɔːtsmənʃɪp] *n* спортивный дух; **he showed real ~** он показал себя настоящим спортсменом
sports page *n* спортивная страница
sportswear [ˈspɔːtsweə] *n* спортивная одежда
sportswoman [ˈspɔːtswumən] *irreg n* спортсменка
sporty [ˈspɔːtɪ] *adj* спортивный
spot [spɔt] *n* пятно; крапинка; прыщик; место; **~ advertisiment** рекламная рубрика ✧ *vt* замечать; **a ~ of bother** маленькая неприятность; **shall we have a ~ of lunch?** не перекусить ли нам?; **~s of rain** капли дождя; **on the ~** на месте; в тот же момент; **to put sb on the ~** ставить кого-н. в затруднительное положение; **in a ~** в затруднительном положении; **to come out in ~s** покрывать сыпью; покрываться прыщами
spot check *n* выборочная проверка
spotlight [ˈspɔtlaɪt] *n* (осветительный) прожектор; **to be in the ~** в центре внимания
spot-on [spɔtˈɔn] *adj:* **to be ~** попасть в самую точку
spotted [ˈspɔtɪd] *adj* пятнистый; **~ with** запятнанный
spotty [ˈspɔtɪ] *adj* прыщавый
spouse [spaus] *n* супруг(а)
spout [spaut] *n* носик; выпускное отверстие ✧ *vi* бить струей; извергаться

sprain [spreɪn] *n (мед.)* растяжение ✧ *vt:* **to ~ one's ankle/wrist** растягивать щиколотку/запястье
sprawl [sprɔːl] *vi* разваливаться; раскидываться ✧ *n:* **urban ~** разрастание города; **to send sb ~ing** сбивать кого-н. с ног
spray I [spreɪ] ветка; побег
spray II [ˈspreɪ] брызги *мн.;* водяная пыль
spread [spred] *n* спектр; распространение; бутербродный маргарин; обильное угощение ✧ *vt* расстилать; разбрасывать; намазывать; расправлять ✧ *vi* распространяться; *(also:* **~ out)** расширяться; **middle-age ~** возрастная полнота
spread-eagled [ˈsprediːgld] *adj* распластанный; **to be** *or* **lie ~** плашмя
spread out *vi* раздвигать
spreadsheet [ˈspredʃiːt] *n* электронная таблица
spree [spriː] *n:* **to go on a ~** кутить
sprig [sprɪg] *n* весточка
springboard [ˈsprɪŋbɔːd] *n* трамплин; **to be the ~ for** быть трамплином для
spring-clean(ing) [sprɪŋˈkliːnɪŋ] *n* генеральная уборка
spring I [sprɪŋ] весна; *attr.* весенний; **~ crops** яровые культуры
spring II [ˈsprɪŋ] **1.** *v* прыгать; вскакивать; **~ to one's feet** вскочить на ноги; зарождаться, брать начало; вспугивать *(дичь);* коробиться *(о доске);* возникать *(тж. перен.)* ✧ **~ a leak** дать течь *(о судне)* **2.** *n* прыжок; источник, родник; рессора, пружина; упругость, эластичность; *attr.:* **~ water** ключевая вода; **~ balance** безмен; **~ bed** пружинный матрац
spring onion *n* лук-батун; зеленый лук
spring up *vi* вырастать
springy [ˈsprɪŋɪ] *adj* упругий
sprinkle [ˈsprɪŋkl] *vt* посыпать; **to ~ water on sth, ~ sth with water** брызгать водой на что-н.; **to ~ sugar on sth, ~ sth with sugar** посыпать что-н. сахаром; **~d with** усыпанный
sprinkler [ˈsprɪŋklə] *n* разбрызгиватель; спринклер
sprinkling [ˈsprɪŋklɪŋ] *n* небольшое количество; небольшая горстка
sprint [sprɪnt] *n* спринт ✧ *vi* стремительно бегать/бежать; *(спорт.)* спринтовать; **the 200 metres ~** спринт на 200-метровую дистанцию
sprinter [ˈsprɪntə] *n* спринтер
sprite [spraɪt] *n* эльф, фея
sprocket [ˈsprɔkɪt] *n (тех.)* (цепная) звездочка
sprout [spraut] *vi (бот.)* пускать ростки
sprouts [sprauts] *npl (also:* **Brussels ~***)* брюссельская капуста
spruce [spruːs] щеголеватый, нарядный; элегантный
spruce up *vt* наводить глянец на; **to ~ o.s. up** наводить на себя глянец
sprung [sprʌŋ] *pp of* **spring**
spry [spraɪ] *adj* бодрый
spud [spʌd] *n* картошка
spur [spɔ] *n* шпора, стимул ✧ *vt* подстегивать; **to ~ sb on to** побуждать кого-н.к; **on the ~ of the moment** под влиянием минуты
spurious [ˈspjuərɪɔs] *adj* поддельный
spurn [spɔːn] *vt* отвергать
spurt [spɔːt] *n* струя; порыв ✧ *vi* хлынуть; **to put on a ~** делать рывок
spy [spaɪ] *n* шпион ✧ *vi:* **to ~ on** шпионить за ✧ *vt* замечать ✧ *cpd* шпионский
spying [ˈspaɪŋ] *n* шпионаж
squabble [ˈskwɔbl] *vt* вздорить ✧ *n* перебранка
squad [skwɔd] *n* команда, *(спорт.)* команда; **flying ~** летучий полицейский отряд
squad car *n* дежурная полицейская машина
squadron [ˈskwɔdrn] *n (воен.)* эскадрон; *(авиа)* эскадрилья, *(мор.)* эскадра
squalid [ˈskwɔlɪd] *adj* убогий; грязный
squall [skɔːl] *n* шквал

S

squalor [ˈskwɔlə] *n* убогость
squander [ˈskwɔndə] *vt* проматывать; растрачивать
square [skweə] *n* квадрат, площадь; квартал; *(also:* **set ~)** угольник ✧ *adj* квадратный, немодный, серый ✧ *vt* улаживать; *(мат.)* возводить в квадрат ✧ *vi* согласовываться; **we are all ~** мы квиты; **a ~ meal** плотная трапеза; **2 metres ~** 2 метра длиной и 2 метра шириной; **2 ~ mertres** 2 квадратных метра; **I'll ~ with him** я с ним это улажу; **can you it with your concience?** это согласуется с Вашей совестью; **we're back to ~ one** мы вернулись туда, откуда начали
square bracket *n* квадратная скобка
square-built [ˈskweəbɪlt] широкоплечий
squarely [ˈskweəlɪ] *adv* прямо
square room *n* квадратный корень
square up *vt:* **to ~ up with sb** поквитаться
squash I [skwɔʃ] **1.** *n* раздавленная масса, "каша"; толпа; давка; фруктовый напиток **2.** v сжимать; сдавливать; толпиться *разг.* обрезать *(кого-л.)*
squash II *амер.* тыква; кабачок
squat [skwɔt] *adj* приземистый ✧ *vi (also:* **~ down***)* сидеть на корточках, на корточки, незаконно поселяться в дом
squaw [skwɔː] индианка
squawk [skwɔːk] **1.** *n* пронзительный крик *(птицы)* **2.** *v* пронзительно кричать *(о птице)*
squeak [skwiːk] *vt* скрипеть; пищать ✧ *n* скрип
squeaky-clean [skwiːkɪˈkliːn] *adj* чистый до скрипа, без пятнышка
squeal [skwiːl] *vt* взвизгивать
squeamish [skwiːmɪʃ] *adj* брезгливый
squeeze [skwiːz] *n* сжатие, ограничение; *(also:* **credit ~***)* ограничение кредита ✧ *vt* сжимать; выжимать ✧ *vi:* **to ~ past/under sth** протискиваться через что-н./под чем-н.; **a ~ of lemon** несколько капель лимонного сока
squeeze out *vt* выжимать
squelch [skweltʃ] *vt* хлопать
squib [skwɪb] *n* петарда
squid [skwɪd] *n* кальмар
squiggle [ˈskwɪgl] *n* загогулина
squint [skwɪnt] *vt* косить; щуриться; прищуриваться ✧ *n (мед.)* косоглазие; **he has a ~** у него косоглазие, он косит
squire [ˈskwaɪə] *n* помещик; начальник
squirm [skwəːm] *vi* выгибаться; поеживаться
squirrel [ˈskwɪrəl] *n* белка
squirt [skwəːt] **1.** *n* струя; шприц **2.** *v* пускать струю; бить струей; распылять
Sri Lanka [srɪˈlæŋkə] *n* Шри- Ланка
stab [stæb] *n* удар; укол; **to have a ~ at doing** пытаться ✧ *vt* наносить удар; **to ~ sb to death** закалывать кого-н.
stability [stəˈbɪlɪtɪ] *n* устойчивость; стабильность
stabilization [steɪbəlaɪˈzeɪʃən] *n* стабилизация
stabilize [ˈsteɪbəlaɪz] *vt* стабилизировать ✧ *vi* стабилизироваться
stabilizer [ˈsteɪbəlaɪzə] *n* стабилизатор
stable [ˈsteɪbl] *adj* стабильный; устойчивый ✧ *n* конюшня, стойло; хлев; **riding ~s** конноспортивная школа
staccato [stəˈkɑːtəu] *adv (муз.)* стаккато ✧ *adj* отрывистый
stack [stæk] *n* стог; скирда; штабель; поленница; кипа; стопка; стопа ✧ *vt (also:* **~ up)** складывать кучу; складывать в стопку; **to ~ (with)** уставлять стопками; **there's ~s of time** еще есть куча времени
stadium [ˈsteɪdɪəm] *n (спорт.)* стадион
staff [stɑːf] **1.** *n* штат, персонал; кадры; **on the ~** в штате; *воен.* штаб; **general ~** генеральный штаб **2.** *v* набирать кадры
staffroom [ˈstɑːfruːm] *n (просвещ.)* учительская
stag [stæg] *n* самец оленя; спекулянт ценными бумагами
stag-beetle [ˈstægˌbiːtl] жук-рогач

S

stage [steɪdʒ] *n* сцена; подмостки; **the** ~ сцена; стадия ✧ *vt* ставить; устраивать; осуществлять; **in ~s** поэтапно, по этапам; **he is doing through a difficult** ~ он переживает трудный период; **in the early/final ~s** на ранних/последних стадиях *or* этапах

stagecoach [ˈsteɪdʒkəutʃ] *n* почтовый дилижанс

stage door *n (театр.)* служебный вход *(в театр)*

stagehand [ˈsteɪdʒhænd] *n* рабочий(-ая) сцены

stage manager *n* директор сцены

stagger [ˈsteɪgə] *vt* потрясать ✧ *vi:* **he ~ed along the road** он шел по дороге, пошатываясь; **the management has ~ed the workers' leave** администрация составит график отпусков

staggering [ˈstægərɪŋ] *adj* потрясающий

stagnant [ˈstægnənt] *adj* стоячий; застойный

stagnate [stægˈneɪt] *vi* засиживаться; быть в застое

stagnation [stægˈneɪʃən] *n* застой; *(экон.)* стагнация, застой

stag party *n* мальчишник

staid [steɪd] трезвый; благоразумный; степенный

stain [ˈsteɪn] **1.** *n* пятно *(тж. перен.);* краска **2.** *v* пачкать; *перен.* пятнать; красить, окрашивать; **~less** безупречный; незапятнанный ✧ **~less steel** нержавеющая сталь

stained glass window [steɪnd-] *n* витраж

stain remover *n* пятновыводитель

stair [steə] *n* ступень, ступенька; **~s** *npl* лестница; **on the ~s** на лестнице

staircase [steəkeɪs] *n* лестница

stairwell [ˈsteəwel] *n* лестничная клетка

stake I [steɪk] **1.** *n* кол, столб **2.** *v* вколачивать столб; огораживать столбами

stake II 1. *n* ставка *(на бегах, в пари);* **be at** ~ быть поставленным на карту **2.** *v* рисковать *(чем-либо);* ставить на карту

stake out *n* засада

stalactite [ˈstæləktaɪt] *n* сталактит

stalagmite [ˈstæləgmaɪt] *n* сталагмит

stale I [steɪl] **1.** *a* черствый, несвежий *(о хлебе и т.п.); перен.* избитый, банальный **2.** *v* изнашиваться, терять свежесть

stale II [steɪl] моча *(животных)*

stalemate [ˈsteɪlmeɪt] *n* пат; тупик

stalk I [stɔːk] стебель

stalk II подкрадываться *(к дичи);* шествовать, гордо выступать

stall [stɔːl] *n* ларек, киоск; прилавок; стойло ✧ *vt* задерживаться ✧ *vi (авт.)* глохнуть; **~s** *npl (театр.)* партер; **watch you don't ~ the engine** смотри, чтобы мотор не заглох; **a seat in the ~ s** место *or* кресло в партере; **a newspaper/flower** ~ газетный/цветочный ларек

stallholder [ˈstɔːlhəuldə] *n* владелец ларька

stallion [ˈstæljən] *n* жеребец

stalwart [ˈstɔːlwət] *adj* стойкий

stamen [ˈsteɪmen] *n* тычинка

stamina [ˈstæmɪnə] *n* выносливость

stammer [ˈstæmə] *n* заикание ✧ *vi* заикаться

stamp [stæmp] *n* марка; печать; штамп ✧ *vi (also:* ~ **one's foot)** топтать ногой ✧ *vt* наклеивать марку на; оттискивать; ставить печать *or* штамп на; **~ed addressed envelope** надписанный конверт с маркой

stamp album *n* альбом для марок

stamp collecting *n* филателия

stampede [stæmˈpiːd] *n* массовое бегство

stamp out *vt* затаптывать; уничтожать; подавлять

stance [stæns] *n* позиция

stand [stænd] *n* ларек, киоск; стенд; *(спорт.)* трибуна; подставка; вешалка ✧ *vi* стоять; **to ~ at** оставаться на ✧ *vt* ставить; терпеть; выносить; **to make a ~ against sth** сопротивление чему-н.; **to take a ~ on sth** занимать позицию по поводу чего-н.; **to take the ~** *(юрид.)* занимать место

S

свидетеля; **to ~ for parliament** баллотироваться в парламент; **to ~ to gain/lose sth** иметь шанс обрести/потерять что-н.; **to ~ sb dinner** угощать кого-н. обедом; **to ~ sb a drink** ставить кому-н. выпивку; **it ~s to reason** само собой разумеется; **as things ~** в этой ситуации; **I can't ~ him** я его терпеть не могу

stand-alone [ˈstændələun] *adj (комп.)* автономный

standard [ˈstændəd] *n* уровень; стандарт ✧ *adj* стандартный; основной; общепринятый; типичный; **~s** *npl* нравы; **to be** *or* **to come up to ~** быть на соответствующем уровне; **to apply a double ~** использовать двойную мораль

standardization [stændədaɪˈzeɪʃən] *n* стандартизация

standardize [ˈstændədaɪz] *vt* стандартизировать

standard lamp *n* торшер

standard of living *n* уровень жизни

standard time *n* стандартное время

stand aside *vi* стоять в стороне

stand by *vi* наготове ✧ *vt fus* не отступать от; поддерживать

stand-by [ˈstændbaɪ] *n* резерв, подмога ✧ *adj* запасной; резервный; **to be on ~** быть наготове

stand down *vi* уступать место, уходить; *(юрид.)* покидать место свидетеля

stand for *vt fus* обозначать; представлять; **I won't ~ for it** я этого не потерплю

stand-in [ˈstændɪn] *n* заместитель(-ница)

stand in for *vt fus* замещать

standing [ˈstændɪŋ] **1.** *a* стоящий, стоячий; постоянный; установленный **2.** *n* продолжительность; положение; вес *(в обществе и т.п.)*

standing committee *n* постоянный комитет

standing joke *n* дежурная шутка

standing room *n* стоячие места

standoffish [stændˈɔfɪʃ] *adj* спесивый

stand out *vi* выделять

standpat [ˈstændpæt] *adj* консервативный

standpipe [ˈstændpaɪp] *n* напорная труба

standpoint [ˈstændpɔɪnt] *n* точка зрения

standstill [ˈstændstɪl] *n:* **to be at a ~** простаивать

stand up *vi* вставать

stand up for *vt fus* отстаивать; стоять за

stand up to *vt fus* выдерживать

stank [stæŋk] *pp of* **stink**

stanza [ˈstænzə] *n* строфа

staple I [ˈsteɪpl] **1.** *n* основной продукт; главный предмет торговли **2.** *a* основной; полезный

staple II скоба

stapler [ˈsteɪplə] *n* сшиватель

star [stɑ:] *n* звезда ✧ *vi:* **to ~ in** играть главную роль в ✧ *vt (театр., кино):* **the film ~s my brother** главную роль играет в фильме мой брат; **the ~s** *npl* звезды; **4. ~ hotel** четырехзвездочная гостиница; **2-~/4-~ petrol** *бензин с низким/высоким октановым числом*

star attraction *n* гвоздь программы

starch [stɑ:tʃ] *n (кулин.)* крахмал

starched [ˈstɑ:tʃt] *adj* накрахмаленный

stardom [ˈstɑ:dəm] *n* слава

stare [steə] *n* пристальный взгляд ✧ *vi:* **to ~ at** пристально смотреть на

starfish [ˈstɑ:fɪʃ] *n* морская звезда

stark [stɑ:k] *adj* голый; совершенный; явный ✧ *adv:* **~ naked** совершенно голый

starkers [ˈstɑ:kəz] *adj, adv* без всего

starlet [ˈstɑ:lɪt] *n (кино)* молодая актриса

starling [ˈstɑ:lɪŋ] *n* скворец

starlit [ˈstɑ:lɪt] *adj* звездный

starry [ˈstɑ:rɪ] *adj* звездный

starry-eyed [stɑ:rɪˈaɪd] *adj* наивный; она очарована

star sing *n* знак зодиака

start [stɑ:t] *n* начало; *(спорт.)* старт; отправление; вздрагивание; преимущество ✧ *vt* начинать вызывать; основывать; заводить; запускать ✧ *vi* начинаться; отправляться; заводиться; вздрагивать; **to ~ doing** *or* **to do** начинать; **a the ~** в начале; **for a ~** для начала; **to make an early ~** рано начинать; **to ~ (off) with ...** во-первых...; сначала

starter [ˈstɑːtə] *n (авт., спорт.)* стартер; участник забега; *(кулин.)* закуска

starting point [ˈstɑːtɪŋ-] *n* отправной пункт; отправная точка

startle [ˈstɑːtl] *vt* вспугивать

startling [ˈstɑːtlɪŋ] *adj* поразительный

start off *vi* начинаться; отправляться

start out *vi* отправляться

start over *vi* начинать снова

start up *vi* открываться; заводиться ✧ *vt* основывать; заводить, запускать

star turn *n* коронный номер

starvation [stɑːˈveɪʃən] *n* голод; **to die of** *or* **from ~** умирать от голода

starve [stɑːv] *vi* умирать с голоду; проголодаться ✧ *vt* морить голодом; **to ~ sb of sth** лишать кого-н. чего-н.; **I'm starving** я голодный как волк

stash [stæʃ] *vt* припрятывать; запасаться

state [steɪt] *n* состояние; государство ✧ *vt* констатировать; **the S~s** *npl (гео.)* Штаты; **to be in a ~** быть в панике; **~ of emergency** чрезвычайное положение; **~ of mind** душевное состояние

state control *n* государственный контроль

stated [ˈsteɪtɪd] *adj* установленный

State Departament *n* Государственный департамент

stateless [ˈsteɪtlɪs] *adj* не имеющий гражданства

stately [ˈsteɪtlɪ] *adj* величественный; **~ home** дом-усадьба

statement [ˈsteɪtmənt] *n* заявление; отчет, счет; **official ~** официальное заявление; **bank ~** выписка с банковского счета

state-owned [ˈsteɪtəund] *adj* государственный

state-room [ˈsteɪtrum] парадный зал; *мор.* отдельная каюта

state school *n* государственная школа

state secret *n* государственная тайна

statesman [ˈsteɪtsmən] *irreg n* государственный деятель

static [ˈstætɪk] *n (радио, тел.)* (атмосферные) помехи ✧ *adj* статичный; неподвижный

static electricity *n* статическое электричество

station [ˈsteɪʃən] *n* станция; вокзал; *(also:* **police ~)** полицейский участок ✧ *vt* выставлять; дислоцировать; размещать; **action ~s** сигнал "все по местам!"; **to get above one's** садиться не в свои сани

stationary [ˈsteɪʃnərɪ] *adj* неподвижный

stationer [ˈsteɪʃənə] *n* торговец канцелярскими товарами

stationer's (shop) *n* магазин канцелярских товаров

stationery [ˈsteɪʃnərɪ] *n* канцелярские принадлежности

stationmaster [ˈsteɪʃənmɑːstə] *n* начальник станции

statistic [stəˈtɪstɪkt] *n* статистик

statistical [stəˈlɪstɪkl] *adj* статистический

statistics [stəˈlɪstɪks] *n* статистика

statuary [ˈstætjuərɪ] собрание скульптур

statue [ˈstætjuː] статуя

statuesque [ˌstætjuˈesk] монументальный

statuette [ˌstætjuˈet] статуэтка

stature [ˈstætʃə] *n* рост; положение

status [ˈsteɪtəs] *n* статус; значение; **the ~ quo** статус-кво

status simbol *n* символ положения в обществе

statute [ˈstætjuːt] *n* статут; законодательный акт; **~s** *npl* устав

statute book *n (юрид., полит.):* **the ~** ~ свод законов

statutory [ˈstætjutrɪ] *adj* установленный законом; **~ meeting** учредительное собрание

staunch [stɔːntʃ] *adj* преданный ✧ *vt* останавливать

S

stave [steɪv] *n* нотный стан
stave off *vt* отсрочивать; отводить
stay [steɪ] *n* пребывание ✧ *vi* оставаться; гостить; останавливаться; **~ of execution** *(юрид.)* отсрочка исполнения; **to ~ at home** сидеть дома; **to ~ in bed** лежать в постели; **to ~ put** не двигаться с места; **to ~ with friends** останавливаться *or* гостить у друзей; **to ~ the night** ночевать; проводить ночь
stay behind *vi* оставаться
stay in *vi* оставаться дома
staying power [ˈsteɪŋ-] *n* выносливость
stay on *vi* оставаться
stay out *vi* отсутствовать; продолжать бастовать
stay up *vi* не ложиться спать
stead [sted] *n:* **in sb's ~** вместо кого-н.; **to stand sb in good ~** пригождаться кому-н.
steadfast [ˈstedfɑːst] *adj* стойкий; твердый
steadily [ˈstedɪlɪ] *adv* прочно; постоянно, решительно, твердо
steady [ˈstedɪ] *adj* стабильный; постоянный; уравновешенный; твердый; ровный ✧ *vt* придавать устойчивость; успокаивать; придавать ровность; **to ~ o.s. on** *or* **against sth** опираться о(бо) что -н.
steak [steɪk] *n* бифштекс; филе; вырезка
steal [stiːl] *vt* воровать; красть ✧ *vi* воровать; красться
steal away *vi* незаметно ускользать
stealth [stelθ] *n:* **by ~** украдкой
stealthy [ˈstelθɪ] *adj* тайный
steam [stiːm] *n* пар ✧ *vt (кулин.)* варить на пару, парить ✧ *vi* испускать пар; **under one's own ~** своими силами; **to run out of ~** выдыхаться; **to let off ~** выпускать пар
steam engine *n* паровоз
steamer [ˈstiːmə] *n* пароход; *(кулин.)* пароварка
steam iron *n* утюг с отпаривателем
steamroller [ˈstiːmrəulə] *n* паровой каток
steam up *vi* запотевать; **to get ~ed up about sth** кипятиться из-за чего-н.
steamy [ˈstiːmɪ] *adj* полный пара; запотевший
steed [stiːd] *n* конь
steel [stiːl] *n* сталь ✧ *adj* стальной
steel industry *n* сталелитейная промышленность
steel mill *n* сталелитейный завод
steelworks [ˈstiːlwɜːks] *n* сталелитейный завод
steely [ˈstiːlɪ] *adj* стальной; непреклонный
steep [stiːp] *adj* крутой; высокий ✧ *vt* вымачивать; замачивать; **a house ~ed in history** дом с историческим прошлым, овеянный историей
steeple [ˈstiːpl] *n* шпиль; колокольня
steeplejack [ˈstiːpldʒæk] *n* верхолаз
steeply [ˈstiːplɪ] *adv* круто
steer I [stɪə] молодой вол; бычок
steer II [ˈstɪə] управлять, вести *(корабль, автомобиль и т. п.)*
steering [ˈstɪərɪŋ] *n (авт.)* управление
steering committee *n* комиссия по выработке регламента
steering wheel *n* руль
steersman [ˈstɪəzmən] рулевой; штурман
stellar [ˈstelə] *adj* звездный
stem [stem] *n (бот.)* ствол, стебель, черешок, ножка, черенок ✧ *vt* останавливать
stem from *vt fus* происходить от; **their agressiveness ~med from fear** их агрессивность порождена страхом
stench [stentʃ] *n* вонь
stencil [ˈstensl] *n* трафарет ✧ *vt* делать по трафарету
stenographer [steˈnɔgrəfə] *n* стенографист(ка)
stenography [steˈnɔgrəfi] *n* стенография
stentorian [stenˈtɔːrɪən] громовой, зычный *(о голосе)*
step [step] *n* шаг; ступень ✧ *vi:* **to ~ forward/back** ступать вперед/назад; **~s** *npl* = **stepladder; ~ by ~**

S

шаг за шагом; **to be in/out of ~ (with)** идти в ногу/не в ногу с; соответствовать/не соответствовать

stepbrother [ˈstepbrʌðə] *n* сводный брат

stepchild [ˈsteptʃaɪld] *n* пасынок; падчерица

stepdaughter [ˈstepdɔːtə] *n* падчерица

step down *vi* уходить в отставку

stepfather [ˈstepfɑːðə] *n* отчим

step in *vi* вмешиваться

stepladder [ˈsteplædə] *n* стремянка

stepmother [ˈstepmʌðə] *n* мачеха

step off *vt fus* сходить с

step on *vt fus* наступать на

step over *vt fus* переступать через

stepping stone [ˈstepɪŋ-] *n* опорный камень; ступенька

stepsister [ˈstepsɪstə] *n* сводная сестра

stepson [ˈstepsʌn] *n* пасынок

step up *vt* усиливать

stereo [ˈsterɪəu] *n* стереосистема; стереопроигрыватель ✧ *adj (also:* **~ phonic)** стереофонический; **in ~** стерео

stereotype [ˈstɪərɪətaɪp] *n* стереотип ✧ *vt* воспринимать по стереотипу

sterile [ˈsteraɪl] *adj* бесплодный; стерильный

steriling [ˈstəːlɪŋ] *adj* благородный; отменный ✧ *n (экон.)* фунт стерлингов; **~ silver** серебро 925-ой пробы; **one pound ~** один фунт стерлингов

sterility [steˈrɪlɪtɪ] *n* бесплодие

sterilization [sterɪlaɪˈzeɪʃən] *n* стерилизация

sterilize [ˈsterɪlaɪz] *vt* стерилизовать

stern I [stəːn] строгий, суровый, неумолимый

stern II корма; зад; хвост *(гончей, терьера)*

sternum [ˈstəːnəm] *n* грудина

stevedore [ˈstiːvədɔː] *n* портовый грузчик

stew [stjuː] *n* тушеное мясо ✧ *vt* тушить; варить ✧ *vi* тушиться; вариться; **vegetable ~** тушеные овощи; **~ed tea** перестоявший-ся чай; **~ed fruit** вареные фрукты

steward [ˈstjuːəd] *n* стюард; бортпроводник; распорядитель

stewardess [ˈstjuədes] *n* стюардесса; бортпроводница

stew||-pan, ~-pot [ˈstjuːpæn,-pɔt] кастрюля

stick I [stɪk] колоть; втыкать; колоться; приклеивать; приклеиваться, липнуть; придерживаться *(мнения и т.п.);* застревать *(о машине и т.п.); разг.* терпеть, мириться; **he could not ~ it any longer** он больше не мог этого вынести

stick II [stɪk] палка; прут; тросточка; **~ of chocolate** плитка шоколада; **~ of chewing-gum** плиточка жевательной резинки; *разг.* тупица

stick around *vi* торчать

sticker [ˈstɪkə] *n* наклейка

sticking plaster [ˈstɪkɪŋ-] *n* лейкопластырь

sticking point *n* точка преткновения

stickleback [ˈstɪklbæk] *n* колюшка

stickler [ˈstɪklə] *n:* **to be a ~ for** настаивать на

stick out *vi* торчать ✧ *vt:* **to ~ it out** терпеть

stick shift *n (авт.)* переключатель скоростей

stick up *vi* торчать

stick-up [ˈstɪkʌp] *n* вооруженное ограбление

stick-up [ˈstɪkʌp] *n* вооруженное ограбление

stick up for *vt fus* заступаться за; отстаивать

sticky [ˈstɪkɪ] *adj* липкий; клейкий; щекотливый

stiff [stɪf] *adj* жесткий; густой; крутой; деревянный; натянутый; ожесточенный; суровый; крепкий; сильный ✧ *adv* до смерти; **I am** *or* **feel ~** у меня все тело ноет; **I have a ~ neck** у меня свело шею; **to keep a ~ upper lip** сохранять хладнокровие

stiffen [ˈstɪfn] *vi* напрягаться; не сгибаться; **my muscles have ~ed** у меня свело мышцы

stiff-necked [ˈstɪfˈnekt] упрямый

S

stiffness [ˈstɪfnɪs] *n* неподвижность; жесткость; густота; натянутость
stifle [ˈstaɪfl] *vt* подавлять; душить
stifling [ˈstaɪflɪŋ] *adj* удушливый
stigma [ˈstɪgmə] *n* клеймо; *(вот.)* рыльце; *(мед.)* стигма
stigmatize [ˈstɪgmətaɪz] клеймить позором, бесчестить
stile [staɪl] *n* перелаз
stiletto [stɪˈletəu] *n (also:* ~ **heel***)* шпилька
still I [stɪl] **1.** *adv* до сих пор; все еще; еще *(в сравнении)* **2.** *cj* однако
still II 1. *a* неподвижный; ~ **life** натюрморт; бесшумный; тихий ✧ ~ **waters run diep** *погов.* в тихом омуте черти водятся **2.** *n поэт.* тишина, безмолвие **3.** *v* успокаивать; унимать
still III перегонный куб
stillborn [ˈstɪlbɔːn] *adj* мертворожденный
still life *n* натюрморт
stilt [stɪlt] *n* свая; ходуля
stilted [ˈstɪltɪd] *adj* высокопарный
stimulant [ˈstɪmjulənt] *n* стимулирующее *or* возбуждающее средство
stimulate [ˈstɪmjuleɪt] *vt* стимулировать
stimulating [ˈstɪmjuleɪtɪŋ] *adj* вдохновляющий
stimulation [stɪmjuˈleɪʃən] *n* стимулирование
sting [stɪŋ] *n* укус; ожог; жало; мошенничество ✧ *vt* уязвлять ✧ *vi* жалиться; жечься; жечь; **my eyes are ~ing** мне жжет глаза
stingy [ˈstɪndʒɪ] скупой
stink [stɪŋk] **1.** *n* зловоние, вонь **2.** *v* вонять
stinker [ˈstɪŋkə] *n* мерзавец(-вка); **it's a real ~ of a problem/exam** это жуткая проблема/ужасный экзамен
stinking [ˈstɪŋkɪŋ] *adj* вонючий; **a ~ cold** жуткая простуда; ~ **rich** жутко богатый
stint [stɪnt] *n* период работы ✧ *vi:* **to ~ on** халтурить в; зажимать
stipend [ˈstaɪpend] *n* жалованье; стипендия
stipendiary [staɪˈpendɪərɪ] *adj:* ~ **magistrate** платный магистрат
stipulate [ˈstɪpjuleɪt] *vt* определять
stipulation [stɪpjuˈleɪʃən] *n* условие
stir [stəː] *n* шум; сенсация ✧ *vt* мешать; волновать ✧ *vi* шевелиться; **to give sth a ~** размешивать что-н.; **to cause a ~** вызывать сенсацию
stir-fry [ˈstəːˈfraɪ] *vt* быстро обжаривать
stirring [ˈstəːrɪŋ] *adj* волнующий
stirrup [ˈstɪrəp] *n* стремя
stir up *vt* вызывать
stitch [stɪtʃ] *n* стежок; петля; *(мед.)* шов ✧ *vt* шить; *(мед.)* зашивать; **I have a ~ in my side** у меня колет в боку
stoat [stəut] *n* горностай
stock [stɔk] **1.** *n* ствол; скот; род; порода; запас, фонд; **in ~** в запасе; *pl* акции; фонды **2.** *v* снабжать; иметь на складе
stockade [stɔˈkeɪd] *n* частокол
stock-breeder [ˈstɔkˌbriːdə] животновод
stockbroker [ˈstɔkˌbroukə] биржевой маклер
stock cube *n (кулин.)* бульонный кубик
stockholder [ˈstɔkhəuldə] *n (комм.)* акционер
Stockholm [ˈstɔkhəum] *n* Стокгольм
stockinet [ˌstɔkɪˈnet] трико *(ткань)*
stocking [ˈstɔkɪŋ] чулок
stock market *n* фондовая биржа
stock phrase *n* клише
stockpile [ˈstɔkpaɪl] *n* запас ✧ *vt* запасать
stockroom [ˈstɔkruːm] *n (комм.)* склад
stocktaking [ˈstɔkteɪkɪŋ] *n (комм.)* инвентаризация
stock up *vi:* **to ~ up with** записаться
stocky [ˈstɔkɪ] *adj* коренастый
stodgy [ˈstɔdʒɪ] *adj* тяжелый **stoke** [stəuk] *vt* поддерживать
stoker [ˈstəukə] *n (мор.)* кочегар
stole [stəul] *pt of* **steal** ✧ *n* палантин
stolen [ˈstəuln] *pt of* **steal**
stolid [ˈstɔlɪd] *adj* бесстрастный
stomach [ˈstʌmək] *n (анат.)* желудок; живот ✧ *vt* переносить
stomachache [ˈstʌməkeɪk] *n* желудочные боли

S

stomach pump *n* желудочный зонд
stomach ulcer *n* язва желудка
stomp [stɔmp] *vi:* **to ~ in/out** входить; уходить тяжелыми шагами
stone [ˊstoun] **1.** *n* камень; **precious ~** драгоценный камень; косточка, зернышко *(плода);* стоун *(мера веса = 6,33 кг)* ✧ **leave no ~ unturned** испробовать все возможный средства; **within a ~'s throw** очень близко **2.** *v* побивать камнями; вынимать косточки *(из фруктов)*
Stone Age *n:* **the ~~** каменный век
stone-cold [ˊstəunˊkəuld] *adj* холодный как лед
stoned [stəund] *adj* мертвецки пьяный; обкурившийся
stone-deaf [ˊstəunˊdef] *adj* совершенно глухой
stonemason [ˊstəunmeɪsn] *n* каменщик
stonework [ˊstəunwɔːk] *n* (каменная) кладка
stony [ˊstəunɪ] *adj* каменистый; холодный
stood [stud] *pt, pp of* **stand**
stooge [stuːdʒ] *n* подставное лицо; *(театр.)* партнер комика
stool [stuːl] *n* табуретка
stool-pigeon [ˊstuːlˊpɪdʒɪn] голубь-манок; *перен.* провокатор, осведомитель
stoop [stuːp] **1.** *n* сутулость **2.** *v* наклоняться, нагибаться; сутулиться; снизойти *(до - to)*
stop by *vi* заходить
stopcock [ˊstɔpkɔk] *n* запорный кран
stoplights [ˊstɔplaɪts] *npl (авт.)* стоп-сигнал
stop off *vi* останавливаться
stopover [ˊstɔpəuvə] *n* остановка; *(авиа.)* посадка
stoppage [ˊstɔpɪdʒ] *n* забастовка; остановка; прекращение
stopper [ˊstɔpə] *n* пробка
stop press *n* экстренное сообщение
stop up *vt* заделывать
stopwatch [ˊstɔpwɔtʃ] *n* секундомер
storage [ˊstɔːrɪdʒ] *n* хранение; кладовка; *(комп.)* память, накопитель
storage capacity *n* емкость
store [ˊstɔː] **1.** *n* запас *pl* запасы; склад *pl* универсальный магазин ✧ **set ~ by smth** придавать большое значение чему-л.; **I have a surprise in ~ for you** у меня для вас приготовлен сюрприз **2.** *v* запасать; откладывать; хранить на складе
storehouse [ˊstɔːhaus] *n (комм.)* склад; кладовая
storekeeper [ˊstɔːkiːpə] *n* управляющий магазином; владелец магазина
storeroom [ˊstɔːruːm] *n* кладовая
store up *vt* запасать; хранить
storey [ˊstɔːrɪ] *n* этаж
stork [stɔːk] *n* аист
storm [stɔːm] *n* буря; волна; взрыв; *(also:* **electric ~***)* гроза ✧ *vi* кричать ✧ *vt* штурмовать
storm cloud *n* грозовая туча
storm door *n* наружная дверь
stormy [ˊstɔːmɪ] *adj* штормовой; бурный; **~ weather** ненастье
story I [ˊstɔːrɪ] *см.* **storey**
story II [ˊstɔːrɪ] рассказ; повесть; **funny ~** анекдот; предание; сказка; фабула; *разг. преим. детск.* выдумка, ложь
storybook [ˊstɔːrɪbuk] *n* сборник рассказов *or* сказок *(для детей)*
storyteller [ˊstɔːrɪtelə] *n* рассказчик(-ица)
stout [staut] *adj* крепкий; дородный; надежный ✧ *n* крепкий портер
stove [stəuv] *n* плита; плитка; печь; **gas/electric ~** газовая/электрическая плита
stow [stəu] *vt (also: ~* **away***)* убирать
stowaway [ˊstəuɔweɪ] *n* безбилетник(-ница)
St Petersburg [səntˊpiːtəzbɔːg] *n* Санкт-Петербург ✧ *adj* (санкт-)петербургский
straddle [ˊstrædl] *vt* оседлать; охватывать
strafe [strɑːf] *vt (воен.)* обстреливать; бомбить, сбрасывать
straggle [ˊstrægl] *vi* раскидывать; разбредаться
straggler [stræglə] *n* отставший
straight [ˊstreɪt] **1.** *a* прямой; правильный; честный *амер.* неразбавленный **2.** *adv* прямо; немед-

S

ленно; ~ **away** сразу
straighten [ˈstreɪtn] *vt* поправлять; заправлять
straighten out *vt* улаживать
straightforward [streɪtˈfɔːwəd] честный, прямой; открытый
straightway [ˈstreɪtweɪ] немедленно
strain I [streɪn] порода; род; наследственная черта; склонность (характера)
strain II [ˈstreɪn] **1.** *n* растяжение; напряжение, усилие **2.** *v* натягивать; растягивать; напрягать; ~ **the eyes** утомлять глаза; напрягаться; фильтровать; процеживать
strained [streɪnd] *adj* растянутый; натянутый
strainer [ˈstreɪnə] *n* сито; ситечко
strait [ˈstreɪt] **1.** *a* узкий; ~**jacket** смирительная рубашка **2.** *n (тж. pl)* узкий пролив; *(обыкн. pl)* затруднительное положение, нужда
straitjacket [ˈstreɪtdʒækɪt] *n* смирительная рубашка
strait-laced [streɪtˈleɪst] *adj* пуританский
strand I [strænd] **1.** *n* берег; прибрежная полоса **2.** *v* сесть *(или* посадить) на мель; **be ~ed** *перен.* быть на мели
strand II прядь
strange [streɪndʒ] *adj* незнакомый; чужой; странный
strangely [ˈstreɪndʒlɪ] *adv* странно; *see also* **enough**
stranger [ˈstreɪndʒə] *n* незнакомый человек, посторонний(-ая); **I'm a ~ here** я здесь чужой
strangle [ˈstræŋgl] *vt* душить
strangulation [stræŋgjuˈleɪʃən] *n* удушение
strap [stræp] *n* ремень; бретелька; ремешок ✧ *vt (also:* ~ **on***)* пристегивать
strapless [ˈstræplɪs] *adj* без бретелек
strapping [ˈstræpɪŋ] *adj* рослый
Strasbourg [ˈstræzbəːg] *n* Страсбург
stratagem [ˈstrætɪdʒəm] *n* хитрость
strategic [strəˈtiːdʒɪk] *adj* стратегический
strategist [ˈstrætɪdʒɪst] *n* стратег
strategy [ˈstrætɪdʒɪ] *n (воен.)* стратегия
stratosphere [ˈstrætəsfiə] *n* стратосфера
stratum [ˈstrɑːtəm] *n* слой
straw [strɔː] *n* солома; соломинка; **that's the last ~!** эта последняя капля!
strawberry [ˈstrɔːbərɪ] *n* клубника; земляника
stray [streɪ] *adj* бездомный; бродячий; шальной; отдельный ✧ *vi* заблудиться; блуждать
streak [striːk] *n* полоса; прядь; черта; склонность ✧ *vt* пронизывать ✧ *vi:* **to ~ past** мчаться мимо; **to have ~s in one's hair** иметь окрашенные пряди волос; **a winning/losing** полоса удач /неудач; **~ed with...** с полосками
stream [striːm] *n* ручей; течение; поток; струя ✧ *vt (просвещ.)* делить на группы ✧ *vi* течь, литься; **to ~ in/out** валить толпой в/из; **against the ~** против течения; **to come on ~** вступать в строй
streamer [ˈstriːmə] *n* серпантин
streamline [ˈstriːmlaɪn] *vt* придавать обтекаемую форму; упрощать
streamlined [ˈstriːmlaɪnd] *adj* обтекаемый; *(авиа, авт.)* обтекаемой формы; упрощенный
street [striːt] *n* улица; **the back ~s** переулки; **to be on the ~s** быть бездомным(-ой); заниматься проституцией
streetcar [ˈstriːtkɑː] *n* трамвай
street cred [-kred] *n* имидж
streetlamp [ˈstriːtlæmp] *n* уличный фонарь
street lighting *n* уличное освещение
street map *n* план улиц
street market *n* уличный рынок
strenght [ˈstreŋθ] сила; прочность; крепость ✧ **in full ~** в полном составе; **on the ~ of smth**.благодаря чему-л.
strengthen [ˈstreŋθn] *vt* укреплять; развивать; пополнять; подкреплять
strenuous [ˈstrenjuəs] *adj* энергичный;

напряженный; утомительный
strenuously [ˈstrenjuəslı] *adv* напряженно; **she ~ denied the rumour** она усиленно отрицала слухи
stress [stres] *n (тех.)* давление; стресс; *(лингв.)* ударение; значение ✧ *vt* подчеркивать; ставить ударение на; **to lay great ~ on sth** придавать особое значение на что-н.; **to be under ~** быть под напряжением
stressful [ˈstresful] *adj* напряженный; стрессовый
stretch [ˈstretʃ] **1.** *n* вытягивание, протяжение; пространство; промежуток времени; **at a ~** в один присест, не отрываясь **2.** *v* тянуть, вытягивать, натягивать; преувеличивать; тянуться; вытягиваться; простираться
stretcher [ˈstretʃə] *n (мед.)* носилки
stretcher-bearer [ˈstretʃəbeərə] *n* санитар-носильщик
stretch out *vi* растягиваться ✧ *vt* протягивать; растягивать; **to ~ out for sth** тянуться за чем-н.
stricken [ˈstrıkən] *adj* сраженный; пострадавший; **~ with** напряженный
strict [strıkt] *adj* строгий; точный; **in ~** *or* **in the ~ est confidence** в строжайшей тайне
strictly [ˈstrıktlı] *adv* точно; **~ confidential** совершенно конфиденциально *or* секретно; **~ speaking** строго говоря; **~ between ourselves** только между нами
strictness [ˈstrıktnıs] *n* строгость
stridden [ˈstrıdn] *pp of* **stride**
stride [straıd] *n* широкий шаг ✧ *vi* шагать; **to take sth in one's ~** относиться спокойно к чему-н.
strident [ˈstraıdnt] *adj* пронзительный; шумный
strife [straıf] *n* борьба
strike [straık] ударять, наносить удар; поражать; **~ a match** зажигать спичку; бить *(о часах);* поражать, удивлять; *безл.* прийти в голову, осенить
strike back *vi (воен.)* наносить ответный удар
strikebreaker [straıkbreıkə] *n* штрейкбрехер
strike down *vt* сражать
strike off *vt* вычеркивать; лишать права практиковать
strike out *vt* вычеркивать
strike pay *n* пособие бастующим
striker [ˈstraıkə] *n* забастовщик; *(спорт.)* нападающий
strike up *vt (муз.)* заиграть; зазывать
striking [ˈstraıkıŋ] *adj* поразительный
string [strıŋ] **1.** *n* веревка, шнурок; струна; нитка *(бус и т.п.);* тетива *(лука);* ряд *(фактов, примеров) attr.:* **~ band** струнный оркестр **2.** *v* натягивать *(струны);* нанизывать *(бусы)*
string(ed) instrument *n* струнный инструмент
string bean *n* стручковая фасоль
stringent [ˈstrındʒənt] *adj* строгий
string quartet *n (муз.)* струнный квартет
strip [strıp] **1.** *n* полоска, лоскут **2.** *v* стирать, обдирать; раздевать; снимать; грабить
strip cartoon *n* история в картинках
stripe [straıp] *n* полоска; *(воен.)* петлица
striped [ˈstraıpt] *adj* полосатый
strip lighting *n* дневное освещение
stripper [ˈstrıpə] *n* участница стриптиза
strip-search [ˈstrıpsetʃ] *n* личный досмотр ✧ vt производить личный досмотр
striptease [ˈstrıpti:z] *n* стриптиз
strive [straıv] стараться; бороться (*за* **- for***; против* **- against***; с* **- with**)
striven [ˈstrıvn] *p.p.* **strive**
strode [stroud] *past* **stride**
stroke I [strouk] удар *(тж. мед.);* взмах; ход, прием *(в политике и т.п.);* бой *(часов)* ✧ **a ~ of luck** удача, везение
stroke II 1. *n* поглаживание *(рукой)* **2.** *v* гладить, поглаживать
stroll [stroul] **1.** *n* прогулка; **take a ~** прогуляться **2.** *v* прогуливаться, бродить
stroller [strəulə] *n* (складная) коляска

S

strong [strɔŋ] *adj* сильный; крепкий; прочный; большой; резкий ✧ *adv:* **to be doing ~** занимать прочные позиции; **they are 50 ~** их 50
strongbox [ˈstrɔŋbɔks] *n* сейф
strongly [ˈstrɔŋlɪ] *adv* крепко; сильно; **I feel ~ about it** во мне это вызывает сильные эмоции
strongman [ˈstrɔŋmæn] *irreg n* силач; богатырь; сильная личность
strongroom [ˈstrɔŋruːm] *n* сейф
stroppy [ˈstrɔpɪ] *adj* строптивый
strove [strəuv] *pt of* **strive**
struck [strʌk] *pt, pp of* **strike**
structural [ˈstrʌktʃrəl] *adj* структурный
structure [ˈstrʌktʃə] *n* структура
strum [strʌm] *vt* играть
strung [strʌŋ] *pt, pp of* **string**
strut [strʌt] **1.** важная поступь **2.** *v* важничать, гордо выступать
strychnine [ˈstrɪkniːn] *n* стрихнин
stub [stʌb] *n* корешок; окурок ✧ *vt:* **to ~ one's toe** больно спотыкаться
stubble [ˈstʌbl] *n* жнивье; щетина
stubborn [ˈstʌbən] *adj* упрямый; упорный; несмывающийся; плохо поддающийся лечению
stubby [ˈstʌbɪ] *adj* короткий
stub out *vt* гасить
stuck [stʌk] *pt, pp of* **stick** ✧ *adj:* **to be ~** застрять; **to get ~** застревать
stuck-up [stʌkˈʌp] *adj* надутый
stud [stʌd] *n* кнопка; заклепка; запонка; серьга со штифтом; шип; *(also:* **~ farm***)* конный завод; *(also:* **~ horse***)* племенной конь ✧ *vt:* **~ded with** усыпанный
student [ˈstjuːdənt] *n* студент(ка), учащийся(-аяся) ✧ *adj* студенческий; медсестра-практикантка; медбрат-практикант; **law/medical ~** студент(ка) юридического/медицинского факультета
students' union [ˈstjuːdənts-] *n* студенческий союз; здание студенческого союза
studied [ˈstʌdɪd] *adj* продуманный
studio [ˈstjuːdɪəu] *n* студия
studio flat *n* однокомнатная квартира
studious [ˈstjuːdɪəs] *adj* усердный; тщательный
studiously [ˈstjuːdɪəslɪ] *adv* тщательно
study [ˈstʌdɪ] *n* учеба; кабинет ✧ *vt* изучать ✧ *vi* учиться; **studies** *npl* курсы; **to make a ~ of sth** исследовать что-н.; **to ~ for one's** готовиться к экзаменам
stuff [stʌf] *n* вещи; вещество ✧ *vt* набивать; *(кулин.)* начинять; фаршировать; запихивать; **my nose is ~ed up** у меня заложен нос; **get ~ed!** пошел ты!
stuffed toy [stʌft-] *n* мягкая игрушка
stuffing [ˈstʌfɪŋ] *n* набивка; *(кулин.)* начинка, фарш
stuffy [ˈstʌfɪ] *adj* душный; чопорный
stumble [ˈstʌmbl] *vi* спотыкаться; **to ~ across** *or* **on** натыкаться на
stumbling block [ˈstʌmblɪŋ-] *n* камень преткновения
stump [stʌmp] *n* пень; обрубок ✧ *vt* озадачивать; **he is ~ed** он озадачен
stun [stʌn] *vt* ошеломлять; оглушать
stung [stʌŋ] *pt, pp of* **sting**
stunk [stʌŋk] *pp of* **stink**
stunning [ˈstʌnɪŋ] *adj* ошеломительный; потрясающий; изумительный
stunt I [stʌnt] задерживать рост
stunt II [stʌnt] *разг.* трюк, фокус
stunted [ˈstʌntɪd] малорослый, чахлый
stuntman [ˈstʌntmæn] *irreg n* каскадер
stupefaction [stjuːpɪˈfækʃən] *n* отупение; остолбенение; **to my ~** к моему изумлению
stupefy [ˈstjuːpɪfaɪ] *vt* приводить в отупение; изумлять
stupendous [stjuːˈpendəs] *adj* колоссальный; изумительный
stupid [ˈstjuːpɪd] *adj* глупый
stupidity [ˈstjuːˈpɪdɪtɪ] *n* глупость
stupidly [ˈstjuːpɪdlɪ] *adv* глупо
stupor [ˈstjuːpə] *n* ступор; **in a ~** в ступоре
sturdily [ˈstəːdɪlɪ] *adv* прочно; крепко
sturdy [ˈstəːdɪ] *adj* крепкий

S

sturgeon [ˈstəːdʒən] *n (зоол.)* осетр
stutter [ˈstʌtə] *n* заикание ✧ *vi* заикаться
Stuttgart [ˈstutgɑːt] *n* Штутгарт
sty [staɪ] *n* свинарник
stye [staɪ] *n* ячмень
style [staɪl] *n* стиль; **in the latest ~** по последней моде; **hair ~** прическа
styli [ˈstaɪlaɪ] *npl of* **stylus**
stylish [ˈstaɪlɪʃ] *adj* шикарный
stylist [ˈstaɪlɪst] *n (also:* **hair ~)** парикмахер-модельер; стилист
stylized [ˈstaɪlaɪzd] *adj* стилизованный
stylus [ˈstaɪləs] *n* игла; иголка
suav||e [swɑːv] учтивый; мягкий
sub- [sʌb-] под-, недо-; суб-
subaltern [ˈsʌblt(ə)n] младший офицер *(ниже капитана)*
subconscious [ˈsʌbˈkɔnʃəs] подсознательный
subcontract [sʌbkənˈtrækt] *vt* заключать субподряд с ✧ *n* субподряд
subcontractor [ˈsʌbkənˈtræktə] *n* субподрядчик
subdivide [sʌbdɪˈvaɪd] *vt* подразделять
subdivision [ˈsʌbdɪvɪʒən] *n* подразделение
subdue [səbˈdjuː] покорять; подавлять; смягчать, ослаблять; **~d voices** приглушенные голоса
subdued [səbˈdjuːd] *adj* приглушенный; подавленный
sub-editor [ˈsʌbˈedɪtə] *n* помощник *or* заместитель редактора
subheading [ˈsʌbˈhedɪŋ] подзаголовок
subject 1. *a* [ˈsʌbdʒɪkt] подчиненный, подгласный; (to) подверженный; (to) подлежащий **2.** *n* [ˈsʌbdʒɪkt] предмет, тема; вопрос; предмет, дисциплина; подданный; *грам.* подлежащее ✧ **on the ~ of** по поводу *(чего-л.)* **3. ~ to** при условии, допуская **4.** [səbˈdʒekt] *v* подчинять, подвергать *(воздействию, влиянию и т.п.)*
subjection [səbˈdʒekʃən] *n* подчинение
subjective [səbˈdʒektɪv] *adj* субъективный
subject matter *n* тема
subjoin [ˈsʌbˈdʒɔɪn] добавлять, прилагать в конце
subjugate [ˈsʌbdʒugeɪt] *vt* покорять
subjunctive [səbˈdʒʌŋktɪv] *n* сослагательное наклонение
sublet [sʌbˈlet] *vt* передавать в субаренду
sublime [səˈblaɪm] **1.** *a* величественный, грандиозный; возвышенный **2.** *v см.* **sublimate**
subliminal [sʌbˈlɪmɪnl] *adj* подсознательный; действующий на подсознание
submarine [sʌbməˈriːn] *n* подводная лодка
submerge [səbˈməːdʒ] *vt* погружать ✧ *vi* погружаться *(в воду)*
submersion [səbˈməːʃən] *n* погружение
submission [səbˈmɪʃən] *n* подчинение; повиновение; подача; представление
submissive [səbˈmɪsɪv] *adj* покорный
submit [səbˈmɪt] *vt* представлять на рассмотрение ✧ *vi:* **to ~ to sth** подчиняться чему-н.
subnormal [sʌbˈnɔːml] *adj* отсталый; **~ temperatures** температуры ниже нормальных
subordinate [səˈbɔːdɪnət] *adj:* **to be ~ to sb** подчиняться кому-н.; *(лингв.)* придаточный ✧ *n* подчиненный(-ая)
subordinat||e [səˈbɔːdnɪt] **1.** *a* подчиненный; второстепенный; *грам.* придаточный **2.** *v* подчинять
suborn [sʌˈbɔːn] подкупать
subpoena [səbˈpiːnə] **1.** *n* повестка, вызов в суд **2.** *v* вызывать в суд
subscribe [səbˈskraɪb] *vi* подписываться; **to ~ to** поддерживать; подписывать на; **~d capital** подписной акционерный капитал
subscriber [səbˈskraɪbə] *n* подписчик; абонент
subscription [səbˈskrɪpʃən] *n* подписка; (членский) взнос; **to take out a ~ to** подписываться на
subsequent [ˈsʌbsɪkwənt] *adj* последующий; **~ to** вслед
subsequently [ˈsʌbsɪkwəntlɪ] *adv* впоследствии
subservient [səbˈsəːvɪənt] *adj* подобострастный; подвластный; **he is ~ to...** он подвластен

S

subside [səb'saɪd] спадать, убывать; оседать *(о почве и т.п.);* утихать *(о ветре, возбуждении)*
subsidence [səb'saɪdns] *n* оседание
subsidiarity [səbsɪdɪ'ærɪtɪ] *n (полит.)* уровень зависимости
subsidiary [səb'sɪdɪərɪ] *adj* второстепенный; *(просвещ.)* факультативный ✧ *n (also:* ~ **company***)* дочерняя компания
subsidize ['sʌbsɪdaɪz] *vt* субсидировать
subsidy ['sʌbsɪdɪ] *n* субсидия; дотация
subsist [səb'sɪst] *vi:* **to ~ on** существовать за счет чего-н.
subsistence [səb'sɪstəns] *n* существование; пропитание
subsistence allowance *n* аванс *(перед первой зарплатой)*
subsistence level *n* прожиточный минимум
substance ['sʌbstəns] *n* вещество; суть; **a man of ~** солидный мужчина; **the essay lacks ~** в сочинении нет стержня
substance abuse *n* токсикомания
substandard [sʌb'stændəd] *adj* некачественный; непригодный для жилья
substantial [səb'stænʃl] *adj* прочный, основательный, значительный, солидный
substantially [səb'stænʃəlɪ] *adv* значительно, существенно, основательно; **~ bigger** значительно больше
substantiate [səb'stænʃɪeɪt] *vt* обосновывать
substitute ['sʌbstɪtju:t] *n* замена; запасной (игрок); заменитель ✧ *vt:* **to ~ A for B** заменять А на Б
substitute teacher *n* замещающий учитель
substitution [sʌbstɪ'tju:ʃən] *n* замена
subterfuge ['sʌbtəfju:dʒ] *n* уловка
subterranean [sʌbtə'reɪnɪən] *adj* подземный
subtitle ['sʌbtaɪtl] *n (кино)* субтитр
subtle ['sʌtl] *adj* тонкий, едва уловимый; искусный
subtlety ['sʌtltɪ] *n* тонкость; искусность
subtly ['sʌtlɪ] *adv* едва уловимо; слегка; искусно
subtotal [sʌb'təutl] *n* суммарное число
subtract [səb'trækt] *vt* вычитать
subtraction [səb'trækʃən] *n* вычитание
subtropical [sʌb'trɔpɪkl] *adj* субтропический
suburb ['sʌbə:b] *n* пригород; **the ~s** *npl* пригород
suburban [sə'bə:bən] *adj* пригородный
suburbia [sə'bə:bɪə] *n* пригород
subvention [səb'venʃən] *n* дотация, субсидия
subversion [səb'və:ʃən] *n* подрывная деятельность
subversive [səb'və:sɪv] *adj* подрывной
subway ['sʌbweɪ] *n* метро, подземка; подземный переход
succeed [sək'si:d] наследовать; **who ~ed him?** кто был его преемником?; следовать; преуспевать, достигать цели; **our plan didn't ~** наш план не удался
succeeding [sək'si:dɪŋ] *adj* последующий; **~ generations** последующие поколения
succeess [sək'ses] *n* успех, удача; **the book was ~** книга имела успех; **he was a ~** он добился успеха
succeessful [sək'sesful] *adj* успешный; **he was ~ in convincing her** ему удалось убедить ее
succeessfully [sək'sesfəlɪ] *adv* успешно
succeession [sək'seʃən] *n* череда; ряд; наследование; **in ~** подряд; **3 years in ~** 3 года подряд
succeessive [sək'sesɪv] *adj* следующий один за другим; **3 ~ days/attempts** 3 дня/попытки подряд
succeessor [sək'sesə] *n* преемник; наследник
succinct [sək'sɪŋkt] *adj* сжатый
succulent ['sʌkjulənt] *adj* сочный; ✧ *n (бот.):* **~s** суккуленты
succumb [sə'kʌm] *vi* поддаваться; **he ~ed to illness** болезнь окончательно его победила
such [sʌtʃ] *adj* такой; подобный, такой ✧ *adv:* **~ a long trip** такая длинная поездка; **~ a book** такая книга; **~ books** такие книги; **~ a lot of** такое множество; **making ~ a noise that...** создавая

такой шум, что...; ~ **as** такие как; ~ **books as I have** такие книги, как у меня; **I said no ~ thing** я ничего подобного *or* такого не говорил; **as** ~ как таковой
such-and-such [ˈsʌtʃənsʌtʃ] *adj* такие-то и такие-то
suchlike [ˈsʌtʃlaɪk] *prop:* **and** ~ и им подобные
suck [sʌk] *vt* всасывать
sucker [ˈsʌkə] *n* присоска; *(бот.)* корневой побег; олух
suckle [ˈsʌkl] *vt* кормить (грудью), давать грудь; кормить
sucrose [ˈsuːkrəuz] *n* сахароза
suction [ˈsʌkʃən] *n* всасывание
suction pump *n* всасывающий насос
Sudan [suˈdɑːn] *n* Судан
sudden [ˈsʌdn] *adj* внезапный; **all of a** ~ внезапно, вдруг
suddenly [ˈsʌdnlɪ] *adv* внезапно; вдруг
suds [sʌdz] *npl* (мыльные) пузыри
sue [sjuː] преследовать судебным порядком; просить, умолять
suede [sweɪd] замша
suet [sjuɪt] почечное *или* нутряное сало
Suez [ˈsuːɪz] *n:* **the ~ Canal** Суэцкий канал
suffer [ˈsʌfə] страдать; испытывать *(боль и т.п.);* нести *(потери, поражение);* терпеть, сносить; позволять, допускать
sufferer [ˈsʌfərə] *n* *(мед.)* страдающий(-ая)
suffering [ˈsʌfərɪŋ] *n* страдание
sufficient [səˈfɪʃənt] *adj* достаточный; ~ **moneu** достаточное количество денег
sufficiently [səˈfɪʃəntlɪ] *adv* достаточно; в достаточной мере
suffix [ˈsʌfɪks] *n (лингв.)* суффикс
suffocate [ˈsʌfəkeɪt] *vi* задыхаться; задохнуться ✧ *vt* удушать
suffocation [sʌfəˈkeɪʃən] *n* удушье
suffrage [ˈsʌfrɪdʒ] *n* избирательное право
suffused [səˈfjuːzd] *adj:* ~ **with** погруженный в; залитый
sugar [ˈʃugə] *n* сахар ✧ *vt* сластить
sugar beet *n* сахарная свекла
sugar bowl *n* сахарница
sugar cane *n* сахарный тростник
sugar-coated [ˈʃugəˈkəutɪd] *adj* засахаренный
sugar lump *n* кусок сахара
sugary [ˈʃugərɪ] *adj* сладкий, сахаристый; слащавый
suggest [səˈdʒest] *vt* предлагать; предполагать; **what do you ~ I do?** что Вы предлагаете мне делать?
suggestion [səˈdʒestʃən] *n* предложение; предположение
suggestive [səˈdʒestɪv] *adj* неприличный
suicidal [suɪˈsaɪdl] *adj* стоящий на грани самоубийства; самоубийственный
suicide [ˈsuɪsaɪd] *n* самоубийство; самоубийца; *see also* **commit**
suicide attempt *n* попытка самоубийства
suicide bid *n* попытка самоубийства
suit I [sjuːt] прошение; *юр.* тяжба; иск; **bring a ~** предъявить иск
suit II костюм; комплект; *карт.* масть
suit III [ˈsjuːt] годиться; соответствовать, подходить; быть к лицу; **this colour doesn't ~ you** этот цвет вам не идет
suitability [suːtəˈbɪlɪtɪ] *n* пригодность
suitable [ˈsuːtəbl] *adj* подходящий; **would tomorrow be ~?** завтра Вам подойдет *or* Вас устроит?; **we found somebody ~** мы нашли подходящего человека
suitably [ˈsuːtəblɪ] *adv* надлежащим образом
suitcase [ˈsuːtkeɪs] *n* чемодан
suite [swiːt] *n* апартаменты; *(муз.)* сюита; **bedroom/dining room** спальный/столовый гарнитур; **a three-piece ~** мягкая мебель
suitor [ˈsjuːtə] проситель; *юр.* истец
sulk [sʌlk] *vi* в дурном настроении
sulky [ˈsʌlkɪ] *adj* сумрачный
sulphate [ˈsʌlfeɪt] *n* угрюмый
sulphur [ˈsʌlfə] *n* сера
sulphuric [sʌlˈfjuərɪk] *adj:* ~ **acid** серная кислота
sultan [ˈsʌltən] *n* султан
sultana [sʌlˈtɑːnə] *n (кулин.)* кишмиш
sultry [ˈsʌltrɪ] *adj* душный

S

sum [sʌm] *n* арифметика, вычисления; сумма
Sumatra [su'mɑːtrə] *n* Суматра
summarize ['sʌməraɪz] *vt* суммировать
summary ['sʌmərɪ] *n* краткое изложение ◇ *adj* поспешный; **weather/news ~** сводка погоды/новостей
summer ['sʌmə] *n* лето ◇ *adj* летний; **in ~** летом
summer camp *n* летний лагерь
summer holidays *npl* летние каникулы
summerhouse ['sʌməhaus] *n* беседка
summertime ['sʌmətaɪm] *n* лето; летний период
summer time *n* летнее время
summery ['sʌmərɪ] *adj* летний
summit ['sʌmɪt] *n* вершина; пик; *(also:* **~ confrerence)** на высшем уровне; *(also:* **~ meeting)** встреча на высшем уровне
summon ['sʌmən] *vt* вызывать; звать на
summon up *vt* собирать
sumptuous ['sʌmptjuəs] *adj* роскошный; великолепный
sum up *vt* суммировать; вычислять ◇ *vi* подводить итог
sun [sʌn] *n* солнце; **in the ~** на солнце; **to catch the ~** легко загореть; **eveything under the ~** все в мире
sunbathe ['sʌnbeɪð] *vi* загорать
sunbeam ['sʌnbiːm] *n* солнечный луч
sunbed ['sʌnbed] *n* шезлонг
sunburn ['sʌnbəːn] *n* солнечный ожог
sunburnt ['sʌnbəːnt] *adj* загорелый; обожженный *(солнцем)*
sun-cream ['sʌnkriːm] *n* солнцезащитный
sundae ['sʌndeɪ] *n* мороженое с фруктами
Sunday ['sʌndɪ] *n* воскресение; *see also* **Tuesday**
Sunday paper *n* воскресная газета
Sunday school *n* воскресная школа
sundial ['sʌndaɪəl] *n* солнечные часы
sundown ['sʌndaun] *n* закат, заход (солнца)
sundries ['sʌndrɪz] *pl* всякая всячина
sundry ['sʌndrɪ] различный, разный
sunflower ['sʌn,flauə] подсолнечник
sung [sʌŋ] *p.p. от* sing
sunglasses ['sʌnglɑːsɪz] *npl* солнцезащитные очки
sunk [sʌŋk] *pp of* **sink**
sunken ['sʌŋkn] *adj* затонувший; впалый; ввалившийся; встроенный в углубление
sunlamp ['sʌnlæmp] *n* ультрафиолетовое *or* кварцевая лампа
sunlight ['sʌnlaɪt] *n* солнечный свет
sunny ['sʌnɪ] *adj* солнечный; светлый; **it is ~** солнечно
sunrise ['sʌnraɪz] *n* восход (солнца)
sunscreen ['sʌnskriːn] *n* солнцезащитный крем
sunset ['sʌnset] *n* заход (солнца), закат
sunshade ['sʌnʃeɪd] *n* зонтик
sunshine ['sʌnʃaɪn] *n* солнечный свет; **we cat in the ~** мы сидели на солнце
sunstroke ['sʌnstrəuk] *n* солнечный удар
suntan ['sʌntæn] *n* загар
suntan lotion *n* лосьон для загара
suntanned ['sʌntænd] *adj* загорелый
suntan oil *n* масло для загара
super ['suːpə] *adj* потрясающий
superb [suː'pəːb] *adj* великолепный
supercilious [suːpə'sɪlɪəs] *adj* высокомерный
superconductor [suːpəkən'dʌktə] *n* сверхпроводник
superficial [suːpə'fɪʃəl] *adj* поверхностный; легкий
superficially [suːpə'fɪʃəlɪ] *adv* поверхностно
superfluous [su'pəːfluəs] *adj* излишний, ненужный
superglue ['suːpəgluː] *n* суперклей
superhuman [suːpə'hjuːmən] *adj* сверхчеловеческий
superimpose ['suːpərɪm'pəuz] *vt:* **to ~ (on)** накладывать (на)
superintend [suːpərɪn'tend] *vt* надзирать за; **to be ~ed by** быть под надзором
superintendent [suːpərɪn'tendənt] *n* заведующий; руководитель; начальник; надзиратель
superior [su'pɪərɪə] *adj* превосходящий; высокомерный ◇ *n* начальник; **Mother S~** *(рел.)* настоятельница

S

superiority [supɪərɪ'ɔrɪtɪ] *n* превосходство
superman ['su:pəmæn] *irreg n* супермен, сверхчеловек
supermarket [ˌsju:pə'mɑ:kɪt] большой продовольственный магазин самообслуживания
supermodel ['su:pəmɔdl] *n* супермодель
supernatural [su:pə'nætʃərəl] *adj* сверхъестественный ✧ *n:* **the ~** сверхестественные силы
supernova [su:pə'nəuvə] *n* взрывающаяся новая звезда
supernumerary [ˌsju:pə'nju:m(ə)rərɪ] **1.** *a* сверхштатный; дополнительный **2.** *n* сверхштатный работник; *театр.* статист
superpower ['su:pəpauə] *n (полит.)* сверхдержава
supersede [su:pə'si:d] *vt* сменять
supersonic ['su:pə'sɔnɪk] *adj* сверхзвуковой
superstar ['su:pəstɑ:] *n (кино, спорт.)* суперзвезда
superstition [su:pə'stɪʃən] *n* суеверие
superstitious [su:pə'stɪʃəs] *adj* суеверный
superstore ['su:pəstɔ:] *n (комм.)* универмаг; супермаркет
supertanker ['su:pətæŋkə] *n (мор.)* супертанкер
supertax ['sju:pə'tæks] налог на сверх прибыль
supervise ['su:pəvaɪz] *vt* следить *or* наблюдать за
supervision [su:pə'vɪʒən] *n* руководство; надзор; **under medical ~** под наблюдением врача
supervisor ['su:pəvaɪzə] *n* начальник; научный руководитель
supervisory ['su:pəvaɪzərɪ] *adj* руководящий; контролирующий
supine ['su:paɪn] *adj* лежащий на спине ✧ *adv* лежа на спине
supper ['sʌpə] *n* ужин; **to have ~** ужинать
supplant [sə'plɑ:nt] вытеснять *(что-л.);* выживать *(кого-л. - особ. хитростью)*
supple ['sʌpl] *adj* гибкий; мягкий
supplement ['sʌplɪmənt] *n* добавка; приложение ✧ *vt* подбадривать
supplementary [sʌplɪ'mentərɪ] *adj* дополнительный
supplier [sə'plaɪə] *n (комм.)* поставщик
supply [sə'plaɪ] **1.** *n* запасы; снабжение ✧ **~ and demand** предложение и спрос **2.** *v* снабжать, поставлять; возмещать; удовлетворять *(потребность)*
supply teacher *n* замещающий(-ая) учитель(ница)
support [sə'pɔ:t] **1.** *n* поддержка; опора **2.** *v* поддерживать *(тж. перен.);* содержать *(семью)*
supporter [sə'pɔ:tə] *n (полит.)* сторонник(-ица); *(спорт.)* болельщик(-ица)
supporting [sə'pɔ:tɪŋ] *adj* второстепенный; **~ actor** актер второго плана
supportive [sə'pɔ:tɪv] *adj:* **to be ~ of sb** поддерживать кого-н.
suppose [sə'pəuz] *vt* полагать; **he was ~d to do it** он должен был это сделать; **it was worse than she'd ~d** это оказалось хуже, чем она предполагала; **I don't ~ she'll come** я полагаю, она не придет; **she's about sixty, I ~** я полагаю, ему шестьдесят; **he's ~d to be an expert** считается, что он в этом разбирается
supposing [sə'pəuzɪŋ] *conj* предположим, допустим
supposition [sʌpə'zɪʃən] *n* предположение; допущение
suppository [sə'pɔzɪtrɪ] *n (мед.)* свеча
suppress [sə'pres] подавлять, пересекать; сдерживать, подавлять *(стон, боль и т.п.);* запрещать *(газету и т.п.);* замалчивать *(правду и т.п.)*
suppression [sə'preʃən] *n* подавление
suppressor [sə'presə] *n (элек.)* глушитель
suppurate ['sʌpjuəreɪt] гноиться
supremacy [sə'preməsɪ] *n (воен., полит.)* господство
supreme [su'pri:m] *adj* Верховный; величайший
Supreme Court *n* Верховный Суд
suprtstructure ['sju:pəstrʌktʃə] надстройка

S

surcharge ['sɜːtʃɑːdʒ] *n* дополнительный сбор, дополнительная плата
sure [ʃuə] *adj* твердый, верный ✧ *adv:* **that ~ is pretty, that's ~ pretty** это правда, мило; **to make ~ of sth/that** удостовериться в чем-н./что; **~!** безусловно!; **~ enough** и правда *or* вправду; **I'm not ~ how/why/when** я не уверен, как/почему/когда; **to be ~ of o.s.** не сомневаться в себе
sure-fire ['ʃuəfaɪə] *adj* верный
sure-footed [ʃuə'futɪd] *adj* твердо держащийся на ногах
surely ['ʃuəlɪ] *adv* наверняка; **~ you don't mean that!** наверняка, Вы это несерьезно!
surety ['ʃuərətɪ] *n* залог; **to go** *or* **stand ~ for sb** брать кого-н. на поруки
surf [sɜːf] *n* прибой; барашки
surface ['sɜːfɪs] *n* поверхность ✧ *vt* покрывать ✧ *vi* показываться на поверхности; всплывать; объявляться; **on the ~** с виду
surface area *n* площадь поверхности
surface mail *n* обычная почта
surface-to-surface ['sɜːfɪstə'sɜːfɪs] *adj:* **~ missile** ракета типа “земля-земля”
surfboard ['sɜːfbɔːd] *n* акваплан
surfing ['sɜːfɪŋ] *n* серфинг
surge [sɜːdʒ] **1.** *n* волны *мн.;* волна *(тж. перен.);* **a ~ of anger** волна гнева **2.** *v* нарастать *(о чувстве и т.п.)* ; **anger ~d up within him** в нем нарастал гнев
surgeon ['sɜːdʒən] *n (мед.)* хирург
surgery ['sɜːdʒərɪ] *n* хирургическое вмешательство; кабинет врача; прием; **to undergo ~** переносить операцию
surgical ['sɜːdʒɪkl] *adj* хирургический
surgical spirit *n* медицинский спирт
surly ['sɜːlɪ] *adj* неприветливый
surmise ['sɜːmaɪz] **1.** *n* предположение, догадка **2.** *v* высказывать предположение
surmount ['sɜːmaunt] *vt* преодолевать
surname ['sɜːneɪm] *n* фамилия
surpass [sɜː'pɑːs] *vt* превосходить
surplus ['sɜːpləs] *n* избыток, излишек; активное сальдо ✧ *adj* лишний; **it is ~ to our requirements** это превышает наши требования
surprise [sə'praɪz] *n* удивление ✧ *vt* удивлять; заставать врасплох; **to take by ~** застигать врасплох
surprising [sə'praɪzɪŋ] *adj* неожиданный; **it is ~ how/that** удивительно как/что
surprisingly [sə'praɪzɪŋlɪ] *adv* удивительно; **(somewthat) ~, he agreed** как ни удивительно, он согласился
surrealism [sə'rɪəlɪzəm] *n* сюрреализм
surrealist [sə'rɪəlɪst] *adj* сюрреалистический
surrender [sə'rendə] *n* капитуляция ✧ *vi* сдаваться ✧ *vt* отказываться
surreptitious [sʌrəp'tɪʃəs] *adj* скрытый
surrogate ['sʌrəgɪt] *n* заменитель ✧ *adj* замещающий
surround [sə'raund] *vt* окружать; *(воен.)* окружать
surrounding [sə'raundɪŋ] *adj* близлежащий
surroundings [sə'raundɪŋz] *npl* окрестности
surtax ['sɜːtæks] *n* добавочный подоходный налог
surveillance [sɜː'veɪləns] *n* патрулирование
surveing [sə'veɪŋ] *n* геодезия, топографические съемки
survey [sɜː'veɪ] *vt* делать топографические съемки; производить осмотр; осматривать ✧ *n* топографическая *or* геодезическая съемка; инспекция; исследование; оценка
surveyor [sə'veɪə] *n* топограф; инспектор
survival [sə'vaɪvl] *n* выживание; пережиток ✧ *cpd* неприкосновенный запас; **~ course** обучение выживанию в экстремальных условиях
survive [sə'vaɪv] *vi* уцелеть; выживать; сохраняться ✧ *vt* пережить
susceptible [sə'septəbl] *adj:* **~ (to)** чув-

ствительный; подверженный; поддающийся на
suspect [səs'pekt] *vt* подозревать; заподозрить; не доверять ✧ *n* подозреваемый(-ая) ✧ *adj* подозрительный
suspected [səs'pektɪd] *adj* подозреваемый
suspend [səs'pend] *vt* подвешивать; приостанавливать; отстранять от должности
suspended sentence *n* условный приговор
suspender belt [səs'pendə'-] *n* (женский) пояс
suspenders [səs'pendəz] *npl* резинки; подтяжки
suspense [səs'pens] состояние неизвестности, беспокойство
suspension [səs'penʃən] *n* отстранение от должности; *(авт.)* амортизатор; изъятие; прекращение
suspension bridge *n* подвесной *or* висячий мост
suspicion [səs'pɪʃən] *n* подозрения; намек, след; **to be under ~** находиться под подозрением; **arrested on ~ of murder** арестованный по подозрению в убийстве
suspicious [səs'pɪʃs] *adj* подозрительный; **to be ~ of** *or* **about sb/sth** относиться подозрительно *or* с подозрением к кому-н./чему-н.
suss out [sʌs-] *vt* разобраться в; раскусить; **I've sussed him out** я его раскусил
sustain [səs'teɪn] поддерживать *(тж. перен.);* выдерживать, переносить; **~ a wound** получить ранение
sustainable [səs'teɪnəbl] *adj* жизнеспособный
sustained [səs'teɪnd] *adj* неослабевающий
sustenance ['sʌstɪnəns] *n* пропитание
suture ['suːtʃə] *n (мед.)* шов
swab [swɔb] швабра *мед.* тампон
swaddle ['swɔdl] пеленать
swagger ['swægə] **1.** *n* важный вид; чванство **2.** *v* важничать; хвастаться **3.** *a разг.* шикарный, модный
swallow I ['swɔləu] **1.** *n* глоток; **at a ~** залпом**2.** *v* глотать✧ **~ one's pride** подавить свое самолюбие; **~ all one hears** принимать за чистую монету все, что рассказывают
swallow II ласточка
swallow up *vt* съедать
swam [swæm] *pt of* **swim**
swamp [swɔmp] *n* болото ✧ *vt* заливать
swampy ['swɔmpɪ] *adj* болотистый
swan [swɔn] *n* лебедь
swank [swæŋk] **1.** *n разг.* хвастовство, бахвальство **2.** *v* хвастать, бахвалиться
swansong ['swɔnsɔŋ] *n* лебединая песня
swap [swɔp] *n* обмен ✧ *vt:* **to ~ (for)** менять на; сменить на
swarm [swɔːm] **1.** *n* рой; стая; масса; толпа **2.** *v* роиться; кишеть; толпиться
swarthy ['swɔːðɪ] *adj* смуглый; темный
swashbuckling ['swɔʃbʌklɪŋ] *adj* залихватский; удалой
swastika ['swɔstɪkə] *n* свастика
swat [swɔt] *vt* прихлопнуть ✧ *vt (also:* **fly ~***)* хлопушка
swathe [sweɪð] *vt:* **to ~ in** закутывать в; обматывать
swatter ['swɔtə] *n (also:* **fly ~**) хлопушка
sway I [sweɪ] **1.** *n* качание **2.** *v* качаться
sway II [sweɪ] **1.** *n* правление; власть **2.** *v* управлять; иметь влияние *(на кого-л., что-л.)*
swear [sweə] *vi* ругаться ✧ *vt* торжественно давать; **to ~ an oath** давать клятву
swear in *vt* приводить к присяге
swearword ['sweəwəːd] *n* ругательство
sweat [swet] *n* пот ✧ *vi* потеть, пропотеть; **in a ~** в поту
sweatband ['swetbænd] *n* повязка
sweater ['swetə] *n* свитер
sweatshirt ['swetʃəːt] *n* хлопчатобумажный спортивный свитер
sweaty ['swetɪ] *adj* пропотевший; потный
swede [swiːd] *n* брюква
Sweden ['swiːdn] *n* Швеция

S

sweep [swi:p] *n* подметание; изгиб; размах; *(also:* **chimney ~***)* трубочист ✧ *vt* мести *or* подметать; смахивать; смывать ✧ *vi* двигаться; бушевать
sweep away *vt* сметать; уносить
sweeper [ˈswi:pə:] *n (also:* **carper ~***)* щетка для ковра; либеро
sweeping [ˈswi:pɪŋ] *adj* широкий; всеобъемлющий; огульный
sweep past *vi* проноситься мимо
sweep up *vi* подметать
sweet [swi:t] **1.** *a* сладкий; свежий; несоленый, некислый; душистый; **~ pea** душистый горошек; мелодичный; приятный; милый; любимый; *разг.* хорошенький **2.** *n* конфета; сладкое; **my ~** *разг.* лапушка моя
sweet-brier [ˈswi:tˈbraɪə] шиповник
sweet corn *n* кукуруза
sweeten [ˈswi:tn] подслащивать
sweetheart [ˈswi:thɑ:t] возлюбленный, возлюбленная
sweetness [swi:tnɪs] *n* сладость; приятность
sweet pea *n* душистый горошек
sweet shop *n* кондитерская лавка
swell [ˈswel] **1.** *n* возвышение, выпуклость; опухоль, зыбь, волнение; *разг.* щеголь **2.** *v* разбухать, пухнуть **3.** *a разг.* шикарный; щегольской; *амер. разг.* отличный, первоклассный; **that's ~!** здорово!
swelling [ˈswelɪŋ] *n (мед.)* опухоль
sweltering [ˈsweltərɪŋ] *adj* душный
swept [swept] *pt, pp of* **sweep**
swerve [swə:v] отклоняться
swift [swɪft] **1.** *a* скорый, быстрый **2.** *n зоол.* стриж
swiftly [ˈswɪftlɪ] *adv* стремительно
swiftness [ˈswɪftnɪs] *n* стремительность
swig [swɪg] *разг.* **1.** *v* выпить **2.** *n* глоток *(спиртного)*
swill [swɪl] **1.** *v* полоскать *разг.* жадно пить **2.** *n* полоскание; пойло; помои *мн.*
swim [swɪm] *vi* плавать/плыть; идти кругом ✧ *vt* переплывать; проплывать; **to go ~ mind, go for a ~** ходить/идти плавать
swimmer [ˈswɪmə] *n* пловец
swimming [ˈswɪmɪŋ] *n* плавание
swimming baths *npl* плавательный бассейн
swimming cap *n* резиновая шапочка *(для плавания)*
swimming costume *n* купальный костюм
swimming pool *n* плавательный бассейн
swimming trunks *npl* плавки
swimsuit [ˈswɪmsju:t] *n* купальник
swindle [ˈswɪndl] *n* мошенничество ✧ *vt* надувать
swindler [ˈswɪndlə] *n* жулик
swine [swaɪn] *n* свинья
swing [swɪŋ] *n* качели; качание; колебания; *(муз.)* свинг ✧ *vt* размахивать; болтать; *(also:* **~ round***)* разворачивать ✧ *vi* качаться; *(also:* **~ round***)* сворачивать; **a ~ to the left** *(полит.)* крен влево; **to get into the ~ of things** входить в ритм; **to be in full ~** быть в полном разгаре; **the road ~s south** дорога сворачивает на юг
swing bridge *n* разводной мост
swingeing [ˈswɪndʒɪŋ] *adj* сокрушительный; беспощадный
swinging [ˈswɪŋɪŋ] *adj* качающийся; веселый
swipe [swaɪp] *vt* ударять с размаху; тащить
swirl [swə:l] **1.** *n* водоворот; кружение; порыв *(ветра)* **2.** *v* кружиться, нестись вихрем
swish [swɪʃ] **1.** *v* рассекать воздух со свистом; сечь *(розгой)* **2.** *n* свист *(хлыста и т.п.);* взмах *(косы);* шелест, шуршание *(шелка и т.п.)*
Swiss [swɪs] **1.** *a* швейцарский **2.** *n* швейцарец; швейцарка
switch [swɪtʃ] **1.** *n* прут; фальшивая коса; насадка *(волос); эл.* выключатель; *ж.-д.* стрелка **2.** *v* сечь *(прутом);* переводить *(поезд)* на другой путь; *эл.* переключать *(ток);* направлять *(мысли, разговор)* на другую тему
switchboard [ˈswɪtʃbɔ:d] *n (телеф.)* коммутатор

S

switchboard operator *n (телеф.)* телефонист(ка)
switch off *vt* выключать
switch on *vt* включать
Switzerland [ˈswɪtsələnd] *n* Швейцария
swivel [ˈswɪvl] *vi (also: ~* **round***)* вертеться
swollen [ˈswəulən] *pp of* **swell** ✧ *adj* опухший; переполнившийся
swoon [swu:n] *vi* замирать
swoop [swu:p] *n* налет; стремительное падение ✧ *vi (also: ~* **down***)* стремительно падать
sword [sɔ:d] *n* шпага; меч
swordfish [ˈsɔ:dfɪʃ] *n* меч-рыба
swore [swɔ:] *pt of* **swear**
swot [swɔt] *vi* зубрить ✧ *n* зубрила
swot up *vt:* **to ~ up(on)** зазубривать
swum [swʌm] *pp of* **swim**
swung [swʌŋ] *pt, pp of* **swing**
Sydney [ˈsɪdnɪ] *n* Сидней
syllable [ˈsɪləbl] *n* слог
syllabus [ˈsɪləbəs] *n* программа; **on the ~** входящий в программу
symbol [ˈsɪmbl] *n (мат.)* знак; символ
symbolic(al) [sɪˈbɔlɪkl] *adj* символический; **to be symbolic of sth** символизировать что-н.
symbolize [ˈsɪmbəlaɪz] *vt* символизировать
symmetrical [sɪˈmetrɪkl] *adj* симметричный
symmetry [ˈsɪmɪtrɪ] *n* симметрия
sympathetic [sɪmpəˈθetɪk] *adj* сочувствующий; сочувственный; приятный; **~ to(wards)** благосклонно настроенный по отношению к; **to be ~ to sth** сочувственно относиться к чему-н.
sympathetically [sɪmpəˈθetɪklɪ] *adv* сочувственно
sympathize [ˈsɪmpəθaɪz] *vi:* **to ~ with** сочувствовать; проявлять сочувствие
sympathizer [ˈsɪmpəθaɪzə] *n (полит.)* симпатизирующий
sympathy [ˈsɪmpəθɪ] *n* сочувствие; **sympathies** *npl* симпатия; **with our deepest ~** примите наши глубочайшие соболезнования; **to come out in ~** бастовать в знак солидарности
symphonic [sɪmˈfɔnɪk] *adj* симфонический
symphony [ˈsɪmfənɪ] *n* симфония
symphony orchestra *n* симфонический оркестр
symposium [sɪmˈpəuzɪəm] *n* симпозиум
symptom [ˈsɪmptəm] *n (мед.)* симптом; признак
synagogue [ˈsɪnəgɔg] *n* синагога
sync [sɪŋk] *n* **out of ~** в разнобой
synchromesh [sɪŋkrəuˈmeʃ] *n* синхронизатор
synchronize [ˈsɪŋkrənaɪz] *vt* сверять; синхронизировать ✧ *vi:* **to ~ with** совпадать (по времени) с
synchronized swimming *n* синхронное плавание
syndicate [ˈsɪndɪkɪt] *n* синдикат; агентство печати
syndrome [ˈsɪndrəum] *n (мед.)* синдром
synonym [ˈsɪnənɪm] *n* синоним
synonymous [sɪˈnɔnɪməs] *adj:* **~ (with)** равносильный
synopsis [sɪˈnɔpsɪs] *n* краткое изложение
syntactic [sɪnˈtæktɪk] *adj* синтаксический
syntax [ˈsɪntæks] *n* синтаксис
syntax error *n (комп.)* синтаксическая ошибка
synthesis [ˈsɪnθəsɪs] *n* слияние; синтез
synthesizer [ˈsɪnθəsaɪzə] *n* синтезатор
synthetic [sɪnˈθetɪk] *adj* синтетический; искусственный ✧ *n* искусственный материал; синтетика; **~s** *npl* синтетические ткани
syphilis [ˈsɪfɪlɪs] *n* сифилис
Syria [ˈsɪrɪə] *n* Сирия
syringe [sɪˈrɪndʒ] *n* шприц
syrup [ˈsɪrəp] *n* сироп; *(also:* **golden** *~) (светлая or желтая)* патока
syrupy [ˈsɪrəpɪ] *adj* густой; слащавый
systematic [sɪstəˈmætɪk] *adj* систематический
systems analyst [ˈsɪstəmz-] *n (комп.)* системный аналитик; системотехник
systems disk *n (комп.)* системный диск

T

T

T,t *n 20-я буква английского алфавита*
ta [tɑː] *детск.* спасибо
tab [tæb] вешалка, петелька, ушко; петлица *(на воротнике); разг.* счет; **keep ~s** *(или* **a ~***)* **on** вести счет; следить *(за чем-л.)*
table [ˈteɪbl] *n* стол; *(мат.)* таблица ✧ *vt* выносить на обсуждение; **to lay** *or* **set the ~** накрывать на стол; **to clear the ~** убирать со стола; **league ~** *(фут.)* таблица команд 1-й, 2-й и т.д. лиги ; **~ of contents** оглавление
tablecloth [ˈteɪblklɔθ] *n* скатерть
table lamp *n* настольная лампа
tablemat [ˈteɪblmæt] *n* подставка
table salt *n* столовая соль
tablespoon [ˈteɪblspuːn] *n* столовая ложка
tablet [ˈtæblɪt] *n (мед.)* таблетка; дощечка (для письма); **~ of soap** кусок мыла
table tennis *n* настольный теннис
table wine *n* столовое вино
taboo [təˈbuː] *n* табу ✧ *adj* запрещенный
tabulate [ˈtæbjuleɪt] *vt* сводить в таблицу
tachometer [ˈtæˈkɔmɪtə] *n (авт.)* тахометр, счетчик числа оборотов
tacit [ˈtæsɪt] *adj* молчаливый
taciturn [ˈtæsɪtəːn] *adj* молчаливый
tack [tæk] *n* гвоздь с широкой шляпкой; путь ✧ *vt* прибывать; сметывать ✧ *vi (мор.)* идти галсами; **on the wrong ~** на ложном пути; **to ~ sth on to (the end) sth** прикреплять что-н. к чему-н.
tackle [ˈtækl] *n* снасть; сложный блок; *(фут.)* блокировка ✧ *vt* справляться; схватиться; *(фут.)* блокировать
tacky [ˈtækɪ] *adj* липкий; дешевый
tact [ˈtækt] *n* такт; тактичность
tactful [ˈtæktful] *adj* тактичный; **she is very ~** она очень тактична
tactfully [ˈtæktfəlɪ] *adv* тактично
tactical [ˈtæktɪkl] *adj (воен.)* тактический; **~ error** тактическая ошибка
tactician [tækˈtɪʃən] *n* тактик
tactics [ˈtæktɪks] *npl* тактика
tactless [ˈtæktlɪs] *adj* бестактный
tactlessly [ˈtæktlɪslɪ] *adv* бестактно
tadpole [ˈtædpəul] *n* головастик
taffy [ˈtæfɪ] *n* ириска; тянучка
tag [tæg] ярлычок; этикетка; металлический наконечник; ушко; избитая фраза, штамп
tag along *vi* следовать по пятам
tail [teɪl] *n* хвост; конец; пола ✧ *vt* садиться на хвост; **~s** *n pl* факт; **to turn ~** бросаться наутек; *see also* **head**
tail away *vi* затихать
tailback [ˈteɪbæk] *n* хвост
tail coat *n* фрак
tail end *n* хвост; конец
tailgate [ˈteɪgeɪt] *n (авт.)* задняя дверь
taillight [ˈteɪlaɪt] *n (авт.)* задняя фара
tailor [ˈteɪlə] *n* (мужской) портной ✧ *vt:* **to ~ sth (to)** приспосабливать что-н. (к); **~'s shop** портняжная мастерская
tailoring [ˈteɪlərɪŋ] *n* покрой; портняжное дело
tailor-made [ˈteɪləˈmeɪd] *adj* сшитый на заказ; **she is ~ for the job** она идеально подходит для этой работы
taint [teɪnt] *vt* портить; пятнать
tainted [ˈteɪntɪd] *adj* испорченный; загрязненный; запятнанный
Taiwan [teɪˈwɑːn] *n* Тайвань
Tajikistan [tɑːdʒɪkɪˈstɑːn] *n* Таджикистан
take [teɪk] *vt* брать; снимать; принимать; делать; хватать; требовать; переносить; вмещать; отводить; относить; отвозить; сдавать ✧ *vi* заниматься; впитываться; приниматься ✧ *n (кино)* дубль; **to ~ sth from** вынимать что-н. из; брать что-н. у ; **I ~ it that...** как я понимаю...; **I took him for a doctor** я приняла его за врача; **to ~ sb's hand** брать кого-н. за руку; **to ~ for a walk** брать на прогулку; **to be ~n ill** заболевать; **to ~ it upon o.s. to do**

браться; ~ **the first (street) on the left** первый поворот налево; **to ~ Russian at** изучать русский язык в университете; **it won't ~ long** это не займет много времени; **I was quite ~n with her** она произвела на меня большое впечатление
take after *vt fus* пойти в
take apart *vt* разбирать
take away *vt* убирать; забирать; *(мат.)* отнимать ✧ *vi:* **to ~ away from** отнимать от
take back *vt* относить обратно; отводить обратно; брать назад
take down *vt* сносить; разбирать; снимать; записывать
take-home pay [ˈteɪkhəum-] *n* чистый заработок
take in *vt* обманывать; воспринимать; включать; ушивать
take off *vi (авиа.)* взлетать; улетать ✧ *vt* снимать; копировать
takeoff [ˈteɪkɔf] *n (авиа.)* взлет
take on *vt* брать; сражаться с
take out *vt* водить; вынимать; оформлять; **to ~ sth out of sth** вынимать что-н.из чего-н.; **don't ~ it out on me** не вымещай это на мне!
take over *vt* принимать руководство ✧ *vi:* **to ~ over from sb** сменять кого-н.
takeover [ˈteɪkəuvə] *n (комм.)* поглощение; захват власти
take to *vt fus* пристраститься к; заниматься; **to ~ to doing** пристраститься; **she took to him at once** он ей сразу понравился
take up *vt (спорт.)* заняться; подхватывать; занимать; подшивать ✧ *vi:* **to ~ up with sb** сходиться с кем-н.; **to ~ sb up on sth** воспользоваться; **I'll ~ you up on that!** ловлю Вас на слове!
takings [ˈteɪkɪŋz] *npl (комм.)* выручка
talc [tælk] *n* тальк
tale [teɪl] *n* рассказ, сказание; **to tell ~s** ябедничать
talent [ˈtælnt] *n* талант
talented [ˈtæləntɪd] *adj* талантливый
talisman [ˈtælɪzmən] *n* талисман
talk [tɔːk] *n* доклад; беседа; слух ✧ *vi* разговаривать; **~s** *npl (полит.)* переговоры; **to give a ~** делать доклад; **to ~ about** рассказывать о; **~ing of films, have you seen...?** кстати о фильмах, вы видели?; **to ~ sb into doing** уговаривать кого-н.; **to ~ sb out of sth** отговаривать кого-н. от чего-н.; **to ~ shop** говорить о делах
talkative [ˈtɔːkətɪv] *adj* разговорчивый
talker [ˈtɔːkə] *n:* **she is a good ~** она хороший оратор; **he is a fast ~** он красноречив
talking point [ˈtɔːkɪŋ-] *n* тема для разговора
talking-to [ˈtɔkɪŋtu] *n:* **to give sb a good ~** отчитывать кого-н. как следует
talk over *vt* обговаривать
talk show *n (тел., радио)* ток-шоу
tall [tɔːl] *adj* высокий; **he is 6 feet ~** его рост - 6 футов; **how ~ are you?** какой у Вас рост?
tallboy [ˈtɔːlbɔɪ] *n* высокий комод
Tallin(n) [ˈtælɪn] *n* Таллин
tallness [ˈtɔːlnɪs] *n* высота
tallow [ˈtælou] жир, сало
tall story *n* небылица
tally [ˈtælɪ] **1.** *n* бирка; квитанция **2.** *v* соответствовать, совпадать
talon [ˈtælən] коготь
tambourine [ˌtæmbəˈriːn] бубен
tame [teɪm] **1.** *a* ручной, прирученный; *презр.* покорный *(о человеке);* неинтересный **2.** *v* приручать, дрессировать; усмирять
tamp [tæmp] трамбовать
tamper [ˈtæmpə] : **~ with** вмешиваться *(во что-л.)*
tampon [ˈtæmpən] *n* тампон
tan [tæn] *n* загар ✧ *vi* загорать; загореть ✧ *vt* дубить ✧ *adj* рыжевато-коричневый; **to get a ~** загорать
tandem [ˈtændəm] *n* тандем; **in ~** совместно; вместе
tang [tæŋ] *n* сильный запах
tangent [ˈtændʒənt] *n (мат.)* касательная; **to go off at a ~** сбиваться
tangerine [ˈtændʒəˈriːn] *n* мандарин
tangible [ˈtændʒəbl] *adj* ощутимый; **~ assets** реальный актив
tangle [ˈtæŋgl] *n* путаница; **to get in (to) a ~** запутываться

T

T

tango [ˈtæŋgəu] *n* танго
tank [tæŋk] *n* бак; цистерна; *(фото)* ванна; аквариум; *(воен.)* танк
tankard [ˈtæŋkəd] *n* пивная кружка
tanker [ˈtæŋkə] *n* танкер; цистерна
tanned [tænd] *adj* загорелый
tannery [ˈtænərɪ] кожевенный завод
tanning [ˈtænɪŋ] *n* дубление
tantalize [ˈtæntəlaɪz] мучить
tantalizing [ˈtæntəlaɪzɪŋ] *adj* дразнящий
tantamount [ˈtæntəmaunt] *adj:* ~ **to** равносильный
tantrum [ˈtæntrəm] *n* истерика; **to throw a** ~ устраивать истерику
Tanzania [tænzəˈnɪə] *n* Танзания
tap I [tæp] **1.** *v* стучать **2.** *n* легкий стук
tap II 1. *n* кран; пробка **2.** *v* починить *(бочонок);* делать надрез на дереве; перехватывать *(телефонные разговоры и т.п.)*
tap-dancing [ˈtæpdɑːnsɪŋ] *n* чечетка
tape [teɪp] *n (also:* **magnetic** *~)* пленка; кассета; клейкая лента; лента ✧ *vt* записывать; заклеивать клейкой лентой; **on** ~ на кассете
tape deck *n* кассетный магнитофон
tape measure *n* сантиметр
taper [ˈteɪpə] *n* тонкая восковая свеча ✧ *vi* сужаться
tape recorder *n* магнитофон
tape recording *n* магнитофонная запись
tapered [ˈteɪpəd] *adj* сужающийся
tapering [ˈteɪpərɪŋ] *adj* тонкий
tapestry [ˈtæpɪstrɪ] *n* гобелен; искусство гобелена
tar [tɑː] *n* деготь; **low/middle** ~ **cigfrettes** сигареты с низким/средним содержанием никотина
tarantula [təˈræntjulə] *n* тарантул
tardy [ˈtɑːdɪ] *adj* запоздалый
target [ˈtɑːgɪt] *n* цель; **to be on** ~ идти согласно плану
target practice *n* учебная стрельба
tariff [ˈtærɪf] *n* тариф; прейскурант
tarmac [ˈtɑːmæk] *n* асфальт; *(авиа.)* предангарная площадка ✧ *vt* асфальтировать
tarpaulin [tɑːˈpɔːlɪn] *n* брезент
tarragon [ˈtærəgən] *n* эстрагон
tarry I [ˈtɑːrɪ] вымазанный смолой, дегтем
tarry II [ˈtærɪ] медлить; ждать
tart I [tɑːt] кислый; терпкий; резкий, колкий
tart II сладкий пирог
tart III *разг.* проститутка
tartan [ˈtɑːt(ə)n] клетчатая шерстяная материя, шотландка
Tartar [ˈtɑːtə] **1.** *a* татарский **2.** *n* татарин; татарка; татарский язык ✧ **young** ~ капризный ребенок
tartar [ˈtɑːtə] винный камень
tart up *vt* принаряжать; **to** ~ **o.s.** принаряжаться; принаряживаться; намазываться; выряживаться
Tashkent [tæʃˈk□nt] *n* Ташкент
task [tɑːsk] *n* задача; **to take sb to** ~ отчитывать кого-н.
tassel [ˈtæsl] *n* кисточка; **~s** бахрома
taste [teɪst] *n* проба; представление ✧ *vt* пробовать ✧ *vi:* **to fish ~s of** *or* **like** рыба имеет вкус; **what does the fish ~like?** какова рыба на вкус?; **you can ~ the garlic (in the dish)** (в блюде) чувствуется чеснок; **to have a ~ of sth** пробовать чего-н.; **to have a ~ for sth** иметь вкус к чему-н.; **in good / bad** ~ в хорошем/дурном вкусе
tasteful [ˈteɪstful] *adj* элегантный
tastefully [ˈteɪstfəlɪ] *adv* со вкусом
tasteless [ˈteɪstlɪs] *adj* безвкусный
tasty [ˈteɪstɪ] *adj* вкусный
ta-ta [ˈtæˈtɑː] *детск.* до свидания
tattered [ˈtætəd] *adj* изорванный (в клочья); разбитый
tatters [ˈtætəz] *npl:* **in** ~ изорванный (в клочья)
tattoo I [təˈtuː] *воен.* вечерняя заря *(сигнал);* **beat a ~ with one's fingers (on the table etc)** барабанить пальцами *(по столу и т.п.)*
tattoo II 1. *v* татуировать **2.** *n* татуировка
tatty [ˈtætɪ] *adj* потрепанный
taught [tɔːt] *pt, pp of* ~ **teach**
taunt [tɔːnt] **1.** *n* насмешка, “шпилька” **2.** *v* говорить колкости, язвить

taut [tɔ:t] туго натянутый *(о веревке); перен.* напряженный
tavern [ˈtævən] *n* таверна
tawdry [ˈtɔ:drɪ] *adj* безвкусный
tawny [ˈtɔ:nɪ] *adj* желтовато-коричневый
tawny owl *n* неясыть
tax [tæks] *n* налог ✧ *vt* облагать налогом; испытывать; **before ~** до вычета налогов; **after ~** за вычетом налогов; **free of ~** не облагаемый налогом
taxable [ˈtæksəbl] *adj* облагаемый налогом
tax allowance *n* налоговая скидка
taxation [tækˈseɪʃn] *n* налогообложение; размер налога
tax avoidance *n* оптимизация налоговой политики
tax collector *n* сборщик налогов
tax evasion *n* уклонение от налогов
tax exemption *n* освобождение от налогов
tax-free [ˈtæksfri:] *adj* необлагаемый налогом
taxi [ˈtæksɪ] *n* такси ✧ *vi (авиа.)* выруливать
taxidermist [ˈtæksɪdə:mɪst] *n* набивщик чучел
taxi driver *n* водитель такси, таксист
tax inspector *n* налоговый инспектор
taxi rank *n* стоянка такси
taxpayer [ˈtækspeɪə] *n* налогоплательщик
tax rebate *n* возврат налога
tax relief *n* скидка с налога
tax return *n* поступления от налогов
Tbilisi [dbɪˈli:sɪ] *n* Тбилиси
tea [ti:] *n* чай; ужин; **afternoon ~** чай (с бутербродами и пирожным); **high ~** (поздний) обед
tea bag *n* чай в пакетике
tea break *n* перерыв
teach [ti:tʃ] *vi* преподавать ✧ *vt:* **to ~ sb sth, ~ sth to sb** учить кого-н. чему-н.; преподавать; **it taught him a lesson** это послужило ему хорошим уроком
teacher [ˈti:tʃə] *n* учитель(ница); преподаватель(ница); **Russian ~** учитель(ница) *or* преподаватель(ница) русского
teacher training college *n* педагогическое училище; педагогический институт
teaching [ˈti:tʃɪŋ] *n* преподавание
teaching aids *npl* учебные пособия
teacup [ˈti:kʌp] *n* чайная чашка
teak [ti:k] *n* тик
tea leaves *npl* заварка
team [ti:m] *n* команда; упряжка
team games *npl* командные игры
team spirit *n* дух товарищества; командный дух
team up *vi:* **to ~ up (with)** объединять усилия (с)
teamwork [ˈti:mwə:k] *n* коллективная работа
tea party *n* чаепитие, чай
teapot [ˈti:pɔt] *n* (заварочный) чай
tear I [teə] *n* дыра; дырка ✧ *vt* рвать ✧ *vi* рваться; **to ~ to pieces** *or* **to bits** *or* **shreds** разрывать на мелкие клочки
tear II [tɪə] *n* слеза; **in ~s** в слезах; **to burst into ~s** расплакаться; разрыдаться
tear along *vi* нестись
tear apart *vt* разрывать на части
tear away *vt:* **to ~ o.s. away (from sth)** отрываться (от чего-н.)
tearaway [ˈteərəweɪ] *n* сорвиголова
teardrop [ˈtɪədrɔp] *n* слезинка
tearful [ˈtɪəful] *adj* заплаканный
tear gas *n* слезоточивый газ
tearoom [ˈti:ru:m] *n* чайная
tear out *vt* вырывать
tear up *vt* разрывать
tease [ti:z] *vt* дразнить ✧ *n* насмешник
tea set *n* чайный сервиз
teaspoon [ˈti:spu:n] *n* чайная ложка
tea strainer *n* чайное ситечко
teat [ti:t] *n* сосок
teatime [ˈti:taɪm] *n* ужин
tea towel *n* полотенце для посуды
technical [ˈteknɪkl] *adj* технический
technically [ˈteknɪklɪ] *adv* технически, формально; с технической точки зрения
technician [tekˈnɪʃən] *n* техник
technique [tekˈni:k] *n* техника

T

technocrat [teknəkræt] *n* технократ
technological [teknɔ'lɔdʒɪkl] *adj* технический
technologist [tek'nɔlədʒɪst] *n* техник; технолог
technology [tek'nɔlədʒɪ] *n* техника; технология
teddy (bear) ['tedɪ-] *n* (плюшевый *or* игрушечный) мишка
tedious ['ti:dɪəs] *adj* нудный; скучный
tedium ['ti:dɪəm] *n* скука
tee [ti:] *n* метка для мяча
teenage ['ti:neɪdʒ] *adj* подростковый; ~ **children** подростки
teenager ['ti:neɪdʒə] *n* подросток
teens [ti:nz] *npl:* **to be in one's ~** быть подросткового возраста
tee off *vi* делать первый удар
teeter ['ti:tə] *vi* колебаться
teething ring *n* кольцо
teetotal ['ti:'təutl] *adj* трезвый, не пьющий
teetotaller ['ti:təutlə] *n* трезвенник
Tehegan [teə'rɑ:n] *n* Тегеран
telecast ['telɪkɑ:st] *vt* передавать по телевидению
telecommucations ['telɪkəmju:nɪ'keɪʃənz] *n* телекоммуникация
telegram ['tɑlɪgræm] *n* телеграмма
telegraph ['tɑlɪgrɑ:f] *n* телеграф
telegraphic [tɑlɪ'græfɪk] *adj* телеграфический
telegraph pole *n* телеграфный столб
telegraph wire *n* телеграфные провода
telepathic [telɪ'pæθɪk] *adj* телепатический
telepathy [tə'lepəθɪ] *n* телепатия
telephone ['telɪfəun] *n* телефон ✧ *vt* звонить; сообщать (по телефону) ; **on the ~** по телефону; **are you on the ~?** у Вас есть телефон?
telephone booth *n* телефонная будка
telephone call *n* телефонный звонок; **there is a ~~ for Peter** Питера просят к телефону
telephone directory *n* телефонный справочник
telephone exchange *n* телефонная станция
telephone number *n* номер телефона
telephone tapping *n* прослушивание телефона
telephonist [tə'lefənɪst] *n* телефонист
teleprinter ['telɪprɪntə] *n* телетайп
teleprompter ['telɪprəmptə] *n* телесуфлер; телетекст
telescope ['telɪskəup] *n* телескоп ✧ *vi* сталкиваться ✧ *vt* раскладываться
telespcopic ['telɪ'skɔpɪk] *adj* телескопический; складной
teletext ['telɪtekst] *n* телетекст; вещательная видеография
telethon ['telɪθɔn] *n* благотворительная телевизионная программа *(продолжающаяся много часов подряд)*
televangelist [telɪ'vændʒəlɪst] *n* телепроповедник(-ица)
televise ['telɪvaɪz] *vt* передавать по телевидению
television ['telɪvɪdʒən] *n* телевидение; **on ~** по телевидению
television licence *n* телевизионная лицензия
television programme *n* телевизионная программа
television set *n* телевизор
telex ['teleks] *n* телекс ✧ *vt* связываться по телексу; передавать по телексу ✧ *vi* посылать телекс
tell [tel] *vt* говорить; рассказывать; **to ~ sth from** отличать что-н. от ✧ *vi:* **to ~ of** рассказывать о; **to ~ (on)** сказываться (на); **to ~ sb to do** говорить кому-н.; **to ~ sb about sth** рассказывать кому-н. о чем-н.; **he told me what happened** он рассказал мне, что случилось; **to ~ the time** определять, который час; **can you ~ me the time?** Вы не скажете, который час?; **(I) ~ you what...** вот что: ...; **I can't ~ them apart** я не могу их различить
teller ['telə] *n* кассир
telling ['telɪŋ] *adj* показательный
tell off *vt:* **to ~ sb off** отчитывать кого-н.
tell on *vt fus* жаловаться на

telltale [ˈtelteɪl] *adj* предательский ✧ *n* ябеда
telly [ˈtelɪ] *n* телик
temerity [təˈmerɪtɪ] *n* смелость
temper [ˈtempə] *n* нрав; настроение; гнев ✧ *vt* смягчать; **to be in a ~** быть в гневе; **to lose one's ~** выходить из себя; **to keep one's ~** сдерживаться
temperament [ˈtemprəmənt] *n* темперамент
temperamental [temprəˈmentl] *adj* темпераментный; капризный
temperate [ˈtempərət] *adj* умеренный; **~ country** страна с умеренным климатом
temperature [ˈtemprətʃə] *n* температура; **the has** *or* **is running a ~** у него температура
temperature chart *n* температурный график
tempered [ˈtempəd] *adj* отпущенный
tempest [ˈtempɪst] *n* буря
tempestuous [temˈpestjuəs] *adj* бурный; буйный
template [ˈtemplɪt] *n* шаблон
temple I [ˈtempl] храм
temple II висок
tempo [ˈtempəu] *n (муз.)* темп
temporal [ˈtempərəl] *adj* светский; временной
temporarily [ˈtempərərɪlɪ] *adv* временно
temporary [ˈtempərərɪ] *adj* временный
temporize [ˈtempəraɪz] *vi* медлить
tempt [tempt] *vt* соблазнять; искушать; **to ~ sb into doing** соблазнять *or* искушать кого-н.; **I was ~ed to call you** у меня было искушение позвонить Вам
temptation [tempˈteɪʃən] *n* соблазн, искушение
tempting [ˈtemptɪŋ] *adj* соблазнительный
ten [ten] *n* десять; **~s of thousands** десятки тысяч; *see also* **five**
tenable [ˈtenəbl] *adj* здравый; **the position of Chairman is ~ for three years** пост председателя закреплен за ним на три года
tenacious [tɪˈneɪʃəs] *adj* настойчивый
tenacity [tɪˈnæsɪtɪ] *n* настойчивость
tenant [ˈtenənt] *n* съемщик
tend I [tend] иметь тенденцию, склонность; направляться; стремиться
tend II *книжн.* стеречь *(стадо)*
tendency [ˈtendənsɪ] *n* склонность; тенденция
tender I [ˈtendə] **1.** *v* предлагать *(деньги, услуги и т.п.)*; **~ one's resignation** подать в отставку; подавать *(предложение, заявку)* **2.** *n* предложение, заявка
tender II *ж.-д.* тендер
tender III [ˈtendə] нежный; мягкий; чувствительный; **~ subject** щекотливый вопрос; **~ foot** [-fut] *разг.* новичок
tenderize [ˈtendəraɪz] *vt* отбивать
tenderly [ˈtendəlɪ] *adv* нежно
tenderness [ˈtendənɪs] *n* нежность
tendon [ˈtendən] *n* сухожилие
tendril [ˈtendrɪl] *n (бот.)* усик; прядь
tenement [ˈtenəmənt] *n* многоквартирный дом *(сдаваемый внаем)*
tenet [ˈtenɪt] *n* основополагающий принцип
tenner [ˈtenə] *n* десятка
tennis [ˈtenɪs] *n* теннис
tennis ball *n* теннисный мяч
tennis club *n* теннисный клуб
tennis court *n* теннисный корт
tennis match *n* теннисный мяч
tennis player *n* теннисист(ка)
tennis racket *n* теннисная ракетка
tennis shoes *npl* теннисный туфли
tenor I [ˈtenə] течение, направление; уклад *(жизни)*; общий смысл, содержание
tenor II *муз.* тенор
tenpin bowling *n* кегли
tense [tens] *adj* напряженный; натянутый ✧ *n (линг.)* время ✧ *vt* напрягать
tenseness [ˈtensnɪs] *n* напряженность
tension [ˈtenʃən] *n* напряженность; натянутость
tent [tent] *n* палатка
tentacle [ˈtentəkl] *n* щупальцы
tentative [ˈtentətɪv] *adj* осторожный; предварительный
tentatively [ˈtentətɪvlɪ] *adv* предварительно; осторожно
tenth [tenθ] *adj* десятый ✧ *n* деся-

тая часть; одна десятая; *see also* **fifth**
tent peg *n* колышек для палатки
tent pole *n* столб для палатки
tenuous [ˈtenjuəs] *adj* слабый
tepid [ˈtepɪd] *adj* тепловатый; прохладный
term [tə:m] *n* термин; срок; *(просвещ.)* четверть; триместр ✧ *vt* называть; **~s** *npl* условие; **in abstract ~s** в абстрактных выражениях; **~ of imprisonment** срок заключения; **"easy ~s"** *(комм.)* "льготные условия"; **in the short ~** в настоящее время; **in the long ~** в перспективе; **to be on good ~s with sb** поддерживать хорошие отношения с кем-н.; **to come to ~s with** примиряться с
terminal [ˈtə:mɪnl] *adj* неизлечимый ✧ *n; (элек.)* клеймо, зажим; *(комп., комм.)* терминал; *(also:* **air ~)** аэровокзал; *(also:* **coach ~)** автобусный вокзал
terminate [ˈtə:mɪneɪt] *vt* прекращать ✧ *vi:* **to ~ in** заканчиваться
termination [tə:mɪˈneɪʃən] *n* прекращение
terminology [tə:mɪˈnɔlədʒɪ] *n* терминология
term insurance *n* страхование на определенный срок
terminus [ˈtə:mɪnəs] *n* конечная остановка; конечная станция
termite [ˈtə:maɪt] *n* термит
term paper *n* курсовая
terrace [ˈterəs] *n* терраса; *ряд примыкающих друг к другу однотипных домов;* **Rose T~** Роуз Терес; **the ~s** *npl* трибуны
terracotta [ˈterəˈkɔtə] *n* терракота; терракотовый цвет ✧ *adj* терракотовый
terrain [ˈtereɪn] местность
terrestrial [tɪˈrestrɪəl] земной
terrible [ˈterəbl] ужасный
terribly [ˈterɪblɪ] *adv* ужасно
terrier [ˈterɪə] *n* терьер
terrific [təˈrɪfɪk] *adj* колоссальный; потрясающий
terrify [ˈterɪfaɪ] *vt* ужасать; **to be terrified** быть в ужасе
terrifying [ˈterɪfaɪŋ] *adj* ужасающий
territorial [terɪˈtɔ:rɪəl] *adj* территориальный ✧ *n (воен.)* военнослужащий территориальной армии
territorial waters *npl* территориальные воды
territory [ˈterɪtərɪ] *n* территория; область
terror [ˈterə] *n* ужас
terrorism [ˈterərɪzəm] *n* терроризм
terrorist [ˈterərɪst] *n* террорист(ка)
terrorize [ˈterəraɪz] *vt* терроризировать
terse [tə:s] *adj* сжатый, краткий
tertiary [ˈtə:ʃərɪ] *adj* третичный; третий; **~ education** высшее образование
test [test] *n* проверка, тест; испытание; *(мед.)* анализ; *(хим.)* опыт; *(просвещ.)* контрольная работа, тест; *(also:* **driving ~)** экзамен на водительские права ✧ *vt* проверять; испытывать; *(мед.)* анализировать; **to put sth to the ~** подвергать что-н. проверке; **to ~ sth for sth** проверять что-н. на что-н.
testament [ˈtestəmənt] *n* свидетельство; **the Old/New T~** Ветхий/Новый завет
test ban *n (also:* **nuclear ~ ~)** запрещение испытаний ядерного оружия
test card *n (тел.)* телевизионная таблица
testes [ˈtesti:z] *npl (анат.)* яички
test flight *n* испытательный полет
testicle [ˈtestɪkl] *n* яичко
testify [ˈtestɪfaɪ] свидетельствовать; давать показания
testily [ˈtestɪlɪ] раздражительно, запальчиво
testimonial [testɪˈməunɪəl] *n* рекомендация
testimony [ˈtestɪmənɪ] *n (юрид.)* показание свидетельства; **to be (a) ~ to** являться свидетельством
testing [ˈtestɪŋ] *adj* испытательный
test match *n* международный матч
test paper *n (просвещ.)* экзаменационный билет
test pilot *n* летчик-испытатель
test tube *n* пробирка
testy [ˈtestɪ] *adj* невыдержанный

tetanus [ˈtetənəs] *n* столбняк
tetchy [ˈtetʃɪ] раздражительный; обидчивый
tether [ˈteðə] **1.** *n* привязь, путы ✧ **come to the end of one's ~** дойти до точки; дойти до предела (сил) **2.** *v* привязывать
Texas [ˈteksəs] *n* Техас
text [tekst] *n* текст
textbook [ˈtekstbuk] *n* учебник
textiles [ˈtekstaɪlz] *npl* текстильные изделия; *(тех.)* текстиль; текстильная промышленность
texture [ˈtekstʃə] *n* строение; качество
Thailand [ˈtaɪlænd] *n* Таиланд
Thames [temz] *n:* **the ~** Темза
than [ðæn] *conj:* **you have more ~ ten** у Вас больше десяти; **I have more/less work ~ you/Paul** у меня больше/меньше работы, чем у Вас/у Павла; **she is older ~ you think** она старше, чем Вы думаете; **more ~ once** не раз; **more ~ three times** более *or* больше трех раз
thank [θæŋk] *vt* благодарить; **~ you (very much)** (большое) спасибо; **~ God!** слава Богу!
thankful [ˈθæŋkful] *adj:* **~ (for)** благодарный (за); **~ that** благодарный за то, что
thankfully [ˈθæŋkfəlɪ] *adv* к счастью; **~ there were few victims** к счастью, жертв было мало
thankless [ˈθæŋklɪs] *adj* неблагодарный
thanks [θæŋks] *npl* благодарность ✧ *excl* спасибо; **many ~, ~ a lot** большое спасибо; **~ to** благодаря
Thanksgiving (Day) [ˈθæŋksgɪvɪŋ-] *n* День благодарения
that [ðæt] *adj* тот; **that man** тот мужчина; **which book would you like? - that one over there** какую книгу Вы хотите? - вон ту, пожалуйста; **I like this film beteer than that one** мне этот фильм нравится больше, чем тот ✧ *pron* **1.: who's/what's that?** кто/что это?; **is that you?** это Вы?; **we talked of this and that** мы говорили о том о сем; **that's how...** вот так ...; **that's what he said** он сказал; **what happened after that?** а что потом произошло?; **that is (to say)** то есть **2.** который (которая, которое, которые); которому (которой, которым); который (которую, которое, которое); которого; (которой, которых); которому (которой, которым); которым (который, которыми); котором (которой, которых); **the theory that we discussed last week** теория, которую мы обсуждали на прошлой неделе; **all (that) I have** все, что у меня есть **3.** когда; **the day (that) he died** день, когда он умер ✧ *conj* что; чтобы; **he thought that I was ill** он думал, что я был болен; **she suggested that I phone you** она предложила, чтобы я Вам позвонил ✧ *adv:* **I can't work that much** я не могу столько много работать; **it can't be that bad** ну не так уж все плохо; **I have drunk that much** я выпил вот столько; **the wall's about that high and that thick** стена примерно вот такой высоты и вот такой толщины
thatched [θætʃt] *adj* соломенный
thaw [θɔː] *n* оттепель ✧ *vi* таять; оттаивать ✧ *vt (also:* **~ out***)* оттаивать; **it's ~ing** оттепель
the [ðiː] *def art:* **1.: the books/children are in the library** книги/дети в библиотеке; **the rich and the poor** богатые и бедные; **to attempt the impossible** пытаться сделать невозможное **2.: Elizabeth the First** Елизавета Первая **3.: the more I think about it the more I like it** чем больше я думаю об этом, тем больше мне это нравится
theatre [ˈθɪətə] *n* театр; *(also:* **lecture ~***)* лекционный зал; *(мед.: also:* **operating ~***)* операционная
theatregoer [ˈθɪətəgəuə] *n* театрал
theatrical [θɪˈætrɪkl] *adj* театральный; **~ company** театральная труппа
theft [θeft] *adj* кража
theirs [ðeəz] *pron* их; свой; *see also* **mine I**

T

them [ðem] *pron* их; им; свой; **a few of ~ are doing to the cinema** некоторые из них идут в кино; **give me a few of ~** дайте мне их немного; *see also* **me**
theme [θi:m] *n* тема
theme song *n* песня из кинофильма
theme tune *n* мелодия из кинофильма
themselves [ðəm'selvz] *pl pron* себя; сами; себе; собой; **(all) by ~** одни; **they shared the money bteween ~** они разделили деньги между собой; *see also* **myself**
then [ðen] *adv* потом; тогда ✧ *conj* тогда ✧ *adj:* **the ~ president** тогдашний президент; **from ~ on** с тех пор; **by ~** к этому *or* тому времени; **we should know by ~** к тому времени мы уже будем знать; **if ... ~ ...** если ... то ...; **before ~** до этого *or* того времени; **until ~** до тех пор; **and ~ what?** и что потом?; **what do you want me to do?** что мне делать потом?; что мне делать тогда
theologian [θɪə'ləudʒən] *n* богослов, теолог
theological [θɪə'lɔdʒɪkl] *adj* богословский, теологический
theology [θɪ'ɔlədʒɪ] *n* теология; богословие
theorem ['θɪərəm] *n* теорема
theoretical [θɪə'retɪkl] *adj* теоретический
theorize ['θɪəraɪz] *vi* теоретизировать
theory ['θɪərɪ] *n* теория; **in ~** теоретически, в теории
therapeutic(al) [θerə'pju:tɪkl] *adj* терапевтический
therapist ['θerəpɪst] *n* врач
therapy ['θerəpɪ] *n* терапия
there [ðeə] *adv:* **1.: there is some milk in the fridge** молоко в холодильнике; **there is someone in the room** в комнате кто-то есть; **there will be a lot of people at the concert** на концерте будет много народу; **there was a book/there were flowers on the table** на столе лежала книга/стояли цветы; **there has been an accident** произошла авария **2.** там; туда; **there he is!** вот он! **3.: there, there** ну, ничего, ничего
there's ['ðeəz] = **there is, there has**
thereabouts ['ðeərə'bauts] *adv* поблизости; около этого
thereafter [ðeər'a:ftə] *adv* с того времени
thereby ['ðeəbaɪ] *adv* таким образом
therefore ['ðeəfɔ:] *adv* поэтому
thereupon [ðeərə'pɔn] *adv* вслед за тем; в связи с этим
therewith [ðeə'wɪθ] к тому же; тотчас, немедленно
thermal ['θə:ml] *adj* горячий; термический; утепленный; термографический
thermodynamics ['θə:mədaɪ'næmɪks] *n* термодинамика
thermometer [θə'mɔmɪtə] *n* термометр, градусник
thermonuclear ['θə:məu'nju:klɪə] *adj* термоядерный
thermos ['θə:məs] *n (also: ~* **flask***)* термос
thermostat ['θə:məstæt] *n* термостат
these [ði:z] *pl adj, pron* эти
thesis ['θi:sɪs] *n (просвещ.)* диссертация; тезис
they [ðeɪ] *pron* они; **~ say that...** говорят, что...
thick [θɪk] *adj* толстый; густой; тупой ✧ *n:* **in the ~ of the battle** в самой гуще битвы; **the wall is 20 cm ~** толщина стены - 20 см
thicken ['θɪkn] *vi* сгущаться; усложняться ✧ *vt* делать гуще
thicket ['θɪkɪt] *n* заросли
thick-headed, ~-witted ['θɪk'hedɪd], ['θɪk'wɪtɪd] глупый, тупой
thickly ['θɪklɪ] *adv* густо; толсто; **~ populated** густонаселенный
thickness ['θɪknɪs] *n* толщина; слой
thickset [θɪk'set] *adj* коренастый
thick-skinned [θɪk'skɪnd] *adj* толстокожий
thief [θi:f] *n* вор
thieving ['θi:vɪŋ] *n* воровство
thigh [θaɪ] *n* бедро
thighbone ['θaɪbəun] *n (анат.)* бедренная кость
thimble ['θɪmbl] *n* наперсток
thin [θɪn] *adj* тонкий; худой; жидкий; редкий; легкий ✧ *vt:* **to ~**

(down) разбавлять; разреживать ✧ *vi* рассеиваться; *(also:* ~ out*)* редеть; **hi's hair is ~ning** у него редеют волосы

thing [θiŋ] *n* вещь; **~s** *npl* вещи; **first ~ (in the morning)** первым делом (с утра); **last ~ (at night), he...** напоследок (ночью) он ...; **the ~ is ...** дело в том, что ...; **the's got a ~ about mice** он не выносит мышей; **don't worry about a ~** ни о чем не беспокойтесь; **you'll do no such ~!** попробуй только!; **poor ~** бедняжка; **the best ~ would be to...** самое лучшее было бы ...; **how are ~s?** как дела?

think [θɪŋk] *vt* думать; предполагать; **to ~ of** думать о; вспоминать; приводить; **what did you ~ of them?** что Вы о них думаете?; **to ~ about sth/sb** думать о чем-н./ком-н.; **I'll ~ about it** я подумаю (об этом); **I am ~ing of starting a business** я думаю начать бизнес; **I ~ so/ not** я думаю, что да/нет; **to ~ well of sb** хорошо о ком-н. думать; **to ~ aloud** думать вслух; **~ again!** подумайте еще раз!

thinking ['θɪŋkɪŋ] *n* мышление; **to my way of ~** на мой взгляд

think out *vt* обдумывать; продумывать

think over *vt* обдумывать; **I'd like to ~ things over** я хочу все обдумать

think-tank ['θɪŋktæŋk] *n* мозговой центр

think through *vt* продумывать до конца

think up *vt* придумывать

thinly ['θɪnlɪ] *adv* тонко

thinness ['θɪnnɪs] *n* тонкость

third [θə:d] *adj* третий ✧ *n* треть; одна третья; *(авт.: also:* **~ gear)** третья скорость; *(просвещ.) диплом третьей или низшей степени;* **a ~ of** треть; третья часть; *see also* **fifth**

thirdly ['θə:dlɪ] *adv* в-третьих

third-rate ['θə:d'reɪt] *adj* третьесортный

thirst [θə:st] *n* жажда

thirsty ['θə:stɪ] *adj:* **to be ~** хотеть пить; **I am ~** я хочу *or* мне хочется пить; **gardening is ~ work** работа в саду вызывает жажду

thirteen [θə:'ti:n] *n* тринадцать; *see also* **five**

thirteenth [θə:'ti:nθ] *adj* тринадцатый; *see also* **fifth**

thirtieth ['θə:tɪɪθ] *adj* тридцатый; *see also* **fifth**

thirty ['θə:tɪ] *n* тридцать; *see also* **fifty**

this [ðɪs] *adj* этот; **this man** этот мужчина; **which book would you like?- this one please** какую книгу Вы хотите? - вот эту, пожалуйста ✧ *pron* этот (эта, это); **who/what is this?** кто/ что это?; **this is where I live** вот здесь я живу; **this is what he said** вот, что он сказал; **this is Mr Brown** это мистер Браун ✧ *adv:* **this high/long** *etc* такой высоты/длины; **the dog was about this big** собака была примерно такого размера *or* такой величины; **we can't stop now we've gone this far** мы не можем теперь остановиться, ведь мы так далеко ушли

thistle ['θɪsl] *n* чертополох

thong [θɔŋ] *n* ремень

thorax ['θɔ:ræks] грудная клетка

thorn [θɔ:n] *n* шип; колючка

thorny ['θɔ:nɪ] *adj* колючий; нелегкий

thorough ['θʌrə] *adj* тщательный; основательный; скрупулезный

thoroughbred ['θʌrəbred] *n* чистокровная *or* чистопородная лошадь

thoroughfare ['θʌrəfeə] *n* главная артерия (города), транспортная магистраль; **"no ~"** "Проезда нет"

thoroughgoing ['θʌrəgəuɪŋ] *adj* доскональный; тщательный

thoroughly ['θʌrəlɪ] *adv* тщательно; вполне; **he ~ agreed** он полностью согласился

thoroughness ['θʌrənɪs] *n* тщательность

those [ðəuz] *pl adj, pron* те

though [ðəu] *conj* хотя ✧ *adv* впрочем, однако; **even ~...** хотя и ...;

T

it's not easy, ~ впрочем *or* однако это не просто

thought [θɔ:t] *pt, pp of* **think** ✧ *n* мысль; размышление; соображение; **after much** ~ после долгих размышлений; **I've just had a** ~ мне только что пришла в голову мысль; **to give sth some** ~ обдумывать о чем-н.

thoughtful [ˈθɔ:tful] *adj* задумчивый; глубокий; внимательный

thoughtfully [ˈθɔ:tfəlɪ] *adv* задумчиво; внимательно

thoughtless [ˈθɔ:tlɪs] *adj* бездумный

thoughtlessly [ˈθɔ:tlɪslɪ] *adv* бездумно; неосмотрительно

thoughtlessness [ˈθɔ:tlɪsnɪs] *n* бездумность; неосмотрительность

thought-out [θɔ:tˈaut] *adj* продуманный

thousand [ˈθauzənd] *n* тысяча; **two** ~ две тысячи; **five** ~ пять тысяч; **about a** ~ около тысячи; **people came in their ~s** *or* **by the** ~ пришли тысячи людей; **~s of** тысячи

thousandth [ˈθauzəntθ] *adj* тысячный

thrash [θræʃ] *vt* пороть; побивать

thrash about *vi* метаться

thrashing [ˈθræʃɪŋ] *n:* **to give sb a** ~ пороть кого-н.

thrash out *vt* прорабатывать

thread [θred] *n* нить; нитка; резьба ✧ *vt* продевать нитку в; **to** ~ **one's way between** пробираться через *or* сквозь

threadbare [ˈθredbeə] *adj* потертый; потрепанный

threat [θret] *n* угроза; **to be under** ~ **of** быть под угрозой

threaten [ˈθretn] *vi* грозить ✧ *vt:* **to** ~ **sb with** угрожать; **to** ~ **to do** угрожать *or* грозить

threatening [ˈθretnɪŋ] *adj* угрожающий

three [θri:] *n* три; трое; *see also* **five**

threefold [ˈθri:fəuld] *adv:* **to increase** ~ увеличиваться в три раза

three-piece suit [ˈθri:pi:s-] *n* (костюм)-тройка

three-piece suite *n* мягкая мебель

three-ply [θri:ˈplaɪ] *adj* трехслойный

thresh [θreʃ] *vt* молотить

threshing machine [ˈθreʃɪŋ-] *n* молотилка

threshold [ˈθrpʃhəuld] *n* порог; **to be on the** ~ **of** быть на пороге

thrift [θrɪft] *n* бережливость

thrifty [ˈθrɪftɪ] *adj* бережливый

thrill [θrɪl] *n* трепет ✧ *vi* трепетать ✧ *vt* восхищать; **to be ~ed** быть в восторге; **I am ~ed** я восторжен

thriller [ˈθrɪlə] *n* триллер

thrilling [ˈθrɪlɪŋ] *adj* захватывающий

thrive [θraɪv] *vi* процветать; разрастаться; **to** ~ **on sth** процветать на что-н.

thriving [ˈθraɪvɪŋ] *adj* процветающий

throat [θrəut] *n* горло; **I have a sore** ~ у меня болит горло

throb [θrɔb] **1.** *v* биться, пульсировать; трепетать **2.** *n* биение, пульсация; трепет

throe [θrəu] *(pl) (обыкн. pl)* сильная боль, мука; родовые муки *мн.*

thrombosis [θrɔmˈbəusɪs] *n* тромбоз

throne [θrəun] *n* трон

throng [ˈθrɔŋ] *n* толпа ✧ *vt* заполнять

throttle [ˈθrɔtl] *n (авт.)* дроссель ✧ *vt* душить

through [θru:] *prep* через; в; в течение; посредством; из-за ✧ *adj* прямой ✧ *adv* насквозь; **he is absent** ~ **illness** он отсутствовал по болезни; **(from) Monday** ~ **Friday** с понедельника по пятницу; **to put sb** ~ **to sb** *(телеф.)* соединять кого-н. с кем-н.; **to be** ~ *(телеф.)* дозвониться; **to be** ~ **with sb/sth** оканчивать с кем-н./чем-н.; **"now** ~ **road"** "нет сквозного проезда"; **"no** ~ **triffic"** "нет сквозного движения"; **to let sb** ~ пропускать кого-н.

throughout [θru:ˈaut] *prep* по; в течение ✧ *adv* везде, повсюду

throughput [ˈθru:put] *n* пропускная способность; *(комп.)* производительность

throve [θrəuv] *pt of* **thrive**

throw [θrəu] *n* бросок ✧ *vt* бросать; сбрасывать; сбивать с толку; обрабатывать на гончарном круге;

T

to ~ a party устраивать вечер; **to ~ open** распахивать; открывать
throw about *vt* разбрасывать
throw away *vt* выбрасывать; бросать на ветер
throwaway [ˈθrəuəweɪ] *adj* одноразовый, сказанный невзначай
throw-in [θˈrəuɪn] *n* вбрасывание
throw off *vt* сбрасывать
throw out *vt* выбрасывать; отвергать
throw together *vt* сооружать; набрасывать
throw up *vi* рвать; **he threw up** его вырвало
thrum [θrʌm] **1.** *v* бренчать; барабанить пальцами **2.** *n* бренчание
thrush [θrʌʃ] *n (зоол.)* дрозд; *(мед.)* молочница
thrust [θrʌst] *n (тех.)* движущая сила; толчок; направление ✧ *vt* толкать
thud [θʌd] *n* глухой стук
thug [θʌg] *n* головорез; бандит
thumb [θʌm] *n (анат.)* большой палец *(руки)* ✧ *vt:* **to ~ a lift** голосовать; **to give sb/sth the ~s up** одобрять кого-н./что-н.; **to give sth the ~s down** отвергать что-н.
thumb index *n* буквенный указатель *(на обрезе книги)*
thumbnail [ˈθʌmneɪl] *n* ноготь *(большого пальца)*
thumbnail sketch *n* набросок
thumbtack [ˈθʌmtæk] *n* кнопка
thumb through *vt fus* перелистывать
thump [θʌmp] *n* удар; глухой стук ✧ *vt* стукнуть ✧ *vi* стучать
thumping [ˈθʌmpɪŋ] *adj* громадный; жуткий
thunder [ˈθʌndə] *n* гром ✧ *vi* реветь; **to ~ past** громыхать мимо; **it's ~ing** гремит гром
thunderbolt [ˈθʌndəbəult] *n* удар молнии
thunderclap [ˈθʌndəklæp] *n* раскат грома
thunderous [ˈθʌndrəs] *adj* оглушительный; громовой
thunderstorm [ˈθʌndəstɔːn] *n* гроза
thundery [ˈθʌndərɪ] *adj* грозовой
Thursday [ˈθəːzdɪ] *n* четверг; *see also* **Tuesday**
thus [ðʌs] *adv* таким образом
thwart [θwɔːt] перечить; мешать; расстраивать
thy [ðaɪ] *поэт.* твой, твоя, твое, твои; свой, своя, свое, свои
thyme [taɪm] *n* тимьян
thyroid [ˈθaɪrɔɪd] *n (also: ~* **gland***)* щитовидная железа
tic [tɪk] *n* тик
tick I [tɪk] **1.** *n* тиканье; **~ of a clock** тиканье часов; пометка “птичка”, “галочка” ✧ **in a ~** сейчас же **2.** *v* тикать; отмечать “галочкой”
tick II *зоол.* клещ
tick III чехол; наволо(ч)ка; тик *(материя)*
tick IV *разг.* **1.** *n* кредит **2.** *v* брать, отпускать в кредит
ticket [ˈtɪkɪt] *n* билет; этикетка; чек; *(also:* **parking ~***)* штраф за нарушение правил парковования; *(полит.)* список кандидатов партии
ticket agency *n (театр.)* театральная касса
ticket collector *n* контролер
ticket office *n* билетная касса
tickle [ˈtɪkl] *vt* щекотать
ticklish [ˈtɪklɪʃ] *adj* щекотливый; колючий; першащий; **to be ~** бояться щекотки
tick off *vt* отмечать галочкой; отсчитывать
tick over *vi* работать на холостом ходу; идти своим чередом
tidal [ˈtaɪdl] *adj* приливный; приливо-отливный
tidal wave *n* приливная волна
tiddlywinks [ˈtɪdlɪwɪŋks] *n* игра в блошки
tide [taɪd] *n* прилив и отлив; волна; направление; **high ~** полная вода; высшая точка прилива; **low ~** малая вода; низшая точка отлива
tidily [ˈtaɪdɪlɪ] *adv* опрятно; аккуратно
tidy [ˈtaɪdɪ] *adv* опрятный; аккуратный ✧ *vt (also: ~* **up***)* прибирать; **to ~ o.s. up** приводить себя в порядок
tie [taɪ] *n* шнурок; *(also:* **necktie***)* галстук; связь; *(спорт.)* игра вничью ✧ *vt* завязывать ✧ *vi*

T

(спорт.) играть вничью; **"black/white ~"** парадный костюм; **family ~s** семейные узы; **to ~ sth in a bow** завязывать что-н. бантом; **to ~ a knot in sth** завязывать что-н. узлом

tie down *vt* связывать

tie in *vi:* **to ~ in with** увязываться с

tie on *vt* привязывать

tiepin [ˈtaɪpɪn] *n* булавка для галстука

tier [tɪə] *n* ярус; слой

tie up *vt* привязывать; связывать; организовать; **I'm ~d up at the moment** я сейчас очень занят

tiff [tɪf] *n* размолвка

tiger [ˈtaɪgə] *n* тигр

tight [taɪt] *adj* тугой; узкий; строгий; жесткий ✧ *adv* крепко; плотно; **money is ~** у меня туго с деньгами; **he is ~** он навеселе; **the suitcase is packed ~** чемодан туго набит; **everybody hold ~!** все держитесь крепко

tighten [ˈtaɪtn] *vt* натягивать; подтягивать; крепко сжимать; усиливать ✧ *vi* крепко сжиматься; натягиваться

tightfisted [ˈtaɪtˈfɪstɪd] *adj* прижимистый

tight-lipped [ˈtaɪtˈlɪpd] *adj* скрытный; с поджатыми губами

tightly [ˈtaɪtlɪ] *adv* крепко

tightrope walker *n* канатоходец

tights [taɪts] *npl* колготки

tigress [ˈtaɪgrɪs] *n* тигрица

tile [taɪl] *n* черепица; плитка; кафельная плитка ✧ *vt:* **to ~ the floor/bathroom** выкладывать плиткой/кафелем; **~s** кафель; **to ~ the roof** крыть крышу черепицей

tiled [taɪld] *adj* черепичный; плиточный; кафельный

till I [tɪl] **1.** *prep* до **2.** *cj* до тех пор пока (не)

till II денежный ящик *(в магазине или банке)*

till III [ˈtɪl] возделывать *(землю)*

tilt I [tɪlt] **1.** *n* наклон; крен **2.** *v* наклонять; опрокидывать; наклоняться; крениться; опрокидываться

tilt II [tɪlt] парусиновый навес

tilth [tɪlθ] возделанная земля; пашня

timber [ˈtɪmbə] лесоматериал; строевой лес; балка

timbre [ˈtæmbə] тембр

time [taɪm] *n* время; времена; раз; *(муз.)* размер; темп ✧ *vt* засекать время; выбирать время; **a long ~** долго; **for the ~ being** пока; **4 at a ~** по четыре; **from ~ to ~** время от времени; **~ after ~, time and again** снова и снова; **at ~s** временами; **in ~** во время; со временем; *(муз.)* в такте; в такт; **in a week's ~** через неделю; **in no ~** в два счета; **any ~** любое время; **on ~** во время; **to be 30 mins behind/ahead of ~** опаздывать; опережать на 30 минут; **by the ~ he arrived** к тому времени, когда он пришел; **five ~s five** пятью пять; **what ~ is it?** который час?; **to have a good ~** хорошо проводить время; **we had a hard ~** нам было очень тяжело; **~'s up!** время истекло; **I've no ~ for it** меня это не интересует; **he'll do it in his own (good) ~** он сделает это не торопясь; **he'll do it in** *or* **on his own ~** он сделает это в свободное (в нерабочее) время; **to be behind the ~s** отставать от времени; **to ~ sth well/badly** выбирать подходящее/неподходящее время для чего-н.; **the bomb was ~d to go off 5 minutes later** часовой механизм бомбы должен был сработать через 5 минут

time bomb *n* бомба с часовым механизмом; бомба замедленного действия

time difference *n* разница во времени

time frame *n:* **within a broad/narrow ~~** в течение продолжительного/короткого отрезка времени

time-lag [ˈtaɪmlæg] *n* промежуток времени

timeless [ˈtaɪmlɪs] *adj* вечный

time limit *n* предельный срок

timely [ˈtaɪmlɪ] *adj* своевременный

time off *n* свободное время

timer [ˈtaɪmə] *n* таймер
timesaving [ˈtaɪmseɪvɪŋ] *adj* экономящий время
timescale [ˈtaɪmskeɪl] *n* время; период времени
time signal *n* сигнал времени
timetable [ˈtaɪmteɪbl] *n* расписание
time zone *n* часовой пояс
timid [ˈtɪmɪd] *adj* робкий
timidity [tɪˈmɪdɪtɪ] *n* робость
timing device *n* часовой механизм
timpani [ˈtɪmpənɪ] *npl* литавры
tin [tɪn] **1.** *n* олово; консервная банка; *разг.* деньги *мн.* **2.** *v* консервировать; лудить **3.** *a* оловянный
tincture [ˈtɪŋktʃə] **1.** *n* настойка *(о лекарстве);* оттенок; привкус **2.** *v* слегка окрашивать; придавать оттенок
tinfoil [ˈtɪnfɔɪl] *n* фольга
tinge [tɪndʒ] **1.** *n* оттенок, тон **2.** *v* слегка окрашивать
tingle [ˈtɪŋgl] испытывать боль, зуд, покалывание *(в онемевших частях тела); перен.* дрожать, трепетать
tinker [ˈtɪŋkə] медник; лудильщик
tinkle [ˈtɪŋkl] **1.** *n* звон *(колокольчика и т.п.),* звяканье **2.** *v* звенеть; звонить
tin mine *n* оловянный рудник
tinned [tɪnd] *adj* консервированный
tinnitus [ˈtɪnɪtəs] *n* звон в ушах
tinny [ˈtɪnɪ] *adj* металлический; как консервная банка
tin-opener [ˈtɪnəupnə] *n* консервный нож
tinsel [ˈtɪnsl] *n* мишура
tint [tɪnt] *n* оттенок; краска ✧ *vt* красить
tinted [ˈtɪntɪd] *adj* крашеный; дымчатый
tiny [ˈtaɪnɪ] *adj* крошечный
tip I [tɪp] кончик, наконечник
tip II **1.** *n* место свалки *attr.:* ~ *lorry* самосвал **2.** *v* наклонять; ~ **the scale** склонить чашу весов; наклоняться; опрокидывать, вываливать
tip III **1.** *n* чаевые *мн.;* намек; совет **2.** *v* давать "на чай" ✧ ~ **a man the wink** сделать кому-л. знак украдкой, подмигнуть
tip off *vt* предупреждать
tip-off [ˈtɪpɔf] *n* предупреждение
tipple [ˈtɪpl] *vi* выпивать ✧ *n:* **to have a** ~ выпивать по маленькой
tipster [ˈtɪpstə] *n* жучок *(на скачках)*
tipsy [ˈtɪpsɪ] *adj* хмельной
tiptoe [ˈtɪptəu] *n:* **on** ~ на цыпочках
tiptop [ˈtɪptɔp] *adj:* **in** ~ **condition** в прекрасном состоянии
tire I [ˈtaɪə] шина; обод
tire II [ˈtaɪə] утомлять, надоедать; прискучить; утомляться; **I am** ~**d** я устал; ~ **less** неутомимый, неустанный; ~ **some** [-səm] утомительный; надоедливый; скучный
tired [ˈtaɪəd] *adj* усталый; **I am** ~ я устал; **he feels** ~ он чувствует себя уставшим; **you look** ~ Вы выглядите усталым; **to be** ~ **of sth** уставать от чего-н.
tiredness [ˈtaɪədnɪs] *n* усталость
tireless [ˈtaɪəlɪs] *adj* неутомимый
tire out *vt* выматывать
tiresome [ˈtaɪsəm] *adj* надоедливый
tiring [ˈtaɪərɪŋ] *adj* утомительный
tiro [ˈtaɪərou] начинающий; новичок
tissue [ˈtɪʃuː] *n* бумажная салфетка; *(анат.)* ткань
tissue paper *n* папиросная *or* тонкая оберточная бумага
tit [tɪt] *n (зоол.)* синица; **to give** ~ **for tat** отплачивать за зуб
titanium [tɪˈteɪnɪəm] *n* титан
titbit [ˈtɪtbɪt] *n* лакомый кусочек; пикантная новость
titillate [ˈtɪtɪleɪt] *vt* возбуждать
titivate [ˈtɪtɪveɪt] *vt* прихорашиваться; украшать
title [ˈtaɪtl] *n* название; титул; *(юрид):* ~ **to** право на
title page *n* титульный лист
title role *n* главная роль
titter [ˈtɪtə] *vi* хихикать
tittle-tattle [ˈtɪtltætl] *n* болтовня
tizzy [ˈtɪzɪ] *n:* **to be in a** ~ волноваться по пустякам
toad [təud] жаба
toadstool [ˈtəudstuːl] поганка *(гриб)*
toady [ˈtəudɪ] **1.** *n* лизоблюд **2.** *v* льстить, низкопоклонничать

T

T

toast I [təust] **1.** *n* подрумяненный ломтик хлеба; гренок **2.** *v* поджаривать хлеб

toast II 1. *n* тост **2.** *v* пить за чье-л. здоровье

toaster [ˈtəustə] *n* тостер

toastmaster [ˈtəustmɑːstə] *n* тамада

toast rack *n* подставка для тостов

tobacco [təˈbækəu] *n* табак; **pipe ~** трубочный табак

tobacconist [təˈbækənɪst] *n* торговец табачными изделиями

tobacconist's (shop) [təˈbækənɪsts-] *n* табачная лавка

toboggan [təˈbɔgən] *n* санки

today [təˈdeɪ] *adv, n* сегодня; **what day is it ~?** какой сегодня день?; **what date is it ~?** какое сегодня число?; **~ is the 4 th of March** сегодня 4-ое марта; **a week age ~** ровно неделю назад

toddle [ˈtɔdl] *vi:* **to ~ in** проковылять; **to ~ along** *or* **off** приковылять

toddler [ˈtɔdlə] *n* малыш

to-do [təˈduː] *n* шум

toe [təu] *n* палец *(ноги);* носок; **to ~ the line** ходить по струнке; **big ~** большой палец *(ноги);* **little ~** мизинец *(ноги)*

toehold [ˈtəuhəuld] *n* точка опоры; **to get** *or* **gain a ~** находить точку опоры

toenail [ˈtəuneɪl] *n* ноготь *(на пальце ноги)*

toffee [ˈtɔfɪ] *n* ириска; тянучка

toga [ˈtəugə] *n* тога

together [təˈgeðə] *adv* вместе; одновременно; **~ with** вместе с

togetherness [təˈgeðənɪs] *n* близость

toggle switch [ˈtɔgl-] *n (комп.)* тумблер, переключатель

togs [tɔgz] *npl* одежды

to I [tuː] *(полная форма),* [tə] *(редуцированная форма перед согласными),* [to] *(перед гласными)* **1.** *prep (для выражения движения к цели)* к; в; на; **he ran up to the window** он побежал к окну; **he went to the cinema** он пошел в кино; **on his way to the station** по дороге на станцию; *(сущ. в сочетании с* **to** *перев. рус. дат. п.):* **I gave this book to my friend** я дал эту книгу моему другу; *(при сравнении)* по сравнению с, по отношению к; **this is nothing to what it might have been** это ничто по сравнению с тем, что могло бы быть; **3 is to 4 as 6 is to 8** *мат.* 3 относится к 4 как 6 к 8 ✧ **five minutes to six** без пяти минут шесть; **to arms!** к оружию; **to my knowledge** насколько мне известно; **to my taste** по моему вкусу **2.** *adv:* **to and fro** взад и вперед, туда и сюда

to II [tu,tə] *приинфинитивная частица:* **he meant to call but forgot** он собирался зайти, но забыл; **it is difficult to explain** это трудно объяснить; *употребляется вместо подразумеваемого инфинитива, чтобы избежать повторения:* **I shall go there if you want me to** я пойду туда, если вы хотите (, чтобы я это сделал)

toil [tɔɪl] *n* тяжелый труд ✧ *vi* работать в поте лица

toilet [tɔɪlət] *n* унитаз; туалет ✧ *cpd* туалетный; **to go to the ~** ходить в туалет

toilet bag *n* туалетная сумочка

toilet bowl *n* унитаз

toilet paper *n* туалетная бумага

toiletries [tɔɪlətrɪz] *npl* туалетные принадлежности

toilet roll *n* рулон туалетной бумаги

toilet soap *n* туалетное мыло

toilet water *n* туалетная вода

token [ˈtəukən] *n* знак; жетон ✧ *adj* символический; **by the same ~** по той же причине; **book/gift ~** книжный/подарочный талон; **record ~** талон на пластинку

tokenism [ˈtəukənɪzəm] *n* видимость

Tokyo [ˈtəukjəu] *n* Токио

tolerable [ˈtɔlərəbl] *adj* терпимый; сносный

tolerably [ˈtɔlərəblɪ] *adv:* **~ good** довольно хорошо

tolerance [ˈtɔlərəns] *n* терпимость; *(тех.)* допуск

tolerant [ˈtɔlərənt] *adj:* **~ (of)** терпимый

tolerate [ˈtɔləreɪt] *vt* терпеть

toleration [tɔlə'reɪʃn] *n* терпимость
toll I [təul] пошлина ✧ **~ of the roads** несчастные случаи на дорогах
toll II колокольный звон, благовест; похоронный звон
toll call *n* междугородный телефонный звонок
toll-free ['təul'fri:] *adj* бесплатный
toll road *n (авт.)* платная дорога
tomato [tə'mɑ:təu] *n* помидор
tomato puree *n* томатная паста
tomb [tu:m] *n* могила
tombola [tɔm'bəulə] *n* лотерея
tomboy ['tɔmbɔɪ] *n* сорванец
tombstone ['tu:mstəun] *n* надгробная плита
tomcat ['tɔmkæt] *n* кот
tome [təum] *n* том
tomorrow [tə'mɔrəu] *adv, n* завтра; **the day after ~** послезавтра; **a week ~/on Monday** через неделю, считая с завтрашнего дня/с понедельника; **~ morning** завтра утром
ton [tʌn] тонна
tonal ['təunl] *adj* тональный
tone ['təun] **1.** *n* тон **2.** *v* настраивать; гармонировать *(с* **- in with**); **~ less** невыразительный
tone-deaf [təun'def] *adj* без слуха
tone down *vt* смягчать; уменьшать
toner ['təunə] *n* чернила
tone up *vt* укреплять
tongs [tɔŋz] *npl* щипцы
tongue twister [tʌŋ-twɪstə] *n* скороговорка
tonic ['tɔnɪk] *n (мед.)* тонизирующее средство; *(also:* **~ water)** тоник; *(муз.)* тоника
tonight [tə'naɪt] *adv* сегодня вечером; сегодня ночью ✧ *n* сегодняшний вечер; сегодняшняя ночь; **(I'll) see you ~!** до вечера!
tonnage ['tʌnɪdz] *n (мор.)* тоннаж
tonne [tʌn] *n* тонна
tonsil ['tɔnsl] *n* миндалина; **to have one's ~s out** удалять миндалины
tonsillitis [tɔnsɪ'laɪtɪs] *n* тонзиллит
too [tu:] *adv* слишком; также тоже; **the tea is ~ sweet** чай слишком сладкий; **I went ~** я тоже пошел; **~ much, ~ many** слишком много; **~ bad!** очень жаль
took [tuk] *pt of* **take**
tool [tu:l] *n* инструмент; орудия
tool box *n* ящик для инструментов
toot [tu:t] *n* гудок; свисток ✧ *vi* сигналить
tooth [tu:θ] *n (анат.)* зуб; *(тех.)* зубец; **to have ~ out** *or* удалять *or* вырывать зуб; **to brush one's teeth** чистить зубы; **by the skin of one's teeth** чудом
toothache ['tu:θeɪk] *n* зубная боль; **I have ~** у меня болит зуб
toothbrush ['tu:θbrʌʃ] *n* зубная щетка
toothpaste ['tu:θpeɪst] *n* зубная паста
toothpick ['tu:θpɪk] *n* зубочистка
tooth powder *n* зубной порошок
toothsome ['to:θsəm] вкусный
tootle ['tu:tl] трубить; дудеть; гудеть
top I [tɔp] **1.** *n* верхняя часть *(чего-л.)*; **on the ~** *(of)* наверху ✧ **~ secret** совершенно секретный; **at the ~ of one's voice** во весь голос **2.** *v* покрывать, превосходить
top II ✧ **sleep like a ~** *разг.* спать без задних ног
topaz ['təupæz] *n* топаз
top-class ['tɔp'klɑ:s] *adj* высшего класса
topcoat ['tɔpkəut] *n* верхний слой
top floor *n* верхний этаж
top hat *n* цилиндр, котелок
top-hole ['tɔp'həul] *разг.* первоклассный, превосходный
topic ['tɔpɪk] *n* тема
topical ['tɔpɪkl] *adj* актуальный
topless ['tɔplɪs] *adj* обнаженный до пояса
topnotch ['tɔp'nɔtʃ] *adj* первосортный
topography [tə'pɔgrəfɪ] *n* топография
topple ['tɔpl] *vt* скидывать ✧ *vi* опрокидываться
top-ranking ['tɔpræŋkɪŋ] *adj* высокопоставленный
top-secret ['tɔp'si:krɪt] *adj* сверхсекретный
top up *vt* доливать; прибавлять
torch [tɔ:tʃ] *n* факел; фонарь
torment [tɔ:ment] *n* мучение ✧ *vt* мучить
torn [tɔ:n] *pp of* **tear I** ✧ *adj:* **she is ~ between ...** она разрывается между

T

tornado [tɔːˈneɪdəu] *n* смерч
torpedo [tɔːˈpiːdəu] *n* торпеда
torpedo boat *n* торпедный катер
torpor [ˈtɔːpə] *n* оцепенение
torrent [ˈtɔrənt] *n* поток
torrential [təˈrenʃl] *adj* проливной
torrid [ˈtɔrɪd] *adj* знойный; бурный
torso [ˈtɔːsəu] *n* туловище; торс
tortoise [ˈtɔːtəs] *n* черепаха
tortoiseshell [ˈtɔːtəʃel] *adj* черепаховый; с тигровым окрасом
tortuous [ˈtɔːtʃuəs] *adj* извилистый; заумный
torture [ˈtɔːtʃə] *n* пытка ✧ *vt* пытать
torturer [ˈtɔːtʃərə] *n* палач; мучитель
toss [tɔs] *vt* подкидывать; подбрасывать; откидывать; мешать ✧ *vi:* **to ~ and turn** ворочаться ✧ *n:* **with a ~ of her heed, she...** откинув голову, она ...; **to a coin** подбрасывать монету; **to ~ up to do** подбрасывать монету, чтобы; **to win/lose the ~** выигрывать/проигрывать подбрасыванием монеты
tot [tɔt] *n* глоток; малыш
total [ˈtəutl] *adj* общий; полный ✧ *n* общая сумма ✧ *vt* складывать; составлять **in ~** в общей сложности
totalitarian [təutælɪˈterɪən] *adj* тоталитарный
totality [təuˈtælɪtɪ] *n* полнота
totally [ˈtəutəlɪ] *adv* полностью; совершенно
tote bag [təut-] *n* сумма
tot up *vt* подсчитывать
touch [tʌtʃ] *n* осязание; манера; штрих; прикосновение ✧ *vt* касаться; трогать; прикасаться; дотрагиваться; **the personal ~** индивидуальность; **to put the finishing ~es to sth** вносить последние в что-н.; **there's been a ~ of frost** подморозило; **in ~ with** в контакте с; **to get in ~ with sb** связаться с кем-н.; **I'll be in ~ with you** я свяжусь с Вами; **to lose ~** терять связь; **to be out of ~ with events** быть не в курсе событий
touch-and-go [ˈtʌtʃənˈgəu] *adj* неясный; **it was ~ whether we'd succeed** было неясно, вышло ли это у нас
touchdown [ˈtʌtʃdaun] *n* посадка; *(фут.)* гол
touched [tʌtʃt] *adj* тронутый
touching [ˈtʌtʃɪŋ] *adj* трогательный
touchline [ˈtʌtʃlaɪn] *n (спорт.)* боковая линия
touch on *vt fus* касаться
touch up *vt* подкрашивать
touchy [ˈtʌtʃɪ] *adj* обидчивый; больной; **he is ~** его легко задеть
tough [tʌf] *adj* крепкий; прочный; жесткий; выносливый; тяжелый; опасный; **~luck!** не везет!
toughen [ˈtʌfn] *vt* закалять
toughness [ˈtʌfnɪs] *n* прочность; стойкость
toupee [ˈtuːpeɪ] *n* парик
tour [ˈtuə] *n* поездка; *(also:* **package ~***)* туристическая поездка; экскурсия; гастроли ✧ *vt* объезжать; обходить; **to go on a ~ of** осматривать; **to go on ~** ездить/ехать на гастроли
touring [ˈtuərɪŋ] *n* гастролирование
tourism [ˈtuərɪzm] *n* туризм
tourist [ˈtuərɪst] *n* турист ✧ *cpd* туристский; **the ~ trade** индустрия туризма
tourist class *n (мор., авиа.)* второй класс
tourist information centre *n* туристическое бюро
tournament [ˈtuənəmənt] *n* турнир; состязание
tousled [ˈtauzld] *adj* взъерошенный
tout [taut] *n (also:* **ticket ~***)* спекулянт(ка) ✧ *vi:* **to ~ for** добиваться; выбивать ✧ *vt:* **to ~ sth (around)** спекулировать чем-н.
tow I [tou] пакля
tow II 1. *v* буксировать **2.** *n* буксир(ный канат)
toward(s) [təˈwɔːd(z)] *prep (при обозначении места на вопрос "куда?")* к, по направлению к; к, по отношению к; *(при обозначении времени на вопрос "куда?, к какому времени")* к, около; **~ noon** к полудню; для, с целью; **~ saving some money** с целью скопить немного денег

towel [ˈtauəl] *n (also:* **hand ~***)* полотенце для рук; *(also:* **bath ~***)* банное полотенце; **to throw in the ~** сдаваться
towelling [ˈtauəlɪŋ] *n* махровая ткань
towel rail *n* вешалка для полотенца
tower [ˈtauə] *n* башня ✧ *vi* возвышаться; **to ~ above** *or* **over sb/sth** возвышаться над кем-н./чем-н.
tower block *n* башня; высотный дом
towering [ˈtauərɪŋ] *adj* возвышающийся
towline [ˈtəulaɪn] *n* буксирный трос
town [taun] *n* город; **to go to ~** ходить/идти в город; разоряться; **in ~** в городе; **to be out of ~** быть в отъезде
town centre *n* центр (города)
town council *n* городской совет
town hall *n* ратуша
town plan *n* план города
town planner *n* градостроитель
townspeople [ˈtaunzpi:pl] *npl* горожане
towpath [ˈtəupa:θ] *n* тропинка
towrope [ˈtəurəup] *n* буксирный трос
tow truck *n* аварийная машина
toxic [ˈtɔksɪk] *adj* токсичный
toxic waste *n* ядовитые отходы
toxin [ˈtɔksɪn] *n* токсин
toy [tɔɪ] *n* игрушка
toy shop *n* магазин игрушек
toy with *vt fus* играть; возиться с; играть с
trace I [treɪs] **1.** *n* след; черта; небольшое количество **2.** *v* чертить; калькировать; прослеживать
trace II постромка
trace element *n* микроэлемент
tracer [ˈtreɪsə] *n (also:* **~ bullet***)* трассирующий снаряд
trachea [trəˈkɪə] *n* трахея
tracing paper [ˈtreɪsɪŋ-] *n* калька
track [træk] *n* след; тропа; траектория; (железнодорожный) путь; дорожка ✧ *vt* идти по следу; **to keep ~ of** следить за; **to be on the right ~** быть на верном пути
track down *vt* выслеживать; отыскивать
tracked [trækt] *adj (авт.)* гусеничный
tracker dog [ˈtrækə-] *n* собака-ищейка
track events *npl* соревнования по легкой атлетике
tracksuit [ˈtræksu:t] *n* тренировочный костюм
tract [trækt] *n (гео.)* пространство; **respiratory ~** *(анат.)* дыхательные пути; **digestive ~** желудочно-кишечный тракт
traction [ˈtrækʃən] *n* тяга; *(авт.)* сила сцепления; *(мед.)*: **in ~** в вытяжении
traction engine *n* тягач
tractor [ˈtræktə] *n* трактор
trade [treɪd] *n* торговля; род занятий ✧ *vi* торговать ✧ *vt:* **to ~ sth (for) sth** обменивать что-н. (на что-н.); **to ~ with/in** торговать с; **foreign ~** внешняя торговля; **Department of T ~ and Industry** Министерство торговли и промышленности
trade barrier *n* торговый барьер
trade deficit *n* торговый дефицит
trade fair *n* торговая ярмарка
trade in *vt* предлагать для встречной продажи
trademark [ˈtreɪdma:k] *n* товарный знак
trade mission *n* торговое представительство
trade name *n* торговое название
trade-off [ˈtreɪdɔf] *n* компромисс
trade price *n* торговая цена
trader [ˈtreɪdə] *n* торговец
trade secret *n* промышленный секрет
tradesman [ˈtreɪdzmən] *irreg n* работник; торговец; лавочник
trade union *n* профсоюз; профессиональный союз
trade unionist [-ˈju:njənɪst] *n* член профсоюза
trading estate *n* промышленная зона
tradition [trəˈdɪʃən] *n* традиция
traditional [trəˈdɪʃənl] *adj* традиционный
traditionally [trəˈdɪʃnəlɪ] *adv* традиционно
traffic [ˈtræfɪk] *n* движение; нелегальная торговля ✧ *vi:* **to ~ in**

T

нелегально торговать
traffic circle *n* кольцевая транспортная развязка
traffic island *n* островок безопасности
traffic jam *n* пробка
trafficker [ˈtræfikə] *n (also:* **drug ~***)* торговец наркотиками
traffic lights *npl* светофор
traffic offence *n* нарушение правил дорожного движения
traffic sign *n* дорожный знак
tragedy [ˈtrædʒədɪ] *n* трагедия
tragic [ˈtrædʒɪk] *adj* трагический
tragically [ˈtrædʒɪkəlɪ] *adv* трагически
trail [treɪl] *n* дорожка; тропинка; след; хвост ✧ *vt* волочить; следовать по пятам за ✧ *vi* волочиться в хвосте; отставать **to be on sb's ~** устраивать слежку за кем-н.
trail away *vi* затихать
trail behind *vi* волочиться в хвосте
trailer [ˈtreɪlə] *n (авт.)* прицеп; автоприцеп; *(кино)* кинореклама; анонс
trailer tent *n* прицеп с палаткой
trailer truck *n* грузовик с прицепом
train [treɪn] *n* поезд; шлейф ✧ *vt* учить; тренировать; дрессировать; приучать ✧ *vi* учиться; *(спорт.)* тренироваться; **one's ~ of thought** ход чьих-то мыслей; **~ of events** цепь событий; **to go by ~** ездить/ехать поездом *or* на поезде; **to ~ sb to do** обучать кого-н.; **to ~ sb as** учить кого-н. на; **to ~ on** направлять на
train attendant *n* проводник
trained [treɪnd] *adj* подготовленный; тренированный; натренированный
trainee [treɪˈni:] *n* ученик; **~ teacher** студент(ка) практикант
trainer [ˈtreɪnə] *n* тренер; дрессировщик(-щица); **~s** *npl* кроссовки
training [ˈtreɪnɪŋ] *n* обучение; подготовка; *(спорт.)* тренировка; **to be in ~** *(спорт.)* тренироваться
training college *n* педагогический институт
traipse [treɪps] *vi:* **to ~ through** притаскиваться
trait [treɪt] *n* черта
traitor [ˈtreɪtə] *n* предатель
trajectory [trəˈdʒektərɪ] *n* траектория
tram [træm] трамвай; вагонетка *(в шахте)*
trammel [ˈtræməl] связывать, препятствовать; **~s** [-z] *pl* путы, препятствие, помеха *ед.*
tramp [træmp] **1.** *v* тяжело ступать; идти пешком; бродяжничать **2.** *n* бродяга, долгое путешествие пешком; тяжелая поступь
trample [ˈtræmpl] топтать
tramline [ˈtræmlaɪn] *n* трамвайная линия
trampoline [ˈtræmpəli:n] *n* трамплин
tramway [ˈtræmweɪ] трамвай
tranquil [ˈtræŋkwɪl] *adj* безмятежный
tranquillity [træŋˈkwɪlɪtɪ] *n* безмятежность
tranqullizer [ˈtræŋkwɪlaɪzə] *n (мед.)* транквилизатор
transact [trænˈzækt] *vt* вести
transaction [trænˈzækʃən] *n* операция; **cash ~** оплата наличными
transatlantic [ˈtrænzətˈlæntɪk] *adj* трансантлантический
transcend [trænˈsend] *vt* выходить за пределы
transcribe [trænˈskraɪb] *vt* переписывать, транскрибировать
transcript [ˈtrænskrɪpt] *n* печатная копия; рукописная копия
transcription [trænˈskrɪpʃən] *n* транскрипция
transfer [ˈtrænsfə:] *n* перевод; передача; *(спорт.)* переход ✧ *vt* переводить; *(полит.,спорт.)* передавать; **to ~ the charges** *(телеф.)* звонить по коллекту; **by bank ~** по банковскому переводу
transfigure [trænsˈfɪgə] преображать
transfix [trænsˈfɪks] пронзать; *перен.* пригвождать к месту
transform [trænsˈfɔ:m] *vt* преображать
transformation [trænsfəˈmeɪʃən] *n* преобразование; перевоплощение
transformer [trænsˈfɔ:mə] *n* трансформатор
transfusion [trænsˈfju:ʒən] *n (also:* **blood ~***)* переливание крови

transgress [træns'gres] *vt* преступать границы
transient ['trænzıənt] *adj* мимолетный
transistor [træn'zıstə] *n (элек.)* транзисторное устройство; *(also:* ~ **radio***)* транзистор
transit ['trænzıt] *n:* **in** ~ транзитом
transit camp *n* перевалочный пункт
transition [træn'zıʃən] *n* переход
transitional [træn'zıʃənl] *adj* переходный
transit visa *n* транзитная виза
translate [trænz'leıt] *vt:* **to ~ (from/into)** переводить (с)
translation [trænz'leıʃən] *n* перевод; *(просвещ.)* перевод на родной язык
translator [trænz'leıtə] *n* переводчик(-ица)
translucent [trænz'lu:snt] *adj* прозрачный; просвечивающий
transmission [trænz'mıʃən] *n* передача; *(авт.)* коробка передач, привод
transmit [trænz'mıt] *vt* передавать
transmitter [trænz'mıtə] *n* передатчик
transmute [trænz'mju:t] превращать
transom ['trænsəm] фрамуга; поперечина, перекладина; переплет *(оконный)*
transparent- [træns'pærnt] прозрачный, ясный
transpire [træns'paıə] обнаруживаться, становиться известным; просачиваться
transplant [træns'plɑ:nt] пересаживать
transport ['trænspɔ:t] *n* транспорт; перевозка ✧ *vt* перевозить; **public** ~ общественный транспорт; **Departament of T~** Министерство транспорта
transportation ['trænspɔ:'teıʃən] *n* транспортировка; перевозка; транспорт; **Department of T~** Министерство транспорта
transport cafe *n* дорожное кафе
transpose [træns'pəuz] *vt* перемещать
transsexual [trænz'seksuəl] *n* транссексуал
transverse ['trænzvə:s] *adj* поперечный
transvestite [trænz'vestaıt] *n* трансвестит
trap [træp] *n* западня; ловушка ✧ *vt* ловить в ловушку *or* западню; запирать; сковывать; защемлять; **to set** *or* **lay a ~ (for sb)** расставлять ловушку *or* западню (кому-н.); **to shut one's ~** затыкать свою глотку; **to ~ one's finger in the door** защемлять себе палец
trap door *n* люк
trapeze [trə'pi:z] *n* трапеция
trapper ['træpə] *n* ловец
trappings ['træpıŋz] *npl* атрибуты
trash [træʃ] *n* сор, мусор; чушь
trash can *n* мусорное ведро
trashy ['træʃı] *adj* дрянной
trauma ['trɔ:mə] *n* травма
traumatic [trɔ:'mætık] *adj* травматический
traumatize ['trɔ:mətaız] *vt* травмировать
travel ['trævl] *n* путешествие ✧ *vi* путешествовать; ездить; передвигаться; распространяться; сохраняться при перевозке ✧ *vt* проезжать; проходить; **~s** *npl* путешествия
travel agency *n* туристическое агентство
travel agent *n* работник туристического агентства
travel brochure *n* рекламная брошюра для туристов
traveller ['trævlə] *n* путешественник; *(комм.)* коммивояжер
travelling ['trævlıŋ] *n* путешествия, переезды ✧ *cpd* передвижной, дорожный
travelogue ['trævəlɔg] *n* книга о путешествиях
travel-sickness ['trævlsıknıs] *n* морская болезнь; **he suffers from travel sickness** его укачивает в машине
traverse ['trævə:s] *vt* пересекать
travesty ['trævəstı] *n* пародия
trawler ['trɔ:lə] *n* траулер
tray [treı] *n* поднос; корзинка
treacherous ['tretʃərəs] *adj* вероломный; предательский; коварный; **road conditions are ~** складывается сложная дорожная обстановка

T

treachery [ˈtretʃərɪ] *n* предательство; вероломство
treacle [ˈtri:kl] *n* патока; светлая *or* очищенная патока
tread [tred] *n* походка; поступь; ступень; протектор ✧ *vi* ступать
treadle [ˈtredl] *n* педаль
tread on *vt fus* наступать на
treason [ˈtri:zn] *n* измена
treasure [ˈtreʒə] *n* сокровище ✧ *vt* хранить как зеницу ока; высоко ценить; свято хранить; лелеять; **~s** *npl* сокровища
treasure hunt *n* поиски сокровищ
treasurer [ˈtreʒərə] *n* казначей
treat [tri:t] *n* удовольствие ✧ *vt* обращаться с; лечить; *(тех.)* обрабатывать; **it was a ~** это было наслаждение; **to ~ sth as a joke** относиться к чему-н. несерьезно; **to ~ sb to sth** угощать кого-н. чем-н.
treatment [ˈtri:tmənt] *n* обращение; *(мед.)* лечение; **to have ~ for sth** проходить курс лечения от чего-н.
treaty [ˈtri:tɪ] *n* соглашение
treble [ˈtrebl] *adj* тройной; *(муз.)* дискантный, сопрано; сопрановый; ✧ *n (муз.)* дискант, сопрано; высокие частоты ✧ *vt* утраивать ✧ *vi* утраиваться; **to be ~ the size of sth** быть больше чего-н. втрое
treble clef *n* скрипичный ключ
tree [tri:] *n* дерево
tree-lined [ˈtri:laɪnd] *adj* усаженный деревьями
treetop [ˈtri:tɔp] *n* верхушка дерева
tree trunk *n* ствол дерева
trek [trek] *n* поход, переход ✧ *vt* идти в поход
trellis [ˈtrelɪs] *n* шпалера
tremble [ˈtrembl] *vi* дрожать
trembling [ˈtremblɪŋ] *n* дрожание ✧ *adj* дрожащий
tremendous [trɪˈmendəs] *adj* огромный; великолепный
tremendously [trɪˈmendəslɪ] *adv* чрезвычайно; **he enjoyed it ~** он получил огромное удовольствие от этого
tremor [ˈtremə] *n;* дрожь, содрогание; *(also:* **earth ~)** толчок (землетрясения)
trench [trentʃ] *n* канава; *(воен.)* траншея, окоп
trend [trend] *n* тенденция; направление; **~ towards sth** тенденция к чему-н.; **~ away from sth** отход от чего-н.; **to set the ~** задавать направление; **to set a ~** задавать тон
trendy [ˈtrendɪ] *adj* модный
trepidation [ˈtrepɪˈdeɪʃən] *n* трепет; **in ~** в трепете
trespass [ˈtrespəs] нарушать чужое правовладение; *(on upon)* злоупотреблять *(чем-л.)*; **~ (up) on smb.'s hospitality** злоупотреблять чьим-л. гостеприимством
tress [tres] локон; коса
trestle [ˈtresl] *n* козлы
trestle table *n* стол на козлах
trial [ˈtraɪəl] *n (юрид.)* процесс; суд; испытание; переживание; **~s** *npl* перипетии; **horse ~s** соревнование по выездке; **~ by jury** суд присяжных; **to be sent for ~** предавать суду; **on ~** *(юрид.)* под судом; **by ~ and error** методом проб и ошибок
trial basis *n:* **on a ~~** на испытательный срок
trial period *n* испытательный срок
trial run *n* прогон
triangle [ˈtraɪæŋgl] *n (мат., муз.)* треугольник
tribal [ˈtraɪbl] *adj* племенной
tribe [traɪb] *n* племя
tribesman [ˈtraɪbzmən] *irreg n* туземец
tribulations [ˈtrɪbjuˈleɪʃənz] *npl* злоключения
tribunal [traɪˈbju:nl] *n* трибунал
tribune [ˈtrɪbju:n] трибуна
tributary [ˈtrɪbjut(ə)rɪ] данник, приток *(реки)*
tribute [ˈtrɪbju:t] дань
trice [traɪs]: **in a ~** мгновенно
trick [trɪk] **1.** *n* хитрость; обман; фокус, трюк; *карт.* взятка **2.** *v* обманывать
trickery [ˈtrɪkərɪ] надувательство, обман
trickle [ˈtrɪkl] **1.** *n* струйка **2.** *v* капать

trick question *n* хитрый вопрос
trickster [ˈtrɪkstə] *n* мошенник
tricky [ˈtrɪkɪ] *adj* непростой; хитрый; заковыристый
tricycle [ˈtraɪsɪkl] *n* трехколесный велосипед
trifle [ˈtraɪfl] *n* пустяк; *(кулин.)* десерт из кекса, фруктового желе и сливок ✧ *adv:* **a ~ long** чуть длинноват ✧ *vi:* **to ~ with sb / sth** шутить с кем-н./чем-н.
trifling [ˈtraɪflɪŋ] *adj* пустяковый
trigger [ˈtrɪɡə] *n* курок
trigger off *vt* спровоцировать; вызывать
trigonometry [ˌtrɪɡəˈnɔmətrɪ] *n* тригонометрия
trilby [ˈtrɪlbɪ] *n (also:* **~ hat***)* фетровая шляпа
trill [trɪl] *vi* заливаться ✧ *n (муз.)* трель
trillion [ˈtrɪljən] триллион; *амер.* биллион
trilogy [ˈtrɪlədʒɪ] трилогия
trim [ˈtrɪm] **1.** *a* щеголеватый; аккуратный **2.** *v* отделывать *(платье),* украшать *(блюдо);* подрезать *(фитиль лампы);* подстригать *(волосы);* подравнивать; *мор.* уравновешивать; *полит.* балансировать между партиями **3.** *n* порядок; состояние готовности; **~ ming** отделка
trimmings [ˈtrɪmɪŋz] *npl (кулин.)* потроха; обрезки
trinity [ˈtrɪnɪtɪ] *n* тройка; *(рел.):* **the (Holy) T~** Троица
trinket [ˈtrɪŋkɪt] *n* безделушка; побрякушка
trio [ˈtriːəu] *n* тройка; *(муз.)* трио
trip [trɪp] *n* поездка; прогулка ✧ *vi* спотыкаться; идти легкой походкой; **on a ~** на экскурсии
tripartite [traɪˈpɑːtaɪt] *adj* трехсторонний
tripe [traɪp] рубец *(кушанье); разг.* чепуха, дрянь
triple [ˈtrɪpl] **1.** *a* утроенный; тройной **2.** *v* утраивать; утраиваться
triple jump *n* тройной прыжок (в длину)
triplets [ˈtrɪplɪts] *npl* тройняшки
tripod [ˈtraɪpɔd] *n* тренога
tripper [ˈtrɪpə] *n* турист(ка)
trip up *vi* ставить подножку ✧ *vt* подставлять ножку
trite [traɪt] *adj* избитый
triumph [ˈtraɪəmf] *n* торжество; триумф ✧ *vi:* **to ~ (over)** торжествовать (над)
triumphal [traɪˈʌmfl] *adj* триумфальный
triumphant [traɪˈʌmfənt] *adj* торжествующий; победный
triumphantly [traɪˈʌmfəntlɪ] *adv* торжествующе
trivial [ˈtrɪvɪəl] обыденный, тривиальный; незначительный; пустой *(о человеке)*
triviality [trɪvɪˈælɪtɪ] *n* мелочи
trivialize [ˈtrɪvɪəlaɪz] *vt* упрощать
trolley [ˈtrɔlɪ] *n* тележка; *(also:* **~bus***)* троллейбус
trollop [ˈtrɔləp] *n* лахудра
trombone [trɔmˈbəun] *n* тромбон
troop [truːp] *n* отряд; группа; стадо ✧ *vi:* **to ~ in/out** входить строем; **~s** *npl (воен.)* войска; **a ~ of children** стайка ребятишек
trooper [ˈtruːpə] *n (воен.)* кавалерист; солдат; конный полицейский
trophy [ˈtrəufɪ] *n* трофей
tropic [ˈtrɔpɪk] *n:* **~s** тропики; **in the ~s** в тропиках; **T~ of Cancer/Capricorn** Тропик Рака/Козерога
tropical [ˈtrɔpɪkl] *adj* тропический
trot [trɔt] *n* рысь ✧ *vi* идти рысью; плестись рысцой; **on the ~** подряд
trot out *vt* приводить; сыпать
trouble [ˈtrʌbl] *n* затруднение; беспокойство; хлопоты ✧ *vt* беспокоить ✧ *vi:* **to ~ to do** побеспокоиться; **~s** *npl (полит.)* беды; **to be in ~** иметь неприятности; быть в беде; **to have ~ doing** с трудом мочь; **to go to the ~ of doing** заботиться о том, чтобы; **it's no ~!** это никак не затруднит меня; **it's too much ~** слишком много хлопот; **please don't ~ yourself** пожалуйста, не беспокойтесь; **the ~ is ...** беда в том, что ...; **what's the ~ ?** где неполадки?, в чем там дело?; *(мед.)*

T

что Вас беспокоит?; **stomach ~** больной желудок
troubled [trʌbld] *adj* в постоянной тревоге; бедствующий; беспокойный
trouble-free [ˈtrʌblfriː] *adj* без происшествий
troublemaker [ˈtrʌblmeɪkə] *n* смутьян
troublesome [ˈtrʌblsəm] *adj* проказливый
trouble spot *n (воен.)* горячая точка
troubling [ˈtrʌblɪŋ] *adj* тревожный
trounce [trauns] *vt* разбивать
troupe [truːp] *n* труппа
trousers [ˈtrauzəz] *npl* брюки; **short ~** штаны
trouser suit *n* брючной костюм
trousseau [ˈtruːsəu] *n* приданое
trout [traut] *n inv (зоол.)* форель
trowel [ˈtrauəl] *n* совок; мастерок
truant [ˈtruənt] *n:* **to play ~** прогуливать
truce [truːs] *n* перемирие
truck [trʌk] *n* грузовик; открытая товарная платформа
trucker [ˈtrʌkə] *n* водитель грузовика
truck farm *n* овощеводческая ферма
trucking company *n* грузовая транспортировка
truculent [ˈtrʌkjulənt] *adj* свирепый
trudge [trʌdʒ] *vi (also: ~ along)* плестись; тащиться
true [truː] *adj* настоящий; истинный; точный; прямой; центрированный; **to come ~** сбываться; **~ to life** жизненный
truffle [ˈtrʌfl] *n* трюфель
truly [ˈtruːlɪ] *adv* по-настоящему; искренне; **yours ~** искренне Ваш
trump [trʌmp] *n (also: ~* **card)** козырь; **to turn up ~s** подавать руку помощи
trumped-up [trʌmptˈʌp] *adj* сфабрикованный
trumpet [ˈtrʌmpɪt] *n* труба
truncated [trʌŋˈkeɪtɪd] *adj* обрезанный; сокращенный
truncheon [ˈtrʌntʃən] *n* дубинка
trundle [ˈtrʌndl] *vt* катить ◊ *vi:* **to ~ along** брести; катиться
trunk [trʌŋk] *n* ствол; туловище; хобот; **~s** *npl (also:* **swimming ~s)** плавки
trunk call *n (телеф.)* междугородные переговоры; междугородный звонок
truss [trʌs] **1.** *n* охапка; большой пук *(сена, соломы); мед.* бандаж; *стр.* балка; ферма **2.** *v* увязывать *(сено);* связывать *(птицу при жаренье);* скреплять
truss (up) *vt* перетягивать бечевкой; связывать
trust [trʌst] *n* доверие; долг; *(юрид.) управление имуществом по доверенности; (комм.)* трест ◊ *vt* доверять; **to ~ (that)** полагать (что); **to ~ sth to sb** доверять что-н. кому-н.; **to take sth on ~** принимать что-н. на веру; **in ~** *(юрид.)* управляемый по доверенности
trust company *n (комм.)* трест
trusted [ˈtrʌstɪd] *adj* преданный
trustee [trʌsˈtiː] *n (юрид.)* попечитель
trustful [ˈtrʌstful] *adj* доверчивый
trusting [ˈtrʌstɪŋ] *adj* доверчивый
trustworthy [ˈtrʌstwɔːðɪ] *adj* надежный; заслуживающий доверия
trusty [ˈtrʌstɪ] *adj* испытанный
truth [truːθ] *n* правда; истина
truthful [ˈtruːθfəl] *adj* правдивый
truthfully [ˈtruːθfəlɪ] *adv* правдиво
truthfulness [ˈtruθfəlnɪs] *n* правдивость
try [traɪ] *n* попытка; проход с мячом ◊ *vt* пробовать ; *(юрид.)* судить; испытывать; **to ~ to do** стараться *or* пытаться ◊ *vi* стараться; пытаться; **to have a ~** пробовать; **I tried a different key** я пытался открыть другим ключом; **to ~ one's (very) best** *or* **one's (very) hardest** стараться изо всех сил
trying [ˈtraɪŋ] *adj* утомительный
try on *vt* мерить; примерять; **to ~ it on** вести себя нагло
tsar [zaː] *n* царь
tub [tʌb] *n* бочка; ванна
tuba [ˈtjuːbə] *n* туба
tubby [ˈtʌbɪ] *adj* упитанный
tube [tjuːb] *n* труба; тюбик; метро; камера; **the ~** телик

tubeless [ˈtju:blɪs] *adj* бескамерный
tuber [ˈtju:bə] *n* клубень
tuberculosis [ˈtjubə:kjuˈləusɪs] *n* туберкулез
tube station *n* станция метро
tubular [ˈtju:bjulə] *adj* трубчатый
tuck [tʌk] *vt* подбирать ✧ *n* выкладка
tuck away *vt* припрятывать; **to be ~ed away** приткнуться
tuck in *vt* заправлять; укрывать ✧ *vi* уминать
tuck shop *n* буфет
tuck up *vt* укрывать
Tuesday [ˈtju:zdɪ] *n* вторник; **it is ~ 23rd March** (сегодня) вторник 23-его марта; **on ~** во вторник; **on ~s** по вторникам; **every ~** каждый вторник; **every other ~** каждый второй вторник; **last / next ~** в прошлый/следующий вторник; **the following ~** в следующий вторник; **~'s newspaper** газета за вторник; **a week / fortnight on ~** во вторник через неделю/через две недели; **the ~ before last** позапрошлый вторник; **the ~ after next** во вторник через неделю; **~ morning/ lunchtime/afternoon/evening** во вторник утром/в обед/днем/вечером; **we'll spend ~ night in Rome** во вторник мы проведем ночь в Риме
tuft [tʌft] *n* пучок
tug [tug] **1.** *v* дергать; буксировать **2.** *n* рывок; буксир(ный пароход) ✧ **~ of war** *спорт.* перетягивание на канате
tuition [tju:ˈɪʃ(ə)n] обучение; **fee for ~** плата за обучение
tulip [ˈtju:lɪp] тюльпан
tumble [ˈtʌmbl] *n* падение ✧ *vi* падать; журчать; скатываться; **to ~ to sth** набрести на что-н.
tumbledown [ˈtʌmbldaun] *adj* полуразрушенный
tumble dryer *n* сушилка для белья
tumbler [ˈtʌmblə] *n* бокал
tummy [ˈtʌmɪ] *n* пузо
tumour [ˈtju:mə] *n (мед.)* опухоль
tumult [ˈtju:mʌlt] *n* шум; суматоха
tumultuous [ˈtju:ˈmʌltjuəs] *adj* бурный
tuna [ˈtju:nə] *n (also: ~* **fish***)* тунец
tune [tju:n] *n* мотив ✧ *vt (муз.)* настраивать, *(авт.)* налаживать; **the guitar is in/out of ~** гитара настроена/расстроена; **to sing in ~** петь чисто; **to sing out of ~** фальшивить; **to be in/out of ~ with** быть в ладу/не в ладу с ; **she was robbed to the ~ of $10000** ограбили на целых $10 000
tuneful [ˈtju:nful] *adj (муз.)* мелодичный
tune in *vi (радио., тел.):* **to ~ in (to)** настраиваться (на)
tuner [ˈtju:nə] *n* блок настройки; **piano ~** настройщик фортепьяно
tune up *vi* настраивать инструмент
tungsten [ˈtʌŋsten] *n* вольфрам
tunic [ˈtju:nɪk] *n* туника
tuning fork [ˈtju:nɪŋ-] *n* камертон
Tunis [ˈtju:nɪs] *n* Тунис
tunnel [ˈtʌnl] *n* туннель; штольня ✧ *vi* прокладывать туннель
tunny [ˈtʌnɪ] *n* тунец
turban [ˈtə:bən] *n* чалма, тюрбан
turbid [ˈtə:bɪd] *adj* мутный; пыльный
turbine [ˈtə:baɪn] *n (тех.)* турбина
turbo [ˈtə:bəu] *n* турбина
turbojet [tə:bəuˈdʒet] *n (авиа)* турбореактивный самолет
turbulence [ˈtə:bjuləns] *n* встречные потоки воздуха
turbulent [ˈtə:bjulənt] *adj* бурный
tureen [təˈri:n] *n* супница; глубокое блюдо с крышкой
turf [tə:f] *n* дерн; торф ✧ *vt* покрывать дерном; **the T~** скаковая дорожка
turf out *vt* выставлять
turgid [ˈtə:dʒɪd] *adj* напыщенный
Turkey [ˈtə:kɪ] *n* Турция
turkey [ˈtə:kɪ] *n* индейка
Turkish [ˈtə:kɪʃ] *adj* турецкий ✧ *n* турецкий язык
Turkish bath *n* турецкие бани
Turkish delight *n* рахат-лукум
Turkmenia [tə:kˈmi:nɪə] *n* Туркмения
turmeric [ˈtə:mərɪk] *n (кулин.)* куркума
turmoil [ˈtə:mɔɪl] *n* смятение; **in ~** в смятении
turn [tə:n] *n* поворот; номер; оче-

T

T

редь; *(мед.)* вывих ✧ *vt* поворачивать; отворачивать; обтачивать ✧ *vi* поворачиваться; оборачиваться; разворачиваться; переменяться; скисать; изменяться; **he's ~ed forty** ему исполнилось сорок; **a good/bad ~** добрая/плохая услуга; **it gave me quite a ~** это меня сильно испугало; **"no left ~"** *(авт.)* "нет левого поворота"; **it's your ~** твоя очередь; **in ~** по очереди; **to take ~s at sth** делать что-н. по очереди; **at the ~ of the century** на рубеже века; **at the ~ of the year** под конец года; **to take a ~ for the worse** принимать другой оборот; **his health** *or* **he has taken a ~ for the worse** ему сделалось хуже; **to ~ sth into sth** превращать что-н. в что-н.; **to ~ nasty** озлобляться

turn about *vi* поворачиваться

turnabout ['tə:nəbaut] *n* поворот на 180 градусов

turn away *vi* отворачиваться ✧ *vt* отклонять

turn back *vi* поворачивать назад ✧ *vt* вернуть; разворачивать; переводить назад; **to ~ back the clock** повернуть время вспять

turncoat ['tə:nkəut] *n* ренегат, отступник

turn down *vt* отклонять; уменьшать; отворачивать

turned-up ['tə:ndʌp] *adj* вздернутый, курносый

turner ['tə:nə] токарь

turn in *vi* идти на боковую ✧ *vt* сворачивать

turning ['tə:nɪŋ] *n* поворот; **the first ~ on the right** первый поворот направо

turning circle *n (авт.)* окружность поворота

turning point *n* поворотный пункт, переломный момент

turnip ['tə:nɪp] *n (кулин.)* репа

turn off *vi* сворачивать ✧ *vt* выключать

turn on *vt* включать

turn out *vt* выключать; выпускать ✧ *vi* прибывать; **to ~ out to be** оказываться

turnout ['tə:naut] *n* число

turn over *vi* переворачиваться ✧ *vt* переворачивать; **to ~ over to** передавать

turnover ['tə:nəuvə] *n (комм.)* оборот; текучесть; *(кулин.)*: **apple ~** яблочная слойка; **there is a rapid ~ in staff** большая текучесть кадров

turnpike ['tə:npaɪk] *n* магистраль; шоссе

turn round *vi* разворачиваться; поворачиваться

turnstile ['tə:nstaɪl] *n* турникет

turntable ['tə:nteɪbl] *n* вертушка; проигрыватель

turn up *vi* объявляться; находиться ✧ *vt* поднимать; делать выше

turpentine ['tə:pəntaɪn] *n (also:* **turps***)* скипидар

turqueise ['tə:kwɔɪz] *n* бирюза ✧ *adj* бирюзовый

turret ['tʌrɪt] *n* башенка

turtle ['tə:tl] *n* черепаха

turtle-dove ['tə:tldʌv] горлица

tussle ['tʌsl] **1.** *n* борьба **2.** *v* бороться

tut [tut] *int* ах ты!; фу ты!

tutor ['tju:tə] **1.** *n* преподаватель *(в университетах Англии); уст.* домашний учитель **2.** *v* обучать, давать частные уроки

tutorial [tju:'tə:rɪəl] *n (просвещ.)* семинар

tuxedo [tʌk'si:dəu] *n* смокинг

twaddle ['twɔdl] *n* чепуха

twang [twæŋ] *n* протяжный звук; гнусность ✧ *vi* протяжно звенеть ✧ *vt* бренчать

tweak [twi:k] *vt* дергать

tweed [twi:d] *n* твид ✧ *adj* твидовый

tweet [tvi:t] **1.** *v* щебетать, чирикать **2.** *n* чириканье, щебет

tweezers ['twi:zəz] *pl* пинцет

twelfth [twelfθ] двенадцатый

twelve [twelv] двенадцать

twentieth ['twentiθ] *adj* двадцатый; *see also* **fifth**

twenty ['twentɪ] *n* двадцать; *see also* **fifty**

twerp [twə:p] *n* кретин